中國水利史典

松遼卷一

◎中國水利史典編委會 編

中國水利水電出版社

图书在版编目（CIP）数据

中国水利史典. 松辽卷.1 / 《中国水利史典》编委会编. -- 北京 : 中国水利水电出版社, 2015.11
ISBN 978-7-5170-2072-1

Ⅰ. ①中… Ⅱ. ①中… Ⅲ. ①水利史－中国②松花江－流域－水利史③辽河流域－水利史 Ⅳ. ①TV-092

中国版本图书馆CIP数据核字(2014)第112792号

中國水利史典　松遼卷一

作者：中國水利史典編委會　編
出版：中國水利水電出版社
（北京市海淀區玉淵潭南路1號D座　100038）
經售：北京科水圖書銷售中心（零售）
全國各地新華書店和相關出版物銷售網點
排版：北京萬水電子信息有限公司
印刷：北京科信印刷有限公司
規格：184mm×260mm　16开本　37.5印張　696千字
版次：2015年11月第1版　2015年11月第1次印刷
定價：415.00圓

『十一五』國家重大工程出版規劃圖書

『十二五』國家重點圖書出版規劃項目

首批國家出版基金資助項目

中國水利史典

主　　編　陳　雷

常務副主編　周和平　李國英　周學文

副 主 編（按姓氏筆畫排序）

匡尚富　任憲韶　岳中明　党連文　陳小江

陳東明　葉建春　湯鑫華　蔡　蕃　鄭連第

劉雅鳴　錢　敏

中國水利史典

中國水利史典

專家委員會

序一

讀史明今　鑒往知來

經過四年的緊張籌備和編纂,《中國水利史典》開始正式出版。這是貫徹落實黨的十八大精神、加快推動水文化建設的重要舉措,也是功在當代、澤被後人的重大工程。

我國是一個治水歷史悠久的文明古國和水利大國,興修水利、治理水害、消除水患歷來是治國安邦的頭等大事。在長期的治水實踐中,中華民族不僅修建了都江堰、鄭國渠、靈渠、京杭運河、黄河堤防、江浙海塘等衆多舉世聞名的水利工程,而且非常注重對治水歷史的記録整理。早在公元前一百年前後,歷史學家司馬遷就在《史記》中安排專章,記述了從公元前二十一世紀的大禹治水到西漢時期的重大水利事件,第一次提出了以防洪、灌溉、排水、航運、供水爲主要内容的『水利』概念,開了史書專門記録水利史的先河。繼司馬遷之後,我國編纂水利歷史、總結治水經驗、探索水利規律、提供後世借鑒的優良傳統薪火相傳,綿延至今,留下了《河渠書》《水經注》《水部式》《河防通議》《行水金鑑》等諸多彌足珍貴的水利文獻,形成了獨特而豐富的水文化。

盛世修典是中華民族的優秀傳統。我國水利典籍卷帙浩繁、博大精深。但是，經過千百年間朝代更替、戰火兵燹、天災人禍，許多珍貴歷史文獻遺失或毀損。能够保存至今的古代文獻，藏本分散，複本稀少，孤本難求，極爲珍貴。爲了保護好、傳承好、利用好這些古代文化遺産，全面揭示歷代水利事業的輝煌成就，系統總結我國水利發展的歷史規律，傾力打造文化出版精品工程，爲水利改革發展提供可資借鑒的歷史經驗和現實指導，在國家圖書館和國家出版基金管理委員會的精心指導和大力支持下，水利部决定組織編纂《中國水利史典》。

作爲國家出版基金管理委員會批准并首批支持的重大出版項目，《中國水利史典》具有以下五個鮮明特點：一是歷史的厚重性。《中國水利史典》編纂内容上起大禹治水，下迄一九四九年，涉及我國五千年治水歷史，不僅是新中國成立以來實施的最大單項水利出版項目，也是我國乃至世界歷史上文獻最豐富、結構最完整、時間跨度最長、篇幅規模最大的水利典籍集成。其中收録的歷史文獻，記述了江河湖泊的自然狀况及其演變，記述了治水思想和治水方略的歷史變遷，記述了興修水利的艱辛實踐，記述了水利科技的進步歷程，記述了水利規約制度和管理經驗，凸顯了中國治水實踐的歷史縱深感。二是文化的傳承性。中華民族數千年的治水實踐，不僅創造了豐富的物質文明，而且積澱了深厚的文化財富。《中國水利史典》既是對水利歷史文獻的系統整編，也是對中國治水文化的全面梳理，凝聚了中華民族在治水興水漫長歷史進程中積累的科學認識、思想理念。這是祖先留下的寶貴遺産，是中華民族歷史經驗和智慧的結晶，也是中國傳統文化的絢麗瑰寶。三是内容的豐富性。我國現存的水利典籍，僅專著就有上

千種，輿圖、碑刻、拓片、劄子更是不勝枚舉，水利古籍數量之多、領域之廣、内容之豐，居於世界前列。按照編纂方案，《中國水利史典》全書總計十卷，約五十個分册，近五千萬字，可謂鴻篇巨制。在編纂過程中，相關人員充分依托國家圖書館和其他機構的古籍文獻資源，深入查找，廣泛搜集，全面摸清了水利典籍的内容、種類和分布情況，科學厘清了部分文獻記述的來龍去脉和具體特徵，基本做到了應收盡收、精華不漏、系統完整。四是體例的科學性。《中國水利史典》嚴格遵循統一的編纂體例格式，對水利歷史典籍進行甄别、校勘、標點和評注。屬於專門水利著作而内容系統完整的，收録全書；内容涉及門類衆多而水利單獨成篇的，摘録相關篇章；内容豐富而龐雜的，節録水利相關文字和插圖。全書主體部分是經過校點的典籍本身或摘編，全部用繁體字出版，保留了原汁原味。作爲輔助部分的評注，文字簡潔，表述客觀，説理有據，爲讀者閲讀和理解主體部分内容提供了便捷通道。五是編纂的嚴謹性。水利部專門成立編委會，要求各有關單位全力配合、大力支持。爲選准配强編纂隊伍，編委會特别從高校、科研機構選聘了一批綜合素質高、工作責任心强、古文功底深厚、文史水平較高的專家學者參與相關分卷的編纂工作；堅持馬克思主義的立場觀點，堅持科學正確的學術方向，既兼收并蓄、博采衆長、古爲今用，又科學鑒别、去僞存真、去粗取精；建立嚴格規範的工作制度，明確每個環節、每位人員的責任，嚴把選題、大綱、點校、評注以及編輯、出版、印刷等關鍵環節關口，確保了編纂質量的高標準。

『以古爲鑒，可知興替』。當前和今後一個時期，是全面建成小康社會的關鍵時期，是加快

轉變經濟發展方式的攻堅時期，也是大力發展民生水利、推進傳統水利向現代水利、可持續發展水利轉變的重要時期。二〇一一年中央一號文件、中央水利工作會議對水利改革發展作出全面部署，黨的十八大把水利放在生態文明建設的突出位置，提出了新的更高要求。《中國水利史典》的出版，爲當前水利工作提供了寶貴的歷史借鑒，爲開展現代水利科學研究提供了深厚的文獻基礎，對於豐富和完善可持續發展治水思路，推進民生水利新發展，加快水生態文明建設，具有重要的現實意義和深遠的歷史影響。我們要充分吸收借鑒歷史實踐的經驗智慧，緊緊抓住用好治水興水的戰略機遇，在新的歷史起點上加快推進水利改革發展新跨越，讓江河更加安瀾，山川更加秀美，人民更加安康，讓水利更好地造福中華民族。

是爲序。

中華人民共和國水利部部長 陳雷

二〇一三年七月

序二

汲古潤今　嘉惠萬代

盛世修史治典是中華民族的優秀傳統。水利部組織相關領域專家，系統整理我國水利典籍，編纂《中國水利史典》，全面揭示我國歷代水利事業的輝煌成就，系統總結我國水利發展規律，爲當今水利建設提供借鑒，是一項功在當代、嘉惠子孫的重要文化建設項目。

中國幅員遼闊，從世界屋脊的青藏高原到東海之濱，黄河、長江蜿蜒流轉，奔流不息，經歷高山峽谷、草地平原，造就了獨具特色的景觀。巨大的落差和磅礴的水系，也使生活在這片土地上的人們很早就懂得涵養水源、興修水利，疏通河渠，造福生靈，中國的江河水利哺育滋養了璀璨的中華文明。

中國作爲一個歷史悠久的農業大國，歷來重視水利建設，它不僅是農業的命脉，也是治國安邦的要務。從大禹治水至今，涌現出許多可歌可泣的治水英傑，留下了許多造福萬代的水利工程。《元史·河渠志》中曾説：『水爲中國患，尚矣。知其所以爲患，則知其所以爲利。』歷代王朝都十分關注水利建設，康熙皇帝親政之初即把河務、漕運和三藩等三件大事寫成條幅懸挂

堂中，作爲立國根本。一部中華民族繁衍發展史，在很大程度上也是中華兒女興水利、除水害的歷史。中華先賢不斷總結治水經驗和規律，留下了卷帙浩繁的水利典籍，數量和内容之豐富，都居於世界前列。這些典籍至今仍閃耀着光芒，是我們治水興國的重要鏡鑒。

早在先秦時期，《禹貢》《管子》《周禮》《考工記》等典籍中，就記有全國水土資源、水流理論、渠系設計、測量方法、施工組織及管理維修等知識。吕不韋等編修《吕氏春秋》，最早提出水文循環原理。西漢時期，著名史學家司馬遷在《史記》中就有記載水利的篇章——《河渠書》，該書記載了從大禹治水到漢武帝黄河瓠子堵口這一歷史時期内一系列治河防洪、開渠通航和引水灌溉的史實。後世的《水經注》、正史中的《河渠志》以及《農政全書・水利》等，均是水利文獻中的代表作。隨着水利事業的發展，唐代中央政府頒行了我國第一部水利管理法規——《水部式》。這部珍貴法規二十世紀初在敦煌出土後被伯希和劫走，現藏法國國家圖書館。一九三五年，國立北平圖書館（國家圖書館前身）派員把這部珍貴文獻拍照帶回。《水部式》有二千六百多字，内容包括農田水利管理、航運船閘和橋梁渡口管理、漁業和城市水道管理等内容。《水部式》還規定，水利管理的好壞將作爲有關官吏考核晋升的重要依據。中華民族善於學習，兼收并蓄，明末徐光啓與傳教士熊三拔合譯的《泰西水法》，結合中國水利具體情況，經過實驗後，編譯成書，圖文并茂地記述了往復抽水機、螺旋提水車、雙筒往復抽水機等水利機械的結構和製造方法，以及修建蓄水池和鑿井的基本方法，爲近代西方水利技術的引進開了先河。

在衆多存世的河渠水利文獻中，各種類型的河工輿圖最能直觀描繪水利狀況，尤以明清時

代河防工程體系形態最爲重要，如黄河河工輿圖上的提示，明確了各種堤防適合在哪一段工程中使用，如果配合文字史料，就可以細化黄河水利史的研究。又如在運河輿圖上有大量詳盡的文字注記，對沿途各程站的名稱與間距、運河水閘間里程、運河沿綫湖泊大小和儲水量多少、運河與其他水道通塞情况、各運河廳管段交界等狀况均有詳細的文字記述，可以通過地圖上的景物、地名與注記逐一對應，至今仍有重要的參考價值。

這些古代水利典籍，是中華民族的寶貴經驗和智慧結晶，源遠流長，博大精深，有待進一步整理、揭示、傳承、利用，這正是編纂出版《中國水利史典》的重要意義所在。

國家圖書館是全國最大的古籍收藏機構，也是古今水利典籍收藏數量最多的單位之一。在這些古籍和民國文獻中，有大量具有重要價值的水利史典籍。特别是有關河渠水利的地方文獻、金石拓片、輿圖資料和老照片檔案等，内容豐富，頗具特色。這些典籍，有的記録江河湖海的自然狀况，有的反映河渠水利的修造過程，有的闡述治水防灾的方略，有的彰顯造福百姓的德政，不乏精品，有重要借鑒意義。新中國成立後，水利部門爲了治河防洪，曾充分利用國家圖書館收藏的古舊河道圖。如一九六四年，水電部水利史研究室、水電部北京勘測設計院根據毛主席『一定要根治海河』的指示進行重大水利工程建設，制定漳、衛、滏陽、滹沱等河流域的治水方案，爲此查閲了當時國家圖書館收藏的各地清代河道圖一百餘種，爲工作的順利開展提供了文獻保障。

二〇〇七年，國務院下發《關於進一步加强全國古籍保護工作的意見》後，古籍整理及利

用受到更多關注。《中國水利史典》作爲古籍整理的重要工程，一定會成爲名山之作，傳之後人。

國家圖書館館長
國家古籍保護中心主任
周和平

二〇一三年七月

編纂説明

《中國水利史典》是中華人民共和國成立以來首次全面系統整編水利歷史文獻的大型工具書。它全面記録了我國歷代水利事業的輝煌成就，系統呈現了我國水利發展規律，可爲現代水利建設提供借鑒。它既是梳理歷代治水脉絡、服務現代水利的大型出版工程，也是傳承治水文明、弘揚中華水文化的重要文化工程。

二〇〇七年，中華人民共和國國務院批准設立了『國家出版基金』，這是繼『國家自然科學基金』『國家社會科學基金』之後設立的第三大文化類基金。經過申請，二〇〇九年《中國水利史典》被國家出版基金管理委員會批准爲首批支持的項目，并被新聞出版總署列爲『十一五』『十二五』國家重點圖書出版規劃項目。二〇一〇年，水利部決定成立《中國水利史典》編纂委員會（以下簡稱編委會），負責領導全書編纂工作，并成立了編委會辦公室和專家委員會。編委會辦公室設在中國水利水電出版社。

中華文明有三千多年連續的文字記録，其中關於防洪、灌溉、水運等治水的文獻，爲人們提

供了寶貴的歷史借鑒。紀傳體史書《二十五史》中的水利專篇《河渠志》，是中國水利史的縮編；以《資治通鑑》爲代表的編年體史書記載了歷代有重大影響的水利項目；歷代紀事本末體史書把散見於不同年代的同一水利項目編輯在一起；歷朝的會要、實録是歷史事實的原始記録，水利内容豐富。在古代行政管理及法制文獻中，也有如唐《水部式》、宋《農田水利條約》等十分珍貴的資料。大量現存的關於流域綜合治理的水利專志，是研究江河湖泊及其治理的重要依據，如明代《問水集》《河防一覽》《漕河圖志》《漕運通志》《浙西水利書》等。此外，清代編寫的《行水金鑑》《續行水金鑑》等水利史料彙編性圖書，分别摘録了黄河、長江、淮河、濟水和運河從遠古傳説到清代的水利史實。古代科技著作中亦不乏水利記載，如宋代著名科學家沈括的《夢溪筆談》、元代王禎的《王禎農書》和明代徐光啓的《農政全書》等著作中都有關於河湖和水利的内容，有的還比較詳細。

爲把這些浩如烟海的水利文獻有序整理出版，《中國水利史典》分爲十卷，分别是綜合卷、長江卷、黄河卷、淮河卷、海河卷、珠江卷、松遼卷、太湖及東南卷、運河卷和西部卷。其中，綜合卷收録的主要是全國性和跨流域的水利文獻，長江卷、黄河卷、淮河卷、海河卷、珠江卷、松遼卷六卷以相關流域範圍内水利文獻爲主，太湖及東南卷收録的主要是太湖流域、浙、閩、臺地區流域、獨流入海河流及海塘的文獻，運河卷收録的主要是京杭運河及全國性運河的文獻，西部卷包括西北和西南地區流域的水利文獻。

《中國水利史典》所收録的文獻時間範圍確定爲從有文字記載開始至一九四九年止。每卷

分爲若干册，每册書一百萬字左右，收録一种文獻（稱爲編纂單元）或數种文獻，主要采用標點、校勘、注釋等方式，并增加整理説明、前言、後記等内容重新排版後付梓。

本次水利古籍整理工作的原則是：句讀合理、標點正確，校讎細緻，校勘有據。主要工作如下：

一、對原文獻分段，逐句加標點。標點遵循GB/T 15834—2011《標點符號用法》。

二、對原文獻進行校勘。凡有可能影響理解的文字差異和訛誤（脱、衍、倒、誤）都標出并改正，如有必要再以校勘記進行説明，校勘記置於頁末，文中校碼〔一〕〔二〕〔三〕……緊附於原文附近。正文改字在正文中標注增删符號，擬删文字用圓括號標記，正確文字用六角括號標記，如把擬删的『下』改成『卜』，格式爲『（下）〔卜〕』。

三、對於史實記載過於簡略、明顯謬誤之處，以及古代水利技術專有術語，專業管理機構，工程專有名稱、名詞等，進行簡單注釋。

四、整理後的文獻采用新字形繁體字。除錯字外，通假字、異體字原則上保留底本用字，不出校。

五、每個編纂單元前，有文獻整理人撰寫的『整理説明』。其主要内容包括：文獻的時代背景，作者簡介及其主要學術成就，文獻的基本内容、特點和價值，文獻的創作、成書情況和社會影響，本次整理所依據的版本及其他需要説明的問題。

六、每册書前，有卷編委會或卷主編撰寫的『卷前言』。其主要内容包括：本分卷涵蓋的水域範圍及其地理、水文、水資源基本特點，水域範圍内主要的古代水利事件、水利工程、水利典籍及其在現代水利中發揮的借鑒作用和參考實例，本分卷典籍入選原則，與編纂有關的、需要特别説明的問題，編纂組織工作簡介。

七、整理過程中，有根據文獻收録情況撰寫的『後記』。其主要内容包括：本册選取編纂單元的原則以及需要重點提示的問題，本册書不同編纂單元中有關職官、異體字等内容在點校工作中不同於其他分册的問題，本册書成稿過程中需要特别向讀者説明的事情。

八、爲便於檢索，書籍出版時在雙頁面加『中國水利史典　分册名』書眉，單頁面加『編纂單元名　篇章名』書眉。

九、爲保持文獻歷史原貌，本次整理不對插圖進行技術處理。

《中國水利史典》的編纂出版得到了水利行業及社會各界的廣泛關注和大力支持。水利部長江水利委員會、黄河水利委員會、淮河水利委員會、海河水利委員會、珠江水利委員會、松遼水利委員會、太湖流域管理局、中國水利水電科學研究院等單位承擔了相關分卷的編纂工作。國家圖書館、國家古籍保護中心、中國科學院、中國社會科學院、清華大學、北京大學、北京師範大學、南開大學、中華書局等單位爲本書的編纂出版提供了積極的幫助。本書的點校專家、審稿專家、編纂工作組織者、編輯出版人員亦付出了巨大努力，在此誠表謝意。

《中國水利史典》是連接歷史水利與現代水利的橋梁，搭建這座橋梁工程浩大，編校繁難，在編纂出版過程中難免存在疏漏與錯誤，歡迎讀者、專家批評指正。

《中國水利史典》編委會辦公室

中國水利史典　松遼卷

前言

《中國水利史典》是一部系統彙編中國歷史上水利文獻的大型工具書，《松遼卷》爲其分卷之一。

松遼流域泛指東北地區，行政區劃包括黑龍江、吉林、遼寧三省和内蒙古自治區東部三市一盟以及河北省承德市的一部分。流域總面積一百二十四點九萬平方公里，西、北、東三面環山，與俄羅斯、朝鮮、蒙古接壤，南臨黄海、渤海。松遼流域分爲松花江、遼河兩大水系，主要河流有遼河、松花江、額爾古納河、黑龍江、烏蘇里江、綏芬河、圖們江、鴨緑江以及其他獨流入海河流等。其中，黑龍江、烏蘇里江、綏芬河、圖們江、鴨緑江爲國際河流。松遼流域地處温帶大陸性季風氣候區，部分地區屬寒温帶氣候，多年平均水資源量一千九百九十億立方米，年内降水主要集中在六至九月，多年平均降水量三百至一千二百毫米，東北部較多，西部較少，且降水年際變化很大。

自有文字記載以來，東北作爲一個地區就已載入典籍。最早把東北載入典籍當推《尚書·禹貢》，把遠古中國劃分『九州』，其中『冀州』，已涵蓋今遼寧省西部地區，『青州』轄境則包含今遼寧省南部主要是遼東半島。自明代以後，東北地區又有了『關東』這一新名稱。此稱之

義，是指山海關以東的地方，包括今遼寧、吉林、黑龍江三省，泛稱關東。又以山海關爲隔，則有『關裏（内）』『關外』之别稱。『東北』一詞始於近代。辛亥革命後，特别是張學良宣布東北易幟後，中華民國開始用『東北』來取代清朝發祥地的原有名稱『滿洲』。在中國，用『東北』或者『東三省』『東北三省』來稱呼遼寧、吉林和黑龍江這三個省份。後來東三省的西部劃入内蒙古自治區，因此内蒙古東部（東四盟）也屬於東北地區。

從歷史學角度看，東北有廣義和狹義之分。廣義的東北指代一六八九年《中俄尼布楚條約》之前清朝在東北方向上的全部領土。大致上西迄貝加爾湖、葉尼塞河、勒拿河一綫，南至山海關，東臨太平洋，北抵北冰洋沿岸，囊括整個亞洲東北部海岸綫，包括楚科奇半島、堪察加半島、庫頁島、千島群島。遼東是東北南部的地理概念，一度用來指代廣闊的東北地區。歷史上的遼東一度包括漢四郡（朝鮮半島漢江流域以北大部分地區）。狹義的東北指遼寧省、吉林省、黑龍江省，或指該三省加上内蒙古自治區東部。

綜上所述，本卷所涉地域『東北省』有其特殊的历史政治特征，且收録的文献多爲民國时期作品，故内容具有明显的時代特色，如《滿洲國水道源流考略》等。爲保持文献原貌，除个别地方外，此次整理不作过多修改，特此説明。

我國典籍，浩如煙海。《中國水利史典·松遼卷》首先選擇的是記述東北地區江河、湖泊的自然狀況及其演變过程的典籍。東北地區河流流域面積大於一千平方公里的計有二百多條，在清朝之前僅雜見於卷帙浩繁的各代史籍或地理志之類書籍中，並且很多河流名歧字異，記述極爲簡略。乾隆年間雖然纂輯了《滿洲源流考》，但對於河流也僅僅是地名、河名的更正，而對

某河源於何山、經於何處、終於何地却無更多記叙。《滿洲國水道源流考略》作者參考了上自《漢書》下迄《滿洲國鐵道圖》等大量歷史文獻，達一百五十九種之多，記載了東北地區由北至南衆多河流的發源、經過和歸宿，且由松遼流域緯度最高、最大河流黑龍江始，止於松遼流域緯度最低、目次内最小之小凌河，其條理、脉絡由大至小，由北至南，清晰之至矣。

其次，選擇記録人類認識江河、湖泊並不斷親近江河、湖泊的深化過程的典籍，如《洮河防導計劃書》。書中提出的洮兒河流域和洮兒河的治理計劃，内容豐富，值得借鑒：一是對工程的重要性和迫切性進行了充分的論證，提出了正確認識洮兒河及其支流與農田物産、交通運輸的關繫，指出了對洮兒河正確防導的重要意義；二是深入調查研究，采納各種治洮建議之所長，形成了比較詳細的疏浚、築堤、施工、籌款計劃，爲大規模治理奠定了良好的基礎。

再次，選擇總結流域内水利建設從無到有、從簡單到複雜、從低效到高效豐富實踐經驗，包括相關科學技術的進步、管理經驗的積累等的典籍，如《東北水利述要》，其綜述了東北地勢、河流及湖泊、氣象、水文狀況；詳述了遼河水係、北部水係、鴨緑江水係及附近河流，凌河水係以及圖們江水係相關的灌溉、水電、航運、給水、港埠等狀況，另記述了松遼運河規劃。書中涉及大量數據並配有相關專業表格，對研究東北水利發展歷史具有一定的史料價值。

《中國水利史典·松遼卷》涉及歷史久遠，雖經反復句讀、審讀，力求符合歷史真實，但不足或錯誤之處仍屬難免，切望讀者批評指正。

《中國水利史典·松遼卷》主編

目録

〔清〕徐宗亮 撰

黑龍江述略

姜智 整理

整理說明

《黑龍江述略》是晚清學者徐宗亮於光緒十六年（一八九〇年）所撰。全書共分六卷，卷一疆域、卷二建置、卷三職官、卷四貢賦、卷五兵防、卷六叢事。前五卷，記載專一，可以知其梗概。在『疆域』中，作者敘述了黑龍江省的方位、江河，尤其是疆域的變化及大片領土被沙俄蠶食和鯨吞的經過。在『建置』中，記述了省内黑龍江（瑷琿）、蔔魁（齊齊哈爾）、墨爾根（嫩江）等七城建置經過及設施情況。此外還涉及省内台站、卡倫、電報局的設置。『職官』爲黑龍江將軍及其屬吏的設置情況。『貢賦』系記土貢、田賦、税項，尤其是對旗屯、民墾、礦務做了詳細的論述。『兵防』則記載了全省陸師、水帥的設置及練軍的興起。最後一卷『叢事』則對氣象、風俗、武功、物産發遣、教案等均有著述。全書總計六万七千三百餘字。《黑龍江述略》有關東北邊事的記載，以及對黑龍江史事變遷的敘述，是本書史料價值最爲集中之所在。這是研究清代東北邊事及清代後期黑龍江地區歷史的重要文獻。

清代桐城派學者徐宗亮基於經世致用的學術觀點和禦侮圖存的愛國思想，撰寫了《黑龍江述略》一書，李鴻章爲其作序。這是一部成書雖晚、但記載更爲完備詳實的黑龍江歷史地理著述，是研究黑龍江地方史的第一手珍貴資料。

《黑龍江述略》卷一有與水利有關的敘述，這裏對其節選整理。

本編纂單元點校者爲姜智，審稿者爲蔣超、謝永剛、馮明祥。不當之處請批評指正。

整理者

序

中國山川，莫尊於遼東。自阿爾泰山，一支萬折，（旁薄）〔磅礴〕而來，爲外興安嶺。敖嫩河發其南，雷勒納帶其右，西包絡喀爾喀部。錯出俄羅斯界，奔湊縈會，俛乎中原，剛氣必宣，鬱不遽洩，喻望所見，至黑龍江盡海而止。蓋昆侖北幹，極於艮維，成始成終，勢蓄未已，天地所設嶮，王公所慎固，華戎所界，絶而綢繆也。黑龍江行省，創置於康熙二十一年，經營大定於二十八年，而重訂界約於咸豐十一年。其閒旗屯游牧，一切措注細大之事，官私著述賾矣、備矣。獨自咸豐改界以來，邊事日益重，交際日益繁。桐城徐君茉岑，有感乎是，櫜筆所至，奮讀官中書，近據見聞所及，爲《黑龍江述略》六卷，舉凡疆域、建置、職官、貢賦、兵防、叢事，靡不緦理而甄録之。引古籌今，不隨不激，韡矣哉。此經世實用之書也。夫樹國必務本，本立則勢張，天地之氣萃於邊迾，陰陽摩盪，變動光明，運際所極，有開必先，則地利與人事爲轉輸可知也。方今漠外沙磧，縱横萬部，鎮將如是其相望也，戍卒如是其多也，臺站如是其密也，殊鄰之人近接户闥，金寶之氣溢乎絶境，蹲蹲介乎屈强之閒。射景而刺蜚，抵隙而思逞，獨恃萬潼億毳爲當關之寄，喀倫鄂博爲金城之固，蹈常狃故，塗人耳目，不知變通以盡其利，豈所以渟息時會，而劑大烈於無外哉？是書於分界之得失，兵屯之緩急，壯政之實耗，以及設官初制之未善，分旗積習之難移，目擊悼心，若茹大鯁，不憚反復推論，以究其利病，可謂極志士之悁憤已。古今瑰瑋非常之端，往往創於書生憂患之所得。龔氏自珍議西域行省於道光朝，而卒雄成於今日，則君之蓄，將必有所試。予獨偉其五十之年，身行絶塞，矻矻著書，閔人憂世之心惻然滿抱，談笑精悍，無復當年相從爲文士之習，海内不姹君狂矣。

光緒十有五年秋八月合肥李鴻章序

目録

黑龍江省經制事宜，見官書者，舊坿《盛京通志》，而私家紀述，則有方式濟氏《龍沙紀略》，西清氏《黑龍江外紀》，至何秋濤氏《朔方備乘》，考訂北徼形勢，於黑龍江山河阨塞，尤翔實矣。近自中俄重訂界約，三十餘年，邊防日以重要，宜有專書，備具今昔因革損益之故，庶治國聞者得所擇焉。下走備書其閒，輒據耳目所親，分類輯録，凡六卷。語曰：『利不什，不變法。』又曰：『上策莫如自治。』竊本斯義，坿注鄙見，挾私逞妄之習，矢弗敢蹈，知言者其鑒諸。

光緒十有五年夏四月自識

卷一　疆域

黑龍江省在京師東北三千三百餘里。東以黑龍、松花兩江匯流處爲界，與吉林省屬畢占河接。西以克魯倫河、哈瑪爾山爲界，與蒙古車臣罕部屬接。南以松花江爲界，與吉林省屬伯都訥接。北以外興安嶺脊爲界，與俄羅斯國屬接。東南以松花江爲界，與吉林省屬三姓接。東北以外興安嶺脊爲界，與吉林省屬哈達伍勒河接。西南以雅勒河口爲界，與蒙古科爾沁札賚特部屬接。西北以安巴格爾必齊河（官私書均作格爾必齊河。考：格爾必齊河在康熙年所定，界碑内四百餘里。界碑則安巴格爾必齊河也。）及額爾古訥河爲界，與俄羅斯國屬接。計東至西三千一百餘里，南至北亦三千一百餘里，東南至西北三千七百餘里，東北至西南亦三千七百餘里。咸豐十年，中俄改訂界約，東以黑龍、松花兩江匯流處黑河口爲界，北以黑龍江中分右岸爲界，東北亦以黑龍江中分右岸爲界，其左岸自西北安巴格爾必齊河，至東吉林屬畢占河，原界三千七百餘里，統歸俄屬，而自北外興安嶺脊，至南吉林屬伯都訥，原界三千一百餘里，僅存一千三百餘里。

按：黑龍江省以水爲名，古肅慎氏遺墟，後魏時有黑水部，屬勿吉。遼時始專其號，見史《道宗本紀》。金、元以後，部落散屬，或羈縻臣之，不列版圖。我太祖高皇帝，征尼堪外蘭於鄂勒歡城，在今齊齊哈爾城西南

三十餘里，實始用兵。自是，起天命訖順治，歲遣兵將出征，凡歷三朝二十八年，黑龍江諸部次第服貢，分旗游牧，全境乃定。時諸部有名者，索倫部、薩哈連部、卦爾察部、薩哈勒察部、呼爾哈部，各部附屬。又有屯、城、路諸名，而惟索倫、達呼爾兩部據地爲大，並以驍勇聞焉。黑龍江全境既定，始與俄羅斯國接界，順治九年以後，俄人歲嘗入境侵犯。時目爲羅刹，出師攻討，未臻平定，旋據尼布楚、雅克薩二城，益肆殺掠。康熙二十一年，聖祖仁皇帝乃大遣水陸諸軍，至黑龍江、呼馬爾等處防勦，與雅克薩城對壘，並分路築城、設站、造船、建倉，以資屯運駐守，隨有斬獲降附，而將軍、副都統官，因以設立。至二十五年，遣荷蘭國貿易人持書往諭，俄羅斯國主報書謝罪，始議分界立約，以永和好。二十八年，內大臣索額圖公與俄羅斯使臣費要多羅，定議於尼布楚城，遂以滿、漢、蒙古及俄羅斯、喇地諾五體字，刊界碑於安巴格爾必齊河、額爾古訥河等處。其界約二則：一、將由北流入黑龍江之綽爾諾，即烏倫穆河相近格爾必齊河爲界。循北(一)河上流不毛之地，有石大興安嶺，以至於海，凡嶺南一帶流入黑龍江之溪河，盡屬我界。其嶺以北一帶之溪河，盡屬俄羅斯國界。一、將流入黑龍江之額爾古訥河爲界，河之南岸盡屬於中國，河之北岸盡屬於俄羅斯。其南岸之眉勒爾喀河口，所有俄羅斯房舍遷移北岸云云。先是索額圖公奏言：『查俄羅斯所據尼布楚，係我茂明安部游牧之所，雅克薩係我達呼爾總管倍勒爾故墟，原非羅刹所有，亦非兩界隙地也。況黑龍江最爲扼要，未可輕忽視之。由黑龍江而下，可至松花江，由松花江而下，可至嫩江，南行可通庫爾瀚江及烏拉即吉林、甯古塔、錫伯、科爾沁、索倫、達呼爾諸處，若向黑龍江口俱合流於黑龍江，環江左右均係我屬，俄倫春、奇勒爾、畢喇爾等民人，及赫真、費雅喀所居之地，不盡取之，終不獲安。臣以爲尼布楚、雅克薩，黑龍江上下，及通此江之一河一溪，皆屬我也，不可棄之於俄羅斯。又我之逃人，悉應索還，如一一遵行，與之畫界貿易，否則不與彼和矣。』嗣奉諭旨，以尼布楚爲兩國貿易之所，左岸以格爾必齊河爲界，右岸以額爾古訥河爲界，而雅克薩城仍歸我境焉。雍正五年，申明定例，俄羅斯國亦報如約。咸豐八年，內省髮捻寇起，英人復滋擾廣東，俄羅斯國忽起分界之議，黑龍江將軍奕山公奉旨，與俄使木哩斐岳幅會勘定約。四月五日，奕山公至黑龍江城，十日木哩斐岳幅赴議，十五日議定界約大概，隨奏陳辦理情形。其略曰：『俄使木哩斐岳幅至黑龍江城，與臣會晤，隨帶

(一) 據上下文義，『北』應爲『此』。

通事，以清語傳説，前因防範英夷由黑龍江往來行駛，左岸蓋房存居，今年續有數百人船前來屯兵，助防英夷，於我兩國均有裨益。黑龍江一帶，本係俄國地方，現在江左存居滿洲屯户，均應遷移江右，彼此互免猜嫌，如有需費，俄國供給。至兩國界址，自河比奈嶺迤東，至額爾古訥河，入黑龍江、烏蘇里江、松花江至海，凡沿河各岸，一半可屬中國，一半可屬俄國，江内只准我兩國人行船，他國船不准往來。再俄國已經咨行中國理藩院，嗣後各海口處應一體通商，各派官員照管，黑龍江城亦照此辦理。我二人均係將軍之職，各奉主命會辦分界之事，即可定准對换印文，兩國安静，各守各界等語。臣答以中國與俄國分界，以格爾必齊河、興安嶺爲限，遵行二百餘年，並無更改。今若照爾等所議，斷難遷就允准。至通商一節，黑龍江並無出産，且民情凶悍，易生嫌隙。爾等宜即將人衆撤回，以全和好。該使乃指畫自帶輿圖，爭執不休，至暮未定，約以明日寫字前來而去。次日，該使帶清字俄文到城面遞，詳加譯看，更屬荒謬，臣比即面還，不收而去。旋派員送回，復令通事到城面遞，並稱兩國和好，今將黑龍江左岸，北自精奇里河，南至霍勒莫爾津屯，其中舊居滿洲屯户，仍令照常永遠安居。其餘空曠地方，均與俄國爲界，以便屯兵，防範英夷。通商一事，仍照海口等處章程辦理，各派人員照料。其額爾古訥河、黑龍江、烏蘇里江、松花江至海，凡沿岸一半屬中國，一半屬俄國爲界，江中只准我兩國人、船行走，不准他國往來等語。臣伏思疊奉諭旨，均以不啟邊釁爲要，而俄人頻歲由江往來，起屋屯兵，多備糧械。又聲言，夏間加派兵將續來，以防英夷，意殊叵測。現在内省賊氛未靖，軍餉支絀，吉林、黑龍江兩省兵丁出征未回，礙難輕啟兵端，再四思維，與其張皇於事後，莫若慎籌於事前。查所議請，黑龍江左岸舊居屯户之外空曠地方，給與存居及江中准其行船，均與我屯丁耕作生計無防〔一〕，暫遂其欲，庶可免生枝節。其河比奈嶺、額爾古訥河等處，本係原界，無庸另議。通商之事，則凡海口地方，均經照准，黑龍江自可一體辦理，以免滋擾。惟該使文内，以河爲界字樣，應議删改，而烏蘇里江、松花江等處，皆屬吉林地界，應由吉林將軍核辦。此即備文，前赴該使相商，迴報明日入城續議。次日該使仍帶清字俄文到城面遞，『以河爲界』四字，載明未改。臣此即正言駁議，該使大怒，收文而去，通事留言，明日備文再商。是夜，左岸礮聲不絶，陸屯水船，號火極明，屯户男女環赴黑龍江城副都統衙門，泣求保

〔一〕據上下文義，『防』應爲『妨』。

護。臣一面派員密撫屯户，毋稍驚擾，致生事端；一面派員前赴該使，權以問好爲詞，藉偵虚實。該使當令通事傳説，我與將軍會晤數次，所議界址條款多不允准，專以奏明酌定，藉詞推脱。現今俄人在吉林闊呑、奇集等處，屯居有年，將軍豈不知之？彼處有俄兵保護，英人不敢來擾，且兩國議界，前已咨行理藩院，並未駁回。左岸滿洲屯户，我能主掌，不令遷徙，將軍既奉命分界，豈難立予定奪？今既前來問好，尚有和睦之意，明日我令通事寫字前往，將軍若照事辦理，即對換畫押字文，彼此爲憑，如其不能，我先將左岸滿洲屯户，遣兵驅逐，不准存居等語。次日通事帶清字俄文到城，臣詳閲一過，已將江左屯户居處讓出開寫。此外本係空曠地面，現無居人，較前甚爲簡明。該使前後舉動，詭譎異常，無非爲圖佔江左起見，若不從權酌辦，徑執舊例分界爲言，兵釁立起，實不知如何結局，於東三省邊疆大有關礙，不揣冒昧，照給書押文字，以紓眉急。』嗣奉諭旨：『從權辦理，勢非得已，所請通商之事，即著奕山，體察情形，妥籌條約。其界約一則：一、黑龍江、松花江左岸，由額爾古訥河至松花江海口，作爲俄羅斯國所屬之地。右岸順江流至烏蘇里江，作爲大清國所屬之地。由烏蘇里江往彼至海所有之地，如同接連兩國交界明定之閒地方，作爲兩國共管之地。由黑龍江、松花江、烏蘇里江，此後只准中國、俄國行船，各別外國船隻，不准由此江河行走。黑龍江左岸，由精奇里河以南至豁爾莫勒津屯，原住之滿洲人等，照舊准其各在所住屯中永遠居住，仍著滿洲國大臣官員管理。俄羅斯人等和好，不得侵犯。』云云。咸豐十一年，中俄大臣會同查勘，以中俄文分立界牌，如約。

黑龍江省今在齊齊哈爾城，西南距奉天省一千八百餘里，東距吉林省一千四百餘里。由京師出關凡三道：一由奉天省歷吉林省，爲東道，俗稱御路。一由奉天省出法庫門歷蒙古草地，爲北道。一由奉天省出法庫門歷吉林省屬長春、伯都訥，爲中道。東道則官司奉公馳驛者由之，北、中二道則仕商因時取徑者由之。省城西至呼倫貝爾城八百四十里，凡十七臺。西北至布特哈城三百四十里。南至茂興站四百五十里，接吉林省屬伯都訥界，凡八站。又東南至呼蘭城三百七十七里，凡六臺。又南至呼蘭廳城一百五十里，凡二臺。又北至綏化廳城二百二十里。北至墨爾根城四百五十里，凡六站。又北至黑龍江城二百二十四里，凡四站。又北至大黑河屯七十里，接俄羅斯國屬左岸界。東北至興安城五百八十里。咸豐十一年以前，號全省六城，其興安城、呼蘭廳城、綏化廳城，皆同治、光緒年閒陸續增設。

按：黑龍江省南境寬坦無山，自奉天出法庫門後，日行平阜，漸起漸高，無俯瞰低下勢，風沙閒起，亦

不至如西域大漠。惟三四月間，積雪春融，水潦縱横，處處有哈湯閒之，六七月江漲時亦然。商民於此兩時，輒止不行。其諸城往來道路，一依臺站，而取徑便捷，亦多有之。以東往吉林省屬爲最，地名里數，頗叢雜難考。至赴京師一路，有由蒙古草地轉至喜峰口入關者，視由奉天徑三分之一。材官遞急奏，去來不及一月，往往以此邀賞。西北諸路，則距省百里以外，峰巒稠疊，溪澗縱横，竟日或不逢一人，穿樹越林而過。至内興安嶺迤西，蓊鬱尤甚，松柞蔽天，午不見日，風景絶佳。間有石洞，天然几榻，足供行人憩息焉。

黑龍江省與吉林省屬接者，曰伯都訥城、曰雙城堡城、曰阿勒楚喀城、曰三姓城，皆在南界。乾隆二十七年，吉林將軍奏稱：『三姓西至阿勒楚喀，地勢闊遠，文書往來未便，請在呼蘭屬巴彦蘇蘇以東，借地設站五。』五十三年又奏稱：『三姓地方偪仄，控制失宜，請在呼蘭屬固木訥古城，西至色阿里哈達，設封堆十二，南歸三姓，北歸呼蘭。』皆今呼蘭三城屬地。曰黑河口，在東界。與蒙古部屬接者，曰郭爾羅斯、曰杜爾伯特、曰札賚特、曰科爾沁、曰烏珠穆沁、曰喀爾喀車臣罕，皆在西南界。與俄羅斯國屬接者，曰黑河口。呼蘭城境與吉林省屬接，在東北界曰黑龍江。黑龍江城境在北界曰額爾古訥河。呼倫貝爾城境在西北界。其江左俄羅斯國屬界内，原住滿洲旗月〔一〕四十三屯，東以精奇里河口横至格爾沁河爲界，西以黑龍江岸爲界，南以斜對右岸霍勒莫爾津屯爲界，北以精奇里河口爲界。

按：咸豐八年以前，中俄大界以外興安嶺脊爲斷，而互市於尼布楚城，則在額爾古訥河之北，安巴格爾必齊河之西，故五體字界碑，兩河同時刊立。其時防俄赴〔二〕境，重在呼倫貝爾一路。今分黑龍江左右岸爲界，則中流輪船，既自任便游行，而兩岸自西至東三千餘里，又皆處處徑通，僅黑龍江城臨江而治，號爲重鎮，面直海蘭泡俄城，以當前衝，背倚内興安嶺，以爲後應。然上游由額爾古訥河東渡，繞呼倫貝爾、布特哈兩城境，踰嶺而前，徑由墨爾根以達省城，則黑龍江城已遠在内興安嶺之外。下游由江至海，在吉林省屬境者，自烏蘇里江至興凱湖，以烏蘇里及松阿察二河，作爲兩國交界，其二河之地，東屬俄境，西屬中境。又自松阿察河之源，兩河交界，踰興凱湖直至白稜河，再自白稜河順山嶺至瑚布圖河口，再自瑚布圖河口，順琿春河及海中間嶺，至圖們江口之地，東屬俄境，西屬中境。於是黑龍江、吉林兩省，均無師船出海之口，界約所稱江内只准兩國行船一語，蓋同虛設。而俄於伯里地方，設立權關，有將軍經理，輪船往來，以通朝鮮而達南洋，雖水

〔一〕據上下文義，『月』應爲『户』。
〔二〕據上下文義，『赴』應爲『越』。

道迂迴，取捷莫由，然水陸五千里一氣灌輸，固無南北中梗之患矣。至左岸原住滿洲旗户，四至各界，未載明約，縱横計之，不過三百餘里，號段山屯。光緒紀元而後，俄以固畢爾、那託爾文武二員，駐海蘭泡城，隸東悉畢爾省總督，設屯置戍，沿江上下，聲勢聯絡。而旗户屯地，孤懸其中，遂有興屯、佔懇、設電、安卡情事，曉夜不安，控訴莫理，近經將軍恭鏜公，咨商總理各國事務衙門，派員過江詰問，迄無成議。識者以爲，旗屯錯雜俄境，終歸蠶食，右岸曠地甚多，及時移徙，以安部衆，免與俄國藉端生衅，實屬兩全之計，是在通籌邊防者審之。

齊齊哈爾省城，東南皆平漠無山。西接蒙古科爾沁、札賚特界百四十里，亦無山。惟北近墨爾根界百里即山，皆内興安嶺之分支也。呼蘭城東境，有青山、黑山，與吉林省屬賓州等處接界，舊爲布特哈捕貂之所。布特哈城在諾尼江西，西北皆山。呼倫貝爾城接蒙古喀爾喀車臣罕界，環呼倫貝爾二湖皆山。黑龍江城本居興安内外二嶺之閒，外興安嶺山脈，自鄂倫河源肯特山北分支東行，繞黑龍江之北，今皆屬俄。其内興安嶺，則自肯特山南分支東行，至額爾古訥河入境，繞黑龍江之南。興安城跨嶺而居，墨爾根城相近而南，皆在山陽。

按：内興安嶺，西起喀爾喀車臣罕境，東訖黑河口境，重岡疊阜，皆此一嶺之所聯緜，其閒支谿曲河，以百十計，而諾尼江發源於此，號爲巨川。凡踰嶺而行，北以墨爾根城臺站爲正道，至黑龍江城。西以布特哈城卡倫爲正道，至額爾古訥河。餘則叢林密箐，中陷淤泥，皆人跡所罕到。光緒年閒，增設卡倫，防護漠河金廠，始有開路徑山之議。嗣經督辦礦務道員李金鏞親往履勘，深以工費勞鉅，暫緩興役。然由齊齊哈爾城繞至漠河，幾三千里，若由布特哈卡倫首路開山取徑，則程塗幾少其半。以邊防論，亦閒道設險之一奇也。

黑龍江爲北徼大水，源出蒙古喀爾喀車臣罕境，入俄羅斯國界，歷一千七百餘里，至安巴格爾必齊河及額爾古訥河等處，始入省界。其閒名川匯流入江，及附江河以入小水凡數百，下至黑河口，入吉林省境，與松花江、烏蘇里江會，爲混同以注於海。咸豐八年，中俄分江而後，左岸所匯諸水，曰安巴格爾必齊河、即康熙年原立界碑處。曰卓魯克齊河、曰烏魯穆河、曰格爾必齊河、曰鄂爾河、曰鄂爾多昆河、曰烏爾蘇河、曰波羅穆達河、曰額爾格河、曰巴爾坦河、曰淘斯河、曰庫倫河、曰額蘇里河、曰精奇里河、曰謨里爾克河、曰博屯河、曰卓倫奇河、曰哈拉河、曰庫爾圖爾河、曰庫木努河、曰庫魯河、曰蘇魯河、曰畢佔河，皆歸俄境。右岸所匯諸水，則自額爾古訥河即康熙年原立界碑處，今仍之。而下，曰墨河、即漠河，今開辦礦局。曰額穆爾河、曰旁烏河、曰瑚瑪爾河、曰滚河、曰伊什河、曰肯河、曰坤河、曰科里河、曰遜河、曰科爾芬河、曰烏伊河、曰佳里河、曰福

河、曰札伊河、曰臯達河，至黑河，接吉林省屬境，大率源出内興安嶺諸山之陰，而以額爾古訥河爲鉅。

按：黑龍江水勢深闊，舟楫雖通，商賈不復往來。康熙初年，羅刹之役，由吉林造船前往，後遂立爲經制水師。乾隆二十二年，俄人呈稱，東北邊界被災，遣船運糧必由東路，請假黑龍江地方行走。詔飭理藩院駁回不行。今俄人以輪舶往行幾十年矣，然地處極寒，八九月閒江即結冰，歷日既壯，厚過等身，至次年三月，始漸開泮。又近山無煤可采，輪舶皆用木薪，煙筒圓徑，倍於行海所用，十數里閒，輒預存木薪岸上，以備停取，故竟日行駛，不過二百里而止。其由江入海，則於伯里地方，别易海舶乘之。自漠河設卡，由黑龍江城西行右岸一千六百餘里，荒落無人。班兵上下及糧械轉運，悉資俄輪，賃值不訾，即江冰而後，亦借行左岸。俄以牛馬駕耙犁供載，至漠河口多則十一二日，中途宿食皆有頓置，每一耙犁載重六百斤，值銀十六兩云。

諾尼江，古腦温江，今名嫩江，源出内興安嶺山陽之宜呼爾山，自北而南，循墨爾根城、齊齊哈爾城門外，歷一千四百餘里，與吉林省屬松花江會，復東行，循黑河口，入黑龍江。凡呼蘭城糧運，舟行由呼蘭河，西過吉林省屬雙城堡、伯都訥各境，而北入諾尼江，以至墨爾根城爲止，歲以爲常。呼蘭河屬呼蘭城境，城以河名，凡受五小水，號稱經流，其東則有綽羅河、布雅密河、頭道河、大小胡忒和恩河，皆自北而南入松花江，源皆出内興安嶺分支諸山。

按：康熙年閒，羅刹之役，詔遣烏拉、即吉林。甯古塔兵，各置造船艦，於黑龍江等處駐守。其自黑龍江至甯古塔，舟行水路，先往視之。嗣又以遼河饋運，由蒙古至依屯門，載船運至松花江、黑龍江匯處，令兵迎取，並先後於烏拉造大船八十艘備運。而副都統郎坦往覘形勢，疏言：從兩江會口至雅克薩城，馬行可一月程，舟行逆流可三月程，均見《平定羅刹方略》《八旗通志》諸書。是時臺站未設，兵糧皆由吉林調發，故不憚舟行，迂滯至此。今黑龍江分半屬俄，則諾尼、松花兩江與黑龍江會流之黑河口，實爲要區。俄人向有行船松花江之請，力阻而止，否則由諾尼江口至伯都訥之三岔口以東，遵陸直走茂興站，以達齊齊哈爾等城。三岔口以南，遵陸直走蒙古草地，入法庫門以達奉天，皆遠不及千里之程也。

額爾古訥河爲中俄兩國西界分水，其上游曰克魯倫河，源出蒙古額爾額車臣罕部，入呼倫貝爾城境，瀦爲呼倫、貝爾二湖，城以湖名。湖水東北流溢，爲額爾古訥河，距城凡二百二十里，始與俄羅斯國屬接。又北流五百餘里，會黑龍江，與左岸格爾必齊河斜直，上距安巴格爾必齊河三百餘里。康熙年閒，五體書界碑分建兩河岸崖，今右岸兩界仍之。

按：康熙二十八年，中俄界碑立後，外興安嶺之

南全歸省界，迤東接至吉林省屬各境，北邊大障，天設之險，無慮輕啟戎心。惟俄人互市尼布楚城，在安巴格爾必齊河以西與額爾古訥河，一皆涉江可達，邊防至爲重要。自雍正五年，設呼倫貝爾以西卡倫，以接庫倫屬境，續又增設至車臣罕界，輪派官兵駐守。而每歲五六月間，齊齊哈爾、墨爾根、黑龍江三城，又各派兵將巡察邊界，至安巴格爾必齊河、額爾古訥河等處卓帳，事訖報聞。今左岸畫歸俄屬，俄亦無事窺邊，閒有販運牲畜越卡倫，而東取徑布特哈、墨爾根、黑龍江各城，以度左岸。邊吏以游歷保護，具列條約，不復詰問矣。

整理人：　姜智，松遼水利委員會，編審。

會勘中俄水陸邊界圖説

〔清〕宋小濂　撰

李興盛　整理

整理説明

《會勘中俄水陸邊界圖説》一卷，撰者宋小濂。

宋小濂（一八六〇—一九二六年），字鐵梅，晚號止園。今吉林市人。幼年敏而好學，及長博通經史，工於書法。光緒十四年（一八八八年）赴漠河金礦治文書。在漠河參與劉建生發起的『塞鴻詩社』。日俄戰後，又投入黑龍江將軍程德全幕府，主管文書與對沙俄交涉事宜。光緒三十三年（一九〇七年），爲黑龍江鐵路交涉局總辦。同年冬，升任呼倫貝尔副都統。宣統三年（一九一一年），升爲黑龍江民政使，同年又署理黑龍江巡撫。民國成立後，改任黑龍江都督兼民政長。九年（一九二〇年），爲中東鐵路督辦，十一年辭職後，隱居北京以終。

《會勘中俄水陸邊界圖説》，是作者於宣統二年四月至三年三月與俄人會勘黑龍江呼倫貝尔地區中俄邊界時所編的勘界資料彙編。先是，呼倫貝尔地區中俄邊界，據雍正五年（一七二七年）中俄界約規定，『界限本極分明』。但由於後來沙俄的不斷蠶食與侵越及對邊界設施的破壞，致使『界務遂多膠葛』。爲了解决邊界糾紛，防止俄人入侵，中國政府於宣統二年（一九一〇年）向俄方提出了雙方派員勘界的建議。俄方拖延多次，始表同意。當時中國派出宋小濂爲勘界專員。此後歷時一年的勘界中，困難重重，自然條件的困難尚在其次，主要是俄人『多方狡展，惟利是圖』，蠻横無理，意圖侵佔，甚至將我滿洲里等地『劃入彼境』。爲達此種目的，『竟調來兵隊，越界開槍，肆意恫嚇』。宋小濂堅持定見，不爲所動，據理力争，從而勘查到許多有力的證據，爲宣統三年六月黑龍江巡撫周樹模參加的中俄會談，奠定了基礎。此次會勘路綫，陸路自塔尔巴幹達呼至阿巴該圖邊界鄂博，水路爲額尔古訥河邊界河流，原有圖有説，此書爲圖説部分。正是因爲此書提供了大量有力的證據，才使滿洲里在不久以後的談判中得以保全，由此可見此書的歷史作用與價值。

本書具體執筆人不詳，但必爲當時中方勘界成員奉宋小濂之命繕寫而成，因此可稱是宣統三年中方勘界成員謄清稿本。它成書後並未出版，由於是孤本書，無他版本可供校勘，因此這次整理僅僅對原稿標點斷句。

本編纂單元點校者爲李興盛，審稿者爲陳志雲、姜智、蔣超，不當之處請批評指正。

整理者

目録

□[一]署黑龍江民政使司民政使呼倫兵備道宋小濂，謹將會勘中俄陸路自塔尔巴幹達呼至阿巴該圖邊界鄂博，暨水路額尔古訥河邊界河流圖說，繕呈憲鑒，轉咨施行。

計開：

塔尔巴幹達呼第五十八國界鄂博圖説

條約

雍正五年，中俄原訂阿巴哈依圖約以後第称原約即不詳叙約名。鄂博單内載：塔尔巴幹達呼舊鄂博迤北草地上，設立第五十八邊界鄂博。又後附俄國卡倫單内載：十三卡倫由諾密種之通古斯人内選充，歸舒連格依多諾人稽察，並令其在塔尔巴幹達呼湖邊附近邊界鄂博居住。

按：雍正五年，中俄所訂阿巴哈依圖約係蒙俄二體文字，並無漢文。逮施氏紹常輯譯《中俄國際約注》成書，始有漢文本流行於世。惟施氏所譯與原文每有出入。如此約卡倫單所載：令其在塔尔巴幹達呼湖邊附近邊界鄂博居住，是湖亦名塔尔巴幹達呼也。施氏則譯作令其在附近塔尔郭達固之湖邊居住，是湖並無名稱，不過附屬於塔尔巴幹達呼國界鄂博之旁也，其意義相差殊甚。諸如此類，不一而足。故所引約語，凡施氏譯與原文相合者，即仍其舊。其殊異者，即照俄外部官書譯録，免滋誤會。至原訂蒙文條約，祇有鄂博單，無俄國卡倫單，現無深通蒙漢文之員，蒙文原約雖經譯出，實恐難免錯誤。約中蒙俄文相類者，則按照俄文譯録，其有歧異之處，則并譯蒙文，以備參考。

譯名

塔尔巴幹達呼，洪氏界圖作塔尔巴郭達固，鄂刻《輿圖》作達尔巴嘎達呼克，克，蒙人語助詞。錢氏《界約》、施氏《約注》，均作塔尔郭達固。細審蒙人語音及俄文原約，應以塔尔巴幹達呼爲近。按：陸路边界，各鄂博舊有譯音，轉相傳譯，言人人殊，甚爲繁雜，無從別擇。現在均以本處俗音呼慣及與原約音相近者爲定。下仿此。蒙語塔尔巴幹，旱獺也；達呼，斗篷也，言其形色，如人反穿旱獺皮斗篷也。

現勘

塔尔巴幹達呼山，東南直距沙拉敖拉三十六里，直距滿洲里一百一十八里，近旁皆係陂陀土岡，惟本山上皆青黑色石，孤峰突出，形若掣領振裘，數十里外望之即見，與他山絶不相混。上有大小鄂博各一，我現指大

[一] 底本此處漫漶。

者爲舊鄂博。山之迤北爲平地，縱横約各五六里。國界鄂博原約即云迤北草地上，則當初國界鄂博必在此平地上設立。按：原約蒙文譯係平地上。惟鄂博現已無存，基址亦無從尋覓，我所指原設鄂博地方，平地微高，在此山迤北約二里偏東，約在三十餘度之間。當日因未携帶測量平度器具，僅用日晷約略量之，故度數未能測準。業經立案，應俟重勘。在我指國界鄂博地方之東相距八九里，有一泡，當是原約所載塔尔巴幹達呼湖。詳第二十次會勘案内。

由塔尔巴幹達呼山迤南，相距約十四里有一泡，蒙人名曰他尔洪。俄員指此泡爲塔尔巴幹達呼湖。即在此泡之北約一里許，平地微高處，指爲國界鄂博地方。並指此泡東南角岸上一小圓土堆爲舊鄂博地方。詳第二十次會勘案内。

意見

查塔尔巴幹達呼山之北，爲中俄交界。山之西，屬庫倫。山之東南，屬呼倫。故此山又爲新巴尔虎與喀尔喀車臣汗交界。職道前年派員隨同于道駟興調查，山頂大鄂博上本插有蒙文交界牌。此牌由蒙古守卡官兵一年兩次查看，换牌。往勘時，此牌尚在。惟原約鄂博單祇曰塔尔巴幹達呼，而不言山，俄國卡倫單，則有塔尔巴幹達呼湖之名，將來會商，俄員必指湖名争辨。

查中俄兩國邊界鄂博之在呼倫貝尔境内者六，皆以山爲名，從無指湖爲名者。况五十八鄂博部位，本有塔尔巴幹達呼山可取，俄員指界圖及會勘案内，亦名該山爲塔尔巴幹達呼，其著名可知，且其山形最爲顯露，何必舍著名顯露之山，而忽取一湖，以自亂其例？然原約未言山者，蓋沿土人相呼之慣語，如阿巴該圖、索克圖均係山名，土人但呼爲阿巴該圖、索克圖，而不帶山字。原約亦並未言山，可證。又原約載明國界鄂博在塔尔巴幹達呼舊鄂博迤北草地上。草地云者，顯以别於山也。若如俄員所指，舊鄂博在塔尔巴幹達呼湖東南角岸上，則岸上亦是草地，何以又言草地，地有何分晰？至俄員所指塔尔巴幹達呼湖，本地新巴尔虎人原有定名，曰『他尔洪』。他尔洪，蒙語肥也。言此泊常年有水，不涸也。且查原約卡倫單，係指俄國所設卡倫地方，其卡倫所以設在湖旁者，以其取水之便，證之其他各卡倫，原單亦多靠河及湖居住，可知是此湖必在國界鄂博之北俄國境内，如我所指之塔尔巴幹達呼湖。若照俄員所指，國界反在湖之北相距尚一里許，是湖明在中國境内，俄國卡倫應在國界鄂博之北俄境居住，安得在此湖邊？亦斷無俄國卡倫官兵日日越界，赴中國地面取水之理。有此數端，則國界鄂博原設在塔尔巴幹達呼山迤北草地上可無疑義。

察罕敖拉第五十九國界鄂博圖説

條約

原約鄂博單載：察罕敖拉卡倫鄂博卡倫鄂博云云，非謂卡倫在此，謂該鄂博係有卡倫者也。下仿此。北邊附近的沙拉敖拉，上設第五十九號鄂博。又後附俄國卡倫單載：十四卡倫即於赤吉尔種人内選充，令其在哈蘇台湖邊、貼近察罕敖拉鄂博居住，歸舒連格烏莫赤隨時稽察。

譯名

洪氏《界圖》、錢氏《界約》、施氏《約注》均作察罕烏魯。鄂刻《輿圖》作察罕敖拉。蒙語敖拉，山也。察罕，白色。沙拉，黄色。此以山之石色而定名，自以敖拉爲是。蒙人呼葦曰湖魯蘇。俄員現謂哈蘇爲葦，係蒙古語。詢之本地蒙人，則稱蒙古並無哈蘇之語，俄員之言不知何據。

現勘

察罕敖拉東南直距滿洲里七十七里，直距塔奔托羅海五十五里，北距俄西比利亞鐵道自東迤西第二車站四里有餘。該站名沙拉松，蓋由沙拉敖拉得名。該山係東西横峙，其東南一帶皆山，山石多青色，惟該山石質皆灰白色。近山之西頭有小石堆一，即原約所言之舊鄂博也。該山迤北三里許，又有一山，山石多係黄色，是山即沙拉敖拉。山上有石基一處，即當初所設國界鄂博地方。山之東北坡爲俄屯。山下西北有泡，即約中所言之哈蘇台湖。詳察罕敖拉會勘案稿。稿已稟呈。

距我所指察罕敖拉東南直距四十七里，有一水泡名哈蘭諾尔，蒙語哈蘭黑色，諾尔泡也。爲中國從前察罕敖拉卡倫駐所。泡之南岸爲岡，岡之東北面，由平地陡起。岡上東南、西南、正南三面陂陀不平，一望無際，均屬漫岡。岡之北頭，在泡之南岸，有石堆一，俄員指爲沙拉敖拉國界鄂博。該處之石有土黄色者，距該鄂博之南三百六十米達，偏西約三十度處，俄員指爲察罕敖拉舊鄂博地方，並指石係白色。查該處並無鄂博，石多青色，間有帶灰白色者，係石上之斑，非石質本色。俄員又指哈蘭諾尔爲哈蘇台湖，並指湖邊有葦。詳杜隨員會查俄員所指察罕敖拉案稿，稿已稟呈。

意見

查第五十九國界鄂博本設在沙拉敖拉，而鄂博名稱則仍爲察罕敖拉。察罕、沙拉兩山，山名既以色定，是山石之有黄色、白色者方與定名相合。而黄石之山，又必在有白石山之迤北，兩相附近者，方可確定國界之所在。而

查罕敖拉迤南附近諸山，蒙人統名爲察罕敖拉，然石皆青色，非特不白，亦復無黄。職道歷次派員詳查，並經一再履勘，該處四周除現指察罕敖拉、沙拉敖拉兩山外，别無可與此山名實相符者，更無白石、黄石兩山貼近者。其沙拉、敖拉山西北之湖，土人現名沙拉烏蘇諾尔，當是哈蘇之音轉。及該處火車站名爲沙拉松，皆可爲證。則第五十九國界鄂博必在此山無疑。至俄員所指沙拉敖拉，石色雖帶土黄，而地勢半面陡起，土皆漫岡，已與敖拉意義相差，况所指沙拉敖拉鄂博，係我從前卡倫駐彼祭神所立，並非國界鄂博。其所指察罕敖拉，即在迤南漫岡僅三百六米達，計不過半里有奇，又無另起一頂之山，安能别一山名，且並無白色之石可証。至岡北之泡，本地蒙人原有定名，爲哈蘭諾尔，並無他名。即該處一帶地方亦均名爲哈蘭諾尔，因俄員堅持己見，不便過與遷就，勘案迄未商定，一切情形業經另稟詳陳。

塔奔托羅海第六十國界鄂博圖説

條約

原約鄂博單載：舊有鄂博之塔奔托羅海北邊附近之博羅托羅海山上，設立第六十邊界鄂博。

譯名

鄂刻《輿圖》作塔奔拉托羅海。《江省輿圖》作塔奔拉托羅海克。今從慣呼，作塔奔托羅海。塔奔蒙語五數，托羅海蒙語山頂，謂其山有五頂也。博羅蒙語青黑色，謂山頂之石具此色也。

現勘

塔奔托羅海東南直距滿洲里二十五里，該山自北邊迎面視之，五頂相連並列，當中山頂最高處有大石堆一，即舊鄂博。由此向北，中隔一溝，約一里餘，又起一山，即博羅托羅海山。山之石色皆青黑。該山東北頂上有大石堆一，即國界鄂博。在塔奔托羅海舊鄂博之北，偏西三十五度，而鄂博名稱則仍爲塔奔托羅海，惟該鄂博年前十二月派員前往調查尚完全未壞。本年正月二十三日往勘時，不知被何人將周圍之石毁散甚多，均抛棄近旁山坡。該鄂博之東，本又有一石堆，現亦不知被何人毁棄净盡。以上情因俄員中途折回，不肯同往會勘，經職道自往查明。查塔奔托羅海即俄員中途折回不肯會同往勘之鄂博。謹將當日情形開後：

宣統三年正月二十三日，中俄勘界處會同往勘中國勘界處所指之塔奔托羅海第六十國界鄂博。行至距塔奔

托羅海不遠，途中俄勘界處忽停車不行，声稱：照中國所換指界圖里數，塔奔托羅海國界鄂博，應在此處，我不能再往前行。中國勘界處指稱：塔奔托羅海國界鄂博不在此處，即在目前數里博羅托羅海上。須到該處查勘，自能指出。俄勘界處堅不肯往。中國勘界處當稱：前所換指界圖註明，係屬略圖，彼此圖内距離皆有出入，前所會勘鄂博，彼此均未以距離遠近計算，今俄勘界處既有此問題，則從前俄勘界處所指界點道里遠近亦應實地重測。俄員不聽，遂自折回。

距我所指塔奔托羅海西南約十七八里，在我現設察漢敖拉卡倫之北三華里餘，爲俄員所指之塔奔托羅海第六十國界鄂博。本年正月十六日，隨員杜蔭田會同俄隨員吴薩諦往勘，由滿洲里起行，至中國察罕敖拉卡倫以北三華里餘之處，山上有一石堆，俄員指爲博羅托羅海國界鄂博。由該鄂博向南約半里許，偏西八度，即該山南坡平處，俄員名爲塔奔托羅海舊鄂博地方。中國勘界處查由此至滿洲里，直距約二十二里，按照俄勘界處前所換指界圖計算，由滿至此直距約十一俄里半，合華里二十三里，相差一里。又按照俄勘界處所換指界圖内所畫博羅托羅海鄂博方向，在滿洲里西偏北約十六度。現查俄員所指鄂博，在滿洲里西偏北約二十度，實地往北移計俄里九分，合華里一里八分，在實地查勘俄員原換指界圖所畫界界點之處，不應在山上，亦並無鄂博可指，且俄員所名之塔奔托羅海，即在所名之博羅托羅海南坡半里許，係屬一山，有培塿六七，不僅五處。

意見

塔奔托羅海譯言係五山。我所指之塔奔托羅海，自博羅托羅海對面視之，顯然五頂相連並列，而博羅托羅海雖相距甚近，然另自突起，確是二山，毫不相混，故各有主名。俄員所指之塔奔托羅海，即在所指之博羅托羅海南坡平處，相距僅半里許，係一山，强名爲二，并非另起一山。且係培塿六七，不僅五數，安得另有一名？俄員亦自知不足爲據，故藉口於我所指之塔奔托羅海與指界圖里數不符，不肯往勘，冀相狡賴。今詳測該俄員所指之塔奔托羅海國界鄂博，照原換指界圖所畫界限，距離方向皆差，我亦以此抵制，不能認爲會勘有此界點，是以勘案迄未商定。

索克圖第六十一國界鄂博圖説

條約

原約鄂博單載：舊有卡倫鄂博說見前之索克圖北邊附近山上，設立第六十一邊界鄂博。

譯名

洪氏《界圖》與原約同。鄂刻《輿圖》作蘇克特。錢氏《界約》《江省輿圖》於此譯名兩存之，譯者抑或譯作蘇克特依。索克，蒙語草木之叢生者；圖蒙語有也。以此山有小樹叢生也。

現勘

索克圖山大而高，西南距滿洲里四十六里餘，山頂有東西排列鄂博石基五。當中者最大，必係舊鄂博基無疑，惟鄂博現已無存，僅有散石一小堆。山之北坡、東北坡叢生小樹甚多，距此山北邊里餘，又起一横山。山上有一小石堆，南視舊鄂博基偏西十度，即國界鄂博地方。詳見會勘案稿。稿另呈。

距我所指索克圖西南四十九里餘，在滿洲里南約七里現測明實四里餘之小霍尔晋山，俄員指爲索克圖山，即在該山北坡高處，有一四方勾灰石堆，堆之各面東西南北四方，堆高四尺，堆頂及東南角均已損壞，見杜隨員蔭田與俄員會勘草案。

又距俄員所指索克圖石堆二里，偏東十三度半，在該山南坡高岡處，有一石堆，俄員稱爲舊鄂博。見慶隨員禄與俄會勘案。

意見

索克圖國界鄂博，證之《黑龍江輿圖》、洪譯《中俄邊界圖》及俄國《輿地全圖》，並《雜拜嘎尔省圖》以上三圖均照繪附呈，均由塔奔托羅海向北伸至索克圖，再由索克圖向東南折至額尔得尼托羅海，作三角形，即所見俄國其餘各圖皆然，從未見有一圖由塔奔托羅海向南伸者。今我所指之索克圖，即由塔奔托羅海向北伸，一切形勢皆與各圖相符，且山上有叢生小樹爲證。國界鄂博之山在索克圖北附近，另是一山，亦與原約文意恰合。俄員欲包括滿洲里在内，將界綫移指，由塔奔托羅海故向南伸至彼所名之索克圖，再向東北折至彼所名之額尔得尼，亦作三角形，與各圖適成返對，其所指國界鄂博，又作四方形，用石灰勾壘。查會勘各鄂博皆是圓形，從無四方形者，亦未見有用石灰勾壘者，即假如有用石灰者，而國界鄂博係雍正五年所立，迄今一百八十餘年，亦斷無勾石完好之理。且其所指國界鄂博即在其所名索克圖北坡微高岡山，並非另起一山，其所指舊鄂博又在索克圖南坡岡上，中隔山脊，與約意亦屬不合。俄員自知所指索克圖界點背謬甚多，不足爲據，遂於我所指之索克圖山各證據極力破壞，故勘案未能商定。

額尔得尼托羅海第六十二國界鄂博圖説

條約

原約鄂博單載：　額尔得尼托羅海舊鄂博北邊附近最高處之上，設立第六十二邊界鄂博。按：原約蒙文，於附近下爲温都尔上一語。蒙語温都尔，高峻之意。

譯名

洪氏《界圖》作額尔底里托羅海。鄂刻《輿圖》作額尔得尼托羅海。錢氏《界約》《江省輿圖》於此譯名兩存之。額尔得尼，蒙語寶貝。額尔得尼托羅海，謂寶貝山也。

現勘

額尔得尼托羅海山西南距滿洲里三十八華里。其南稍低山頭上，有鄂博二，其最南者，即舊鄂博。由舊鄂博向北三百六十米達，本山最高頂上有鄂博二，其大者爲國界鄂博，遍山石色黑黄白不一，詳見第二十五次會勘案。

距載所指額尔得尼托羅海東南二十五華里，大霍尔晋山，俄員稱爲額尔得尼托羅海。在該山坡北邊附近微高處，有一石堆，下有土基，土基東南面有挖土小溝半圜，俄員指該石堆爲國界鄂博，並在該鄂博之南，俄員名爲額尔得尼托羅海。山坡石岩上，指爲舊鄂博地方。詳見第二十一及二十四次會勘案。

意見

額尔得尼托羅海國界鄂博照各圖應在索克圖之南，今我所指之額尔得尼托羅海方向，與各圖相符，國界鄂博即在舊鄂博北邊高土頂上，且有各色之石，爲他山所無，與原約及山名意義均合。俄員既將索克圖向南移指四十九里餘，故所指之額尔得尼托羅海反在索克圖東北，而其所謂高處，即在其所名之額尔得尼山坡下北邊，不過較平地爲高，與原約蒙文温都尔之意既不相合，又無各色石質，與額尔得尼之意亦不相涉。而鄂博東南挖土小溝尤不足據，豈有原立鄂博一百八十餘年挖土小溝尚存之理？

阿巴該圖第六十三國界鄂博圖説

條約

原約俄文鄂博單載：　額尔古訥河右岸即西岸，對著海拉尔河中口，在阿巴該圖箭頭施紹常譯爲凸出處。山上，設立第六十三鄂博。按：原約索文内載，額尔古訥河西岸海拉尔河中

口對著歧汊，在阿巴該圖山上設立第六十三交界鄂博。施紹常於海拉尔河中口譯爲河口中間，非是。又後附俄國卡倫單載：十五此卡倫即於多勒納密句廓奴尔句等種人内選充，令其在額尔古訥河旁貼近邊界鄂博，並對海拉尔河中口，在阿巴哈依圖嶺之凸出處居住，歸舒連格布哥羅克得尔阿畢隨時稽查。

譯名

阿巴該圖，洪氏《界圖》作阿巴該圖，鄂刻《輿圖》作阿巴噶圖，錢氏《界約》、施氏《約注》均作阿巴哈依圖。蒙語阿巴該，命婦也；圖，有也。從前該處或有蒙婦受誥命者，或有命婦登臨是山而得此名，今不可考矣。

現勘

阿巴該圖正西偏北直距滿洲里四十九里，西北直距額尔得尼托羅海三十七里餘，海拉尔河由東南來。流至山脚，折向東北流，其折處即改名額尔古訥河，俄員指爲額尔古訥河左汊。並於轉折之處分出細流一枝，向西南流，土人名爲達蘭鄂洛木河，俄人名爲木退内以不以多克，即蒙文原約所謂歧汊。山之西南，陂陀綿亘，岡陵起伏，至此處則山勢凸起，山脈劃然頓止，即俄文原約所謂箭頭山上有鄂博一，正與海拉尔河口相對。鄂博上有俄人所立十字木架，即當初原設之國界鄂博。東北五里餘爲俄阿巴該圖屯，即原設俄國卡倫之處。詳第十八次會勘案。

俄員所指阿巴該圖在達蘭鄂洛木河西岸，東北距我指阿巴該圖山十二里半，距我阿巴該圖卡倫二里。該山土人名爲薩尔奇圖。蒙語薩尔奇，風也；圖，有也。譯言有風之山也。山上有鄂博一，與海拉尔河汊口相對。俄員指此鄂博爲國界鄂博，並指達蘭鄂洛木河爲額尔古訥河，指海拉尔河汊口爲海拉河中口，詳第十九次會勘案。

意見

阿巴該圖第六十三國界鄂博爲中俄陸路之終點，亦爲水路邊界之起點。此處定則阿巴該圖河洲及其他國界鄂博，即易於解決，故此處實爲水陸兩界之交點，關係最爲重要。謹分條臚陳如下：

一、海拉河中口，原約俄文爲額尔古訥河西岸對著海拉尔河中口，蒙文爲額尔古訥河西岸海拉尔河中口對著歧汊。今勘阿巴該圖山前海拉尔河流至此，右折爲額尔古訥河。左溢一枝爲達蘭鄂洛木河，即蒙文所爲歧汊。就實地論之，自以蒙文爲詳確。當海拉尔河中流右折爲額尔古訥河之處，即海拉尔中點，亦即海拉尔河口。又有左溢一枝之達蘭鄂洛木河，則當左右分流之處，海拉尔河適在當中，即所謂海拉尔中口。該處形勢皆近在目前，無庸遠取，乃俄員欲將界點南移，竟舍現在鑿鑿可據之海拉尔河，遠指乾涸無憑之河汊爲老海拉尔河，冀圖混賴。查該員所指老海拉尔河三處：指第一河口爲海拉尔中

口。其一在東清鐵路札賚諾尔車站之南，南接乾河，即第一圖俄員所名老海拉尔河，北連達蘭鄂洛木河，即第一圖俄員所名額尔古訥河係乾河汊，距阿巴該圖山尚二十餘里。其二在我阿巴該圖卡倫之南、東南，均由海拉尔河流出，西北均入達蘭鄂洛木河，係海拉尔河汊。若如俄員所云第一圖内之乾河爲雍正五年立約時之海拉尔河，則彼時海拉尔河尚未直趨阿巴該圖可知，又安得有我阿巴該圖卡倫南之二河汊？如謂今之海拉尔河爲雍正五年立約時之海拉尔河，則俄員名爲老海拉尔河之乾河，彼時業已乾涸，兩國分界大臣萬無遠越二十餘里，取乾河汊爲海拉尔河之理。是二者無論如何狡辯，均難自完其説。況俄員所指阿巴該圖，實在達蘭鄂洛木西岸。該河水向西南流，額尔古訥河水向東北流，斷不能牽混爲一也。

一、阿巴該圖凸出處，原約在阿巴該圖凸出處設六十三邊界鄂博。按原約俄文此處譯係箭頭山，謂其山起頂處形似之也。華文於此處譯爲凸出處，意亦相合。今勘該山由西來，陂陀綿亘，岡陵起伏，至此處山勢凸起，劃然頓止，數十里外望之即見，形勢最爲明顯。山前即海拉尔河轉爲額尔古訥河處。俄員所指阿巴該圖，係一東西小嶺，並無凸起之處，如約文所指箭頭山。況是山本名爲薩尔奇圖。俄員强名爲阿巴該圖，於我所指之阿巴該圖因鄂博上立有十字木架，即名爲十字山。查該山當立約之前必原有主名，即約内所云之阿巴該圖，其鄂博上十字木架以宗教論之，必係分界後俄人所立無疑，今俄員不能另指出該山主名，而即以十字名之，顯係隨意呼取，何足爲據？

一、俄阿巴該圖卡倫原約，俄國卡倫單載：此卡倫即於多勒訥密句廓奴尔句等種人内選充，令其在額尔古訥河旁，貼近邊界鄂博，並著海拉尔河中口，在阿巴該圖嶺之凸出處居住等語。今查俄阿巴該圖屯，證之中俄邊界圖及其餘各圖，即俄阿巴該圖卡倫，在我所指之阿巴該圖山東北五里餘，額尔古訥河岸居住，與原約之意正合。其所以不在山上居住者，意當時設卡人少，或住氈盧，故可在山上居住，迨後生聚漸多，移於山下建房，遂成村落，此亦事之所必至者。

統觀以上各節，第六十三國界鄂博必在我所指之阿巴該圖，殆無疑義。細閲會勘圖及參觀各圖自可瞭然。

總説

中俄陸路邊界第五十八至六十三鄂博，方向自西北塔尔巴幹達呼起，向東南，越察罕敖拉至塔奔托羅海，由塔奔托羅海向北伸至索克圖，再由索克圖向東南折至額尔得尼，以至阿巴該圖，且皆在霍尔津河俄國名爲古拉津河及金源邊堡俄國名爲成吉斯漢邊堡。之北。證之中俄現行各圖，皆然。今俄員所指各鄂博，自塔尔巴幹達呼至塔奔托羅海，雖向南移，然方向尚無出入。自塔奔托羅海忽改向

南，伸至彼所指之索克圖，由索克圖向東北，折至彼所指之額尔得尼托羅海，復東至彼所指之阿巴該圖，又皆在霍尔津河及金源邊堡之南，與各圖均作反背形。

原俄員之所以移指索克圖者，冀將滿洲里包括在内。查滿洲里爲中國領土，其證據有八： 一、中俄現行各地圖所畫國界皆在滿洲里之北。二、金源邊堡、霍尔津河本在國界之南，滿洲里又在金源邊堡、霍尔津河之南。三、滿洲里中國本無是名，因俄人承修東清鐵路，此處爲入中國首站，故俄人名曰滿洲里。中外皆知，世界各國早已公認。四、滿洲里路綫車站用地由中國政府價購，定有合同。五、滿洲里設有中國鐵路交涉分局。六、滿洲里中國税關，係與俄國照東清鐵路合同兩頭交界各設税關之條議定設立。七、滿洲里由中國宣布開作商埠，世界各國均已公認。八、滿洲里車站西南，中國已設臚濱府治。以上各節，證據顯然。從前俄國並無異言，今忽於會同勘界時，任意改指，豈能將各證據一筆抹殺？

又其所以移指額尔得尼托羅海及阿巴該圖者，係欲將霍尔津河兩岸包括在内。查俄國沿邊各屯，專事牧畜，而山童土瘠，産草無多。霍尔津係一小河，且忽斷忽連，兩岸羊草豐茂，俄人早已倚爲生計，故欲劃歸俄境，以資便利。上年六月，俄員派兵暫駐，主使俄民强割羊草，即此處也。

惟兩國邊界證據，最先莫如條約，其次則地圖，又其次則地勢。今查雍正五年約文最爲簡略，於各鄂博方向、距離、經緯度數，均未詳及。考之地圖，則兩國均無互换印圖可據。雖有其他各種地圖，終屬難盡爲憑。求之形勢，我有此山名，彼亦有此山名；我有此湖名，彼亦有此湖名。其尤難定者，當年鄂博係以散石堆成，可毁可置。蒙人祭祀，又隨在堆立，更易炫惑。統觀以上各情，俄員亦知無一定把握，特以地多疑似，遂敢肆意狡賴。蓋俄人蓄謀已久，而其沿邊又早設屯堡，機關既靈，調查亦熟，折移鄂博，附會證據，皆優爲之。我則沿邊視同甌脱，近年雖設卡駐守，派員調查，然經營日淺，斥堠既疏，考察亦略，處處落人後著，斷不能如其詳密，此亦勢之無如何者也。

會勘額尔古訥河中俄水路國界圖説

條約

康熙二十八年，中俄議定黑龍江界約第二條載： 將流入黑龍江之額尔古訥河爲界，河之南岸爲我屬，河之北岸爲俄羅斯屬。其南岸之眉勒客河口所有俄羅斯房舍遷移北岸。

謹按： 此約爲中俄兩國以額尔古訥河分界之始。

立碑額尔古訥河畔，鎸此約於碑上，迄今二百餘年，從未改訂。惟當初原約爲滿蒙俄臘丁四種文字，並無漢文，現在額尔古訥河界碑早已無存。今據施紹常所編《中俄國際約注》漢文本録入。其俄外部官書所載除臘丁文無人能譯外，滿、蒙、俄文意義與此略同，不復並譯。

阿巴該圖河洲圖説

現勘

海拉尔河下游，流至距阿巴該圖山東南六里許，東北岸分出一汊，正流西北趨至阿巴該圖山脚，折向東北流，其轉折處即改名額尔古訥河。海拉尔東北岸河汊亦向東北流三十餘里，入額尔古訥河。中間之洲，地勢窪下。前赴勘時，正值河水大漲，窪地盡爲水淹，無法勘測。現已會同勘明。所有河流寬深均詳第二十六次會勘案内。

再，此處河流洲渚圖，因俄員欲於案外將阿巴該圖山南、海拉河西北測地平河汊添入，職道以形勢不符，且另是一案，未允。故未互換。

意見

此洲在額尔古訥界河東岸。西岸即阿巴該圖山第六十三國界鄂博。故此處與陸路邊界關係最爲密切。陸路定，則此洲無庸争辯，可以立決。雍正五年原訂阿巴該圖界約蒙文内載：從布尔古特依交界南山梁起，至額尔古訥河源止，均分山河，設立交界鄂博。又載：此約互换於額尔古訥之源阿巴該圖山上等語。是兩國界河，無論河之淺深寬窄，總應以緊傍阿巴該圖山起點者爲額尔古訥河，方與約文所載河源之語相合。又原約卡倫單第十五内載：此卡倫官員即於多勒訥密廓奴尔等種人内選充，令其在額尔古訥河旁貼近鄂博，並對海拉尔河中口在阿巴該圖山居住等語。現查額尔古訥河正在阿巴該圖山脚起點。俄阿巴該圖卡倫正在此河西岸之旁。豈有中隔一河，越六里許指爲河旁之理？則河東之洲，屬於中國領土毫無疑義。其洲東之河，係海拉尔河汊，並距阿巴該圖山六里有餘，斷不能指爲額尔古訥河也。

孟克西里河洲圖説

現勘

此洲由俄屯南林對岸我界起，在額尔古訥河南岸分出汊流一道，與正流同向曲折東北流經孟克西里卡倫，至俄屯嘎浦察該圖下六里對岸，復與正流會合。計縱長約

八十里，横寛一里有奇至十一里。兩流之間溝汊歧出。本年河水大漲，河洲地勢低窪，均被淹没，無從詳測。與俄員所换之圖，多係參照上年調查圖所繪，故距離方向彼此微有出入。然河洲大勢則仍不甚差。南岸河汊淺處僅深二華尺，窄處僅寛二十五米達半。惟與正河會流處稍寛，測得河寛六十一米達，深十二華尺。河洲北岸正流至此稍窄，僅量一處，寛六十七米達、深二十華尺。詳第五第六兩次會勘案内。

意見

此洲北岸正流俄員承認爲現今之額尔古訥河。惟聲稱南岸河汊，爲俄曆千六百八十六年，即康熙二十八年定《尼布楚約》時之舊額尔古訥河船道，並稱此河伊於上年調查時，通長是水，已經繪入圖内等語。查本年水大，故河汊處處通流，然乘舟尚有數處須推挽而過，往年則多有乾涸之處。當會勘之時，水勢尚盛，河汊淺處深僅二尺，則河水退落之時，斷無不乾涸之理，即該俄員互换圖上，亦繪有乾溝形數道。可見該俄員『通長是水』一語，並不實在，顯係存心狡賴。其所稱舊額尔古訥河船道，亦無憑證。即使河道不無變遷，而正流自在，並未淤塞，安得舍現在顯然可據之額尔古訥河，而另尋毫無憑證之額尔古訥河耶？

驗牛圈河洲圖説

現勘

此洲在俄屯四大列粗魯海圖迤南，俄境阿列里札山對岸，北距我庫克多博總卡倫三十餘里，南北縱長四里至八里，横寛半里至四里半。勘時水尚漫淹，無從詳測，量其大概：東岸河汊寛兩米達至三十米達，深一米達至兩米達半。此汊南北兩頭與額尔古訥河不接。均相隔三十餘米達。並有水窪横截汊之中間斷絶三處，自十米達至二百米達。俄員指此汊爲額尔古訥老河身。詳杜隨員與俄員所立第一次會勘案内。

距此洲東北七里許，有河溝一道，長約五華里，寛三十米達至一百米達，深一米達至兩米達五代西，北與額尔古訥河通流。其通流處寛十五米達，深一米達五代西。南段絶然中斷，不與正流相通。此溝迤南係一帶水泡。俄員并指此溝爲額尔古訥老河身。詳杜隨員與俄員所立第二次會勘案内。

意見

自庫克多博卡倫迤南，至驗牛圈河洲一帶，地勢低下，故其間溝汊歧出，水泡錯列，皆由歷年雨水衝刷所

致。驗牛圈東岸河汊，中間既斷絶三處，兩頭復與正流相隔。察其大勢，當初必係多數小泡，河水漲則遍處横流，日衝月刷，逐漸衝開，故成此似汊非汊似泡非泡之現狀。若爲舊河身，則斷無兩頭先行淤平，而中間尚有水流之理。至此洲迤北七八里之間，未經衝開，故一帶尚是多數水泡。而再北一段已衝成五里長之河溝，即此一端，亦其明證。俄員不察實地形勢，惟執老河身以相狡賴，窺其用意，不過爲俄民至我各旗購買牲畜由此過界，在我境設立一圈，查驗牲畜，相沿已久。前雖屢經交涉，彼族藉詞轇轕，迄未退出。此次會勘遂欲藉口老河身，希圖將此洲劃歸俄境，而實地情狀則毫無老河身之形也。

巴圖尔和碩及巴雅斯胡朗圖温都尔兩河洲圖説

現勘

巴圖尔和碩河洲在俄屯那爲粗魯海圖東對岸。東北距我卡倫巴圖尔和碩約六里，縱長八里半，横寬半里至二里有奇。洲西正流寬一百六十米達，洲東河汊寬五十五米達。彼時風大故未能量深淺。俄員謂洲東河汊爲額尔古訥老河身。詳第八次會勘案内。

巴雅斯胡朗圖温都尔河洲在我巴雅斯胡朗圖温都尔卡倫及俄屯則里果爲相對河中。面積甚小，縱長四百五十米達，横寬二百米達。勘明洲西正流寬九十米達至一百四十五米達，深三米達八代西。洲東河汊寬五十七米達至六十六米達，深一米達七代西。又我岸卡倫附近一帶溝泡錯雜，長者七八里，短者二三百米達，寬深不一，有乾涸者，有有水者，縱横錯列，計共七八處，均經按照地形繪入圖内。俄員指此溝泡均爲老額尔古訥河身舊跡。詳第十次會勘案内。

意見

巴尔圖和碩河洲兩岸河流雖未量其深淺，而東岸河汊其寬衹及正流三分之一。俄員之所謂老河身者毫無憑據。惟綜觀其各處所争河洲，均在俄屯附近，距屯遠者，即不甚措意。蓋以洲中所産羊草等物有關屯民生計之故。而河之正流分汊形勢具在，無可抵賴，不得不藉詞老河身以相争執。

至巴雅斯胡朗圖温都尔一洲，則其用意更巧，不明争中間之洲，而遠指卡倫附近多數溝泡謂爲老河身舊跡：凡港汊之具有河形者，則曰老河身；溝泡之不具河形者，則曰老河舊跡。信口指説，隨地詭變，該俄員狡展技倆大抵類此。但其欲望則不盡在卡倫附近之地，不過預爲定界時退讓地步，希圖將此中間之洲劃歸俄境耳。

額尔古訥河中段俄員所指各老河身圖說

現勘

一、距我胡裕尔和奇卡倫迤北二里，額尔古訥河西岸有一小分汊，計長里許，量寬二十五米達。俄員指此汊爲老河身。詳第十二次會勘案内。即案内所載第一號洲渚。

一、距我巴彦魯克卡倫迤南四里，我岸有一細流，計長五里，中斷一處，俄員指此細流爲老河身。詳第十二次會勘案。

一、距我珠尔特依卡倫迤北九里許，額尔古訥河灣處，我岸有一水泡，計長四百米達，北頭有細流通河，南段係平地。俄員指此水泡爲老河身。詳第十四次會勘案。

意見

以上三處俄員所指爲老河身者，第一近於俄屯布拉，第三近於俄屯恰羅布欽斯基。惟第二處則距俄屯伯力金子稍遠，而其附近處我岸無有溝泡河汊可以供其指說。

總之，該俄員意向之所在不過自私自利爲彼族屯民生計計耳。否則俄岸亦多汊河溝泡，何以老河身盡在我岸距屯遠者？我岸并多河洲，又何以盡在俄屯相近處方有老河身？謂非自私自利，其誰信之？

總說

一、此圖比例雖按十萬分之一繪畫，而河流寬窄，溝泡距離間有按照形勢，不能盡按比例之處。如河寬二十米達或三十米達者，祇可一律盡畫單綫。溝泡中斷，或兩頭與河流不接，祇相隔二三十米達者，其距離不得不較比例稍放。又如河洲兩面，河流此面較彼面寬二三十米達者，則此面河流亦不得不較比例加寬，以期醒目。

一、圖内山綫真等距離係按二十米達計算。

一、圖說係指圖中某處，均於圖内簽註。

一、河道改道，時所常有，但須證據確鑿，不能信口指說。俄員所指老額尔古訥河身及老額尔古訥河舊跡，均係信口指說，毫無證據。况原約並未載有以後河流改道，兩國邊界仍照舊額尔古訥河劃分之語。兩國分界當以條約爲根據，約内既無此語，安得舍現在人所公認之額尔古訥河，而别尋斷港絶潢强名爲老額尔古訥河指爲國界耶？既應以現在額尔古訥河正流爲界，則正流南岸無論有洲渚若干，均屬中國領土，毫無疑義，老河身之説斷難承認。故職道此次會勘，凡俄岸河汊，均未指爲老河身，以免俄員藉口。

一、荒洲沙渚，所值幾何？斷斷力争，似屬無謂。然究不能不争者，以所值無幾，而所關甚大。蓋額尔古訥長一

千四五百里，爲國際有名之河流，可通航行。洲渚一失，則正流劃歸彼境，航路權即隨之而去。洲渚縱可讓，航路權斷不能讓。查國際公法載：凡河流不通航路者，以河之中央爲界；通航路者，以水之極深爲界。蓋河流湍急，若其界專就中央爲定，一旦生有淺瀨河洲，必致一國全失河流之利，一國獨占水運之益也。故今日於河流之界在兩國者，以通航路與否定之等語，甚爲公允，足資援引，以保航權。並聲明此後河流如有變遷，無論何時，由中俄何國知照，即應派員會同勘定，永以可通航行之正流爲界。

一、額尔古訥河固應以正流爲界，河中小洲靠近何國岸，亦應歸何國管領。惟小洲在河之中間者，兩面均爲正流，此等小洲，似難即時劃歸誰屬。蓋洲之兩面河流寬深，現在雖屬相等，數年之後河道變遷，正流或趨而東，或趨而西，難以逆料。應將此等洲渚暫不分劃，作爲兩國公地，洲中土地物產，兩國軍民諸色人等，均不得擅動。或將洲中物產，兩國按年輪取，如甲年屬中，乙年屬俄。屬甲之年，乙欲動其物產，須照邊稅章程，一律納稅，倘將來正流改向，再行分劃。

一、水路邊界勘竣後，業已迭與俄員將原勘界圖校對擬換。因俄員欲於案外添註老額尔古訥河，鑴道以原勘未經聲明立案，所換預備圖內亦未註入，始終未經認可。因此屢校屢止，僅將下游由額尔古訥河口至俄屯阿勒公斯克斯達尼次一段界圖，河洲共八十四號，由額尔古訥河口向上另編號數，校明互換，餘均未能商妥。故圖內自額尔古訥河口至阿勒公斯克河洲，係照另編號數填註。自阿勒公斯克以上各河洲，仍照歷次所换勘案及預備圖所編號數填註。河洲號數，參差不齊，職是之故，合并聲明。

謹將河洲在航路左右及靠近何國岸或在中間，分别列表如左：

位置	靠近中國岸	靠近俄國岸	河流中間
號數	一、二		三
地段	庫克多博迤南		

查庫克多博迤南騐牛圈洲向西及西南尚有五洲，杜隨員與俄員會勘時，未編號數。再南更有一洲，亦未編號數，故不列入表内，合并聲明。

位置	靠近中國岸	靠近俄國岸	河流中間
號數	一、二、四	五	
地段	庫克多博至根河口		

位置	靠近中國岸	靠近俄國岸	河流中間
號數	二、六、七、九、十三、十四、十五、二十二、二十三、二十六、二十七	一、三、四、八、十、十一、十二、十六、十七、十八、二十、二十一、二十四、二十五、二十八	五、十九
地段	根河口至巴圖尔和碩		

地段	位置	號數
巴圖尔和碩至巴雅斯胡朗圖温都尔	靠近中國岸	一、二、五、七、十、十四
	靠近俄國岸	三、四、六、八、九、十一、十二、十三、十五
	河流中間	

地段	位置	號數
巴雅斯胡朗圖温都尔至胡裕尔和奇	靠近中國岸	一、三、六、七、十、十二、十三、十五、十六、十九
	靠近俄國岸	二、五、九、十一、十四、十七、十八
	河流中間	四、八

地段	位置	號數
胡裕爾和奇至巴彦魯克	靠近中國岸	二、三、四、五、六、七、九、十一、十三
	靠近俄國岸	十、十二、十四
	河流中間	八、十五

查第一號河洲本靠近中國岸，惟俄員指該洲東岸河汊爲老額尔古訥河，已另具圖説，故表内不列，合并聲明。

地段	位置	號數
巴彦魯克至珠尔特依	靠近中國岸	二、四、九、十、十三、十四、十八、二十二、二十三、二十四、二十七、二十八、二十九、三十、三十二、三十三、三十六、三十七、三十九
	靠近俄國岸	一、三、七、八、十一、十二、十五、十六、十七、十九、二十、二十一、二十五、二十六、三十一、三十四、三十五、三十八、四十、四十一
	河流中間	五、六

地段	位置	號數
珠尔特依至吉拉林口	靠近中國岸	一、三、五、十、十一、十二、十三、十五、十六、十九、二十一、二十四、二十五、二十六
	靠近俄國岸	四、七、八、九、十七、十八、二十、二十二、二十三、二十七
	河流中間	二、六、十四

地段	位置	號數
吉拉林口至五家堡	靠近中國岸	九、十、十一、十三、十四、二十、二十四
	靠近俄國岸	一、三、七、十六、十七、十九、二十一、(三)〔二〕十二
	河流中間	二、四、五、六、八、十二、十五、十八、二十三

查此段河洲原勘本有二十五號，惟第二十五號一洲，現已列入下游圖内，即第八十四號河洲是也。

位置	號數	地段
航路右	六、九、十一、二十、二十二、二十四、二十五、二十七、三十、三十一、三十三、三十七、三十九、四十二、五十、五十二、五十三、五十四、五十六、五十七、五十八、六十八、七十二、七十四、七十八、七十九、八十一	五家堡至額尔古訥河口
航路左	一、二、三、四、五、七、八、十、十二、十三、十四、十五、十六、十七、十八、十九、二十一、二十三、二十六、二十八、二十九、三十二、三十四、三十五、三十六、三十八、四十三、四十四、四十五、四十六、四十九、五十一、五十五、五十九、六十、六十一、六十二、六十三、六十四、六十五、六十六、六十七、六十九、七十、七十三、七十五、七十六、七十七、八十、八十三、八十四	
河流中間	四十、四十一、四十七、四十八、七十一、八十二	

查此段河洲係杜隨員與俄隨員會勘。原勘本有八十七洲。惟與職道所勘五家堡以上之第二十二、二十三、二十四、二十五四洲會勘重複。現將第二十五號編入此段，列作第八十四號，業於前表聲明。其二十二、二十三、二十四三洲號數則仍其舊，列在前表。再，杜隨員會勘此段河洲原案號數，係由五家堡向下順次編列，此次與俄員校换之圖，所定號數，係由額尔古訥河口向上編列，故河洲在航路左右號數與原案皆異，合并聲明。

會勘呼倫湖至阿巴該圖第一圖圖説

查此圖與中俄兩國原定邊界本屬無干，因俄勘界委員欲查明舊海拉尔河身，前奉郵電有：駐京俄使謂兩國委員不妨各以己見，勘明繪圖註説，寄京商議。故與該俄員會同勘測，謹將所勘各要點列後：

一、圖内乾河即俄員指爲舊海拉尔河身，其乾涸年代已無從查考，俄員亦不能指證，大約總在數百年前。訪之蒙人，並無海拉尔之名。且此乾河東北與海拉尔河不接，西南爲沙崗所阻，不入呼倫湖。即使陵谷變遷，此河身前曾與海拉尔河相接，亦不過係海拉尔河之枝流。况條約所載：

海拉尔河口，係指明第六十三鄂博方向，並非以海拉尔河爲界，亦未載明以舊海拉尔河爲定。至呼倫湖係一著名大湖，若與國界有關，約内萬無不言及之理。約内既未言及，則無關國界明矣。

二、達蘭鄂洛木河即俄員指爲額尔古訥河。查此河係由海拉尔河流至阿巴該圖山下，爲山勢所阻，東北折爲額尔古訥河之處，溢出一枝西南流入呼倫湖，其流

甚小。蒙語達蘭，譯言河堤；鄂洛木，譯言淺渡。此河西岸皆傍高崗，有似堤形，淺處可以徒步。又俄人名此河爲木退内以卜里多克，譯言渾河汊。此河兩岸沙泥，其水多混，證之中俄河名處處相合。兹將此河不能指爲額尔古訥河之證據列下：（一）蒙俄皆有定名，查與實地相符；（二）該河與額尔古訥南北相背分流；（三）呼倫湖係容受湖，非交與湖。阿巴該圖山前一帶地勢高於湖之左近，此河斷不能由湖中流出；（四）呼倫湖係著名之水，如果額尔古訥河由該湖發源，約内萬無不言之理。

三、海拉尔河汊。查海拉〔尔〕河西南至達蘭鄂洛木河一帶，地勢窪低，雨多之年處處積水，故河汊甚多。惟通長河汊，祇有二道，均在東清鐵路迤北，餘則或斷或續不相連接。其鐵路迤南二枝，係乾河河汊。俄員欲證明條約所載海拉尔『中間』河口，遂將多數河汊統指爲海拉尔河。但詳譯原約意義及證之實地形勢，『中間』二字祇能就海拉尔河終點處形勢論，不能遠取數十里外多數河流論也。詳見阿巴該圖圖說。

阿巴該圖山南海拉尔河西北達蘭鄂洛木河東南地平圖說

此段地平於上年十一月間俄員要求同測，當派測繪員劉雲漢，與俄測繪員亞年斯會同測量。所測數目，當由測繪員等寫記互換，以防錯誤。查俄員求測此段地平之意，蓋因既指西南流之達蘭鄂洛木河爲額尔古訥河。又指東北流之海拉尔河汊爲額尔古訥河，不爲河流相背，且中隔海拉尔正河一段，必須有河溝通方可牽入。而海拉尔河西北岸各河溝，又皆向西北流入達蘭鄂洛木河，不得已乃欲藉測地平尋西北高東南低之據。及測量各點，仍是東南高西北低，不能牽西南流之達蘭鄂洛木河以入於東北流之海拉尔河汊。於是於海拉尔河西北岸汊口向西北祇測一點即止，冀與西北向東南測之四點牽算高低，以圖取巧，乃當中尚隔一段未測，計四千八百零二米達。豈有測地平而可中隔一段者？當經劉測繪員自測，仍是南高北低，且俄員所測之四點係屬兩乾溝，尤不得牽連並算。謹將地平圖註說附後：

按：此段地平測後，因隔一段未測，並即接勘他處，未與俄員立案。本年二月初間，俄員商立此案，並將兩乾溝畫成一溝，欲并入阿巴該圖河流洲渚圖互換，職道未允。當經聲明，中隔未測一段，應行補測，乾溝是一是二，亦應覆勘，並訂明候由奉天借來地平測器再測，俄員無詞，亦即承諾。詎職道電請督憲，將測器借到，俄員又推諉不肯往測，故此段迄未立案。至測繪員所换之字，不過記數，不足爲案據也。測繪員互換記數字附後。

測繪員測量地平互換記數字據：

（一）華曆宣統二年十一月十四日，即俄曆一千九百十年十二月初二日，兩國測繪員會同測量中國卡倫以東五華里起，向十字架鄂博山下，即達蘭鄂洛木河口止，共測六點：

1—660＝＋0. 52

2—650＝＋0. 10

3—800＝＋0. 31

4—780＝—0. 31

5—600＝＋0. 23

6—640＝＋0. 23

（二）華曆宣統二年十一月十五日，即俄曆一千九百十年十二月初三日，兩國測繪員會同測量，由昨日所測二千八百九十米達處，向東南循乾河溝，共測四點止。又由海拉尔河汊口西岸起，向西北測一點止。

1—960＝＋0. 23

2—960＝—0. 46

3—372＝＋0. 48

4—384＝—0. 48

1—444＝—02

整理人：李興盛，黑龍江省文史研究館原研究員。

滿洲國水道源流考略

〔清〕周沆　著

姜智　整理

整理說明

《滿洲國水道源流考略》成書於僞滿洲國丁丑年（一九三七年）。一九三二年，前清遜帝溥儀在日本政府的扶持下，在東北建立了滿洲帝國，始稱執政，年號大同；一九三四年稱帝，改年號爲康德，滿洲國史稱『僞滿』。

全書正文八卷，附録一卷，卷一黑龍江上源、海拉爾河、額爾古訥河、黑龍江支流；卷二松花江上源及支流；卷三松花江北岸最大支流嫩江、洮兒河；卷四松花江支流；卷五松花江南岸最大支流牡丹江、松花江支流、烏蘇里江；卷六遼河上源、遼河支流、遼河最大支流渾河；卷七鴨緑江、圖們江、綏芬河；卷八灤河、大凌河、小凌河；附録海岸。並有凡例、徵引書目。

東北地區河流流域大於一千平方公里的计有二百餘條，在清之前僅雜見於浩如煙海的各代史籍或地理志之類書籍中，並且很多河流名歧字異，記述極爲簡略。乾隆年間（一七三六—一七九五年）雖然纂輯了《滿洲源流考》，但對於河流也僅僅是地名、河名的更正，而對某河源於何山、經於何處、終於何地則無更多記敘。《滿洲國水道源流考略》作者參考了上自《漢書》、下迄《滿洲國鐵道圖》等大量歷史文獻，達一百五十九種之多，記載了東北地區由北至南衆多河流的發源、經過和歸宿，且由松遼流域緯度最高、最大河流黑龍江始，止於松遼流域緯度最低、目次内最小之小凌河，由大至小，由北至南，條理、脈絡清晰。歷時四百餘日，民國二十二年初（一九三三年）完稿，民國二十六年（一九三七年）出鉛印本。

作者周沆（一八七四—一九五七年），貴州遵義人。曾隨父讀書於湖南岳麓書院、湘山經堂。一八九三年中舉，一八九五年中進士。辛亥革命時，周沆阻遏唐繼堯都府刺蔡鍔，並冒險放蔡入滇，對促成護國運動在雲南首義成功起了重要作用。一九五五年，緬甸侵我邊境，周沆上書周恩來總理，附呈《雲南片馬考察記》，陳述中緬邊界北段片馬、野人山等地考察資料，爲二十世紀六十年代緬甸政府歸還一九〇五年至一九一一年期間英國軍隊所侵佔的屬於中國的片馬、古浪、崗房等地，做出貢獻。他在東北生活過，還著有《滿洲編年紀要》等十部書。一九九六年十月，《滿洲編年紀要》作爲國家重要古籍文獻出版。

本編纂單元點校者爲姜智，審稿者爲蔡蕃、馮明祥、鄒寶山。不當之處請批評指正。

整理者

徵引書目

《漢書》《後漢書》《三國志》《晋書》《北史》《魏書》《隋書》《新唐書》《舊唐書》《五代史》《遼史》《元史》《明史》

《資治通鑑》《唐會要》《五代會要》《契丹國志》《全遼志》《大金國志》《元秘史》《元史新編》《蒙兀兒史記》《皇明世法録》《皇朝開國方略》《東華録》《光緒東華録》《宣統政紀》《清史列傳》《通典》《文獻通考》《大清會典》

《元一統志》《明〔一〕統志》《大清一統志》《滿洲源流考》

《盛京通志》《吉林通志》《黑龍江志稿》《熱河志》《承德府志》《錦州府志》《呼蘭府志》《賓州府志》《口北三廳志》《遼陽州志》《岫巖州志》《開原縣志》《鐵嶺縣志》《瀋陽縣志》《懷德縣志》《梨樹縣志》《安東縣志》《訥河縣志》《濛江縣志》《樺甸縣志》《興城縣志》《義縣志》《遼中縣志》《綏化縣志》《依安縣志》《鎮東縣志》《安圖縣志》《臨江縣志》《依蘭縣志》《扶餘縣志》

《盛京疆域考》《柳邊紀略》《吉林外紀》《吉林風土紀》《吉林地理紀要》《吉林新志》《卜魁紀略》《龍沙紀略》《黑龍江外紀》《黑龍江述略》《黑龍江輿地圖説》《塔子溝紀略》《牧廠地略》

《滿洲地志》《東北輿地釋略》《東三省紀略》《東三省沿革表》《東三省政略》《東北年鑑》《滿洲年鑑》

《成吉思汗實録》《蒙古遊牧記》《蒙古沿革考》《蒙古地志》《興安屯墾調查録》

《竹書紀年》《太平寰宇記》《北盟彙編》《武經總要》《方輿紀要》《朔方備乘》《十六國疆域考》《聖武記》《讀史兵略》《輟耕録》《山中聞見録》《塞上見聞録》

《賈耽行程録》《王曾行程録》《富弼行程録》《許亢宗行程録》《洪皓松漠紀聞》《胡嶠北行記》《金幼孜北征録》《高士奇東巡扈從記》《潘祖蔭瀋陽紀程》

《中俄約章會要正續編》《吉林勘界記》《伯利探道記》《中國近代邊疆沿革考》《黑龍江卡倫表》

《水經注》《水道提綱》《黑龍江水道編》《蒙古水道略》《黑龍江系水路志》《北滿洲水運概要》《戊通航業彙刊》

《新京事情》《新京特別市全貌》《奉天各縣視察概況》《吉林省并各縣沿革略》《黑龍江上流地方事情》《大黑河事情》《大哈爾濱》《間島要覽》《圖們事情》《熱河地方鐵路沿綫概觀》《興安省概觀》《甯安縣事情》《東甯縣事情》《密山縣事情》《虎林縣事情》

《滿洲國鐵道產業視察團記録》《國鐵沿綫諸機關及設施一覽》《北滿洲東支鐵道》《北滿鐵路交涉關係發表集》《滿鐵概要》《滿鐵要覽》《鐵路汽車時間表》

《大清一統圖》《中外輿地全圖》《奉天省圖》《吉林省圖》《黑龍江輿圖》《北滿全圖》《歷史輿地沿革險要圖》《滿洲國地圖》《滿洲國行政區劃圖》《滿洲國分省地圖》《滿洲國鐵道圖》

目次

〔序〕〔一〕

嘗讀遼、金、元史《地理志》及各家箋註，名岐字異，胥尊所聞，聚訟紛如，莫衷一是。洎乾隆朝纂輯《滿洲源流考》，地名、水名多所更正，但於某山某水僅舉大綱，罔窮端委。徵諸地方志乘，《盛京通志》《錦州府志》《遼陽州志》《開原縣志》《鐵嶺縣志》《岫巖紀略》《塔子溝紀略》，皆成於康、乾時，語焉不詳，疑猶有闕，其足資考證，如《吉林通志》《黑龍江志稿》《熱河志》，卷帙頗繁，舟車非便，其勢不能普及。至私家箸述，《柳邊紀略》《龍沙紀略》《吉林外紀》《黑龍江外紀》《牧廠紀略》《蒙古游牧記》，去今較遠，頗異傳聞。即述水道專書，如《水道提綱》，根據内府圖籍史舘官書，極爲精審，然於東北諸水仍多舛謬，蓋囿於時也。《東北輿地釋略》《東三省紀略》《東三省沿革表》《盛京疆域考》《黑龍江水道編》《吉林地理紀要》《蒙古地志》，爲近人之作，但水道限於方隅，未能貫通一氣。其他關於滿洲地理記載，如《方輿紀要》《朔方備乘》等文，或精於考古，或性類記游，以今視之，亦皆過去之陳迹矣。滿洲國舊邦新造，建設方殷，規模宏遠，因革損益與時會通，今日之繁榮爲昔年之草昧，何莫非有清一代？蓽路藍縷以啓之。區域縱有變更，河山斷然不改，而尤以水道爲主要。水者，地之脈絡也。明其脈絡，乃有健全之軀幹，堅決之趨向，以振起其永久不敝之精神。相其陰陽，觀其流泉，體國者所以三致意焉。鄙人不揣固陋，博稽舊籍，旁採新志，并及公牘文字，著手編輯越四百餘日，成十萬餘言。其關於歷史、國防、交通者，必詳彼原有藝文，軼事及穿鑿附會諸説，概從省略，得書八卷，名之曰《滿洲國水道源流考略》。雖閉門造車，不盡合轍，而巨流趨海，必始濫觴，差以毫釐，失之千里。時用兢兢，尚冀博聞强識之君子，訂訛匡謬，俾成完編，是則日夕所跂禱者也。

康德丁丑首夏播州周沆

〔一〕底本無，整理者加。

凡例

一、滿洲國輿地尚無專書，爰取舊省、府、州、縣志及他書所載水道，詳加考證，仿《水道提綱》體例編次之。其端委曲折，悉以現今河流經過爲主。

一、滿洲國水道，史籍紀載名稱互殊，良以滿洲語、蒙古語譯成普通語，其字音初不準確。本編水名，舉其共知易識者，舊名則附註於下，溯其原始，數典不忘。

一、滿洲國之水，黑龍江爲最鉅，松花江、嫩江、牡丹江、烏蘇里江皆會之，故列諸卷首。遼河、灤河、大小凌河，則歷史所關。鴨緑江、圖們江、綏芬河，爲國界所在。其他小水不備載焉。

一、滿洲國區域，本屬旗蒙。有清一代，改置郡縣，迄於今，兹都一百六十餘縣（興安四省仍置旗署）。河流經過各縣，均載其沿革、建置年月，藉便稽考。其與水道無關之縣從略。

一、滿洲國增置省、區，劃分縣、市，規模宏遠。但前此某水源出某山、流經某處，省、府志載爲某縣境，以今度之，其管轄亦轉移矣。能知其確者，即爲更正，否則姑仍其舊，以待續考。

一、滿洲國水道所納界外支流甚多，兹録其大者及於歷史、國界有關繫者著於篇。

一、滿洲國海岸，僅東南占得黄海、渤海之一隅，然於軍事上、商務上均有重要地位，籌海者幸加注意。

一、滿洲國鐵路，星羅棋布，便利交通，河流縈貫其間，所有橋梁、車站爲水道所經者，即於本條注明。

一、滿洲國水道，以屠寄所繪《黑龍江輿圖》爲確，但篇幅過鉅。松花江、遼河等則無專圖。東三省及熱河地圖於水道經過雖可銜接，頗多疏漏。兹特撮其大要，縮摹成幅〔一〕，鐵路與河流相輔并誌之。

一、滿洲國水道，需要參考書籍行笥所携無多，且亦無從購置，輾轉借鈔，良非容易。掛漏之憾，譾陋之譏，知不免焉。

〔一〕本書底本搜集過程中已無附圖。

卷一

黑龍江上源

黑龍江，即古黑水《山海經》：西望幽都之山，浴水出焉。郭璞注：浴水即黑水。黑水之名始此，一名完水《北史·烏洛侯國》：西北有完水，東北流，合於難水，又名望建河《舊唐書·室韋傳》、室建河《新唐書·室韋傳》、烏桓水《太平寰宇記》。沆按：烏桓亦作烏丸，國名。漢初，東胡爲匈奴冒頓所滅，遺衆退保烏桓山，因以爲號，至金始稱爲黑龍江《金史·勿吉傳》：黑水部，唐置黑水府，有黑龍江所謂白山黑水是也，又謂之石里很，《元史》作撒合兒兀魯。清築黑龍江城康熙二十三年，築黑龍江城，置黑龍江將軍副都統，駐之，置黑龍江省光緒三十三年，置黑龍江省，設黑龍江巡撫，爲滿洲國與蘇俄分界之水咸豐八年，中國與俄羅斯所訂《瑷琿條約》：黑龍江左岸由額爾古訥河至松花江海口全爲俄國領土，但精奇里江以南至霍爾莫勒津屯（即江東六十四屯）仍歸清國官員管理。滿洲語稱爲薩哈連烏拉沆按：烏拉，江也。清初，有薩哈連部。《東華録》：天命元年七月，命扈爾漢安費揚古率兵二千，征薩哈連部。八月下已駐營黑龍江南岸，江水常以九月始冰。是日，營近地距對岸二里許忽結冰如橋，引兵以渡，取薩哈連部，俄羅斯人稱爲阿穆爾江。

黑龍江源有二，北源曰石勒喀河，南源曰額爾古訥河。北源出外蒙古喀爾喀車臣汗部中後旗小肯特山東北，爲敖嫩河。

敖嫩河，《元史》謂之斡難河《太祖本紀》：元年，帝即皇帝位於斡難河之源。《元秘史》作虎兒年。沆按：太祖元年丙寅，宋寧宗開禧二年，金章宗泰和六年，東北流五百里，入俄國界薩拜喀省後貝加爾州境。折而北約七百里，經敖嫩站，穿東清鐵路而北百三十里，納温達河亦作温都河，折西北流六十里，納俄克碩河，東清鐵路横河而渡。又折北流四十里，與音果達河會敖嫩河自入俄界與音果達河相會約九百里，源委千四百里。

音果達河《乾隆内府圖》作恩吉德河。《滿洲地志》作因戈達河。亦黑龍江上源，自俄國界後貝加爾州境北流，循雅布羅諾威嶺之陽，東北行五百餘里，經薩拜喀省首府赤塔西，納智多河赤塔即智多，位於音達果河、智多河交會處。又東南二百里，抵開特洛瓦，穿東清鐵路東行百六十里，與敖嫩河會北滿鐵路在俄境内仍名東清。敖嫩河、音果達河合流是爲石勒喀河。折而東流，屈曲稍北，納尼布楚河。又東，經尼布楚城康熙二十八年，中俄訂界約於此，本中國屬地又東流二百一十里，折而東北流，左納安巴格爾必齊河，入中國黑龍江城舊界，左岸有滿、漢、蒙古、喇第諾四種文界石，滿洲語曰額爾登額倭赫《尼布楚條約》第一款：北以格

爾必齊河爲界，自此河源東，循大興安嶺脊至海濱，凡嶺南盡屬中國，嶺北盡屬俄國。《黑龍江志稿》謂康熙二十八年中俄界約，由北流入黑龍江之綽爾納河即倫穆河，相近格爾必齊河爲界，是必江北之巨流也。《乾隆内府圖》：　尼布楚河口東至安巴格爾必齊河口，弓曲二百一十里，河東岸有界碑。又屈曲東至額爾古訥河三百一十里。陸增祥俄文《東三省鐵路譯圖》：　尼布楚約之所謂格爾必齊河者，即東經二度三十分之水也，俄阿穆爾鐵路横河而渡。　又東北流四百三十里，會額爾古訥河。會口亦有額爾登額倭赫。

額爾古訥河上流曰克魯倫河。《漢書》《遼史》謂之臚朐河，《金史》龍居河，《元史》怯緑連河，又作克魯沐漣，明成祖賜名飲馬河明《金幼孜北征記》：　永樂八年，親征阿魯台。五月二十四日，車駕發廣安鎮，循飲馬河東行二十七日渡河，　源出外蒙古喀爾喀車臣汗部右翼前旗肯特山東巴爾哈嶺隔嶺即敖嫩河發源處。　西南四百餘里折東流，自車臣汗中前旗境，繞哈瑪爾山東北流，瀦爲都爾泊。又東北流，經阿爾坦額謨爾山滿洲里西南二百餘里，　又東北歧而爲二，其正流東北流自呼倫池西南隅瀦入；　其一支東南流，別瀦爲巴勒渚納鄂模，即元史班朱尼河元太祖初起時駐兵之地。　鄂模蒙古語海子也之南，地平衍，美水草，元初興都故城在焉興都故城在雙泉海。《北征記》：　雙泉海爲元太祖發跡之所，舊建宮殿郊壇，每歲於此度夏。　東北流仍入呼倫池。

呼倫池　即唐俱輪泊《新唐書・地理志》：　俱輪泊四面皆室韋，　元謂之闊連海子，明謂之闊灤海子距滿洲里二百九十里，池爲橢圓形，自西南而東北長二百餘里，東西闊百餘里，周圍可六百里。沆按：　《舊唐書・室韋傳》：　室韋山之北有大室建部落，旁室建河而居。其河源出突厥東北界俱輪泊，東經南黑水靺鞨之北、北黑水靺鞨之南注于海。室建河即額爾古訥河，俱輪泊即呼倫池也。額爾古訥河自呼倫池流出，其上源爲克魯倫河。《大清會典》《水道提綱》《黑龍江述略》《黑龍江外紀》《朔方備乘》《東北輿地釋略》及日本參謀本部所編輯之《滿洲地志》《大清一統圖》《東三省輿圖》《滿洲國分省輿圖》，均主其説。自屠寄氏所著《黑龍江輿圖説》，以額爾古訥河出於海拉爾河呼倫池，受衆水，不溢不竭。《唐書》稱室建河出俱輪泊，實傳聞之訛。張伯英《黑龍江志稿》：　宗之謂呼倫湖在臚濱縣西北（光緒三十三年於滿洲里置臚濱府。民國二年改縣，今廢）二百九十里，爲諸河瀦水之區，橢圓形。在唐時爲最大，今較縮小。湖水來源有四：　一爲烏爾遜河自東南流入，一爲克魯倫河自正南流入，一爲布魯葛河自西南流入，一爲達蘭鄂羅木河自東北流入。各河入湖後，皆瀦而不流。舊説謂湖之北端開一口，湖水溢出，東北流爲額爾古訥河，注入黑龍江。據近今調查，該湖係容受湖，非交與湖。其自東北注入者，曰達蘭鄂羅木河，乃海拉爾之分支，非海拉爾之正流，係入湖瀦蓄之水，非由湖吐出之水。其額爾古訥河謂出呼倫湖者，非是沆意呼倫池周圍僅此五六百里所納之水自外蒙肯特山東南流者，索岳爾濟山西北流者，皆歸之，容量甚盛，且明明有口吐出。《水道提綱》：克魯倫河自呼倫湖東北角分二支，流經噶爾巴爾圖山。北流（《黑龍江志稿》作塔爾古爾圖山，在海拉爾西二百里）；　一支經敖拉即塞克忒山東麓（《黑龍江地圖》作伊克特噶岡），在海拉爾市西偏南二百二十里合開拉兒河（即海拉爾河）。陵谷不遷，斷非虛構。又《滿洲地志》所載，黑龍江河流狀況乃確經日本人實地調查者（光緒三十年），故就理論上、事實上，本編於呼倫池及額爾古訥河源流仍遵舊説。　呼倫池上流相距約一百七八十里有貝爾池即捕魚兒海子（《明史》：　洪武二十一年，大將軍藍玉率師深入至捕魚兒海子），形如匏瓜。東北至西南長九十里，東南至西北闊三十餘里，周圍二百里，　其上實爲喀爾喀河，亦名哈爾哈河，《元秘史》：　合泐合河即大黑車室韋所居之水，源出穆克圖爾山即室韋山之

南麓，西北流經外蒙古地，約四百六七十里，瀦爲貝爾池。（《元秘史》：合溯合河流入捕魚兒海子處，有帖兒格翁吉剌成吉思使主兒扯歹説翁吉剌百姓來降）。自貝爾池東北隅流出者，曰烏爾遜河，一曰鄂爾順河沆按：烏爾遜河之東有壽甯寺，俗呼大寺集。每歲五、八月禮佛之期，南自張家口、西自恰克圖，漢、蒙商民遠道奔赴，貿易甚盛，注於呼倫池《元秘史》：捕魚兒海子、闊連海子中間河名兀兒失温，住塔塔爾一種人。池水自東北隅流出六十里，經阿巴該圖鄂博在滿洲里東南五十里。雍正五年，立第六十三鄂博於山之凸處，俄文作阿巴該圖箭頭，箭頭即凸出之義也。山南屬中國，北屬俄國。北滿鐵路經之，是爲額爾古訥河。其南源爲海拉爾河。

海拉爾河

海拉爾河亦作海喇兒，蒙古語，黑也。遼作于諧里河《遼史》：會同三年，詔以于諧里河、臚朐河近地農田給賜南院，元作海剌兒河《元史》：至元二十四年，敗叛王乃顔於忽爾阿剌，追至海剌兒河，又敗之。明永樂三年十月，設海剌兒千户所，源出伊克呼里阿林沆按：此爲嫩江額爾古訥河分水嶺支峰吉勒奇克山之北麓（海拉爾市東北四百里），西南流八十六里，納奇哷依河。又西南流二十六里，納果尼約爾河。又數里，納鄂爾奇契河。又西南流五十六里，納庫勒都爾河。

庫勒都爾河源出伊克呼里阿林，西南流六十二里，先後納音格勒奇河、普塔爾代河、伊勒特克河，左納折勒固勒河、塔爾巴哈奇河、噶爾多圖河。折而南流三十里，有特爾穆勒津河自烏克錫哈奇山（海拉爾市東北二百里）東南流來會。再折東南流，又折而西南流七十四里，右納哈巴喇河，南入海拉爾河。

又西南流十餘里，有歐肯河，左合奇雅喇河、右合摩圖該河，北流五十餘里注之。又西南流二十五里，納胡裕爾河。又西北折西南流二十里，納鄂勒奇哈河，迤西流二十餘里，納博羅斯河。又西流三十八里，有札敦河西北流來會。

札敦河（明永樂四年十一月設札敦衛）源出綽爾圖山（海拉爾市東偏北三百里），西流八十里，左合奇罕河、右納錫伯河，迤西流六十六里，有烏努爾果勒河即遼烏納水（《遼史》：壽隆二年九月，徙烏古敵烈部於烏納水，以扼北邊之衝）屈曲東北流百三十餘里，右挾葛察河，又北五十餘里入札敦河。札敦河又西北流二十六里，左納烏蘭布爾噶蘇台河，經札敦畢拉雅克台東，穿北滿鐵路而過，有鐵橋長三百三十尺。又西流六十里，左納一水，經前鄂倫春鑲藍旗協領駐所，東入海拉爾河。

又西折東南再折西北流六十里，經札喇木台西南海拉爾市東九十里，納札喇木台河。又折西南屈曲流八十里，經海拉爾市東北海拉爾《盛京通志》作呼倫布雨爾。雍正十年設副都統銜總管，駐之。光緒五年，改副都統。三十四年五月，裁置呼倫直隸廳。民國二年，改縣，今廢置。海拉爾市爲興安北分省省公署所在地，北滿鐵路大站，依奔河、合輝河北流四百五十里來會。

依奔河，一作伊敏河，《金史》謂之移米河《金史·宗浩傳》：浩移軍趨移米河，合底忻恐大軍西渡移米河遁去，源出室韋山東北麓，（海拉爾市東南三百六十里），東北流七十里，經霍們霍爾敦山東南，左挾一水，折東北流五十里，納阿魯塔奇河。折西北流九十里，有鄂依那河，西北流折而西南流，左納鄂依那罕河。又折而西北流百二十里入依奔河。又西流折西南流二十八里，納洪果爾津河。又西迤北十四

里，納韋突克河。又北流，經延禧寺東（海拉爾市南百二十里），又北經光遠寺（市南九十里），又北流七十里，有錫尼克河，左合阿喇圖博喇格河、右納博喇格蘇合河，西北流經雅克薩岡（海拉爾市南四十五里）入（伊）〔依〕奔河。又北二十里與輝河會，會口在海拉爾市東南三十里。

輝河，《金史》謂之呼歇水（《金史・宗浩傳》：進軍至呼歇水，合底忻部、山只昆部、婆速火皆乞降）源出霍們霍爾敦山（海拉爾市東南二百二十里），西北流六十六里，納奎騰河。又西北流二十里，有巴倫摩該河自特默特尼嶺（海拉爾市南三百四十里）西北流百餘里，右納哲溫摩該河，西瀦爲察罕諾爾。折東北流，右挾一支渠四十里入輝河。又西流五十餘里，折而北屈曲蛇行六十餘里，納鄂爾圖喇布喇克水。又西北歧而爲二，左一支西北流二十里許，瀦爲烏蘭諾爾、庫庫諾爾。又西北流，納爻喇爾河。又西北流四十餘里，與右一支合。又折東北流三十七里，左納穆丹泊水。又北流一百四十五里，經錫伯爾山東（海拉爾市西南四十里）、廣慧寺南，折東北流五里入依奔河。依奔河既合輝河，折東北流四十里，經海拉爾市東南歧而爲二，北流十六里合爲一，穿北滿鐵路而過。有鐵橋長六百九十三尺。又北迤西流五里入海拉爾河。

海拉爾河既合依奔河，又西經海拉爾市西北流，納莫勒根河源出烏克錫哈奇山，（海拉爾市東北二百里），西南流，左挾索固琳河、霍倫河，右挾哈吉霍倫河、依爾該圖霍倫河，經庫庫溫都爾山（海拉爾市西北百二十里）東南瀦爲烏因諾爾，入海拉爾河。屈曲西北流百九十里，經郭勒格特山東、室韋格特山西，左有一水，曰達蘭鄂羅木河，北滿鐵路橫河而過有鐵橋長二百六十四尺。（沆按：達蘭鄂羅木河，《黑龍江志稿》謂是海拉爾河分支，西南流，入呼倫池。《水道提綱》謂是呼倫池吐出，東北流，會海拉爾河。前於呼倫池已詳論之。其河流長僅六十里，循伊克特噶岡而行，自南趨北）。其正流歧而爲二，其一北流，經阿巴該圖鄂博東南迤而東北流；其一東北流，傍室韋格特山西麓迤而北合爲一，北流爲額爾古訥河。海拉爾河計長六百餘里（《黑龍江志稿》）。

額爾古訥河

額爾古訥河，即唐之室建河，元之額洏古涅河（《元秘史》：雞兒年，成吉思軍與札木合軍相接於闊亦田地面，札木合軍潰，順額洏古涅河退去）。沆按：雞兒年爲辛酉宋寧宗嘉泰元年，金章宗泰和元年，國界河流也康熙二十八年，《尼布楚條約》第二款：西以流入黑龍江之額爾古訥河爲界，河之南岸屬中國，河之北岸屬俄國，北源曰克魯倫河，自呼倫池流出至阿巴該圖山脚，山之西有俄阿巴該圖兵屯俄沿額爾古訥河左岸迄與石勒喀河會口，置兵屯四十六，與南源海拉爾河會合而北流，始爲額爾古訥河。又東北流五十里，納霍爾津河自滿洲里東南流一百四十里，又北迤而東流三百四十里，右岸無支流滙入。經孟克錫卡倫、額爾得尼托羅輝卡倫至庫克多博卡倫北三十里，有根河挾衆水西南流四百八十里來會。

根河，即元之犍河（《元聖武親征録》：弘吉剌等十一部會於犍河，共立札木合爲菊兒可汗），源出伊克呼里阿林，與布特哈之甘河源隔嶺相望，西流六十五里，納薩吉奇河。又西迤南二十里，納鄂羅諾因河。又西南流十九里，納奇雅喇撻河。西流二十九里，納莫吉爾河。又七十餘里，納楞布爾河。又西南流十九里，納穆累河。又西流二十九里，納札多瑪河。又西南流十八里，伊圖河合錫琳吉奇河入根河。又南流迤西流四十餘里，有額斯棍河左合哈魯克奇河、吉罕河及無名小水二，西北

流一百四十里入根河。又西流二十三里，左納一水。又西三里，納鄂爾佳河。又屈曲西南流七十五里，經松吉山南、金源邊堡北（《元史·新編太祖紀》：金遺丞相完顏襄，築長城，塹山濬濠數百里爲界）。沆按：完顏襄封金源郡王，故名金源邊堡。此段長城東起根河之源，西去直通庫倫，又屈曲西流六十里，經苦烈兒山、南山之西，有磚城，周二千步，高二丈許，寬八尺，東、西、南三門，門外各有影壁一座，爲元初弘吉剌氏故城）。又北迤西流十八里，入額爾古訥河。向北流三十里，有官渡曰官渡口爲滿、俄商旅往來要津，渡口之西有俄司大類衣粗魯海圖兵屯、挪維衣粗魯海圖兵屯，東有特勒布爾河會喀拉布河西流來注之。

特勒布爾河，即元之秃律別而河（《元聖武親征録》：弘吉剌等十一部盟於秃律別而河岸，悉赴我軍。上起兵迎之，戰於海剌兒帖尼火奴罕之野，破之），源出綽博克托山，西南流百三十八里，合特爾固克河西南流百六十里，有喀拉布河自綽博克托山西流八十里，右納錫喇克果勒河迤西南流十五里，左納鄂爾霍諾河，又西南流二百里來會。合而西流十二里，入額爾古訥河。

又北流十二里，經巴魯爾和碩卡倫，西南折而西流二十五里，烏魯倫古河自俄界挾五水，東南流三百四十里來注之烏魯倫古河即後魏烏洛侯國、唐烏羅護國、遼烏古部所居之水。又北流迤西折東北流八十里，經温雅斯胡即圖温都爾卡倫對岸有俄卓爾果里兵屯，左岸納界外之上博爾佳河、喀勒布河。又東北流七十里，經胡裕爾和奇卡倫，納胡裕爾和奇河對岸有俄布拉兵屯，左岸納界外之中博爾佳河、下博爾佳河俄捏爾臣斯克鐵廠在下博爾佳河北岸。又東北流四十里，至巴彥珠克卡倫，納朱魯克圖河對岸有俄伯里今斯克兵屯。又東北流六十里，經錫伯爾布拉克卡倫，納錫伯爾布拉克河對岸有俄別勒布得雷兵屯。又東流四十里，經珠爾格特依卡倫，納珠爾格特依河對岸有俄氣羅布新斯克兵屯。又東流十餘里，納布魯河。又東流三十餘里，納色木特勒克河。又東北流四十餘里，至吉拉林民國七年置室韋縣於吉拉林，今廢，有吉拉林河合塔布爾河西北流三百餘里來會。

吉拉林河源出雉雞場山，在吉拉林東北二百六十里，呼瑪縣西三百里，爲吉拉林河、呼瑪爾河分水嶺。吉拉林河左右岸均産金，塔布爾河爲《元史》忽律耶兒所居之水，兩河合流入額爾古訥河。對岸俄屯西北爲敖洛氣兵屯，西南爲臥牛槐兵屯。

又東北流三十五里，經莫里勒克卡倫，納莫里勒克河對岸有俄一勺嘎兵屯，又俄阿爾公總兵屯。俄呼額爾古訥爲阿爾公，遂以河名其總兵屯，又納畢喇克産河。東北流百二十三里，經畢喇爾卡倫對岸有俄西連崟兵屯，左納界外之音達瓦齊河、嘉毗奇河、塔爾巴噶河，右納札爾和奇河、古爾布奇河、阿穆昆河。又東北流八十八里，經牛耳卡倫，有牛耳河合數水西北流三百餘里來會。

牛耳河源出伊勒呼里阿林西麓，名曰伊蘭安巴河，北流納兩小水暨牛耳泊水。又北流，右納一小水暨伊里底吉察河，折而西流，其南産金。右納一小水，又西經牛耳卡倫北又西，入額爾古訥河。對岸有俄瑪林西巴洛夫兵屯。

又東北流迤西北流三十八里，右納阿巴河，左有烏洛甫河即唐烏羅護部水，自俄界東北流二百四十里，又折而東南流來注之。又屈曲西北二十八里，經珠爾干河總卡倫，納珠

爾干河源出興安嶺，對岸有俄烏洛甫總兵屯。又折西北流，復折東北流八十里，納庫魯干河對岸有俄瑪林兵屯。經温河卡倫，納温河對岸有俄噶其雅兵屯。又西北三十七里，右納烏瑪河此河產金及熱克多河。又西流三十餘里，經長甸卡倫，左納界外之魯畢堪河有俄魯畢堪兵屯在河岸。折西南流十八里，左有烏流堪河自俄界東北流二百七十餘里來注之。迤西折而北又東南流七十四里，經伊穆卡倫，納伊穆河源出內興安嶺西麓，曲折西北流二百八十餘里入額爾古訥河。對岸有俄烏留賓兵屯。又東北流四十餘里，左有喀吉米爾河自俄界西北流七百四十里來注之喀吉米爾河源出俄境謨果爾綽克山。又北流九十餘里，經奇雅河卡倫，納奇雅河對岸有俄木赤堪兵屯。又東北流三十餘里，經奇乾縣舊治民國十一年置縣，今廢納奇乾河。又東北流七十里，經永安山卡倫。又流東七十里，至額勒和哈達卡倫，納額勒和哈達河對岸有俄四大列克勒兵屯，左納界外小水十二，右納塔洛甫喀河。又東北流五里，經額爾登額倭赫，與自北來之石勒喀河會，是爲黑龍江。額爾古訥河自阿巴該圖山西起，至石勒喀河合流處止，計長一千五百餘里《黑龍江志稿》。

《黑龍江志稿》：額爾古訥河所納諸支流，右岸以根河爲大，吉拉林河次之，牛耳河又次之。左岸以喀吉米爾河爲大，烏留穆堪河、烏洛甫河、烏諭古河次之。庫克多博卡倫以上，水曲而流緩，深不踰丈，寬倍之。既受根河，勢漸壯，牛耳河口以下，地勢陡落，水勢驟漲，深踰三丈，寬五之。奔流浩蕩，有一日千里之勢。庫魯干河口迤北，兩岸之山若迎若拒，迫近河于河流，雖迅不能不虛與委蛇，故折而西北趨作一大曲，始東北與黑龍江會。下游右岸產金，極富，與黑龍江南岸相若。

黑龍江支流

黑龍江（咸豐八年，中俄《璦琿條約》畫黑龍江爲界，江南岸屬中國，江北岸屬俄國）。沆按：俄阿穆爾省之地，即當年約內所割讓者，計一百四十萬方里東流入漠河縣境八里，經洛古卡倫，納洛古河源出渾特山，漠河縣西北三十里，挾三小水西北流四十四里，經洛古卡倫西入黑龍江。此河產金，對岸有俄坡克洛甫斯克兵屯。又東五十里，經納欽卡倫，納薩坡什喀河源出元寶山，（漠河縣西南七十里），四源合而北流七十里，左挾一小水，右合阿瑪匝爾溝水，此溝產金，東北流三十里入黑龍江，左納界外之阿瑪匝爾河河岸有俄阿瑪匝爾兵屯。沆按：阿瑪匝爾河《舊圖》及《朔方備乘》均誤作格爾必齊河，源出外興安嶺，東南流六百餘里入黑龍江。又東流三十五里，左納界外之烏爾堪河，折東北流二十里，右納漠河。

漠河又作末河、謀河、墨河，土人稱曰磨河，以其水曲折如旋磨然。源出元寶山，合三水曲折南流折而東北五十里入黑龍江。此河產金，最旺所謂漠河金廠也。光緒十四年，李金鏞所創辦其產金之溝有五，曰漠河老溝，曰小北溝，曰洛古河，曰興華溝，曰馬拉溝。

左納界外之伊格那什諾河河岸有俄伊格那什諾兵屯。又東十二里，經漠河縣治（明置木河衛）民國六年，置縣，東流二十里，左納界外之烏特勒喜河一作鄂木那雅河，又東南三十六里對岸有鄂斯吉布尼兵屯，左納界外之鄂魯河一作烏魯赤河，又東六十九里，經烏蘇里卡倫北烏蘇里山（漠河縣東南一百六十里）對岸有俄斯

威爾別業兵屯，左納界外之鄂爾多昆河一作敖爾多葷河。又東流弓曲作凹字形凡百里，曰察爾弼勒穆丹。又東三十里，經連奎鎮北對岸有俄列依諸夫兵屯，左納界外之利威爾河。又東南三十里，經阿穆爾卡倫，左納界外之烏爾蘇河。南流十五里，經雅克薩城西南雅克薩城舊隸索倫部博木博果爾。順治七年，俄羅斯襲據雅克薩，築木城守之。中俄交涉始此，今爲俄阿勒巴金兵屯，額穆爾河挾衆水東北流五百七十里來會。

額穆爾河即唐洳北支室韋之水（《唐會要》：嶺西室韋北又有洳北支室韋。沆按：新舊《唐書》洳北支均作訥北支）。三源出雉雞場山（漠河縣西南三百四十里），東北流五十里而合。又東北五里，左納多爾那吉河。又東北流八十里，左納一支渠，右納大賀洛代伊河、小賀洛代伊河。稍東五里，左納吉瑪里河，右納一水。折西北流十餘里，左納羅格德河，右納業列尼哈河。又東北流二十里，右納車列瑪闊斯克亞河、烏里察河。折西北流三十二里，右納必列亞克河。又折而東北流十八里，左納那里多河。又東北流八里，左納們都里河，右納瑪里察河。又西北流，左納一支渠，右納二支渠。折北流二十餘里，左納什都喀河，即小北溝水，此河產金，最旺，總金廠設於河源元寶山。又屈曲東北流四十里，經烏蘇里山，左納一溝水。折東北流三十里，左納穆察必喇河。折而北又迤而東流六十五里，左納二小水，右納大札林庫爾河。又東流二十六里，左納一溝水，右納小札林庫爾河。又東流二十五里，右納木坦斯德里斯巴雅河。又屈曲東北流十二里，右納布爾戛里河。又東北流十里，右納一小水入黑龍江。

又東迤南七十六里對岸有俄貝托諾夫兵屯，右有旁烏河挾衆水東北流三百餘里來會。

旁烏河（即唐婆窩室韋所居之水）源出阿勒呼里阿林（漠河縣南二百四十里），東北流百有十里，右納喀達赤河。左有色連吉督河東南流八十里，右挾伊吉昌那河來注。又東北流四十里，左納二水，右納小布爾加里河。又東二十里，布爾加里河二源合而北流四十里，入旁烏河。又東北流十五里，有水二源合而西南流七十里，入旁烏河。又東北流三十四里，活里幹河北流六十四里入旁烏河。又東北流五十七里，右納二支渠，左納一支渠。又北流四十里，有穆倫河屈曲東流四十里入旁烏河。又北流分爲二道，入黑龍江。

又屈曲東行百十有四里，曰提威穆丹經庫奎堪卡倫，納庫奎堪河、伊勒爾期河，左納界外之波羅達穆河。又東北流五十里，經安羅卡倫，納安羅河對岸有俄巴勒布金兵屯，東南流入鷗浦縣境民國十八年劃呼瑪縣地，置縣。東南流五十三里對岸有俄瓦嘎諾瓦兵屯，折南流六十里，至伊斯肯山，經伊斯肯卡倫對岸有俄沃勒及諸兵屯，納伊斯肯河，左納界外之額爾格河。折而東南流五十六里，經鷗浦縣治即倭西門卡倫對岸有俄基而業瓦兵屯，納倭西門河，左納界外之巴爾坦河。又折而南百五十六里，左納界外之托羅河河岸有俄托羅依兵屯，又屈曲如弓南流百里，經安幹卡倫對岸有俄庫兹尼錯兵屯，納安幹河，左納界外之鄂諾河。又東南流經察哈鹽火山《龍沙紀略》：察哈鹽峰在黑龍江東北嵎，山形如削壁，面西南，背東北，峭壁千尋，根插江底，土色黃赤，無寸草，腰亘兩帶，深黑色，火光出帶，間四時騰熾不絕，天雨則煙焰入雨氣中，延罩波上。山背則萬木葱鬱，藍翠異狀，窮冬不凋。云按：此山晝煙夜火，種種狀態，一如昔日。又屈曲流九十里對岸有俄阿諾索尼兵屯，左納界外之里窪河。折而西南流入呼瑪縣境。再折而東南百三十三里，經金山鎮總金廠在此對岸有俄烏沙闊瓦兵屯，左納界外之奇期幹河、淘斯河。又東南七

十一里，經呼瑪縣治東《東華録》：順治十二年，尚書明安達禮自京率師往征羅刹，進抵呼瑪爾等處，頗有斬獲。康熙中，命都統薩布素等屢征雅克薩城，皆治兵於此，（民國二年置呼瑪縣）。呼瑪爾河挾衆水東南流七百餘里來會。

呼瑪爾河源出漠河縣雉雞場山，東流四百六十里，右納窩集河，入呼瑪縣境。又東八十里，納烏特治爾河。又東南流四十里，右納一小水。又東流迤東南九十里，納布列斯河。又東南流六十里，左右各納一溝，曰安娘娘溝，均產金。右岸納綽諾河。又南流數里，納布列根河、瓦西力溝，均產金。又屈曲東南流七八十里，納呼藍河、餘慶溝、得勝溝水。又東流三十里，右納一小水。又二十里，右納古隆幹河。又東流十里至縣治，分爲二道，一東北流，一東南流，各十餘里入黑龍江。縣屬產金最旺已開之溝凡四：曰安娘娘溝、曰窪希利溝、曰布拉各利溝、曰交布利溝。呼瑪爾河口對岸有俄庫瑪爾司喀牙兵屯。

又東南流十餘里，左納界外之阿里彥河。又東南六十三里，經奧門站東對岸有俄薩瑪磯兵屯，左納界外之阿蘇河。又東南流經西爾根奇卡倫，東入璦琿縣境，東南流七十里，水凡五曲，作一大灣，曰烏魯蘇穆丹（曲處左岸有烏魯蘇穆丹故城。清初索倫庫爾喀部人博木博果爾所據之城），右納烏魯蘇穆丹河即古里明推河。又東南流三十里，經散馬屯站東對岸有俄撇特洛夫兵屯，右納衮河此河產金、奇拉河，左納界外之阿拉河。又東南流八十里，經奇拉站東對岸有俄畢爾克瓦兵屯，左納界外之布蘭河，右納庫蘭河、克魯倫河與呼倫池上流克魯倫河同名。又東南流一百四十六里，經呼爾沁卡倫東對岸有俄屯二，曰依格那兵屯、曰葉瓦左兵屯，左納界外之固蘭河，又納自俄屬額蘇里城西北來之額蘇里河額蘇里城在黑龍江城西北八十里。又西南流三十二里，經哈喇泊西哈喇，蒙古語，黑也，語譌爲海蘭泡，漢語呼爲黑河，俄人呼爲布拉郭威臣斯克，左納界外之登瑪拉河、多魯果雅河、多普塔喇河。折而西北又折而東北流七十里，經黑河省治北即黑河屯，唐黑水靺鞨地（《新唐書》：貞觀二年，黑水靺鞨臣附，以其地爲燕州，開元中置黑水府）。（清隸黑龍江城將軍管轄，光緒三十四年以璦琿廳黑河屯置黑河府。民國二年裁。大同二年，移璦琿縣於此。今爲黑河省省公署所在地，北黑鐵路終點），俄阿穆爾省首府布拉郭威臣斯克南即海蘭泡，左岸最大支流精奇里江自俄境合烏爾河、西林穆迪河，挾衆水屈曲南流一千四百六十里來注之。

精奇里江《開國方略》作淨溪里，《黑龍江外紀》作精奇尼，《水道提綱》作錦衣里，俗稱黃河。精奇里，索倫語，黃也，即唐靺鞨郡利所居之水源，出外興安嶺烏爾河，源出伊勒提布斯嶺，行四百六十里，爲精奇里江。西源西林穆迪河，即《北史隋書》所謂深末怛水。深末怛室韋所居，唐時靺鞨思慕部遞居之源，出雅瑪嶺，行七百七十里，爲精奇里江東源。（沆按：俄阿穆爾鐵路自雅克薩城北百五十里路戈洛沃站起，沿精奇里江之支流烏爾河右岸東南行，與烏爾河作平行綫抵克拉司克巴及站。精奇里江西南行與烏爾河會，亦折而東南行，鐵路復沿其右岸而下。精奇里江又東南流，左受西林穆迪河，折而西南流以注於黑龍江。鐵路則出其支流畢拉河右岸，古魯巴爾河左岸，越精奇里江而南又南越託謨河，分一支路西南行，再越精奇里江直抵海蘭泡）。

又東迤南流七十里，經璦琿故城西、黑龍江城東璦琿故城在江左岸，明時即有之。康熙二十三年，置黑龍江將軍及副都統各一員，駐之，并於江之右岸築新城，即黑龍江城，亦置副都統一員。咸豐八年，與俄羅斯

訂《璦琿條約》，劃黑龍江爲界，遂棄左岸之城。將軍副都統已先移駐齊齊哈爾，只右岸新城仍駐副都統一員。光緒三十四年，裁置璦琿直隸廳。民國二年，改縣。大同二年，移縣治於黑河。此城僅爲一市鎮。北黑鐵路經之，有車站。

又南流，其左岸即江東六十四屯（咸豐八年，《璦琿條約》第一款：但精奇里江以南至霍爾莫勒津屯，即江東六十四屯，原住之滿洲人仍永居原地，歸清國官員管理）。沅按：黑龍江左岸地，北自精奇里江口，南至霍爾莫勒津屯，西自黑龍江岸，東以精奇里江橫至伯勒格爾沁河爲界，長一百八十里，廣九十餘里。光緒九年，勘濬界濠，立封堆焉。凡六十四屯：河北新山屯、河南新山屯、突勃屯、徐家窩棚屯、圖達阿林屯、小橋子屯、東二溝屯、西二溝屯、都什鎮屯、烏拉伊米羅夫克屯、呼羅甘日屯、興隆山屯、曾家窩棚屯、老虎屯、戛拉霍羅屯、臧家窩棚屯、何家窩棚屯、太平溝屯、何家山屯、王家窩棚屯、解家窩棚屯、姚家窩棚屯、老官林子屯、腰屯、前東山屯、後東山屯、韓家窩棚屯、尼托羅克霍屯、黄山屯、石頭泊子屯、吴家窩棚屯、南窩棚屯、大泡子屯、布爾多屯、外布爾多屯、前呼尼呼哈屯、後屯、蔣家窩棚屯、莽乃屯、西普奇屯、四方林子屯、馬列托克屯、塔頭溝屯、馬蹄屯、擺渡屯、白旗屯（即舊璦琿城）、小樹林屯、瑪爾屯、疙疸窩屯、王家橋屯、爪里法屯、同合達屯、樺樹林子屯、托列爾哈達屯、嘎爾沁屯、大碾間房山屯、小碾間房山屯、達子窩棚屯、雙雅樹屯、布丁屯、遠地屯、曹家窩棚屯、布拉滿嘎屯、剌合屯。光緒庚子拳匪之亂，俄乘衅侵占，應待索還。

江流屈曲二十五里，曰瑚爾漢烏魯蘇穆丹，右納坤河。

坤河源出坤安嶺北麓。東北流二十五里，右納盤當溝。又東北流，折東南流三十里，右納一水。折東流五里，納阿林河、布爾噶里河。又東流十二里，右納一水。經薩哈連烏拉站即坤站南，納托爾河、莫色河。又東流十三里，經曹家屯北，納達魯木河。折東北流二十里，經黑龍江城南入黑龍江。

左納界外之伯勒格爾沁河。又東南流五十里，入奇克縣境（民國十八年，置縣），經特爾德尼城黑龍江城東六十八里，折而東百一十里，納界外之吉滿河，入遜河縣境，右納遜河。

遜河明永樂五年，置遜河衛（《滿洲源流考》：遜河衛距黑龍江城一百八十里）。源出東興安嶺，東北流四十里入龍鎮縣境（民國五年，置縣），左納南岔河、右納北岔河，屈曲東南流六十里，左納錫哈豁魯河。又東南五十里，納額裕爾河。又東南流百里，與占河合（明置占河所，《滿洲源流考》：占河在黑龍江城南二百里），入遜河縣境。折東北流五十里，納小岔河。此河左岸産金。又東北流五十里，經遜河縣治（大同二年，置縣）。又北分爲二道，北流二十里入黑龍江（沅按：遜河南北岸均鄂倫春部所居。《聖武記》：使鹿鄂倫春距齊齊哈爾城千餘里。《吉林地理紀要》：鄂倫春人善馭四不像，逐獸逾嶺，捷如猱猿，鄂倫春呼之曰沃利恩，角數歧，似鹿；蹄二歧，似牛；身長色灰，似驢；其頭則在牛鹿之間。寬額而長喙，毛甚豐，負重百餘里，即中國古書麈也。其性最馴，善走，鄂倫春人豢役之，所謂使鹿部。又據《黑龍江右岸卡倫表》，自額爾古訥河口至遜河二千一百十四里。）

又東四十里，入烏雲縣境民國五年，置縣，左納界外之博屯河、特羅沁克雅河。又東流五十里，納科爾芬河。

科爾芬河上源曰闊爾裴音河，自布倫山（烏雲縣西南三百五十里）北流五十里，納阿爾皮河。又東北流八十里，納多畢河。又東北流八十餘里，納沙圖河。又東北流百三十三里入黑龍江。

左納界外之庫普里雅諾甫喀河河岸有俄兵屯，以河爲名。又東南流三十五里，右納喀達罕河源出於瑪哈拉山、布倫山分支，折而東北流七十四里，左岸大支流牛滿河自俄界合衆水屈曲西南流一千一百里來注之。

牛滿河三源：中源曰尼瑪堪河，源出都薩阿林西北麓；西源曰卓倫奇河，即畢喇瑪奇特河，源出雅瑪嶺西南麓；東源曰阿陵河，源出都薩阿林。

折東南流九十里，右納烏雲河源出瑪哈拉山烏雲縣西三百里，對岸有俄帕什闊瓦兵屯，左納界外之哈拉河。又東南五十里，左納界外之阿拉河即果努幹斯克納河，經蘇拉錫哈達西南流二百七十里來注之。又東南五十五里，右納安河、左納界外之搭拉木河，經蘇拉錫哈達西南流三十里來注之。又東流二十里，左納界外之喀惹努河。又南流弓曲三十里，左納界外之庫木努河，經那丹哈達西南流九十里來注之。折而東南流五十里，右納福河《滿洲源流考》：福河衛在黑龍江城東六百里。江流至此，水勢迫束，其廣僅五十丈《水道提綱》：江自受福河之後，經兩岸大山中，如蜀江出峽者五百里。又折而東南五十里，左納界外之葛里河，自那丹哈達西南流六十里來注之，上珠春河西南流八十里來注之。折西南四十里，右納札伊河。

札伊河，即《金史》之主隈水（《世紀》：穆宗令主隈禿答之，民陽爲阻絶鷹路，畋於屯水而歸。《滿洲源流考》作矩威圖塔）。源出哲温山，北流九十里，納火燒溝水。此溝産金，其會口觀音山（烏雲縣東南一百四十里）金廠在焉。迤而東北流七十三里，納列拉歪夫溝。此溝産金。又迤而東流八十里，入黑龍江。

經札伊卡倫對岸有俄班列夫克兵屯，折而東南，入佛山縣境（民國十六年，置縣），右納烏里哈河，左納界外之下珠春河，西南流七十里來注之。又折而西南四十里，右納庫布特林河、太平溝水蘿北縣東北十里，此溝産金，總金廠在焉，經蘿北縣治（宣統元年，由興東道治改縣）。對岸有俄波里喀爾波甫喀兵屯，右納哈克桑阿河、那得木河、伯羅尼河、莪台河。江始出峽，其流廣而緩，迤南流百五十里至綏濱縣境（民國六年，以綏東設治局改置），納集達河。

集達河，即《金史》二坦水（《忠義傳》：酬斡率濤温路兵招撫二坦、石里很、跂苦三水鼇，古城邑皆降之。對岸有俄沙瑪拉兵屯。左納界外之庫魯河。又東七十五里，經裕興鎮，右納斐爾法河。

斐爾法河即斐爾法鄂模水，在佛思亨山北，爲山水所瀦。東、西廣八十里，南、北二十里。其水自東隅流出，即斐爾法河，入黑龍江。又東三十五里，左納界外之多布里河河岸有俄列日也瓦兵屯。又東八十里，左納界外之畢占河河岸有俄屯二，曰苦克列瓦兵屯，曰伊瓦什尼兵屯。江流深廣，其闊處至三百六十丈。又東南岸入同江縣境光緒三十一年，置臨江州。宣統元年，升爲府。民國二年，改今縣十五里，經奥里米故城，是爲黑河口。右岸爲黑河卡倫，松花江東流來會，曰混同江。

卷二

松花江上源

松花江，古速末水《魏書・勿吉傳》：國有大水，闊三里，曰速末水，一曰粟末《新唐書・靺鞨傳》：粟末靺鞨，依粟末以居，又曰鴨子河，改名混同江《遼史・地理志》：長春州韶陽軍本鴨子河春獵之地。聖宗太平四年，改鴨子河爲混同江，混同之名始此。沆按：《遼史・營衛志》：鴨子河泊東西二十里，南北三十里，在長春州東北三十五里。王觀堂金《東北界濠考》云：鴨子河即今松花江，鴨子河泊即今松花江西之科爾布察罕泊，其西南三十五里即遼長春州金長春縣之所在。又景方昶《東北輿地釋略》云：洮兒河下流至將入嫩江處，先瀦爲湖，《水道提綱》名納藍撒藍池，此水遼曰撻魯。聖宗太平四年，改號長春河。興宗重熙八年，始置長春州，州以水名。以上兩説均極明確，科爾布察罕與納藍撒藍實一湖而異名也。鴨子河當爲今洮兒河入嫩江、嫩江入松花江一段，其上下游皆不得名鴨子河，又名宋瓦《金史・地理志》：上京路有宋瓦。《元一統志》：混同江俗呼宋瓦江。《明一統志》：混同江舊名粟末，俗呼宋瓦江。明宣德時始有松花江之名《明史・宣宗本紀》：宣德八年，造船於松花江，滿洲語謂之松阿哩烏剌沆按：《吉林通志》於松花江、混同江徵引繁博，辯之綦詳。其謂唐時粟末之稱僅至嫩江而止，遼時鴨子河之號專指長春一隅，而今之松花江、混同江二名實爲上下游之通稱。然取發源高遠之意，則自長白山以下宜定名松花江，論其受三江之大（嫩江、黑龍江、烏蘇里江），則自嫩江以下始宜稱曰混同江云。故《通志》自伯都訥（今扶餘縣。康熙三十三年，設伯都訥副都統。雍正五年，置長寧縣。乾隆元年，廢。嘉慶二十五年，置伯都訥廳。光緒三十三年，升爲新城府。民國二年，改新城縣，三年，易今名）三江口松花江、嫩江、會後，直書曰混同江，不再書松花江。惟松花江有國際關繫，查咸豐八年，中俄所訂《璦琿條約》載有黑龍江、烏蘇里江、松花江只准中俄兩國船舶通航之語，俄人遂藉口駛入內地之松花江。《璦琿條約》俄文原文關於境界部分第一條，黑龍江、松花江左岸之地，由額爾古訥河至松花江海口作爲俄羅斯所屬之地，右岸順江流至烏蘇里江作爲大清國所屬之地；第二條，烏蘇里〔江〕、黑龍江、松花江居住兩國所屬之人，令其一同交易，官員在兩岸彼此照看兩國貿易之人等語。查中俄以水爲界，如烏蘇里〔江〕、黑龍江皆界水也。松花江乃在內地，江岸并無俄國官員，何能照看貿易？是知條約所謂松花江係指松、黑兩江會口（在同江縣）至俄沿海州首府哈巴羅甫城，江流而言即混同江。《通志》成書在光緒中，而於約文不加注意，竟確定松花爲扶餘縣以上江名，殊武斷矣。近今《東省輿圖》於松、黑兩江合流入海標明混同江，源出長白縣光緒三十二年，以長白山北麓塔甸地方置長白府。民國二年，改今縣長白山古不咸山，《山海經》：大荒之中有山，名不咸，在肅慎氏之國，又名徒太山。《魏書》：勿吉南有徒太山，又名太白山。《新唐書》：渤海大氏度遼水保太白山。至金始名長白山。《金史・地理志》：會寧府會寧縣有長白山。山巔有池，週八十里，名天池《元一統志》：開元路長白山其巔有池，周圍八十里，淵深莫測。（《滿洲源流考》：康熙十六年，內大臣覺羅、吴木訥等奏稱，奉旨查看長白山，六月十六日至長白山，高約百里，頂有池，五峰圍繞，臨水而立，碧浪澄清，波紋蕩漾，周圍數十里山間，處處有水，由左流出者則爲松阿哩烏剌。《新游記彙編》：長白山上有潭，曰闥門，亦曰天池。形勢自東北亘於西南，爲橢圓狀，斜長二十九里，北部寬約二十里，中部寬約十里，南部寬約十二

里，周圍七十里。自北角溢出，瀑布懸流，銀河倒瀉，七八里而伏，又七八里湧出，爲松花江正源）。水自天池流出，西北行七八里入地伏流，又七八里湧出，向北流，爲二道白河，又名二道江，納娘娘庫河源出長白山巔，當鴨緑江源之北，在西曰安巴圖拉庫河，在東曰阿濟格圖拉庫河，向西北流。南岸納五道白河、四道白河、三道白河，北岸納響水河、三道溝、二道溝、頭道溝。繞安圖縣城（宣統元年，置縣）西南流，注二道白河。至上兩江口有富爾河古沸流水（《三國魏志》：毌邱儉以高句驪數侵叛，出玄菟討之。句驪王宫將步騎二萬人進軍沸流水。明永樂八年，置甫兒河衛）。源出富爾嶺，西流百餘里，經樺甸縣境（光緒三十三年，以樺皮甸子地方置縣），又西百里許折北流，與東來之古洞河會。古洞河源出英額嶺，經琿春縣西界（宣統元年，置琿春廳。民國二年，改今縣）西流百餘里入敦化縣界（光緒八年，置縣），又西百里，與富爾河會。合流西百里許，折而南流入二道白河南流來注之。又西流至下兩江口上下兩江口均樺甸縣境與頭道江會。

頭道江即頭道白河，發源於距天池約二十餘里西坡，分北、中、南三岔，相距各十餘里，岔水合流爲額赫諾音河，一曰緊江，俗謂之急泉子。西北流五十餘里，有水自東南來，爲三音諾因河，一曰漫江。二水既匯，西北流百餘里至濛江縣光緒三十一年，置濛江州。民國二年，改今縣湯河口，納湯河源出斐德里山，東去長白山頂二百六十里。東北流至撫松縣城西宣統元年，置縣，納松香河。又北流，納濛江源出斐德里山。又北流，納那爾琿河源出那爾轟山，《吉林地理紀要》：濛江明那爾琿所地。永樂五年正月，置鄂爾琿山所，距濛江縣城一百二十里。又北流至下兩江口，與二道江會，其右岸爲夾皮溝金廠樺甸縣境距縣治二百五十里。光緒初，魯人韓邊外招集燕齊流民數萬，開廠采金，嚴約束，遠斥候，謀生聚，明教養，號令所及人民，奉行維謹，盗賊不作，奸僞不聞，於柳條邊外，儼然一自治區域，其勢力範圍自大鷹溝起直至古洞河、大沙河并及松花江西之荒溝、那爾轟嶺外，縱横四五百里。韓氏後更名効忠。樺皮溝又名加級溝，左岸循那爾轟山北流有輝發河來會。

松花江支流

輝發河《通考》契丹時，咸州東北至粟末江中間所居之女真，謂之輝發，居輝發河邊，一作回跋《遼史・阿古齊傳》：渤海賊游騎七千來援，阿古齊一戰克之，進軍破回跋城，又作灰扒江《全遼志》：松花江北流，經南京城南與灰扒江合。清初有輝發國《東華録》：太祖丁未年，征服輝發國，源出柳河縣光緒二十八年，分通化縣，柳樹河地方置縣葦塘溝，亦曰柳河。至海龍縣東光緒五年，以盛京圍場海龍地方置海龍廳。二十八年，升爲府。民國二年，改今縣。奉吉鐵路經此，原名奉海鐵路，納押鹿河、大沙河。又東流三十里，經朝陽鎮海龍城東六十里，奉吉鐵路大站西合一統河即穩禿河。《全遼志》：穩禿河出坊州北山，又東合三屯河明永樂五年，置三屯河衛。又東流，經輝發城北，始名輝發河。又東流合亮子河、蝦蟆河，入輝南縣境宣統元年，分海龍府東南八社，置輝南廳。民國二年，改今縣。又東北流，經磐石縣境光緒八年，以伊通州迤南一百六十里盤磨山地方置縣，南岸仍隸海龍，當石河自北來注之。又東，經欒家屯南，納交河源出海龍縣四方頂子山，北流七十里入輝發河。又東，入磐石縣境，東北流，

納巽山屯河源出磐石縣東南牛心頂子山，南納托佛河源出磐石縣東南大北岔山。又東北，經窟窿山南，納報馬川河源出磐石縣東南三岔山，兩源岐出，合成一川入輝發河。又北，納細鱗河、石頭河源出磐石縣東三個頂子山。又東北，經亂泥溝北，納通順屯、陳家屯二河，南納横德屯、智德屯二河諸河并出磐石縣東南山。又東北，納富太河源出磐石縣東松樹頂子山，南流復西合二小水入輝發河。又東北，納色勒河源出海龍縣東四方頂子山，北流西合二小水，東合一小水入輝發河。又東北，納呼蘭河源出磐石縣東七個頂子山，東南流入輝發河。又南，納法河即發河（明置法河衛。《滿洲源流考》：法河在吉林城南四百餘里，入輝發河），源出磐石縣東大旺屯，東流而北，南合一小水，東合一小水，北流百餘里入輝發河，又東北三十餘里，南納蘇密河河岸有蘇密城（《東三省沿革表》：唐渤海顯州爲顯德府附郭，即今蘇密城，在樺甸縣南二十里）。源出東豐縣大肚川（民國三年，以東平縣改東豐縣，治大肚川）西納一小水。北流七十里入輝發河。又東納滚河源出東豐縣大肚川，兩源歧出，東納一小水，北流六十餘里入輝發河。又東納大簸箕河、小簸箕河源并出樺甸縣西簸箕岡，分流北行六七十里入輝發河。又東納磐石縣東船底山流出之頭道溝、二道溝、三道溝、四道溝、五道溝。又東北經夾信子、大萬兩河自南來注之源出樺甸縣西南那爾轟山，東北流七十餘里，納南來一小水。又北流，納西來一小水。又東北流，納小萬兩河。又少東，納南來之家基河。又直北百里許，由夾信子東入輝發河。又東北，金沙河自西北來注之即奇爾薩河，源出樺甸縣西南牛心頂子山。東南流七八十里，納西來一小水。折東流，納北來一小水。又東南，經密什哈屯入輝發河。又東至樺樹林子鎮樺甸縣境西南入松花江沆按：《吉林通志》載入輝發河河流巽山屯河以下諸水，均源出伊通州，兹更正爲磐石縣、樺甸縣。光緒二十八年，劃伊通州以南地置磐石縣。三十三年，劃州以東地置樺甸縣，其管轄已轉移矣。（《東三省沿革表》：今輝發河東流，經磐石縣南又東，經樺甸縣西南入松花江）。查輝發河自柳河縣發源，經東豐、海龍、輝南、盤石、樺甸等縣，計長七百餘里。

松花江既會輝發河，又東北流，納大小穆辰河源出塞齊窩集，分流數十里入松花江。又東，納大嘎哈溝河源出上帽山南，又西折北流入松花江、小嘎哈溝河源出下帽山、漂河源出富爾嶺，經漂河崴子南入松花江。又北，經額穆縣宣統元年，置縣西南境，拉法河自東北來會。

拉法河即金之和掄水《金史》：德克德阿古岱世爲和掄水部長，其上流爲愛呼河《滿洲源流考》：愛呼河出長白山，會拉法河入混同江，另一源出張廣才嶺北部即《金史》之烏紀嶺威呼嶺，西南流四十里，納大沙河源出額穆縣西南楊木岡。東流折而南，有樺樹河自五常縣（光緒四年，以歡喜嶺地方置縣。六年改廳。宣統元年，升爲府。民國二年，改今縣）。永發屯南流七十里來合爲一流，經中開元屯東、後開元屯西復南流八十里入拉法河。又西南，經土山西、龍鳳口北，納石頭河源出額穆縣西北石頭頂子，東南流百二十里至土山西南入拉法河。又西南，經拉法站拉濱鐵路起點納蛟河一曰角哈河，源出永吉縣（《吉林府治》：民國二年，改吉林縣。十八年，改今縣）東南土磖子，即伊努山，西流七十餘里入拉法河。又西南，經杉松街大小瓜旗屯入松花江。松花江又西北流，納瑪顔河源出永吉縣東南大團山，曲曲行五十餘

里入松花江、響水河、凉水河并出永吉縣東南堪達山、大小牤牛河并出頭道溝。又北，經新店屯西，納大富太河源出杉松嶺，西流七十里入松花江。又西北，經帽兒磖石東，東納小富太河源出楊木頂子，西流四十里入松花江，北納雅們河今日新開河，源出永吉縣雅們嶺，西南流三十里入松花江，西納依蘭嘎哈河源出永吉縣庫勒訥窩集，東流數十里入松花江。又西北，經小窩集屯北，納海浪河源出庫勒訥窩集，折而西七十餘里東來入松花江。又直北，經羊磖子東，納額赫穆河源出永吉縣東南那穆窩集，今曰磐兒嶺，西流百里許，經小孤家子、唐家崴子、大五棒溝，南折而南流入松花江。又西北，納小舍利河、大風門河、小五棒溝河、桂子溝河、十景溝河。折而西，納阿濟格哈達河諸河并出永吉縣南窩集，東北至吉林省治前吉林府城附郭爲永吉縣舊稱，吉林烏拉本船廠地方（《明史》：宣德五年十一月，罷松花江造船之役，初令造船於松花江，至是上命罷之）（康熙十五年，移寧古塔將軍鎮守吉林烏拉。光緒三十三年，裁將軍置吉林巡撫。今爲吉林省省公署所在地。京圖鐵路中樞吉海鐵路起點）納温德亨河源出永吉縣西南大黑山，東直北流，經大龍屯又西北經六家子，折東北經馬安屯西，又北經拉拉街東北，納大水河，一曰綏哈河，出永吉縣西四十里楊木林屯。又東北，經孤榆樹屯，又經八里屯入松花江。又東北，繞城南直東流十餘里折北流，納二小河。又北，經東團山西東，納一小河。折而北流，跨京圖鐵路江橋，經龍潭山，納依罕林河源出永吉縣東南牛心頂子山，西流經葦塘溝南，納嘎雅河，源出永吉縣東南荒山屯。又西經上達屯，北納雙岔河，源出永吉縣東南大盤溝屯，合西流入松花江。西經二道嶺東，納沙河源出永吉縣西北馬廠屯，東南流，經何家窩集折東流，經二道嶺西折北流入松花江。又西北，經舊站街永吉縣城西二十里，納通氣河源出永吉縣西北二台子屯。又西北，入舒蘭縣西南境宣統元年，分吉林府東境置舒蘭縣，納錫蘭河距舒蘭縣治六十里，一名溪浪河（明永樂二年，置忽蘭山衛）源出永吉縣東北孤家子，東南數十里經新民屯雙岔山西，納喀哈河，源出永吉縣東北數十里亮甲山，合南流，經雙岔頭山，折西南流。經青龍山又西經鳳凰山北，分爲二支，一西南流，曰富爾特恩河，由鳳凰山西麓西南經烏拉城，清初有烏剌國（《東華録》：太祖癸丑年正月，征服烏拉在永吉縣城北七十里），又北經金珠鄂佛羅站（永吉縣城北五十餘里），流七十餘里入松花江；一西北流，曰舒蘭河，由鳳凰山北麓西北流經舒蘭河站（舒蘭縣城西北七十里）入松花江。又西北，納黄家邊河、西柳樹河。又北，經法特哈邊門（舒蘭縣城西北一百二十里），康熙二十一年，從威遠堡門向東北斜展，築邊濠一道，置布爾圖庫、伊通、伊勒們、法特哈四邊門，謂之第二柳條邊，抵松花江岸，入德惠縣境（宣統三年，以朱家鎮地方置縣）納穆書河一名木石河。《吉林通志》：穆蘇衛舊訛馬失即穆書河，今曰木石河，明嘉靖中續置馬失衛，源出永吉縣西北七台邊屯，入長春縣界。東北流百餘里，東納太平溝河，源出長春縣東滴水湖，西北流數十里合而北流五十里，經張述口東入松花江。又北，經陶賴昭站（扶餘縣境，距縣城一百四十里），爲北滿鐵路大站，穿北滿鐵路而西，經燒鍋溝，伊通河自西北來會。

伊通河即伊屯河明永樂十五年，置伊屯河衛；《滿洲源流考》：伊屯河在吉林城西二百九十里，伊屯門在河西，一曰易屯河《盛京通志》作易屯河，舊作益褪河《金史》：額圖渾從攻黄龍府援昭蘇城過益褪水，亦作一禿河《明一統志》：龍安一禿河在三萬衛北；《明史》：洪武二十年六月，大將軍宋國公馮勝遣藍玉赴龍安一禿河，受納哈出降。（沉按：龍安爲隆安之誤，遼之黄龍府，金爲隆州，貞

祐初升爲隆安府。伊通河在其地，故有是稱），又作一迷河《全遼志·徐玉傳略》：地海西及松花江，招撫人口五千餘至一迷河；明永樂十五年二月，置（亦）〔一〕迷河衛，源出磐石縣磨盤山西南石板屯，西北流四十里入伊通縣境南，納小伊通河源出磨盤山西北石碑嶺，北流經橫河屯西，西岸爲海龍縣境，北流入伊通縣境，合流一百二十里，過伊通縣城光緒八年，置伊通州。民國二年，改今縣，折而北流四十里，經金家哨，納南來之伊巴丹河，一曰一把單河（《盛京通志》作一把單河），源出伊通縣東南黑頂子，西北流，納柳樹河，源出伊通縣東碾子山西入伊巴丹河，合而北流四十里，經伊巴丹站（伊通縣城東二十五里），南折西北流四十里入伊通河。合北流，經勒克山，納溝口屯河源出伊通縣西北馬鞍山、放牛溝河源出伊通縣北楊家屯。又北流五十里，出伊通邊門伊通縣西北一百里，入長春縣境，北流而東，納新立屯河河自伊通縣北境入長春縣西界，北流三十餘里入伊通河。又北至長春縣城，曰新京，爲滿洲國國都附郭爲長春縣（遼黄龍府地。金濟州地。元兀良哈部。明福餘衛、三萬衛地。清內蒙古郭爾羅斯前旗地。嘉慶七年，置長春理事通判於新立屯。道光五年，移治寬城子。光緒八年，改撫民同知，移今治。十四年，升爲府。民國二年，改今縣。沆按：遼之長春州、金之長春縣治，在今大賚縣治附近，其轄境則兼有肇東、泰來縣地。嘉慶中置長春通判，沿用遼、金長春舊名，其地點則相去遠矣。先於光緒三十一年闢爲商埠，城外爲商埠地，南滿鐵路附屬地，滿洲國尊爲新京，置新京特別市國都建設局，其所計畫同時並舉，百廢俱興，區分部別，秩然井然，廣袤約二百平方公里。有皇宮地、官署地、住居地、學校地、商業地、工業地、娛樂地，公園曰順天、曰牡丹、曰白山、曰大同、曰黄龍及運動場，其道路則基於交通、衛生、美觀等點，東西曰路，南北曰街，如興仁大路、興安大路、至聖大路、安民大路、民康大路、盛京大路、吉林大路、龍江大路、東西順治路、新發路、北安路、熙光路、崇智路、豐樂路、天安路、咸陽路、建國路、天慶路、慈光路、寶清路、咸通路、東光路、朝陽路、百草路、德惠路、永昌路、柳條路、錦水路、至善路、城後路，大同大街、長春大街、承德大街、東西萬壽大街、安達街、建和街、永安街、開運街、康平街、卿雲街、興亞街、長慶街、昌平街、清明街、立信街、同治街、五色街、龍門街、虎林街、萬寶街、近埠街，蕩蕩平平，整齊劃一，誠爲王道樂土之表現。而淨月潭貯水池，尤足供京市百萬人民之飲料。鐵路爲南滿鐵路、北滿鐵路中樞，京圖鐵路、京白鐵路起點。又北流九十里，經趙家店東折北流，納新開河源出伊通縣西北，經搧房草店西入懷德縣境（光緒三年，分昌圖八家鎮地方置縣）。北流五十里，南納太平溝河，合而北流四十里，入長春縣西界，經白龍駒山西，又北流百里，經石廠西，又東流四十里至趙家店東，入伊通河。又東北，經二十里堡、林家店、林家橋、卜家窩堡會伊勒門河。伊勒門河土人呼爲驛馬河（沆按：《吉林通志》：驛馬河源出蒙古旗地六家子山南，流入長春府西北界，折東流，北岸爲農安縣界）。（光緒八年，以農安城地方置縣，京白鐵路經之）（又東一百七十里會新開河，入伊通河）。據此，則驛馬河與伊勒門河并非一河，所謂蒙古旗地當爲南郭爾羅斯前旗，河流自西北而南。伊勒門河經磐石、永吉、雙陽（宣統二年，分吉林府西境置縣）、長春、九台（大同二年，以下九台鎮地方置縣）、德惠、至農安縣東南境，合伊通河凡行六百五十餘里，係自南而北與《水道提綱》及他圖説所載驛馬河經過無異。其自西北來經農安縣境一百七十里之河流，當另爲一河。又農安縣爲金隆安府地，驛馬河亦即所謂隆安一禿河也，舊稱額勒敏河《金史》：温敦布拉始居長白山，徙隆州額勒敏河，一作衣兒門河（《水道提綱》《盛京通志》均作衣兒門河）源出磐石縣磨盤山北境，有二源：一出菱角頂東北流，一出伊勒門站東小山（伊

勒門站；距永吉縣城一百五十里），西北流入永吉縣境，經雙馬架，二源合流而北，經神仙洞納玻璃河，源出磨盤山境東北，流入永吉縣西南界，經吉慶屯西，納自龍王廟來一小河。又東北，合玻璃河入伊勒門河。又西北，經姚家城子東，納蘇斡延河，舊稱蘇温河明永樂四年，置蘇温衛，一作刷烟河《盛京通志》作刷烟河，今名雙陽河源出永吉縣西暖泉屯，直北流六十餘里，經刷烟站即今雙陽縣治，折西北流四十里回回營東，納石頭河，源出磐石縣英帽子頂山，直北流一百餘里西岸界伊通縣，經後溝南折而東，納北來一小水。折東南流二十里入蘇斡延河，合東北流三十里入伊勒門河。又北流，折而東，經蓮花泡屯北薩拉河明《會典》撒剌衛正統後置，一作岔路河源出磐石縣磨盤山北界，有二源，經呼蘭山西北流四十里納西南來梨樹溝河。又北流百餘里，經伊勒門站西岔路河街東，折而西流七十里入伊勒門河。又東北，納興隆河源出長春縣興隆山。又東，經石灰窑子，納蘇通河源出永吉縣西南鴬嘴崖，東北流經磐兒嶺西，納雙河。又北經平頂山西，納五里河。又東北，經伊拉齊街東折西北流，經方家城子東。自發源至此行二百三十里，北來入伊勒門河。又東北，經丁家屯西，納二道溝河源出七台邊屯。又北，經長春縣境東大榆樹林，納沙河源出長春縣東南梨樹圈，南折而西北流五十里入伊勒門河。又北，經黑坎子東，納霧海河源出永吉縣西北盤古屯北流入長春縣境，經龍王廟西，東北流一百七十餘里入伊勒門河。折西北流百里許，北入伊通河。伊通河既合伊勒門河，又東數十里，東北流入松花江。

松花江又西北流，於農安扶餘二縣界又西，左岸爲郭爾羅斯前旗境，右岸繞扶餘縣境，折西北流，循扶餘縣城沆按：渤海之扶餘府在農安縣境非縣地，迤西而北至三叉河明永樂六年二月，置撒义河衛；《滿洲源流考》明三叉河衛舊訛撒义河今伯都訥，以當嫩江、洮兒河入松花江之地，嫩江南流來會。

卷三

松花江北岸最大支流嫩江

嫩江，古難水《北史》：太和初，勿吉國力支貢馬，稱：初發其國，乘船泝難河上，又曰那河《新唐書》：那河或曰它漏水。《金史》謂之鴨子河沆按：它漏水爲洮兒河，鴨子河爲松花江，此指嫩江會洮兒河與松花江合流而言，《元史》作納兀河《元史·伯帖木兒傳》：哈丹叛，率師往納兀河東招集女真、惱連水，《蒙兀兒史記·哈丹傳》：塔不帶金剛奴聚兵滅列該，今墨爾根城；李庭等擒塔不帶於惱連水，元《秘史》作納浯江納兀之轉音，《明一統志》作腦温江《明史》：瓦剌賓刊王擊殺朵顏乃兒不花，大掠以去，福餘獨走避腦温江，蒙古謂之諾尼木倫《龍沙紀略》：蒙古謂腦温爲碧諾尼。源出嫩江縣北興安嶺伊勒呼里山脈之格爾布山嫩江縣北六百里，凡大興安嶺以南、西興安嶺以東、東興安嶺以西之水皆歸之。東南流，曰嫩色禽《水道提綱》，右納伊什肯河嫩江縣北五百四十里，源出伊什肯山。上流曰堪尼河，南流折而東百有八里，納胡玉爾公河，左納呼坦河，爲嫩江北源，又納納約河嫩江縣北五百二十里，源出伊勒呼里山東南麓，合支渠三，南流七十五里來注，爲嫩江東源。沆按：《黑龍江志稿》：納約河即古峱越河。《舊唐書》東室韋部在峱越河之北，其河南與那河合，是峱越河與那河并非一河。當爲今之洮兒河，峱、洮同音，洮南以此得名，應以大賚縣境嫩江下流當峱越河，茲以嫩江東源之納約河爲峱越河，似誤。《東三省沿革表》以峱越河爲甘河，伊蘇肯河嫩江縣北四百九十里，源出伊勒呼里山，南流五十七里，左納庫爾奇河，迤西南三十里，左納扎拉木台河，右納霍魯加台河來注（《水道提綱》謂衣思肯河曲，曲流四百餘里爲嫩江南源），三源既匯爲嫩江。折東南流，左納額勒赫肯河嫩江縣北四百七十里，合兩源四水南流入嫩江。又東北，折而南，右納奈喀河嫩江縣北四百四十里，源出伊勒呼里山，東南流八十里，合朱賴奇克河。又東南流九十里入嫩江。又東南，納喀羅爾河嫩江縣北四百一十里，源出伊勒呼里山，南流七十五里，左納二小水。折西流四十里，左納庫爾河，右納德里河，入嫩江。又東南，左納鄂多河嫩江縣北二百九十里，源出庫穆爾室韋山西北麓，南流折北，左納呼特希倭爾河，迤而南流百六十里入嫩江。又南，江中有九狼石，滿洲語曰：烏云倭和沃赫，水流成灘，凡十五里迤南流，右納喇都里河唐時室韋那禮部所居之水，其地在伊勒呼里西支山脈高原，爲嫩江與額爾古訥河分水嶺，嫩江縣北二百七十里，源出伊勒呼里山，東南流屈曲六百里，右納古里河。又東南流二十八里入嫩江。又西南，右納多布庫爾河嫩江縣北二百九十里，源出伊勒呼里山，東南流，左納五小水，曲折六百餘里入嫩江。又西南，左納固古河嫩江縣北二百五十里，源出弩顏山東麓，南流三十里，右納一小水，折而西南流百里，左納呼迪奇河，右納額勒必拉罕河。又左納一小水，右納特和羅河，經固古山北入嫩江，右納歐肯河嫩江縣北二百十里，源出查克達里山，東南流五十餘里，左合二小水，經達巴爾罕北入嫩江。又西南流百七十里，兩岸皆山，水行曲折如弓，曰達巴爾罕穆

丹江產東珠，多奇石與寶石、瑪瑙，相似石子，多含水珠，有類空青。折南流，左納謨魯爾河嫩江縣北六十里，源出庫穆爾哈達，西流七十里，納密齊河。又西流七十餘里，納希布奇河。西流五十里入嫩江。又納和羅爾河嫩江縣北四十里。

和羅爾河源出龍鎮縣民國五年，以龍門鎮地方置縣，有二源：北源出東北伊勒山，南源出縣東色普特諾哈達。南源西流三十里，經城北又十二里，納奥都河。折西北流十里許，北源西行四十里來合。又西行五十里，經烏伊德隣山北，納南來之哈綏河、静安河。又西北流，納伯勒格河、查巴爾奇河。又北流入嫩江縣境庫崙鎮西。又三十里，納一小水。折北流，經和羅爾站距嫩江城東北七十里納喀爾塔吉河源出東興安嶺西南麓，西流四十六里，經喀爾塔吉站（距嫩江城東北一百五十二里），又西流二十五里，與北源合。舊謂之穆訥爾河，出東興安嶺北，與璦琿縣南之遜河源隔嶺相望。西南流七十里入和羅爾河。又西流七十里，左合二小水入嫩江。又南，經嫩江縣城北即墨爾根城（明永樂七年，置木里吉衛）（康熙二十五年，築墨爾根城。二十九年，移黑龍江城將軍駐之。三十八年，移鎮齊齊哈爾，置墨爾根城副都統。光緒三十二年裁，置嫩江府。民國二年，改今縣）。甯墨鐵路終站點，納墨爾根河嫩江縣城在河左岸，源出縣東南平甸，西北流五十里，經城東入嫩江。又經城西折而西南，甘河挾衆水自西北來會嫩江縣西南十五里。

甘河源出興安嶺支阜英吉奇山距嫩江縣城七百里，東北流九十里，經阿迷特山折而南流百四十里，左納阿里河源出阿迷特山，西南流百七十里入甘河。又南流二百三十四里，左納八小水，曰西尼西奇河、曰卓爾嘎爾河、曰他日上河、曰卓爾巴哈河、曰胡的奇河，其三無名。右納五小水，曰札克達齊河、曰額穆爾圖河、曰額勒和奇河、曰埃來和奇河、曰求必烏河。又東南，納奎勒河為瑚裕爾河支流。又三十里經巴彦街在嫩江縣北九十里至九峰山煤廠六十里，為產煤礦區，有輕便鐵路百一十里，由巴彦街達嫩江岸，右納伯來格爾河。又三十里，右納烏來西爾河。又七十里，折東北流入嫩江。

又西南，經伊拉哈站距嫩江縣城七十里興安東分省界。又西南流百四十里，經舊布特哈總管府為東布特哈旗伊倭齊地之東，為長春邊堡起築地，所謂達里帶石堡子也長春邊堡（《金史》：太祖天輔五年，徙謀克婆盧火等萬餘家，屯田泰州，使婆盧火為都統。婆盧火乃浚界濠，北起嫩江西岸，西南訖於臨潢，設堡二十四以守之）（《黑龍江外紀》：布特哈有土城，因山起伏，西去數千里，直達木蘭，土人謂之烏爾科。流人亡去不識途，多循此入關）沆按：長春邊堡築於金太祖時，至世宗大定十一年，以各堡參差不齊，遣大理司直蒲察張家奴巡視重修之。又謂之烏爾科城。至謂流人不識途，循此入關則以土城直達木蘭，為今熱河境，入關較易耳。迤而東南流二十里，經訥河縣西距縣城二十五里（訥河縣治即博爾多，為前布特哈副都統駐地。宣統二年，置訥河廳。民國二年，改今縣。在訥穆爾河岸，齊黑鐵路支綫自甯年站）（距龍江縣城一百三十里）（經拉哈站達縣城），訥穆爾河挾衆水自東南來會訥河縣城南三里。

訥穆爾河，源出通北縣民國六年，以通肯河北岸地方置縣東南博克托山北麓，西流折北流約百里入龍鎮縣境。

西北流十里，納吐魯們河。折西流三十五里，南納烏浴龍河在龍鎮縣北，三源合而北流，經烏魚鎮東又北迤西四十里入訥穆爾河。又十里，北納喀喇河源出龍鎮縣南喀喇山，西流三十里，經縣南折南流又折西北轉而南流五十里，合古受河，又南流五里入訥穆爾河。又西流四十五里，經龍門山南，納木呼里河。又西流四十里，入克山縣境民國四年，以東布特哈克山鎮地方置縣西流十八里，納温察爾河三源合而西北流五十里入訥穆爾河，南納一小水，又納烏登河即烏德隣泊下游。泊周三十里，水自南溢出，流九十里入訥穆爾河。又西流三十五里，南納二小水，北納洪果爾喀河、莽奈河。又西流三十四里，入訥河縣境，納額勒和奇河。又西流二十里，納保木泉河河有二源，俱出察勒哈瑪圖山（克山縣北五十里），西北流四十里而合。又西北流十里瀦爲巨泊，長十餘里。又西北流入訥穆爾河。又西流十二里，北納布拉克河。又曲折西流三十里，納羅喇喀河源出嫩江縣南穆圖爾肯山，西南流五十里，右納二小水，經伊拉哈站入訥河縣境。又西南流七十餘里入訥穆爾河。又西流二十里，經訥河縣城南，折而西北再折而東南五十里入嫩江。

又南迤西，諾敏河挾衆水自西北來會訥河縣西南六十里。

諾敏河有三源，均出西布特哈特勒庫勒山，其地曰庫魯克距嫩江縣城六百里。東南流四十餘里而合，迤東南六十里，右納二小水，一曰庫里凱河，一曰色木堪河。折東北流二十里，左納托河東南流八十里挾二小水入諾敏河。又東北流三十餘里，左納三小水，右納四小水，又右納尼魯肯河源出尼魯肯山（距嫩江縣城三百餘里），東北流九十里入諾敏河。又迤而東南，左納一小水。折而東北五十里，左納克勒必罕河東南流百里入諾敏河，右納昝爾巴奇河東北流百里入諾敏河。又稍東，左納一小水。又東五里，左納錫勒奇肯河。又東迤南二十五里，左納二小水其長皆百餘里。又東南十里，左納額勒和奇河南流迤西屈曲百餘里入諾敏河，右納一小水。又東南十六里，左納額勒格河南流迤西九十里入諾敏河。折而南百十六里，左納六小水，右納五小水及巴達克河東流百里入諾敏河，迤東南四十五里，左右各納一小水。又南十里，左納一小水。又西南四里，右納畢拉爾河源出東興安嶺，東流百五十八里，左納那穆河。又東流屈曲百里入諾敏河。又東南，經布西縣治所西，凡百有四里，左右各納四小水。又東南四十五里，納一小水其長百六十餘里。又南二里，右納格尼河源出東興安嶺東南四百二十里，東流入諾敏河。又穿長春邊堡南流，納綽爾哈河，迤東流四十五里分一支，先入於嫩江，又南六十四里，分三道入於嫩江。

又西南流入龍江縣境，納楚勒嘎勒河源出投庫爾山龍江縣西北四百餘里，東南流，穿長春邊堡百三十五里入龍江縣境，入嫩江。又西南流，右納阿倫河龍江縣北四十里，（明永樂七年四月，置阿倫衛）。源出興安嶺，東南流，左納和尼和奇河。折東南流，右納烏爾得河。又東南，右納伯爾格尼河。又東南，左納闊泠河。折而南，左納牙爾太河。又南穿長春邊堡至庫門屯南，入龍江縣境。東南流五十里迤而南二十里，

經穆庫爾蘇台入嫩江。又西南流，納音河，一作陰河龍江縣北二十里，河有二源，俱出額赫魯爾山，即投庫爾山。分支合而東南流二百里入龍江縣境。又東南六十里，經產欽屯入嫩江。又南流，經齊齊哈爾舊城齊齊哈爾屯在嫩江東岸。又西南流十二里，經龍江省城西附郭爲龍江縣，即卜奎城。明拜苦衛地（《滿洲源流考》：卜奎衛舊訛拜苦）（康熙三十年，築齊齊哈爾城。三十八年，黑龍江將軍自黑爾根城移此。光緒三十四年裁，設巡撫，爲黑龍江省治。民國二年，改今縣。康德二年，置龍江省，爲省公署所在地。齊黑鐵路、齊洮鐵路交點）。又西南十五里，經富拉爾濟，北滿鐵路鐵橋跨之橋長二千六百七十三尺。又二十里至昂昂溪在嫩江東岸，北滿鐵路、洮昂鐵路至此與齊昂鐵路接軌。又西南流，雅爾河挾衆水自西北來會龍江縣西南七十餘里。

雅爾河源出興安嶺東南麓關帝廟嶺是處有北滿鐵路隧道，長八千四百尺，東南流至博克圖車站，沿北滿鐵路南行三十里，納西布沁河穿北滿鐵路入雅爾河。又東南百有十里，經巴里木站，納巴林河河上有鐵橋，長一百九十八尺。又東南九十里，經札蘭屯北前雅魯縣治，距龍江縣城三百六十里，今興安東分省省公署所在地，爲北滿鐵路大站右納嘎爾東河，左納和尼河南流穿北滿鐵路入雅爾河和尼河，上有鐵橋，長二百六十四尺。又百餘里，經成吉思汗碾子山車站之西，右納吉沁河一作雞秦河，源出呼里雅克山，東南流，左右各納四小水。抵齊查林山，北折東北流，左納烏得伊河。又東北流入雅爾河。又南流十里，穿春長邊堡又南流三十里，另分二支，其北支曰庫爾奇埒河，東南流五十里，經碾子山東南烏龍嘎哈屯，左納玉帶河。又三十里入嫩江。其中支曰奇克尼河，東流三十三里歧而爲二，又東南三十三里，經果多城西南而合，又東流，與雅爾河正流合，又十二里入嫩江。

又南，瑚裕爾河自東北來，分支南流入嫩江。

瑚裕爾河一作烏羽爾河，滿洲語澇也，源出通北縣東北巴庫蘇古山北麓，西南流三十四里，納窟冷河。又西南流，納烏爾滾河。折西流二十五里，納通北河。又西流十餘里，入克山縣境四十里，北納得迪河河有二源俱出察勒哈瑪圖山，南流二十里而合。又南流二十餘里入瑚裕爾河。又西南流二十五里，南納額爾格河二源，一西北流二十里，合北流又十餘里，折而西流，經克爾克勒圖山北，沿山曲折行三十里，納北來一水。折而西北流入瑚裕爾河。又西南流十八里，北納窩羅河源出察勒哈瑪圖山，南流三十里入瑚裕爾河。折而西南四十里，經克山縣治，又西南二十里，納音吉干河源出拜泉縣北，土人名曰印津泡。又南納二泡子水，西流迤北入瑚裕爾河。又西屈曲二十餘里，北納鄂魯格河一曰敖龍溝，二源俱出察勒哈瑪圖山，西南流二十餘里而合，瀦爲巨泊，廣十餘里，屈曲西南流七十餘里入瑚裕爾河入拜泉縣境光緒三十二年，以通肯副都統轄境雙陽河地方置縣，其支流爲雙陽河河有南北二源，水漲時與衆泊聯爲一流，西注於龍江縣境之九道溝，其泊名曰瑪麻泡拜泉縣西南三十里，寬五里，長三里、曰松津泡拜泉縣西南五十里，寬五里，長六里、曰旱河拜泉縣西七十里，寬長各四里、曰巴拜泉拜泉縣

西八十里，縣以此得名，一名八百泉，凡二泊，寬長各數里，水盛時瀰漫十餘里、曰蓮花泡拜泉縣西北六十里，周四里許，西南流入依安縣境民國十八年，以依克明安旗地置縣，《元史・伯帖木兒傳》：追哈丹至明安倫城，逆戰敗之，又追至忽蘭葉兒河與阿禿遇。忽蘭葉兒河即瑚裕爾河。經莽奈岡前，折而西南百五十里入龍江縣境。西南流四十餘里，爲九道溝龍江縣東五十里。又南流八十里至二十顆樹，爲唐圖河。又南迤西五十七里，分爲二，其一支西南流，又折而西北流，經特木得赫站龍江縣西南五十五里北會托勒河爲嫩江東岸溢出之水。南流七十里至温托昏站北，仍入嫩江。又一支南流，經林甸縣境民國六年以杜爾伯特旗林家甸地方置縣，西流折而南流凡百里至烟筒屯，穿北滿鐵路有鐵橋長三百三十尺。又西匯爲花瀾泡東西廣五里，南北縱二里。又西入泰來縣境民國五年，以札賚特旗泰來氣屯地方置縣，又分爲二，其一先瀦爲納黑爾諾爾在泰來縣東百五十里嫩江之東，縱四十里、廣十里，又東南爲察罕泊在泰來縣東百九十里，縱十三里、廣半之。西南一支瀦爲阿瑪塔泊在泰來縣東南二百里，水盛時又南迤東瀦爲烏克圖泊在泰來縣東南一百八十里，縱四十里、廣十餘里，至肇州縣境金肇州北境元肇州屯田萬户府治所。光緒三十二年，以郭爾羅斯後旗地置肇州廳。民國二年，改縣合謨馬諾爾折而西。又西南，流經古魯站距龍江縣城三百四十二里入嫩江。又一支入肇州縣境，東南流瀦爲瑪瑪泊。又西流合擇莫司湖，至烏蘭諾爾站距古魯站七十里之西，合烏蘭諾爾南流入嫩江沉按：瑚裕爾河譯言弱水（《後漢書》：扶餘國有弱水）（《晉書》：肅慎國北極弱水），《黑龍江圖説》《黑龍江志稿》均謂即瑚裕爾河。經通北、克山、拜泉、依安、龍江、林甸、泰來、肇州等縣，長逾千里，亦巨流也。惟下游匯爲湖泊，隱伏散漫，不循常軌，此所以爲弱水歟（唐貞觀中置饒樂都督府，領弱水州）？應即瑚裕爾河下游地。又（《金史・地理志》：臨潢府有陷泉）今泰來、肇州爲臨潢境，瑚裕爾河殆即陷泉。

又南，江之右岸綽爾河挾衆水自西北來會泰來縣北七十里。

綽爾河源出東興安嶺支脉英吉爾古克達嶺，南流百四十里，納西北來卡巴楚河。又南流百三十里，經阿魯塔奇嶺，東折而東南流五十里，納一水左右各挾一小水，東南流百里入綽爾河。又南流百里，納托沁河明置托馨河衛、哈瑪河源出哈瑪上溝口，東南流六十里入托沁河。又東流百里入綽爾河。又一水自哈瑪上溝口東流瀦爲達爾濱泡，方廣約百里，東流八十里入綽爾河。又東流，穿金源邊堡入景星縣境民國三年，以景星鎮地方置縣。沉按：綽爾河自發源處至景星縣，其左右所納支流見於《水道提綱》者，曰賽勒河自西來，曰馬拉免河自東來，曰特們河，三源自西來。見於《會典》者，曰塔爾奇河合數水自東來，額勒庫河自西來，扎伊河、哈巴奇河自東來，皆今興安東分省布特哈旗境内之水也。東南流五十里，經扎賚特旗王府南呼祿溝河挾一水南流折東北流入綽爾河。又東南四十里，經綽爾城北《水道提綱》作戳光城，景星縣治南六十里賽漢嶺景星縣治西南六十五里南，分而爲二，東出者名額勒恩河，東南流四十里，折而東流迤北四十里，經多羅烏哈達景星縣治南四十里至南華山，所謂戳爾噶

拉漢地明置綽爾河地面，又東流五十里入嫩江。其南出者爲綽爾河正流，東南流八十五里入泰來縣境，又岐爲五，曰五岔河，折東北流數十里而合，又東北流三十餘里，經哈拉爾噶屯北十五里，與額勒恩河合入嫩江。又東南流一百八十里至大賚縣境，有洮兒河挾衆流自西來會。

洮兒河

洮兒河，古大瀰河（《魏書》：太和初，勿吉使臣乙力支稱初發其國，乘船泝難河西上至大瀰河，南出陸行渡洛孤水）。沆按：難河爲嫩江，大瀰河爲洮兒河，洛孤水爲老哈河。自嫩江乘船至洮兒河，再南行須捨舟登陸始能達老哈河，一曰大魯水《北史·勿吉傳》：自和龍善玉山北行十三日至祈黎山，又北行七日至洛孤水，廣里餘又北行十五日至大岳魯水（《魏書》作大魯）唐貞觀中，置饒樂都督府，領大魯州，蓋以水名，亦曰它漏河《新唐書》：粟末部依粟末水以居，水源於長白山西北注它漏河。沆按：粟末水爲松花江，它漏河爲洮兒河，兒河入嫩江，嫩江入松花江。此云粟末西北注它漏河殊誤，一作達魯河《遼史》：聖宗太平八年，詔改達魯河曰長春河，又作撻魯古河《金史·地理志》：泰州北境有撻魯古河、塔兀兒河《元史》：太祖命其弟合撒兒率左軍泝塔兀兒河來會。明置塔兒河衛；《明史·兵志》：塔兒河衛正統以後續置；《滿洲源流考》：洮兒河原作塔兒河，源出興安東分省喜札嘎爾旗西南索岳爾濟山，北源曰弩克圖河，南源曰木什匣河。木什匣河東南流□〔一〕十里，北納郭圖河。又東南流十里折東北流七十里，與北源會爲洮兒河。循索洮鐵路而行，折東流二十里，北納弩凱圖河、札馬郭圖河，南納吉布克圖河。折東南流六十里，北納額默格錫特河、套爾河，南納特門河。折東流屈曲九十里，北納庫齊台河和多倫台河，南納吉拉呼台河。折東北流七十里，北有噶海河合蘇海圖河、烏籠楚爾河南流來注之。折東南流，穿長春邊堡三十里，納德伯特依河。經索倫爲喜札嘎爾旗公署所在地。沆按：索洮鐵路以南興安站爲終點，至索倫站二百二十里入科爾沁右翼前旗界，循索洮鐵路東南流屈曲一百八十里鐵路只一百三十六里，桂勒爾河西來注之桂勒爾河，一作歸喇爾河，又作歸流河，《明史》作奎勒河（永樂二十年秋七月，成祖親征，擊阿魯台於奎勒河，大破之），源出索岳爾濟山之東南百里東麓，東北流三百四十里，納烏拉訥河、烏拉桂河、諾門台河、海拉蘇台河、圖爾哈河，折東南流百有十里，與洮兒河會。東流六十里，經王爺廟，入突泉縣境宣統元年，以科爾沁右翼中旗醴泉鎮地方置醴泉縣。民國二年，改今縣。又東流百四十里，至洮南縣城在河右岸（光緒三十二年，置洮南府。民國二年，改今縣。三年，闢爲商埠，爲四洮鐵路、洮昂鐵路、索洮鐵路聯絡點），納交流河《蒙古地志》：交流河源出扎薩克圖旗西北隅翁媪山，南流，經大茂好山，合龍華圓河，又東南流，與洮兒河平行其間。地盡膏腴，爲夾心子至洮南縣城北入洮兒河。折東北流，經洮安縣光緒三十二年，以科爾沁右翼後旗白城子地方置靖安縣。民國二年，改今縣。爲鐵路大站，所謂京白鐵路。鎮東縣南宣統二年，以蘇鄂公旗之南义干撓地方置鎮東縣、安

〔一〕底本此字不清，無法辨認。

廣縣北光緒三十二年，以科爾沁右翼後旗洮兒河南岸地方置安廣縣，又百五十里入大賚縣境光緒三十二年，以扎賚特旗莫勒紅岡子地方置大賚廳。民國二年，改今縣。又東五十里，瀦爲納喇薩喇池蒙古語，納喇，日也，薩剌，月也。故又呼爲日月池，即《遼史》魚兒濼，周約四十里。又東分三道，過胡魯口《元史·哈丹傳》：至元二十六年二月犯胡魯口）（《東三省沿革表》今黑水廳南第五站曰古魯站，其西納喇薩喇必爾騰流入嫩江之口即胡魯口）入於嫩江。

嫩江既會洮兒河，南流百五十里，經茂興站南，距扶餘縣城九十里，三叉河爲金肇州故城《黑龍江圖說》：肇州故城在郭爾羅斯後旗《黑龍江考》：肇州故城在今伯都訥城南，舊名出河店，今名珠赫城《金史·世紀》：太祖天輔二年十一月，遼將步騎十萬會於鴨子河。太祖自將擊之，渡河登岸與敵遇於出河店，乘風進擊，遼兵大潰，南入松花江。爲北岸大支流，長二千一百里。

卷四

松花江支流

松花江既會嫩江，又東流百餘里，拉林河自東南來會。

拉林河，古來流水《金史·世紀》：太祖進軍寧江州次寥晦城，督諸路兵皆會於來流水。又，熙宗皇統四年，上獵於拉林河。河有二源，皆出於舒蘭縣東南玲瓏嶺。其北源上流曰霍倫河，《金史》謂之活論水《烏春傳》：烏春舉兵來戰，涉活論來流水，舍於朮虎部，南曰書蘭河《水道提綱》作音蘭河。兩源歧出，合成一川，西流七十里，經大崴子屯五常縣東南二十里納哈薩里河源出哈薩里山。又西北，左納二小水，右納二小水。又西北，經雙砑子南，東納響水河源出大鍋盔頂子。又西北，經大青嘴山東，納寒葱河源出雙砑子。直北流，經向陽山南五常縣東南一百里納渾水河源出一棵松山。折西北流，經團林子東南，納小石頭河源出長安堡。又東北流，折西經穀頭山北，納靠山寨河五常縣東三十里，源出靠山寨。少西，納黃泥河源出連環山。以上諸水均五常縣境。又西，經山河屯車站距五常縣城六十里，穿拉濱鐵路而北，錫蘭河自舒蘭縣境入五常縣境，合小沙河來注之。錫蘭河有二源，故名雙川河。今曰溪浪河，直北流五十餘里，入五常縣南境。又二十里，東納來自三個頂子之小沙河，合而北流入拉林河。沆按：《吉林通志》所叙錫蘭河在舒蘭縣境鳳凰山分支，一曰富爾特河，一曰舒蘭河，均西北流入松花江。其入拉林河者，當另爲一水，自東北來與入松花江者名同實異。又西北，經蓮花泡五常縣西十二里，東納半截河源出五常縣東南三道岡。又西北，納七道河源出扶餘縣東南太平川，直北流，經興隆鎮入五常縣境，東入拉林河。又西北，納六道河、五道河兩河均自扶餘縣東南玉皇廟東分流數十里合成一川，入五常縣境又東流入拉林河。又西北，納富春河自扶餘縣東境大房身來。又西北，入扶餘縣境，莫勒恩河合大泥河自東南來會。

莫勒恩河《吉林通志》：莫勒恩河即摩琳水，《金史》謂之穆棱水。明永樂三年，置摩琳衛，又置默倫河衛。沆按：《通志》謂靡琳水即《金史》之穆棱水，此誤。詳見沆所論大木蘭達河條註，出五常縣東南拉林山北麓，凡二源，合而西流，經青頂山又西而北，納石頭河源出三柱香山。又西北，納小莫勒恩河源出金坑山。又北流至冲河口，納冲河源出大青頂子山。又西北，納小里河源出金坑山。又西折北流，東納湘水河源出黃岡。少北，納七才河源出雲梯山東南，經蘭彩橋南，距五常縣城九十里。折北流入莫勒恩河。又北，經元寶山西，納薛家灣河源出太平山。又北，經北小山西，納劉泡河源出北小山。又北，納大泥河。

大泥河源出次老茅山，西北流四十里，納小石頭河源出大青山，一名大青川。又西北，納姜家溝河。又北，納疙

疸橋河。又西北，納元寶河源出楊木頂子。西南流，納小泥河源出老木營山。又西南，納葦沙河源出滿天星嶺，五常縣東南一百八十里。折北流，大石頭河合六道河自東北來注之。又西北至大泥河口，入莫勒恩河。莫勒恩河又屈曲西流，經萬寶山南，納條子河源出八道岡。又西流，納小六道河源出六道岡、轉山子河源出七道岡，合流入莫勒恩河。又西北，納半截河源出青雲寺屯。又西北，納楊樹河、籐子河二河並出五道岡，分流而北合成一川，入莫勒恩河。少北，東納四道黃泥河源出萬寶山西麓。西北，經黑魚泡東，納三道黃泥河。又西北，經五角泡北，納二道黃泥河、頭道黃泥河三河並出碩多庫山。又西北，經五常堡距五常縣城三十五里，北納頭道河源出頭道岡。又西北，納柳樹河源出碩多庫山，五常縣北六十里。（以上各河均在五常縣境）。又西北，入拉林河。

拉林河既納莫勒恩河，又西北，經背陰河車站，納背陰河源出五常縣北小山。拉濱鐵路沿河西行至拉林河站距五常縣城九十里，明永樂四年，置拉林河衛。《松漠紀聞》：自上京一百五十里至拉林河。許亢宗《奉使行程録》：過混同江百二十里至來流河，河闊三十丈，以船渡之。河之西北岸爲雙城縣境（光緒八年，置雙城廳。宣統元年，升爲府。民國二年，改今縣）。南岸爲榆樹縣境光緒三十一年，以孤榆樹地方置縣。又西，經牛頭山北，卡路河合卡岔河東北流來注之（扶餘縣南七十四里）卡路河出自松花江，在扶餘縣西南界分支北流，經卡倫站，折而東，經于家堡北，納卡岔河，源出德惠縣（宣統元年，以長春府東北懷惠、沐德二鄉置縣）。東南長嶺子，北流八十里，合南來之二道河，自榆樹縣境北流百餘里，經萬壽山西入於卡岔河。又東北流入拉林河。拉林河又西北行百六十餘里，經大碑東大碑即得勝陀碑。薩英額《吉林外紀》：得勝陀即額特赫噶珊，金太祖誓師之地。滿洲語，額赫特，勝也，噶珊，鄉村也。金太祖攻黄龍府，次混同江無舟以渡，太祖使一騎前導，乘赭白馬徑涉，故老相傳渡處即今五家子站，距扶餘縣城百六十五里。道光五年，吉林將軍富俊奏准伯都訥開荒勘丈，於五家子站得見此碑。碑一面刻缺筆漢字，不可識，當係女真字；一面刻漢文。碑立於金世宗大定二十五年，在拉林河西岸，其地舊名額赫特噶珊，今名石碑崴子，距拉林河入松花江處四十里，納董家屯河源出扶餘縣太平嶺，西北流七十餘里入拉林河。又西北，經柞樹岡北，納蘇家窩堡河源出太平嶺，東北流八十里入拉林河。又西北，經蔡家溝車站距雙城縣治五十八里南，穿北滿鐵路至雙城縣西北入松花江。

松花江又東流二百里至哈爾濱市哈爾濱，元《文類驛傳》：元貞元年六月九日，丞相完顔澤奏，哈兒賓地界舊立狗站十二所。沆按：《輟耕録》：高麗以北，名別十八，華言連五城也。罪人之流奴兒干者。今松花江下游南北岸，黑龍江下游東西岸，呼蘭、綏化、同江、撫遠等處皆奴兒干都司轄境。其都指揮使則駐今甯安縣，所必經其地。極寒，海亦冰，自八月即合，至明年四五月方解。人行其上，如履平地。征東行省（在今開原縣）委官至奴兒干，散給囚粮，需用站車，每車以四狗挽之。《全遼志》：由女真一千八百里至開原，惟狗多牽曳扒犁，蓋用狗駕車拖扒，行走冰上如驅牛馬然，故設狗站以養之。又有掃隣狗站，明永樂四年，置木魯罕山衛於掃隣狗站，在今勃利縣境。藥乞狗站，永樂十年置，在今撫遠縣境。可見明初猶沿狗站之制也。舊有使犬部（《聖武記》：使犬之赫哲部不編佐領，在混同江以南），爲濱江省治（明爲岳喜衛、阿實衛地），本名傅家甸，隸雙城縣，四十年前爲

一荒凉寂寞之區。光緒二十年，中日戰後，俄人索得東省築路權，置中東鐵路總機關於此，極力經營，蔚爲巨埠。宣統元年，置濱江廳同知。民國二年，改縣。康德二年，置濱江省，爲省公署所在地。又置哈爾濱特别市，道裏、道外，市廛櫛比，松花江則輪船往來，帆檣林立，誠滿洲國唯一大都市，人口至五十萬。西納正陽河，河口之東西各有一沙灘，西曰西夾心灘，東曰東夾心灘。又東，穿北滿鐵路而過，有鐵橋横於江上橋長二千九百三十七尺。沆按：北滿鐵路原名東清，嗣改中東，係中俄合辦鐵路。光緒二十二年，清政府與俄道勝銀行在俄都締結《卡西尼條約》，關於東清鐵路敷設及經營之契約，於同年十二月公布東清鐵路公司條例。二十四年開工，二十八年工竣，二十九年七月正式通車。該路自滿洲里迄綏芬河，更由哈爾濱分一支路南行至大連旅順。三十年，日俄戰後，長春至旅大鐵路劃歸日本管轄，是爲南滿鐵路。滿洲國成立，俄國情願將北滿鐵路讓售。於大同二年，雙方互派代表在日本東京開會交涉五十八次，費時十二個月，於康德二年三月十三日在東京簽字收回，委托南滿株式會社經營，并有拉濱鐵路在江南岸、濱北鐵路在江北岸與北滿鐵路銜接，又有新江橋達松浦鎮，爲呼海鐵路起點此路由海倫（現）〔縣〕通至龍鎮縣之北安鎮，謂濱北鐵路。又由北安通至黑河省治，又稱北黑鐵路。呼蘭河挾衆水自北岸來會。

呼蘭河即活剌渾河《金史》：昂傳授上京路活剌渾世襲明安；又《臘醅傳》臘醅麻産兄弟活剌渾訶隣鄉紇石烈部人，又作忽剌温《明史》：洪武二十八年六月，總兵官都指揮使周興等率師討西陽哈至忽剌温江，分爲三道指揮，景誠朱勝由中道，忽剌温江東北出銅佛寺等處，亦作哈勒渾《滿洲源流考》、呼輪《水道提綱》、呼倫《盛京通志》、霍倫，《黑龍江外紀》、《東北輿地釋略》。沆按：《東北輿地釋略》謂霍論即活剌渾之音轉，引《金史·烏春傳》：涉活論來流水，霍倫即活論之異文。云來流水即拉林河，霍倫爲其北源上流，在舒蘭五常縣境松花江以南。活剌渾水即呼蘭河，在松花江以北，似不能牽合，而以呼蘭爲定名雍正十年，設呼蘭城守衛，源出布倫山，漢名大青山，亦名小興安嶺大青山接連黑山（薩哈連阿林），二山清代圍場。齊齊哈爾、墨爾根、呼蘭三城官兵每歲行圍於此，將軍、副都統以下咸莅圍山。産青松、人參、貂、鹿、熊、虎之屬。支脈二郎山，西南分水嶺爲鐵驪縣光緒三十一年，置鐵山包協領。民國四年，置鐵驪設治局，今改縣、通河縣民國三年，徙松花江南岸之大通縣於北岸岔林河地方，置通河縣。界嶺有泉一道，分東西流。東流者入湯旺河，西流者爲呼蘭河，四十餘里經關門嵴子，右納哈郎河源出肯台山，折西流十里，左納一水。折西北流十里，左納一水。又西北流十六里，左納白河，即小呼蘭河。三源出延珊阿林，分流二十里而合。又西流數里，左納拉把河。折西北數里，右納小白河。折而西流十里，左納一水。折而北流十里又西流三十里入呼蘭河。又西北流十里，左納鐵山稻河。又西北十餘里，經鐵驪縣治西南二十里，左納鐵山包河。又西南二十餘里，左納額伊濟密河（源出小鞍額木山，大青山支脈。西南流，左納二小河。又西南流，三道河挾四小水西南流入額伊濟密河。又屈曲西南流，頭道河挾二水西流入額伊濟密河。又西南流七十里至慶城縣境（光緒三十年，設餘慶縣。民國二年，改今縣）入呼蘭河。西南流五里，左納一小水。又西南十五里，左納昂邦河源出紅石磖子，西北流二十四里，東合前昂邦河。又西北三里，合後昂邦河。又西北流三十五里，經疙疸山，合長流河。又西北，流入呼蘭河。又西南流折而西北二十餘里，右納額伊渾河源出肯台山，西北流折西南屈曲流九十里，經吕家窩

棚，東與歐肯河合。又西南流三十八里，經魏家屯西入呼蘭河。折而南流二十里，左納格木克河源出黄闔山，北流三十八里，左納小銀河。又西北流三十二里，經八家屯，有二道溝河折而西流經慶城縣治七十里入格木克河。又屈曲西流三十二里入呼蘭河。又曲折西流二十里，右納尼爾吉河源出青頂山，分一支左出爲歐肯河，西南流三十八里入額伊渾河。其正流屈曲西南流七十里，經赫屯南入呼蘭河。西南流入綏化縣境明兀者衛地。永樂元年十二月，忽剌温江等處女真野人頭目西陽哈鎖失哈來朝貢馬，置兀者衛。光緒十一年，置綏化廳。三十年，升爲府。民國二年，改今縣。爲呼海鐵路大站二十八里穿呼海鐵路。又西流，納津河自黄闔山北流三十五里，經津河鎮，又西北流二十八里入呼蘭河。又西北流三十七里，經孫家船口北哈爾濱小汽船可通至此。納納敏河源出青頂山，西南流，繞綏楞額山南約五十里又西迤南，經綏楞縣治西（民國六年，以綏楞山南上集廠地方置縣），又西南流至善家船口，合克音河。河有三源，俱出博克托山，循綏楞額山北又西南流七十里至縣治北而合。又南流入綏化縣境，會納敏河。會處有呼海鐵路克音河車站（距海倫縣城八十六里）。南流入呼蘭河。又西流五十里，經魏家船口又十六里，入蘭西縣境光緒三十年，以呼蘭雙廟子地方置蘭西縣，西流二十五里，納通肯河源出海倫縣（明景泰三年四月，海西通肯山衛女真納吉温察等來歸）（光緒二十五年，置通肯副都統。三十年裁，以通肯河墾地，置海倫廳，治海倫河北岸。三十四年，升爲府。民國二年，改今縣。爲呼海鐵路終點）。石頭山，西流，右納十一道、十道、九道、八道、七道各溝之水。折而南流又迤西四十里，左納札克河。又南流五十里，右納海倫河（《金史·世宗》：昭德皇后烏凌噶氏其先居海倫河），源出海倫縣東乾字四井地，折西流，經縣南，右納一小水。折西流，經海泉屯南，左納一小水。折西流，經敏字井地南，左右各納一小水。折西流，納四道烏龍河。又西流折而南流六十里，左納三道烏龍河，入望奎縣境（民國五年，以海倫縣雙龍鎮地方置望奎設治局。十一年，改縣）。又南流，經望奎鎮西、恒升堡東入呼蘭河。折而西，經東楊家船口距蘭西縣治八里，爲輪船寄椗處，折而東南，經呼海鐵路泥河車站距綏化縣城三十里，納泥河，即濠河源出木蘭縣（明永樂五年正月，置木蘭河衛）（光緒三十年，以呼蘭之大小木蘭達河地方置縣）黑山，循山而行，形如張弓，凡百八十里，右納拉珊泰河及大荒溝。經巴彦縣境（明永樂四年七月，忽剌温三角等處野人吉里納者哥難等來朝，置卜顔衛）（《呼蘭府志》：卜顔衛今巴彦州）（光緒三年，以呼蘭廳之巴彦蘇蘇設巴彦州。民國二年，改今縣），河在縣境寬六七里，通流處闊不及丈，兩旁沙土，外燥内濕，誤踐之即陷不能出。金太祖擒麻産於此（《金史》：麻産西走至大澤濘淖，麻産棄馬入萑葦。太祖亦棄馬追及歡都，射中麻産首，遂擒之）。經沈大用井，西南流至温德恩山西北入呼蘭河。循温德恩山西麓入呼蘭縣南境，迤東流三十里納大鹻溝水。又東迤南十里，經縣西北分一支，曰塔爾渾河灣土人稱爲背江子，南出先注松花江。其正流又南，經縣西折而東，經縣城光緒九年，裁呼蘭城守尉，置副都統。三十年裁，置呼蘭府。民國二年，改今縣南屈曲五十里入松花江。

松花江南岸爲阿城縣境（金上京會寗府。《世紀》：獻祖定居於阿勒楚喀河側，天眷元年號爲上京）（《滿洲源流考》：拉林河、阿勒楚喀之間則金之上京城在焉。今城南四里有古城及宫殿遺址）（曹廷杰《東三省輿圖》：金會寗府即今阿勒楚喀，城南四里有白城故址，由白城西行十里有土城，爲古點將台。又三十里有土城，名小城子，即會寗頭鋪）。沆按：《松漠紀聞》、《北盟會編》、《大金國志》、《奉使行程録》均載，上京三十里至會甯頭舖又百二十里至拉林河，是上京確在拉林河阿勒楚喀之間，爲今阿城縣境。

《東北輿地釋略》《金上京會甯府考》，景方昶辯證極詳（明正統中置赤顏衛）（《吉林通志》：岳喜衛舊訛赤顏在阿勒楚喀城東二十里）（雍正四年，置阿勒楚喀城協領。乾隆九年，置副都統。宣統元年裁，改今縣。）北滿鐵路經城東，有阿什河車站，納阿什河。

阿什河即阿勒楚喀河，古按出虎水《金史·地理志》，又曰阿觸胡《北盟彙編》、阿朮滸《大金國志》字異音同，實即一水，亦作金水河《明一統志》：源出黃龍府東山，東北流入松花江。金人謂之按出虎水，源出賓縣光緒六年，以阿勒楚喀之葦子溝設賓州廳。宣統元年，升爲府。民國二年，改今縣東南秋皮頓山距賓縣城八十五里，隔嶺即斐克圖河源，屈曲流六十里，經西花磖山北，納花磖河出東花磖山。又西南，經三道街，南折南流，納小黃泥河。又西北，經雙城縣境行二十里，納北來之混元河河爲五水合流。頭道河出賓縣西南大分水嶺，南流，經烏拉草甸（賓縣南一百一十里）南；二道河自嘉松阿山阿城縣南一百四十里，自西來又少南；三道河自東來，河亦出嘉松阿山又西南。半截河出小分水嶺，自北來折東南流；四道河出塔頭山，自東來。至此匯成一川，曰混元河。西南流十餘里入阿什河。折西南流，經磬兒嶺東，納太平川出雙城縣北界青頂山。又西南，納二道關門河河出賓縣西南嚴家嶺。又南，納東來之大黃泥河源出雙城縣東南筆架山，西北流，北合帽兒山水。又西北六十里入阿什河。又西北流，納泉眼河源亦出嚴家嶺。少西折北流，納孫家店河源出雙城縣境。又西北，經七個頂子西，納大石頭河。又西北，納小石頭河。又西北，經王家窩堡西，納沙河。又西北，經料峭口西，納哈馬塘河。又西北，納大腰溝河五河並出阿城縣東南七里半山。又西北，納箭子溝河源出雙城縣箭子溝嶺，二源，南曰南箭子溝河，北曰北箭子溝河。分向西北流數十里而合。又西北經武家窩堡西，納一小河，曰箭子溝河，合北流，經周倉店西入阿什河。少西至新開河口，納新立河源出雙城縣宋家屯，西流數十里入阿什河。折而北，納前二道溝河源出阿城縣西興隆鎮。又北，納後二道溝河源出阿城縣東南朝陽鎮。又北，經白城東南，即金上京故址阿城縣南四里，西納一小河源出阿城縣東南五間房。又北，經阿城縣東，穿北滿鐵路而北有阿什河車站，分一支流繞古剌屯，其正流折而西北，納一小河水出阿城縣西馬神廟。又北，分流之水自南復合。又北，海溝河自東來注之。

海溝河即《金史》之海古勒水（《世紀》：獻祖乃徙居海古水。又曰海沽水。兄弟貳於桓赧，又博囉與獻祖俱徙海姑水，置房宇焉）。沆按：海古、海沽、海姑，係屬一水（《滿洲源流考》作海古勒水《東北輿地釋略》：白城東北二十餘里，有大海溝、小海溝二水，合流入阿勒楚喀河即海古勒水）。其大小二源，並出阿城縣東南大分水嶺。北源曰大海溝河，出嶺北（賓縣西南六十七里），南流，合茂石河折西北流，至馬家窩堡西。小海溝河自嶺西來，合而北而西納一小水，又西入阿什河。又西北，納太平溝河源出阿城縣西南太平嶺。又西北，納後進屯三小河三河並出縣境後進屯西，次第入阿什河。又西北，經馬家屯西，納長林子河源出縣西長林子。又北，經馬廠甸入松花江。

松花江又東北流，納斐克圖河。

斐克圖河即《金史》匹古敦水（《金史·烏春傳》：春

使人來讓，曰拉林水以南、匹古敦水以北皆吾土也）（又《桓赧散達傳》：遂與混同江左右、匹古敦水北諸部兵皆會），一曰弗朵禿明永樂六年二月，女真野人賈令哈火禿等百六十五人來朝，置弗朵禿衛，源出賓縣東南秋皮頓山，西北流三十餘里，經于家窩堡南，納安巴佈拉庫河源出賓縣南弔水湖，西流，經王家店折北流，納西來之李家屯河。又北，納西來之左家屯河。又北，納西來之西溝河。三河並出賓縣南山，東流入安巴佈拉庫河，合而東流入斐克圖河。又北，經元寶山，西折西流，北納高麗溝河源出賓縣小團山。又西而南，納大舍利河源出賓縣西南白石磖山。又西，納柳樹河源出賓縣西南小山。又西，分南北流數里而合，南納草廠河源出賓縣西南山，北納徐家堡河源出賓縣西北山。又西，經斐克圖站東距賓縣城七十里，折西北流，納小舍利河源出賓縣東南呼蘭峰，今呼烟筒磖子，兩源分流而西數十里折北流合爲一，又南數十里入斐克圖河。又西北，經大團山西，納興隆溝河源出賓縣西北山。又北，經古城入松花江。

松花江北岸經巴彥縣境，納碩羅河。

碩羅河即《金史》帥水，一作率水（《世紀》：是歲白山混同江大漲，水與岸齊，康宗乘舟至帥水，舍舟沿帥水而進）又以上京率水活剌温水之地廣而腴，遷三猛安二十四謀克以實之、刷水《滿洲源流考》。河有二源，自黑山木蘭縣境南流迤西十七里與西源合，西源自綽爾博奇山巴彥縣西北八十里東南流四十五里與東源合。又曲曲流十三里，經東保保山，納泉眼河源出黑山。又西南流，經西保保山迤東而南十五里，納龍泉河源出巴彥縣東揚禄嶺。迤西南九里，納哲克特伊河，即《金史》直屋鎧水（《世紀》：麻産據直屋鎧水。獲麻産獻馘於遼）（《呼蘭府志》：哲克特伊河，《金史》直屋鎧水）。源出綽爾博奇山，東南流八十里，挾小哲克特伊河入碩羅河。折南流至劉家船口，納漂河，源出巴彥縣北山巴彥富勒哈哈窩集，西南流九十里，經碩羅山南、尼瑪拉山北入碩羅河。又東南十五里，至滴達嘴子入松花江。

松花江又東流，納偎雅河源出巴彥縣巴彥蘇蘇山，西南流二十五里，經拉拉屯，又西南流九里，經巴彥縣治，繞北、西、南三面折東南流十四里，經偎雅村廢址西南（《金史·后妃傳》：景祖昭肅皇后帥水偎雅村唐括部人），又東南十里入松花江。江又東流，經木蘭縣境，納佛庫特河，即《金史》拔盧古河《金史》：德濟呼遜居拔盧古水，烏春兵出其間，亦作獨拔古，俗呼黃泥河源出木蘭縣西北七十里蒙古爾山，西南流四十里，挾小黃泥河南流入松花江。又納小石頭河即莫霍絡河、大石頭河即《金史》之沃赫河。《世紀》：天輔四年，遼上京留守托卜嘉以城降壬戌次沃赫河。喜爾喀河俗呼楊樹河以上三河均源出蒙古爾山，佛多和河俗呼柳樹河源出木蘭縣西六十里硯台山，曲曲南流折而西四十餘里入松花江，霍羅河俗呼萬寶河西南流經彭喜屯入松花江。又東，納自西北來大木蘭達河《明史·兵衛志》作木蘭河，設木蘭河衛於此，以部人約尼爲指揮。

大木蘭達河《黑龍江志稿》謂即《金史》暮稜水。《吉林通志》：暮稜水即摩稜水，爲入拉林河之莫勒恩河。拉林河古來流水，《金史》臘醅驅掠來流河牧馬，以其距摩稜河近，故斷定爲莫勒恩河。《東北輿地釋略》以《臘醅傳》臘醅、麻産兄弟活剌渾訶隣鄉人謂訶隣鄉即磨稜山，在阿

勒楚喀河之南，故亦以摩稜水當暮稜水。沆按：金太祖居阿勒楚喀河在松花江南岸，臘醅兄弟居暮稜水在松花江北岸，其驅掠來流河牧馬當是渡江侵擾，世祖與穆宗追之。世祖自圖古勒津渡江，倍道兼行，敗臘醅於野鵲水。穆宗自額圖渾津渡江，遇敵於蒲蘆買水，臘醅兄弟退保暮稜水，守險自固。世祖攻拔之。臘醅就擒，麻産遁去。又據直屋鎧水，恃陶温水民爲助以抗。太祖追擊至泥河獲麻産。又康宗自訶隣岡乘舟至帥水，不言渡江者以訶隣岡本在江之北岸，訶隣岡又即末隣鄉，太祖與烏古論部兵沿土温水過末隣鄉，追乃跂忒於阿思温山。阿思温山即佛思亨山，更足證明訶隣鄉在北岸，是暮稜水，爲大木蘭達河，而非莫勒恩河矣，源出富尼業和山，即大青山。西流四十里至二屯，納石門河源出石門山，在木蘭縣西一百里。又西流迤南二十里，經東興鎮南，納西北河挾一水西南來入大木蘭達河。折而南流，經木蘭鎮西，又經硯台山東五十餘里，納鎖陽河合三道横河西南流六十里入大木蘭達河。又南流數里至拉拉屯，納二道横河西南流四十里入大木蘭達河。折南流迤西三十里，納頭道横河西南流四十里入大木蘭達河。折東南流至孫家店西，入松花江。

松花江又納小木蘭達河源出噶勒幹山（木蘭縣東八十里），東南流五十餘里入松花江、筲罕河即《金史》拔里邁濼（《世紀》：五國没撚部謝野孛堇叛，景祖伐之，謝野兵敗走拔里邁濼）。在木蘭縣西五里石家堡之南，南北長八里，東西廣九里，入松花江、布雅密河即《金史》蒲蘆買水（《世紀》：穆宗追臘醅，自額圖渾津渡江，遇敵於蒲蘆買水）亦作婆蘆買，又作婆魯買，一稱烏耶古河（《呼蘭府志》：金烏耶古謀克之印，背文『大定十七年，少府監造』，係古宜猛安下光緒二十一年於布雅密河老紙房地内掘得，烏耶古即令布雅密河，俗呼白楊木河）。源出噶勒幹山西岸，南流六十里，經木蘭縣治又東迤南十八里入松花江、二道河源出噶勒幹山經孫家廠南流三十里合、頭道河又南流二十餘里入松花江。

松花江南岸又東北流，納夾板河賓縣東六十二里。

夾板河《吉林通志》作綳板河源出賓縣秋皮頓山，東北流，經楊木橋屯賓縣東南七十五里西納元寶溝河源出賓縣南嘉松阿山，直東流，南納隊窖河。合東北流，北納一小河。又東北入夾板河。又東北，納東坡閘河源出賓縣東小勾張屯，折西流而北又東，納恒道河，源出賓縣東分水嶺，合兩源直西流，南納萬人愁河（賓縣東一百六十里）。折而北，納朝陽河。又西北，經長發屯東，納湯石河，合西流，經虎頭山南入夾板河。又東北，經姚家屯西入松花江。

松花江又東流，瑪蜒河挾衆水自南來會。

瑪蜒河《吉林通志》：瑪蜒河出甯古塔西北畢展窩集，西北流九十里入五常廳東南界）沆按：畢展窩集其支峰即瑪蜒大嶺，嶺東爲甯安縣界，嶺西爲五常縣界。民國十六年，劃葦沙河地方置葦河縣。瑪蜒大嶺遂爲葦河縣境。又先於光緒二十八年，在瑪蜒河適中燒鍋甸子地方置長壽縣，即今延壽縣源出瑪蜒大嶺，西北流，納數小水百五十里，有葦沙河經葦河縣治來注之即倭沙河，源出葦河縣東南境，東南流，納來自鍋盔頂山之一小水，合西流二十餘里，折東北五十里，北至葦河縣治入瑪蜒河。有北滿鐵路葦沙河車站。又西北，循北滿鐵路流百一十里至珠河縣治民國十六年，置縣，納西烏吉密河即《金史》烏濟赫水（《太祖本紀》：英悼太子葬興陵之側，上送至烏濟赫水而還），有烏吉密河車站，源出烏吉密山，東流而北，納花曲河，合而北流入瑪蜒河。又西折而東北流，納西亮子河源出延壽縣東南大青山，南流而東，牛心山河自北來合，而東南流入

瑪蜒河。又東北百餘里，納黃玉河源出大青山，南流，納六小水入瑪蜒河。經延壽縣治東南又東北，納西長壽河源出延壽縣東長壽頂子山、東長壽河源出延壽縣東南雙磖子山。少北，納東烏吉密河源出延壽縣東南千峰山北。又東北，納東亮子河源出延壽縣東南太平磖（《吉林通志》：於東亮子河註云：驛馬河自瑪蜒河大嶺西流來注，即伊勒門河源出老嶺）。沉按：驛馬河即伊勒門河，源出磐石縣磨盤山，經永吉、雙陽、伊通、長春、農安，流六百餘里，會伊通河入松花江，在吉林省之南。而西瑪蜒河則在吉林省之東（今劃入濱江省），東亮子河更入方正縣境，則更由東而北，中經松花江隔斷，絕對不能溝通。不識《吉林通志》，何以誤指考之？《東省輿圖》：延壽、方正縣境無所謂驛馬河即伊勒門河。又《吉林通志》載，瑪蜒河流經過及支流發源諸山，如烏吉密山、大青山等方隅道里，均以賓州廳阿勒楚喀城爲起點。現化分延壽、葦河、珠河三縣管轄，移轉固不待言。本編河流類此者多，惜無案牘可稽，爲之逐一更正耳。又東北，經方正縣境入松花江方正縣（宣統元年，以松花江北岸之大通縣治移於南岸方正泡地方，改名方正縣）。

松花江東流，納方正泡、彈弓泡、葡萄泡、橫頭泡、黃泥河、楚山泡諸水，入依蘭縣境即三姓城（雍正十年，置三姓副都統。光緒三十一年裁，置依蘭府。民國二年，改今縣）。又東一百二十里至縣城西距哈爾濱六百五十里，東距佳木斯一百九十里西二里，其大支流牡丹江自南來會。

卷五

松花江南岸最大支流牡丹江

牡丹江，古忽汗河《新唐書》：先天中拜大祚榮爲渤海郡王，以所部爲(怱)〔忽〕汗州，在忽汗河之東，亦作胡里改河《金史·地理志》：胡里改路置節度使，路以河名、呼爾哈河《元史·地理志》：呼爾哈路有呼爾哈河，又作忽兒海河《明一統志》開原城東一千里，源出潭州，入松花江、呼里改江《明一統志》：出建州東南山下，東北匯爲鏡泊，又北入混同江。沇按：《明一統志》以忽兒海河、呼里改江爲二水，一入松花江，一入混同江，名稱互異，實即一水、虎爾哈河《盛京通志》、瑚爾哈河《吉林通志》，更謂即按出虎水《水道提綱》：寧古塔河即呼拉哈河，亦曰虎爾哈河。金時曰按出虎水即金源也。沇按：金按出虎水確爲阿勒楚喀河，在阿城縣境。牡丹江在寧安縣境，東西相望，源流各別，《提綱》誤認爲按出虎水，今呼爲牡丹江，自其發源處名之也。源出敦化縣在阿克敦城地方，即鄂多理城，又作俄朵里城，亦名敖東城，清始祖居其地。光緒八年，置敦化縣。爲京圖鐵路大站老嶺之牡丹嶺，爲長白山幹脈。東北流，納四道溝河河出敦化縣西南山、黃泥河、大石頭河二河均出敦化縣西南紅石磖、半截河河出敦化縣西太平山、小石頭河河出敦化縣西小青山、葦子溝河河出敦化縣東北後葦子溝河、前葦子溝河。又納自南來之雷溪風河河出烏松磖子，東北流數十里，朝陽河合宋家店河、砲手營河、黃泥河西來入雷溪風河。折東流，納興隆河。河出敦化縣東高松樹嶺。又納橫道河，河出敦化縣東朝陽岡。又東入牡丹江。江又北流，有珊延穆克河自東來會。

珊延穆克河即《金史》舍音水《世紀》：景祖時舍音水完顔部來附，源出敦化縣東南廟兒嶺，土人呼爲大石頭河。西北流，納東來之頭道河河出敦化縣南雙廟嶺。少北，納二道河。又北流，納三道河兩河均出敦化縣東南高麗帽山。又東北，有富勒佳哈河即富爾吉哈河，土人呼爲富家亮子河源出敦化縣東北，向南流數十里，納東北來兩水，在東者曰柳溝河，在西者曰黃泥河。折西南流三十里，納沙河，河出縣東駱駝磖子，板橋河源出哈爾巴嶺（京圖鐵路經之，有車站）（距敦化縣城六十里）西朝陽磖子，稍西與珊延穆克河合。折北流，納西南一小水，又折而東流，納東來一小水。又西北，馬鹿溝河合數小水自西來注馬鹿溝河源出敦化縣東北山，西流數十里，有頭、二、三、四凡四道溝水合流。折而南而西入珊延穆克河。復西流，經通溝嶺而北而西入牡丹江。

牡丹江又北流折而東，有大威虎河合朱魯多觀河、鄂穆索河自西來會。

大威虎河源出敦化縣西烏松磖子，西北流，納二小水。北流合小威虎河，經威虎嶺京圖鐵路經之，有車站。距敦化縣城九十五里納南來一水。又東北，有威虎河自東來合，而東流數十里，與朱魯多觀河、鄂穆索河會朱魯多觀

河，土人呼曰朱爾多河，源出敦化縣西白石磖子，爲塞齊窩集支峰，東南流數十里至朱爾多河渡口，納伊奇松河，合而東經鄂穆赫索羅站（敦化縣城南一百二十里），南會鄂穆索河，河有兩源，東曰東馬鹿溝，西曰西馬鹿溝。各東西流數十里合爲一，曰鄂穆索河，南流數十里合大威虎河。又東，納蘇子泡。又東，入牡丹江。

牡丹江又東流，納都陵河、佛多和河、當石河三河均出塞齊窩集（吉林城東二百二十里）。又東流，納三道登什庫、二道登什庫、頭道登什庫三水均自北來，各長數十里。又東流入寧安縣即甯古塔城（康熙初，置甯古塔將軍。十五年，移將軍於吉林，改置副都統。光緒二十八年裁，移三岔口綏芬廳同知於此。宣統二年，置甯安府。民國二年，改今縣）西南境。又東，納塔拉河、阿拉河兩河均出畢爾罕窩集（寧安縣城西北二百十里）。又東，納托罕河、大空奇穆河、小空奇穆河、珠克騰河。又東北數十里，納諸小水，匯爲巨泊，曰畢爾騰湖，即鏡泊湖。

鏡泊湖，唐之忽汗海明永樂三年，置忽汗海衛，長七十里，寬二十里，中有四山：曰老鸛、曰道士、曰小孤、曰大孤。有巖，曰珍珠門，位於道士、小孤之間。有故城，爲古肅慎城（《竹書紀年》：帝舜二十五年，肅慎氏來賓）（《新唐書·地理志》渤海王城臨忽汗海，其西南三十里有古肅慎城）（《契丹國志》：古肅慎城方五里，在渤海東三十里）。當湖西南牡丹江入口處，有呼克圖峰，土人名曰發庫。其下游在湖之北端張家亮子東，有大瀑布，俗呼爲弔水樓，爲湖水出口處。此瀑布從高傾瀉，約五丈餘，寬十餘丈。巖下水深十七八丈，飛沫凌空，奔浪雷吼，聲聞數十里，湖水下注爲江沅按：此瀑布《盛京通志》《吉林通志》均謂在呼克圖峰江水入湖處，但據日本技師實地調查，謂湖水高於江面五丈二尺，如鑿溝引水，因水推機，可成世界一大水力工廠。並聞民國六年，中日商人合貲在江右岸四季通地方，組織漁業公司及富寧造紙公司，收買江邊田地房産甚多。據此則瀑布當在吊水樓湖水出江處。近人所輯《吉林新志》言之較詳。《吉林地理紀要》：發庫即吊水樓，是又混湖水入口、出口處爲一矣。環湖之水自東南來入者爲夾溪河，一名札津河河有二源，土人以大小夾溪河別之、松音河、阿布河三河均出瑪爾瑚哩窩集，寧安縣城西北一百二十里。湖之西北有畢拉罕河源出畢拉罕窩集，東流，納愛呼河。又東，納南來二水。又東，納額伊呼河合流入湖，其旁有鄂摩和湖源出畢拉罕窩集，南流入鏡泊湖。其北即德林石。

德林石（在寧安縣城西一百里）（《金史·烏春傳》：烏春曰德林石之北姑里甸之民所管不及此）《吉林通志》：德林石自鄂摩和湖之東繞沙蘭站（寧安縣城東八十里）之南至瑚爾哈河，廣二十餘里，袤一百餘里。石平如砥，孔洞小大不可數計，或方或圓或六隅或八隅，如井如盆如池，或口如盂而中如洞，或深丈許或深數尺，中有泉，澄然凝碧，夏無蚊虫，馬鹿羣嬉，名曰德林石。又相連有石頭甸子，俗呼黑石甸子。甸上草木皆異，黃蒿松即生其處，車馬行其上如聞空洞之聲，其石塊或損，便有水從罅隙出，探之深不可測）（高士奇《東巡録》謂下有海眼，季春冰泮，水流石下，聲如雷吼）沅按：德林石雖在鏡泊湖附近，但其水是否入湖，志無明文，以其狀異附記之。

牡丹江又北流，經東京城即渤海王城（《新唐書》：天寶末，渤海王徙上京直舊國三百里忽汗河之東）（《東三省輿圖》說渤海上京龍泉府本靺鞨拂涅國故城，今稱東京城）（《東三省沿革表》：渤海上京即今甯安府境東京城。忽汗河即呼爾哈河。東京城距甯安縣城七十里。圖佳鐵路經之，有車站）西北折而東，納頭道河即波泥河，源出雞蛋石，南流，合沙蘭河。

又東，納北來一小水。折南流，納西來一小水，合流入牡丹江。又東，納南來之瑪勒呼哩河一名馬兒虎，源出瑪爾瑚哩窩集，今所謂老松嶺，在甯安縣城南一百四五十里，土人呼爲六道河。屈曲北流，納二小水。更北流，東西各納一小水，又納南來二小水，合流入牡丹江、北來之楊木台河河自西來，經舊街基南張家嶺，西折南流入牡丹江。又東，經大牡丹屯北，納大牡丹屯河即今牡丹江市新建市街，日臻繁盛，爲濱綏鐵路、圖佳鐵路聯絡點。鐵路局於此設管理處，距甯安縣城五十里。又東，過甯安縣城南圖佳鐵路經之，有車站納哈瑪河河出老松嶺，兩源歧發，曰二道河，曰三道河，合西北流折而北，納廟兒嶺水。又北，納索爾霍綽河，源出索爾霍綽窩集（甯安縣城南一百里）。又東北，納一小水，合流入牡丹江。又東，納蝦蟆河河出甯安縣城東南山。又北，經甯安縣城東，納塔克通阿河出塔克通阿窩集，直西流，南納小水二，北納小水一。又西，經大王山甯安縣城南五里，南納一小水。又南，納蓮花街水，西來入牡丹江。又北，納伊蘭岡水水出張家嶺。又東北，納商音河河出商音畢拉罕窩集，東納呼錫哈里河源出呼錫哈里窩集，甯安縣城東南南七十里。又東，經龍首山寗安縣城西北六十里，海蘭河自西來會，今曰海浪河會口有圖佳鐵路車站（距寗安縣城三十八里）（《明一統志》作哈蘭河。永樂五年正月，女真野人頭目土成哈等來朝，置哈蘭河衛）（《盛京通志》：海蘭河即合蘭河）。

海蘭河源出海蘭窩集甯安縣城西北二百里，南流，西納一小水，東納一小水，合而南流，納拉哈密河河出小團山。折而南流，分爲二，東流數十里經舊街基北而合，納密占河源出瑪展窩集，甯安縣城西北一百二十里。又東北，納舍赫河源出舍赫窩集，甯安縣城東北一百三十里。折東流，納紅甸子河《盛京通志》作鄂克托河。又東，納帳房山河。又東，納石道河。又東，經卡倫山甯安縣城北六十里入牡丹江。

牡丹江又東流，納東來之尼葉黑河源出尼葉黑窩集，土人呼爲四道嶺，甯安縣東南五十里。又北，納東來之特林河源出特林窩集，甯安縣城東北嶺百二十里，兩源分流，北納一小水，南納一小水。又西，經四道嶺南，納磨刀河，河出城西北磨刀石。折西北，鐵嶺河合二小水來注，合流入牡丹江。折而北，納烏赫林河即穆哈連河、富達密河源出富達密窩集，甯安縣城東一百三十里。又北，納東來之江密峰河、西來之薩林河源出薩爾布窩集，甯安縣城東一百六十里。又北，東納二小水，西納頭道河。又北，納東來之哈圖河源出白草甸子，西流數十里入牡丹江處，其對岸即飛來河、飛來河源出甯安縣城北山、寗蘿河即舒蘭河，源出舒蘭窩集，甯安縣城北二百九十里。又北，經三道卡倫距寗安縣城二百八十里。東納四小水，西納阿穆蘭河。河出阿穆蘭窩集，甯安縣城東北三百二十里。又東北，經勃利縣境宣統元年，劃依蘭府東南境古勃利州地置縣，圖佳鐵路經之，有車站納安巴河源出安巴窩集，距甯安、依蘭縣城各三百里。又東，納呼蘭河勃利縣境土人呼爲煙筒山河，出呼蘭山（依蘭縣城北五十里）。又北，納小迎門石河源出小迎門石山，勃利縣境，在依蘭縣城西南二百五十三里。又北，經扁擔嶺西，納四道三溝、二道頭溝諸河。又北，經城墻磖子勃利縣境，在依蘭縣城西南一百六十里。又北，經烏斯渾卡倫（距勃利縣城一百二十里）圖佳鐵路自距烏斯渾車站二十八里之林口站分一支路達密山縣。（二百九十里）（密山縣，光緒三十一年，以密峰山地方置密山府。民國二年，改今縣），納烏斯渾河入依蘭縣境烏斯渾河

源出烏斯渾畢拉窩集(依蘭縣城東南三百里),直北流,納龍爪溝河。又東北,納額和勒河。又北而東,納湖水畢拉河。又北,納西白稜河。折西北,經烏斯渾卡倫入牡丹江。又西北,納奔松頂子五河,西納尼什哈一河。又北,廟兒嶺河自東來注。又北而東,碾子溝河自南來注。又北,經松樹嶺東,伯勒河自東南來注。又東北,過依蘭縣城西二里許入松花江。牡丹江計長一千四百餘里。

松花江既納牡丹江,循依蘭縣城北而東,納東南來之窩肯河。

松花江支流

窩肯河《吉林通志》:窩肯河今曰倭坑河,又曰倭和江,源出富克錦城南七星磖子。又《通志》:三音窩肯山即三音倭和山,倭坑河源出於此,在三姓城(今依蘭縣城)東北二百二十九里。沆按:七星磖子今屬寶清縣西境(宣統元年,劃依蘭府屬富克錦地方置富錦縣,寶清河地方置寶清縣)。惟三音窩肯山是否即七星磖子,以三音窩肯山距依蘭縣城只二百二十九里,而七星磖子在樺皮溝之東三百里外,當另爲一山。窩肯河河流計長四百餘里源出七星磖子,西南流,有東北岔河、西北岔河自左右來交注之。又西南,經石頭哨南,納西金別拉西金即寶清之音轉,別拉河也,源出老嶺。《吉林通志》:老嶺在三姓城東南五百二十里。又西南,南納奇塔河源出奔松頂子(勃利縣境),北納樹椿樓河源出樹椿樓山,依蘭縣城東四百三十里。折而北,入樺川縣境(宣統元年,以樺皮川地方置縣)距依蘭縣城二百八十里。又西北,納奇呼里河今作七虎力河、巴呼里河今作八虎力河,兩河均出樺皮溝山。又折而北,經土龍山西依蘭縣城東南一百三十八里,納蘇木河源出草帽頂子山(依蘭縣東南一百九十里)。又西北流百餘里,繞依蘭縣城東北,經窩肯哈達山麓依蘭縣城東五里入松花江。

松花江北岸入通河縣境光緒三十年,以江北崇古爾庫站置大通縣,隸吉林省。民國三年,改通河縣,隸黑龍江省。康德二年,改隸三江省東流,經富拉渾站通河縣西五十里(乾隆二十七年,吉林借江北岸設五站,由今賓縣渡江東行,曰佛斯恒、曰富拉渾、曰崇古爾庫、曰鄂爾固木索、曰妙噶珊。自妙噶珊站渡江,即今依蘭縣城),納濃濃河源出噶斡勒山(通河縣北一百里),屈曲南流百餘里入松花江。又東流,納薩林河河口對岸即瑪蜓河,源出噶斡勒山,東南流,合木倫河折而南流入松花江。又東,經通河縣城。又東,經崇古爾庫站舊大通縣治,納大通河。又東,納二龍潭水,即華札爾哈爾哈池,《金史》所謂野鵲水《世紀》:世祖自圖古勒津倍道兼行,遇臘醅於野鵲水。又北,納大呼特亨河,今稱大咕洞河、小呼特亨河今稱小咕洞河二河均源出督哈爾庫山(通河縣北一百里)經妙噶珊站入松花江。又東流,入湯原縣境光緒三十一年,以湯旺河口又名屯河口地方置縣,西納巴蘭河明永樂二年三月,巴蘭等處野人卯叉等來朝,置撒力衛。

巴蘭河源出巴蘭窩集,即老黑山湯原縣北二百六十里,東北流五十里,經沃赫山北迤而東南百餘里,左納三小水,右納一小水。經呼特山北,有達里帶河挾珠勒河東南流百餘里來合。又東南,經都音沃赫山之西湯原縣西

百四十里，左挾三小水，右挾一小水，百五十里經妙噶珊山北妙噶珊站在山之南，又曲折東流二十餘里入松花江其河口與牡丹江入松花江之口相對，如十字。

松花江又東北流百里，經湯原縣城南，屯河挾衆水東南流來會。

屯河，《金史》謂之屯河（《金史・地理志》：蒲與路屯河猛安）。（明永樂九年置屯河衛），一作桃温水。《世紀》：麻産據直屋鎧水，恃桃温水民爲助，亦作土温又，太祖與烏古論部兵沿土温水過末鄰鄉，追乃跂忒於阿思温山北濼之間，又作濤温又，《忠義傳》：酬斡率濤温路兵招撫二坦、石里很、跂苦、三水鼈古城邑皆降之，今稱爲湯旺河，源出布倫山屯窩集湯原縣西三百二十里，瀦爲巨泊，曰屯鄂模，周三十里，屈曲西南流百餘里右岸産金，右納伊椿河源出布倫山，東南流二十餘里，右納一水。折東流五十里，左納二水及大托河、烏謨魯河。又東流入屯河。折東南流，左納畢罕河即璧漢河、胡迪奇河、喀穆齊河、穆遜河。折西南流五十里，右納上下錫琳河，今稱大小柳樹河、札里河（湯原縣西北百六十里）源出布倫山，東南流百里，右納報達河。有上石頭河東南流七十五里來注。又屈曲東南流五十餘里，與雅魯河會（明永樂六年，置雅魯衛）。又東南迤而東北流，有下石頭河東南流百四十里來注。又屈曲東流四十里，左納一小水，右納二小水，入於屯河。又曲曲東南流九十里，納珠勒必拉即圖魯河、屯沱必拉。又東南流，納阿實克坦河、紅科河、哈魯河。又東流五十餘里至湯原縣城東北固木訥城爲元桃温萬户府故城，亦即遼五國部盆奴里國故城。又東南流入松花江。

松花江又東北流三十餘里，納多龍烏河，即《金史》徒籠古水《世紀》：徒籠古水紇石烈部赫舍部人阻五國鷹路，遼詔穆宗討之，入其城。又納三小水，折北流二十里，北納一小水。折東流六十里，北納烏屯河，今稱梧桐河（湯原縣東北百四十里）兩源均出哲温山，東流折而北流，經鶴立鎮（有鶴岡鐵路達江口，長九十里），名鶴立河，與北源合，又東折而南流入松花江。江又東北流，入綏濱縣境四十里，北納德勒恩河（綏濱縣百有十里）源出哲温山，南流八十里入松花江。又北納都魯河，即《金史》禿答水（《世紀》：穆宗令禿答水民陽阻絶鷹路畋於屯水而歸）明永樂四年十月，都魯河女真野人頭目來朝，置肥河衛。源出哲温山東南二百一十里，經佛思亨山折南流十五里入松花江。折東北流，經遼五國部越里吉故城在南岸，北納布雅河源出佛思亨山、亞斯湖水佛思亨山南瀦，周可七八十里，流入松花江。其北岸至與黑龍江會處别無支流入江。

松花江南岸自依蘭縣城東合窩肯河東北流江中有灘，曰三塊石，其潐石綿亘二十四里，經樺川縣境至佳木斯爲三江省治宣統二年，置樺川縣於此。民國二年，移縣治於東北八十里悦來鎮。康德元年，遷回佳木斯。二年，置三江省，爲省公署所在地，距哈爾濱八百四十里。農産豐盈，輪帆麕集。市去松花江岸三里，水深浪静，便於停船商務，日臻繁盛。爲圖佳鐵諸[一]終點。又東北，入富錦縣境，納殷達穆河。河出那丹哈達拉山，土名小黑山，距江岸九十里。又東，經德依亨山，納德依亨河。又東，經富錦縣城。又東，傍古城即五國部越

[一] 諸　據上下文義，應爲『路』。

里吉城，距富錦城十八里北流，納哈達密河河出哈達密山，距江岸四十里。經安巴河屯，距富錦城七十五里，江分一支，東流爲安巴河，行百里許復合。又東北，納喀爾庫瑪河。河出伊把丹山，距江岸六十里、富錦城一百三十里。又東北，入同江縣境爲明時使犬部黑哲喀喇所居之地（《滿洲源流考》：甯古塔東行千五百里，居松花江黑龍江兩岸者，曰赫哲喀喇即使犬國）。沅按：又有費雅哈部均謂之黑斤人。東溢一水，曰黑河。又東北，經同江縣城東至黑河卡倫西，爲黑河口距同江城十餘里，富錦城二百一十里，黑龍江自西北來會，曰混同江。

松花江自長白山天池發源至吉林省城幾及千里，西北流七百里至三叉口會嫩江，東北流五百餘里至哈爾濱市，又八百四十里至佳木斯，又三百餘里至同江縣，長約三千三百餘里。

沅按：松花江在扶餘縣以上，其支流爲輝發河、拉法河、伊通河、驛馬河。自扶餘縣以下，江南岸爲拉林河、阿什河、夾板河、斐克圖河、瑪蜒河、窩肯河，以牡丹江爲最大，在江北岸爲屯河、巴蘭河、呼蘭河、洮兒河，以嫩江爲最大。其範圍所及，幾佔滿洲國全國四分之二而强。在其流域之大都市，爲新京即長春縣，哈爾濱，吉林省城皆如上所述矣。而松花江航權，雖成過去問題，有足資紀念者。自咸豐八年，中俄《璦琿條約》成俄人藉口於黑龍江、烏蘇里江、松花江限於中俄兩國船舶通航之語，俄輪駛入內地之松花江。光緒二十一年，直航至吉林省城，有輪船、拖船四十艘，攬客載貨，任意航行，交涉阻止無效。三十三年，吉林巡撫朱家寶創設松花江官輪局，造船一艘，名齊齊哈爾，此爲滿洲輪船見於松花江之始。民國三年，俄經革命，俄輪相率停運。民七，滿洲商人組織戊通公司，收買俄人輪、拖各船四十九艘。名戊通者，以是歲爲戊午也。駛行黑龍江、烏蘇里江，東至東海岸廟街，西溯流而上達吉林省城，且入嫩江。十四年，東北當局收買戊通，改爲東北航政局。十五年，没收東鐵公司輪船十一艘、拖船三十艘及其航運處財産，設海軍江運部管理之。松花江遂無俄輪踪跡矣。滿洲國以哈爾濱航政局歸交通部直轄。大同二年，將松花江官辦之航業關繫如造船所等事業，隨國有鉄路之委託而委託南滿鐵路株式會社經營，與鐵路相輔而行，前途更可樂觀矣。

混同江沿佛思亨山北麓《金史》阿温思山又東流《吉林通志》謂五百四十餘里。其南溢出一水，曰濃江，東流約二百里仍自西入混同江。入江處距同江縣治一百三十五里。經撫遠縣境（宣統元年，以烏蘇里江會黑龍江處之西岸地方置綏遠府。民國二年，改綏遠縣。十九年，易今名）與俄國分界，耶字碑處（咸豐十一年立）有烏蘇里江北流來會。

烏蘇里江

烏蘇里江，一名烏子江，又名戊子江（《吉林通志》），又謂即胡里改江《水道提綱》。沅按：胡里改江爲瑚爾哈河，今牡丹江也。烏蘇里江在金元胡里改路區域中，但不得指此爲胡里改江。《盛京通志》：烏蘇里江在甯古塔城東千餘里，源出西噶塔山，東北流會混同江入韃靼海，爲滿洲國與蘇俄分界之水咸豐九年，中國與俄羅斯所訂《北京續約》，自烏蘇里江口而南至興凱湖，兩國以烏蘇里江松阿察河爲界，源出俄國東海濱省之錫赫特山山起琿春東南海濱，蜿蜒數千里至混同江入海處止。凡山以東入海之水，山以西入烏蘇里江、混同江之水，皆自此山發源，實一大分水嶺也。西南麓東源能圖河《水道提綱》作能兔河即三道

溝河，曲折西北流，右岸納努克密河、瑚葉河《東華録》：太祖己酉年，命扈爾漢率師取瑚葉路。瑚爾穆河明正統中，置瑚爾穆衛、伊魯河、噶爾瑪河以上五河（《吉林通志》載，距吉林城東北一千七百里至二千二百里）。西源刀畢河（《吉林通志》載，距吉林城東北二千里）沆按：康熙二十八年，中俄《尼布楚條約》由烏蘇里江迤東至海之地，作爲兩國共管，故錫赫特山及努克密河、刀畢河等地方均爲三姓副都統轄境，載在《吉林通志》。咸豐九年，《北京續約》割烏蘇里江以東之地與俄，則劃江爲界矣，沿烏蘇里鐵路東折而北流，與東源合。二源既匯，又北流百餘里，穿鐵路而西至密山縣東境，松阿察河挾興凱湖水《盛京通志》作松阿叉河興開湖自左岸來會。

興凱湖距密山縣治五十里，湖爲橢圓形，北闊而南挾[二]，東西廣約九十里，南北長約百二十里，周約四百里。湖之北五里有小湖，曰達巴達庫，亦稱小興凱湖，東西長五十里，南北寬二十里，窄處僅六里。二湖之間潮汐通焉。入湖之水九自東岸注入者，曰雷風河、橫道河；自西岸注入者，曰毛爾畢河、南岔河、北岔河、綱房子河、夕陽河、烏扎庫河、白棱河，湖水東北流出，爲松阿察河，約二百里與烏蘇里江合流松阿察河口立有與俄國分界之亦字界碑，白棱河口立有喀字界碑，劃湖心爲滿俄國界。沿湖居民爲赫哲部，所謂魚皮達子，始名烏蘇里江明永樂五年，黑龍江等部人珠赫湖什庫來朝，置哈喇烏蘇衛、烏蘇里河衛，以珠赫爲指揮，瑚什庫爲僉事。

烏蘇里江北流有大穆棱河來會。

大穆棱河，源出穆棱縣之穆棱窩集，西北流，納小石頭河。又北穿北滿鐵路有車站，繞穆棱縣城東南明麥蘭河衛地。永樂四年，置麥蘭河衛。宣統元年，置穆棱縣，有柳毛河自西北流，經穆棱縣城入大穆棱河。其穆棱縣境所納各小河爲：太平川、馬橋河、雷風氣溝、亮子河。再東北，流入密山縣境，左岸納滴道河、哈達河，右岸納大石頭河。又北，納鍋盔河、小石頭河。至密山縣城北有圖佳鐵路支綫自林口車站達縣治折而東北流，至楊木岡，納大斐德河。折而東流，經蘭爾德山，納巴蘭窩集河。自西南岸分一支，曰小穆棱河并東流入烏蘇里江。

又北流，經虎林縣治宣統二年，置縣。鐵路自密山縣城循穆棱河岸達此，對岸尼瑪口有尼瑪河來注之（明永樂八年，置尼瑪河衛）（《滿洲源流考》：尼瑪河在甯古塔城東入烏蘇里江）。源出錫赫特山，經俄沿海州境東流四百里挾卡爾通河、北樹河、底庫河穿烏蘇里鐵路而西入烏蘇里江。復北流，右岸納七虎林河一作奇虎林河，源出密山縣發希山，東流二百餘里入烏蘇里江。又北流，納阿布沁河。又北流，納小水九，再北流至饒河縣宣統元年，置縣雞心口，對岸有畢肯河來注之源出錫赫特山，經俄沿海州東流五百里，納安昌河，穿烏蘇里鐵路而西入烏蘇里江。又北流，江分一支，往北流數十里合於本江。當支流與幹流環抱之陸地，曰西通江。再北流，有撓力河自西南來會。

撓力河，一名諾羅河，源出寶清縣，南奔松子嶺北

[二] 挾　據上下文義，應爲『狹』。

麓，經同江饒河縣境，左岸納大齊勒欽河，俗呼大七里星河齊勒欽舊名錫拉忻（《東華録》：天命七年，安費揚古扈爾漢招撫諾羅路錫拉忻路）源出七星砬子，隔嶺爲倭肯河源。又東北流數十里，右岸納裏齊勒欽河，俗呼裏七里星河。復東北流，左岸納小齊勒欽河，俗呼小七里星河。又經饒河縣舊城，納大佳奇河、小佳奇河二河均源出富錦縣安巴依克特力山。再北而東流入烏蘇里江又有外齊勒欽河，俗呼外七里星河，與裏齊勒欽河均發源那丹哈達拉嶺，東流入烏蘇里江。江既會撓力河，東北流二百里，東岸有霍爾河來注之源出錫赫特山，經俄沿海州東流約六百里，穿烏蘇里鐵路而西入烏蘇里江。又北流，入撫遠縣境，西岸納畢拉音河一作畢拉彦河。又北流，納畢爾賓河，亦名濃江在完達山之東另有一濃江，在完達山之西爲松花江溢出入黑龍江。又北，江歧爲二，向西北流者曰通江，一作蒐里河明嘉靖時置蒐里衛，至撫遠縣城北黑瞎子溝今曰通江子，上下江口相距一百六十里入混同江。其正流仍東北流六十餘里，至哈巴羅甫城與混同江會哈巴羅甫亦稱伯力，俄沿海州首府，即遼五國部博和里國。烏蘇里江口東岸原有耶字界碑沆按：耶字界碑，咸豐十一年與俄劃定國界時，建於俄境伯力江岸日奔溝上。光緒十二年，勘界清使吴大澂并來親往復勘，俄方遂將界碑移置滿洲界西岸烏蘇鎮正對俄岸嘎雜克維持屯，當通江子下口。俄人移碑於此，意在證明通江子爲國際河流。查黑龍江正流以南、烏蘇里江正流以西兩江匯處有大洲，名三角洲，東南斜長約百里，南北最寬處五十餘里，爲撫遠縣轄境，俄人覬覦已久。其妄指通江子爲國際河流者，實爲攘奪三角洲地步。民國十六年，中蘇會濬烏、黑兩江水道，協定文暫將兩江匯口除外，於烏蘇里江內以嘎雜克維持俄屯爲起點，但國際公例於國界均依據江河正流，斷不能以支流影射。况通江子乃烏蘇里江溢出之水耶。魏聲龢《吉林地理紀要》論之較詳。烏蘇里江長二千三百餘里《吉林通志》。

沆按：烏蘇里江東岸有俄烏蘇里鐵路，創於西曆一千八百九十二年（清光緒十八年），自俄沿海州首府起溯江而上，其東岸原有耶字界碑，南行七十二里至撫遠縣境之烏蘇鎮東岸，即俄嘎雜克維持兵屯。又三百里，東岸越霍爾河，西岸經饒河口。又六十八里，東岸越畢肯河，西岸爲饒河縣治。又百四十五里，東岸至尼瑪河口鐵橋，長六百餘尺，西岸爲虎林縣治。又三十里，經穆棱河口入密山縣境至松阿察河小龍王廟市鎮，爲亦字界碑處（有支路由溜江口站通至白稜河南杜立，老克兵屯，北岸有喀字界碑）。鐵路即沿東甯縣界外南行二百餘里，經雙城子折而西行百四十里至倭字界碑第十七、十八記號之間，爲綏芬河車站（俄語作博克拉尼那耶，譯言爲交接處）與濱綏鐵路接軌，自雙城子南行二百有四里達海參崴。

混同江既會烏蘇里江東北流入蘇俄境，行二千二百七十里入於韃靼海峽。

黑龍江自外蒙古喀爾喀車臣汗部右翼前旗之肯特山發源，爲克魯倫河其北源敖嫩河亦源出此山，行一千里《水道提綱》入滿洲國境，爲呼倫池。又自呼倫池流出，爲額爾古訥河，一千五百餘里至額爾登額倭赫與石勒喀河合流，始名黑龍江（《黑龍江志稿》）其北源敖嫩河至此二千三百里。折東南流二千一百十四里至遜河縣（黑龍江右岸卡倫表）。又南流四百里至福河（《滿洲源流考》）。又南流五百餘里至同江縣會松花江（《水道提綱》），是爲混同江。又東流五百四十里至哈巴羅甫城合烏蘇里江（《吉林通志》）。又東流二千二百七十里入韃

靼海峽（《吉林通志》）。黑龍江全流計長九千里，在滿洲國境内長五千餘里。

附録：《黑龍江志稿》按：康熙二十八年，中俄界約自安巴格爾必齊河起又東至於海，凡興安嶺陽南流之水注於黑龍江者，俱屬中國。今則略具於此篇并溯其上源，則紀水通例也。就黑龍江水道狀況言之，上游在石勒喀河（沅按：志稿不以克魯倫河爲江之上源，故未叙及），左岸邱山隆起，逼近江干，右岸則爲低地，江面之廣自百二十尺至二百尺（據繆學賢説，中尺英尺不可考），可通舟楫，以尼布楚、赤塔兩城爲重鎮，又東至額爾古訥河會口，上游之吭也。自是以下，江流益盛，左岸山勢東北趨，距江益引益遠。右岸則嶒峻崒嵂，山之斷續起伏皆溪流也。又東至雅克薩城，清太宗聖祖兩朝用兵，百戰地也。江流分爲多派，洲嶼棋布，草木叢生，冰泮江漲，洲嶼胥没。百年喬木受江流所擠壓，有突出水面者，有陷入江岸已變土質，而其表猶技葉扶疏，土人名之曰巴爾西。此巴爾西黑龍江多有之，他河流未之見也。伊勒期爾卡倫以南江北岸，有俄屯布爾嘎里，左岸爲山，右岸多溪谷，故江流折東南趨左岸之察哈顔火山最爲奇詭。呼瑪爾河則軍港也，清聖祖用之以收雅克薩城。黑龍江既受呼瑪爾河，左岸多爲峻崖。又南至烏魯蘇穆丹（即江灣），兩岸皆然，東江流如結繩，故其直徑不過十餘里，屈曲行竟逾百里。瑷琿城北數百里間，江面尤闊，中權防守莫要於此。其間風致絶佳，青嶼芳汀連續江面，黑龍江水微黑，精奇里江則黄流也，既受精奇里江，江流左黄右黑，劃若鴻溝。兩岸皆低地，距山甚遠。又南至牛滿河口，右岸之小興安嶺一角微露，自是蜿蜒盤屈，勢益東趨，左岸之蘇拉錫哈達、那丹哈達與之相迎拒，故烏雲東南帕什闊瓦俄屯之西，江受迫束，其廣僅有五十丈，勢促而流湍，混合爲深黄色，其深三十尺至三十五尺（據繆學賢説，中尺英尺不可考）。逮抵蘿北縣東，俄波里喀爾坡甫克兵屯西南，山勢散漫，江始出峽，其流緩而廣。又南至綏東裕興鎮北，俄多布雅拉兵屯南，廣至三百六十丈。黑河口即松、黑交會之口，則黑龍、松花江之鎖鑰也。鎖鑰固，則諸巨川之交通可以立斷。又東至於烏蘇里江，則下游之吭也。烏蘇里江水色碧，自是左黄右碧又劃若鴻溝，然凡百數十里而合，江身之廣幾類海峽，左岸有多數之湖澤。黑龍江自敖嫩河源抵額爾古訥河口二千三百里，又東南流三千餘里與松花江會，其東北流挾烏蘇里諸江入於海，里數殆相若，故歐人邁克兒讓《世界大江考》黑龍江居第七云。

卷六

遼河上源

遼河上源有二：曰西遼河、曰東遼河（《滿洲源流考》：遼河二源，一爲吉林之赫爾蘇河，一爲潢水）（《盛京通志》：遼河源出邊外，有二，其一自西北來者，遠不可考；其一自東來者，出長白山諸窩集中，爲黑爾蘇等河合而北流）（《水道提綱》：遼河有大小二源，自東北來者，古曰小遼水，今曰渾河。自西北來者，古曰大遼水，亦曰潢水）。沆按：《漢書·地理志》：大遼水出塞外，南至安市入海。《水經注》：元菟高勾驪〔一〕縣有遼山，小遼水所出，西南至遼，隊入於大遼水。《唐書》謂之大遼、少遼，古無西遼、東遼之名。西遼、東遼乃見諸近人記載中。《水道提綱》以小遼水當遼河東源，《東北輿地釋略》：大遼水上源即潢水，在今巴林旗，名西喇木倫河，唐時地屬契丹。少遼出遼山者，即今發源英額嶺之渾河。《漢志》：小遼水出遼山，今之綫嶺也。今東遼河則在小遼河之北，源出岱陽阿登山，其上流爲赫爾蘇河，非此水也。景氏之説甚明，且渾河至海城縣（順治十一年，以明海州衛地置縣）。三汊河始與遼河會，已屬尾閭。遼河上源自以潢水赫爾蘇河爲是。

西遼河即古大遼水，亦即潢水（《唐書·地理志》：營州東北四百里至潢水）（《遼史·地理志》：上京臨潢府有潢水）（《水道提綱》：潢水古稱饒樂水、濫真水、托紇臣水、吐護真水，皆此水也）沆按：饒樂水爲今英金河，托紇臣水、吐護真水爲今老哈河。濫真水，考《水經注》：濫真水出西北塞，歷重山，東南入白狼水。白狼水爲今大凌河，則濫真水非潢水。可知是《提綱》所舉四水皆不得謂即潢水。雖英金河、老哈河入潢水，乃潢水之支流，非潢水之幹流，又名湟水（《太平寰宇記》：營州至契丹界湟水四百里），蒙古稱曰錫喇穆楞（《熱河志》：潢河在赤峰州治（乾隆四十年，設赤峰縣。光緒三十四年，改州。民國二年，仍改縣）。北二百里，亦名湟水。蒙古名錫喇穆楞。《開國方略》：天聰六年四月，太宗征察哈爾，會蒙古諸貝勒於錫喇木倫河），猶漢言黃河也（蒙古謂黃爲錫喇），今曰西喇木倫河，源出興安西分省克什克騰旗西白岔山麓，即平地松林（唐松漠都督府地，今經棚縣境（民國四年，置經棚縣））（《方輿紀要》：潢河源出平地松林，經臨潢府南至廢永州東木葉山合土河）。東北流，納南來之烏藍滚河。又東流，納東來之薩里克河。又東而北流百餘里，納自克什克騰旗西北來之碧七克圖河，又納西北來之碧落河（經棚縣治，在河岸）。又東北，經克什克騰旗北境又東，經巴林旗南境，納拜察河（在克什克騰西南，源出拜察池，東北流，合韋里河諸小水流三百里入潢河）。又東百餘里，有喀喇木倫河來會。

遼河支流

喀喇木倫河一名黑河，又謂之烏龍江（《遼史·地理

〔一〕高勾驪　應爲『高句驪』。餘同。

志》：上京臨潢府有黑河。《富弼行程録》：渡潢水石橋五十里至保和館，渡黑水河。《方輿紀要》：哈喇母林或謂之烏龍江，源出巴林旗西北境之宋吉納山，東南流，經察罕城北又東南，有二水合流來注。又東南流，有葛爾達蘇台河合三水東北流來注。又東南流，納北來之歌爾歌台河。又東南入潢河《法曹雜志》：日本瀧川政次郎所記，八百年前之日滿密貿易事件一則，日本堀河天皇之寬治五年，即宋哲宗之元祐七年，宋商隆琨始通過契丹國之路，賫金銀寶貨等著船于九州之博多，竟將日本之商人僧明範等渡往契丹即遼地，經數月歸朝，多以兵具賣却金銀。明範等乃受太宰權帥中納言籐原伊房、對馬守籐原敦輔之命而渡遼，其事實載在《百練抄》。又寬治八年，籐原伊房因遣明範法師於契丹交易貨物事，受減一階，中止納言職之處罰云。考之滿洲國史料，亦發見明範入遼之事，如《遼史》卷二十五《道宗本紀》載有大安七年九月己亥，日本國遣鄭元、鄭心及僧應範等二十八人來貢，又於翌年七月丁未，亦有日本國遣使來貢之文。查道宗大安七年所推定爲明範等渡往契丹之堀河。天皇寬治五年，僧應範者即僧明範也，倘然爲是，則不能不推定明範等賫太宰權帥籐原伊房書信而到遼上京臨潢府矣，倘或僅抵遼之沿海岸與人民交易而還，則遼史決無記載日本國來貢之事實，遼之國都上京臨潢府爲遼太祖神册三年所建，設而定名爲皇都者，嗣於太宗之天興十三年改爲上京臨潢府，其遺址現存於滿洲國興安西分省之林東附近，距巴林之東北約一百四十華里之波羅候屯，即爲斯處，於周圍十餘華里之城壁中間可認爲當時宮殿之廢墟。蒙古語波羅爲青之意，候屯爲城之意，故清人張穆之《蒙古游牧記》内有所謂波羅城者蓋即指波羅候屯而言，同書載，内有三塔，久毁。此三塔中其二塔現猶存於城之東與北也。《遼史》雖謂臨潢之名爲臨近潢水即西喇木倫河之意味而命定者，然波羅候屯距西喇木倫河之本流頗遠，蓋因水流之變遷歟？沆按：瀧川政次郎筆記載於滿洲國《法曹雜志》第三卷第一號，日本僧明範等渡遼貿易雖不識其自何路行走，但所携者爲兵器，必假入貢之名始能達到上京臨潢府。《滿洲源流考》：遼上京臨潢府在今巴林阿魯科爾沁扎魯特等地，幅員甚廣，潢水流域、洮兒河流域各旗蒙地皆隸焉。上京所在《筆記》謂在林東附近（今巴林旗左翼），宋富鄭公於仁宗慶歷中使遼，謁興宗於上京（宋史謂之遼主宗真），乃先至遼中京（平泉縣屬之大甯故城，即巴爾漢城），北行百九十里過松山館（今赤峰縣屬翁牛特左翼二十里大松山），又北行二百九十里渡潢水石橋（今巴林石橋），又五十里至保和館，西行渡黑水（即喀喇木倫河）至上京（《蒙古地志》：上京故址在小巴林旗烏爾淖農河之本支流會處）（《水道提綱》：烏爾淖農河源出巴林部地之巴顔五藍峰，東南流，合布雅乃河及枯爾圖河。又東流入阿禄科爾沁界，經勒刻峰與北源郭和蘇台河瀦爲達布蘇爾鄂模），地點在巴林王府東北約百二十里。所謂波羅城，俗呼高麗城子，有喇嘛廟名必什廟，即《游牧記》北塔，證以《富鄭公行程録》可確定爲遼之上京矣。記此以識日本商民入滿洲内地之始。

又東流，經阿禄科爾沁之南翁牛特左翼之北。又東，其大支流老哈河自西南來會。

老哈河即老河（《承德府志》：老河爲塞外大川縈絡平泉）雍正七年，置八溝廳。乾隆四十三年，改平泉州。民國二年，改縣（赤峰建昌）乾隆中爲塔子溝廳轄境。四十三年，置建昌縣。民國三年，改凌源縣（朝陽（乾隆中爲塔子溝廳轄境。四十三年，置朝陽縣。光緒二十九年，升爲府。民國二年，改今縣）四縣境納支流十有六），一名土河《遼史·地理志》中京大定府有土河。《契丹國志》：契丹有水曰北乜里没里，源出中京西馬盂山，東北流。華言所謂土河，又作塗河《金史·地理志》：長興縣、三韓縣有塗河。《元一統志》：塗河源出惠州西北，即古托紇臣水《隋書·契丹傳》：當遼西正北二百里依托紇臣水而居、土護真水，（《唐書·地理志》：長城口北八百里土護真河奚王牙帳也，又奚傳依土護真水），蒙古名老哈

穆楞《水道提綱》：老哈河即老河，爲白狼河，亦曰狼水，一曰土河，又曰老母花林。沆按：《水經注》：遼水出襄平縣故城西，東經遼隊縣故城西又南，小遼水注之。又右會白狼水至安市縣入海，又稱白狼水。經古黄龍柳城之北與土河合。《通典》：貞觀二十一年，李勣破高麗於南蘇，班師至頗利城，渡白狼黄嵒二水。勣問契丹遼源所在，云此二水合南流即稱遼水，更無遼源可得也。考襄平故城在今遼中縣境（光緒三十二年，分遼陽、海城地并劃承德縣西南境置縣，遼隊縣故城在今海城縣牛莊），安市縣故城在今營口縣治西南（宣統元年，置營口直隸廳，以營口海防同知改。民國三年，改今縣），南蘇水爲今赫爾蘇河（《漢書·地理志》《水道圖説》：南蘇水即赫爾蘇河），南蘇城在西豐縣境（光緒二十八年，以大圍場墾地海鹿地方置西豐縣），李勣班師返遼東城時，勣以遼東道行軍大總管駐此，爲今遼陽縣治（清初置遼陽府。康熙三年，改遼陽州。民國二年，改今縣），其所經之白狼水，應在附近與老哈河距離絶遠。《提綱》謂白狼水即老哈河，殆以《水經注》有白狼水、土河相合之語。然白狼水所經之黄龍柳城在今朝陽縣、錦西縣境（光緒三十二年，分錦縣西北江家屯地方置錦西廳。民國二年，改今縣）。《十六國春秋·前燕録》：慕容皝以柳城之北龍山之南福地也，使築龍城。《熱河志》：朝陽縣鳳凰山即古龍山，白狼水流經其西此，白狼水非老哈河乃大凌河也。大凌河自錦縣（清初爲錦州府。康熙三年，置縣）入海，不與遼河會，源出熱河省民國三年，劃直隸承德、朝陽兩府及内蒙昭烏達盟、卓索圖盟地爲熱河特别區。十八年，改置省平泉縣東永安山《熱河志》：永安山漢名馬盂山，在平泉州屬喀喇沁右翼南一百九十里，老河發源於此。上流曰察罕河。西南流折而西北，納呼察河源出呼察察罕陀羅海山，奇札爾台河。折而東北流，納和爾和克河。又北，經喀喇河屯在熱河避暑山莊行宫西南三十五里，今灤平縣治。民國二年，以喀喇河屯廳改縣。又北，納巴爾喀河即布爾罕阿蘭善河，漢名上神水。又東北百餘里，經大寧故城即遼中京大定府，金北京大定府。又東折而東北，有烏巴河源出哈他哈山，西北流。合西爾虎河來注之。又東北百餘里，有崑都倫河，東北流，合松吉納河、巴蘇台河、和爾河，繞大甯故城之北百餘里入老哈河。又納伯爾克河源出喀喇和碩山，北流經凌源縣屬敖漢西南境入老哈河（以上十一河均在平泉縣屬喀喇沁右翼及灤平縣境）。又東北百餘里至敖漢旗西境，納喀爾几河。又北，經赤峰縣治在老哈河、英金河會口。民國三年，闢爲商埠。錦承鐵路支路自葉柏壽達此東北流，有英金河來會。

英金河，即古饒樂《漢書·鮮卑傳》：季春月大會於饒樂水上。《唐書》：貞觀中置饒樂都督府，領弱水、祁黎、洛環、太魯、湯野六州，又名弱洛水《魏書·太祖紀》：北征庫莫奚，渡弱洛水，班賞將土、潢洛水《十六國春秋·後燕録》：慕容寶襲庫莫奚，渡潢洛水，距龍城數日程、洛環水《通典》：庫莫奚理饒樂水，一名洛環水；沆按：洛環即洛壤，洛壤州以水名，源出圍場縣境木蘭圍場爲清帝秋獮講武之地，周圍一千三百餘里環植柳條，聯以木柵。同治二年，設圍場廳，放爲民地。民國三年，改今縣。縣治在天寶山鎮圍場内都呼岱山在圍場北界。清聖祖、高宗常行圍至此，東南流出圍場英格柵門，沿圍場東北至奇布楚溝柵，納奇布楚河，源出圍場北界海喇堪達巴罕。又東南流，納錫爾哈河源出圍場内，會諸小水，北流出納林錫爾哈柵，入平泉縣西北喀喇沁右翼境，東北流，經赤峰縣屬翁牛特右翼境，會烏拉岱河，源出圍場内，會諸小水東流。出烏拉岱柵，入赤峰縣屬翁牛特右境翼卓索河，源出赤峰縣屬北海喇漢山，東流至翁牛特右翼西境。又東折而北流。錫伯河源出平泉縣屬察罕陀羅海山，東流，經喀喇沁右翼之南，納哈爾吉河。又東北入翁牛特右翼，合流入英金河，入老哈河。

老哈河既會英金河，水勢始盛。又北，納白爾格河，漢名落馬河《金史·地理志》：三韓縣，松山縣有落馬河（《元一統志》：落馬河在松州北八十里，下流入高州境一百里入塗河），源出翁牛特右翼北海喇漢山西北向東南流，會陳德布河入老哈河。又東北折而東流，經敖漢旗北界翁牛特左翼南與潢河會（《方輿紀要》：潢河、老哈河會口處爲木葉山）在阿魯克科爾沁王府南二百里。潢河既會老哈河，東北流至札魯特旗南界奈曼旗北界，經開魯縣南（《遼史·部族志》潢河之西土河之北，契丹奇首可汗故壤）。其縣治在潢河左岸約二十里，爲昭烏達盟之札魯特旗，阿魯科爾沁旗地。光緒三十年，置縣。今爲興安西分省公署所在地。又東流一百八十里，經通遼縣，是爲西遼河通遼縣治土名白音泰來，在西遼河右岸五里。民國七年，置縣，闢爲商埠，爲興安南分省公署所在地。四洮鐵路支路、鄭通綫奉山鐵路支路、大通綫至此接軌，合新開河光緒二十年，西喇木倫河在西札魯特旗西境横決，分支東流二百里合於本流，曰新開河。又東一百六十里，鄭通鐵路大罕車站東，納小清河，一名教運河源出敖漢旗右翼，東北流，經奈曼旗，越大通鐵路，北流至鄭通鐵路大罕車站東入西遼河。又東南流九十里至遼源縣治北遼源縣治土名鄭家屯。光緒二十七年，置遼源州。民國二年，改今縣。三年，闢爲商埠。四洮鐵路經之，有支路達通遼納新遼河上源曰察魯河，出興安西分省境蘇克斜魯山，東南流至博羅霍圖，折而東北流，經開魯縣北，瀦爲達布蘇圖泊。《水道提綱》：達布蘇圖鄂模在阿禄科爾沁地，爲郭和蘇台河、烏爾圖綽農河匯流所瀦。從泊之東北隅流出，又東折而南流至遼源縣東北境入西遼河。又南流四十里至遼源縣屬三江口，會東遼河。

東遼河，《明一統志》：遼河出塞外，自三萬衛西北入境南流，經鐵嶺、瀋陽都司之西境、廣甯之東境，又南至於海州衛西南，行一千三百五十五里入於海。《盛京通志》：遼河源自東來者，出長白山西北窩集中，爲赫爾蘇等河合而北流出邊，西北流與自西北來一河合而爲一，自開原縣境入邊。沆按：三萬衛爲今開原縣，康熙三年置。所謂出邊、入邊乃柳條邊。明永樂中，遼東都指揮僉事畢恭建邊墻，自錦州之紅羅峴山起，迄遼水。成化三年，又自撫順起，增築至寬甸。清初，仍之。即今西起山海關東迄鳳凰邊門之柳條邊源出長白山西南庫魯納窩集，爲吉林哈達山脈赫爾蘇河與輝發河、伊通河分水嶺。發源處之岱揚阿登山屬東豐縣境，北滙昂邦牙哈河、阿濟格牙哈河、夸蘭河、登科河四河均源出庫魯納窩集、臘新河源出衣藍哈達，西流入夸蘭河，數流既合，經西安縣古南蘇地，是爲赫爾蘇河《盛京疆域考》：西安之東遼河即赫爾蘇河。西流，納呼鹿河源出大奇木魯山之香嶺，向東流來注，入伊通縣境，經赫爾蘇站距伊通城一百一十里北流，納張家溝河、黃米溝河，復入赫爾蘇門，穿南滿鐵路，越公主嶺車站，流於懷德光緒三年，分昌圖府八家鎮地方置縣、梨樹光緒三年分昌圖府梨樹城地方置奉化縣。民國三年改今縣二縣境，作半規形，納數小水。西南流至三江口，會西遼河三江口，遼源縣城南四十里，始名遼河。

遼河南流，經昌圖縣西嘉慶十一年，以科爾沁昌突額勒克地方置昌圖廳。光緒三年，升爲府。民國二年，改今縣通江子爲遼河上流航運要樞，帆船暢行，直達營口。光緒三十一年，闢爲商埠。距昌圖縣治七十里。至開原縣境明洪武二十一年三月，徙三萬衛於此東南流，納沙河開原城南三十二里，源出縣屬松山堡峰。又南，經史家堡開原城南三十里納亮子河源出鐵嶺縣東北七十里槍桿峪、馬鬃河自開原城南

十八里漾鋪流入遼河。又南流，納清河，一名大清河，俗謂之開原河。穿南滿鐵路而西，有開原車站《明一統志》：大清河源出三萬衛東北分水嶺，即吉林哈達，其上源爲哈達河（哈達，國名。《聖武記》：太祖己亥年征服之）。哈達城在西豐縣西北，威遠堡邊門内，源出岱陽阿登山，西流至距開原城一百九十里拐磨子山，循山而行，納覺羅河，源出木黑連布山阿緑河、十八里河，均源出鐵嶺縣城東八十三里昂邦何托峰。又西南至尚陽堡（清初爲流徙罪人之地），在開原城東四十里納華家溝河，源出嘉色山。又西南，納扣河，一作寇河，源出大奇木魯山，上流爲古尼河，源出昂邦何托峰葉赫河。葉赫國名（《聖武記》：太祖天命四年，征服之）葉赫城在河岸西安縣境。源出嘎哈嶺，東北流入開原縣境，爲扣河（《元史·本紀》：泰定二年，咸平府清河、寇河合流，失故道壞堤堰，蒙古軍民修復之），至開原縣城東南合清河，十八里至小孫家台即開原車站，穿南滿鐵路而西入遼河。沆按：清河各水發源處均爲吉林哈達支峰。又南，入鐵嶺縣境明洪武二十六年，徙鐵嶺衛於此。康熙三年，置縣。縣城在柴河左岸，爲南滿鐵路大站。至雙峽口，水分爲二，曰内遼河、外遼河《盛京通志》：遼河至雙峽口分而爲二，繞縣境西南合爲一流《鐵嶺縣志》：遼河自下塔子口分出，至紅實石大台合流，遂爲内外遼河《明史》：洪武二十一年，開元野人劉隣吟等率衆屯於塔子口堵截官軍。指揮僉事劉顯擊破之。西迤而南行，合爲一流，納柴河（《金史·地理志》：咸平府新興縣有柴河）源出開原縣分水嶺，至冷格郎寨有老古洞河，源出開原縣東一百二十五里黑石木嶺，合流至鐵嶺縣北二里入遼河、范河，一名汎河《遼史·地理志》：東京遼陽府北二百七十里至挹婁縣范河，源出鐵嶺縣東一百二十五里佳湖禪山，西流至城西五里馬蜂溝入遼河。又西南，經藩陽縣民國二年，改奉天承德縣爲瀋陽縣西北境，納懿路河《盛京通志》：懿路城本金挹婁縣，治在鐵嶺縣西南六十里。源出王家林山，合小清河，源出古貴德州南今興京縣境，東流來入遼河。又西南百餘里，有楊樫木河自西北來會。

楊樫木河《開國方略》作楊什穆河，《水道提綱》作虎几爾河，《東三省地圖》作新開河源出朝陽縣屬喀爾喀左翼南境，東北流，折而東南，有烏納蘇台河、哈里河均源出土默特左翼合庫崑河源出烏尼蘇合山，經喀爾喀左翼東流入楊樫木河。又東南，經阜新縣光緒二十九年，以東土默特旗新秋地方置縣。新義鐵路經之東北境，有烏克爾老河合蘇爾哲河均源出土默特左翼，東南流入楊樫木河。又東流，經彰武縣境光緒二十八年，以養息牧廠横道子地方置縣，穿大通鐵路，越彰武台門之西又南流至新民縣境入遼河。

遼河又南流，曰巨流河《盛京通志》：在承德縣西一百里即勾驪河，一作枸柳河，謂是枸河、柳河合流處，今作巨流河。穿奉山鐵路而南有車站。距新民縣治二十里嘉慶十八年，分承德廣寗地置新民廳。光緒二十八年，升爲府。民國二年，改今縣，又南流二百里至海城縣境，其最大支流渾河來會。

〔遼河最大支流渾河〕〔一〕

渾河即古小遼水《漢書·地理志》：高勾驪遼山遼水所出，西南經遼

〔一〕底本無此標題，據目録加。

隊入大遼水。《水經注》：小遼水出遼山西南，經遼陽縣與大梁水會。《遼史·地理志》：東京遼陽府渾河在大梁水范河之間《滿洲源流考》：渾河發源長白山納魯窩集中，西北流入英額邊門，經興京界内繞盛京之西南至王大人屯，與太子河會，源出吉林哈達之納緑窩集，上流爲納緑河、噶桑阿河。西北流，納少貝河源出拐磨子山及鐵嶺城東一百八十里分水嶺，二水合流爲少貝河，入英額邊門今西豐縣境，曰英額河《盛京疆域考》：小遼水上源曰英額河。經興京縣東北境興京縣，清肇祖始居赫圖阿喇，在蘇克素護河（即蘇子河）與嘉哈河之間。（太祖乙巳年）（明萬曆三十三年）築赫圖阿喇大城。天聰七年，尊爲興京。康熙二十六年，置城守尉。光緒元年，改爲副都統。三年，置興京撫民同知，移治新賓堡。三十二年，裁副都統，升爲府。民國二年，改今縣，與發源縣境滚馬嶺之水合，是爲渾河。西南流至界藩城南界藩城在興京城西九十里鐵背山之界藩山下，其西即薩爾滸山《聖武記》：太祖天命四年，明軍左翼中路杜松、王宣、趙夢鱗、張銓督兵六萬，由渾河出撫順關來攻，至界藩城，太祖率諸貝勒力戰，大破之，斬杜松等，有蘇子河來會。

蘇子河《山中聞見録》：成化三年，武靖伯趙之中軍自撫順經薄刀嶺渡蘇子河至虎城源出吉林哈達之胡淪嶺。西流越柳邊入興京縣東北境，合尼馬臘河、章京河、馬家河、哈當極河四河均源出納緑窩集至興京縣境入蘇子河，繞開運山，清永陵在焉肇祖、興祖、景祖、顯祖四陵。距興京舊治十里，納嘉哈河舊治西南十六里（兩水之間即赫圖阿喇），又納里加河興京縣東南三十里、金木新河興京縣東南四十里，均源出分水嶺。折而南又西流，納索爾科河興京縣西南三十三里，源出縣境陀和羅嶺哈爾撤河。興京縣西南四十一里，源出縣境哈爾撤山。又北流，納理法河興京縣西北三十里、甲里庫河。興京縣西北三十五里，兩河均源出甲里庫山。又北流至界藩城，入渾河。

渾河又西南流，納温渡河源出八盤嶺合、曹子峪河源出曹子峪入渾河。又納舍利河源出舍利山、札庫木河、布爾哈河源出車山。以上五河在撫順縣境東南，爲劃撥興京縣地）。經撫順縣城明洪武二十一年，置撫順千户所。光緒二十八年，劃承德縣東南境、興京縣西北境置縣，以撫順城爲縣治。宣統元年，移治千金寨，跨渾河兩岸舊城在河北新市，在河南奉海鐵路經其境。縣屬産煤，極富。南滿鐵路公司所經營之撫順煤礦，其礦區東至龍鳳坎，西至古城子，長二十五里。沿渾河南岸有南滿支路撫順綫，自蘇家屯站達千金寨又西流，納馬官橋河源出水田山、高素屯河源出高素屯山。蝲蛤峪河源出小孩兒山、大甯台河源出大甯台山、義爾登河源出大高台山。以上五河在撫順縣境西北，爲劃撥瀋陽縣地。又西流入瀋陽縣境，納瀋水《元一統志》：瀋水勢湍急，沙土混流，故名渾河。今水澄澈，遇漲則渾，《盛京通志》：小瀋水俗名五里河，在承德縣城南，自東關觀音閣東發源，一名萬泉河，流至騾子圈南入渾河。水北曰陽，瀋陽之名以此。經奉天市南市外有南滿鐵路渾河車站奉天省名，清太祖天命七年，自遼陽東京遷都瀋陽。天聰七年，尊爲盛京。順治入關定爲陪都，置户、禮、兵、刑、工五部暨奉天府尹。乾隆初，置盛京將軍。光緒三十一年，裁五部、府尹。三十三年，裁將軍，設奉天巡撫並置東三省總督於此。今爲奉天省省公署所在地。置奉天市附郭，爲瀋陽縣，清宮在城内，大門曰大清門，左闕曰文德，右闕曰武功，正殿曰崇政殿。其後爲鳳凰樓，爲清寧宮。東爲關雎宮，西爲麟趾宮。次東爲衍慶宮，次西爲永福宮及飛龍閣、翔鳳閣、霞綺樓、日華樓、協中齋、篤恭殿等處。今開放爲奉天博物館。城東二十里天柱山清太祖福陵在焉，俗稱東陵。城北十里隆業山太宗昭陵在焉，俗稱北陵。城闕外爲商埠地，其西爲南滿鐵路附屬地，南滿

鐵路、奉山鐵路、安奉鐵路、奉吉鐵路均以此爲總樞，市民達三十餘萬，南流，納白塔鋪河瀋陽城南二十里，源出老堂峪，在城東南六十五里、于家臺河瀋陽城西南五十里源出大堡。入遼陽縣東北境，穿南滿鐵路，納十里河，一名稠柳河遼陽縣北六十里，源出廟兒嶺，經紅寶石山，納柳河，源出遼陽縣東八十里曹千戶嶺，合流入渾河。西南流至遼中縣光緒三十二年，分遼陽、海城地并劃承德縣南境置縣小北河，有太子河來會《東三省沿革表》：渾河由興京、撫順、承德至遼中小北河會太子河。沆按：《盛京通志》《滿洲源流考》均謂渾河至盛京西南王大人屯會太子河，今爲遼中縣境小北河。

太子河即古大梁水《漢書·地理志》：遼陽縣大梁水西南至遼陽入遼，亦名東梁河《遼史·地理志》：東梁河自東山西流，與渾河合爲小口，會遼河入海。又名太子河，亦曰大梁水。《金史·地理志》：東京路遼陽府遼陽縣有東梁河，俗名太子河，又名衍水《滿洲源流考》：太子河亦名衍水，以燕太子丹匿於衍水故名太子河，源出興京縣東南分水嶺之加木禪山，即今平頂山《盛京通志》太子河），源出加木禪山，自葦子峪入邊，西南流會渾河。《吉林通志》：薩穆禪山吉林城西南七百九十里，太子河發源於此。沆按：加木禪山《盛京通志》只註明在長白山西南，《吉林通志》僅謂在吉林西南，均未確指其地。考長白山脈西行至興京縣東境，其往東北者爲吉林哈達山脈，其往西南者爲摩天嶺山脈、千山山脈，綿亘千里，隨地易名。其在開原、鐵嶺、興京本溪。光緒二十二年，分遼陽興京，鳳凰地置本溪縣，海城蓋平。康熙三年，以明蓋州衛地置縣。率以分水嶺概之。又《盛京通志》於邊門鹻廠門註即加木禪門，是鹻廠門當在加木禪山附近，鹻廠河即太子河上流，惟《盛志》於鹻廠河註明在興京城西南二百五十里，源出分水嶺，可知加木禪山即分水嶺。今《東三省地圖》作平頂山，上流爲鹻廠河。西納金口峪河源出興京縣西南一百六十里金口峪，入馬哈丹河。馬哈丹河，源出興京縣西南一百八十里馬呼嶺入小峽河、小林莊河源出興京縣東一百五十里花嶺入小峽河、小峽河源出興京縣西南一百五十里郝家谷入太子河，又一上源爲清河源出馬呼嶺，經清河城（明置清河堡守備）（在興京縣西南一百六十里）（《聖武記》：太祖天命四年，明軍右翼中軍李如柏、賀世賢、閻鳴泰督兵六萬，由清河出鵶鶻關）納青龍洞河，源出興京縣西南一百一十里青龍洞山，偏狠阿河源出興京縣西南一百十五里望藍山，入陀和羅河。陀和羅河源出興京縣西南七十里陀和羅嶺，入太子河。又納細河（源出鳳城縣）康熙二十六年，置鳳凰城守尉。道光七年，設鳳凰海防通判。光緒二年，置鳳凰直隸廳。民國三年，改今縣。西北一百四十里合響水河，源出鳳城縣西北一百三十里分水嶺，入太子河，又納拉門河源出鳳城縣西北一百八十里大黑山，入太子河。沆按：今本溪縣東北即興京西南鳳城西北境。西南流，納本溪湖水源出本溪湖山，經本溪縣治本溪湖東三里舊名窰街河，右岸爲本溪湖煤鐵公司，煤廠、鐵廠及缸窰等工廠所在河左岸，爲商業區，市東爲滿鐵公司經營之新街市，安奉鐵路經之，爲大站。煤礦規模較鉅者爲本溪湖牛心台田師夫溝小布金溝鐵礦以廟兒溝所産爲著名，皆通輕便鐵路，又西流入遼陽縣境，納答喇河遼陽縣東南八十里流至馬蹄峪，入太子河、湯河遼陽縣東五十里，源出南分水嶺，流至高城子北入太子河。經東京城遼陽縣城東五里太子河岸。清太祖天命七年，築城建宮室居之，名曰東京又西折而南流，納沙河遼陽縣南三十五里，出千山（《遼陽州志》。千山城南六十里，沙河發源於此）。南流至距縣城六十里船城，入太子河。又西流至遼中縣境，小北河與渾河會。又西南至海城縣境三岔河口（明永樂六年二月，置三岔河衛）《滿洲源流考》：遼河入海之處名三岔河。沆按：三岔河

距海口尚遠，此説殊誤合巨流河。

遼河又南流，納阿山河海城縣北六十里，源出雙塔嶺，又納沙河一名楊柳河（《金史·地理志》： 東京路澄州析木縣有沙河）析木縣故城在海城縣東十里（《明史》： 洪武十五年八月，故元遺民來歸，詔給衣粮，俾屯田於析木城），沙河源出南分水嶺。西流合木查河，海城縣東三十里西北流入三岔河、土河河有二源，一出南分水嶺，一出海城縣東北四十五里猪窩嶺，西流至土河鋪合流，經牛莊西北入三岔河。又西南，經營口縣治入海營口爲古安市縣西南地。（《水經注》： 遼水東過安市西南入海）（《明史·地理志》： 蓋州衛西北有梁防口關，海運之舟由此入遼河）。（《水道提綱》： 海城縣西南大遼河口，自河以左爲遼東，以右爲遼西）。咸豐八年，中、英、法《天津和約》允開牛莊爲商埠，後改營口。營口市沿遼河長約十五里，南滿鐵路營口支綫車站在河東，由大石橋站達此。奉山鐵路營口支綫車站在河西，由溝帮子站達此。有鐵橋横河上，以聯貫之。

遼河長約三千八百里，自營口至遼源縣三江口約一千四百八十里世界輿地學社《全國河流通航計程表》，自三江口至開魯縣西溝河、老哈河合流處八百里《水道提綱》，其上流至白岔山麓當在一千五百里矣。

沆按： 遼河古潢水，上流爲西喇木倫河，發源於白岔山。山爲陰山脈，自崑崙循河套西北來，綿亘於綏遠、察哈爾至熱河，爲興安大嶺。其在經棚縣境（本察哈爾地，民國三年劃歸熱河置縣）崛起者，曰白岔，一名拜察，蒙古語神也。水東流經克什克騰旗、巴林旗、阿魯克科爾沁旗、扎魯特旗（唐爲松漠都督府、遼爲臨潢府領地）至開魯縣境，有老哈河合英金河來會。老哈河源出平泉縣，英金河源出圍場縣，兩河會處爲赤峰縣。赤峰民國三年闢爲商埠，錦承鐵路自凌源縣葉柏壽分一支路達赤峰，曰葉峰綫。西喇木倫河今謂之西遼河，開魯縣在西喇木倫河左岸，爲興安西分省公署所在地，東流二百餘里至通遼縣，土名鄭家屯，爲滿蒙商業一大市集。民國三年，闢爲商埠，四洮鐵路鄭通綫、奉山鐵路大通綫至此處接軌，興安南分省公署在焉，爲科爾沁左翼旗地。西遼河折而南流至遼源縣，爲四洮、鄭通二路要衝，距城四十里之三江口東遼河來會。東遼河上流爲赫爾蘇河，源出東豐縣岱楊阿登山，向北流，經西安、伊通、懷德、梨樹縣境，曲折行數百里，作半規形，西南流合西遼河。兩河既匯，曰遼河。至昌圖縣，通江子爲航運帆船終點，農産山貨麕集於此。又南流，經康平（光緒六年，分昌圖廳，康家屯地方置縣）、法庫（康熙元年，設法庫門防禦。光緒三十一年，闢爲商埠。三十二年，分開原、鐵嶺、康平地置法庫縣）、開原、鐵嶺繞瀋陽西，偏至新民縣境，納楊樫木河。此河源出朝陽，歷阜新、彰武縣境，東北流注之。又西南流，爲巨流河，行二百里至海城縣境三岔河，有渾河、合太子河經興京、撫順、瀋陽、本溪、遼陽、遼中等縣來會，摩天嶺山脈、千山山脈西流之水悉納之。渾河古小遼水，太子河古大梁水，史籍所載，班班可考。至營口注於海。遼河流域左右地方向有遼東、遼西之名，佔南滿平原之全部，夙稱富庶。清初即分置府、廳、州、縣，咸、同中，弛内地人民出邊之禁，燕、豫之民由山海關、青齊之民由遼河口入境，歲以十數萬計，放地墾荒，户口日增，出産日盛。河流縈貫其間，昔之瘠區今成沃壤，雖由地脈轉移，亦爲群衆努力。流域中之大都市爲奉天省城，東北距新京六百里，西南距大連七百里，距山海關七百里，東南距安東五百里，西北距洮南九百里，扼全遼之總樞，實滿洲之重鎮，亦文化、實業、交通、經濟之中心也。其闢爲商埠者，曰赤峰、曰鄭家屯、曰通江子、曰鐵嶺、曰法庫門、曰奉天省城、曰遼陽、曰新民屯、曰營口。鐵路則有奉山（自奉天達山海關）、奉吉（自奉天達吉林）、安奉（自安東達奉天）、錦承（自錦州達承德）、四洮（自四平街達洮南）而南滿（自大連經奉天達長春），爲日本所有權，其支綫尤四通八達，長足進展。今滿洲國將國有鐵路委託南滿鐵路株式會社管理，自必臻臻日上。此與遼河有密切關繫者并誌其大略焉。

卷七

鴨綠江

鴨綠江即古馬訾水《漢書·地理志》：元菟郡蓋馬縣馬訾水，西北入鹽難水，西南至安平入海。《通典》：馬訾水一名鴨綠江。《通考》：女真世居長白山鴨綠水之源。《滿洲源流考》：鴨綠江源出長白山，西南流，與朝鮮分界，至鳳凰城東南入海。即古馬訾水，源出長白山南麓，與圖們江源僅隔一嶺，曰分水嶺《吉林通志》：分水嶺上有康熙中吉林分界碑文，曰：『康熙五十一年，大清烏拉總管奉旨查邊至此，審視西爲鴨綠，東爲圖們，故於分水嶺上勒石爲記。』沅按：烏拉總管名穆克登。發源處名白山泊子，南流至長白縣漢不而縣(《漢志·釋地》：樂浪郡不而縣，今十二道溝，納十二道溝水《水道提綱》：長白山以西連山南麓之水，自十二道溝至頭道溝水皆奔注之。西南流，經臨江縣治光緒二十八年，分通化縣帽兒山地方置縣又西南，龍岡老爺嶺諸小水、白馬嶺河、破城子河皆注焉。又西南至混江口，即古泊汋口唐《賈躭道里記》：自鴨綠江口舟行百餘里，又易小舫泝流三十里至泊汋口，得渤海之境，有混江來會。混江，古鹽難水《漢書·地理志》：馬訾水西北入鹽難水。《新唐書》：鴨綠江與鹽難水合，即佟家江《水道提綱》：佟家江源出衣兒哈雅範山，又作薛賀水《通鑑》：總章元年，李勣與高麗軍遇於薛賀水，合戰，大破之。《讀史兵略》：薛賀水即今佟家江、大虫江《元一統志》：大虫江經廢博索府南流入鴨綠江。《明一統志》：大虫江疑即佟家江。《東三省沿革表》：元博索府治當在大虫江即今佟家江，未合鴨綠江以上地、瓦爾喀江即混江。《開國方略》：太祖戊戌年，命費英東等率師取瓦爾喀部。《聖武記》：瓦爾喀江入鴨綠江，兩岸皆其部落，源出臨江縣境衣兒哈雅範山自濛江縣西南界上龍岡山脈北麓分支。南流，有三泉湧出。西南流，有哈爾敏河明永樂十年八月，置哈爾敏衛、額爾敏河合流來注之。又西南，有加爾圖河、衣密蘇河、壺勒河自西北來注之以上五河均源出衣兒哈雅範山。又西南，有汪清河挾二水源出柳邊汪清門東山，在興京縣東南六十里。東南流，有伊母孫河出柳邊東，數源合而南流百餘里，與汪清河合。又東南，有米爾沽河自西南來東南流來注之。又西南流，納拉哈河河有二源，一出興京南柳邊外，曰尾爾喀什，一曰李雅達河，出加木禪門即鹻廠門，在興京縣南一百四十里，東流百餘里而合。又東南百餘里入混江。又南流，有董鄂水東流來注之董鄂即棟鄂《聖武記》：太祖甲申年，征服棟鄂部，在寬甸縣境。寬甸，古丸都地。前燕慕容皝八年，大破高麗王釗之軍於丸都，毀其城。光緒三年，置寬甸縣。又南，納阿几木雅兒滸河。折而東南流，有大沽、小沽二水自西北合而東流來注之。又東南，納唐石河。又東南至混江口，入鴨綠江《奉天圖説》：混江即佟家江，由懷仁縣。光緒三年，分岫巖州六道河地方置縣(民國三年改名桓仁縣)流至寬甸縣混江口入鴨綠江。

鴨緑江又折而西流，經寬甸縣境，有客店河自北來注之。又西北，長店河自北來注之。又西北，蘇子街河自北來注之。折而西南，有浦西河西北自大甸來注之。又西南，至安東縣境土燕窩地方九連城西有靉河來會。

靉河明永樂七年八月，置愛哈衛。《皇輿全圖》：鳳凰城東北愛哈邊門外有愛哈和屯即愛河也。《盛京通志》：靉河源出柳條邊外靉陽城西北源出靉陽門明靉陽堡置守備。鳳城東一百二十里東北。三源合而西南流入柳邊，經石頭城（鳳城北六十里）西北，又南折而東南流出邊，有草河源出桃樹峪，安奉鐵路經草河口，有車站，距鳳城一百六十里、通遠堡河源出黃波羅峪，安奉鐵路經通遠堡門，有車站（距鳳城一百四十里）、六道河源出帽盔山，兩河均入草河、洒馬吉河源出黃波羅峪、三汊子河源出柰磨嶺，皆西北自連山驛安奉鐵路經連山關，有車站，鳳城東北一百八十里爲通朝鮮驛道經鳳城縣治安奉鐵路經之，有車站，東南流注之。又東南，有湯山河湯山城安奉鐵路經之，有車站，在鳳城東五十里自西來注之。又南入鴨緑江此皆江右岸所納之水，其左岸納朝鮮之清源、楚山、碧潼、昌城諸水。

鴨緑江南流分爲二派，行二十餘里復合《滿洲地志》：江分爲二派，南流復合爲江心之一洲嶼。沆按：洲名中江台，清初中鮮互市於此，經九連城東南九連城與朝鮮愛州對岸，當江水分派處。光緒甲午中日戰役，甲辰，日俄戰役，均爲軍事重地。又西南流至安東省治附郭曰安東縣，本岫巖州轄境。光緒二十六年，析大東溝以東至靉河地置縣，治沙河鎮即明鎮江堡（萬曆二十四年，於九連故址新築一城曰鎮江。在鴨緑江右岸）。光緒二十九年，闢爲商埠。康德二年，置安東省，爲省公署所在地，安奉鐵路江橋跨之過橋即朝鮮新義州。又西南八十里，經三道盤陀，又名三道浪頭其灣曲處江面寬闊約四五里，水量較深，可停三千頓輪船。又向正南流，至江口，爲古安平口《三國・吳志》：孫權遣陸恂至安平口，入於黃海。

鴨緑江計長二千一百里《東三省沿革表》：馬訾水西北入鹽難水，西南至西安平入海，過郡二，行二千一百里。

圖們江

圖們江，古統門水《金史・世紀》景祖兵勢稍振，統門水温特赫部來附，一作土門江《盛京通志》：土門江在甯古塔城南六百里，源出長白山，東北流，繞朝鮮北界復東南流入海，朝鮮人稱爲豆滿江，源出長白山東南麓，與鴨緑江源僅隔一嶺，發源處名三汲泡一曰七星湖。東北伏流七八里，有泉湧出，是爲紅丹水，即圖們江上源也。東北來百二十里與石乙水合流《水道提綱》謂之土門色禽，其會處有清代與朝鮮分界之帶字界碑光緒十四年立，沿圖們江岸界碑計十座，即：華、夏、金、湯、固、河、山、帶、礪、長十字。沆按：康熙五十一年，清烏拉總管穆克登與朝鮮參判朴權查看鴨緑江圖們江源，以江北爲中國境，江南爲朝鮮境，於分水嶺立有界碑。久經湮毀。光緒十一年，清廷派員與鮮使李重夏補勘，十四年立碑。石乙水源出長白山分水嶺，發源處有固字界碑，距長白縣城六十里，東北流三十餘里，紅土山水來會，其會處有河字界碑。紅土山舊名布庫哩山，山下有池，名布爾瑚里池《滿洲源流考》：布

爾瑚里池，相傳有三天女，長曰恩古倫、次正古倫、季佛庫倫，浴於池。有神鵲含朱果置季女衣，吞而有孕，産一男，錫之姓曰愛新覺羅，名曰布庫哩雍順，爲清朝發祥之始，池水向東南注石乙水。又南流，大浪河朝鮮人名曰島浪水自西北來會。大浪河源出長白山東南分水嶺之南岡，其地有三眼泉湧出，東南流數十里與石乙水合。紅丹、大浪水合流又東三十餘里，經沙窩堡南，紅溪河自北來會紅溪河源出大秫稭垛山，東流而南，納一小水。又西流，西納二小水。又南，外馬鹿溝河合一小水自西來入紅溪河。又東南，納一小水。又南，納石人溝河。又東南，經紅溪河嶺，納北來一小水合而南流，是爲圖們江北源。又東流至三江口，西豆水朝鮮人謂之魚潤江自南岸來會《水道提綱》作魚順河，自南合兩源北流又合二水，行三百里與北源會，是爲圖們江南源。其會處有礪字界碑。又東北，經望江台山，納外六道溝河、外五道溝河、外四道溝河。又東北，納朴河《水道提綱》作波下川，北流，曲曲二百數十里入圖們江，其會處有長字界碑自華字界碑小白山頂至長字界碑，計二百七十三里。江東北流，越安圖縣入和龍縣境《金史·世紀》：天會九年，以統門水以西間田給海蘭路諸穆昆。《東三省沿革表》：今和龍縣地，明萬歷中置哈察衛於此。宣統元年，以和龍峪地方置和龍縣，又南折而東而北，納松杉背河源出和龍峪，南流二十餘里來注。又東北，經和龍縣城西北，納達呼哩溝河源出和龍峪之東，合三小水南流來注。又東北，經光霽峪，納馬平嶺河源出光霽峪之北，經馬平嶺行三十里來注。循延吉縣東《金史·世紀》：天會九年，以統門水渾疃星顯僝春以北間田給曷懶路諸謀克。《東三省沿革表》：今延吉縣地。光緒十五年，設撫墾局於煙集岡北岸。上自對南岸朝鮮之茂山，下至對南岸朝鮮之鐘城，沿江三百里地畝，悉行丈放鮮人來墾者，衆闢爲商埠，昔謂間島，今爲省名至圖們市東，有嘎雅河來會市在會處以南爲京圖鐵路、圖佳鐵路交點，距延吉縣城一百四十里，對岸即朝鮮之穩城，此圖們江最大支流也。

嘎雅河《滿洲源流考》：薩喇衛在寗古塔城之南，薩喇河岸與圖們江相近）嘎雅即薩喇之音轉）《水道提綱》作噶哈里河。《吉林通志》作十三道噶雅河源出老松嶺汪清縣境，西流經三岔口圖佳鐵路經之，有車站，薩奇庫河自北來注之薩奇庫河源出老松嶺（寗安縣境），東南流，納三道河。又東南，納牛圈溝河。又東，納石頭河。以上三河并出老松嶺西麓。又東南，經薩奇庫站（延吉縣南六十里），西納駱駝磖子河。又東南，經小三岔口，西納阿穆達河，源出延吉縣東南山，東流數十里，納四小水，合而東流入薩奇庫河，東納小嘎雅河，源出汪清縣東南山，西流三十里來注，合而南流入嘎雅河。又西南，經太平嶺東向南流，東納大荒溝河圖佳鐵路經之，有車站（距汪清縣城三十三里），源出汪清縣城北山，西流八十餘里入噶雅河。又東南，經東崴子，大、小旺清河合諸水自東來注之大旺清河自琿春縣東北山西流一百五十餘里，小清旺河自東北來凡行百餘里，合尖山水折西北流，西納長嶺子河，東納夾皮溝河。又西北流，東納大柳樹河、小柳樹河入噶雅河。折西流，經鍋盔頂子，折而南，牡丹川河合諸水自西來注之源出西坡，東流數十里，北納元羊磖子河。又東，哈瑪塘河自北來。又東，摩天嶺河自北來合流入噶雅河。又東南，廟嶺河、窟窿山河合流注之河各出其山。廟嶺圖佳鐵路經之，有車站（距汪清縣城九十二里）。又東南，金沙溝河合數水自北來注之金沙溝河出長嶺子，直南流，東納二小水，西納五人班河。又南，經大

坎站（汪清縣城南三十八里），大坎河自東來注。又南，有小二道嶺河合新房子河西流，經尼什哈嶺北注金沙溝河，又西入噶雅河。又西南至汪清縣城即百草溝。宣統元年，析延吉、琿春地並劃寧安縣南境置縣，闢爲商埠。圖佳鐵路經之，有車站東北，有布爾哈圖河自西來會。

布爾哈圖河永樂十二年，置布爾哈圖河衛。《水道提綱》作卜兒哈兔河。《吉林通志》作佈爾哈通河源出敦化縣哈爾巴嶺爲布爾哈圖河與牡丹江分水嶺，京圖鐵路經之，有車站（距敦化縣城九十六里）。東南流，納頭道溝、北頭道溝、二道溝、北二道溝。四河又東南，納鰱廠溝河河出四方台山，西流七十餘里，經鳳頭山北入布爾哈圖河。又東南，經青龍山北，納廟兒溝河。又東流，納小廟溝河兩河均源出敦化縣西北山，西流入布爾哈圖河。又東南，經天寶山在哈爾巴嶺東南，爲著名銀礦區。又東南，經煙筒磖子至朝陽川鎮距延吉縣城三十五里，京圖鐵路有朝陽川支綫達上三峰，有太平溝河合朝陽川河、小苦水河來注之。又東，經延吉縣城，爲間島省治光緒二十八年，置延吉廳同知。宣統元年，升爲府，闢爲商埠。民國二年，改今縣。康德二年，置間島省，爲省公署所在地。京圖鐵路大站納延吉河河出煙集岡。又東流，經甕圈山南，會海蘭河。

海蘭河，一作駭浪河（《金史·世紀》：景祖時，海蘭水有率衆降者，録其姓名歲月即遣去）（又，歡塔與頑頑歡合兵於統門水，阿里首敗敵兵，追及海蘭河，高麗人爭走水上）（明永樂五年正月，置海蘭城衛，在海蘭河北岸）（《皇輿全圖》：寧古塔城西南四百里，有安巴海蘭河、阿濟格海蘭河，二源合流會布爾哈圖河）《吉林通志》作駭浪河，源出英額嶺，合三源，東納三道溝河源出土山子。又東北，納二道溝河源出富爾嶺，東南流，北納一小水，南納四小水，東南來入海蘭河。又東北，納頭道溝河源出哈爾巴嶺，東南流，北納一小水，南納一小水，合而東南流入海蘭河。又東，經關門觜子，納五道溝河。又東，經馬鞍山南，六道溝河合七道溝河、小七道溝河、大磖山河自南來注之河並出和龍峪北，北流合爲一入海蘭河，滙成巨流，東南經東盛湧鎮距延吉縣城二十五里，京圖鐵路朝陽川支綫經之，有車站，納南來之八道河。穿京圖鐵路而東折而西北流，繞帽山之東又北流至愛丹故城明嘉靖置間愛丹衛。《滿洲源流考》：愛丹城在寧古塔城東南四百里、海蘭河布爾哈圖河會流處。金末叛將蒲鮮萬奴建立南京於此，號東真國入布爾哈圖河。東北流，納葦子溝河京圖鐵路經之，有車站（距延吉縣城五十六里），曲曲東南流入嘎雅河。

圖們江既會嘎雅河，水勢益盛，江面寬闊《滿洲地志》：江寬二千四百尺至三千六百尺。又東，經大高麗嶺南，納大通河河出高麗嶺，東南流，北納和尚嶺河、半截河。又東南，納泮子溝河，合爲一入圖們江。又東南，經空同山南，納涼水泉河源出琿春縣城北磨盤山，西南流一百三十餘里入圖們江。又東，經密瞻站琿春縣城南六十里，密瞻河東北來注之。

密瞻河出密瞻窩集，西南流，南納大黃泥河。又西流，北納檳榔溝河。又西南，經關門嘴子北，納梨樹溝河。又西南流，南納一小水，北納拐磨子溝河。又西南，納東岡河。又東南，納騾圈溝河。又南，納小砥搭

河。又西南，納一小河，南納乾密瞻河。又西南，經荒山坡入圖們江。

圖們江又折而南，至琿春縣城東清初爲圍場地。康熙五十三年，置協領管轄捕獺牲丁。光緒七年，置副都統。宣統元年裁，置琿春廳同知。民國二年，改今縣。先於光緒三十一年闢爲商埠，琿春河自東北來會。

琿春河即紅旗河（《金史·世紀》：穆宗時，統門琿春水之交烏庫里部起兵）（明永樂五年，置琿春河衛）（《盛京通志》：琿春河在甯古塔東南六百里，源出通墾山，合諸水西南流入土門江），源出琿春縣城東北通肯山明永樂六年，置通肯山衛。長白山分支高麗嶺山脈距城三十五里，合三源西南流，東納香房溝河。又西南，經土門子，小土門河自北來注之。少西，大土門河自北來注之源出琿春縣城北土門子山。又西南，北納六道溝河、大六道溝河，南納太平川、鬧枝溝、梨樹溝三河。又西南，納五道溝河、大五道溝河。又西，納四道溝河、小柳樹河、大柳樹河。又西，經老龍口，納三道溝河、二道溝河。又西，納沙金溝河、荒溝河、頭道溝河，均自北來注之。大紅旗屯河自南來注之。又西，繞琿春縣城東而南而西，車大人溝河自東北來注之河出後山屯，西南流，過琿春縣城西而南入琿春河。又西南，小二道河合於大二道河，自東來注之。又西南，納龍首山河。又西入圖們江琿春河入江處對岸爲朝鮮慶源城，其東岸再東數十里，即滿俄國界薩字界碑處。

圖們江又南流百餘里經朝鮮慶興城之東，東岸納蓮花泡河出大黑頂子山《東華録》：大黑頂子地方，前經俄國占領。光緒十二年，吴大澂與俄員巴拉諾夫查勘邊界，將該地索回。經玉泉洞南折而北，經五棵樹復折東南流。經雲臺山，圈兒河自北來注之圈兒河出沙坨子北，自西而東而南瀦爲池者八，經圈兒河屯西南流，由雲臺山（北麓琿春縣城東南九十五里）入圖們江，曲曲向東南流至與蘇俄分界土字界碑處咸豐九年，與俄羅斯所訂《北京續約》。光緒十二年補立界碑，在沙草峰南平岡（琿春縣城一百四十五里）。又南流三十里《吉林勘界記》：土字界碑距圖們江出海之口順水而下爲中國三十里，俄里十五里，陸路直量爲中國二十七里，俄里十三里半入日本海。

圖們江長約一千二百餘里。

綏芬河

綏芬河舊名率賓水《金史·世紀》：穆宗時，圖們琿春水之交烏庫里埒克卓多與率賓水烏庫里達薩塔起兵，一作蘇濱水《金史·世紀》：穆宗使納根涅以所部兵赴治剌行至蘇濱水，輒募人爲兵、恤品水《明統志》：恤品河流經建州衛東入於海、速平江（明永樂四年二月，置速平江衛。《吉林通志》：本渤海率賓府地，金之蘇濱水，明之恤品水，皆此一地。今呼爲綏芬河。《盛京通志》作遂分河，源出汪清縣東南之青松嶺爲穆棱窩集支脈，穆棱縣境。曲折北流，納大石頭河源出老爺嶺。又東北，納老母豬河源出荒頂子。又東南至東甯縣境，協領河自西來注之源出甯安縣東一百餘里老松嶺，東南流，納烏拉草甸子

河。又東，納羊草河。又東南，經闞門嘴子山，納倭林喀河。西南流，綏芬甸子河自北納三水北流來注，合而西流，北納一小水，屈曲西南流入協領河。又東南流，北納一水，與小綏芬河會。

小綏芬河《盛京通志》作俄爾滾遂分河（《吉林通志》作鄂勒歡綏芬河）源出黃窩集山、橫山會處，有與蘇俄分界之那字界碑咸豐九年，與俄羅斯所訂《北京續約》光緒十二年補立。沿國界之西而南流，松溝河合八道河、寒水河來注之。循濱綏鐵路向西流，納夾板河、細鱗河夾板河源出闢老婆嶺，曲折西流合細鱗河（明錫璘衛地）（清太祖甲寅年，征服錫璘部），循濱綏鐵路之北（細鱗河口有車站）而東入小綏芬河。又穿濱綏鐵路有小綏芬河車站，又東四十里爲綏芬河車站，與俄烏蘇里鐵路接軌，距東甯縣城一百四十里。南流數十里會綏芬河。

綏芬河又東，納萬鹿溝河源出萬鹿溝嶺，兩源歧出，合而南流，東西各納一水，又數十里南入綏芬河。又東，有大瑚布圖河挾小瑚布圖河南流，至東甯縣城東北來會光緒二十八年，於三岔口置綏芬廳同知，旋廢。宣統三年，置東甯縣。先於光緒三十四年闢爲商埠。

大瑚布圖河一作烏溝蛇河，源出琿春縣東北土門嶺子距琿春城二百里，其山頂有與蘇俄分界之帕字界碑咸豐十一年立。迤而北流，西岸爲滿洲國界琿春縣境，東岸爲蘇俄界。北流，納石頭河源出通肯山，東北流，納一小水，合入大瑚布圖河。又北，納亮家川河源出太平岡。又東北，佛爺溝河自西來注之佛爺溝河出穆棱窩集，向東流，其南岸爲琿春縣境，北岸爲甯安縣境，北納錫伯溝河、撈枝溝河，南納索龍溝河、大肚川河、狼洞溝河。又東經瑚布圖卡倫南，小瑚布圖河自西南來會。

小瑚布圖河即小烏蛇溝河，源出通肯山，東北流，經鵲枝溝屯，鵲枝溝二河自左右分注之。又東北，經瑚布圖卡倫與佛爺溝河合爲一，流入綏芬河，所謂三岔口也。其西大瑚布圖河岸有與蘇俄分界之倭字界碑咸豐十一年立。

綏芬河又東流入俄國境一百四十里，經俄雙城子鎮，烏蘇里鐵路大站。沆按：雙城子鎮爲古肅慎國地，漢爲北沃沮，金爲率賓路，明爲建州衛境。《三國志·毌丘儉傳》：討勾驪王，宮登丸都屠勾驪。六年復征之，宮奔買溝遣元菟太守王頎追之，過沃沮千里至肅慎氏南界，刻石紀功。應即其地，其東二百里爲海參崴，注於阿穆爾海。

綏芬河計長七百餘里，在滿洲國境内約四百里。

附録：吉林地理紀要中俄界碑表

碑名＼地址	所在縣境	所在地點	記號次序	碑記狀況
土字	琿春	沙草峰哈桑湖畔	由土字碑經第一至第十五記號抵薩字	
薩字	琿春	俄鎮阿濟密與琿春交界之路	由薩字碑經第十六記號抵啦字	薩字碑一帶記號界石多已毀失
啦字	琿春	俄鎮蒙古街西之分水嶺上	由啦字抵帕字兩碑間無記號	

碑名／地址	所在縣境	所在地點	記號次序	碑記狀況
帕字	琿春東寧交界	瑚布圖河昂邦必拉河二源之分水嶺上	由帕字抵倭字兩碑間無記號	
倭字	東寧	瑚布圖河岸北嶺	由倭字經十七至二十記號	
那字	東甯	橫山會處平岡小峰之頂	由那字經二十一至二十三記號抵瑪字	自二十一記號起至二十五記號止
瑪字	密山	大樹岡子，土名老虎山頂又名老黑背山	由瑪字經二十四二十五兩記號抵拉字	存二十五記號界石一處
拉字	密山	穆棱河、白稜河二水之分水嶺，土名天文台	由拉字經第二十六記號抵喀字	
喀字	密山	白稜河入匯興凱湖之口，碑在河北	由喀字已下俱無記號	
亦字	密山	松阿察河匯入興凱湖之口，土名小龍王廟		沉興凱湖水中
耶字	撫遠	黑龍江之北岸正對烏蘇里江匯流之口		碑石毀失

卷八

灤河

灤河即古濡水《漢書·地理志》：　肥如縣濡水南入海陽。《水經注》：　濡水出禦夷鎮東南。（沆按：　禦夷鎮爲北魏所置，在今察哈爾境。　其水二源，雙行，夾川西流合成一川），源出獨石口外牧廠，今察哈爾沽源縣境之巴顏圖屯固爾山。上流曰金蓮川《元一統志》：　灤水出金蓮川中。　金時曾於此建景明宫，爲避暑之所，又曰上都河《熱河志》：　上都即元開平府，灤水經城南故名上都河，經多倫縣行四百七十里入熱河省豐寗縣境乾隆四十三年置縣，有小灤河即庫爾奇勒河南流來會小灤河源出圍場縣北興安嶺之南（《熱河志》：　承德府全境北界興安大嶺，爲陰山之正脈。　左右層巖疊嶂，皆其支峰）。　沆按：　熱河興安嶺即今之白岔山，爲長白山支脈。　其東北爲西喇木倫河源。　其南曰都呼岱山，即英金河源。　清聖祖、高宗、仁宗常行圍至此，有御製登興安大嶺詩。　西流折而南流出海喇蘇台栅門。　經半壁山（豐寗縣境）南流至熱水溝，有湯泉來注。　又南經郭家屯入灤河，水勢益盛，始名灤河（《新唐書·地理志》：　海陽郡北渡灤河）（《舊唐書》：　薛訥率師由檀州出灤河）。沆按：　灤河自漢以前作濡水，濡音讀如難。《水經注》：　稱濡水爲難河，亦書作渜。《唐韻》謂水名，在遼西肥如縣。　至唐始呼爲灤。《熱河志》（辨）〔辨〕之較詳。　又東南二百一十里至張博灣，興州河自西來會源出豐寗縣境沙爾呼山，東南流，經花家營之西、赫山之東（在豐寗縣治西北二十五里），又東南流至波羅梁汎之西入灤平縣境（乾隆四十三年，置喀喇河屯廳。　民國二年，改縣）。　東南復折而東，經金鈎屯之東入灤河。　又東流七十里，經喀喇河屯行宫即灤平縣治，本古興州治，在避暑山莊東南三十五里東流，伊遜河自西北來會。

伊遜河，古索頭水《水經注》：　濡水又西南索頭水注之。《熱河志》：　俗名羊腸河。　清高宗御製『乙酉入崖口詩』註：　伊遜之水由崖口出。　伊遜，蒙古語九數也。　是河發源圍場中，凡九轉而至此，俗謂之羊腸河）（《方與紀要》：　作以遜河。《水道提綱》作宜孫河，源出圍塲縣屬翁牛特右翼蝦蟆兒嶺，東南流百餘里，有書庫里嶺水北來注之。　又東南百里，納拜布哈河，源出拜布哈嶺，向西南流，合布墩河、艾里河、木睿河、拉克沁河西流入伊遜河。　又南稍西南，經布魯里之西張三營行宫之東，又西而南經波羅河屯行宫之西南，伊瑪圖河自北來注之伊瑪圖河源出圍場縣圍場内，合諸小水，屈曲南流出瑪尼圖栅門，經什巴爾台入豐寧縣境。　經阿穆呼朗圖行宫及濟爾哈朗圖行宫之西，又南流至沙府營之東至四道營入伊遜河。　又西南百里，經紅旗營之西折而東南，經舍利几木之西南又東南流六十里，至喀喇河屯之北入灤河。　灤河又東南三十四里至石門，穿錦承鐵路入承德縣境乾隆四十三年，置承德府。　民國二年，改今縣。　又四十七里，經鳳凰嶺在承德縣城南二十五里，熱河來會。

熱河，古武列水《水經注》：　西藏水、東藏水、中藏水合流，謂之武列水，入於濡，其源有三，西爲固都爾呼河源出圍場縣東南

察罕陀羅海山，西南流入豐甯縣境，經固都爾呼嶺，名固都爾呼河，東爲賽音河源出平泉縣霍爾霍克嶺西之三道溝，西南流入承德縣境，合固都爾呼河，中爲默沁河源出平泉縣默沁嶺玳瑁溝，有温泉二，一自東境西流，一自西境東南流，俱會爲默沁河。　上流爲茅溝河，合賽音河。三源既匯，納湯山温泉湯山在承德縣東北八十里，東流來注。又南至磬錘山，納避暑山莊行宫温泉，遂名熱河。　經承德縣治城臨熱河西岸，爲熱河省公署所在地。　錦承鐵路終點，繞避暑山莊行宫《避暑山莊記》：　康熙四十二年，肇建避暑山莊。　陰陽向背，爽塏高明，地居最勝。　其間靈境天開，氣象宏敞，俯武列之水，挹磬錘之峰，疊石繚垣，上加雉堞，如紫禁之制。　週十六里，三分南，爲三門：　中，麗正門；　東，德匯門；　西，碧峰門。　其東及東北、西北門各一。　東門外長堤蜿蜒，北起獅子溝，南盡沙堤嘴，延長十二里。　甃石七層，廣約丈許。　宫中左湖右山，山勢自北而西，曰梨樹峪、曰松林峪、曰榛子峪、曰西峪，回抱如環，濕翠晴嵐，朝夕異狀，不可殫述。　湖水自東北衍迤而南至萬樹園之陽，淨練澄空，沙堤曲徑，如意洲在焉。　其北爲千林島，凌空落影，望不可即。　瀑源來自西峪，垂於湧翠巖之巔，玉噴珠跳，晴雷夏雪，匯注湖中。　湖岸曲樹暈飛，長橋虹駕，引而東南至德匯門之左，爲出水牐，以時宣洩，高峰入雲，清流見底。　凡夫敞殿、飛樓、平臺、奥室，咸各因地形，任天趣，不崇華飾，妙極自然，其三十六景：　曰煙波致爽、曰芝徑雲堤、曰無暑清涼、曰延薰山館、曰水芳巖秀、曰萬壑松風、曰松鶴清越、曰雲山勝地、曰四面雲山、曰北枕雙峰、曰西嶺晨霜、曰錘峰落照、曰南山積雪、曰梨花伴月、曰曲水荷香、曰風泉清聽、曰濠濮間想、曰天宇咸暢、曰暖溜暄波、曰泉源石壁、曰清楓緑嶼、曰鶯囀喬木、曰香遠益清、曰金蓮映日、曰遠近泉聲、曰雲帆月舫、曰芳渚臨流、曰雲容水態、曰澄泉繞石、曰澄波疊翠、曰石磯觀魚、曰鏡水雲岑、曰雙湖夾鏡、曰長虹影練、曰甫田叢樾、曰水流雲在，東南流至莊頭營子，入灤河。灤河折而南流，錦承鐵路沿左岸而行，至上板城東第一灤河鐵橋跨之長四百公尺。　又南四十里，白河自西南來注之，曰白河口，錦承鐵路白河口鐵橋跨之長二百二十公尺，白河源出承德縣南境莊窩峪，東南流至上板城之南入灤河。　又南三十里，老牛河東北來會。

老牛河即古五渡水《水經注》：　五渡水北出安樂縣丁原山，南流注於濡。《熱河志》：　老牛河爲古五渡水，源出承德縣城東，向西南流，納四溝、五溝、六溝至下板城，錦承鐵路老牛河鐵橋跨之長二百六十公尺。

灤河折而東流，有柳河自西來注之，曰柳河口，一曰流河《方輿紀要》：　其水迴環曲折，繞渡九次，名曰九道流河。　源出密雲縣墻子嶺邊外紅門川各山谷，水泉皆合流焉。　自西南折而東北，經承德縣境至柳河口入灤河。　又西南，有車河自遵化縣界外東流來注之。　又黄花川自遷安縣界外東流來注之。　折而東南，有清河自東流來注之，曰清河口，亦名嫲兒河，一名白馬川源出平泉縣西南境，匯近山澗水西南流，繞遷安縣界至承德縣境清河口入灤河。　又東南，有豹河自東北合諸水來會。

豹河一名瀑河，古高石水《水經注》：　高石水出安樂縣東山，西流入於濡，亦名薄河《元一統志》：　薄河源出惠州西北林津山南，至冷嶺合爲寛河。《明史》：　宣宗親征烏梁海，丙辰駐寛河，明日至冷嶺。　在今平泉縣南八十里，又名寛河（《明史·地理志》：　寛河守禦千户所東南有寛河，一名豹河），在遼時謂之柳河《宋王曾行程録》言過烏灤河又過墨斗嶺。　在今承德縣治南，清聖祖賜名廣仁嶺，有御製『雨中過廣仁嶺』詩。　慶雲嶺、芹菜嶺至柳河館（《熱河志》此柳河實今豹河，

與承德府南境之柳河異）,源出平泉縣東北四十里黃土梁,合諸山澗水滙而成川。其上流爲托津圖河,合烏拉林河西南流,納濟伯格河,一名樺子河源出平泉縣境,東南流,合錫爾哈河,經平泉縣治西流入豹河。又納拉克拉哈爾泉。又西南,經豹河村又西南,經寬河驛又西南,入灤河。其會處錦承鐵路瀑河鐵橋跨之長二百八十公尺。灤河又西南流,經平泉縣西境至喜峰口出界,流於河北省遷安縣、盧龍縣、灤縣、樂亭縣境至老米溝入海。

灤河長二千一百里,在滿洲國境約九百里。

大凌河

大凌河,一名靈河《遼史·地理志》:建州在靈河之南,即古白狼水《水經注》:白狼水又東北,經龍山西又北,經黃龍城東。《魏書·地形志》:龍城縣有狼水。《隋書·地理志》:營州遼西郡柳城縣有白狼水。沆按:大凌河行六七百里納支流三十餘水,爲有名巨川。但隋唐以前諸史無大凌河,只有白狼水。遼金以後諸史有大凌河,不及白狼水。《魏書》《隋書》所稱白狼水經過之龍城,爲前燕慕容皝所築,今朝陽縣治柳城,今錦西縣北境、朝陽縣南境,爲隋遼西郡地。又《金史·地理志》:興中縣南有凌河,永德縣北有凌河,興中縣爲朝陽縣西南境,永德縣爲朝陽縣東南境,凌河在三縣之間。元《一統志》:大凌河在興中州下流入義州境。以此證之,白狼水之與大凌河確是一水,而前後異名。《水經注》:渝水首受白狼水。《東三省沿革表》謂即今大凌河,渝水爲土爾根河,乃支流之入大凌河者,蒙古名傲穆楞,源出凌源縣。一自縣南土心塔北流二百十里至三台小營,一自縣西南水泉子東流至縣城南,一自縣北三官營東南流至縣城南,二源合流,錦承鐵路有凌源車站沿之而行五十三里,經葉柏壽,有葉峰支綫達赤峰。又三十里至三台小營即公營子,有車站。三水既滙,是爲大凌河。其上流納和爾圖河源出托蘇圖喀喇山、僧機圖河源出僧機圖山,在僧機圖圍場,清高宗有御製僧機圖峰詩、賽音台河源出鴻吉爾岱山、蘇巴爾噶河一名石塔河、阿蘭善河一名神水《元史·木華黎傳》:降將張致畔陷興中州,進討之,大破致於神水。沆按:以上五河在凌源縣屬喀喇沁左翼及圍場縣境。又東北流,納圖爾根河源出平泉縣屬喀喇沁左翼之錫默特山。又東北,經波羅赤有車站入朝陽縣境折而東流,錦承鐵路沿之而行,納波羅台根河源出波羅台溝、察罕河源出哈卜塔海華山、布爾噶蘇台河源出威遜圖喀喇山、固都河源出金廠溝、凉水河源出小八溝,一百一十里至朝陽縣治有車站。又東流七十里,經金嶺寺車站,錦承鐵路有支綫達北票。又東流,有土爾根河即古渝水《金史·地理志》:利州龍山縣有渝水,一作牤牛河源出塔本陀羅海山。納卓索河一名紅土河源出輝果山、什巴爾台河一名爛泥塘河源出多倫和爾和山、格爾庫爾台河一名石雞河源出塔本陀羅海山、巴圖察罕河一名柞河源出巴顔山、烏里雅蘇台河一名楊河,均入土爾根河,合而南流入大凌河沆按:波羅台根河以下十一河,均朝陽縣屬土默特右翼。

大凌河又東流至九關台門入義縣境明義州衛地。雍正十一年,置義州。民國二年,改今縣,錦承鐵路沿之而行,有清河一名翁

格勒庫河源出朝陽縣翁格勒庫山，東南流入清河邊門，穿新義鐵路，有車站至義縣境，會細河一名伊瑪圖河源出朝陽縣邁達里山，穿新義鉄路有車站，東北流入大凌河。又有柳河川河一名衮齊老河源出朝陽縣蘇巴爾噶圖山，東南流入九關台門至義縣境合老公溝河義縣城西三十五里，源出老公溝，東南流入大凌河。又納大安堡河義縣城西南三十里，源出紅石碣子、小沙河義縣城西二里，源出魏家屯，繞城入大凌河，經義縣城，錦承鐵路有支綫達新立屯，曰新義鐵路自金嶺寺至此八十五里，就城西折而南行又八十七里至錦縣城，與奉山鐵路接軌。

大凌河越義縣城而東至徐家屯，納泥河義縣城南八里，源出宋八屯。折而南流，納西沙河義縣東北十五里，源出營城，南流入東沙河、東沙河義縣東北十七里，源出大甯堡城，合而南流入大凌河。又納石河義縣城南三十里，源出石廠山，東南流，經錦縣孫家堡入大凌河、大定河源出義縣石廠山，東南流，距錦縣五十五里方家堡入大凌河、王巨河義縣城南十五里，源出錦縣灰山，東北流入齊家堡七里河、齊家堡七里河義縣城南四十五里，源出斑石山，東南流，繞望高山入錦縣境，冷泉河經魚子嶂入大蛤蜊河、大蛤蜊河錦縣城東北四十里，源出櫻桃園至城東三十五里游家山合流入大凌河。經大凌河城錦縣城東四十里，有奉山鐵路車站。明洪武二十四年九月，置錦州中屯衛大凌河千户所。《東華録》：天聰五年，克大凌河城，執其總兵祖大壽穿奉山鐵路，又南流至鮎魚塘東入渤海。

大凌河自發源處土心塔至三台小營，爲凌源縣境二百三十里《塔子溝紀略》，三台小營至義縣城二百七十里錦承鐵路道里表，義縣城至入海約百里，長六百里。

小凌河

小凌河一名小靈河《遼史·地理志》：興中府有小靈河，即古參柳水《漢書·地理志》：參柳水入北海，蒙古名明安河，源出朝陽縣屬土默特右翼西南二百二十里明安喀喇山頂，有石洞，洞旁三泉滙爲一河。初名穆壘河，經土默特右翼之南境，有哈柳圖河一名水獺河源出蘇巴爾罕岡，在朝陽縣東境九十里，南流經羅克台山入小凌河，又有鄂欽河一名女兒川河《遼史·地理志》：開泰二年，詔以女兒川爲神水縣。《一統志》：神水廢縣在錦縣西北。源出朝陽縣東境，東流經新開門六十里入錦縣境，至城南十里吕洪山東，流入小凌河。又東流至松嶺子門義縣城西九十里入義縣境，有湯泉河義縣城西南七十里，源出湯泉南，流入楊樹溝河、楊樹溝河義縣城西南六十里，源出帽兒山，南流至半截塔山東，流入小凌河。入錦縣境，名錦川，東南流至錦縣城，爲錦州省治《東華録》：崇德七年三月，克錦州。康熙四年，改廣甯府爲錦州府，移今治。民國二年，改縣。康德二年，置錦州省，爲省公署所在地。奉山鐵路大站，錦承鐵路起點。又東流，納頭道河錦縣城東十二里，源出龍鞯山，南流，繞紫荊山，在城東二十五里合、二道河源出錦縣城東北三十里亂石山，南流西入小蛤蜊河、小蛤蜊河源出錦縣城東北三十五里郭家台，合流入小凌河。又南流，經松山城錦縣城南十八里，在河西岸。《東華録》：崇德七年二月，克松山城，執總督洪承疇等降之、杏山城錦縣城南三十里，在河西岸又南流，經徒河廢縣《東三省沿革表》：漢徒河縣隸遼西郡，今小

凌河入海處。《漢書·地理志》：唐就水至徒河縣入海。陳氏《漢志·水道圖說》：唐就水即今小凌河至唐家台西入渤海。

小凌河自發源明安喀喇山，經土默特右翼二百二十里，朝陽縣境九十里《熱河志》，義縣、錦縣境一百六十里《錦州府志》，長四百七十里。

附録：海岸

滿洲國之海岸，曰黄海、曰渤海。黄海岸自鴨緑江口起《舊唐書》：貞觀二十二年，遣右武衛將軍薛萬徹渡海入鴨緑水，進破泊汋城。唐賈耽《道里記》：登州東北海行至鴨緑江口，即古安平口《三國・吴志》：孫權遣陸恂至安平口，口之東爲日本海界，口之西二十餘里有大東溝港安東縣境（光緒二十年甲午八月，中日戰役，中國海軍與日本海軍戰於大東溝口外海面，中國海軍大敗。二十九年，以《中日條約》闢大東溝爲商埠。西行至大洋河口，有大孤山鎮《岫巖州志》：城東南一百二十里。今隸莊河縣境。光緒三十二年，分鳳凰廳、岫巖州、金州地，置莊河廳。民國二年，改縣。《通鑒》：貞觀十九年五月，烏骨城遣兵爲白巖聲援。《讀史兵略》：烏骨城在大洋河。《方輿紀要》：明嘉靖二十五年，置孤山堡。光緒三十年，日俄戰役，日軍由此登岸，敗俄軍於大孤山。口外有大鹿、小鹿二島，中成小灣，稱鹿島灣明總兵毛文龍駐地。《東華録》：天聰八年，明廣島副將尚可喜率廣鹿、長山、石城三島官員兵民來歸。以西直至大連，雖海岸繚曲，惟或以淺沙，或以礁石，不便巨舶近岸，僅花園口莊河縣境貔子窩金州境，金州至城子疃，鐵路經之可容船舶出入。在花園口東南有石城島《方輿紀要》：長山島東北百餘里爲石城島，其西南貔子窩口外爲長山列島金州城東一百六十里，日本關東州租地光緒二十四年，中俄續約：旅順大連灣遼東半島陸地北界，從遼東西岸亞當灣穿山脊至東岸貔子窩灣北盡處止，附近水面、陸地、四周各島准俄國享用三十年。日敗俄，師訂和約於朴資茅斯，聲明得中國許可，將旅順口大連灣附近領海領地之租借權轉讓日本分裏、外二列，即大長山島、小長山島。其西有大島，曰光禄島。再西則爲大連灣，在金縣南、旅順口東北，港寬水深，入冬不凍，爲黄海沿岸第一大灣港口。東南向，三山島列其前，有若屏嶂，東西長二十五里，南北如之週約七十里。西南岸昔名青泥窪，今爲大連市。港内水深由二十六公尺至四十公尺，設有東、西、北三面防波堤，并第一、第二、第三、第四碼頭，甘井子煤炭專用碼頭，寺兒溝棧橋，同時可容五千噸大輪船三四十艘，實爲天然良港。市内電軌分馳，商業繁熾，爲南滿鐵路起點。再西，爲旅順口《皇明世法録》：洪武二十八年，舟師由旅順口登岸。《盛京通志》：金州衛南至旅順口一百二十里，爲軍港要塞重地。

旅順口《東北年鑒》：經營旅順。光緒六年庚辰，首築黄金山炮台，其當口門東岸，曰摸珠礁炮台。再東，曰老蠣背炮台。再東，曰老蠣背後炮台，是爲口内東岸炮台。當口門西岸，曰威遠炮台與黄金山炮台，夾口而峙，有如鎖鑰。威遠炮台西迤南，曰蠻子營炮台。再西迤南，曰饅頭山炮台，最爲衝要。再西迤北，曰城頭山炮台。而威遠台之北，循沙嘴行至盡頭處，爲老虎尾炮台，是爲口内西岸炮台。其後路炮台則自椅子山迤東南折至老蠣嘴後炮台，環旅順後路作月牙形。椅子山有炮台三座，曰椅子山炮台、曰案子山炮台、曰測望台炮台。此三台居高凌下，爲旅順後路全防之關鍵。椅子山東，曰松樹山炮台。再東迤南，曰二龍山大坡炮台，甲午中日衅開，又復於口西威遠、老虎尾兩炮台相近處增築新炮台二，於城頭山炮台之西增築新炮台一，曰蘭台炮台。東老蠣嘴炮台

之東，增築新炮台一，曰番島炮台。迨戰事亟清軍將領委之而去，和議成，日本返還遼東侵地。二十四年，遂爲俄人强租，視爲東方海軍惟一根據地，就原有要塞大加擴充。口東海岸摸珠礁炮台迤東偏北，則有北斗山炮台，迤西偏南，則有雞冠山炮台，再南，則老鐵山炮台、鴨湖嘴炮台，其與椅子山炮台相對者，則有二〇三高阜炮台，而白玉山炮台遥列於後，其與松樹山炮台爲犄角者，則爲苦魯巴金、司多塞爾二炮台。三十年甲辰，日俄戰役，日本軍圍困旅順，始而仰攻，繼而堵塞，終而肉搏，苦戰經年，俄軍援絶糧盡，至十二月，俄守將司多塞爾炸沈戰艦，率衆出降，日軍乃木希典大將受之。墨守輸攻可謂極盡能事矣。沆按：日本接收旅順，續租又三十年，其設備之充實、完善，更可想見。關東軍司令部在焉。有鐵路以達大連。

海再西，爲老鐵山金州境（《全遼志》：鐵山在金州衛城西南一百五十里），距旅順口三十里，爲遼東半島之尖端，黄海、渤海分界處對岸爲登州海峽《新唐書·地理志》：登州東北渡海行，東傍海壖。過青泥浦、桃花浦、杏花浦、石人汪、橐駝灣、烏骨城，行八百里。《東三省沿革表》：東傍海壖之路，即由旅順而東，經大連貔子窩、莊河、大洋河抵大東溝之路。又折而北，入遼東灣，爲渤海東北岸。其間有金州灣金州境、復州灣即亞當灣復縣境。明復州衛地。雍正十一年，置復州。民國二年，改縣，沿岸陡絶。羅列小島，便於船舶停泊。亞當灣之北，有大島三，最大曰長興島，一名景杭島，長七十餘里，又曰西中島、鳳鳴島。迤邐東北至蓋州灣蓋平縣境，有連雲島《皇明世法録》：蓋州衛西十五里至連雲島。再東北至營口，即梁防口關《皇明世法録》：蓋州衛西北至梁防口關九十里，海州衛西南至梁防口關九十里，爲遼河入海口《水道提綱》：大遼河口漕運由此口入自口門，上溯十五里爲營口縣治。咸豐八年，闢爲商港。沿岸西北行，經大凌河口、小凌河口錦縣境，折西轉而南至錦州澳，爲葫蘆島。島之地勢，由西北而東南伸入海中，長約二十里，微成磬折形，北部内歛，南部外突，中部稍狹，若葫蘆。然其西南海陸之交，沙岡一綫横亘於島之中部，若繩索之繫葫蘆頸，此沙岡隔斷海水潮流，因名斷岡。斷岡北，即連山、奉山鐵路至葫蘆島支路，車站在焉。島之南端曰葫蘆嘴，北爲天橋廠，相距約三十餘里。其間向西環抱成一大海澳。連山灣口外有大、小筆架山，與天橋廠之間聯以沙岡，潮漲則隱，潮退則顯《盛京通志》：大、小筆架山峙海中，狀如筆架，潮至時四面皆水，潮退則天橋現，闊八丈，長四里許，可通車馬。天橋廠之西南，有港，爲帆船停泊之所。循島之西岸曲曲而達西北，則爲獅子頭山。獅子頭向北繞一山麓迤北而西接於斷岡之南，一山綿亘突出海中，是曰半拉山。半拉山與獅子頭之間向内作灣環狀，曰葫蘆套。半拉山之南由海中湧起一石崖，兀立孤懸，形如虎踞，曰高梁垜。彼獅子頭、半拉山、高梁垜，東西遥對，作鼎足環抱狀，其内即今經營之築港處。民國三年，自行闢爲商埠其築港計畫則始於光緒三十四年。徐世昌爲東三省總督，聘英工程師休斯，測勘擇定葫蘆島爲商埠最適宜之地。宣統二年開工，先敷設連山葫蘆島之路軌及建築防波堤。此後二十餘年，旋作旋輟，現積極經營，可期發展。又西南至覺華島即菊花島（《盛京通志》：甯遠州城至覺華島四十里、桃花島《盛京通志》：在甯遠州城南二十五里海中。《明一統志》：桃花島爲登萊海運泊船處，遼時嚴州興城縣治（島長九里，四圍皆山，有平原可耕，附近有大、小张山二島，船舶恒避風於此）。覺華島、桃花島均在興城縣境。興城縣

康熙三年以明甯遠衛地置寧遠州。民國二年，改縣，易今名。再南行至山海關，南與中國海分界。

滿洲國海岸，自鴨緑江口至老鐵山爲黄海，岸長一千零二十里，老鐵山至山海關爲渤海，岸長一千二百八十里，共二千三百里《水道提綱》：海自鴨緑江口至旅順口八百里，旅順口至遼河口六百里，遼河口至山海關六百里。

榮厚 著

脩濬遼河報告書

馮明祥 整理

整理説明

《脩濬遼河報告書》(以下簡稱《報告書》)是民國四年(一九一五年),奉天遼瀋道道尹榮厚爲修濬遼河事宜,向奉天巡按使公署上報的報告書。該《報告書》分前、後兩編,另附圖一册。前編闡述了遼河水系概况、遼河係東三省運輸的命脈、修濬遼河的必要性、工程方案比較、工程資金預算與籌款方案,訂立遼河海口工程與章程等。後編闡述了修濬遼河工程設立籌備處計劃、河道地形測繪計劃、工程與籌款計劃以及道尹與工程師關於工程方面的問題等。《報告書》近五萬字,奉天巡按使公署批復一並收録。

該《報告書》是爲修濬遼河,言明在地方自籌資金基礎上,尚需國家資助的水利工程報告,内容相當豐富,具有説服力,值得借鑒。一是對工程的重要性和迫切性進行充分論證,提出在當時的情况下,論交通,學者莫不以天然河流比鐵路優勝,指出了修濬遼河對提高土洋商貨運輸量、增加税收、發展經濟的重要意義; 二是工程著眼於長遠,分析論證了原擬將遼河控深由四英尺改爲十英尺,及在雙台子河口建滚水壩和閘的必要性、可能性; 三是作爲官員對工程計劃的嚴謹作風及工程技術人員的認真精神,在《報告書》附件『道尹與工程師問答』中,道尹提出關於修濬遼河工程方案比較施工機械、工程期限、資金籌措及歲修經費等問題,工程師逐一確切回答。對此,奉天巡按公署批示指出:『兹據續送問答書,足見該道尹於濬遼一事再三研究,不遺餘力,深堪嘉許。』

本編纂單元點校者爲馮明祥,審稿者爲鄒寶山、蔣超、姜智。不當之處請批評指正。

整理者

總目

〔一〕底本『修』『脩』混用。

詳奉天巡按使爲纂送修濬遼河報告文

詳爲修濬遼河報告纂輯成書，分次前後兩編，諸祈鑒核事。

竊維世界競爭言交通，學者莫不以天然河流比於鐵路常得優勝之公例。東省路權既失，庭奥洞開，命脈所繫，惟在遼河一隅。抗衡角逐，緊兹是賴。籌議修濬八載，於今而非常之原，黎民所懼，道謀築室，卒用潰成，賡續前規，尚資後起。道尹承乏以來，披覽卷牘，凌脞百端，常苦措手無方，蹙焉以繁賾爲慮。顧念振衣者必挈其領，治絲者必絜其綱。綱領既具，則尋條理結目，有端委之可循。是以受事之初，即以調查卷宗、鉤覈舊案爲先務，蓋前事之不忘，後事之師也。知規模之苟簡，而後有完全之設施；知程序之舛鑿，而後有變通之方法。故以開導通江爲未善也，則展而拓之以至遼源；以疏濬四尺爲不足也，則渫而深之以至十尺；以水平沙綫之未講也，則先測繪而後施工；以冷口工程之多梗也，則先開河而後堵口，而尤以全河航綫能與平行之鐵路相競爭爲中堅之政策。所擬計劃雖預算經費稍增至二百四十餘萬元，然照原議辦法切實覆估，需用之款亦不下一百三十萬元之譜。而較其利益：一則僅資小補轉貽糜耗之譏，一則克竟全功而收遠大之效。孰得孰失，判若霄淵。凡諸規定大都鏡從前之缺失，藉擘劃於方來，心知其異者不敢苟爲同，事舉夫大者不敢遺其細，悉心籌訂都爲報告。前後兩編，前編述事實之源流，後編策進行之規劃，分綱櫛目不厭求詳。除將未盡事宜隨時另案詳報外，其後編所列關於測繪工程籌款計劃各條是否有當，應請裁核審定，俾資開辦。所有編輯遼河報告各緣由理合具詳，伏乞鑒覈批示施行。謹詳

奉天巡按使公署　奉天遼瀋道道尹榮厚

中華民國四年三月十二日

奉天巡按使公署批

據詳及報告書均悉，所列關於測繪工程籌款計劃各條均屬周妥，仰即趕緊具詳，以便分別呈咨報告書存。此批

中華民國四年三月二十日

詳奉天巡按使爲續送修濬遼河報告書後編附件文

詳爲續送修濬遼河報告書後編附件，請祈鑒核事。

竊查修濬遼河原議挖深四尺，開至通江；現議挖深十尺，開至遼源，係爲一勞永逸起見。前送《報告書》後編關

於工程計劃業經陳明在案，惟念當日與工程司計劃及此曾列爲問答，研究再三，始行定議。所有此項問答，自應附入報告書後編之内，庶足以資比較，而覘得失，理合繕録續陳。

鈞覽，擬請連同前送《報告書》，俯賜早日核定，以便付印，伏乞鑒察施行。謹詳

奉天巡按使公署　奉天遼瀋道道尹榮厚

中華民國四年三月二十五日

奉天巡按使公署批

查該道尹前送瀋遼報告兩編，業經本署核定，批飭趕緊詳辦在案。兹據續送『問答書』，足見該道尹於瀋遼一事再三研究，不遺餘力，深堪嘉許，自應附入後編之内，以資比較，仰即遵照辦理，『問答書』存。此批

中華民國四年四月五日

前編

目次

(一) 工程司秀思　秀思爲奉天督軍府所聘的英籍工程師，查勘遼河，制定工程計劃。

遼河源流考略

遼河古稱大遼水，有東、西二流，東爲東遼河，西爲西遼河。西遼河之上游又有二流，一爲新遼河，一爲西遼河，均發源於内蒙古，横貫科爾沁左翼中旗。有老哈河古稱狼水，名白狼河自西南來會，西喇木倫河自西北來會，水勢始大，東南併流入遼源縣北境與東遼河合。東遼河發源於長白山西北庫魯訥窩集，中經赫爾蘇軍臺南，一名赫爾蘇河北流，出赫爾蘇門至懷德之西，折而西南與西遼河合。東、西遼河既合，遂向南流，經通江子入柳條邊墻，至鐵嶺之西，有亮子河、清河、柴河諸水入之，復迤西南流至新民之北，有范河、養息牧河及懿路法庫諸小水入之，由是稱爲巨流河。自巨流河以下有柳河北殳之水入之，又有瀋陽之渾河即小遼水、遼陽之太子河合流來會匯流處曰三岔河口，至是復稱遼河。又經牛莊，過田莊台，至營口西南入於海。綜計河流自蒙邊入境，北起遼源縣，南迄營口，縱長約一千餘里。

遼河與東三省之關繫

遼河流域既縱貫奉省腹部，瀕河千有餘里。資其灌溉若昌圖、開原、通江、鐵嶺、新民、遼陽、海城、營口，悉成繁富之區。又有出海門户，筦轂其口。自通江下游八百里間，艫舳鱗集水運之利，實爲東三省第一。蓋黑龍、松花二江皆無出海港口，惟遼河獨佔優勝故也。夫國家建設，省治所倚，以爲命脈者，曰航權，曰路權。自旅大租借東清、南滿鐵路接軌以來，藩籬盡撤，堂奥洞開，交通利權幾無一不握於外人之手，不特商貨之輸送已成自然之趨勢，即運兵轉械亦無不受其束縛，是以歷任軍督咸汲汲思擴張京奉路綫，以謀補救。其最初提議者爲新法一路由新民至法庫門，而錦洮繼之由錦縣至洮南，錦齊又繼之由錦縣至齊齊哈爾。其後復有錦瑷鐵路之大計劃，側出東清、南滿兩路之西，上達瑷琿，下以葫蘆島海口爲起點，終以國力不足，歸於泡影。近年，南滿枝路又將推廣包越奉省西北全境，而我更無著手之方，所留一綫之希望以亟待我經營者，厥惟遼河一隅，誠以遼河形勢澈上澈下爲縱行式，恰與南滿正幹爲平行之趨嚮，又跨有遼東西濱河諸縣，凡穀麥荳油所産多在其流域左右，轉移運儎易於覆手。故欲操縱便捷，脈絡靈通，無事則足以利轉輸，有事亦足以資調遣，斷非於遼河加之注意不可。

更進一步言之，遼河者又東三省全部運輸之命脈也。遼河有海口，黑龍、松花無海口，前已略言之。論者謂黑、松合流，延綿幾五千里，遼河亦千餘里，惟苦其未能貫通。而遼河又屈曲多淤，失此不治，下游海港亦當枯廢，而三省遂將無一海口，與蟄居深谷不殊。苟能於松、遼二水之

間施以工鑿，使三省河流一氣貫注，不獨握交通上之航利，且足奪南北滿之路權。於是，溝通松、遼之議遂爲近今論理上最偉大之政策，果能斷行，豈曰小補？然而，工程艱巨、經費浩繁，且其間有爲地勢所阻障，不能不致慮及者。如遼河河身本形曲狹，水潦偶漲，即形泛濫。近年，新民、黑山、遼中、海城、盤山一帶，屢與柳河之水並受其害，誠以河身淤淺，容積無多，一遇霪雨，河水暴發，堤岸不能約束，勢必奔流横決。一源之水尚不能容，倘再益以巨源，恐遼河流域將成澤國，於人民生命財産關繫甚大。故欲溝通松、遼，必先以修濬遼河河身爲根本辦法，且疏鑿地點言人人殊，迭經調查，尚無定論。故溝通松、遼之議雖爲最有價值之問題，而施工之難與籌費之艱，固非旦夕所能解決。則莫如先就遼河河身疏之，使直拓之、使寬濬之、使深從事，於第一步功效既著，然後著手於第二三步之進行較爲允當。茲就東三省之關繫而推闡言之，若夫程功俟諸異日。

附：溝通松遼說

（甲）查嫩江諸水南流至新城縣今改扶餘縣北之三岔河，與松花江南部諸水匯，順其流勢導之。由三岔口南下，經郭爾羅斯前旗，穿農安、長嶺二縣，繞懷德西部至遼源縣東南之三江口，距離不過四百餘里。彌望平原，無山嶺之阻隔，施工較易。若從大賚縣直導嫩江南下，即不能收松花江之水；若從伯都訥開鑿，僅通松花江南部，又不能收嫩江之水。惟三岔口爲二水匯合之中心點，從此溝通則三水均能灌注。但遼河狹小，驟受諸流固可去其淤塞，亦不免泛濫之虞，是必爲水閘以節其流，方免沖決之害。

（乙）松、遼溝通計劃，如以遼河東源之赫爾蘇河與松花江旁流之輝發河爲疏鑿地點，適須經過果爾敏珠敦分水大嶺，斷難集事；若於東、西遼河匯口，由此正北行以迄松、嫩兩江之匯口，希合松、嫩、遼三大川爲一，然逾遼而北雖無峻岅連峰，而岔山餘脈實蜿蜒盤亙其間。明初，馮勝追元太師納布楚，歷史上有名之金山即其地也。

（丙）東遼河北岸之十屋與松花江之陶賴昭對岸，利用其間之驛馬河開濬之，使松花、遼河連爲一氣。

（丁）由遼河上流之鄭家屯至伊通縣。上至伊通門約一百里，清康熙時轉運糧、石。原有河形，若將此河開濬，添築堤閘，由伊通河直貫長春，接載吉長鐵路之貨物，再由長春達松花江至陶賴昭約長四百里。惟原河之水不甚深，若加挑挖，以引松花江之水直入遼河，如遇中途高窪，建水閘蓄洩之。兩河銜接約一千五百餘里，則可轉泛於黑龍、松花兩江，而奪東清、南滿鐵路之利權。

附：工程司秀思測勘松遼報告民國二年四月

調查松、遼二水間地，以便溝通謀航路之發達。此種問題須附有三條件爲籌劃之必要：其一，松遼二水之水平點若何？或遼高於松，或松高於遼。其二，松、遼二水間地域之高度若何？其三，若溝通，修閘當由何處取水以供船舶之濟渡？欲解決以上問題，當實測二水間水平方有把握。故從新集城附近東遼河起測至農安縣伊通河此河乃入松花江支流最近者，而松花江此段亦通航路也，測量既畢，遂以所得之結果逐條分列於下：

（一）懷德縣地勢坡高，距東遼河測平起點處，即新集城附近不過七英里，而高度乃至二五二英尺。此乃松、遼之分水嶺，即坡向遼者流入遼，坡向松者流入松。

（二）由懷德至農安伊通河，地勢漸漸坡下，雖有數處大窪甸，然皆較伊通河高一三〇英尺、一一八英尺或五七英尺不等。若將數處大窪甸相連溝通，可引水入農安伊通河，再入於松花江。

（三）農安伊通河下流三十英里處水平與東遼河正同，此河每三華里約低一英尺，故至伊通河與松花江匯流處計一百四十華里，約低於遼河十七英尺。由此順江而下至新城，尚有一百八十華里，勢必尤低，理故然也。據言新城於不凍季，航路通達毫無窒礙，如果溝通，自當以此處爲起點。

由以上觀之，溝通松、遼勢必以懷德爲供水之源。然松花江水平雖低，似可尋一稍好溝通之地，但須由懷德至東遼修水閘六七座，由懷德至松花江亦須修水閘數座，至其水能由懷德供取與否尚難逆料。前所言數處窪甸雖皆寬廣，夏季積水甚多，若不惜工費購用良田大加修築，或能有濟。然亦無十分把握，且溝通計劃雖善，而東遼河來源本自不旺，除雨季可以行船，平時甚屬困難。東遼河計長一百三十五華里，由通江口而上，尚有二百里須爲疏通，其工甚鉅。在大民屯附近，平時水深不過四十英寸，雖費重款挖掘，僅能及於遼河之源，並未達於通航之處。不但此也由通江口至營口全河日就淤填，民船日形減少，現有船隻皆係舊物，並無新造。船業蕭條，於此可見。即使二水真能溝通，非將遼河全體大加疏濬，實難暢通航路，糜款費時，未見有何利益也。或云嫩江與松花江匯口地勢必較遼河爲高，似可尋得一綫溝通之路，但據普通地圖觀之，此間概係沙地，高下不平，此種計劃，成敗亦難預決也。

遼河與營口之關繫

復次，則遼河水利最有關繫者莫如營口商埠。營口者遼河之尾閭也。由營口上溯通江子，下達海口，內則帆檣銜接，外則輪船飈馳。十數年，前豆麥之出口者歲以百萬計，東方商業於斯爲盛。自鐵路告成，軌轍四達，陸運

盛而航運之利始衰。然奉省出口多米糧重滯之貨，航運利儎重而價廉，車運利行速而價貴，商人較析錙銖，苟安流無阻則航行自便，亦何致驟爲外人所奪？乃以遼河一水年久失修，日就淤淺，舟行遲鈍，節節阻滯。於是商旅裹足，始不得不改由陸運轉儎新關之大連，以出海口。近數年來，趨陸運者已十之七，趨航運者僅十之三。營口海關稅率乃不敵從前十之五六，商務凋落，有一蹶不振之勢。其中，尤以日人經營大連爲絶大之影響。當光緒三十一二年間，旅營日商曾禀請日政府減輕營口火車運價，並以遼河淤塞爲言，經日政府批斥，謂滿洲商務當以大連爲中心，現在貨物既趨東路，正飭改良辦法，河運可置，勿議。該商等須知政府對於連營兩埠孰輕孰重，云云。其揚抑之心已溢言表，而南滿車儎運價則由北方至大連者，路遠而費較少；至營口者，途近而費較昂（繫由長春至營口車價每噸、每里收洋五分，至大連者則收二分。）由□[一]屬至營口一六五華里，每噸收洋八元二角五分，至大連三三五華里，則收洋六元七角。操縱捭闔不遺餘力，窺其野心誠可驚歎。然論者徒見大連之開埠，以爲足攘營口之商利，不知其真因在喪失路權。又見南滿鐵路之推廣，以爲足攘遼河之航權，不知其真因在缺乏水利，不然則路權我屬，大連、營口皆我國土也。商務縱有興衰，而挹彼注兹猶之可也。陸運、航運皆我國權也。貨儎縱有消長，而楚弓楚得未爲病也。然而，言地利者即無肘腋之競爭，猶不肯使千百里出海之河流，任其枯槁，況利權所繫，無遼河即無營口；無營口遂無商埸，東省之商業即全歸失敗。雖有天然之海港，亦終淪於棄廢，利既相因，害亦相等。若不於此時急起直追從事浚渫，内何以保主權，外何以杜漏卮？亡羊補牢，更事勢之不容或緩者矣。

今將關於遼河航運及營口貿易今昔情形採録於下，以資考鏡。

〔附：〕[二]遼河船隻增減情形

《白山黑水録》云：（日本明治三十二年，日人游歷東三省所著，當清光緒二十三四年時期）營口者，東三省六萬三千餘方里，二千萬人口中，獨一之開港埸也。今雖大連開港，營口貿易決無見奪之憂，唯稍不便者冬季冰結及河口逐漸淤塞耳。然遼河水運決不能廢，上游自通江子至營口八百餘里間，大小船隻號稱七千五六百艘，於河岸所泊數之見三千餘艘，於通江見一千餘艘，於鐵嶺見七八百艘，於新民見一千餘艘。河上往來，殆有掩江之狀。又云：通江子者所謂東遼平原之吞吐口，而吞吐遼河貿易之大半者也，昔年盛況可以概見。

工程司秀思（一九〇九年當宣統元年）查勘遼河中流報告

[一] 底本此字不清，無法辨認。
[二] 根據目次，此處『附』字底本原脱，現據補。

云：河内裝貨船隻大小不一，其小者約長三十英尺、寬十二英尺、吃水三英尺，儎重不過八噸；其大者儎重約十五噸。據一九〇四年亞力山大報告，計有船二萬艘；在日俄戰爭以前，据俄人册報乃有船四萬艘。由開凍至封河時，每船約行六次，今則不過三千艘至五千艘之譜。而因河水淤淺，每年往來不逾三次，航業凋敝不問可知。

據船捐局報告，自修濬遼河定議後，於宣統元年八月起，抽收牛槽船捐以爲濬河。經費計大小船隻自遼河上游各處來營，一次繳納小洋一元。因船隻往來次數多寡不定，且時有拆卸報廢者，故不能知其確數，大約宣統元二年間有三千五百艘，三年有三千二三百艘；民國元年有三千艘，二年有二千七八百艘，三年有二千四五百艘，逐年減少自係實在情形。而比較歷年捐款，其收數亦復遞減云。

〔附：〕[一]海關貿易衰旺情形

據歷年牛莊關税務司論列營口貿易情形，大致以營口與大連比較，其失敗有四：一曰冰期太長，營口自十一月中旬封港至次年二月始能開河，大連則終歲不凍；二曰水量太淺，營口當潮長時其入口處僅容吃水十六尺至十八尺之船舶，大連則落潮時即吃水二十九尺之大船尚能横附於碼頭；三曰起落貨物不便，營口碼頭惟附近税關之河岸，僅能灣泊貨物上落，又無稱種之設備，大連則分建三大碼頭建築倉庫及附設之起重機極形便利；四曰距離車場太遠，營口距關外鐵路車站尚隔一河，而南滿鐵路之停車場亦在三英里以外，運送貨物耗費稽時。有此四端固已相形見絀，所賴遼河航運貫穿奉省腹部七八百里，苟整理得宜，猶足制勝。蓋進出口貨物可逕由牛船運儎，不必經由鐵路，雖設備稍差，尚無大礙。惟遼河上游年久失修，且有雙台子支河分其水量日就淺涸；其下游之北航綫，距海關與牛家屯之間多有淺灘，重儎船隻須防擱淺。如將來南滿公司於青堆子新築之碼頭落成，該處更形擁擠，輪船往來尤須注意，所望濬遼之策，早見施行是所殷盼。至近年，海關税率雖未十分減色，然以奉省地大物博，比歲豐收而論，若能航路通利併出一途，則關税收入當不止此。而近三年中，自爲比較亦見遞減，自屬不無可慮。今據民國二年海關貿易册載，牛莊開徵收各項税鈔，按年清數列表於後：

宣統元年	一九〇九年	税率	九八五四九四兩
宣統二年	一九一〇年	税率	九九五二四一兩
宣統三年	一九一一年	税率	一〇五〇七八二兩
民國元年	一九一二年	税率	九一九二五三兩
民國二年	一九一三年	税率	八九九四六五兩

[一] 根據目次，此處『附』字底本原脱，現據補。

紀修濬遼河建議緣起

修濬遼河之議始於營口商會。商會有二：曰華商會、曰洋商會。其初發議者爲華商會，而贊成者洋商會也。營口一埠自日俄戰爭以來，華、洋商業損失不貲，而大連開埠又被攙奪過半，於是共謀競爭及挽救之策。僉以遼河淤塞實爲商務衰耗之主因，乃提起修濬遼河之建議。迭經前任山海關道詳請奉天軍督覈准開辦，並歷次委派工程司前往一再查勘，其應修地點計分三段，如左：

一冷家口工程。冷家口即雙台子河口，地屬遼中、盤山兩縣轄界，距牛莊約三十英里。光緒十八年以前，雙台子本屬一綫支流，後漸變爲巨河。遼河水勢自此旁趨入海，河身正流乃至十分其六。舊日河道轉形淤淺，實爲遼河受病之第一原因。據光緒三十四年，英工程司秀思報告，曾在雙台子河口詳細測量，查得遼河平均寬約三百英尺、深三英尺，截面積方九百方英尺； 而雙台子河口平均寬二百四十英尺、深六英尺，截面積方一千一百四十方英尺。以此比較，知其水量之趨勢，每秒鐘百分之五五趨向雙台子河，百分之四五歸入遼河。故該河之流水力特較遼河尤强，若不設法防堵，恐將來水勢全向雙台子河駛流，而營口往來之水路將至斷絶。惟欲防堵雙台子河，使水源皆向遼河順流，必須防堵雙台子上游之河口，即所稱冷家窩鋪口也。此爲濬治遼河之第一段工程。

一、通江子至營口工程。通江子至營口河形屈曲，每遇水盛時洪流衝激堤岸崩塌，沙土積淤，遂碍航行。據秀思報告，由通江子至營口一段，約有一百六十二處，均須亟行修理，尤以通江子、鐵嶺及近馬塲三處必須改築。查通江子岸地有淺灘一處，寬約六十英尺、長二百英尺，因河口常被水流衝擊，日漸寬廣，以致積成淺灘。由此沿河直往分流之水路甚多，較之本身水源更寬兩倍，當中竟成淺灘，水勢分流兩道，又成兩淺灘，若不設法修築，每遇水漲，又必多分新流、多成淺灘。至修築之法，須度水量之淺深、面積之闊窄修至合宜，並封塞其分流改灣取直，使無壅障； 又用树枝培護河堤，使益堅固，方免斯患。其距鐵嶺十五里之處，現亦兩道分流，至二十五里始再合爲一。其兩邊之水路帆船均能通行，惟右邊一路中間仍有淺灘，左邊一路則另有支河，一水名爲范河。體察形勢，宜塞其右水，而用其左水較爲直捷，緣左水較右水約近二里故也。至關繫最要者爲近馬塲一帶，帆船出入甚難，且距新民縣不遠，尤爲遼河中流扼要之區，須將此處各淺灘一律挖深至水量敷用爲止。此爲濬治遼河之第二段工程。

一、鴨島及攔江沙工程。營埠京奉鐵路之後岸地一隅，近數年來已積成沙灘，並附近有狹小地頸一段，若此地頸爲鴨島後之岔河冲陷，誠恐日久河壆並受其害，若不

修護，將來營埠必當險衝可慮之甚也。昔年黃浦工程司勒及與海關總稽查梯勒均有條陳。據梯勒之意，謂該灣設遇危險時，必需款百萬始克修理完，固若先事預防僅需款五萬至十萬而已；據勒及之意，則謂鴨島河壆雖被侵蝕，尚非現時之危險，察看情形，宜築水堤一道，計長九千六百英尺，寬四十英尺，扯算與地平相距約高九英尺；又查該處數年内，計每年冲去十二至十五英碼之譜，該河壆計長六百五十英碼，照此核算，倘無意外事故，約四十年可將該河壆冲盡。據英工程司秀思報告，則謂鴨島河壆被水冲塌，關繫頗巨，曾於此地加意測勘，以水平尺量度其至窪之處較海關前之河岸加低十四英寸，以故歷年被水冲刷，而人不覺莫料將來之害；曾詢諸土人謂大水及潮漲時，可乘坐舢板以渡，河壆其易被淹豁已。可想見故修理鴨島一事未可緩圖。然勒及謂不將雙台子河攔堵可免此患；秀思則不謂然，緣雙台子築堤係爲堵截分流，且令淺處濬深回復前數年之水量耳。一俟堤工告成，遼河上游其截面水積平時不過二千方英尺，較之營口下游相去遠甚，且彼此流水之速力相埒，謂將雙台子河口堵塞或略加束縛，於鴨島有損實非的論。其云每年冲去十二至十五英碼，亦不過以理推度，非有實象可據查。鴨島一段係潮水漲退之行徑，寬約七千二百英尺，沿段扯算於水退時計深八英尺，水漲遞深至十二英尺，漲退之頃其流頗急，截面水積計十四萬方英尺有奇，而上游入雙台子河之水在平時計之不及該處十分之二，且該處水漲時其餘水亦盡流入雙台子河，勒及尚未親覩，宜有此想像之言。惟查鴨島基壆工程係屬濬河善後辦法，此島界在營埠附近，若全河疏通以後來源頓旺，水力冲刷驟强，此島邊岸恐日久致遭衝塌，於營口全埠危險甚大，自應培築堅固，使能抵水力之冲決，庶可預防流弊。至攔江沙工程係爲遼河出口之航綫多有沙灘，凡儎重輪船出入時虞擱淺，且吃水較深之輪不能駛入，迭經海關稅務司駐營各國領事暨洋商總會籌議，僉以此爲注重之點，請與鴨島工程一併興修。據秀思報告，由牛家屯亞西亞煤油公司之處起，至遼河海口，其水尚深，自炮台西面之岔河口起附近遼河正身一段，並皆淤淺，且多障碍，原來潮漲時正河水勢洶湧，加以潮落西歸，大可冲散淤泥，不致停滯於攔江沙之上。今正河水勢爲岔河所分，其力自微。詳細勘察，須將炮台迤西之第一岔河及距此二十里外之第二岔河，設法堵塞。俾上游之水全由正河下駛，水力既猛，可將攔江沙冲動，不致繼長增高，再將機器挖泥船逐漸開挖，可收事半功倍之效，故宜與鴨島工程一併籌及。此爲濬治遼河之第三段工程。

附：工程司秀思初次測勘及預算計劃

前清光緒三十四年一九〇八年十月，工程司秀思查知遼河要害處爲雙台子河口即冷家口，先於此處從事測勘。

擬具辦法有四：（一）全將冷家口封塞，轉移水源皆向遼河奔流；（二）在冷家口築水堤一道，橫塞河口，祇水漲時始令其分流；（三）將河口修窄，兼限制流水之定量，水漲時亦得分流；（四）在河口設水閘一具，視水之漲落以時啓閉。據秀思之意，堵口辦法費省功速，惟沿雙台子河農田乏水，頗以爲憾。變通其間，總以河水漲落均無流弊爲主則莫如築堤一法。建築水堤不宜過高，約以四英尺以上爲度，使限定水量截流平分，並置水閘以啓閉之，平時足供行船，漲潦亦得宣洩。但若用中國舊法以活板建閘甚不合宜，必須改用洋式水閘築法，先以柴把堅築底基，上用團石其堤之坡處加石及洋灰約深二尺，再立木樁兩行，使益堅固，則可免冲決之患。今將此項堤閘工程估價分列如左：

團〔磚〕石二千七百八十五方，每方銀七元，計一萬九千四百九十五元；

洋灰底基三百三十八方，每方銀四十四元，計一萬四千八百七十二元；

柳枝六萬二千五百把，每把銀二分，計一千二百五十元；

填土五百四十方，每方銀三角，計一百六十二元；

木樁二萬九千尺，每尺銀八分，計二千三百二十元；

築樁灰石一千六百二十尺，每尺銀六元，計九千三百二十元；

以上六款共銀四萬七千四百一十九元。

另加備用費一成計銀四千七百四十一元；

監造工資半成計銀二千三百七十一元；

總計銀五萬四千五百三十一元。

附近冷家口之遼河淺灘須一律挖深，俾水勢疏通，由舊道流出，暫可仿印度辦法，用蘆席攔截水流，藉刷沙淤。但此河淺灘太多，以席攔水恐難集事，擬購置挖泥機器三副，每副連喉管二百尺在內，約值英金七千磅。或購置丕禮氏挖泥機器兩副，每副約值銀九千元，此項機器須造木躉船一隻，約需銀千元。現時工程不大，亦足適用，惟預算總計又須增加二萬元。

設欲於雙台子河得船舶往來之便利，須距河口遠處另築一水堤，於水漲時各船可順流下駛；又設一水閘，爲蓄水之用，俾回船時有水停泊。如是則利賴益多，但費較巨耳。蓋此等堤閘必距雙台子河口二十里，或五十里之遙，察看潮水能漲至何處，及下流至淺之水與沿河之水深淺相差若干，然後可得其高下之度數。茲事繁重，非詳加測量不能預算也。

宣統元年一九〇九年六月，秀思又勘估遼河上游工程，查遼河最衝要者爲通江子至營口一段，大小民船必經之道也，若不及時修濬，將來必淤成淺灘，水利盡失，水患亦隨之而生。查此河數百年來天然流注，未嘗施以人工，沿河堤岸坍塌無算，河底淤高，一遇盛漲，雖附近較高之地

亦被淹没，不僅[一]窪地下流遭其泛濫，年壞一年，馴致不可收拾。而後已觀於潮漲之時，篙工、舵師盡力推移，始得越過沙灘及淺水之處。航業衰歇固無足怪。修理之法，應將河岸整理完善，旱乾時可得適宜之水量，即漲盛時亦有宣洩之尾閭。水流之分者合之；河身之曲者直之。但此等浩大工程未易舉辦。前經調查，六百英里之遼河應修理者有一百六十二處之多，每處需款一萬或一萬以上，計全河工程完好非籌有鉅款不可。通盤籌劃，祇宜簡略辦法購置挖泥機器三副，隨時隨地逐節挑濬，將淤積沙泥概行廓清，亦治標之良法。即如巨流河下之水灘，因日俄戰事，日人於此造橋木樁過密攔截流路使然。今京奉鐵路改建鐵橋，水道雖已暢通，而沙灘積淤仍須頻頻疏濬，否則一經水漲又復壅滯。故挖泥機器必不可省。今將機器價值及常年經費估計於左：

挖泥機器二副每點鐘挖泥三百噸，每副計英金五千二百八十磅，合共一萬零五百六十磅；

丕禮氏加料丁字挖泥機器一副，計英金四千零十磅；

以上兩項約需銀十四萬五千七百元。

常年經費預算計銀二萬八千元；

總計共需銀十七萬三千七百元。

宣統二年一九一〇年二月，秀思又勘估遼河下游工程，查鴨島河壆前，據黃浦工程司勒及謂應築長九千六百英尺、寬四十英尺、高九英尺之水堤一道。估計此項工程與該灣沿岸砌磚等工，共需銀十四萬四千元。秀思之意，則擬於鴨島最窄之處修築石堤，以曲洩水力似可通融築法，減少工費。其攔江沙工程，擬將第一、第二兩岔河堵塞，而用全力疏濬現時航綫之第三正河，務將正河河口十二華里間沙灘挖深五尺、寬二百尺，並於第一條岔河上游附近淤淺之遼河一律挖深。其挖深辦法，須購置專門機器挖泥船一隻，此船能在海口風浪處工作最爲合用。今將下游兩項工程估計如左：

鴨島石堤工程估計銀四萬四千元；

挖攔江沙工程估計銀十七萬五千九百九十元；

堵塞岔河工程估計銀六萬八千九百九十元；

機器挖泥船一隻估計銀二十萬元；

薪工局費約計銀二萬五千七百二十四元；

備用費約計銀一萬二千二百四十九元；

以上共估銀五十二萬六千九百五十三元。

秀思於上三項工程之外又别籌一法，擬由通江子開一新河道至小北河，約長一百英里，意在徑取直綫，謂『新河若成，民船往來向須十一日程期者，祇三十小時可達，估計工費不過一百萬元，既省時間又獲大利』等語。案此

[一]『不僅』二字疑衍。

議係秀思個人意見，曾經周道長齡駁斥。以此項工程有無窒礙，沿河居民能否稱便？詢據該工程司，自稱並未實地考察逐段測量，能否辦到尚無把握。語涉懸虛，且與遼河舊道通塞無關，應置緩圖，遂作罷議。

紀冷家口工程始末

修濬遼河議案成立以來，於今八載。經歷任關道暨營商總會、海關稅務司工程司等，所考察莫不以冷家口一段工程爲先決问題，而地方民情不洽，迭次抗爭，亦以此問題爲集矢之鵠，紛紜聚訟，迄無解决之方，此其歷史本末，不可不鄭重研究也。試就經過事實言之，約可分爲三大時期：

一當光緒三十三年，營商建議之初，即言遼中縣屬之冷家口有支河一道，即雙台子河，分洩旁趨首宜堵塞，以蓄水源。蓋雙台子河身較低於遼河三四尺，出海水路亦較近二百里，洪流就下其勢使然。僉同討論皆以修築冷家口堤壩爲治遼之前提，然體察情形，其議築壩辦法無非因全河修濬費鉅工艱，一時財力不逮，祇得先其所急，含有權宜、節省二意。至有無流弊及障礙等情，初未顧及也。旋據盤山廳詳稱『據盤境闔屬紳民禀求免堵冷家口，以維水利』並條陳利弊，各節略謂『盤山廳界東、西、中貫大河，委通渤海，源出遼水，由冷家口輸入溉潤良田百餘里，蒙樂利者數萬家，近因遼河水淺，營商凋敝』，歸咎冷口，先謀堵塞。詎知營商衰落實受制於大連，彼興此敗自有由來，固不獨在遼水之淺深，乃不謀所以抵制。僅以堵塞冷家口爲先務，是治其標未治其本。知有營口，而不知有盤山。徒計商業之利，而不計民生之害，條其大要約有三端。查盤境地處卑窪，當冷家口未開之先，民苦水患，遷徙流亡，幾無虛歲。嘉慶年間，沿河築堤，僅救目前曾無大補。同治九年，遼水復溢，十二年又溢，發帑施賑，勞費無已。迨光緒十二、十四、二十等年，水患尤甚，民不聊生。賴有江南善士嚴作霖出關放賑，訪知受患之由實因上游僅止一口，不易疏洩，捐資倡議，會同新民邑紳劉春烺開挖冷家口與雙台子城河相通，東分遼水，西入於海。至此以後，永慶安瀾，民幸更生，河畔青青，生機漸暢。且盤地斥鹵，掘深數仞曾無甘泉，自遼水灌入始獲淡飲。一旦壅遏，不但灾患可虞，而城河又将变成鹹質，蚩蚩者氓，惟有饑渴而死，此不應堵塞者一。或言分流不塞商務終難振興，然雙台子近距海口，帆檣時亦往來轉達燕齊各埠，停泊之處水勢闊深，所惜風氣錮陋未能開通，若藉茲形勝加以經營，則未來之盤山焉知不及往日之營口。今縱不能因勢利導，亦不當棄同敝屣，師削足適履之故智，此不應堵塞者二。況伏秋兩泛横流下注，無所宣洩，必至一潰千里，漂溺萬家，濱河田野胥成澤國。不獨盤山首被其害，即新民、鎮安今改黑山、遼中、海城各邑亦無不罹其禍

殃。國以民爲本，民以食爲天，若爲一埠之商業貽害各屬之人民，輕重相權得失立判，此不應堵塞者三。以上各節，經前軍署批修濬遼河，關係東省全局，現正派員測勘，何處當濬、何處當洩，自有一定辦法。至冷家口應否堵塞，尚在核議。該紳耆應即静候辦理，不得妄生礙阻，並飭山海關道查覆候奪。當飭海城河工局前往查勘，據稱查得遼河上下游情形，其受病原委固在冷口分流。然使冷口堵截以體商情，則遼河漫溢又爲數萬户農田之害。就現在情形而論，若不將正河一併修濬，而僅謀堵冷口，則下游各處水高於地，雖航路較便，究於農田窒礙過甚；若强與堵塞，亦必有聚衆違抗情事；然僅將正河開濬，而不將冷口設法堵截，則水勢分洩正河，乏衝刷之力，日久亦易淤淺。爲兩全計，惟有併將正河淤處一律挖深，並在冷家口仿江南辦法修築滚水石壩一道，俾水盛可越壩而過，水淺亦不致一洩無餘，庶商務農田交受其益。時值省公署延聘英工程司秀思到奉，前往覆勘，建議於冷家口築堤，並施用活閘，以期啓閉皆宜，旱潦兼顧。核與河工局所擬築滚水石壩辦法，地屬一處，用意相同，並與營商條陳。所謂於雙台子河口接流處築一横壩，其高下以河水漲量平均爲度，水弱則資其拑束，水漲則任其泛流之意，如合符節，可期有利無弊。雖經盤山紳民一再稟阻，係屬不明築堤辦法致滋疑惑，當奉省署核定，發給圖説，飭地方官吏明白曉諭，使知擬築滚水堤壩各法並非即將該河口全行堵塞，上游之水仍可由堤上滚流，且建設水閘隨時啓閉，俾便宣洩尤爲妥洽。自三十三年三月迄宣統元年二月，幾經蹉頓其議始定。此爲第一時期。

一、當宣統元年間，地方紳民繼盤山而起爲堵口之爭議者，則有新民、海城、遼中三屬，除新民地居上游關係較輕外，海城所稱則以西北二鄉土田窪下，衆水所瀦，夏秋水漲，輒受外遼河灌溢；自冷口開通，民患漸紓，若復堵塞，則裏外遼河、猪嘴河、楊柳河之水連綿漲泛，無所分洩，横溢之害不可勝言。遼中則謂遼河自北而南，蜿蜒奔赴貫穿本境者一百餘里，盛漲之時東西兩岸常虞衝决。查工程司秀思所擬辦法，皆注重於冷家口第二、第四築堤建閘，各節尚屬可行。其第一條堵塞之説，則遼中受害有百倍於從前者，緣河身淤墊日厚，幾與岸平，倘道出一孔容積過淺，則兩岸崩潰可立而待，各等語體察情形。遼中一屬雖對於堵塞一層絶對反抗，而於改築壩閘之舉，未嘗過事阻撓。遼中如是，海城亦無所爭論，惟盤山則始終堅持以修築滚水堤壩，雖與堵塞略殊，但水漲則堤阻流遲，未免泛濫；若水小堤平則堤外田疇無所浸潤，日久將盡成鹻鹵，於居民汲飲所關甚鉅。迭次爭執，萬口一辭。經前周道長齡慰諭允於堤身添築閘門一二座，俾水漲水平均無流弊，並飭由盤山廳明白勸導，漸就帖服，於是始行著手開工。迨宣統二年十月，工程司秀思報告，所築冷家口滚水堤壩及水閘二座工程告竣，惟壩旁尚有應堵之河

流堤工一段，因瞬屆嚴冬冰凌衝塞難施工作，擬俟春融再行興工。其時，又有盤山縣議紳王欽天等稟控，謂河淺堤高，阻流貽害，與原定築法不符。復經秀思逐層辯論，呈遞説帖，由周道台親往履勘，核與原議，委係地位相當，寬高適度，並無不合議。覆至宣統三年，此段堵口堤工業已修築過半，僅餘一口未曾合攏。因夏秋雨水過多，瀕河下游間受水患，地方議會、農會咸歸咎於冷口築堤之故，屢起風潮，旋作旋輟，竟未獲蕆全功，展轉遷延至民國元年十月間，突有盤山縣民楊小亭等糾衆數千人，各持鍬、鍤擁至工次，將新築堤身拆毁，並將稭秫木料焚燒一空，於是暫飭停工，候示辦理。此爲第二時期。

附：節録工程司秀思查覆盤山縣議紳王欽天説帖

原議謂遼河暨雙台子河各深二丈有奇，新河祇挖深一丈，即無石堤亦難通流一節，查現築堤處就全河水平時而論，約深四尺； 水涸時，由上游至三岔河口約深一二尺，極深至四五尺爲止； 若果深至二丈，不惟艤重民船暢行無阻，即輪船亦能駛入，何以唐家窩鋪及三岔河口等處擱淺甚多？足爲誤會之明證。原議謂驗明滾水石堤中間長十丈、高七尺，兩邊長約五丈、高八尺一節，查滾水堤中間實高五英尺，兩邊比中間高二英尺者，係爲工程堅固起見； 其寬十丈者，緣夏季遼水平均時亦在十丈左右；如水漲過六七尺，即兩旁堤高亦無障礙，況舊岸土堤尚高一丈五尺左右，相距寬二十丈； 如水極大時，則河心之堤幾同無物，何慮宣洩不暢？至築堤宗旨，原爲兩河分流，平均水勢。遼河全身地勢皆下斜入海，由上游斜入下游水面，每一華里約低二三寸，即如馬廠之水面較馬廠下游六華里之水面高至十二英寸。照此測算，雙台子河水面每退一華里必低二英寸三分之二，原擬築堤之唐家窩鋪至現在築堤之冷家口下首，合計七華里，即應低英尺一尺七寸。假如遼河上游水高四尺，則滾水堤附近之水應增高五尺七寸，水面仍平，看之不覺。故原擬唐家窩鋪築堤須高四尺者，而在冷家口下首非高至五尺則無效力。原議謂高築石堤阻塞巨流激成泛濫一節，查雙台子河未開以前，遼河係分二支： 一支由唐家窩鋪至三岔河口，一支由冷家口迤南舊河故道匯歸遼河正路。參觀河圖，瞭如指掌。初擬在唐家窩鋪築堤，嗣恐水盛時分流不多，萬一泛濫實非善策。故改從冷家口下首，蓋以水性合則力猛，分則力微。今分三支宣洩，自無横逆之虞。第一支由唐家窩鋪入三岔河口； 第二支由冷家口洩入雙台子河； 第三支由遼河故道仍歸遼河正路。苦心籌劃可告無愧，所稱奔流洶湧、崩決爲患者未免過慮。

一、自宣統三年入於民國元年，省、縣議會既已成立。於是，冷家口工程事關地方利害，不得不於議會取決。其時，新民已無反對，又加入鎮安一縣今改黑山縣與遼中、盤

山、海城，合爲四屬問題。據四屬議、農各會合詞呈，稱去年夏秋之間所築石堤將成未成，雨水連綿，宣洩即已不暢，以致河身泛漲橫溢爲災，被害甚鉅，苟非堵塞冷口，何至演此慘劇？所幸堤工停止，猶冀更生。今聞繼續興工，四屬農民咸懷震懼。查營口商務之興衰，實在遼河之濬與不濬，不在冷口之堵與不堵。若不求疏濬，先行堵塞，猶之治病未清其裏，而遽施補劑，鮮不爲害等語。經前都督趙咨交臨時省議會旋准議覆，以免堵冷口爲除害之事，疏濬遼河爲興利之事。二者並行不悖，多數表决，而營商總會受此抨擊，迭起辯爭。駐營領事團亦以加收關税之關繫來相詰問，當由工程司秀思提出理由書，逐條解釋説明利害，以祛疑惑。書中要旨具列六端：

（一）築堤之目的並非封塞河流，乃使旱乾之時水流有序，並得適宜之水量以供行船。

（二）兩端之水閘並非爲大水而設，乃爲旱乾之預備，如河水不及三尺時此閘可資放洩，以供下游居民之用，至水大時仍可越堤閘而過。

（三）遼河自唐家窩鋪分爲兩股：一股由營口入海路遠而迂，一股由雙台子入海路近而便。水勢偏向近路，故流大而湍急，若不設法拑束，水大之時，舊流之路設棄而不行，新開之河將泛而爲患，雙台子居民向蒙其利者將來恐被其害。

（四）遼河積淤淺灘非全因水自乾涸，實由水皆從雙台子河流出，若不限制泛流之水，而僅挖深遼河實爲策之最愚，且水小之時，河中水不足用，雖挖深河身亦屬無益。

（五）雙台子河並非引水入遼之河，乃引水出遼之河也。自唐家窩鋪以下至三岔河口，其間並無入遼之河，如唐家窩鋪以上等處無大水患，則下游各處亦必無水災之理，且所築堤壩並不阻下流入海之路，故可决其無患。

（六）遼河水患原因並非本地雨水所致，蓋上游各處同時多雨之故，即如一八八八年奉省小河沿水漲，平地可乘船至營口，經十日之久尚不能乘潮退回。因此理由，無論何處雨水過多，但係同時遠處發水，則遼河水患在所難免。去年本地雨量較前數年爲多而未成大害者，因他處並未同時大雨之故。

秀思提出理由書後，而四屬議、農分會復繼續具呈指斥秀思書中錯誤：一、地勢之差；二、情節之差；三、計劃之差。其結論則以遼河淤淺亘數百里疏導排决尚難爲功，若兩流併一，其勢浩大。北起通江，南抵營口，東盡黄河，西暨廣寧今改北鎮，皆將比歲歉收，安有糧食出口？航路雖通，何從運儎？試問築堤而後，四屬受災損失誰能擔保賠償之責？語極激烈。前都督趙詳核形詞實與秀思所陳互異，孰利孰害其中必有真相。批飭山海關道實地勘查，統籌兼顧，以資解决。經前任鄭道焯親往工次履勘，覆陳情形具列如左：

查得滚水石壩在河之北岸，共分三層。中間最低一

層高五尺七寸、闊一百尺；再上一層兩旁各高七尺七寸、各闊五十尺；再上一層即係兩旁水閘各高十尺，與岸相平，岸上有天然土堤高十一尺。其應堵堤工在河之南岸，計長一百六十餘尺、寬八十尺，係用木樁雜以碎石、蘆葦、沙袋填築而成。現僅餘二三十尺尚未堵住。此項堤壩功用確非全將河流堵塞，係爲渟蓄遼河水量起見，如上游水大，自由石壩滚流；如下游水小，即開兩閘宣洩。核與秀思所呈説帖尚無不合，復查該分會等所呈各情，其中不免誤會。如地勢之差一節，查遼河流行千有餘里，至唐家窩鋪始分兩股：一股入雙台子，一股由三岔河通至營口，即所謂遼河正流。至去秋水漲之時，果將没岸，則石壩距低數尺早經漫過，斷無仍行露出之理。該會等所見者或係兩閘之石頂耳，此其誤會者一。又情節之差一節，查秀思擬築堤壩地點原係在唐家窩鋪，嗣以該處水流湍急，且勘得冷口之上尚有遼河舊道一路可備分流，是以改就冷口堵築現該河口門。雖經荒堵，據稱尚擬將遼河舊道稍事挖通，意在大水之時既可由石壩滚過，並可將該河舊道冲開，以資旁溢，更無氾濫之虞。原呈謂現築石壩係在唐家窩鋪，此其誤會者二。又計劃之差一節，查兩旁水閘皆非爲水漲而設，已具秀思説帖中至遼河通塞，關係全省航運影響，不止營口雙台子河流域本無航利之可言，原呈指爲營商恐分權利，此其誤會者三。

以上各節雖經鄭道覆陳，然事關重大，尚待推詳。復經鄭道建議請飭遼、鎮、盤、海四屬議農各會分舉代表數人，營口議商兩會各舉代表一人，再遴派熟悉工程之員，會同周歷全河履勘工次，公同議決，俾祛疑慮，奉准照擬辦理。乃除鎮安今改黑山代表到營，遼中代表請赴工次守候外，其盤山、海城二屬代表藉詞鄉民攔阻，堅不應命，屢奉嚴催迄未前往。延至二年五月，前南路觀察使王樹翰任内始克齊集。由王觀察使偕同工程司秀思携帶圖件督同會勘，當與各代表詳明解釋，反覆指陳；而該四屬代表膠執成見，仍持免堵之説牢不可破，竟無端緒。復奉省令，飭各屬代表改集省城，會議以爲討論之終點，其時秀思又有改壩爲閘及移建唐家窩鋪之議，業已開具圖説呈報核議。當省城公開會議時，由省公署規定秩序，先令營商代表説明修濬遼河之必要及冷口工程無礙情形，次令四屬代表各就本屬地方利害實情痛切敷陳，冀得真相。而四屬之所持論亦未有充分之理由，惟以事關民命財産，萬難承認爲詞，雙方相持驟難解決。嗣經省公署提出秀思改壩爲閘辦法，發給圖説，令各屬併案研究再行議決。而此會終局卒不得要領而散，其後各屬對於秀思改閘一議，惟鎮安代表願示贊同，其餘遼、盤、海三屬併加入新設之台安一屬仍行反對，至謂秀思陽示變通之名，陰行堵塞之實，其論閘壩利弊亦無中的之言。自元年十月迄於三年六月，冷口議案遂終爲懸而未決之問題。此爲第三時期。

附：工程司秀思擬改建水閘説

（一）當日議妥，擬在冷家口修築之大閘。其地點應修在已有之石壩邊，計分六門，每門一閘，每閘寬五十英尺，全閘開放時合共三百英尺。閘之高低當以能於遼河水小之時，存有相當之水量爲定；水大之時，即可以二三人力藉機器作用提升之，使河流並無阻礙，蓋閘之底部可提至離水面二十英尺之高也。原有之石壩仍可存留，而於其旁建此水閘以代原議之堵塞。

（二）修閘工程在冷家口不及在唐家窩鋪，蓋冷口河底沙質鬆軟，欲於該處築堅固之石樁實屬匪易，且費用亦較大，不若改建於遼河分岔處更可使水流行有序。故以堵塞之計劃論，固以冷口爲宜；若以可升降之閘論，則唐家窩鋪爲最適當之地點。

案閘用純鋼爲之，可於英國定製，俟石樁造成即可裝配。石樁須深入河心，當與鐵路之橋相等，且水閘隨時提升，無論如何大水必無阻礙。

又案預算經費，此閘如築在冷家口，則需大洋二十三萬五千元；如築在唐家窩鋪，則需大洋二十二萬元；如以現有之石壩材料拆運以作新工之用，其費當更可減少。

紀濬遼〔一〕工程籌款始末

修濬遼河經費自籌辦以來，經工程司列入預算者約分三項：曰冷家口估款、曰通江子至營口估款、曰下游鴨島及攔江沙估款。冷家口原估祇七萬四千餘元，開工以後，動支至小洋十萬八千餘元，已非原估所能限制，及經地方破壞。秀思又提出改壩爲閘一議，並預算改閘需款二十二萬元或二十三萬五千元之多，是冷口工程一項變更已不可思議，至上游工程原估購置機器船隻祇十四萬五千餘元，加入每年歲修費二萬八千元，以及開辦經費，統籌二十萬元已足敷用。嗣於宣統三年間，復據秀思聲稱原估之挖泥機器船兩隻，均係不能行動者（係指舊式笨機而言），似覺笨重遲緩，擬購自行挖泥船一隻（係指新式快機而言），連裝運費約需英金一萬三千磅；又購不能自行挖泥船一隻，連裝運費約需英金五千二百磅，合需華銀二十萬元。且將來購辦是否超過此數尚不可知，而河岸應否擇要修理，河身應否裁灣取直，一切緊要工程尚未估算在内。如全河修浚所需費用當必更巨。惟下游工程原估五十二萬六千餘元，則前後無大變更。此歷次估

〔一〕濬遼　底本原作『濬河』，據目次改。即爲修濬遼河義也。

計經費之大略情形也。至籌劃以上三項經費亦約分三端：一曰就地籌款，二曰中央協撥，三曰加抽新鈔關税。如下詳之：

一、就地籌款業經舉辦者惟抽收遼河牛槽船捐一事，查光緒三十四年冬間，前任周道長齡向營口商會集議，擬籌款取資船捐，惟應如何抽收尚無決定辦法。經函致度支司核議准，覆稱：『查船捐局現章以遠近計，由通江至營口，每船每次捐洋一元二角，每近一埠減洋一角。』上年試辦之始，挨船勸導，煞費苦心，驟議增加，恐生阻力，惟修濬遼河應爲船户所樂從；或於現章之外，仿照户部船捐章程加收船票捐一款，每年可增入洋七八千元，至能否樂輸尚難預料等語。至宣統元年夏間，迭經周道設法曉諭，由各河埠糧店代表分頭開導，幸牛槽船户深明公益，以事關保護利源維持航業，咸願捐輸，並由各幫船户公舉代表遞禀遵辦。擬定每船到營一次納捐小洋一元，由糧店代收，交存商會，按月彙繳道署存儲銀行，以昭大信。至捐票擬定三聯式，道署存一聯，糧店、船户各掣一聯，其稽核發票事宜，則舉公正紳商司之。此規定船捐章程之大略也，惟捐項係按月抽收，工款須大宗墊發。現冷家口工程關係緊要，亟須籌備，應用復詳。由省公署奉准息借商款，即由船捐項下抵撥籌還，當向營口大清分銀行訂借小洋十萬元，常年七釐行息，以遼河船捐作抵，分年攤還，六年爲期。屆期所歸本息設有不足，由東三省總督奉天巡撫擔任籌補歸清所抵船捐。收款每月月終交存銀行，按照三釐存息，年終結算，統行歸還借本息隨本減。議定之後，訂立合同，呈由度支部暨東三省公署核准之日實行。此議既定，於是冷家口工款始歸有著，但自開工以迄停工，此項借款業已掃數開支，嗣於民國二年，南路觀察使王樹翰任内，始向大清銀行清理處清算歷年本息，將舊存分行船捐收款悉數抵結，一次計歸還借款本息三萬元，尚餘七萬元之本息未曾歸清；而牛槽船捐自宣統元年八月開辦起，迄民國三年底止，祇共收小洋七萬七千餘元，且此項收數逐年減少。若不將修濬工程從速興辦，將來船户必起怨咨，即使勉強認捐，恐涓滴之微曾無裨益也。兹將遼河船捐歷年收數列表於後：

年分	時期	捐數(元)
宣統元年	八月起封河止	六七一八
宣統二年	開河起封河止	一九九〇一
宣統三年	同上	一八一八〇
民國元年	同上	一三九三〇
民國二年	同上	一一六二五
民國三年	同上	七〇二五
共計		七七三七九

案奉省地大物博，修濬遼河關於振興水利、爭競商權，所係綦大。除船捐一項外，有無就地可籌之款，自爲

切要問題。查此問題於宣統元年，在前錫督任内亦曾提起議案，咨由諮議局會議，其議決理由書對於原案研究之點有二：一、以原案設法招股，或全省竭力通籌之法爲不可行。其理由如下：（甲）前有金鑫曾在農工商部稟准集股創設遼河行輪公司，勒派船户認股，查禁在案，因之股東大受損失，若再以此名義向商民集股百無一應。（乙）新、遼、盤、海四屬居民反對堵築雙台子河口一案至今未結，若再向其籌款必不能從。（丙）河運常年通行祇八個月，比較鐵路缺點尚多，商民投資斷難踴躍，若徒有義務而無利益，恐近勒捐亦難舉行。二、更正籌款方法：（甲）疏濬遼河之利商棧直接享受之，擬由地方官及商會向通江子下游各埠商棧按户募集，作爲息借商款，并預定籌還之法及其期限。（乙）内河船户亦享疏濬之利，擬暫免其行船捐費改募濬河經費，亦照商棧辦理，俟河運開通，航業大盛，再抽收行船費，每通行一次收費若干，以作常年歲修費用。以上各節係諮議局審查議決，當經檄道籌議辦理，旋經周道長齡核議，以更正方法乙條，與現辦船捐正相吻合，自可無庸更議。其甲條向商棧集款一節，業移知營商總會，傳知沿河各分會無一承允，亦無一答覆。數四催商，僉以屢經兵燹，債案纍纍，萬無餘力籌措，且以抽收船捐明雖出自船户，暗實加諸貨本。詳加體察，自係實在情形，應請暫從緩議，其事遂寢。

一、中央協撥一款計二十萬元，於宣統二年夏間，前錫督任内咨商度支部議准，先由税關撥給，並具摺奏明各在案，原奏略稱上年七月間，奏濬治遼河摺内聲明：上下游工程需款數十萬，能否添籌鉅款，届時奏明辦理？嗣據工程司估算，綜計全河工費共需洋七十萬元内外，其中以下游鴨島及攔江沙工程估款五十餘萬，爲數最巨。迭據錦新營口道周長齡稟稱：『此項下游工款已與營口洋商暨各領事磋議，尤爲加抽新鈔關税捐籌備辦理，至購船、開辦各費，應由公家先撥款二十萬元，以資應用。』查奉省連年舉辦各項新政，幾於羅掘俱窮，實屬無可設法，因於上月間，咨商度支部先由税關項下撥款二十萬元，俾充開辦經費，旋接度支部復准照數動撥。當飭周道長齡照會各國領事，妥擬抽捐章程，一面將上下游各事宜認真經理，尅期興辦，以重要工等因，此項協撥之款業由海關提存，營口大清分銀行指作上游購船開辦之用。自民國元年，該行改組中國銀行，另設清理處，此款遂作爲官存迄今未能收回。

一、加抽新鈔關税一案，前於宣統元年，經周道長齡提議，以遼河工程關係中外商務共同利益，特向洋商會暨各國領事團海關税務司等迭次協商，仿照天津海河工程成案。一擬按進口貨計值抽捐；一擬按進口輪船噸數計噸抽捐。各領事允爲贊成，惟聲明俟稟由各該使臣轉達各國政府核准方能定議，並據洋商會函稱：『敝總會各議董公同議決，以欲保營口商務，固賴河運通暢，尤須

將海口攔江沙挖深以便行輪。此項工程須附在疏濬遼河工程之内。以上各項工程需款甚鉅，深知奉省財政困難，舉辦不易。敝會願爲協助，擬由新鈔兩關抽收進出口華洋貨捐，按貨值每千兩抽銀一兩，又輪船每次進口按儎重每噸抽銀二分五釐。此項貨船各捐全歸上項工程之費，不能移作别用。其抽收期限至多以十年爲度。開辦工程須由税務司會同經理以昭核實，惟敝會所竊慮者，深恐所收捐數不敷應用，然若再議加增，必與本埠商務有礙，或致因重捐之故遷移他埠。轉非提倡，本心是以敝會公議設將來所納捐款實有不敷，中國政府或大憲應設法籌足，不能半途而廢，尤須預先聲明』等語。又准領袖領事照會稱述各領事之意『以抽收新鈔關税及船噸各捐，祇爲挖深攔江沙及修理鴨島工程之用。至遼河上游工款應由中國政府自行設法籌備，不能併入一項開支』等語。當經周道駁復『以華洋貨捐按進口論，華商約納十成之九；按出口論，華商約納十成之五。本道意見以爲，上下游工程統應出於一項捐款之内，緣挖深攔江沙原爲儎重大輪行駛便利，於本埠商務有益而然，但使内河淤淺，民船無多，上游一帶土貨即不能蝟集營埠，雖儎重大輪能駛進口岸，而無大批裝運亦屬徒勞，自應首尾兼顧，以期克蒇全功。至此項捐款以十年爲期，預計約可得銀五六十萬元。將來借款加息，如此期限恐不足如數歸償，似非展至十五年或二十年不可，希煩查照』等因，旋又准領袖領事照復：『擬議辦法數條：（一）所有貨物經由新關收税者，按税銀每百兩抽銀二兩；（二）所有貨物經由鈔關收税者，按價值每千兩抽銀一兩；（三）所有輪船進口每次每噸抽銀二分五釐，内河輪船每次每噸抽銀一分；（四）新關收款欲照前議，全歸攔江沙及鴨島工程之用；（五）鈔關收款擬全歸遼河上游之用；（六）抽收期限願以二十年爲率，如期限未滿而攔江沙、鴨島工程先已完竣，核計收款足抵借款，則此項捐款應即停止；（七）所有上游工程欲請中國政府或本省大憲先撥一次款銀二十萬元，以爲購船及開辦經費，鈔關所抽捐款則留作上游歲修之費』等語。復經周道核議，查該領事所讓步者：一期限之展長一分，出鈔關捐款充作上游經費；而所注意者則須深知上游工款中國能否確籌，並是否具誠懇真意、實力進行與此要工。故有先撥一次鉅款之請，此領事之微意也。惟查新鈔兩關抽捐一節，據表面觀之，新關爲税百抽二，鈔關爲值千抽一，似覺公平，而按諸事實則有大相謬刺者，蓋一則按税章核算，一則照貨價征收，五十年前之税章比較時價尚不及半，若照税銀每百抽二，通盤勻計，實價值千兩祇抽銀六錢二分五釐，而鈔關之貨每值千兩則抽足一兩，相去實有三錢七分五釐之多。以此相較，鈔關之於新關不啻增抽十分之六，輕重懸殊且與洋商會原稱進出口貨一律值千抽一之議相背，礙難施行。因與海關税務司柯爾樂詳密籌劃，按照該領事所擬辦法列爲一表，綜計

每年新關可收關平銀三萬七千餘兩，鈔關可收關平銀一萬一千兩。如按照改擬辦法另列一表案改擬辦法具載簽定章程第九條内兹不備録，新關每年可收關平銀四萬九千餘兩，鈔關係照税銀每百兩抽收五兩計算，每年可收關平銀九千餘兩。總求兩項捐款義務相等，俾免偏枯，改擬之後迭次照會領事團，竭力磋商得其承認，允照改擬辦法，轉詳駐京各國公使核辦。其鈔關收入指爲上游歲修經費一節，當時以上游尚未籌有的(一)款，周道欲藉鈔關爲挹注，頗多爭論，嗣經咨商度支部，一次撥款二十萬元，上游工款亦有着落。則鈔關歲入合以將來展收牛槽船捐一項併作歲修專款，核與工程司原估二萬八千元之數，出入不甚相懸。歲修一項係秀思初估數目，將來或增或減尚未可定。於是抽收税鈔問題可得圓滿之解決。自宣統元年二月迄於次年八月，其議遂定。

紀訂立遼河海口工程局章程始末

新鈔關加抽税捐辦法，宣統二年八月協商既定。是年冬間，駐營領事團奉駐京領袖公使文開，認允周道擬改辦法爲可行，應公同訂立章程以資遵守，仍候詳請各本國政府核准辦理。照會到道，經周道答覆：『以抽收税率章程儘可查照原議，共同協訂。如係修築鴨島、攔江沙兩處辦事章程，應歸本道裁量協定，以清權限。』旋又准領袖領事照稱：『修濬遼河一案，深望作速開辦，所有此項工程計劃、實行方略、監督辦法，求將草案見示，以便考量等因，當將擬議辦事權限及抽捐詳細章程草案照送，去後并聲明此案雙方討論，一經定議，應候呈東三省總督暨北京外務部核定立案，方能作准。』嗣經迭開會議文牘辯駁往返十餘次，始於宣統三年六月，訂立章程草案十七條。由周道與領袖領事暨各領事公同簽字，仍聲明作爲彼此請示主管上憲之據，並非本案實行之據。簽字之後，周道旋即卸事，而省公署以事關重要飭新任袁道祚廙詳加覆核。袁道陳述意見，略謂疏濬遼河本屬我之内政，祇以工大費繁，不得已仿照天津海河成案，由關税加捐，歸税務司經辦。商民之擔負既增，各國使臣政府復從而干涉之。如果税捐所入能合上下游各段工程一律完竣，得失猶可相抵，乃議訂章程。洋關所入只准修濬海口，而上游僅恃部撥之二十萬元。此外則每歲鈔關加捐一萬餘兩，所短尚多，仍須籌款彌補。是此舉本爲疏挖上游始議加税，而因加税反啓外人之越俎，且須另籌上游工款，未免倒阿授柄。其實每年兩關所入不過五萬餘兩，尚須向各銀行抵借。苟我有抵款，則權自我操，自行籌辦，未始非策，因條陳籌款抵補之法：一擬於屯墾局四國借款内提出百

(一)的　即爲『得』。當時區分不嚴格，餘同。

萬；一擬指常關各口每年長收税銀七萬餘兩，抵借鉅款。經省公署飭下交涉度支各司核議，皆以兩項辦法尚無把握，成議在先，不便更張作罷。祗得就原案十七條酌加簽議，此訂立草案章程之大略也。惟此案爲前任周道簽定之案，曾幾經磋商駁詰，始克就緒。而袁道繼續討論有所建議，其大端已無可變更。兹將關於章程草案當時辯論情形彙録於下，其條文與現行章程正案（即民國三年外交部核定章程正案）文字全符者不備録。

附：修濬遼河海口等處工程局章程草案

第一條至第六條　原文詳正案

第七條（原文）東三省督憲原聘有秀思總工程司，兹因修濬遼河，該局因該總工程司於遼河工程大概情形已測量、繪圖、估價，應請督憲派爲兼充遼河總工程司，以資熟手。其原有薪水仍請督院發給該總工程司，須將一切工程詳細繪圖、估價，呈由該局核准，然後動工，其應用人等由總工程司稟明該局方能僱用。如以後總工程司因公他調，無論久暫或因自退均由督憲備就薪費，另聘一資格相當之總工程司接辦，以期將此項工程辦理完竣，免致半途停止，至其辦事權限前後無異。

（周道簽註）此條擬將工程司秀思派爲遼河總工程司，薪水由督憲發給一層，英文係督憲允准之意，華文係應請督憲核派之意，微有不同。惟各領以爲『應請』二字將來此條章程奉批准後，仍須改作『業蒙允准』字樣，不如仍用『允准』二字爲妥。職道之意以爲，所有章程既已注明彼此呈由上憲核定，故不如仍用『應請』二字，并已商明此條章程應否照准由督憲核奪等語。

（省公署簽註）覆核第七條應請字樣尚非重要關係，查此條最要之點莫如派充工程司一層。據各條之規定，工程司實握有上游及海口兩項工程之全權，關係此事成敗，有應行研究者二端：一、事實上問題。工程司秀思是否能勝此項工程之任，爲一國所保荐或各國所贊成？二、章程上問題。關係該工程司之權利義務惟有第七條之規定，據該條所稱，則該工程司有必辦此河工之權利，而無必辦成此河工之義務，未免過於自由，似應另訂專章爲羈束該工程司之用。

（袁道簽註）查原章祗聲明派秀思爲總工程司，又第十二條云『上游亦歸一手經理』，而於該工程司能力責任概未提及。前晤英、日各領事詢及該工程司能否勝任，皆不能答。美領事云『此係東三省久經聘用之工程司，何待外人擔保？』日領則云『秀思經手工程甚多。』我恐其未能兼顧，是聘用秀思雖載明章程，各領並不能擔保，復面詢該工程司，亦無切實之言，似應將原章第七條、第十二條末尾數語另行酌改，聲明聘用相當之工程司必須專訂合同，公同擔保，不必指定任用何人較爲活動，如將來仍用秀思亦可照此辦理。

袁道又將此條文改擬如下：第六條所指兩項工程，應由該局自行酌定聘用相當之工程司一人，開辦時須將一切工程詳細繪圖，估價呈由該局核准，然後動工。此項工程司其用人權限、辦事責任、工程年限、薪費數目均由該局與之另立合同，並取妥實擔保，禀請東三省督憲核准實行。倘以後該工程司有不按合同行事及其他不當行爲，可由該局辭退，另聘工程司接續辦理完竣。如原估之秀思亦有妥實擔保，確認能負此項工程完全之責任，經該局核定聘用時，其辦事權限仍照此條辦理。但原有薪水仍請東三省督憲發給，該局不另開支。

第八條　原文詳正案

第九條　原文詳正案

案：此條内載抽收洋土貨捐各節，經周道與海關税務司審議：『土貨加捐比較洋貨實溢一倍或兩倍，然例諸正税所收準以值千抽一，則洋土貨均在八成上下，無甚出入。推原其故，此項加捐係基於正税，平日新關正税洋貨實重於土貨，故此次附收土貨乃重於洋貨，通盤扯算仍屬平均』等語。袁道簽註：『加捐理由係爲洋土貨兩項扯平起見，殊不知土貨有釐金之煩重，兼以交通不便，諸多困滯。今加一倍或兩倍，在商人不知其中曲折，祇覺數目之懸殊，不免懷疑觀望，仍多窒礙，應請酌改，方爲公允。』又案此條内載免税官物一節，周道原議：『凡中國官家貨物均爲特别免税品，各領尚無異詞，惟日本領事以爲中國官物既應免抽，則日本官有物亦應援照豁免。凡滿洲駐屯日軍及南滿鐵路所需物料，均須照免。迭次爭執堅持，迄未解決。嗣經外務部與駐京各公使會議，英使調停其間，謂金銀賑米尚可免加，其餘應認加税，則日本當無異議。』袁道核議：『原章官物免捐係專指金銀賑米及官鹽、軍裝、軍火、貢品等項而言，官物例免正税，乃於附加之税轉不能免，恐執行時必多窒礙，自應逐項聲明，再向日領切實磋議』等語。

第十條　原文詳正案

第十一條（原文）查遼河上游通阻，關係營口商務盛衰，下游及海口等處既定修濬辦法，其上游亦應一併修濬，俾尋常河船於開凍時通行無阻，業蒙中國政府允准並准由營口海關税款項下撥大洋二十萬元，爲開辦經費。另由鈔關加收各項貨捐、船噸捐，亦係預備此項上游工程之用。加捐數目列左：

進出口貨物每百兩，税銀收五兩；

航海帆船進口，每次每噸收銀一分。

修濬遼河上游工程應歸中國政府自行管理，概與現在設立之工程局毫無關涉，應由營口海關道或督憲派員全權專辦。

案：此條正案移於附條之内，文字亦多修正，故詳載之。

又案：袁道簽註亦稱此條係指遼河上游爲中國自

行舉辦之事，與海口工款不同，似無庸列入此項章程之內，應即剔出，以清界限。

第十二條（原文）新關代收一切捐款，儘撥歸第六條內載工程之用，鈔關代收一切捐款儘撥歸修濬遼河上游工程之用，以上兩項工程應同時開辦，均由該總工程司一手經理，以期一氣進行。

案：此條正案作第十一條，文字亦多修正，將末二句删去，同時開辦句移見附條。

第十三條　正案作第十二條

案：此條有抵押借款須由東三省督憲擔保等語。

周道簽註：借款既有抵押，本可無庸擔保，惟各領以一經擔保，借息或可從減，且冷家口工程借款係由督憲擔保，故擬援案辦理。

第十四條　正案作第十三條

第十五條　（原文）所有海口一切工程，每月由總工程司報局一次，以便稽查。

案：此條正案從删。

第十六條　正案作第十四條

第十七條　正案作第十五條

案：此條有漢、英文解釋之爭論，以無關緊要，正案仍以英文爲準。

又案：袁道核議：『修正章程草案，擬將標題之「遼河海口等處工程局」改爲「牛莊海口工程局」以符名義』，並將第十二條新鈔關代收一切捐款數語併入第十一條之後，其末尾兩項工程同時開辦，及工程司一手經理數語則擬删除，俾期了當。並經開列簽註，各條一併照會領袖領事暨海關税務司查照。去後，准税務司勞達爾覆稱：『加收税款一節，經前任柯税務司開具説帖敘明：進口洋貨係按新定增至切實值百抽五之税則徵收，故定以每百兩税銀收二兩，進口土貨若按估價收税者，亦係每百兩税銀收二兩，如按税則徵税者，因係照舊定税則徵收較少，是以每百兩税銀定爲收四兩，所議極爲平允。第七條聘用秀思爲總工程司一節，因修濬遼河，應請督憲派爲兼充遼河總工程司以資熟手，其一切工程繪圖、估價呈由該局核准，然後動工。條內既經聲叙明晰，似可無庸疑慮。第十一條上游工程一節，本税務司意見修濬遼河上下游均應同時開辦，雖上游定爲中國政府自行管理，若下游及海口等處業已修理，而上游尚未開辦，不惟於事無益，即各領事亦屬不允。是十二條内擬删數語未便删除，亦無庸將此條加入十一條。全權專辦之下至標名一節，係因下游及海口等處與上游同屬一河，故原定爲「遼河工程局」，且此項章程曾經各國領事官畫押爲據，總當按照原定辦法爲宜』等語。復經袁道與各領事開會協議，其會議之結果具載呈文，茲將原呈附録於後：

爲呈請事案，奉札發修濬遼河章程暨簽註各條，飭令分别核辦、報查等因，當經照會各國領事官暨本關税務司

查照在案，旋與各領事逐條會議，仍擬按照原章辦理。經職道再三辯論，乃按照簽註各條要求增易。如第一條該局名稱，擬改爲『營口遼河海口工程局』。第七條此項工程既由秀思估過，如果確能勝任，擬先儘秀思承辦，即可領原有薪水，不另開支，工款較省；如其不能擔負，再另聘相當之人。第十一條上下游工程雖係各款、各事，然於全河有密切關係，仍應按照原文同時開辦，但將『由工程司一手經理』兩句從刪。查其所增易之處，於事權尚無妨礙，似屬可行。第九條加捐各節，據税務司開具説帖前來，反復推求此項捐率，本以貨物價值爲本位，無論土貨、洋貨均係值千抽一，名爲一釐捐；不過因實行之時必須按照貨物逐件估價，照價抽收，手續太繁，始以税銀爲代數。原期簡便易行，惟洋貨税銀多出於估價，土貨税銀多由於則例，輕重懸殊。此項捐率則一以價值爲準，無所區分。既係照税抽收，表面上遂覺土貨倍於洋貨，實則兩相比較尚屬平允。事關公益，該領事團均照全章核准及早開辦，似未便再事蹉延。除官物免税一節仍照商日領極力磋商外，茲按照簽註及此次增易各條編入正文，呈請鑒核，分咨外務部税務處與各國駐使商定，以便頒布施行，云云。

修正章程草案繁複若此，袁道最後之討論已在宣統三年十二月間，旋即宣布共和。民國初建，未遑顧及，延至上年六七月間，政府始籌議此事；而英公使亦屢以爲言，由外交部提出前項章程與駐京使團重行開議，並派員蒞奉會商省公署，特咨送理由書以爲商論章程之佐證。蓋以下游工程局係中外官商合組，洋員多而華員少，已失主體之平；而原章規定上下游同時開辦，亦足使下游工程得有牽掣上游之勢，實則上游尚未籌有大宗的款；而四屬反對堵口，關係人民生命財產，亦甚重要，若必同時大舉，誠恐障礙滋多，又慮奉省財力一時不逮，致啓責言，至聘用工程司一層，袁道議之已詳，一經載在章程，則用人之權亦恐未能自由操縱。種種問題不厭求詳，迭經電部核辦，部意以修正章程專爲下游工程而設，業已展緩多年，未便再事紛更，致滋延擱。本部現已核准，照覆使團。至上游工程雖多障礙，然爲地方興利，尚望毅力破除，需款請商財政部籌撥，或鈔關加捐抵借款項，有自主之權，無待使團同意。工程司秀思兼辦遼工，載在章程，該章程經本部照會使團作准，未能遽行翻譯等語，此訂立現行章程正案之大略也。

惟查前項章程第七條經袁道黏簽另擬，此次所訂正章則仍照草案原文，其餘間有增易列入附條者，大致則仍以周道任内原定草案爲準。其官物免捐一條，已由部商允日使照行。此章程於三年七月核定，已奉税務處飭令總税務司轉知本關税務司，於八月二十三日將新鈔兩關徵收船貨捐款，一律實行開辦。茲將外交部核定章程正案附後。

附：修濬遼河海口等處工程局章程（外交部核定）

此項章程係由營口海關道爲東三省督憲代表，駐營各國領事爲各本國政府代表，會同擬訂，仍俟呈由各該管上憲核准方能實行。

（一）營口遼河工程局以後簡稱該局以辦理後列第六條所載各項工程爲專責，該局須俟工程告竣及因此工程之借款清還後方能裁撤。

（二）該局應任人員列後

（甲）營口海關道爲督辦。

（乙）營口海關税務司爲會辦兼充書記官。

（丙）駐營各國領事官爲局員。

（丁）營口西洋總商會公舉代表一人爲局員。

（戊）營口日本總商會公舉代表一人爲局員。

（己）營口華商總會公舉代表一人爲局員。

（三）該局應設一辦事處，以後列三員爲辦事員。

（甲）營口海關道爲督辦。

（乙）營口海關税務司爲會辦兼充書記官。

（丙）由駐營各國領事於西、東、中總商會中，各公舉一人爲辦事員，以一年爲期，如期内因事告退，即另舉接充。該局應設一會議處，除辦事處督會辦外，均爲議員。凡有該局應議事項，無論何時辦事、會議兩處均可邀開臨時總會。如議件彼此票數相同，即以督辦所定棄取爲決，但各員須親自到會，他人無代投之權。

（四）該局辦事處按照後列第六條，有核定管理工程各項事宜及用人之權，並收支修濬款項。所有擬辦工程先須報告該局，且將抽收進出口貨捐及船噸捐向銀行抵押借款，以備此項工程之用，皆歸辦事處經理。辦事、會議兩處人員關於訂立一切借款合同及按照局章辦理各事，本係公事公辦，自與各該員個人無干。

（五）該局會議處各員係屬營口各行商代表，有維持商務利益之責，如見有事件辦理不合者，儘可將見到理由向辦事處聲明一切，以便商酌辦理。凡有該處會議之件，議員至少須到五人方能開會，作爲有效。所議各件，照章投票。如有票數相等，即以臨時公舉之議長所定棄取爲決，各員須親自到會，他人不得代其投票。倘會議處向辦事處詢問已未辦理事件，無論何時須詳細逐層答復。

（六）該局所辦工程按章應照後列兩條辦理。

（甲）挖深海口攔江沙，並疏通自河口至内港航路，堵塞河口附近帆船路徑之河流。

（乙）保護附近京奉鐵路車站間於鴨島内港、下界兩處之狹地，免致有衝塌之虞。

（七）東三省督憲贊成所原聘總工程司派爲兼充該局總工程司。爲辦此項工程起見，其薪水全由督院發給。該總工程司須將一切工程詳細繪圖，估價呈由該局核准，

然後動工。其應用人等，由總工程司稟明該局方能僱用，按月將所辦工程進行如何，須呈報該局。如以後該總工程司因公他調，無論久暫或因自退，均由督憲備就薪費，另聘一資格相當之總工程司接辦，以期將此項工程辦理完竣，免致半途停止。至其辦事權限前後無異。

（八）凡有承辦工程所需各項機器物料等，必須招商公同投票，以價相宜者爲合格，但不必限取其價之最低者。至應用何種挖泥機器，總工程司於未招商投票之前，須將詳細形式呈送該局核閱。所有薪工及經常各費，辦事處有權可以隨時開支。此外，遇有應需工料價在三千兩以内者，可以無庸投票；如有機器物料等認爲無用於此項工程及將來歲修者，亦可隨時按最善之價售脱，其價銀如數列收該局款内。

（九）此項工程所需各款皆出自新關加收進出口洋土貨捐及華洋船噸捐，加捐數目如左：

進口洋貨每百兩税銀收二兩。

進口土貨按税則收正税者，每百兩税銀收四兩；復進口半税者，每百兩税銀收八兩；按估價收正税者，每百兩税銀收二兩；復進口半税者，每百兩税銀收四兩。

出口土貨按税則收税者，每百兩税銀收四兩；按估價收税者，每百兩税銀收二兩。

免税進出口各貨按價值每千兩收一兩。

外洋或他口輪船進口者，每次每噸收二分五釐。

内港輪船進口者，每次每噸收一分。

原貨復出口概不加捐，惟該貨進口時已抽之加捐概不發還。

凡有貨物進口持有免照者，應按發給免照原口所納税銀，每百兩收二兩。

所有免税貨物，如金銀、官鹽、官用軍火、軍裝、賑糧、官米、貢品及所有官物領有專照者，均不抽捐。

（十）第九條所收捐款，應俟此項章程呈請各該管上憲核准，三十天後實行。收捐以收至第六條内載工程所需之與銀行借款儘數還清爲止。

（十一）新關代收一切捐款，儘撥歸第六條内載工程之用。鈔關代收一切捐款，儘撥歸修濬及歲修遼河上游臨時與常年工程之用。

（十二）此項章程核准後即將新關代收捐款，向中國或外國最合宜之銀行抵押借款，俾得興工有資。此項借款由辦事處經理，然須呈由東三省督憲核准擔保方能訂立合同。此項工程業由總工程司秀思約估需大洋五十八萬二千餘元，自應寬爲籌備，兹擬借款以大洋六十萬元爲限，如逾此數，必須該局辦事、會議兩處各員多數認可方能續借。此項借款專備指定工程之需，不得移作別用。

（十三）所有抽收税捐、船噸捐進款，該局自應存儲一銀行或數銀行。惟應存某行應由辦事處酌定。其支發各款由税務司妥慎經理。一切進出賬目必須詳細登記，以

便局員等隨時稽查所支各款。如有應用銀行支票，須先由税務司簽字後，送與督辦復加簽字，然後發給領取，以昭慎重。各項單據均由總工程司核對無訛，簽字爲憑，方能支發。若有用款未經核准者，惟總工程司是問。各項賬目須於西歷每年十二月三十一號結算，務於三月三十一號以前，將上年收支數目刊佈一次，並分送局員等各一份，以備查考。

（十四）新關代收捐款所用司賬人等薪費，統由該局支發至如何辦理應由該局會商駐京税務司核定。

（十五）此項章程備就漢文、英文各一分，嗣後如有文詞辨論之處，應以英文作爲正義。

附條

修濬遼河上游與營口貿易之興旺，此事中國政府甚以爲然，因明列下之事爲本政府權限所及，是以應允與本章程第六條所云遼河下游工程同時興工舉辦。其兩項工程開列如下：

（甲）遼河上游雙台子地方岔河之水應經理蓄放。

（乙）修濬遼江㈠上游。

辦此工程應將中國政府所撥洋銀二十萬元作爲開辦經費，另由鈔關加收各項貨捐、船噸捐，亦係預備此項上游工程之用。

加捐數目列左：

進出口貨物每百兩税銀收五兩。

航海帆船進口，每次每噸收一分，該船噸數應照鈔關所收船鈔噸數核算。

又附條

查前七條內，東三省督憲贊成所原聘總工程司派爲兼充該局總工程司，其所有薪水仍係督院發給，云云。刻下中國官長與營口領事團彼此商定，將現充差東三省督憲之總工程司秀思兼派爲該局所擬各工之工程司。

倘將來秀思不當東三省大憲總工程司之差，則該局兼差一併免去，嗣後另選他人充當該局總工程司之差，由該局自行經理。

㈠江　應爲『河』。

後編

目次

籌辦濬遼計劃緒言

修濬遼河議案自營商建議以來，至修正章程核准施行之日，實爲本案之一大結束。其間更歷多故，旋舉旋輟，一由濬河經費尚無確定，二由四屬反對懸案未決，三由時局不靖，政體變更。綜此諸因，故遼河工程前此尚在籌劃時期，而未入於實行時期。自上年六月，外交部呈奉大總統批令，趕速興修，以利航運等因，七月復准。部咨交修正遼河海口工程局章程，知照開辦。當經省公署查照章程第二條甲項，委派山海關監督沈致堅爲督辦，並以遼瀋道現駐營口所轄遼河流域地面較廣，其上游工程即委道尹榮厚辦理。旋准外交部咨開英使詢問遼河海口工程是否由道尹督辦，並請上下游均歸一人主辦，以期劃一。十一月，復奉省飭改委榮厚督辦下游工程，兼籌辦上游事宜等因，奉命之下，悚惕交并，伏念兹事體大，既已躬預斯役，曷敢告勞，惟有黽勉圖維，用副職任。惟遼河經營於今八載，案牘叢雜，理緒紛如，竊以爲不溯論從前之沿革，無以覘現在之情形，不推究已往之闕遺，無以定方來之策劃。是以受事以來，先從調查卷宗、纂輯、報告入手，編次完竣，乃就管見條其得失，約舉四端試縷晰陳之：

一、無完全之規劃也。遼河爲東省天然流域，利害關

繫前編報告論之已詳，則濬遼問題當觀爲一種保全利權、展拓交通之絶大計劃，不僅以區區航運商務之盛衰爲前提。蓋自鐵路侵略之政策行，我之土地主權損失固已久矣。今不謀所以，高掌遠蹠，徒支支節〔節〕〔一〕以爲之宜，其苟簡補苴，無裨宏旨。查濬遼原議起海口至通江爲止，而由通江至遼源縣一段一百八十里，則從未議及，或謂此段河路久難通航，不知東西遼河合流之三江口水勢盛大，自此下達通江，上達遼源，昔原通行，不過積淤稍多，帆船不常行駛，以致無人注意。觀於宣統三年，扎薩克圖鎮國公兩蒙旗之變，曾由新民之巨流河運載兵隊以至遼源，則航路通行足爲明証。今但議以通江爲止，則全河首尾不能貫澈，即與平行綫之鐵路競爭目的不能達到，終爲缺憾。此規劃之宜亟定者一。

一、無施工之程序也。濬河之議始於營商，當時營埠輿論一致，謂不堵冷口，則河流旁趨，終難順軌，而秀思原定計劃亦係先從冷家口地點築堤建閘，蓄住遼河水量，增漲四尺，藉供航運。卒因四屬人民群相反對，屢起風潮，遂致停工。夫遼河淤淺，係受雙台子岔流之害，應加裁制，固無疑義。但河身淤墊日高，若未先行挑挖，即言堵塞，誠恐岔流之水一旦併歸正流，河身淺隘，不能容蓄，則泛濫横決，亦非必無之事。四屬抗議尚非絶無意識之言，乃當時計不及此，遽事堵築，以致功隳垂成，十萬鉅款幾同虚擲。程序不慎，無可諱言。上年，省署咨商全國水利局，借派工程司方維因、技正楊豹靈來遼勘察，曾首以此問題相質證，據方維因報告謂雙台子河無堵塞之必要，緣遼河淤淺，全由灣曲太多、水流過緩所致。若能裁灣截曲，並將河身一律浚渫使深，則水行暢急，直向下趨，分流岔河不久即見淤塞，不堵自堵。果如該工程司之言，將大受四屬人民之歡迎，困難問題固可涣然冰釋，即使所言未能盡合，然若先修河而後堵口，俾河能受水不虞潰決，則亦無反對之可言。由斯以談，冷口工程應如何修築尚爲第二義，而河身淤曲先宜著手施工實爲第一義。此程序之宜亟定者二。

一、無正確之預算也。上游工款原有部撥之二十萬元，按照秀思原估應購挖泥機器船兩具，需洋十四萬五千餘元，合之歲修二萬八千元，總計不過十七萬元，餘留爲開辦之費。嗣以原估之挖泥船不甚合用，擬改購新、舊式船各一隻，共需洋二十萬元，是原撥之款僅足敷購船一項之用。其開辦及歲修各費應需若干，及如何支配並無詳細數目。查運用挖泥機器船所有動作費最爲鉅宗，斷非區區歲修之費所能概括，且全河延長九百餘里，沿途淺灘多至一百六十餘處，以至裁灣截曲及沿河堤岸擇要培護，一切工程需款尤極浩繁，而當日皆未議及。雖數年以來，

〔一〕『節』字疑衍。

濬遼問題喧盈於耳，究應籌款若干始足敷用，實無一定範圍。現屆實行時期，自非有詳明之預算，無以爲籌備之標準。此預算之宜亟定者三。

一、無精詳之測繪也。凡工程計劃必根據於測量，無測量即無計劃之可言。從前，濬遼工程於測量一事殊不完備，如水平圖及平面、斷面各圖均無繪本。現存遼河圖一張，據秀思言尚係得諸俄人之手，該圖歷年已久，河形不免變遷，恐亦未能作爲依據。查測量之規定，不外河身之淺深、河面之寬狹、河形之灣直三者爲其要素。前既未經測量，故對於全河規劃，何處應挖深若干？何處應挖寬若干？以及何處裁灣？何處截曲？並無詳細圖説。足以証明雖秀思在事多年，熟悉情形亦祇能言其大概；至於工程作法，終須俟詳測成圖後，方有真確之根據。此測繪之宜亟定者四。

綜上四端，鏡前事之缺失，即可規今後之進行，蓋措施之方不外乎是矣。榮厚數月以來於此籌備期内，與工程司秀思博議周諮，悉心籌度，所預定爲計劃者，提綱櫛目都爲五項，謹按次其序臚陳於後：

（一）設立籌備處之計劃

遼河上游工程重要，所有籌備事宜端緒綦繁，既與下游劃分權限，勢不能合併辦理，自非另組機關，添用人員不足以策進行。惟現當籌備時期，似不必特立專局致涉鋪張，擬先行設一修濬遼河籌備處，酌用委員一人隨同規劃。關於編輯報告、造具預算等事，並以責成佐理另用僱員二人，以供繕寫所需，薪費當屬有限，即於遼河船捐項下暫行開支。一俟測繪開手後，再將籌備處名目取消，改設工程局，另行組織，以期款無虛糜，事歸有濟。前經詳請核准在案，現已妥籌辦理。惟查上年七月，奉飭委榮厚總辦籌辦濬遼事宜，將來改設專局時，應否照下游工程局督辦名稱改歸一律之處，仍乞批示遵行。

（二）測繪之計劃

凡辦一工程，其辦法之程序第一步即爲測量。前即展轉遷延，未曾從事實測，亦無精審之平面、剖面、水平各圖。此次著手施工，應俟春融冰泮，即將測量事宜及時辦理。據工程司秀思聲稱，測量辦法擬分三段：自營口至唐家窩鋪爲一段；自唐家窩鋪至通江爲一段；自通江至遼源爲一段。應用測繪器具尤須趕爲購辦，以免貽誤要工。擬請購置煤油汽船一隻，估值銀一萬兩；緣原有小電汽舢板不能容載多人，若乘坐帆船費時更久，此項汽船行駛快捷，且可備員役人等夜間棲息，便利較多，將來事竣開工，即以爲往來督工之用。又應購各項測量儀器，共需銀九百零八兩三錢二分，開單估價前來，查上項儀器船隻均係測量要需，擬即由原撥購船經費暨遼河船捐現存項下照數湊撥，將來再歸入預算，一併開列。至測繪員

役，據稱擬分三隊，每隊應用測繪員一人、副手二人、試水學生及夫役等共十一名，並聲明測繪員係屬正手，應由該工程司察看資格相當之人，請加委用，其副手各員可商由測繪學堂畢業生遴選派充，一藉資實地練習，一俾得從速蕆功，似屬不無裨益。但此時尚無商派之必要，應俟届開辦時，再行詳請核奪辦理。

（三）工程之計劃

遼河工程查照秀思初次計劃分作三段：一海口及鴨島工程、一冷家口工程、一營口至通江工程。今海口及鴨島已劃歸下游完全辦理，其冷家口一段，則擬移在濬河工程之後。是從前程序全已變更，自應將上游計劃重行規定。至河身修濬之法，秀思原估亦未確定。據水利局工程司方維因報告，則主張用荷蘭式，其法築與岸綫平行之水楗兩道，其築楗地點當與兩岸距離六尺之水綫作平行而展長，至水勢深曲處爲止；楗之高度約得潮漲之半，楗身物料則以沉柴與石爲之。此項築法想係爲箝束水流，使向中行衝刷有力，永免積淤之故；然中間仍須濬深，不能因已築水楗，即可利用水力自然衝刷。是於築楗之外，並須加濬渫工程，未免過於繁鉅。其建築費用雖未據估計，而以築法卜之，似非現時財力所能辦到。迭與秀思詳加商論籌議辦法，固當以發展交通、企圖久大爲旨，而亦以節省糜耗、切近易行爲歸。兹將擬定計劃分列如左：

（甲）工程地點自營口起迄遼源止。遼河南起營口，北迄遼源，延長幾及千里，澈上澈下，首尾貫通，與南滿鐵路相並而行，其爲關繫無待贅論。昔時建議開濬至通江爲止者，其意專注重於商業方面，而其他方面未遑計及，不知開至遼源與開至通江之比較，利益之大，未可同日而語。蓋遼源一縣近年已開蒙荒，有采和新甸即雙山縣、巴林愛新及洮遼站荒等處，實包有四縣之區域，産糧豐富，大非昔比；惟因交通不便，民間穀産須用大車，取道昌圖，轉載鐵路，方能出口；若河道暢行，不獨附近屯墾可期發達，即瀕河貿易益資流通，則通江以下商務繁盛，更可操券；而由此上至洮南，中間距離約三百餘里，交通若便，不難漸次開闢，則將來洮昌一屬未始不蒙其樂利，且展修至遼源後，異日即可溯東遼河舊道，旁趨懷德，以爲溝通松、遼之張本。通盤籌劃工程終點，自應以遼源爲宜，秀思意見亦極贊同。據稱，現定計劃擬自營口起分爲三段，每段約三百三十里，逐次興修。其間通江至遼源增加工程只一百八十餘里，尚不及三分之一，勞費當屬有限，而利益倍之，推廣航路洵爲要舉。

（乙）全河工程擬挖深十尺、寬一百尺。從前計劃於全河工程應挖深若干尺、寬若干尺，並無規定。近始詢，據秀思聲稱，擬就原有河身挖深四尺，其寬狹則隨其舊形，不定尺度。至質其辦法效果若何，則祇能行吃

水三尺餘之通常船隻。其滿載大船約重二十噸，須吃水四尺至四尺半者，即嫌費力，就使通行，而風檣順逆無定，亦不免因之遲滯。營埠貨物行市漲落，旦夕數變，遲速所關，自非細故，若因不能滿載而於運費有虧，人亦何樂舍陸而舟，不求便利？詳加研究此法，殊未妥善，因與秀思一再考量，擬改爲挖深十尺、寬一百尺，俾載重大船可以暢行，並可創設小輪公司拖帶往來，藉期迅捷，開行一次不過需二三日程，實於航業商務皆受莫大之利。惟查尋常小輪吃水均深六尺，而原河水量平均約在四尺半至五尺之間，淤淺處尚不及尺，非河水漲發時不能通過。故欲行駛小輪必以挖深十尺爲宜。至需用款項，挖深十尺原應較挖深四尺爲多，然據秀思籌劃，亦有可設法縮減之處，將於下節購船事項內詳言之。尤有一節須提出聲明者，蓋挖深四尺水量既淺，其水流衝刷之力亦弱，若不時加修濬，不數年間又必淤塞如舊。已用之款不啻等於虛擲，所損益鉅。如挖深十尺、寬一百尺，不獨可免此弊，且全河工竣以後，歲修經費必可減少，是目前增加有限，而日後節省無窮。以此比較，故宜從加深、加寬辦法較爲完善。

（丙）擬購置帶有刈割機並裝置噴泥鐵管之新式挖泥大船一隻，以供工作之用。關於工程之挖泥機器船新舊式樣種類甚多，應施何項工作，即應用何種船隻，工程作法或有更變，則需購船隻因之不同，而購置價格亦因之互異，此一定之理也。前此原估工程並未主張何項作法，但擬購自動之挖泥船一隻、不自動之挖泥船一隻，本不敷用。近來著手籌備，始與秀思討論，初擬挖深四尺需購置挖泥船三隻，均係自能行動者。據開具估單，連裝置零件及運輸費一切在內，每隻估價英金一萬八千零九十五磅，每磅按時價八兩二錢五分，折合計需銀十四萬九千二百餘兩，三隻共合需銀四十四萬七千八百餘兩。此外，須置買煤油大汽船一隻，又水手臥船、舢板各三隻，及浮管水標等件，約需銀一萬五千四百餘兩；又以現在歐戰加劇，諸物騰貴，寬籌加費二成，共需銀五十五萬五千九百餘兩，此挖深四尺購置船隻之估價也。及擬改挖深十尺，初以爲費必更昂，未敢決定，經與秀思商議，據稱如挖深十尺，前估挖泥船三隻，每隻每小時祇可挖泥三百立方碼，不能適用，須改購大船一隻，帶有刈割機，並裝置噴泥鐵管者，以價格論，若購置此項船隻，需英金九萬七千餘磅，自屬昂貴。惟近日西報登載標格，印度傍貝海港有此種挖泥大船出售，以歷用四年貶價三分之二計，值英金三萬七千磅[一]，除機器零件需修理費二千磅外，餘均完備，毫無損壞；由傍貝運至營口約加運費三千磅，共計需英金三萬二千磅，折合銀二十六萬四千兩。若能與下游合

[一] 三萬七千磅　根據文中計算應爲『二萬七千磅』。

購，先儘上游工作，需費更少，且購一大挖泥船則應置之水手臥船、舢板等項皆可從省等語。查大連海港所置之大挖泥船，聞其價值亦在七十餘萬兩，則秀思所言傍貝船價尚非過昂。嗣經下游工程局亦贊成合購，並可先儘上游應用，則此項船價兩局分擔衹需銀十三萬二千兩，核與舊撥購船費二十萬元之數亦適相符，似可照准辦理。惟此項船價既與下游合購，一經議定即須分期撥給，應請與開辦費一併籌備，以重要工。

（丁）估算挖泥大船晝夜施工之動作費。工程費用除購船一項外，以動作費爲最鉅。據秀思聲稱：『欲知動作費之多少，當先明挖泥船之作用，現議購之大船照每小時挖泥二千立方碼合算，每晝夜作十六小時，可挖三萬二千立方碼，每年作工二百四十日，共可挖七百六十八萬立方碼；如照每小時挖泥二千七百立方碼合算，每晝夜可挖四萬三千二百立方碼，每年共可挖一千零三十六萬八千立方碼。緣該船定造時每小時原定挖泥二千立方碼，及歸傍貝使用尚能加挖至二千七百立方碼。遼河水淺，工作較易，當可超過二千立方碼以上。以此核算，全船動作費連薪工、煤觔一切在內，每挖一立方碼通計需大洋八分，每年照所得八百萬立方碼合算，通共需洋六十四萬元，而其工程則可達五十英里至七十英里之遥。又按全河工程若僅日間施工八小時或十小時計，非八九年不能告成，如晝夜輪班工作，需用員役雖覺增多，然約計由營口開至通江三年當可蕆功（係自實行開工之日計算）。通江至遼源一段雖未曾查勘，然照現議計劃而論，果屬毫無阻礙，再延長一年半亦可完全告竣。今開預算表中動作時期定爲七年者，係恐有意外阻滯，不能不加寬期限』等語。惟查動作費每一立方碼通扯以大洋八分計，似嫌稍多。聞美國巴拿馬運河每一立方碼通費美金五分，上海黄浦工程通費銀二分五釐至三分之譜，奉省物價固遠遜美洲，亦不能超過上海。依此比例，則所估八分應可從減，已飭秀思開具估單，分別詳列細數。現據秀思再從節省估計，每年動作費減爲三十三萬一千七百七十六元尚屬核實，應就所擬估單列入預算辦理。

（戊）裁彎取直之辦法。遼河水流不暢，迴溜積沙，日就淤塞；而河身彎曲亦其受病原因。秀思初次查勘報告距今已閲七年，其得諸俄人之地圖，歷時更遠，未足資爲依據。最近水利局工程司方維因查勘，由三岔河至營口大灣已有六處：三岔河迤南爲第一灣，韓莊河爲第二灣，蘭家屯爲第三灣，馬家坟爲第四灣，小勞家溝爲第五灣，鴨島爲第六灣；又謂三岔河至田莊台一段，徑取直綫，實長十五里，而河之灣曲處約有五十五里；若裁灣截曲，則河身長度可減去四十里之多。據此情形，應就其最障礙之處擇要施工，自不可緩。詢據秀思意見，亦謂營口至三岔河有大灣七處必須溝通；其三岔河以上有類

此者亦宜修整，但非必定取直綫，不過隨灣順勢，令河流暢遂爲止。如購到挖泥大船，於挑挖此項工程甚爲容易，且可省費。至需用之款，照秀思估單，已於動作費項下賅括在内，無庸另行籌給，應俟測繪成圖後，指明地點即可順次開辦。

（己）冷家口工程之辦法。自擬定挖深十尺之議，秀思極爲贊成，且謂於冷口工程大有裨益。緣向來水患皆由正河淤墊，水無所歸，每致横溢。若河身寬深，直趨順流，則此患已排除八九，四屬人民所深憂大慮者已可釋然。況先從濬河著手，則河流情形昭著耳目，利害瞭如，更無所庸其反對。惟雙台子農田向資灌溉，且資飲料不免稍形失望。蓋正河既深，則旁趨之勢必殺，即不加堵築，而該處水利漸薄，亦事實上所不能解免爲之。兼籌並顧，仍不外建設相當之水閘，俾得啓閘分流，隨時宣洩，該處人民苟稍知事，理當可曉，然於公家用意至爲周愜，不致妄生疑阻。如以不能行船爲慮，則秀思尚擬得一法：係由沙嶺地方開通短水道一條，引遼河之水直達雙台子河，於其兩端修造水閘，俾雙台子得與正河交通，並可輸入河水，以供溉田飲料之用。此水道不過二十五里至三十里，用款無多，施工亦易，惟上項建閘或溝通短水道工程，似須於營口修至冷家口時，即行興工，不能緩至全河修竣以後。將來如何辦理，應俟届時察看情形再行核定。

（四）籌款之計劃

籌款之多寡當視用款爲標準，則預算數目宜先説明。查濬遼上游工款，秀思原估已詳。前編初次計劃中，自實行開辦重加覆估，據第一次估單購自動挖泥船三隻，並煤油船、民船、舢板三項估銀五十五萬五千九百餘兩，加入動作費估銀四十萬兩，共計銀九十五萬五千九百餘兩，約合洋一百三十三萬餘元，以上所列係照開至通江，挖深四尺估算。及改擬挖深十尺、寬百尺，並開至遼源之計劃，據第二次估單需購大挖泥船一隻，連動作費共估洋二百四十三萬五千七百餘元。驟聆之，鮮不駭爲過鉅。然非現在之鉅，實誤於從前之少，其謬誤原因有可指證者：一、由於原估之荒率。初次計劃於挖深、挖寬、裁灣、截曲諸項作法漫無主張，所購挖泥機器又皆普通舊式，施於此項鉅大工程，殊不合宜；一、由於原估之遺漏。初次預算僅列挖泥機器一項，而最大之動作費則未提及，其他測量及一切工程費用，亦未聲叙，漏略太多。因此二誤，故初估數目殊不足據。至現在第一次估單似較完備，然究其效用，尚不能通行小輪及載重大船，則得寸遺尺，毫無裨益。求其正當適合，爲一勞永逸之計，自非照最後辦法不可，且照此預算動作時期假定七年，若儘於四年半或五年以内趕速竣工，則此項費用尚可節省三十餘萬，比較第二次估算增加有限，而其功用不啻爲東省開闢一縱綫之

鐵路。苟欲築此路，雖十倍其費尚虞不足，勉力經營，詎曰非宜。茲將籌款大端分爲三項：曰清理舊款，曰本省籌款，曰中央協款。詳説如左：

（甲）清理舊款。查此項舊款，即從前部撥購船經費之二十萬元，合銀十四萬四千兩。其原案於前紀籌款始末文内，業經述及。該款經歷前任存、欠、借、墊，計分五項：一、存在大清銀行者十萬七千六百十五兩有零，自國體變更，該行改組中國銀行，作爲官存償還無日；一、存在志成信者，自該號倒閉後尚有尾欠三千五百三十三兩有零；一、營口縣士紳借用平糶尾欠三千一百三兩有零，尚未清繳；一、先今借墊本署經費二萬七千四百七十餘兩，前已請領，尚未發到。其實在現存者僅有官銀號三千餘兩一項而已。茲擬清理之法：對於大清銀行所欠之十萬七千六百十五兩有零，應先將前辦冷家口工程所借該行之款兩相劃抵。查上項借款原額小洋十萬元，除歷次由遼河船捐項下抵還外，計尚欠該行小洋六萬七千四百二十一元一角九分，合銀四萬六千一百五十餘兩。今若以之劃抵，則該行淨欠不過六萬一千餘兩，爲數既少，籌還較易，且就款抵款，各清各賬，以免彼此互有存欠，亦屬事理之順。此節應請咨明財政部，迅飭由大清銀行清理處照數撥還，以清案款。所有劃抵之數，將來應仍由遼河船捐收入項下陸續撥補。至借墊本署經費之二萬七千四百七十餘兩，應請飭下財政廳從速撥發，俾資歸墊。以上撥還、劃抵之數，合之現存之數仍得有十三萬數千兩可以濟用。惟營口縣士紳借用平糶之尾欠三千餘兩，以其中内容頗有糾葛，雖迭經催追，迄未繳清，目前恐不能指實。又志成信現已宣告破産，其尾欠之三千餘兩由法庭按股折成分配，將來虧折若干，如何辦法，容再另文請示。再，從前冷家口工程用款暨遼河船捐收入支出，擬截至上年十二月底止，查明造册，彙請核銷，以期結束。嗣後，關於濬遼用款，則一月一報，以清界限而便整理。

（乙）本省籌款。此次工程計劃既經變更，需費繁鉅。據工程司秀思現估預算，應需二百四十三萬五千七百餘元，而清理舊款又僅有此數，杯水車薪，其何能濟大宗？籌撥勢不能不仰望於中央。惟當此財政困難之秋，果使本省有款可籌，少分中央之擔負，以期協圖共濟，固屬題中應有之義，則就地籌款一層自不可不預爲計及。茲就管見所及，以爲本省可籌之款有三：一、丈放敖罕王旗地。原案曾據聲明於所收地價報效四成，以充軍餉，惟查軍餉係經常之款，歲有制額，此項報效僅一次而止，裨益餉糈究屬有限，不如移撥濬遼經費較爲合宜；一、官地清丈局將來收入必多，如於此中酌提數成可得一宗鉅款；一、自治存款雖奉部令專案另儲，不得動用，然修河本爲地方興利，亦自治範圍之一端，未始不可酌予提成，

以地方之存款辦地方之公益，名義並不相悖。以上三項是否可行？如何提撥？能得若干？暨此外有無别項可籌之款？非通盤酌劑不能確定辦法。應如何裁量撥給之處，擬請飭由財政廳妥籌議覆，以濟要工。

（丙）中央協款。上述本省籌款之意不過爲預謀補助起見，實則大宗款項仍須仰望中央之籌撥。查，上年外交部電省，本有需款請商財政部籌撥之語，是中央對於此項工款固已早經承認。復查前奉飭發中央調查員報告，所指革命賠償損失餘款一百三十六萬磅存儲銀行團一節，並經外交部允爲商請英使撥出若干，爲濬遼之用所未解決者，此舉應由財政部酌核辦理耳，惟念此項餘款將來既可歸還政府，此時若商明英使，先行提撥若干，辦此中外公益之工程，誠如原報告所稱，英使當表同情，且爲數原有一百三十六萬磅之多，只需於此中提出二十萬磅，即足敷用而有餘，自可無須另行設法，致有籌措爲難之慮。應請咨商外交、財政兩部，一力主持轉商提撥，俾此項巨要工程得以及早開辦，地方幸甚，東省幸甚！

遼河上游修濬經費預算表

項目＼年度	第一年 民國四年	第二年 民國五年	第三年 民國六年	第四年 民國七年	第五年 民國八年	第六年 民國九年	第七年 民國十年	總計
挖泥機器船購置費	三五二〇〇〇							三五二〇〇〇
煤油汽船購置費	一四〇〇〇							一四〇〇〇
挖泥機器船動作費		三三一七七六	三三一七七六	三三一七七六	三三一七七六	三三一七七六	一六五八八八	一八二四七六八
煤油汽船動作費	三七二〇	三七二〇	三七二〇	三七二〇	三七二〇	三七二〇	三七二〇	二六〇四〇

年度		測量儀器購置費	測量費	局員薪費	辦公費	堵口費	總計
第一年	民國四年	一二一一	六七九八·五	一三六八八	六〇〇〇		三九七四一七·五
第二年	民國五年	一〇〇		二三二八〇	六〇〇〇		三六四八七六
第三年	民國六年	一〇〇		二三二八〇	六〇〇〇	一五〇〇〇	三七九八七六
第四年	民國七年	一〇〇		二三二八〇	六〇〇〇		三六四八七六
第五年	民國八年	一〇〇		二三二八〇	六〇〇〇		三六四八七六
第六年	民國九年	一〇〇		二三二八〇	六〇〇〇		三六四八七六
第七年	民國十年	一〇〇		二三二八〇	六〇〇〇		一九八九八八
總計		一八一一	六七九八·五	一五三三六八	四二〇〇〇	一五〇〇〇	二四三五七八五·五

說明：

一、表内數目以元爲單位。

一、挖泥機器船購置費。此項機船現有與下游合購之議，如此則各認一半，祇需十七萬六千元，但必俟奉准後始可與下游定議，是以表内仍照原估之數列爲三十五萬二千元。

一、煤油汽船購置費。前文詳請購置此項汽船需銀一萬兩，係照原估之數，茲列爲一萬四千元，合與原估銀數尚無出入。

一、挖泥機器船動作費。此費每年係按八個月自開河起至封河止日夜工作計算，約用煤一萬五千三百六十噸每噸七元，需洋十萬七千五百二十元；船上水手人等薪工需洋九萬三千四百四十元； 修理費九萬三千四百四十元，棧房費及應用麻繩鐵鍊等一萬八千六百八十八元； 雜費及機器移動費（雜費一項所有裝卸機器及噴泥管費用包括在内）需洋一萬八千六百八十八元，合計每年三十三萬一千七百七十六元，適如表内之數。

一、煤油汽船動作費。此費每年亦按八個月計算自開河起至封河止，計小工船夫四名二名月二十元，二名月十五元，每月七十元，八個月五百六十元；煤油雜費每日需洋十元，八個月二千四百元； 又冬季酌留人工費需洋一百四十元，以上共三千一百元，另加一成預備修理費六百二十元，總共三千七百二十元，適如表内之數。

一、測量儀器購置費。前文詳請購置此項儀器需銀九百零八兩三錢二分，係照原估之數，茲列爲一千二百十一元。合與原估銀數尚無出入，在第一年全份購置需如上數，以後每年增補只需費一百元。

一、測量費。測量工程係自營口起，迄於遼源止，分爲三段。以三個月爲期，每段計用測量員一員，月薪一百八十元； 測量副手二員月薪六十元； 夫役五名，每月一百二十七元五角； 廚役一名，每月十八元； 舢板一隻，連同船夫，每月九十元； 試水學生一名，每月三十元； 紀録試水學生一名，每月三十元； 小工二名，每月五十一元，共五百八十六元五角，三個月共一千七百五十九元五角，三段共五千二百七十八元五角。外加三段零碎傢俱費用五百元，又加繪圖員三員，兩個月薪金一百八十元； 描圖員三員，兩個月薪金一百八十元； 繪圖紙等費三百元，總合六千七百九十八元五角，適如表内之數。

一、局員薪費。總辦係由道尹兼充，不另支薪。此外，計會辦一員，月薪三百元，每年三千六百元；　測繪員一員，月薪一百八十元，每年二千一百六十元；　翻譯員二員，月各一百四十元，每年三千三百六十元；　助手四員，月各一百元，每年共四千八百元；　文牘員一員，月薪一百四十元，每年一千六百八十元；　會計員二員，月各一百元，每年二千四百元；　庶務員一員，月薪一百元，每年一千二百元；　司庫二員，月各八十元，每年共一千九百二十元；　書記四名，月各二十元，每年共九百六十元；　雜役及更夫十名，月各十元，每年共一千二百元，以上總共每年二萬三千二百八十元。惟現在會辦一員係由葫蘆島開埠局總辦兼充，將來實行開工，必須有專員往來工次，隨時督率，俾策進行，此項薪水自應於第二年開工起由局開支；　又助手四員亦擬於第二年開工再行設置；　又第一年擬只設會計一員，以期節省，是以第一年只需一萬三千六百八十八元，以後每年則需二萬三千二百八十元。

一、辦公費。除筆墨紙張、郵電外，以川資及雜費爲大宗，表列每年六千元，係約計之數，將來如有不敷再請追加。

一、堵口費。係指冷家口工程而言，如何做法，詳見報告後編工程計劃篇内。

一、此項預算關於工程各費均根據工程司秀思估單，惟該工程司前辦葫蘆島工程所有決算往往超過預算甚巨，是以表内所列之數不敢謂其必確，將來如有不敷，應請准其追加，理合陳明。

附：道尹與工程司之問答

（一）關於遼河上游全河工程問題

道尹問：　原勘河工北迄通江子，南至營口，其間水路計八百餘里，凡淤淺處皆一律挑挖。至由通江子北迄遼源縣（即鄭家屯）可否接連挖通？以興内蒙航運，其水程約若干里？又，原案全河計劃係指南自營口北至通江子而言，今若加入通江子以北至遼源縣一段，應否合併計劃？抑將後加者提出另爲計劃？

工程司答：　原擬河工計劃係由營口至通江子，其間水程由可靠之圖測算，計華里八百十九里，通江子至遼源未計在内。其水程按圖測算計英里六十里，合華里一百八十里。此段工程亦可併入原擬河工計劃一同挑挖，但費用須照原估之數再加二成，時間須延長二年。内蒙物產豐富欲期發達，此航路誠不可少。

道尹問：　全河淤淺處原勘有一百六十二處，係三年前之勘查，現在又閲三年，其淤淺處是否加增？

工程司答：　全河淤淺處於六年前查勘一次，現在有無增減未敢遽答，約略言之無大差異。

道尹問：　全河不淤淺處水量深約若干尺？淺約若干尺？究竟深約佔多數？抑淺約佔多數？

工程司答：　原河水量平均言之，約由四尺半至五尺以外，尤有較深之處。但淤淺處除河水漲發外，不能漂載重民船，深淺相較，深處約佔多數。

道尹問：　全河不淤淺處，其水量能容載若干重之民船及小火輪之通行（如：營口三岔河本可行小火輪，三岔河以上不知有能通行處否）？

工程司答：　以營口所有之小火輪而論，不能駛過三岔河，至於民船滿載之時約重二十四噸，須吃水由四尺至

四尺半也。

道尹問：全河灣曲處約有若干？必須挑直溝通者約有若干？

工程司答：全河灣曲約有一百餘處，原議並未計劃挑直，由營口至三岔河之間有大灣七處必須溝通。如此，則水程可近十成之二，所謂挑直者並非一定取直綫，不過順勢取小灣而已。

道尹問：新式挖泥機器挖出泥沙噴洒兩岸，於農田有無妨礙？如果有礙，應如何設法以資救濟？

工程司答：挖泥機器噴出泥沙實與農田有益。在第一年，雖於近河所種之禾稼稍有損害，而此後不特泥沙變成肥料，有益於農田，且沿河之堤岸亦因之加高，大水之時河水不致漫溢，縱一時微有不便，而造成後來無窮利益。

道尹問：全河工程應否包作？抑應自作？兩者以何最爲合算？

工程司答：全河工程不應包作，因難收良好之結果。蓋全工大概可用一大力挖泥船而成，其機匠等當令晝段限期加工速作，按期而成者與以獎金，最屬善策。

（二）關於原議將河身挖深四尺之問題

道尹問：原議將河身挖深四尺係指淤淺處之深量而言，至橫寬尺寸應挖若干？抑不論寬窄，但就原有河面之尺寸而挑挖之？

工程司答：河內淤淺處擬挖寬至一百尺以上，兼有須挖寬與原河相等者。

道尹問：水深四尺普通民船可以通行，至重載民船及小火輪能否通行？

工程司答：水深四尺足通民船，然小火輪吃水約至六尺，不能通行。

道尹問：原議全河係分三段挖挑，其分段地點究在何處？現擬加入通江子至遼源縣一段是否包在三段之內？抑在三段以外另爲一段？

工程司答：原議全河至通江子擬分爲三段，今將遼源之段加入似可仍分三段，惟每段既加長六十里，則成工時期亦須延長三四閱月。其分段地點，於動工之先當細加查勘方能定準。約而言之，第一段由營口至唐家窩鋪，第二段由唐家窩鋪至巨流河（新民縣境），第三段由巨流河至通江子。若延長至鄭家屯，每段應往上多加六十里。

道尹問：挖深四尺應用挖泥機若干隻？

工程司答：前已開單，應用自行之挖泥機三隻。

道尹問：挖泥機購置及裝運費約需若干？

工程司答：前已開單，照挖泥機三隻，估計連裝運費在內應需銀四十四萬七千八百五十一兩二錢

五分。

道尹問：挖泥機之動作費約需若干？

工程司答：前已開單，照挖泥機三隻，估計每年共應需動作費六萬零六百九十六元。

道尹問：全河挖通約需若干時日？

工程司答：全河工程修至通江子約需三年，若延長至遼源則需四年或四年半。

道尹問：挖成四尺水量可得若干時期通行之利益？約至若干時期又將淤塞？

工程司答：四尺水量可能永遠保存，但須隨時碎[一]修重挖，否則又將淤塞如前也。

道尹問：每年歲修費約需若干？

工程司答：每年歲修約需一萬餘元，是即存留挖泥機一隻之動作費用。

道尹問：照原議挖深四尺，冷家口工程是否仍照原議辦法抑改壩爲閘？抑建閘於唐家窩鋪？

工程司答：若正河挖深四尺，冷家口壩工必須接修至於閘門，或安置壩旁，或修在遼河與雙台子河分岔處。正河淤淺既已挖通，河流較暢，沿支河之人民所懼河水泛溢一節自能減少，或可免去從前無理之抗議也。

道尹問：冷家口工程除修水壩、建提閘外，有無别項替代辦法？

工程司答：正河淤淺挖通，雙台子支河理當堵塞，但於漲水時若支河下游需水仍可令其分流。

道尹問：若有其他替代辦法，需費若干？

工程司答：若將支河堵塞，僅留一漲水時可以分流之小河，則所需當爲七萬五千元。

道尹問：冷家口工程照原議辦理，就已修成之滚水石壩，旁加堵塞仍需費若干？

工程司答：接修冷口滚水壩，並堵塞其旁之土壩，及修理兩岸使其堅固，仍須用洋二萬餘元。

道尹問：改修提閘，在冷家口需大洋二十三萬元，在唐家窩鋪需大洋二十一萬元，此兩數目能否減少？

工程司答：若先挖正河，而後將所擬之大閘修在唐家窩鋪，且將閘形改小，其用費可較原估省去一半。

道尹問：水深四尺，如遇大雨，衆水匯歸能否不致泛溢？

工程司答：雖全河挖深四尺，若遇雨多時期，泛(淤)〔溢〕仍所難免，因河水泛溢關於雨水之多少。遼河兩岸本多雨水之處，若同時上下游如前幾年者，然則全河雖已疏通，水患亦所難免。

[一] 碎　應爲『歲』。

（三）關於現議將河身挖深十尺之問題

道尹問：應需挖泥機幾隻？較原議多少？

工程司答：應需大力挖泥船一隻，較原議三隻力量爲大。

道尹問：挖泥機購置裝運費約需若干？較原議省費？

工程司答：所需之挖泥船一隻，以現時價格而論，若買新者每隻須英金九萬七千七百五十磅。所幸印度傍貝海港現有此項舊挖泥船出賣，計價英金二萬七千磅，當其原購此機時計費八萬五千磅，已在該港用過四年之久，成效卓著，除機器零件約需修理費二千磅外，餘者皆甚完備。由傍貝運至營口須費三千磅，共計英金三萬二千磅，每磅按八兩二錢五分合計二十六萬四千兩。原議小挖泥船三隻，當此歐戰加劇、諸物騰貴之際，必需銀五十九萬七千四百五十七兩。所以大挖泥船一隻較原議三隻可省三十三萬三千四百五十七兩。

道尹問：挖泥機動作費約需若干？較原議省費？

工程司答：願知動作費之多少，當先明二類挖泥船挖泥之比較，方能得其真相。原議挖泥船三隻，晝夜動作費連薪水、煤費及存棧費等在內，每年須洋十二萬二千九百零四元。以此數合算，則每小時可挖九百立方碼之泥，每天晝夜以十六小時計算，則可挖一萬四千四百立方碼；每年以二百四十日計算，則共挖三百四十五萬六千立方碼。若以現議之大機器船一隻，每晝夜亦作十六小時，可挖三萬二千至四萬三千二百立方碼，以每小時挖二千立方碼合算，則每年可挖七百六十八萬立方碼。如每小時照二千七百立方碼合算，則每年可挖一千零三十六萬八千立方碼。該挖泥船定造時，原定每小時挖泥二千立方碼，及歸傍貝實用每小時竟可挖至二千七百立方碼之多。遼河水淺，工作較易，所挖之數必能超過二千立方碼。大挖泥船之動作費，每挖泥一立方碼約需大洋八分，若每年挖泥以八百萬立方碼計算，則共需洋六十四萬元。一年期間，其長綫已可達五十英里至七十英里之遥，是即由營口起可至唐家窩鋪矣。由營口至唐家窩鋪原爲九十一英里，然如將大灣開通，路程定能縮短。以上所算之數係指全河身挖深十英尺、寬一百英尺，晝夜動作而論。

道尹問：全河挖通約需若干時期？較原議長短？

工程司答：照上節所答情形，如挖至唐家窩鋪則需時一年半；如挖至通江子則需時四年半；通江子至鄭家屯約用一年。該段情形從未查勘，是以未敢確實斷定，原議全河挖四尺之舊計劃，如至通江子祇需三年即可成功。若照現議之新計劃而論，其時間必須延長一年半。

道尹問：　挖成十尺水量可得若干時期之利益？約至若干時期又將淤塞？

工程司答：　若與以相當保守之工，可得永遠通行之利益。

道尹問：　每年歲修費約需若干？

工程司答：　若河身配合適宜，每年歲修不至甚鉅，然三年中大挖泥船仍當存留，以備意外之需，後來歲修費用每年約一萬元可以足用。

道尹問：　挖深十尺能否通行小火輪？可行載重若干之民船？

工程司答：　水深十尺，小火輪及重載民船皆可任意通行。雖載重至五百餘噸大船亦可漂浮，惟巨流河鐵橋横斷，船桅不能通過，似有阻礙，現時民船於漲水時可載重二十四噸，但平時僅載十二噸而已。

道尹問：　水深十尺遇有大雨，衆水匯歸，能否不致泛溢？

工程司答：　遼河水患自能較少，惟因天時之故，自不能全行免去，但其平時之漲水綫亦能減去一二尺。

道尹問：　挖深十尺能否不致將全河之水一洩無餘？

工程司答：　若所挖河身配合適宜河水，自無一洩無餘之患，蓋無非引水歸於需用之處耳。

道尹問：　挖深十尺與溝通松、遼之計劃有無利益之關繫？

工程司答：　若將遼河挖深十尺，再尋得松、遼間之合宜地點，則於溝通計劃自然較易。

道尹問：　挖深十尺較旁流之雙台子河其高下尺寸相去若何？

工程司答：　挖深十尺自當將雙台子支河全行堵塞，僅可留一小閘，正河既挖十尺，足可消除該處水患，然遼河之水仍應歸遼。若仍任河水由雙台子洩出，則疏濬亦是空談，整理亦屬無效。其歸結之問題爲應否以雙台子之故而犧牲此緊要之營口，如實不願割斷雙台子之交通，則祇可由沙嶺附近開一水道直達雙台子河，潮水所達之處約長二十五里，不特所費不巨，且可收各方面之滿意。

道尹問：　挖深十尺冷家口工程是否應行變更？又，冷家口工程如須變更，其辦法應如何規定？其費用約需若干？

工程司答：　以上兩節已於前條答覆。

道尹問：　大挖泥船可否與下游合購一隻，先儘上游使用？

工程司答：　大挖泥船可先儘上游使用，後及下游。

道尹問：　挖深十尺是否由一端做起逐節上排？

工程司答：挖深十尺應由下游做起逐節上排。

附：道尹與工程司決定修河計劃條款報告

（甲）道尹決定計劃之條款

一、全河應挖深十英尺、寬一百英尺。

一、全河應自營口起，迄於遼源縣爲止，接連挖通，以興内蒙航運。

一、全河工作應自營口起，迄於遼源縣，分爲三段。

一、由營口至三岔河之大灣七處應一律溝通，三岔河以上彎曲之處如有必須溝通者亦應溝通，以期水程之近速。

一、改用大挖泥船一隻，以期費省功速。

一、堵塞冷家口應溝通水道一條，務使該處農田得借河水以資灌溉，人民得有淡水可作飲料，以期雙方兼顧。

（乙）工程司擬議計劃之報告

一、按遼河情形，深、淺、寬、窄時有變遷。一年之中水淺之時居其大半，以致重載民船不能通行。是以就現時各等情形及如何計劃方能收交通之利益，發達内地之商權，籌劃再三，始有將此河挖深十尺之議，是即就現有河身開一新水道，使重載民船及小火輪於不凍之時可以通行無礙。此項大力挖泥船爲近年來所發明，挑挖水道，甚屬易易，故擬將遼河挖深十英尺、開寬一百英尺，不特舊有之民船仍可通行無阻，且將來遇有新造載重之大民船亦可往來行駛。中國大商家有鑒於此，定能製造一種大船，可以多裝貨物，藉興本埠之商務吸引他處之利權，而與鐵路爭衡矣。

一、此項計劃係自營口起，直挖至遼源縣，則滿洲内地商務自可發達。現今内地車運甚難，離鐵路亦遠，河路復淤塞不便通行，商務豈能起色？若河路挖通，内地物產易於出口，並較別類輸運節省，利莫大焉！

一、全河自營口至遼源縣共長一千餘里，擬分三段，每段三百三十里，由營口逐節上挖。

一、由營口至三岔河大灣七處，水路增長非惟廢時，而且不便，定將該灣溝通，以期水路近速；若三岔河以上有須溝通者，亦相機施行。緣此項大力挖泥船於此種挑挖工程甚爲容易，既迅速而又節省也。

一、挑挖全河只用大力挖泥船一隻，以資節省，且多利便。由下游往上挑挖，其挑挖之量每小時挖二千七百立方碼，即每小時挖出之泥沙足抵大車四千輛之載運，較中國及日本常用挖泥船之力大至四倍。

一、冷家口堿河[一]必須堵塞。蓋前由該河流出之水，現擬截留歸遼，以供行船之用。挖深正河以消除水患，實與該境有益。該地人民久慮水患，嘵嘵不休，此舉即可爲慮水患之終局。復擬溝通短水道一條，由遼河沙嶺直達雙台子河，於其兩端修造水閘，以資雙台子與内地交通，並可得有淡水灌溉田園。此水道不過二十五里至三十里之遥，其深、淺、寬、窄足可使往來船隻對頭通過。

一、全河如此修濬即能通行載重五百噸以上之大船，實爲内地通商之捷徑，且本埠與内地往來運輸貨物尤爲利便，並較他種運輸法更爲儉省，然此則全賴挖泥船工作之良否也。

整理人：馮明祥，松遼水利委員會原副主任，教授級高級工程師。

[一] 堿河　據《遼河志》第一卷記載：『清咸丰十一年（一八六一年）「遼水盛漲」，右岸（遼河）冷家口潰決，順雙台子潮溝刷成新槽，分流入海，是爲減河之起始』，『雙台子河又名減河』。

王來　著

洮河防導計劃書

姜智　整理

整理説明

《洮河防導計劃書》是民國六年（一九一七年）洮昌道王耒在任期間，組織人力對洮兒河流域進行測繪、走訪形成的治理洮兒河專著。

該書共分十五部分，分别是洮兒河源流及其支流考、洮兒河及其支流與農田之關係、洮兒河與交通之關係、治洮建議緣起及所主張、創立治洮籌備機構之概略、調查後關於治洮各建議之解决、調查後關於治洮方法之决定、關於導之計劃、關於防之計劃、施工程序之計劃、籌款方法之計劃、測量洮河徑綫水準表、測量漚河徑綫水準表、洮河下游形勢圖和洮河流域形勢略圖。現該書十四、十五兩部分散佚。

書中提出的洮兒河流域和對洮兒河的治理計劃，内容豐富，值得借鑒。首先，該書對工程的重要性和迫切性進行了充分的論證，提出了正確認識洮兒河及其支流與農田物産、交通運輸的關係，指出了對洮兒河正確防導的重要意義。其次，深入調查研究，採納各種治洮建議之所長，形成了比較詳細的疏浚、築堤、施工、籌款等計劃，爲大規模治理奠定了良好的基礎。

本編纂單元點校者爲姜智，審稿者爲蔣超、謝永剛、馮明祥。不當之處請批評指正。

整理者

洮昌道轄奉天北十數縣，而駐在洮南故府治也。耒於民國三年到官之初，適承元年蒙難後，見夫荆榛蔽野，流亡載途，百業率凋敝垂絕盡焉。傷之舉以諮沿邊士民，僉曰蒙情，携貳洮幣充牣，洮河横決，故蓋蒙情涣則不時思逞，而來者以踈。洮幣賤，則商賈折閲而貿者以蹙。洮河溢，則畎畝不登而畊者以輟也。耒不自量度，爰謀所以撫蒙利農便商之策，次第而實施。迨四年冬，蒙民悉招之歸矣，洮帖悉收之燬矣，商業農務均駸駸乎以幾於盛，顧於治河一端，猶踟蹰不能決，非慮費之鉅而籌之艱也。良以主防主導厥説紛紜，抑所謂防導者究應若何措置，大抵茫無把握。耒亦未敢盲昧從事耳。故雖近兩年來醵金建隄爲所屬倡，力禁上下游横河捕魚以利宣洩，□[一]去其害十之二三，然終屬補苴罅漏，非根本施治也。今者趙君師僑、舒君秉鈞、劉君相如測繪既竣，幕寮劉君作璧復周歷博訪，凡洮河之所以累年爲祟，與夫附近各河之所以助洮爲虐，迺一一確知其故。病根既明，可議方藥，因成《洮河防導計劃書》一書，誠不免一隅之見第，準是以行可決。其沿河各縣匪惟永紓昏墊，且獲食其利焉。其補益地方，較招蒙收幣二者尤溥且長也。不幸是書甫成，適耒又以疾去，有志未竟，心滋欿然。倘各賢有司實心提挈於上，邦人君子協力維持於後，使吾言不至徒託空談而並有以啓予，則豈耒一人之私幸已哉！

中華民國六年五月杭縣王耒識

[一] 底本此字不清，無法辨認。

目次

〔一〕〔二〕 底本此圖闕。

洮河及其支派源流考

洮河即洮爾河之省稱。《遼史》上京有他魯河。《金史》長春縣有撻魯古河，後改爲長春河。《元秘史》有討浯爾河。《蒙古游牧記》作陀喇河，皆今之洮河也。源出内興安嶺一部之索岳爾濟山西之一山，蒙古俗稱汗山。汗者，王也。謂爲諸山之王。哲里木盟北部各旗諸水多出於此山左右，洮河其最巨焉者也，來源不下十二三處。今因索倫山弛禁樵採，又招民墾荒，雨水無所停蓄，舊時谿壑盡成河流而注於洮，大抵無名可稱，其有名者不下十餘處，而今昔譯音各别，紀載殊爲困難。今僅舉其犖犖者，曰郭特河、曰奴札圖河、曰查模克圖河、曰厘木克什忒河、曰苦乞台河、曰多灰羅河、曰索灰河、曰敖龍薩里河，此皆自北來會者；曰吉卜克圖河、曰吉忽拉四台河、曰得伯忒河，此皆自南來會者。而先有木什夏河自西而東北而東南，以爲之經，蜿蜒約三百餘里左右收受上列諸水，爲烏龍楚爾河。又東南行數十里乃出谿谷而就平地，始名爲洮爾河。又南行三十餘里，與歸流河合於科爾沁右翼前旗舊王府之南，南流約四十餘里入洮南縣境，過瓦房鎮之東再南二十餘里，過龍花圖山麓再南略東抵洮南城北，交流河自西北來會。折而東行六十餘里至喬家圍子，蓋由上源至此實貫右翼前旗之北境，又爲洮南、洮安兩縣之界綫。又東稍北行至托托寺約六十餘里，横截右翼後旗境爲二段，南爲安廣縣，北即鎮東縣也。又東北行，經扎賚特旗境即今黑龍江大賚縣地，瀦爲訥喇薩喇淖爾，長約五十里，俗稱月亮泊，泊盡而入嫩江。方其行抵龍華圖山也，西決一口，稍南又東決一口，東曰烏蘭巴達，向東南流，趨洮安南境之大仙塔拉窪地，蜿蜒約七十里復由綽倫坡西與洮河正流合，今土人已塞其上口矣。西口當龍華圖南麓，麓有巨泉即龍華圖河源，與洮河決口之水合并向西南行至茂好山，與交流河合。三河中間之地儼如島國，即俗稱夾心子是矣。《蒙古游牧記》謂此河與歸流河合後東南行數十里分爲二派，一南流，一東南流十餘里又分一支，先合南派，所稱南流一派即今之洮河正流，所稱東南流一派即東決於烏蘭巴達之水，至謂又分一支，先合南派者即西決一口，而不知中途尚挾有龍華圖一河，且又假道交流河始與本河合耳。其行抵喬家圍子也。南決一口，瀦爲黄花碩泊，向東南漫衍而行約百六十里，又瀦爲叉干撓（即察汗淖爾）。兩泊之間水相通處是爲漚河。漚河中（叚）〔段〕[一]之西南于家亮子有水自西來，冬涸而夏至，或數年一至或十數年一至，近六年中則無歲不至，溯其來源則霍勒河也。

[一] 叚　即爲『段』。其餘徑改。

附交流河源流考

交流河，一曰交里爾河，向不見於記載。因其下游經大茂好山，山東有交里爾鄂博，因以爲名。科爾沁右翼前旗界西北向盡處有二山焉，曰烏卜根，曰俄末根，譯漢爲翁媪山，今俗稱其一曰老頭山，山之陰哈勒哈河出焉，向西北流入貝爾泊。山之陽交流河出焉，向東南流經科爾沁右翼中、後兩旗界約二百里至乾安鎮南入洮南境，中途受無名小河之水四，折而略東約八十里達洮南之綽里木，那金河自西北來會。南行約四十里至茂好山，先與洮河支流之并入龍華圖河者合，又東南行七十里至洮南城北始入於洮河正流。此河在民國以前，經茂好山以上一帶河身極淺，每當秋後夏前，其上一片沙石，車馬逕渡不知其爲河也，若掘深尺許則見水流汩汩，伏行地底，至夏漲時水始外見，至近數年則四季不涸。論者謂因上流經放荒後，谿壑均被墾闢，水無留阻之區，下流水量遂增云。

附霍勒河源流考

霍勒河在科爾沁右翼中旗，爲巨川。古名合河。按《一統志》，合河蒙古名和爾河，出扎魯特左翼之北，東流入境。經科爾沁左翼西北三百三十里，又經右翼西，又東經右翼前後旗地，入因沁察漢池後，稱阿嚕坤都倫河。經奎屯山，東南流會於合河。今調查，此河上游與《一統志》正合，則其下游亦必如《一統志》所言，東經科爾沁右翼前後兩旗，而不中止於中旗境内也，明矣。乃考近時圖籍，此河下游往往至中旗東南境之察漢泊而止，張穆《蒙古游牧記》謂此河即哈古勒河，而謂因沁察漢池已没其名，今實地查勘，此河至中旗東今瞻榆縣境香海泊（一曰青海，蒙人言若察罕）一帶溷入衆泊之中。此泊不止一區，土人統名曰香海，河綫漫漶，過此以東則更無河綫之可尋，然大水年分〔一〕，則此河之水向東北泛溢，貫入右翼前後旗南境，即今洮南縣地及安廣縣南境，而以安廣縣之叉干撓爾爲尾閭入泊處爲今之于家亮子。衡之《一統志》所述下游之軌道正相符合。按蒙語，謂湖泊爲淖爾，謂白爲察漢。蒙地水質例含重鹼，凡湖泊四周多呈白色，望若雪霜，故湖泊多名察漢。此泊與上述之香海泊皆然。可見叉干撓爾與香海泊其本名皆曰察漢淖爾，惟在安廣者爲《一統志》之因沁察漢池，實霍勒河終止之點。張氏殆未深考，在瞻榆者爲又一察漢泊。近時地學家因其同名而致誤者也。此河自與阿嚕坤都倫河合流後，地勢南原而北隰，至東遇香海諸泊，於是水有所洩，軌道不顯，必上游兩流並漲始溢而東。訪詢土著蒙人，言此水之溢約十五年一見，

〔一〕年分　亦作『年份』。

至近六年中則無歲不至，至則上自瞻榆下迄安廣，所過平原多成澤國，人民苦之。其多年一至者或即近世所謂間流泉源之理，而近年頻至者則別有原因。蓋民國前二年六月間，此河發源處之白林山忽爾崩裂，山西有北流之水乘隙東流而入，以致河水遽增。當時安廣新移之民每疑爲洮河溢流由大青狗而入者，不知來源正遠，實尋故道而至者也。

洮河及附近各流與農田之關係

洮河在龍華圖山以上之流域，勢如建瓴，水行速度甚大，可以隨時宣洩，殊無旁溢之患。迨與龍華圖河合，又益以交流河之水，水量遂增而下游地勢低平，水不下駛，漫衍紆迴，以致河綫異常曲屈，故每春夏間山水漲發，河水立見出槽，或下游嫩江水滿時，洮水下無消路，因以橫決，甚與江水倒流而入，沿洮兩岸，如洮南城北之夾心子、城東自大橋至哈天叉干一帶，洮安自烏蘭巴達至大橋抵綽倫坡，鎮東自六家子東抵大賚界，安廣自阿四冷昭抵大賚界，又如洮南沿交流河西岸上自綽里木下達洮南城北，又如安廣之漚河兩岸皆河水所能侵越之地，而四縣膏腴之壤又十九在其中焉。茲將屬於各縣之岸綫表明於下：

縣別	河岸別	岸綫 上游地名	岸綫 下游地名	里數	備考
洮南	洮河西岸	自龍華圖南	至大橋西洮交會流處	一〇七里	
洮南	交流河東岸	自綽里木	至大橋西交會處	一一〇	
洮南	洮河支流與龍華圖河合流之南岸	自龍華圖山南	至大茂好山東	四二	以上三綫之中間即夾心子地
洮南	洮河南岸	自大橋	至哈天叉干東	五七	
洮安	洮河西岸與北岸	自龍華圖對岸	至六家子東	一四二	
安廣	洮河南岸	自阿四冷昭東	至大賚界	一一一	
安廣	漚河左岸	自高家園子南	至叉干撓泡南端	二〇四	漚河一帶皆水泡岸綫難定，茲準其中流綫定之
安廣	漚河右岸	自高家園子南	至叉干撓泡南端	二〇四	漚河一帶皆水泡岸綫難定，茲準其中流綫定之
鎮東	洮河北岸	自六家子東	至大賚界	一一〇	
合計				一一八七	以上皆就各河大勢之逕綫計，算若依曲綫則數更多矣

上列各綫除洮安、濱洮之西岸岸體尚高並已略施防禦，安廣、濱洮之東岸僅有缺口數處，岸體亦高，鎮東原有岡阜之岸綫三十餘里，水不能越，約共二百里外，其餘八百餘里皆尋常水所能浸没之處，其被害農田概數如左表：

地別／縣別	升科熟地被水復荒者	升科與未升科熟地被水者	生荒被水未開及被水未放出者
洮南	少數	七〇〇〇〇畝	一〇〇〇〇〇〇
洮安	四五〇〇〇	二〇〇〇〇	一二六〇〇〇〇
安廣	少數	三〇〇〇〇	一三〇〇〇〇〇
鎮東	少數	少數	一三五〇〇〇〇
合計	四五〇〇〇	九四〇〇〇	四九一〇〇〇〇
熟地統計		一三九〇〇〇	
生熟統計			五〇四九〇〇〇

表列未升科熟地與生荒數目尚係從約估計，若實地勘丈，其數必不止乎此。查沿河農田每歲産率，每畝自四斗乃至九斗，即以畝收五斗計（洮南斗每斗重五十觔），歲損收入熟地約六七萬石，荒地約二百五十萬石。石按中價六七元，已歲損一千五百萬元之巨（係指小銀元而言，以下均同）。此外尚有霍勒河下游之水自瞻榆大小香海迄安廣南境，蜿蜒約長百三十里，廣二三里至二十餘里不等，雖被害荒地多屬磽瘠，然亦不下十萬畝，則所損亦不資矣。

洮河與交通之關係

沿洮新闢各縣爲哲里木盟十旗之中點，而居東三省與熱河四部之間，北控外蒙，西通畿輔，不惟東偏之鎖鑰，抑且四省之中堅。今猶等諸甌脱去腹地，不啻霄壤者，均交通不便爲之也。嚮者錦、洮鐵路之議已成畫餅，近者四、洮鐵路之計又屬極費研究問題，則洮爾一河實天假此方之門户，他年種種發達十九必基於此。可斷言者，蓋是河下游直接達嫩江，間接通松花、黑龍諸江。上游達洮南城北之交流河及洮安烏蘭巴達以上之十餘里。開凍後，中流至淺處約深四尺有半，夏秋水王且數倍之。自洮南城而東，兩岸土質砂少而含鹼分，遠不似遼河之砂質，輕鬆不任刷磨，動有淤塞旁徙之虞。近年頗多民船自新城一帶載運陶埴木材至洮南，交換皮毛糧食而去，船約載重十餘噸，除月亮泊中之淤灘外，往來略無阻滞，倘再加以修鑿，即能行駛拖輪，則洮河流域間與松、嫩、黑龍諸江流域間之出入品，無不運輸交便矣。交通發展，因而輸入之文明可勝言哉。

治洮建議之緣起及所主張

在科爾沁右翼前旗（即扎薩克圖旗）蒙荒未放以前，洮河一水數年之中必有一年泛溢，然爲患不常也。迨民國前十一年（即光緒二十七年）至民國前八年，科爾沁右翼各旗放荒期内，四歲之間乃未嘗一爲民患。而膏腴之土，既在此河及交流河兩岸，以故蒙旗舊招之户暨新集墾殖之民，咸萃於洮交兩河之滸。洎此五年後，兩河上游谿谷及其原野多被墾闢，且黑龍江招放索倫山荒並提創采伐此山木植，山即洮河之上源，因之水潦既降，無所收容，遂全注於洮而成此患。計自民國前七年至民國五年十二年中，僅有一歲獲慶安瀾，於是沿河熟地復爲生荒，其餘生荒盡成葦澤。富者以貧，貧者以徙，反不及未經招墾以前矣。當時沿河居民非不力圖捍禦，如洮安人民則堵塞烏蘭巴達河口而築沿河以下之隄，安廣大户則堵塞黄花碩北河口，洮南夾心子人民亦就其四面之尤窪者加築小隄，其縣城西北人民亦就交流河西岸之較高處築一短隄，大抵各自爲謀，力薄工微，或僅足以防小水，或不久而遭衝決。民國前二三年，前任洮南孫知府寶瑨始籌款修築洮南城東之隄，自城東北起，東趨達楊船口，又補助迤東沿河人民接築至哈天叉干，長約四十里，而不久亦被衝刷決口多處。言防多年，被害如故，於是紛粉㈠建議謂此水不宜於防而宜於導。顧主導者亦各執一説，兹列舉於下：

（一）修復洮安舊有支河，使歸故道，以分洮河上游水勢。按：此即洮河自烏蘭巴達決口向東南趨綽倫坡出口者。

（二）疏通漚河，使逕入松花江，以殺洮河下游水勢。

以上二説皆前任洮南孫知府所主張，而後一説又經洮南議事會之提議而未有結果者。

（三）引洮入交合并源頭之水歸於一途，使加增下行之速率，以免漲溢，且免洮南屬夾心子迤東之水患。

此議出於民國二年前任北路王觀察使之訪詢，曾派員赴上游履勘，未有結果。

（四）引交入遼，以分洮河水勢，且便交通。

此議起於奉紳王廷楨，謂由突泉之銀寶山引洮而南接瞻榆界内之霍勒河，南端再引通新遼河支流之北端。查突泉北界爲交河之上游，洮河上游在彼東北數百里，其中尚隔一歸流河。王紳蓋誤以交河上游爲洮河耳。然果能引而南，之於農田與交通亦不無利益也。

（五）引洮入遼，洩洮之有餘補遼之不足，以除洮境之水患而便洮、遼之交通。以議亦起於前任孫知府暨地方人民之計劃，其取道分述於下：

㈠ 紛粉　應爲『紛紛』。

（甲）由龍華圖河與交流合流處之大茂好山起，西南行趨科爾沁右翼中旗界入香海泊一帶，通霍勒河西端而達新遼河。

（乙）由洮交合流處向南，擇平就窪，再向西南，趨開通南入瞻榆南境而達於新遼河。

（丙）由漚河中段連霍勒河下游處，引入開通南境而達於新遼河。

（六）就洮河本流鑿寬河幅，濬深河底，增其容量，使水行地中。主張此説者甚多，惟以工程過巨，徒託空言耳。

以上六説，除引洮入交一節業經王前觀察使調查明確，無從施工不成議題外，其餘各主張固皆有討論價值者，而能否實行及有無利益，要須出以實地之調查，非可以憑空揣測即能定其策劃者耳。

創設治洮籌備機關之概略

民國三年，末來尹斯上體察地方利病，見夫洮南各縣及科爾沁右翼三旗荒地招墾有年，而田野仍多荒蕪户口不見繁殖者，大抵由於交通不便、農産不豐之故，而此二者之原因，又以洮河爲最巨，蓋一則各縣能通航運之路，僅此一河，而河流屈曲蘆葦叢生，一遇泛濫無涯操舟者，動虞迷罔；一則各縣出品多賴陸運，道迂車笨，轉輸已極困難，加以連年陸地成渠，往往不能運轉；一則各縣高原十九磽确，所恃以圖豐收者全在沿河一帶沃壤，而年年淹没，顆粒無收，此人烟之所以不稠，農疇之所以不闢，物産之所以不饒，貿遷之所以不靈也。故欲求右翼三旗、洮南諸縣之發達，必自治洮始。因於次年就道署設立洮河防導籌備處，延劉君作壁專司其事，擬議辦法並召集沿河之洮南、洮安、安廣、鎮東四縣官紳議決，先從調查入手，其費由道署及四縣就地籌措之。先後詳調測量員趙君師僑、舒君秉鈞、劉君相如分途行測，惟因經費不裕，衹就其尤要者測得其比高與其距離。自四年十一月起迄五年十一月測竣，其有待於調查而不必出之測量者，亦經劉君作壁周諮博訪刺得概要，按圖索驥逐一證明，而治洮之計劃乃得而言焉。

調查後關於治洮各建議之解決

上篇第一主張：修復洮安舊有支河之説，蓋鑒於土人堵塞烏蘭巴達一口後，夾心子連年被水，因欲分洮南、洮安間之水勢，以紓夾心子之患。不知夾心子在此口未決以前亦屢被淹没，則其患不原於堵口可知，且如安廣、鎮東兩縣並不當塞口之衝而亦連遭大水，益足見夾心子之被害，實緣於此。數年中水量之適增，而於口之啓閉並無重大關係。夫夾心子之病，河水泛溢爲之也。今即多

開一口，祇可殺水力以免衝決，不能減水量以弭泛溢。蓋此口趨東南下行仍與洮合，所擬於上游分之者徒成爲不貫澈[一]之主張已耳。況舊河自烏蘭巴達起至綽倫坡西入洮處約五十餘里（孫知府原查九十五里，係就其迂曲者言之），兩旁皆窪地，約百萬畝以上，一復故道則此地盡成澤國，而夾心子窪地不過十七八萬畝。犧牲百萬畝之地以救十餘萬畝之地，就使有效爲計已傎[二]，況無效乎？至屬於故道之大仙塔拉一帶，土味極腴，適種秔[三]稻、麻靛諸植，收穫量恒數倍於鄰土。塞口後雖無注入之水，而地居下濕，每夏積潦已足自淹，而由下游綽倫坡一帶倒灌而入之水，時亦爲患，亟宜設法以排除之。其計劃詳後篇。

第二主張：　疏通漚河。全部開鑿其東南陸地，使流入松花之説其益甚多：分洮河下游之水勢，安廣、鎮東兩縣沿洮土地水患必減，一也；　上游如洮南、洮安水至即消，二也；　安廣向以漚水無所出爲心腹患，今有消路可以化隰爲原，三也；　霍勒河之下游行至漚之叉干撓即瀦而不洩，今得消路，則洮南、安廣兩縣南境無蓄水之患，四也；　由洮達松中隔嫩江，水程動輒逾月，茲舍弧而趨弦可省水程少半，交通以便，五也。然有一極困難問題，則此次測量安廣、叉干撓一帶，地勢過低，低於松花江岸者五尺有奇，且由江至叉干撓中有高點數處，較之泊際低點高至五尺者，倘鑿而通之，是揖盜而使入也。有此一病，則前此所期種種利益盡歸泡影，而疏鑿漚河之策殆不適用矣。然有可以變通行之者説詳後篇。

第三主張：　引洮入交之説不成議題，已見前篇。

第四主張：　引交入遼之説。原議謂由銀寶山引交流河至霍勒河上游之支流，祇十餘里。今查銀寶山與霍勒之上游相距甚遥，且中多山岡，蓋即興安嶺麓之旁出者，决非今日人力所能達，且是處北低而南高，引水上升更無此理。或曰由銀寶山向東繞避至平原，再趨西南似尚可行。然查突泉之平地，十九上砂而下礫，故境内小河莫不有源無委，因水遇砂礫即滲入土中，伏行地内。今突泉農人鑿井往往不逾丈而及泉，泉仍流動向東，與河流無異，按其方向，蓋仍趨入洮、交流域也。銀寶山亦然，即使强交南行，道經砂地勢必流入地中，與伏流一同東瀉，則目的地既不能達而終無減於洮、交之水。此以知其不能施諸實事耳。

第五主張：　引洮入遼之説。據所調查，甲、乙、丙三説皆不適用。甲説，由大茂好山向西南趨右翼中旗一節，按所經行處爲野馬圖山西南麓，中多岡陵，皆向東伸出，開鑿綦難，若再東行繞越，則須開鑿一百五十里之新河，始達香海泊一帶，中途無可因藉，工程過巨斷難實行。至

[一] 貫澈　即『貫徹』。
[二] 傎　古同『顛』。
[三] 秔　同『粳』。

乙、丙二說，因低就濕似屬可行，而亦不適於用者，則其地勢實由下而趨高也。查興安嶺由呼倫貝爾入內蒙也，大勢自東北而趨西南，而在科爾沁諸旗之北端，則南大而西小，嶺麓左右歧出，有若張翼。其東出處由左翼而穿右翼，水出其南者，向東南流入左翼，遼河是也。出其北者，向東北流入右翼，霍勒河是也。今乙、丙二說，皆擬以右翼東北地東北流之水強之爲西南流，適與天然水道相反，其無成效固不待測量而可預知者。去年行測漚河時，曾試測一段，大抵向西南則步步升高，其明證也。或謂有俄人某曾測知，洮南地平綫高於遼源四百餘尺，則引洮入遼形屬就下，因勢利導事非甚難。抑知洮、遼相距五百里，利用故有之河流（如漚河與霍勒河），則必逆流而上，決無成功。若別開新道，則數百里內須穿陵鑿阜者數十百處，堵塞旁洩之口者又必數十處，其工程幾不在蘇彝士下矣，試問所得能償所失否？況乙、丙二說皆欲引我之委達彼之源，換言之，即以我之低駕彼之高也。所謂洮高於遼之四百餘尺，係指兩城附近而言，若以洮之委較遼之源，安知不相銷於無可軒輊？又安知遼之源不更高於洮之委乎？夫霍、遼兩河上游本甚相近，其不趨遼而趨洮河流域者，實霍、遼間有高原阻絕而北境較低，故耳曩孫知府疊經派員查勘而卒寢其議者，殆亦有鑒於此歟？

第六主張：就洮河本流鑿寬濬深之說。自係有益之舉。顧經此次調查，知此河之爲患，但圖鑿寬濬深未免用力多而成功少，允宜從長計議，其理由後篇詳之。

調查後關於治洮方針之決定

洮河由上源達龍華圖山，自高趨平，坡度極大，恒人目力幾能辨識。故今茲測量自龍華圖始，計自龍華圖至城東大橋一百零七里，上游高十七丈七尺六寸有奇，勻計每里高一尺六寸六分有奇，有建瓴之勢，故水行頗速。至由大橋至嫩江沿二百二十八里有奇，上游高六丈三尺，勻計每里高二寸七分有奇，而此段河流又較上段倍爲迂曲，若伸直之殆長四百二十里上下，則每里僅高一寸五分。前言河流迂緩入江愈遲者，職是故也。今命由龍華圖至大橋爲甲段，大橋至嫩江爲乙段，比較其距離與其高度以推其速力如左表：

		甲	乙
距離（達米）		六一四〇〇	二五八六〇〇
每里高度（尺）		一點六六	〇點一五
水行速度		假定每分鐘行三〇〇米達	按高度核減每分鐘行二七
相較	距離	得百分之二三分強	命爲百分
相較	每里高度	命爲百分	得百分之〇九
各由上端至下端時間	水行速度	三點二四分	一五九點〇四分

準上表，乙段水達嫩江一次之時間，甲段水之至大橋者，已四十六次。開凍後，上源發水多至兩三月，今姑以六十天爲發水期，乙段僅能消出全段九體積之水，而收受甲段之水已四百二十餘體積。兩段河幅廣以十丈計，深以丈計，乙段一體積爲八十萬立方丈，甲段爲二十萬立方丈，四百二十體積爲八千四百餘萬立方丈，除乙段消出九體積計七百二十萬立方丈外，尚餘水七千六百餘萬立方丈，作爲溢出河岸二尺五寸，足以淹没與河岸等高之地九千方里即四百二十餘萬畝之面積也（洮境每畝七十二方丈）。今如從事於鑿寬濬深，須按現在河底深度，更濬深五尺，並準此深度更鑿寬三里餘，始足以容此溢出之水，此其不能見諸實事，固不待辨而自明矣。曩者北併洮、交南通遼水之建議，既不適用今者鑿寬濬深之計劃，又不可行，似除修防以外别無長策矣。當測量甫竣時，曾召集沿河各縣士紳疊經會議，僉主用防，在人民久苦昏墊，除害情殷，而又鑒於疏濬之不易，其主防也固宜然。未籌備之本旨，爲望正奢，蓋不止於除害且思食其利也。爰再三研究覆加調查，乃知此水仍宜從事於導而以防輔之，庶水患可以漸除而於交通上尤能資其利益焉。導也者，就河流加工以助其下行之通利也。所謂濬深加寬者不與焉。

凡導之事有四最要者：

曰趨直。即就其迂曲者施工，易弧而爲矢也。擬施之於洮河本派之乙段。此河之異常屈曲，已於上篇言之矣。今擇其尤者修直之，約可省水程少半，則前所謂百五十餘鐘出口者，今但須八十鐘而已。其出槽之水亦必遞減，可知至大橋以上河身雖不甚直，而水行頗速，即無須此項工程矣。

二曰去阻。洮河之爲患，固以上陡下平之幣爲一大原因。然經此次調查更有一病，殆與相勒，則私壩是也。自大橋迤東，民間絶河爲梁（俗呼亮子）以取魚者，計四十九處，其梁皆以土成之，由兩岸直趨河心，中流僅留一口，最足以阻水之下行。今已禁之，而不能盡。一梁不撤，無異於未禁也。當設法令，其易梁而爲箔，務使一壩不存，庶水能透漏而無損於漁業。禁令乃易行耳。再則河中淤灘最巨者，爲月亮泊，西軋油岡之大灘堵塞洮河下口，阻河入泊之途，尤不利於舟楫，亟宜就中開通水道，其餘尚有淺灘三數處在其上游，亦擬掘而去之。皆於水利、交通兩有便利者也。

三曰開渠。擬施之於漚河中段及霍勒河之中游與洮安大仙塔拉沮洳之地。因各處水雖不深，河無正綫，至時溥泛而行，尺寸之水即能淹没多數之平地。擬就其窪處開挖深廣數尺之綫，令水經行其中，日久衝刷逐漸寬深，即可漸成河道。而近旁之地水患可減矣。

四曰開口。一擬施之於大仙塔拉之東近洮河處，以排洩其積水，並修閘以防其倒灌；一擬施之於漚河東南

端與松花江岸之間，此處江岸高於內地，開口必有倒灌之弊，而仍出玆途者則亦擬就口修閘，視江水之漲落以時其啓閉。至其上通洮流之口則預塞之，雖與交通無補，而漚與霍皆得所洩矣，此皆導之事也。

防也者就河流之外溢處施工以禁限之也。但今之爲防更有一作用，蓋擬先施之於上游，取其增加上游河岸之高度，即以增加河水下駛之速度也。凡防之事有二：曰堵口，施於洮河兩岸舊有衝斷之岸綫；曰築堤，施於洮、交兩河之左右岸，此皆防之事也。洮河既經修直，有以減其出口之程，又經掘開淤塞，毁除私壩，以袪其阻力，復經築堤，兩岸以增其上流之高度，而助其下駛之力，則患平曲之弊除，自不虞其泛濫，且水加深而途加近，下自松花江各埠上至卜魁，均可以小輪船往來於洮河之間，至於民船更無論矣。交流河水量本小，特因洮河助之爲虐，致沿岸亦罹其災。今洮流行消既暢，則交流之害自減，再能加以隄防，即稍有漲泛當不至有如何之損害。洮安舊河自堵口後，洮水已不能內犯，今復爲另開下口，以時排洩，使積水消而腴荒出，誠七縣精華之地而財富之源也。安廣之患，洮小而漚大，漚既閉其上口不任洮之灌入潴水，當減其半，僅霍勒一河又有下口注之於江，則積水更少，即令不能盡淨，而開有綫路，水已歸槽下注，叉干撓一泊足以收容，則安廣腹心之患可已。霍勒河既開綫路，又得松江爲無盡之尾閭，可以源源下注不獨不爲患於安廣，即洮南南境亦免於患，其沿洮堤工更能繼續培築，則沿洮諸縣多數沃壤全行恢復矣。顧或者曰，黑龍江大賚縣居洮河下游，今上游之水施防施導，不且以大賚爲壑歟？而不然也。大賚濱江而居，中有月亮一泊與江緊連，江水如涸洮水至，彼立時入江不足爲患，江水而漲，勢必倒灌而首淹大賚，至是雖無洮水攙入，彼仍不能倖〔一〕免於害，是洮即下流不啻九牛而附一毛，曾何損益？況今之主張施導者，正欲使上游之水隨至隨消，以免渟蓄多水與江水湊積於中途，且擬開通軋油岡灘，更有以除其境內之癥結乎，此以知其於大賚決無妨礙也。

關於導之計劃

施於洮河乙段之工程

乙段內彎曲特甚，可以鑿通趨直者，調查約得八十處上下，今分計於左：

（子）乙段之長度八萬丈（即四百四十里有奇）。

（丑）施工鑿通八十餘處之長度八千丈。

（寅）修直後乙段之長度四萬四千餘丈（即二百五十

〔一〕倖　同『幸』。

餘里）。

（卯）經修直所省之長度三萬五千九百丈。

施鑿處擬上廣一丈三尺，下廣七尺，深五尺。按八千丈計，需掘出土四千立方丈。又每鑿一處，須堵一口，約上廣一丈，下廣三丈，高一丈，長十丈，按八十處需累土一千六百立方丈，即以掘出之土實之，所餘之土即分擲新河兩岸。

所需資費如左：

（甲）土工價，按洮境現值每立方丈約三元，四千立方丈共需一萬二千元。

（乙）運土堵口工價，勻計自二十丈外運往河口，每丈需四元一千六百立方丈，共需六千四百元。

（丙）新舊口開口合龍，人工每次約二十元，八十次共需一千六百元。

（丁）新舊口開口合龍，需用物料：（子）消耗品（如葦柴、蘆席等），每次作爲十元共需八百元；（丑）非消耗品（工完收回可供下次之用，如木樁、繩索之類），歷次作爲一千五百元，合計二千三百元。

（戊）土工需用器具費一千元。

（己）經理員紳薪津火食費一千元。

照上擬有二疑問：（一）所鑿新河深廣度小，未免不足以暢水之行消，然此舉係改曲爲直，順水之性，水由曲趨直，速度加增，日久衝刷必見寬深，可無慮也；（二）新河淺窄，水之速度加增，則含帶泥砂必多，既能以衝刷者去上游之土，即能以沈澱者塞下游之河，新河既不寬廣，未免有旋鑿旋淤之處。然此河有最可貴處，河底土結如石，兩岸又皆粘土，砂少而富於鹼質，砂少則流水所含帶者惟細泥，不至隨起隨落，含鹼則消溶於水，使水體加重而細泥不易沈澱。洮流數百里内河心所以素少砂灘者，實得力於此。其軋油岡之大灘，則因河流至月亮泊時以節制之水頓歸汪洋，水力遽弛，泥質逐漸下降，實積數千百年而成之，未可與遼河、大凌之朝通夕塞遷徙靡常者一概而論，但先事宜商明，江省暨扎賚特旗俾知事屬兩利，以免阻礙耳。

施於乙段下游去淤之工程

月亮泊中之淤灘，水漲則隱，水落則現，至涸則加大而增高，蓋灩[一]澦如象之比也。行測時適當夏漲，未能得其面積之廣狹，今據諮訪，大水時高處約離水面不及二尺，中水時高處僅以寸計，水落時則其最低處亦僅以寸計矣。至其長廣約五里上下，但最高而有礙舟行者約在里許。夏間凡經此民船喫之水二尺以上者，必以小舟撥載，曳空船而度之。若以人工開鑿，必待冬涸。顧是時，業已

[一] 灩　古同『灧』。

封凍，鑿冰入土不啻開山，未免工難而費巨。聞哈爾濱俄人有挖泥船可以雇令代鑿，計自泊口至洮河口相距二十五里（水落時之距離），其中挖泥船能否駛入尚難預定，今擬即自泊口挖起，以開其自行之路，約計二十里至灘次。實行開挖寬以十丈計長以五里計，深則就其機力所能至者，擇水落而未凍時行之。假定六十日竣工，每日賃金假定二百元，則有一萬二千元可以去茲大阻矣。但哈埠挖泥船能否任僱及其賃金之多寡尚未調查，倘不能照擬舉辦，則祗有人工開通之一法，茲分計於左：

（甲）長度五百丈（灘長本不止此。然必其露出水外者方足以施人力，故祗按半數計算）。

（乙）廣度十丈（廣三丈已足以便往來大船，然灘多砂質易於轉移淤塞，從寬所以防此弊也）。

（丙）深度七尺（自高處起算，再深固妙，但即屬冬令施工七尺以下，水仍不凍，人力不能施也）。

擬於秋令水落而未凍時先就其露出水外者挖出而運至別處，約可去其十分之四，再至凍時鑿至所定深度。

所需資費如左：

（甲）秋令挖土工價（以一千四百立方丈計）四千貳百元。

（乙）秋令運土工價八百元。

（丙）冬令挖土工價（以二千一百立方丈計）貳萬五千元（約比秋令工價加貴三倍）。

（丁）冬令運土工價一千二百元。

（戊）置備器用費一千元。

（己）經理員紳薪津火食費一千元。

其餘洮河下游淤塞有礙舟行者約三處，均長廣不過數丈，頗易施工，三處約費千元已足用矣。更有數處河雖深而身極隘，又當河流鋭折之處，將來如行駛大船恐不足以資周轉，應稍修拓。然前既有修直河身之計劃，則已包括此等工程，勿須另計。再如沿洮所設漁梁四十餘處，應咨會黑龍江省分咨各蒙旗，一體勒令剷除，改用木柵，永遠禁止私築土壩，其功殆不亞於修直，但須豫〔一〕定法規，常年由官紳會同巡察，實地禁止，徒恃文告，恐無效耳。

施於洮安故河之工程

此河上自烏蘭巴達之東，趨大仙塔拉再東趨伍仙塔拉，全屬窪地，其四週皆高原，形類楕〔二〕圓之盤。顧其東南兩面，越過高原復爲窪地，至洮河沿岸形又略高，其舊河復入洮河處，在綽倫坡西之狐狸營子。然必大仙塔拉水極滿時始循此道而溢入洮河，且不能盡其所蓄，蓋大仙塔拉窪處實低於故河南口也。今查綽倫坡豪爾沁與東六家子南一帶河岸，低於狐狸營子河口

〔一〕豫　即『預』。
〔二〕楕　即『橢』。

五尺有奇，岸以北之窪地更低，若引河至此窪地，則大仙塔拉瀦水可以宣洩殆盡。但東面隔一高平鎮之高原，工程較巨，兹分計於左：

（甲）自大仙塔拉中段東行至高平鎮界之長度四里，鑿深度一丈，廣度上寬下窄平均一丈。

（乙）自高平鎮西界至東界之長度七里，鑿深度一丈五尺，廣度上寬下窄平均一丈。

（丙）自高平鎮東至豪爾沁南之長度四里，鑿深度一丈，廣度上寬下窄平均一丈。

三段共須掘土三千三百四十立方丈，並須修一閘口以防洮河水滿時之倒灌。惟擬鑿深一丈五尺一節，實行時恐有窒礙，因蒙地土深至一丈以上往往發見流沙。流沙者，沙水相混旋鑿旋至而不竭者也。若果遇此則其深儘能以丈計矣。

所需資費如左：

（甲）三段土工價六千八百元（係用本地受益人民供役，故按時價核減估算且並不計置器費）。

（乙）修閘工料費一千元。

上項皆係用本地受益人供役，故不計經理諸費。

施於漚河之工程

此河上口由洮河分流處堵塞，工程歸入施防計劃內，不複叙。兹僅計其應施工於導引河綫及開鑿下口者。導引綫約自黄花碩泊下游之西叉干撓東端起，至叉干撓西端止，此段中間一片葦塘，河綫不明者居其大半，計長一百七十餘里。擬就其中之尤平者施工，續長約六十里，使水就軌道直趨叉干撓泊。其開口工程自叉干撓東端起，至松花江汉河西端小泊止，計長三十五里，應實地開鑿，使叉干撓與小泊相通，以注入松江並修閘以司啓閉，兹分計於左：

（甲）導引綫長度一萬丈，深度五尺，廣度上寬下窄平均五尺。

（乙）開鑿綫長度六千三百丈，深度北淺於南，平均一丈，廣度上寬下窄平均一丈五尺。

甲段共需土工二千五百丈，按本地受益人民供役計算，乙段需土工九千五百丈，工程甚巨，按僱傭計算。

所需資費如左：

（甲）甲段土工價五千元。

（乙）乙段土工價二萬七千元。

（丙）修閘工料費一千元。

（丁）置備器用費一千元。

（戊）經理員紳薪津火食費一千元。

五項共需小洋三萬五千元。然或謂此河施工開渠之計劃有不適於用者，因此河既堵塞上口，斷洮河之溢流，則水之下行力必小，溝之深廣僅數尺，日久將漸淤而漸平，則徒勞無功。即令不淤，而溝太淺窄，漚河水量雖淺，

然至小亦以數尺計，而水面之寬輒至數里，僅此數尺寬深之溝所容無幾杯水車薪，似亦於事無濟。今查漚河爲患之水來源有三：一爲洮河溢流，二爲本地積潦，三爲霍勒河之委泄，而大多數殆出於洮河。今洮河入漚之口既擬堵截，將來潴水當減大半，其霍勒河水有松江閘口以時排泄，當能相消。而安廣境内既無崇山巨壑儲蓄水源，僅此本地積潦爲數有限，而有此溝助其下注，則黄花碩、叉干撓兩泊已足消納，不至爲患四旁。此主張開渠之計劃所由來也。惟此論出於推測，未有實驗，究竟堵塞上口後能減水幾何？開鑿下口後能消水幾何？實無把握。倘至是而水之消減有限，則此舉誠爲無益計。惟俟上口既築下口既開，實驗一年後，果其水量大減，再行舉辦，否則作罷。兹姑擬議於上云。

施於霍勒河之工程

此河在瞻榆所屬香海以西，無施工之必要。由是向東過洮南入安廣，愈下則水綫愈寬，約由數里至二十餘里，亦愈下愈深，由四五寸至四五尺。顧其在洮南、安廣各流域被淹者，十九爲斥鹵之地或大小湖泊，即無此水亦不適於耕農。且下口既開，停蓄必減，亦似無施工之必要。惟在瞻榆西北境所淹没者，雖非膏腴，要皆可墾之土，此處業主大抵領於無水之時，而輟於屢漲之後。其近旁已墾熟地亦或被其波及。今既擬鑿開，下通松花江之路則不慮其無消納之區，而患其無率循之路，若廣開溝洫，使盡注於香海諸泊，必能露出平原不少。惟此處詳細形勢調查未確，且必待鑿開下口工竣後方能施工，否則以安廣爲壑矣。故未估計工程云。

關於防之計劃

洮之施防已十年矣，而卒鮮成效者，一則各自爲計，雖非以隣爲壑要皆成不相謀，敗不相卹；再則逼水爲隄，不留餘地，水受拘束，終軼範圍；三則苟且從事，非没即頹，因之向若興嗟，群焉束手。

今之言防，宜鑒覆轍，其要有三：

一曰合群。各縣對於與有利害關係之民須結爲數個團體，而又合各小團體爲一大團體。近年洮安沿河人民組織一防河會，就中分爲若干段，紳民分任其事，而知事監督之頗著成績。前已分令沿河各縣仿行，并擬由道署附設一總會，合四縣而爲一，以期統顧兼籌，通力合作，分緩急而遞舉相資，挈以觀成。

二曰忍痛。沿河地味愈近岸而愈沃，其地勢亦愈近岸而愈高，臨河築隄既省人力，又可保全上腴。奈隄近則水道甚狹，流急而隄被刷磨，不久即坍，且隨河宛轉扨拆生力潰決亦因之較多，惟有寬留地步，兩岸各讓出若干里，一以拓寬河幅增其容量，二以紓緩河流銷其

獷悍，其擯出濱河之土盡從割愛，捨指存臂猶尚爲之，況捨指以全身乎？此其不容爲少數人之姑息而貽誤大群者也。

三曰持久。權輿未協效果或非甲敗乙成，因嫉生擾此皆足以灰作者之心，而澹其進取不有毅力，則廢之半途矣。事已告成，小康思憩而不加培補，則敗諸事後矣。曩洮南城東諸隄縻款頗巨，甫成即潰，卒任横行。夾心子各起隄工小水獲效，不謀增益，終被巨災。皆前車也。今擬舉此閎工，允宜始終勿懈，方事之殷自須有一德一心之概，即其既就尤須爲可大可久之謀。民生在勤，禍至無日，洵可爲言隄防者之訓誡，而不可侈談一勞永逸者也。要之關於立法事項，宜由地方官隨時督察，有以祛其自私之積習。關於進行事項，宜由人民互相淬厲，有以作其自治之精神，率爾操觚不足集事也。

今就應行施防者分列於左：

施於交流河東岸之工程

此處上自綽里木起下至洮南城北，計長百二十里，距城西二十里，至城北已有民修之隄，其中可因藉之高處上曰大茂好山，下有砂岡子二處，約占四五里。其餘一帶平原，水大時平均出岸在四尺以下，隄高四尺已足以禦大水而有餘，惟其中尚有應爲之謀者二，一則綽里木之葦塘也，交流河與那金河合後瀦爲此塘，河流遂隱，蓋此塘既合二河之水而由突泉東下之伏流，至是發見亦相湊集也，顧此塘北面皆高原，南面皆砂地，平時不甚泛溢，即泛溢至砂地亦所弗惜，故不擬施防，而自其下端始。一則乾溝子一河也，此河起於西面野馬圖山前，向東流至茂好山南數十里入交流河，昔年常涸，至近年雨量漸增，水乃時至，因溝過淺至輒外泛廣一二里至三四里，水雖不深而已足以爲害田禾矣。在理似宜排之，使出而不宜堵塞。惟查此河之口，當交流河漲時不惟水不下洩，交流河水且能灌入爲患，是即不予堵塞亦於其流域無濟也。今擬仍堵此口而築隄，但留一閘口以時其啓閉，俟隄工既成，墾户稠集再或沿溝修防或開深其溝，大抵此等簡易工程民力可以全任。此時既不無害於熟地，而沿溝又乏民居，則祇有待時而動耳。

茲就其應施工者分計於左：

（甲）長度一萬七千丈。

（乙）廣度上窄下寬平均八尺。

（丙）高度平均四尺。

所需資費如左：

（甲）土工價一萬六千五百元。

（乙）修閘費五百元。

（丙）置備器用費五百元。

按：此段有謂費多益少不合經濟者，因隄以内保全之地僅數萬畝，而上游濱河處又有一二里砂礫之地必須

讓出隄外，所全者無多，所棄者復不少，而耗費至一萬七千餘元故也。然查此處受益之地至少在六萬畝以上，假定畝收三斗，歲可得糧二萬石，至賤可值七萬元。今之所費按一歲所入僅四之一耳。況沿河人民尚多例能自出人力以赴工程，則所需實款並不須若是之多，於經濟實無不利也。

施於夾心子之工程

此處地形如梭，四面受敵，四縣之地難防者似莫如此。然河岸不低，施防尚易，如自龍華圖至大茂好河之東南岸（命曰子段），岡嶺綿延，但有中斷者數處，土人已有補苴特嫌苟就，須再加高厚而爲工無多。自大茂好對岸沿夾心子西南邊綫直抵大橋上游（命曰丑段），大半高岸，下游稍低，土人已築有矮隄，約長五十餘里，再續長十餘里並加高厚，即足以防大水。其自大橋北沿夾心子東面邊綫（即洮河西岸命曰寅段），下游自一棵樹至烏蘭巴達對岸，岸綫較低處，雖土人已築一隄，而低狹不耐巨水，迭經衝決，且此處河流頗急，而隄多迫近河身，有應退讓者多處。溯是而北約六十里，河岸頗高，土人所築之隄一如西邊，加高培厚即可無虞。惟自是向北至龍華圖河源對岸，中約二十里，沿岸雖不少砂岡，而洮河至是往往西決不下十餘口。貫岡而西復南行而入本流，望若蛛網，因岡堵塞似屬有勢可憑，而諸岡之上僅有砂地，而緣岡而下則非水即石，運土築隄須取自數里之外，蓋此處形爲鋭角，當洮、龍兩河分岐之地，久被衝刷，故土去而僅餘粗石。即令有土可填，而基址全屬礫石，水泉得以滲漏而入，殆非防之所能爲力，不得不姑從割愛耳。茲就其可施工者分計於下：

（甲）子段補苴兩岡間缺口，長度九百丈，廣度上窄下寬平均一丈五尺，高度五尺。

（乙）丑段補築，長度三千丈，廣度上窄下寬平均一丈五尺，高度五尺。

（丙）寅段下游，長度三千六百丈，廣高如丑段，上游加高培厚長度一萬丈（除天然高處不計），每丈加土五百立方尺。

所需資費如左：

（甲）土工價三萬五千元。

（乙）置備器用費一千元。

施於洮南大橋以東至安廣界之工程

此段自大橋上之唐家窯至哈天叉干，長三十六里，均已築隄，除自唐家窯至楊船口六里一隄，經耒於去年督縣捐款重築無庸另議工程外，餘約三十里仍須培築並堵潰口，或兼令退步另築，以讓河流至阿四哈昭以下迄安廣界，均屬高岡，勿須築隄。其應施工者分計於左：

（甲）長度五千六百丈。

(乙)高度平均五尺(堵塞舊隄決口在内下同)。

(丙)廣度上窄下寬平均一丈五尺。

所需資費如左：

(甲)土工價一萬二千六百元。

(乙)置備器用費五百元。

施於洮安沿河之工程

此處自龍(花)〔華〕圖對岸七十户北至鎮東縣界，長一百四十二里，内除自七十户至烏蘭巴達約七十餘里河岸較高無須築隄外，其餘四十餘里業由縣民修隄(命曰子段)，堪資捍禦，惟是處河流緊急，仍須擇要增加高厚。自烏蘭巴達至城四家子，逕長五十五里彎曲長六十里(命曰丑段)，亦經縣民築隄，而距河過近屢遭衝決，多須退讓，另築並補潰口。且有吃緊者多處，須加增高厚方可無虞。自城四家子至鎮東界長三十餘里(命曰寅段)，已由縣民築隄者約長十里，頗嫌薄弱，宜加培修，未築者二十里有奇。其中除河岸較高者外，餘者十九爲葦塘，低於河腹，若臨河築隄則内外受敵，保固綦難，且有花道竇、綽倫坡南兩大河口尚須堵塞，尤非易事。應退至葦塘北邊，因藉綽倫坡六家子諸岡地連接而成，一則退避艱險，二則讓寬河幅，至擯棄膏腴亦不得已之計也。兹分計於左：

(甲)子段擇要增加工程四處(不計丈)。

(乙)丑段決口二處，吃緊者九處。

(丙)寅段未築隄者除岡地外，長度二千九百丈，平均高度八尺，廣度上窄下寬平均一丈五尺。

(丁)卯段已修隄，應加工者長度二千丈，每二丈加土一立方丈。

其資費如左：

(甲)子段土工價九百元。

(乙)丑段土工價四千八百元。

(丙)寅段土工價一萬四千元。

(丁)置備器用費五百元。

按：洮安、臨洮岸綫較安廣鎮東爲長，而河岸又較安廣爲低，乃工簡而費省者，實由該縣知事張振中督飭縣紳等，於二年前創設河防一會，官民一心，積極進行，陸續建筑河隄至一百餘里之多，有此成績，故所省殆不下六萬餘元也。

施於安廣沿洮之工程

此處岸綫長一百十餘里而岸體較高，惟水口多至七處，續長約五十餘里，應築隄防大小不一，其平均爲每丈用土二立方丈者，四千五百丈所需資費如左：

(甲)土工價二萬四千元。

(乙)置備器用費六百元。

按：此處經末令行該縣，官紳仿照洮安組立河防會，合力籌辦。兹擬按户抽丁，以應斯役，並按熟地抽糧

以供其食不足，則以該縣義倉之贏餘補助之。其置器費另行籌給，計二年可以竣工。時正在籌辦間也。

施於鎮東沿洮之工程

此處岸綫長一百十五里，岸體頗低，沿河葦塘亘數十里，必須退後修隄，避去沮洳，憑藉岡阜，一使水道寬展，二使隄身鞏固，三使工程輕減。大抵讓出之地遠者距河十里，近者二三里，平均約五里。其内水口之至巨者曰風水山，應施堵塞，即由其左右延長築隄連接岡阜，約可省工程之大半。茲分計於左：

（甲）長度一萬三千丈。

（乙）廣度上窄下寬平均一丈五尺。

（丙）高度平均一丈。

其資費如左：

（甲）土工價五萬七千五百元。

（乙）堵口費八百元。

（丙）置備器用費一千元。

（丁）經理員紳薪津火食費一千元（此段沿河墾户甚少，不能借資民力，故須有此項經費）。

施工程序之計劃

沿洮四縣除鎮東外，餘縣之從事於防者已非一日矣，而數年來洮、交兩岸或岸決一口，或隄潰一方，或原雖澤國昔消而今不消，或本居上流昔無患而今被患，雖曰近年河水漸增，抑亦但知有防不知先之以導之過耳。導也者，助水消行之事也。水有消行之路而後防可施，甚至防且可省，即如前擬趨直去阻、開口等法，省其程而增其速度，去其塞而利其歸途，横溢之水自必日減。假如出槽之水減至二尺，其壓力亦必減二尺。夫破堤決岸壓力爲之也，壓力既減，則隄身之抵抗力自無須過大，反是。施防於未導之前，則工程之苟簡者，徒勞而無功，工程之高厚者，又不免於糜費，可見先導而後防洵爲適當之策。又如漚河一帶，下無尾閭，沿漚湖泊長廣動以十數里或數十里計，際此議防兩岸隄綫續長乃至四百餘里，尤必起築於水深數尺之内，終之積潦不消，兩面受敵，需工之鉅且難，既如此而無裨於事，乃又如彼雖有白圭羌無良策，若照所擬鑿通下口預消積潦，則湖泊必縮減其面積與其深度而露出平地，再行施防則耗費者少，保全者多，即遇潰決捍禦亦易，是則不先之以導更無防之可言，故言治洮必自導始。然則如洮南、洮安、安廣固已先導而施防者爲之奈何？曰彼之施防而等諸未防者殆十之六七，且已迭受倒置之損，爲過去事。今惟有速從事於導以挽救之，其餘之未有隄防者，則置爲第二手續可也。至於施防，亦宜有先後之别，一言以蔽之，曰先上游後下游。假如安廣、鎮東已築隄防，僅留河流一綫之路，而洮南、洮安尚任自然，龍華圖

水如其大至，勢必於大橋一帶縱橫泛溢，渟聚既久，壓力增劇，伺隙乘虛仍必越軌而下，洮安、洮南既受其殃，而安廣、鎮東終亦無幸，即如交流河西岸一帶，向乏水患，而自洮安、洮南築隄後，連年被水，其明徵也。大抵上下游均無隄防，其被水同。即使上有隄而下無防，下亦不受上之何等影響，惟下游已有隄防而上游無之，則未有不累及上游而甚至自累者也。故就防而論，應先從事於交流河西岸與夾心子與洮安之西界，次則洮安南界與洮南北界，次則安廣與鎮東之沿洮兩岸耳。

籌款方法之計劃附預算表

右擬施導之處，凡四，施防之處，凡六，預算需小洋二十七萬二千元，興工時須設綜理防導機關，年需經費三千五百元，以三年內蕆事計，共需一萬零五百元，統計爲二十八萬二千五百元。惟此項預算良非正確之數，一則所估工程價值皆出於在事人員之訪詢與本地官紳之擬議類，皆無工程專門知識者，誠恐計議未周，不能應有盡有，實支時難免無超過之處；二則所估施防工程，皆就現在之水勢以定其隄防之高廣，今既擬先導後防，經施導後水必減量，則隄防亦可減其高廣而費當較省，實支時難免無賸餘之處，惟冀二者相劑或於實支之數不甚相遠耳。其籌之之法分計於左。

一、由地方籌集之款。其計劃有三：

（甲）洮安之鑿通舊河工程。洮南之交流河西岸與夾心子及大橋以東至安廣界，洮安、安廣兩縣沿河各處防工就近皆有受益之墾户，可以徵集人工，其不能出工之户責令出糧，以給工作者之食而代本户之人工。此攤派工糧以代實款之方法也。

（乙）各縣地方凋敝，雖乏閒餘款項，然果盡心籌措亦不無堪資挹注者。如安廣近將義倉出貸之贏餘撥充隄費，洮安近將賑款資給貧工以疏通舊河，是也。再如別項地方公益之款不即支用者，凡收效較速之簡易工程亦不妨隨時呈明，以春借秋還之法行之。此撥借地方閒款以爲補助之計劃也。

（丙）以上二項可行諸洮南、洮安、安廣三縣，而猶須分別補助，若鎮東一縣沿河一帶不惟居户寥寥，即荒地亦多未放出，無可徵之工，亦即無可助之糧，而其隄工需費至六萬餘元之多，即能勉集少數之款，亦殊無能爲役，允宜設法另籌。查該縣沿河未放上等荒地，在擬築隄綫之內者，約一千方里內外，若有隄保護，每方里可收糧三百石，最賤可值千元以上，則隄成後每方里之值必在千元以上可斷言矣。原定官價僅小洋三百元，今擬呈明將此荒劃出另行招領，每方里祇收一百元，工竣後再令分期補交二百元，此先繳之款至少可收小洋六七萬元，以之墊充鎮東工費綽有餘裕。事後仍出受益者按畝陸續攤還，庶領

荒者力舒而争赴資用者取給，而有餘荒之未放者，以放未開者悉開，誠一舉而三善。備此就開荒籌款以資應用之計劃也。

二、請國家協助之款。準上條就地籌款之方法，調查各縣可致之數約在小洋十四萬餘元（詳後列預算表），尚不敷，小洋十四萬元合大洋約十二萬元，衡之地方民力地力，實覺難以再籌，且如前擬，修直河身暨挖去淤塞與鑿通松、漚各計劃，其施工也半在各縣境地之外，既不能就近徵派工糧，其受益也又不屬於一鄉一邑，非若防工之利害切己，鄉民眼光往往視爲迂緩之圖，所謂可與樂成難與創始者，故亦未便責令出資。不有國家之協助，則此等要工既不能舉，即其餘各段防工之有基可爲而待於補助者，亦虞半途而廢。查此開地苦懷襄民罹昏墊，國家振饑蠲賦已不一年，河患弗除則此等消耗正未有艾。若於此等工程先有以協助之，三年之内即可竣工，其中受益農田多至五百萬畝，歲增田賦大洋七萬元，且河連既通物産既富，其餘國家收入當在十萬元以上。是投十二萬元之基金，即能獲十二萬元以上之歲入，其本少而利豐，效速而持久，較之卝〔一〕山鐵路實倍蓰之。夫當拯民飢溺之際，雖巨款亦所不辭。今者拯民飢溺之資即無上生産之費，爲國家經濟計亦無不宜。竊擬轉請中央籌撥大洋十二萬元，或派員監督或責成本地官紳悉心支配，則大功於以告成矣。倘此項協款國家仍擬收回，固亦有籌還之法，特須假以時期耳。查各縣被水區域内放出之荒已逾多年，未經墾闢者照章應與撤佃，河工告成後此等土地必倍蓰於其原值，届時如僅加一倍招領，來者必甚踴躍。調查此等應行撤佃之荒殆不下百萬畝，則協款不足還矣。

〔一〕卝　古同『礦』。

洮河防導經費預算表

	施工地段	需費事項	估計數	擬由地方籌集數	擬請國家協助數
導費	洮河自龍華圖至嫩江沿	修直河身	二四三〇〇元		二四三〇〇
	洮河下游	挖去淤灘	三四二〇〇		三四二〇〇
	洮安舊河	開渠及鑿通下口	七八〇〇	三八〇〇	四〇〇〇
	漚河至松花江岸間	開渠及鑿通下口	三五〇〇〇		三五〇〇〇
防費	洮南交流河西岸	築隄	一七五〇〇	一一五〇〇	六〇〇〇
	洮南夾心子	築隄	三六〇〇〇	二四〇〇〇	一二〇〇〇
	洮南大橋以東至安廣界	築隄	一三一〇〇	五一〇〇	八〇〇〇
	洮安沿洮河西北岸	築隄	二〇二〇〇	一四二〇〇	六〇〇〇
	安廣沿洮河南岸	築隄	二四六〇〇	二四六〇〇	
	鎮東沿洮河北岸	築隄	六〇三〇〇	六〇三〇〇	
其餘費		工程總機關	一〇五〇〇		一〇五〇〇
總計			二八三五〇〇	一四三五〇〇	一四〇〇〇〇

測量洮河徑綫水準表(一)

測量洮河徑綫水準表一　自龍華圖山至大茂好山

沿河地名	水準點號次	距離	比高
龍華圖山南	一〇	米	假定高於海水面之□(二)一〇〇米〇〇〇
老實王西	九	二七〇〇	九七·一三三
白虎套保	八	一五〇〇	九七·二一五
黃喇嘛窩堡北	七	二六〇〇	九二·五七〇
白福禄窩堡	六	二〇〇〇	九〇·七七一
三家子	五	一五〇〇	八八·四四七
老陳家西	A	二二〇〇	八五·四三一
老孫家西	四	二七〇〇	八二·二四〇
荒燒鍋	B	一五〇〇	七九·九七五
交里爾鄂博	三	一七〇〇	七八·四〇三
劉老萬	C	一五〇〇	七六·四五九
大茂好東北	二	一七〇〇	七四·九八七
大茂好山	一	二二〇〇	七一·七七四

說明載次表末

測量洮河徑綫水準表二　自龍華圖山至嫩江沿

沿河地名	水準點號次	距離	比高
龍華圖山南	一〇	米	一〇〇米〇〇〇
旦巴屯東	一一	四一〇〇	九七·一三五
秦卜東	一二	二三〇〇	九二·七四九
金保窩堡	一三	一三〇〇	九一·七八一
木頭營子	一四	二五〇〇	八七·五八七
叉干套保	一五	二六〇〇	八二·九四九
老温家對岸	一六	二七〇〇	七九·三四三
老尹家西	一七	一七〇〇	七七·五五一
楊五窩堡西南	一八	二一〇〇	七四·二四四
袁家燒鍋西北	一九	二二〇〇	七一·七九八
四海套堡西	二〇	一八〇〇	六九·八二一
慶成號西北	二一	一八〇〇	六七·三五五
雙雞毛頭西北	二二	一五〇〇	六五·八〇九
史玉對河	二三	二四〇〇	六二·九三九

(一) 底本正文無此標題，據底本目録加。
(二) 底本此字不清，無法辨認，疑爲『數』字。

沿河地名	水準點號次	距離（米）	比高
老爺廟西南	二四	一七〇〇	六一・五四三
喇嘛倉西北	二五	一九〇〇	五九・六三四
楊五家西	二六	一六〇〇	五八・一〇九
四十户	二七	二三〇〇	五五・八七八
四十户南	D	二三〇〇	五四・三九四
鐵嶺窩堡	二八	二三〇〇	五二・五九四
白音套海	二九	二二〇〇	五〇・九三六
丁家館子	三〇	二〇〇〇	四九・九三六
王家店	三一	一七〇〇	四八・〇八四
烏蘭巴達	三二	二三〇〇	四六・九四〇
趙七窩堡南	三三	一八〇〇	四六・七一四
平頂廟	三四	二二〇〇	四五・八一〇
瓦盆窑	E	一五〇〇	四五・一九八
全音九套保南	F	二〇〇〇	四五・〇二二
百拉根套保	三五	三六〇〇	四四・二一一
大橋	三六	二〇〇〇	四四・〇三九
白音九套保西	三七	二〇〇〇	四三・五五九
白音九套保東	三八	二四〇〇	四三・〇二三
芒歌	三九	二一〇〇	四三・八四一

沿河地名	水準點號次	距離（米）	比高
後狐狸營子	四〇	一八〇〇	四二・七八九
前狐狸營子	四一	二一〇〇	四二・五八四
王山東堡	五二	三六〇〇	四一・八六八
報老汗吐北	五三	二一〇〇	四〇・九九四
龍王廟	五四	二四〇〇	四一・八三四
大砂岡	五五	一八〇〇	四八・五五八
哈天察干	五六	二五〇〇	四〇・八四四
哈天察干東	五七	二一〇〇	四一・二九〇
阿四冷昭	五八	二八〇〇	三九・七五八
阿四冷昭東	五九	二〇〇〇	三九・五七四
	六〇	二〇〇〇	三九・五一〇
	六一	二〇〇〇	四二・六一四
	六二	二八〇〇	三九・一九四
	六三	二〇〇〇	三九・〇七四
鄂博營子北	六四	一五〇〇	三八・〇五〇
鄂博營子西	六五	一五〇〇	三七・三四三
保勝屯附近	六六	二〇〇〇	四〇・九五□〔一〕
	六七	二〇〇〇	三七・九七〇

〔一〕底本此處字迹不清，似爲『八』。

沿河地名	水準點號次	距離	比高
		米	
	六八	二〇〇〇	三八·九七五
	六九	二〇〇〇	三五·四九〇
	七〇	二〇〇〇	三八·八一二
	七一	二〇〇〇	三七·一七八
	七二	二〇〇〇	三四·〇七四
	七三	二〇〇〇	三三·七五四
	七四	二〇〇〇	三五·六九六
新廟	七五	二〇〇〇	三三·〇五〇
	七六	二〇〇〇	三五·七六六
	七七	二〇〇〇	三三·三六二
	七八	二〇〇〇	三六·三三二
	八〇	三〇〇〇	三六·四三九
	八一	二〇〇〇	三三·〇五一
	八二	二〇〇〇	三一·五〇〇
	八三	二〇〇〇	三二·八五九
	八四	二〇〇〇	三一·八〇四

沿河地名	水準點號次	距離	比高
		米	
	八五	二〇〇〇	三四·九四六
	八六	二〇〇〇	三三·六〇八
	八七	二〇〇〇	二九·四六二
	八八	二〇〇〇	三二·八四五
	八九	二〇〇〇	二八·三三五
	九〇	二〇〇〇	三〇·二〇三
	九一	二〇〇〇	三三·四一七
託託士	九二	二〇〇〇	二六·七八七
	九三	二〇〇〇	三一·二〇八
	九四	二〇〇〇	二六·八九三
	九五	二〇〇〇	二五·一八一
	九六	二〇〇〇	三〇·三七〇
	九七	二八〇〇	三二·四一七
	九八	二〇〇〇	三〇·二三二
	九九	二〇〇〇	二五·九九四
	一〇〇	二〇〇〇	二八·〇九七
	一〇一	二〇〇〇	二九·二五三

沿河地名	水準點號次	距離	比高
	一〇二	米	二二·四六五
	一〇三	二〇〇〇	三二·八〇二
	一〇四	二〇〇〇	二五·〇九一
	一〇五	二〇〇〇	三四·五四四
蔡家店	一〇六	二〇〇〇	二六·八三六
	一〇七	二〇〇〇	二五·六三八
	一〇八	二〇〇〇	二九·五三三
	一〇九	二〇〇〇	二四·五八〇
田家店	一一〇	二〇〇〇	二三·八九一
嫩江沿	一一一	二〇〇〇	二三·九〇五

說明

一、以洮字第十號點爲水準，原點假定距中等海水面之高標爲一百米達。

一、標明高低及距離均以米達爲單位，每米達合工部營造尺三尺一寸五分。

一、如欲知大橋三十六號水準點與龍華圖山原點之比高，須檢表内三十六號之同列比高欄内，得四四米〇三九，即由一〇〇米〇〇〇減去四四〇九即三十六號低於原點之數也，餘類推。

一、距河岸以外之點與河之高低無關係，故多未列地名。

一、水準點號次間有凌雜不貫者，因標樁殘缺補换之故，非有錯誤也。

測量漚河徑綫水準表

沿河地名	水準點號次	距離	比高
喬家園子	三一	米	三九米一九四
喬家園子北	三〇	四〇〇	三七·三七六
叉干撓西口	二九	二〇〇〇	三五·〇五九
姜家店西	二八	一七〇〇	三一·八一四
安廣縣南	二七	四七〇〇	二八·五七九
陳萬忠東	二六	五五〇〇	二七·九二三
四棵樹南	二五	二〇五〇	二七·三一六
胡窩堡北	二四	三一〇〇	二四·八二二
大黑山北	二三	四七〇〇	二四·八八五
王家園西	二二	六〇〇〇	二四·七三三
十八家户	二一	二〇〇〇	二四·〇八一
十八家户	二〇	五〇〇〇	二四·三〇五
青山頭泡子西口	一九	三四〇〇	二三·五〇五
泡子北沿	一八	三八〇〇	二三·五四一
泡子北沿東	一七	三九〇〇	二四·二九一
鹼鍋南	一六	二一〇〇	二四·四五六
鹼鍋東南	一五	三二〇〇	二四·五一四

沿河地名	水準點號次	距離	比高
		米	
鹼鍋叉東南	一四	四○○	二三·四四○
青山頭西	一三	二九○○	二三·四六四
青山頭屯西	一二	二八○○	二三·六六二
	一一	九○○	二四·一八四
馬營子南	一○	四○○○	二四·五三四
	九	一四○○	二三·九四七
十家子屯	八	三九○○	二四·五○七
十家子屯南	七	三七○○	二四·七○二
帕牢坡屯南	六	四二○○	二四·六九六
四棵吉	五	一七○○	二五·○○五
四棵吉店前	四	三三○○	二四·六八六
蕭家窩堡	三	五二○○	二五·一三六
陳家窩堡	二	三四○○	二四·三六一
松花江沿	一	四六○○	二五·一二四
說明	見前表		

張壽增　輯

黑龍江十年航政報告書

李興盛　整理

整理説明

《黑龍江十年航政報告書》，張壽增輯。

張壽增，字鶴岩，北京旗人，民國年間曾長期在黑龍江供職。民國元年（一九一二年）任黑河道觀察使，五年（一九一六年）任龍江道道尹。六年、九年、十五年又曾三次任黑河道道尹。『九·一八』事變後行實不詳。他在黑河供職期間，鑒於黑龍江已成中俄兩國界河，而該江航權於清光緒、宣統年間卻『爲俄獨操』，後經中方多次交涉，始於民國七年收回航權，十一年（一九二二年），中蘇雙方組成航政委員會，訂立地方臨時協定，共同出資辦理該江航政。次年雙方改訂原協議，並將額爾古納河、烏蘇里江等囊括在内。此後，凡屬上述三江航路之維持、行船之設備（如安設燈照、竪立標杆、疏浚江道、訂立航章等）、江捐之徵收等，隨時由該委員會提議，並根據協定精神商辦。這使我國東北官商各輪船航行於黑、烏各江之利益得到保障。至民國十七年張壽增命人將民國七年至十七年之間我方維權、與蘇俄交涉之經過及相關事宜，編輯成書，此即《黑龍江十年航政報告書》。並於十九年交由哈爾濱新華印書館鉛印出版。

該書分上下兩册，上册闡述黑龍江各流域氣候、地理、商船情形、船務行政、與俄交涉經過、航政經費支出之預界、江捐徵收情形、船業運輸及航行情況、大黑河口工程設施、沿江流域之經濟狀況等。下册附録中俄雙方歷年協議原文。此書對於研究東北航政史，乃至中國航政史，都具有很高的史料價值。

本編纂單元點校者爲李興盛，審稿者爲姜智、馮明祥、蔣超。不當之處請批評指正。

整理者

序

黑龍江雖屬中俄兩國公共江流，然該江航權在昔爲俄獨操，前清光、宣年間，迭經中俄雙方派員在哈開議，迄無結果。

迨至民國七年，壽增承乏黑河道尹時，適值俄國變政，當即乘此時機，與俄阿穆爾省新黨首領穆痕一再交涉，幾經困難，始將該江航權收回，並經雙方議定辦法四項，從此中國輪船遂得航行於黑龍江流域矣。惟彼時俄國黨爭方殷，對於該江一切工程無暇顧及。

嗣於民國十一年，俄亂平靖，始由中俄雙方局部合組航政委員會，訂立地方臨時協議，共同出資辦理該江航政。民國十二年，因原訂地方臨時協議稍欠完善，復由雙方重行改訂，並將額爾古納河、烏蘇里江等一並加入。凡屬中俄兩國交界河流航路之維持，行船之設備，江捐之徵收，隨時可由該委員會提議，根據協議商辦。故近年以來，黑龍江、烏蘇里江、額爾古納河等中俄兩國交界河流，一切航政，如安設燈照、竪立標桿、疏濬江道、訂定航章等等，莫不由該委員會依據地方臨時協議會商妥協，次第舉辦。所有東北官商各輪船航行黑、烏各江，享受利益，似非淺鮮。

計自民國七年收回航權起，截至民國十七年底止，共十周年。茲經飭由航務專門顧問易保羅將此十年内經過事實，編集成書，定名曰《黑龍江十年航政報告書》。書中計分總綱十一章，細目六十一節，並録協議原文及附江圖等件於書後。區區編集，聊作注意黑、烏、額各江航政者之參考耳。

中華民國十八年五月一日

張壽增序於黑河道尹任次

目録

第一册

第一章　阿穆爾江（黑龍江）各流域氣候

一、季候風

阿穆爾省各期之季候風，按期均甚准確。空氣壓力最高限度之時期，爲正月。是時氣壓表之平均度數，在布拉果威臣斯克，即俄境阿穆爾省會，華境黑河對岸，爲七七〇點八，在尼果拉耶夫司克（即廟街）爲七六四點二。空氣最低限度之時期爲七月，是時氣壓表之平均度數，在布拉果威臣斯克爲七五五點一，在尼果拉耶夫司克爲七五五點九。

二、空氣所含之水量

布拉果威臣斯克城空氣所含之水量，平均數目每年爲五〇七米力迷突，合華尺一尺五寸八分；哈巴洛夫司克城（即伯力），每年平均數目則爲五五〇米力迷突，約合華尺一尺七寸一分。

三、氣候常年所含水量之區別

夏季自海洋中吹來之季候風，非僅以溫度區別，並因其富於高度之濕氣也。反言之，冬季自亞洲大陸寒帶吹來之季候風，則以其極爲乾燥區別之也。結果則成爲多雨之夏季，而枯燥之冬季水量分布既如此之不平均，遂使阿穆爾省空氣中常年所含水量之百分之七十或八十，繼續降落於夏季一月至二月之久。在空氣最乾燥之正月間，布拉果威臣斯克城空氣中所含之水量度數爲一米力迷突，海參崴爲二米力迷突。八月間空氣所含之水量度數，布拉果威臣斯克最低時爲一三一米力迷突，合華尺四寸；海參崴最低時則爲九六米力迷突，合華尺三寸。

四、空氣中所含水量

阿穆爾省空氣中所含之水量，多數既在夏季降落，由此等所降下之水，遂成無數之溝渠，由此等溝渠而成爲江河。阿穆爾省各江河之水多數由此等溝渠流來，而烏蘇里江並有水滿之患，故發生水災。冬季空氣中所含之水量既少，故冬季降雪亦稀，於值㈠物及草類之生長大有防得㈡。夏季期間所降落之水量落於凹地，留作灌溉田畝之用，於耕種雖然有益，而於樹木則有損，故阿省凹地之樹木於水落後發生朽爛，或生長木耳等病，有時樹身之内腐爛成爲空筩。

㈠值　應爲『植』之誤。

㈡得　爲單韻錯字，疑爲『礙』字。

五、各江流域温度之區别

西比利亞東部各地冬季之温度，如與歐洲俄國同一地帶之地方相較，並不甚低。譬如亞洲之海參崴，與歐洲之妮察城，並蘇虎木城，係在同一緯度之間。正月期間海參崴之温度與妮察城相較爲低，按攝氏寒暑表中等之温度，僅差二十八度。在該期間，如與蘇虎木城相較爲低，則相差僅二十七度耳。哈巴洛夫司克（即伯力）城所在之地帶與歐洲法國京城之巴黎、奧國京城之維也納所在之緯度相同，在正月期間，按照攝氏寒暑表中等温度，伯力城與法、奧二京相較雖稍爲低下，亦僅差三十度。而布拉果威臣斯克城（即阿雀之省會，華人呼之爲黑河）與法、奧二京相較爲低，則僅差三十一度耳。至於烏蘇里江南部各地，雖與歐洲南部黑海内俄屬之克里米半島均在同一緯度，而温度則殊異。烏蘇里江南部冬季之温度竟與俄屬歐洲北部之阿爾汗克司克省相同。此温度殊異之理由，則因墨西哥海灣内所發出之大股熱海潮流，向不經過太平洋中及北冰洋中所流出之多□[一]冰塊，皆聚存於倭赫特司克海内，並俄屬西比利亞之牙古特司克省地方，又最接近冷帶之北極。有此種種情形，皆係烏蘇里江與克里米半島温度殊異之緣故也。至於阿穆爾省各地最冷之時期，寒暑表之冷度低落程度如何，則可以下列各比較觀之：按照攝氏寒暑表，以正月而論，阿牙城在冰點以下二十五度，尼果拉耶夫司克城（即廟街）在冰點以下二十九度。其距離海岸較遠之各城最冷之時期，寒暑表冷度低落程度如下：按照攝氏寒暑表，以正月而論，齊塔城在冰點以下三十二度，攝爾秦斯克工廠冰點以下三十七度。西比利亞各地寒暑表冷度低落最低之處爲牙古特司克省，如在正月期間，按攝氏寒暑表中，郭雹木司克城在冰點以下四十九度，牙古特司克城在冰點以下五十四度，維爾赫顔司克城在冰點以下六十三度。西比利亞各地之寒度既如上述。今再將熱度論之，由西曆一千八百九十四年起至一千九百零三年止，十年之間，阿穆爾省及沿海濱省各城夏季熱度最高之際，按攝氏寒暑表懸掛於背光之處，尼果拉耶夫司克（即廟街）城竟達冰點以上三十八度，海參崴熱度在冰點以上四十一度，而布拉果威臣斯克城熱度則在冰點以上達四十六度之多。近數年以來，氣候較前轉行温暖，而寒暑表冷熱度之升降亦較前爲和平矣。

六、霧

霧多則於江道之航行有碍，此等霧氣之來源，係由潮濕之氣及夏季熱度增高之期而成，或由池沼塲所水面所浮之浮萍中所含之潮濕之氣而成者也。

[一] 底本此處字迹不清。

第二章　阿穆爾江（黑龍江）各流域地理上各情形

七、阿穆爾江（黑龍江）流域各河流之長短及其面積

世界大河之中以流域之面積論，阿穆爾江占第十位；以長短論，則占第十一位也。阿穆爾江總計長四千三百零八啓羅米突，其流域内各河流共占面積爲一百九十六萬零六百五十三平方啓羅米突。

茲將各河流本身所占面積分别列下，計：什勒喀河十九萬四千五百六十七平方啓羅米突，喀爾古納河及多倫池共二十六萬三千四百三十八平方啓羅米突，松花江五十一萬九千九百三十六平方啓羅米突，烏蘇里㈠十八萬八千零七十四平方啓羅米突，阿穆爾江三十九萬零一百八十平方啓羅米突，結牙江（即精奇里）二十二萬八千二百三十四平方啓羅米突，阿穆公尼河、通古斯河及布列牙江（均在俄境）十七萬六千二百三十四平方啓羅米突，中國揚子江計長五千二百啓羅米突，而面積則爲一百八十七萬平方啓羅米突。

八、阿穆爾江（黑龍江）上下游能否航行之區别

黑龍江及其各大支流共長三萬啓羅米突，茲將其通航及不通航之部分列下：

不可通航者爲八千三百零五啓羅米突；

可通航者爲二萬二千六百八十四啓羅米突；

可通輪船者爲一萬七千二百四十六啓羅米突。

查黑龍江流域可以航行輪船之部分，共計達一萬啓羅米突以上。茲將輪船通行之處列下：

額爾古納河：至新粗魯海依都牙止，五百六十七俄里；

松花江：至吉林省城止，一千一百九十一俄里；

嫩江：共四百零八俄里；

烏蘇里：至松嘎察江口止，共四百五十六俄里；

布列牙江：至切公僅斯克貨棧，共三百三十一俄里；

結牙江（即精奇里）：至博穆斯克貨棧止，共九百俄里；

邪列穆札江（即麒麟甲）：至恩吉木洽止，共四百二十六俄里。

九、黑龍江流域之培養力

阿穆爾省因四季空氣中所含之水量分布之不平均，空氣中所含之水量多在夏季降落，而冬季則甚稀少，遂造成航行之發達，阿穆爾江航行之利便皆由此耳。蓋由上游發貨之時期皆在霪雨期内行之耳。黑龍江水力之培養

㈠烏蘇里　即爲烏蘇里江。

力多半皆藉空氣中所含之水量，而藉河身所出之泉水爲培養力則甚少耳。黑龍江流域各河流冬季之水平綫較諸夏令異常低下，以冬季最低之水平綫與開江期間之水平綫相較之差，在布拉果威什臣斯克達四英尺，在哈巴羅夫斯克（即伯力）達四英尺半，而尼果拉耶夫司克（即廟街）則爲九英尺云。

十、阿穆爾江（黑龍江）水平綫之升降

阿穆爾江之流域設有量水管理站數處，以便測量江水之昇降。此項量水站有全年設立者，亦有夏季航行期内設立而冬季則取消者。兹將各管理站測量最高水平綫與最低之水平綫比較相差之數列下： 司列金司克達三十二英尺，巴克洛夫克達二十八英尺，布拉果威臣斯克達二十三英尺，米海依拉謝米諾夫斯克（在松花江口以下二十八俄里地方）達三十六英尺，哈巴洛夫斯克（即伯力）達二十五英尺，尼果拉耶夫斯克（即廟街）达九英尺之多。阿穆爾省各地方受巨大之水災时甚是稀少，如布拉果威臣斯克城之江岸甚高，僅於一千八百九十五年秋季曾有水災。是時，城之中央可以航行船隻，而烏蘇里江之依瑪城（在虎林縣對面）於一千九百二十七年亦曾發生水災，輪船駛行於街巷之中，由房盖之上拯救被水所淹之人民。又札林達地方（在布拉果威臣斯克以上六百四十七俄里地方）於一千九百十一年春季因江中所聚之冰堆甚多，開江之時水平綫較平時竟高至七沙申（四十九英尺）之多。查水平綫昇降之消息，對於建築橋樑及選擇地點建設新村有最大之義意也。

一一、阿穆爾江（黑龍江）水流之速度

阿穆爾區域内之情形，因空氣中所含水量分布之不均與他處迥乎不同，水平綫往往發生急驟之變遷，並影響江流之緊急，因水勢愈高而水流亦愈急也。位於司列金司克對面之什勒喀河，在江水增漲最大之際竟達三十二英尺之高，水流之速度每小時達十二啓羅米突之遠。於開江期間，水平面在中度之際，其水流之速度每小時不超過下列之數，計： 什勒喀河每小時五啓羅米突； 阿穆爾江上游六啓羅米突，阿穆爾江中段五啓羅米突，阿穆爾江下游四啓羅米突； 松花江之江流流動非常遲緩，而於結牙江（即精奇里河）及邪列木日江各淺灘中江流之速率，最緊急時每點鐘達由十啓羅米突至十六啓羅米突之遠，最遲慢時每點鐘亦由六啓羅米突至九啓羅米突之遠。

一二、阿穆爾江（黑龍江）水面與太平洋水面高低之比較

按照各量水管理站所設置之水面測量標尺測量之結果，阿穆爾江水面計高出太平洋水面爲下列之各數： 最上游之奥諾斯克量水管理站，計高出洋面爲二百七十二又百分之十三沙申，司列金四克量水管理站爲二百十三又百分之四十一沙申，博克洛夫克量水管理站爲一百四十八又百分之二十沙申（在什勒喀河與額爾古納河交流

處)，布拉果威臣斯克量水管理站爲六十又百分之六十四沙申，哈巴洛夫司克(即伯力)量水管理站爲十四又百分之五沙申，哈爾濱量水管理站爲五十九又百分之七十三沙申，及松花江口之管理站爲二十二又百分之八十四沙申。

一三、阿穆爾江(黑龍江)流域各河流開江之時期

開江最早而自南向北流入黑龍江者，即松花江及烏蘇里江兩支流也。其次，則爲松花江及烏蘇里江交流處之阿穆爾江一部分而已。松花江在吉林省城之一段，開江之期爲三月二十三日或四月三日，在哈爾濱之一段，開江之期爲四月三日或四月十八日，而兩處封凍之期則爲十一月十四日或十一月二十四日。烏蘇里江在虎林之一段，開江之期爲四月六日或四月二十五日，而封凍之期則爲十一月六日或十一月二十四日。阿穆爾江南方各支流開江之期雖早，而對於航船則無甚關係。蓋阿穆爾江上游及什勒喀河並阿穆爾江下游及結牙江(即精奇里河，又名黃河)開江之期甚晚，故各項船隻所運輸之貨物在阿穆爾江沿岸各碼頭，除哈巴洛夫(即伯力)外，其餘如司列金四克、布拉果威什臣斯克、結牙碼頭及尼果拉耶夫司克(即廟街)等處概不能停留也。各江開江最遲者爲尼果拉耶夫司克(即廟街)城之一段，該段開江之期爲五月五日或五月二十五日，此段開江之期雖晚，而對於航業則不受影響。因凡開赴尼果拉耶夫司克(即廟街)之船隻，必須俟冰排通過哈巴洛夫(即伯力)數日後方能開駛也，且冰排行動甚速，故前赴尼果拉耶夫司克(即廟街)之船隻可以安然達到也。既有上項各情形，故阿穆爾江下游運輸之事業較他處自然爲遲九日或十日也。布拉果威什臣斯克一段，開江之期爲四月二十四日或五月五日，而司列金四克開江之期則爲四月十九日或五月十一日，哈巴洛夫(即伯力)及米海依羅謝米諾夫司克(即三江口)開江之期則爲四月十六日或五月一日。

一四、阿穆爾江(黑龍江)春季冰排流動時間之長短

春季冰排行動期間之長短，全視水平綫之情形爲標準。冰排行動期之長短，平均可以八日爲定準。江中狹窄處所雖存有冰堆，而對於冰排之行動則無甚碍阻。因江流行動之緊急及冰排力之巨大，故阿穆爾江冰排之行動異常湍激。

一五、阿穆爾江(黑龍江)冰之厚薄

布拉果威什臣斯克城二月間爲江中冰凍最厚之時期，其餘各口岸江中冰凍最厚之期則爲三月。江中之冰由冰凍開始時起暫行加厚，且爾年也夫量水量管理站之冰最厚時竟達七英尺之多(百分之九十六分沙申)。布拉果威什臣斯克江中冰凍最厚之時爲五英尺半，而冰凍最薄之時爲三英尺半。哈巴洛夫(即伯力)江中冰凍最厚之時爲四英尺半，而冰凍最薄之時爲二英尺又四分之三。阿穆爾江冰凍中等之厚薄可定爲三英尺半或四英尺又四

分之一。凡江流行動緊急之處，冰凍則薄，而江流行動遲慢之處，冰凍則厚。

一六、阿穆爾江（黑龍江）封凍之時期

秋季江水行動見凝之時，即將結冰之先兆也。繼之發現冰絲，猶如春季柳樹所飛之柳絮，將江面蓋滿，然後再結成冰排。茲將各江江水發現見凝之期限詳開如下：拾拉嘎江爲十月八日至十月二十五日之間，布拉果威臣斯克爲十月十八日或十一月三日，哈巴洛夫（即伯力）爲十月二十七日至十一月六日之間，尼果拉耶夫司克（即廟街）爲十月二十六日至十一月十日之間。由江水見凝之時起至江流停止之時止，中間相距之期限取其中等者，前後需時約九日。自從江水發現見凝後，江中河身沿岸及淺灘等處沿邊均有薄冰，然後遂發生小塊之冰在江中開始行動，由少數小塊之冰成爲多數耳，成巨大之冰塊，阿穆爾江江流行動緊急，遂致將多數之冰塊聚成冰堆（即冰山）。

一七、阿穆爾江（黑龍江）流域各河流航行期之長短

各河流航行期間最短者爲什勒喀河、結牙江上游及阿穆爾江之尼果拉耶夫斯克（封凍較早）。計什勒喀河航行期間爲一百五十八日，結牙上游爲一百五十二日，尼果拉耶夫斯克爲一百五十三日。各河流航行期間最長之日期，什勒喀河爲一百八十五日，結牙江爲一百九十四日，尼果拉耶夫斯克爲一百九十一日。各河流航行期間平均計算之，則什勒喀河爲一百七十四日，結牙江爲一百六十一日，尼果拉耶夫斯克爲一百六十七日也。布拉果威臣斯克航行期間最短時爲一百五十八日，其較長日期爲一百七十三日，哈巴洛夫斯克則爲一百八十八日也。

一八、阿穆爾江（黑龍江）流域江水之温度

各河流在由十月至四月封凍之期間，江水之温度並無變更，總在冰點左右。開江後，阿穆爾江全流域之水温按攝氏温度表計之，在五月間爲冰點上七度又十分之七，六月間爲十六度又十分之七，七月間爲二十一度又十分之二，八月間爲二十度，九月間爲十三度又十分之一，及十月間爲三度又十分之九。

一九、阿穆爾江（黑龍江）流域各河流之深淺及淺灘之性質

阿穆爾江全流域之河身並不準確，江流所經之地方或高低不平，或淺灘淤塞。然（性）〔江〕底之大部分多係石質或小石塊所積成，是以該江之河身如與其他各河流之河身相比較，可稱平穩。淺灘與江堤情形相同，皆能使江流變更，猶以春秋二季江水增漲之際爲甚。江流行動緊急，則淺灘中之水增漲異常高大。除此而外，春季冰排行動之期，河身被水冲成無數之土凸（項）〔頂〕及土壘，此等土凸頂及土壘在河身中存留爲期甚久，對於航行時有阻礙。淺灘之深淺則以空氣中所含之水量降下多寡以爲

定。照水量深淺論，阿穆爾江可分爲三段，即上段、中段及下段也。

阿穆爾江下游由哈巴洛夫（即伯力）起，至尼果拉耶夫司克止（即廟街），共長八百七十六俄里。此段水路除能使吃水十英尺以下之船隻航行外，沿海行駛之船隻在此段内亦可航行，因此段江水低淺時極爲稀少。在江水增漲最高之時，此段航路可能行駛吃水十四英尺至十六英尺之船隻。阿穆爾江下游水量最深之地方爲四十沙申（在德爾屯左近）。

阿穆爾江中段由哈巴洛夫起，至布拉果威臣斯克止，共計長九百三十俄里。江船航行於此段内非常順便。在水量淺少時期之時，水量深淺三英尺或三英尺半之淺灘僅有二處，而水量深淺四英尺半或四英尺又四分之三之淺灘亦僅兩處而已。此段内其餘各淺灘水量最淺之期尚有五英尺半之水量，此段各淺灘中等之水量深淺爲七英尺。

阿穆爾江上游由布拉果威臣斯克起，至博克洛夫（即洛古河）止，共長爲八百三十八俄里，即什勒喀河、額爾古納河與阿穆爾江會流之地方，亦即阿穆爾江之開始地方也。此段水路之情形較其他各段爲壞，流入此段之各支流無一良善者。此段之淺灘註册者共爲四十四處。此項註册之淺灘平時水量深淺爲四英尺，而在水淺時期最甚之時，水量深淺竟落至一英尺又四分之三之少。在此段内亦有數處較他段爲佳者，即河槽堅固淺灘水淺時期爲時極暫，江底多係碎石積成也。

什勒喀河乃各江河中之最不宜船隻航行之江河也（共長爲三百八十四俄里），共有淺灘一百零二處，在水淺時期爲三英尺半，最淺時爲一英尺又四分之三。什勒喀河水平綫向下斜角甚大，故江水增漲之際水流行動非常緊急，使致拖帶拖船之輪船向上駛行非常遲慢。此江各淺灘乾涸之期，較阿穆爾江上游各淺灘乾涸期尤爲長久，既有以前各項情形，此江在水淺時期，輪船貨物之運輸因之停頓也。

二〇、額爾古納河發源及航業情形

額爾古納河之發源地爲海拉爾河，流域經過之處爲滿洲里各地方。自從支流名穆特那牙河者（在滿洲里站左近）流入後，此河之名方稱額爾古納河。此支流可通産魚最富之達賚諾爾湖，此湖與其他數小湖相連，如布衣諾爾湖等是也。查達賚諾爾本不足稱湖，只可稱水池也。其面積僅一千平方俄里，於冬季測量此湖水量之時，此湖各處水量之深度無過百分之八十沙申以上者。湖内所貯之水多爲額爾古納河所用。額爾古納河水增漲之時，河中之水經過穆特那牙河而入湖。額爾古納河水落之時，湖中之水又復流入額爾古納河中。蓋湖中之水乃額爾古納河之水源也。故額爾古納河水量增漲之時並不甚巨，

較什勒喀河爲輕，存留之水爲時尤久。額爾古納河水平綫昇降平穩之處所，爲該河之上游。水流經過之地方，多係寬闊無樹之山谷，並生有極茂盛之草木，尤以該河之右三支流之山谷爲佳。此三支流之名爲特了赫爾列吃嘎（華名譯爲三小河）。按照山谷之性質及船隻航行之情形而論，額爾古納河可分爲兩段，即上游與下游。由發源之處起，至俄屯洽洛布洽止，爲上游；由洽洛布洽起，至額爾古納河口止，爲下游。

額爾古納河上游由阿巴改衣都也屯起，至洽洛布洽屯止，共長四百八十俄里。河岸低下，易爲水淹，多係土岸或沙泥之岸。河身以内無名塊石。河水最大之時，河流行動最緊急之時，每點鐘可行三俄里。河中水量之深淺，凡船隻吃水不過三英尺半者均可航行，水平綫昇降之數最高不逾六英尺。水流經過地方多係彎曲處所，沿岸缺少燃料（距離河岸一百三十俄里以外地方方有森林），於航務之發展甚有窒礙。

額爾古納河下游由俄屯洽洛布洽起，至額爾古納河口止（共長四百十一俄里），兩岸多山，石崖壁立，淺灘之水量甚淺，並灘底多石。額爾古納河共有淺灘一百處，除特別水淺時期外，此項淺灘其三分之一平均水深皆在二英尺以下，且河底多暗礁，水量又淺少，以致輪船航行極爲困難也。額爾古納河之情形既如上述，所以航業亦極難發展。當地居民以耕田或牧畜爲業，因交通不便之故，當地各項出産物品出口困難。近年以來，額爾古納河華岸之居民較前大見增加，凡俄岸有鄉村處所之對面，華岸亦成立鄉村，其中並有大鄉村數處，而俄岸之鄉村近來則行頽敗不振矣。緣額爾古納河沿岸之哥雜克人，因缺少耕種之地，多數遷移至阿穆爾江沿岸。除此而外，額爾古納河地因交通斷絶，及俄方對於販運私貨查視甚嚴，遂致兩方之貿易完全停頓。華岸移來之民年多一年，並多從事農業，日見擴充。因額爾古納河所生之草木非長〔一〕良好，奇乾縣地方業已設立火磨，而室韋縣地方則建有燒鍋酒廠，居民於冬季多在金廠傭工，或作圍獵野獸之事業也。

二、松花江之發源及航業情形

松花江係阿穆爾江右面之支流，發源於吉林之長白山，其流入阿穆爾江之處，在距離哈巴洛夫（即伯力）城以上二百五十八啟羅米突地方。松花江係由兩江交流而成，第一江爲嫩江，發源之地爲依勒呼里山之南麓與小興安嶺接連之處。其二則爲松花江之支流（即向上游至吉林省城之一段）。松花江全部流域共長八百八十五啟羅米突，而支流之長，則嫩江爲一千零九十俄里，而松花江之支流則爲八百六十四俄里。松花江可以航行船隻之地

〔一〕長　應爲『常』。

方則爲八百八十五俄里，而嫩江則爲四百五十八俄里，松花江之支流則爲三百六十二俄里。松花江全部可分爲四段：

第一段，即松花江上游起，至哈爾濱止，共長二百三十俄里。河身計寬由一百七十五至四百沙申，水深計由七英尺至四十英尺。江流經過之處非常彎曲，江底綿軟，蓋由沙泥而成也。江水常分爲支流，淺灘共有十處，其中之三處水深達四英尺，水道亦頗狹窄。

第二段，松花江之中段，由哈爾濱起，至三姓止，共長三百十八俄里。江流經過之處多係沃野平原，面積寬由三俄里達二十俄里之廣。江底由沙而成，其間雜以游泥或石子。共有支流數處，最重要之淺灘共爲十處，其中之三處不時移動，水深由三英尺半起至五英尺止。此項淺灘中有名三姓者係石底在水量極淺時竟落至二英尺或一英尺半，但爲時甚暫也。

第三段，由三姓起，至佳木斯止，共長一百俄里。有一牡丹江由山中發源，流入此段開始之處。本段缺少支流，而江流行動非常緊急。

第四段，由佳木斯起，至松花江與阿穆爾江交流之處止，共長二百三十七俄里。江流經過之處多係寬大平原之野地，江岸甚低，航路並不平穩。河身分爲無數支流及沙底易於流動之淺灘。

松花江流域由他處遷來之移民按年增多，現時松花江全域沿岸之居民已達由七百萬至八百萬之多，而墾成之地畝亦見增加（現時開成之地畝已達四百萬俄畝以上）。全流域爲產糧石最富之區域，所出產之糧，用輪船輸送至哈爾濱，再行轉運他處。松花江沿岸地方既有此項大宗出產，而航業亦隨之大見發展。

二二、烏蘇里江之發源及航業情形

烏蘇里江發源之烏賓河及烏拉河兩起首之處，爲西赫達阿林嶺。兩河爲發放木排之最好水路，因兩河上游產有極茂盛之森林。烏賓河與烏拉兩河交流而成烏蘇里江。烏賓河長二百五十俄里，而烏拉河則長五百俄里。烏蘇里江由兩河交流之處起，至江口止，共長六百俄里。烏蘇里江全域至江口止，沿岸均係肥沃之平原。每逢江水增漲，沿岸各地多被水淹，故沿岸所生之植物僅有柳樹及稠密高與人齊之草而已。右岸雖多山嶺，並不甚高。烏蘇里地方所產之糧石甚壞，因於植物生長之期所降之霧及雨並天氣冷熱之不平均，遂致各糧之穗發生霉菌，內部多發酵，尤以夏季降霧之際爲甚。遍地生有無數之雜草。查此等穗內腐敗之糧，無論人或牲畜食之，必生雜病，如頭疼病、頭暈病或身生病及目疾、身體軟弱、發生嘔吐情事，幸尚無有因此而致死者。

由松嘎察江口以下起，烏蘇里江分爲多數之支流，非常彎曲。烏蘇里江河身之正流面積寬闊，由七十沙申至一百沙申。烏蘇里江連同支流之面積寬闊，由二百五十

沙申至三百五十沙申，江口之面積寬闊則爲七百沙申。江底沙質，易於流動，航路不時變更，河身石塊不多，江流行動遲慢。由左面流入烏蘇里江之支流爲撓爾河及穆凌河。此等支流凡吃水淺少之輪船均可航行。烏蘇里江由虎林縣起，至江口止，共有淺灘二十五處。此項淺灘水量最淺少者爲浪洽郭烏斯克及上克你日烏斯二處。烏蘇里江乃各江河中之最利於航行之一江，各淺灘在水量最淺少之時，雖僅二英尺又四分之一，然爲時不過二日之久。現時航行之終點爲虎林縣，將來移民及開墾之事業如有發展，烏蘇里江上游亦必開始航行，可達松嘎察江（由上游至松嘎察江止，一段共長八十三俄里），而至興凱湖。

松嘎察河[一]共長一百九十俄里，水流彎曲及江岸之性質，與額爾古納河上游情形相同。江流經過之地方甚低，每逢水量增漲之際，被水淹没之處甚遠。江水面積僅由一十五沙申至二十五沙申，惟逢彎曲之處對於航行甚有妨碍。江流行動遲慢，並無淺灘及石或樹根等項，水深由十英尺至三十英尺之譜。

興凱湖在阿穆爾江流域之各湖中爲最大最深者，南北共長九十俄里，寬由四十至八十俄里，而面積則爲三千八百五十平方俄里。湖之北面及其全部二分之一爲中華民國之領水，水深由七英尺至十九英尺。此湖之水量對於船隻之航行並無障礙，惟湖之四岸低矮，每逢狂風，無法防護，致使船隻百般設法，使船身堅固穩妥，以免意外。船隻航行於此湖，最大之障礙爲船隻來往通過出口之路（即湖口），此湖口可通松嘎察江。興凱湖與烏蘇里江中間聯和之要路，即松嘎察江也。湖口之江底有一小土壘，擋隔由湖出口之路。此土壘之上有一彎彎曲曲之溝，此溝在水量最淺少之時期，水量深淺之最低限度亦在二英尺以上。此溝來往冲灌之水不斷，因興凱湖之水量最大，烏蘇里江在水淺時期可引湖中之水爲培養，而江中各淺灘之水量充足，亦藉湖中之水爲可恃也。查擬使用挖江機船濬深興凱湖口之出路一節，在二十年前業已有人提議。惟對於此項有利之計劃，各專門家皆抱懷疑態度，以爲在解決濬深興凱湖之際，其湖水之來源及湖水之輸泄亦爲先決之必要問題，誠以湖底濬深之後，湖面之水平綫勢必隨之降低，其湖口及各淺灘内原來之深度亦受相同之影響，是仍不能達到濬深之目的也。

二三、結牙江（精奇里河）及布列牙江等之位置

結牙江乃阿穆爾江左面之最大支流也，共長一千一百俄里，有産金最富之邪列木日阿江流入結牙江内。結牙江全域經過之地方，除左岸外，均係山地或高大之嶺。左岸由江口起，至邪列木日阿江止，沿途均係遼闊之平原或佳美之草（廠）〔場〕及肥沃之（士）〔土〕地。結

[一] 松嘎察河　應爲『松嘎察江』。

牙江上游有石底之淺灘甚多，而下游之淺灘或航路則係泥底或沙底，易於流動，而尤以由江口起一百俄里地方之處爲甚。

布列牙江亦係阿穆爾江左面之一大支流也，共長六百三十俄里。此江全域經過之地方均係高嶺或山地。上游有石底淺灘甚多，而下游由巴意干斯克倉庫地方（距離江口一百三十四俄里）起，缺少山嶺，而成爲被水淹沉之廣大山谷。

結牙江、邪列木日阿江及布列牙江乃赴以上各江上游金礦區域之重要交通道途也。此等江河航行之終點爲按結牙江由江口起，至博木阿克倉庫止（共爲九百俄里）；按邪列木日阿江由江口起，至恩吉木强司克倉庫止（共爲四百二十六俄里）；而布列牙江則由江口起，至切工金司克倉库止（共爲三百三十一俄里）。

二四、阿穆爾江（黑龍江）江口之淺灘

此强大而富於水量之阿穆爾江終結之點，流入達達爾海峽，成爲無數之小淺灘，遂致航行海洋之船隻凡吃水在十三英尺以上者，現時均不能通行於阿穆爾江之港口。因此，港口之水量甚淺。如此港口之南面航路在海水漲潮之際，水量深淺不能超過由十四英尺至十五英尺以上。此港口北面之航路在漲潮之際水量深淺，較南航路深淺僅多一英尺耳。阿穆爾江港口航行期爲時不久，通常每年不過五個半月而已。

第三章　阿穆爾江（黑龍江）商船情形

二五、中俄輪船航行阿穆爾江流域之開始

俄國船隻於一千八百五十四年開始航行於阿穆爾江，結牙江口之驛站更名爲布拉果威臣斯克城，係在一千八百五十八年。夫拉吉倭司鐸克（即海參崴）始創於一千八百六十年。俄國載運搭客之定期郵船係於一千八百七十二年開始航行於阿穆爾江，由官家撥給津貼，作爲補助（由中央國庫），於一千九百十年方開始航行於結牙江。在俄國改變以前，航行於阿穆爾江之船隻僅有以下之數目：運輸客貨之輪船共三百二十隻，而拖帶拖船之輪船則共爲三百六十七隻，兩共六百八十七隻。由一千九百十七年起，此項船隻百分之四十分被中國收買，組成戊通公司，由黑河道尹張壽增與布拉果威臣斯克城俄國之革命政府訂結條約後，中國船隻遂開始航行於俄岸及哈巴洛夫（即伯力）等處。於一千九百十九年在果爾洽克將軍執政時期，並在俄岸開辦戊通分公司。自沿海濱省地方被紅黨佔據後，爲鞏固蘇俄邊防起見，中國航行於哈巴洛夫（即伯力）或泥果耶夫斯克（即廟街）等處者遂發生種種困難，於一千九百二十二年及一千九百二十三年間，蘇俄地方官廳且將俄岸之戊通分公司封閉矣。於一千九百二十三年春，中國船隻停止航行於俄岸及哈巴洛夫（即伯

力)等處,中國地方官廳對於此節爲同樣之對待起見,亦即禁止蘇俄船隻或懸掛蘇俄旗幟之船隻航行於松花江。

二六、阿穆爾江(黑龍江)流域運輸貨物之總數

阿穆爾江流域各口岸來往運輸貨物之總數,一千九百十一年之時,是年竟達八千一百萬甫特。由革命改變後,運輸貨物之數目大見低落,每年各口岸貨物運輸之數目不過八百萬甫特而已。而松花江則因開墾發展,運輸發達,按年增加,每年各口岸運輸之數目竟達三千萬甫特。

二七、阿穆爾江(黑龍江)流域乘客數目今昔不同之原因

阿穆爾江流域夏季來往搭客之數目,在一千九百十一年時計達六十一萬名之多,而現時則因金礦事業之衰落(以前阿穆爾江沿岸地方,每年出産之金爲二千甫特,而現時則爲五十甫特),又加阿穆爾省鐵路告成及受俄岸改變並斷絶交通之影響,而來往之搭客亦隨之而減少。現時每年不過六萬名而已。然松花江則大相反,盖松花江與烏蘇里江沿江現正移民實邊故也。每年沿江發放之木爲數五十萬枚,現時則大爲減少,每年之數目不過十萬枚而已。凡木排前赴華岸大黑河者,達到後則用鋸鋸成木板,再行轉運哈爾濱,而俄方由一千九百二十六年起,則運輸木料經過尼果拉耶夫司克前赴國外,一千九百二十七年出口之數目爲大木五萬枚。

第四章 航務行政

二八、阿穆爾江(黑龍江)航路工程之調查

由一千八百九十六年起至一千九百零二年止,阿穆爾江流域從事辦理航路,安設航行標識,並刊頒臨時性質之航行圖章,於一千九百零三年又開始詳細考查阿穆爾江及其支流,並設立燈照及標識。在俄國革命改變以前,阿穆爾江全域業已修成約七千俄里之航路,所竪成之燈照標識,計江式標識約三千桿及海式標識五百枚(海式標識係三角形)。自從革命改變以後,無人留意於航路工程設施之事宜,而迄至此時,阿省水道局對於國内河流之航路工程事宜業已漸漸恢復原有之狀況,而對於國際江流之航路工程則由中俄雙方共同辦理之。

二九、清理江底礁石之工程

阿穆爾江流域航行最大之障碍乃惟江底礁石是也。然以繼續不斷之清除工作,夏季則使用起石機,而冬季則用炸藥炸之,此等障碍因以消除。所尚存者,僅有耶克皆林你郭力斯克及梭府子納衣二淺灘尚未辦竣。此二處淺灘之底陡壁嚴立,乃阿穆爾江本段之危險地方也。額爾古納河乃礁石最多之河流,雖有各項工程之設施,而對於航行之危險仍不少減者也。

三〇、阿穆爾江（黑龍江）流域濬江工程

阿穆爾江流域機船挖江之工程開始工作，係在一千八百九十八年。當是時僅有機船二隻，於一千九百零一年由海參崴送到海式機船一隻，於一千九百零三年及一千九百零四年之間又行運到機船二隻，則阿穆爾江全流域所有挖江之機船不過五隻而已。該機船之工作地方係在船塢或江身（即淺灘），由一千八百九十八年起至一千九百十一年止，此十四年之間，用此五隻挖江機船工作，於什勒喀河及阿穆爾江江身之四十三處淺灘之上，共挖成溝道七十八處，共挖出江底之沙泥爲數八萬六千五百立方沙申。由各淺灘上所挖成之溝道中不能全數長久保存，僅有五處淺灘之溝道能以永久保存，其餘各淺灘之溝道有十九處淺灘之溝道保存之期僅一年餘，有四處淺灘中之溝道保存之期由二年至五年，所餘之十五處淺灘中之溝道保存之期則在五年以上。查機船挖江在阿穆爾江及什勒喀河所挖溝道之工程，平均計算共長三百沙申，寬三十二沙申，深在一英尺以下。向例機船挖江伸入江底之尺數不過由半英尺至四分之三英尺而已。各淺灘如有濬深之必要者，爲什勒喀河五十七處，阿穆爾江上游至札林達止十處，由札林達起至布拉果威什臣斯克三十八處，結牙江由結牙碼頭城起，至布拉果威什臣斯克止，有九處。此等挖江機械之構造殊不適用。阿穆爾江江流緊急，每逢拖帶機船之際，駛行困難，延悞工作之處甚多。如逢機械損壞或遇石底之處，機船之工作力減少。以上各情均能躭延工作之時間，而使費用增加也。機船挖江之工程由一千九百十二年至一千九百十七年革命開始時止，中間工作之成績甚佳。自俄國革命改變後，水道運輸事業破壞（迨）〔殆〕盡，而機船挖江之工程亦遂置之於腦後。由一千九百二十八年起，阿穆爾江上游機船挖江之工程停止矣。結牙江下游亦曾使用機船挖江，然以江底係沙質，易於流動，隨挖隨填之故，並未有若何效力也。

三一、巡視烏蘇里江

工程委員會華方委員長及依蘭道尹，携同全體委員人等前赴阿穆爾江中段及烏蘇里江以至虎林縣城之巡視旅行，於無形中諳悉許多問題。此項問題亦有當時在查出地點解釋清晰者，如阿穆爾江、烏蘇里江國際江流之界限，及嘎雜克維池水道並雙方爭執不决之阿穆爾江中小島，及共同修理航路工程之總秩序；阿穆爾江淺灘之安設燈照，及烏蘇里江之新設標識等問題是也。

烏蘇里江或阿穆爾江沿岸，凡新開闢之村屯建築房屋之時，不得防碍江岸（即堤岸），建築之地方最少亦須在距離江岸十沙申以外方可。此等江堤相近地方亦留作停泊輪船裝卸貨物之用。因近來烏蘇里江沿岸移民日見發展，由虎林縣向上至松嘎察江一段之航路亦應（按）〔安〕設燈照標識（共八十三俄里）。查阿穆爾江、烏蘇里江及松花江乃現時黑龍江省與吉林省往來交通惟一要道，是

以維持此項航路之完整，爲發展移民及航船安全之要素。至於國際江流沿岸安設電報，對於發展航務及開發地方尤爲目前切要之圖也。

三二、中俄簽訂阿烏額三江臨時航行章程

查訂立共同航行於阿穆爾江流域國際河流之航行章程問題，於一千九百零七年日俄戰後即已提出討論，於一千九百零八年至一千九百零九年雙方曾在哈爾濱討議此項問題，惟結果未成事實。迨至一千九百十七年，經黑河道尹張壽增與蘇聯政府地方委員長穆痕訂立臨時條約，始行通航。至於共同航行阿穆爾江流域國際河流行船章程，至一千九百二十八年始行簽訂（該章程另附）。

第五章　中俄國際河流外交之經過

三三、華船開始航行時期

查黑龍江航路行船之權，向爲俄國獨佔，不准中國輪船航行。當前清光宣年間曾經中央派員迭與俄方交涉，始以航行起訖地點互相爭持，繼以要求我國認攤歷年修濬江道、安設燈照經費數千萬元。惟時因款巨難籌，遂致遷延多年，迄無結果。洎乎民國，復由地方交涉，亦未得要領。迨至民國七年，時值俄國政變，阿穆爾省新黨執掌政權，黑河道尹張壽增即趁此時機以地方名義與俄方新黨首領穆痕磋商，往返數月，幾至舌焦脣敝，始經議定華船往來黑龍江辦法四條：（一）華船來往黑龍江懸掛華旗；（二）華船有華官署執照爲憑，俄官不得上船查驗；（三）俄税關及船政局不得查驗華船；（四）華船停泊俄岸如有裝卸等事，當照俄岸章程辦理。以上辦法議定後，當經一面電省請飭，先派慶瀾輪船來黑，一面由道尹派外交科長王建新赴哈隨船照料，以備沿途交涉。於是年六月中旬，慶瀾船到黑，從此中國官商輪船往來絡繹不絕，始得見黑龍江航綫有中國國旗飄揚焉。

三四、中俄共同修理阿穆爾江國際各河流航路工程之起因

阿穆爾江及其支流乃一最便於航行之河流也，而其航路之工程及所設立之燈照、標識在俄國各江河中亦比較佳善。根據一千八百五十八年五月十六日之中俄璦琿條約，阿穆爾江及其支流之烏蘇里江、額爾古納河，本係中俄國際河流，但在俄國革命之前，事實上享此河流之權利者僅俄國一國也。在一千九百十七年俄國革命之前，阿穆爾江全域所豎立之晝間航行標識達七千俄里，航行期由司列金四克城起，至尼果拉耶夫斯克城止（即廟街），共三千零二十八俄里，又由布拉果威臣斯克城起，至結牙城碼頭止，共六百十俄里。夜間均有燃點之燈照。又因江身水量淺少，特行使用挖江機船五隻濬挖江底，清理所遺之石塊，以維持江身水量之深淺。俄國聖彼得堡中央

政府對於測量航路及辦理航路工程之輪船、小汽船、拖船船員人役等之經費使費，及安設燈照、標識並修理航路工程之費，並挖江機船之費用，由一千八百九十七年起每年撥給阿穆爾省水道局三百萬元盧布，故阿穆爾江全域航路工程均歸阿省水道局辦理之。是時航行於阿穆爾江及其支流内之俄國船隻數目達七百艘以上，常年運輸之貨物達八千一百萬甫特之多，而乘客則六十一萬名。自俄國革命政變開始，所有商船或人民自置之輪船百分之四十爲华人所購，其所餘者則皆被蘇俄政府充公，遂有阿穆爾流域國家水道轉運局之成立焉。阿省水道局之情形異常不良，政府按年撥給修理航路工程之款項亦逐漸減少。於一千九百二十一年，遂將阿穆爾省水道局歸併阿省水道轉運局内，而該水道局經費則由運費項下按定數提成，作爲開支。復因運輸貨物所得之款甚少，而修理航路工程及燃點燈照之經費亦不敷用，於是於此金錢恐慌之際，而華俄雙方共同修理阿穆爾江、烏蘇里江及額爾古納河國際各河流航路工程問題乃發軔矣。

三五、一千九百二十二年（民國十一年）華俄航政委員會成立第一次協議簽訂

遠東共和國阿穆爾省國家水道轉運局局長與大中華民國共和國黑龍江省黑河道尹關於共同修理國際河流之航路工程問題，雙方磋商妥協，係於一千九百二十二年（即大中華民國十一年）六月二十七日，在大黑河簽訂第一次之中俄地方工程臨時協議，連同章程，如共同修理阿穆爾江國際江流航路工程，由博克夫洛（即洛古河）起，至嘎雜克維池水道止，共長一千七百零三俄里，安設燈照，豎立標識，及雙方共同征收國際江流中俄船隻木排載運貨物搭客江捐等附件是也。此項問題經北京政府認可，並奉到海關總税務司指令後，大黑河中國海關璦琿關及拉哈蘇蘇海關，遂於一千九百二十二年六月中旬，根據協議内所列地點及章程開始征收江捐矣。爲實現各項問題起見，乃於大黑河由委員八人設立中俄地方工程委員會，華方會長爲黑河道尹，而俄方則爲阿穆爾省國家水道轉運局局長，華方之委員爲璦琿關税務局黑河道尹公署外交顧問及航路專門顧問，俄方委員爲阿穆爾省水道局局長巡江司及航行科科長（辦理專門工程事宜者）。此項工程委員會辦理檢查及核定阿省水道局所呈遞之賬目預算表，並規定所徵之江捐分配辦法。華俄地方臨時工程委員會於一千九百二十二年十月二十四日開第一次會議之時，所有各項問題均經次第解決。其一千九百二十二年，由六月一日起至十二月三十一日止，修理阿穆爾江航路工程之預算數目，俄幣三萬二千三百七十五元金洋亦核定妥協，全體通過。

三六、一千九百二十三年及一千九百二十四年（民國十二及十三兩年）華俄第二次協議簽訂

於一千九百二十二年協議尚未滿期之前，即已提出

協議展期之問題。然水道轉運局代表因蘇俄大使喀拉罕業已到華，並奉指令不得再行磋商將來之條約，此事遂歸停頓。旋於四月間，俄國水道轉運局代表前來提議，願將舊有之協議請求展期至一千九百二十三年及一千九百二十四年。對於此事，黑河道尹方面當即承認，遂於四月間開會，雙方討論，謂應將一千九百二十二年之協議原文及細則稍加修改，惟於黑河道尹提案内要求增加第四條，包括中國輪船航行至哈巴洛夫（即伯力）及尼果拉耶夫司克（即廟街）等處，俄方謂該條規定關係政治問題，俄國地方官無權簽訂，致未妥協。嗣經雙方一再磋商，延至秋間始行商妥，以中俄會議不日在北京開議，所有第四條各款由第十款起，至第二十一款止，作爲附則，附於協議之後保留。由該會議解決之黑河道尹以值玆行船時期修理航路急不容緩，故表示贊同。遂於一千九百二十三年（即大中華民國十二年）十月二十八日，將所訂之一千九百二十三年及一千九百二十四年之協議簽字矣。其協議内之附件三種亦於一千九百二十三年十一月三十日簽字。查此次所訂協議内之修理一千九百二十三年及一千九百二十四年航行期内航路工程之總預算數目，定爲俄幣金洋五萬五千元。一千九百二十三年份由正月一日起至十一月三十日止之預算數目（水道轉運局年終結賬）共支出一萬九千二百五十元金洋，經委員會於一千九百二十四年正月十六日核准。一千九百二十四年份之預算，一千九百二十三年十二月三十日起至一千九百二十四年十一月三十日止，爲數三萬五千七百五十元金洋，亦經委員會於一千九百二十四年五月三十日核准。

三七、一千九百二十五年（民國十四年）中俄第三次協議簽訂

因一千九百二十四年秋季，中俄會議事實上似已接近，故蘇俄代表遂將續訂協議之事擱置。蓋彼方代表以中俄船隻共同航行於阿穆爾江、烏蘇里江、額爾古納河及松花江之問題及共同修理此項江河之航路工程問題，將在中俄會議席上討論解決之也。孰意此項中俄會議開會之期竟爾延遲，而一千九百二十五年之航期將屆，各項工程應行預備不能再行等候，阿省水道局遂復行提出續訂阿穆爾江之協議，並將共同修理烏蘇里江由俄屯嘎雜克維池起，至虎林縣一段航路工程安設燈照、標識，及松嘎察江與興凱湖之航路工程提議加入協議。嗣因烏蘇里江流域經過所在地方之吉林省長要求將該江安設燈照豎立標識地帶，由哈巴洛夫起（即伯力或烏蘇里江口），至虎林縣（即依瑪河）止，而俄方對於此項要求，因哈巴洛夫至嘎雜克維池俄屯，其間牽及界務問題，俄國地方官無權認可，因此未經成議，遂將修理烏蘇里江一事是年擱置不提，僅就阿穆爾江修理事宜先行議妥。將一千九百二十三年所訂協議展期一年，由一千九百二十四年十二月一日起至一千九百二十五年十一月三十日止。在此期間，

如中蘇會議國際航行訂有辦法，即行廢止，當由雙方訂立聲明書一件，定於五月十一日正式簽字。又阿穆爾水道局原送是年修江經費總預算計阿穆爾江金洋五萬五千元，烏蘇里江金洋一萬元，嗣經委員會審核，將阿穆爾江經費減爲四萬四千二百六十八元，至烏蘇里江既未議成，遂即删除。此第三次協議簽訂之情形也。

三八、一千九百二十六年（民國十五年）中俄第四次協議簽訂

因於一九二五年内江捐收入不敷各項開支，故對於一九二六年航行期内之共同修理航路經費不得不預先急謀解決辦法，是以在協訂尚未滿期之前，即開始談判續訂阿穆爾江協議之事。

俄方代表曾擬將阿穆爾江、烏蘇里江兩協議同時簽訂，但以關於由烏蘇里江至哈巴羅夫斯克（伯力）安設新船照問題發生困難，乃將簽訂協議之事延至次年春季。

惟因工作時間業已開始，而烏蘇里江協議問題是時又不能遽行解決，於是俄方代表將阿穆爾、烏蘇里兩協議同時簽訂之提議停止，先急於簽訂阿穆爾江協議。該協議乃於一九二六年四月二十一日經雙方簽字，以一年爲期，計自一九二五年十二月一日起至一九二六年十一月三十日止。

阿穆爾水道局編造之阿穆爾江水路工程預算七萬五千元，本可於一九二五年秋季以五萬元即能簽字，乃祇以協訂簽字較晚，阿穆爾水道局職工自是年二月增加薪金，致將預算額提高爲六萬零零三十一元也。

同時，關於阿穆爾江上游機器浚江問題，俄方亦有提議，定預算數目爲八萬一千元，並有淺灘圖表内外挖江計劃之説明。但以是項問題内容複雜，且對於華方輪船爲不必要之舉，迄今尚懸而未決也。

三九、一千九百二十七年（民國十六年）中俄第五次協議簽訂

一千九百二十七年一月十日，阿穆爾江協議重行恢復，以一年爲期，自一千九百二十六年十二月一日起至一千九百二十七年十一月三十日止，共同修理阿穆爾江航路工程預算表，減至六萬元盧布。查阿穆爾省水道局本擬借用大宗款項作爲擴充水道工程之用，且國際河流内之工程預算爲數至巨，但以現時航行之船隻爲數有限，運輸之貨物亦較前大爲減少，故此項工程對航業實爲不必要之舉也。兹將一千九百二十七年之工程預算數目開列於後，以資參考。

計開：

阿穆爾江航路安設船照工程十八萬元盧布；

烏蘇里江航路安設船照工程一萬八千元盧布；

額爾古納河航路安設般照工程一萬二千元盧布；

額爾古納河挪移石塊工程八千元盧布；

阿穆爾江上游濬江工程十二萬元盧布。

以上總計三十三萬八千元盧布。

查阿穆爾水道局所呈遞之預算表應隨時核減，並按計算預算表方法使航務之需要與進款數目相等。關於共同修理烏蘇里江航路工程、安設燈照、竪立標識之問題，經過冬季尚不能解決。嗣以議決，自嘎雜克維池屯至哈巴洛夫(即伯力)安設燈照、竪立標識之問題，留待中俄會議討論之。由嘎雜克維池屯起，至虎林縣止(對面即依瑪河)，共三百三十六俄里一段之航路工程，則暫時共同修理，安設燈照標識。遂於一千九百二十七年六月十七日，將烏蘇里江協議實行簽字，以六個月爲期(即一千九百二十七年)，由六月一日起至十一月三十日止。預算經費核定爲八千六百元盧布。此外，阿穆爾江上游挖江工程則暫行擱置，蓋因華輪僅有一隻航行上游，暫無舉辦此項工程之必要。關於額爾古納河下游挪移石塊之工程問題，則予以承認，惟經費則須由俄方担負之。對於此節黑河道尹並准發給額爾古納河挪移石塊工程之工人等過界執照，以資工作。至於共同修理額爾古納河航路工程，安設燈照、竪立標識之問題，因無船隻航行，亦即擱置。

四〇、一千九百二十八年(民國十七年)中俄第六次協議簽訂

關於磋商續訂一千九百二十八年共同修理阿穆爾江、烏蘇里江航路工程之協議，毫未發生任何困難，遂於一千九百二十八年一月十一日雙方實行簽字，計協議二份，並附預算表。阿穆爾江爲數六萬元盧布，烏蘇里江爲數八千六百元盧布。又於一千九百二十八年一月十九日簽訂額爾古納河安設輕便式船照工程協議，由奧羅秦斯克屯起(即室韋縣)，至河口止(即博克洛夫克屯)，長僅四百零二俄里，預算表數目核定爲三千元盧布。至冬季，額爾古納河下游挪移石塊工程之問題仍如歷年情形辦理，並曾發給工人等過界執照。至關於阿穆爾江上游挖江工程之問題，以原因複雜，無形擱置，雖經水道局迭次來函，一再請求擬將工程預算十八萬元盧布遞減至一萬元或七千元，而濬江工程亦僅於水量最淺之淺灘内舉行也。

第六章　關於航政經費支出之預算

四一、俄方本國修江經費支出預算及中俄合作後改正之支出預算

阿穆爾水道局自一千八百九十六年起至一千九百二十年止，曾係一獨立機關，自一千九百二十一年起始歸併阿穆爾國家水道轉運局内阿省水道局辦理，經營阿穆爾江流域各項航路工程及應守之秩序，俾免船隻木排等航行該口時發生危險。查阿穆爾水道局自一九二二年航行期間，始在俄岸徵收江捐，但爲數極微，不過五萬元盧布，尚不敷該局維持阿穆爾江流域航路工程經費之用。於是，阿省水道局乃不得不向中央政府(由莫斯克)請求接

濟也。由一千九百二十四年一月一日起，根據中央政府命令，阿省水道局復與水道轉運局分離。而後該局辦事便利殊多，又由水道轉運局將挖江機船、輪船、拖船及小汽船等等盡行收回。茲將俄國中央政府由一千九百二十四年起，每年所撥之經費開列於後：

年份	盧布數目
一千九百二十四年	十萬元
一千九百二十五年	三十九萬五千元
一千九百二十六年	七十八萬元
一千九百二十七年	一百二十萬元
一千九百二十八年	一百二十萬元

自一千九百二十五年航行期間起，俄方停止徵收江捐，於一千九百二十八年曾由政府發給阿省水道局修築哈巴洛夫（即伯力）船塢公款三十萬元盧布，阿省水道局所最注意者爲整頓國內各河流之船業，然實際上並無裨益。蓋因國家經濟情形惡劣，及採金事業停頓，以致貨物減少而輪船亦多不開行也。僅有自哈巴洛夫克（即伯力）至尼果拉耶夫司克（即廟街）之航綫航業尚較他處爲佳。阿省水道局擬借大宗款項作爲擴充航路工程之用，並施之於國際江流，故呈遞之預算數目非常之巨，必須確實核減也。茲將工程委員會歷年遞減預算後所核定共同修理國際江流航路工程經費數目開列於後，均按盧布計算。

年份	阿穆爾江	烏蘇里江	額爾古納河
一千九百二十二年	三萬二千三百七十五元	無	無
一千九百二十三年	一萬九千二百五十元	無	無
一千九百二十四年	三萬五千七百五十元	無	無
一千九百二十五年	四萬四千二百六十八元	無	無
一千九百二十六年	六萬零三十一元	無	無
一千九百二十七年	六萬元	八千六百元	無
一千九百二十八年	六萬元	八千六百元	三千元

四二、中俄合辦航政七年内修理工程里數及設燈照數目

自俄國革命以還，阿穆爾江流域内修理航路工程等事日見廢弛，及至一千九百十九年，郭爾洽克將軍政府失敗，政權落入蘇聯政府後，修理航路工程等事幾於完全停頓，僅於一千九百二十二年中俄第一次協議簽字後方開始共同修理航路工程，安設燈照，竪立標識。在此時間，航路上所遺之燈照、標識已陳腐不堪。由尼果拉耶夫司克城起（即廟街），至松花江口止，一段之燈照、標識復被俄人拆毀，亟應重新安設，將舊有之燈照、標識拆除，按舊有燈照、標識之遺跡依次辦理各項工程。阿穆爾江内由博克洛夫克起（即洛古河），至嘎雜克維池水道止（共一千七百零三俄里），一段之航路工程現已恢復原有之良好狀況。即如現時已有七處淺灘，按時懸掛標識，指示水量之

深淺，開辦察哈彥之水道管理站。此段航路共有江河式樣燈照、標識一千三百十二枚，海洋式樣標識一百八十二枚，夜間之燈照依次增加。於一千九百二十八年，已將航行較爲困難之淺灘及船隻通過危險之處所，夜間添設新燈照二百十三枚，每年所更换之新燈照、標識爲百分之十。又於一千九百二十七年，由嘎雜克維池屯起，至虎林縣止，共三百三十六俄里一段之航路工程，曾共同修理安設燈照，竪立標識，江河式者共二百二十四枚，海洋式者十一枚。於一千九百二十八年，雙方共同修理額爾古納河之航路工程，計由奥羅秦城起，至河口止(即洛古河)(又名博克洛夫克)，共四百零二俄里。由以上各項情形觀之，自雙方訂立協議，共同修理國際河流航路工程以來，國際河流之大部分水道船照被成者共長二千四百四十一俄里。

根據一千九百二十二年所訂之協議，爲使阿穆爾江内辦理一千七百零三里之航路工程較爲便利起見，曾委託阿省水道局執行之。因水道局備有舖墊材料、住房及職員人役等項之必需品也，故阿省水道局辦理國際河流部分之共同航路工程。而華方委員會以航路專門顧問爲代表，負稽查之責，於工程完竣時，華方按照預算表内所列數目，不得超過百分之五十付款。

四三、中俄合辦航政歷年華方支出款項確數

茲將華方歷年開支各款數目列表於後：

中俄合辦航政歷年華方支出款項確數總表

事項／年份	華方所攤經費			華委員會經費				海關經收江捐手續費	合計	備考
				華委員長經費		專門顧問署經費				
	黑龍江	烏蘇里江	額爾古納河	常年費	臨時費	常年費	臨時費			
民國十一年	一二八五二點〇〇			一九八八點〇〇	六九點五〇	一九一八點九六	二二六點八〇	三二三三點七三	二〇一六八點九九	
民國十二年	九七七九點八七			二〇〇〇點〇〇		七五六八點二七	四三一點七三	二三七六點九九	二三一五六點八六	
民國十三年	一八三六八點八三			二〇〇〇點〇〇		七七三點五九	六七點三五	一八二九點一三	三〇〇九七點九〇	
民國十四年	二三〇三九點六一			二〇〇〇點〇〇		八四八七點三九		二八八一點九六	三六四〇八點九六	
民國十五年	二九九三一點五三			二〇〇〇點〇〇		八四五二點六七	三五點九二	二五四六點九六	四三九六七點〇八	
民國十六年	三〇九三四點三八	四四四五點〇〇		二六〇〇點〇〇	五〇〇點〇〇	九七三七點四一	二〇二七點二八	五〇四二點七七	五五二八六點八四	
民國十七年	一八一六七點一八	二六〇三點九六	九〇八點三六	三二〇〇點〇〇	一九〇〇點〇〇	一〇〇〇〇點〇〇	二四四四點九〇	五四四八點三二	四四六七二點七二	
合計	一四三〇七三點四〇	七〇四八點九六	九〇八點三六	一五七八八點〇〇	二四六九點五〇	五三八七七點三九	五四五三點九八	二四一三九點八六	二五二七五九點三五	
	一五一〇三〇點七二			一八二五七點五〇		五九三三一點二七				
				七七五八八點七七						
說明	按此表所列款數均係哈大洋									

第七章　江捐規定及徵收情形

四四、捐額之規定

黑龍江江捐，自民國十一年中俄地方合組航政委員會協訂地方臨時協議後，即於是年六月一日起，按照規定捐額實行徵收，中國方面委託璦琿關代徵，俄國方面由阿穆爾水道局所屬機關徵之。次年改訂協議，惟木排一項捐率略為增加，其餘一概照舊。嗣於民國十六年，中國方面因收入江捐不敷開支，復經按照原定捐額酌量增加。茲將民國十一年規定捐率及民國十六年改訂捐率分別開列於後，藉資參考。

（甲）民國十一年規定捐率：

（一）貨捐按布特計算，依貨之種類定收捐之額數，如一切建築料、鐵、生鐵、鋼、鉛、五穀、草料、菜蔬、鹽、煤、木炭、農具、機器、非木類者，每布特均收捐大洋一分，餘者均捐二分。

（二）木料每厚一俄寸、長三沙申之大木收捐半分，再長者以此類推。

（三）木拌〔一〕俄尺四分之三至一俄尺長者，每沙申收捐大洋一角。

（注明）木拌〔二〕一項捐率，於民國十二年略為加增，列如一俄尺長者，每沙申收捐大洋二角；俄尺四分之三長者，每沙申收捐大洋一角五分。

（四）牲畜大者（牛馬）每頭收捐大洋三角，小者（豬羊）收捐大洋一角五分。

（五）飛禽無論何種每隻收捐大洋一分。

（六）客票捐不分等級，按票價抽收江捐百分之五。

（七）凡小艇、風船或木排所運貨物，均按輪船、拖船所運者捐額減半徵收。

（八）為收貨票捐公允起見，黑龍江分為兩段徵收，一由黑河至嘎雜克維池，一由黑河至巴個羅夫，每段按捐額全數收二分之一。

（乙）民國十六年改訂捐率：

（一）第一種貨原每甫子徵收江捐一分，今改為一分五釐。

（二）第二種貨原每甫子徵收江捐二分，今改為三分。

（三）木料原每塊長三沙申，厚一俄寸徵收江捐半分，今改為每平方尺徵收江捐三毫五。

（四）金條每華秤一觔征收江捐二元。

（五）鹿茸、麝香原列在第二種貨內，今改為按出口稅額征收江捐二成，人參按出口稅額徵收江捐一成。

〔一〕〔二〕拌　疑作『柈』。

（六）麵粉原列在第二種貨内，惟麵粉係民生日需用品，今爲維持民食起見，改照第一種貨物徵收江捐。

（七）客票原收江捐百分之五，今改爲百分之七五。

四五、歷年江捐收入説明並附詳表

自從一千九百二十二年六月間，中俄雙方簽訂共同修理航路工程及徵收江捐協議後，遂開始征收江捐矣。計俄方根據一千九百二十二年五月十七日遠東共和國之法律，由一千九百二十二年航行期起開始征收江捐，而華方則由六月中旬，按照規定捐率開始征收。查自斷絶交通以來，俄方對於國際河流阿穆爾江、烏蘇里江及額爾古納河沿岸防衛兵力增加，亦以俄人之購買能力減少，致華岸之貿易完全斷絶，運輸之貨物較前大見減少，而所徵收之江捐亦隨之而減少，致不敷撥給俄方款項，維持共同修理航路工程之需也。茲將華方每年所征收之江捐開列於後：

年份	大黑河	璦琿	拉哈蘇蘇	總計	備考
一九二二年	二三九三二點四五　元	一四五〇點四三　元	五七五四點三一　元	三一一三七點一九　元	
一九二三年	一五〇六八點六四	二四五五點三	六二四三點一四	二三七六九點九〇	
一九二四年	一三八一一點九七	九六〇點三〇	一五一八點九八	一七二九一點二五	
一九二五年	二一一五七點一四	一五九七點九八	六〇六四點二二	二八八一九點六一	
一九二六年	一九九三五點二五	六九六點七一	一四八三七點五六	三五四六九點四二	
一九二七年	二三〇五〇點五〇	三四四三點一八	二三九三三點八五	五〇四二七點五三	
一九二八年	二三五五一點五一	二八三二點九〇	二四三三八點二五	五〇七二二點六六	

茲將拉哈蘇蘇至綏遠縣（即嘎雜克維池水道）及一千九百二十八年由嘎雜克維池屯起，至虎林縣止，兩段所征收之江捐開列於後：

年份	大洋數目
一千九百二十二年	約二千五百元
一千九百二十三年	一千三百七十一元三角二分
一千九百二十四年	一千五百九十八元七角八分
一千九百二十五年	三千四百九十六元五角
一千九百二十六年	一萬零二百七十二元一角四分
一千九百二十七年	一萬五千七百二十七元二角一分
一千九百二十八年	一萬七千六百二十四元三角三分

查一千九百二十二年開江期間，於拉哈蘇蘇所徵收之江捐，計大洋五千七百五十四元三角一分。此項數目內究有阿穆爾江江捐若干，及烏蘇里江江捐若干，因大黑河海關無此項報告，無從分晰也。無論如何，航行於烏蘇里江之輪船自然較阿穆爾江爲少，僅有華輪數隻航行至哈巴洛夫（即伯力），故拉哈蘇蘇海關於阿穆爾江内征收向下航行船隻之江捐約爲二千五百元。

查一千九百二十三年、一千九百二十四年及一千九百二十五年，三年間，拉哈蘇蘇所征收之阿穆爾江下游及烏蘇里江江捐，皆係貨物江捐。拉哈蘇蘇自一千九百二十六年航行期起，於阿穆爾江由拉哈蘇蘇至綏遠縣一段方開始征收客票江捐，嗣因所征收之江捐不敷撥付阿省水道局修理航路工程之經費，乃發電知照濱江關税務司，復於一千九百二十六年八月七日，拉哈蘇蘇開始征收往來烏蘇里江客票江捐矣。茲將由拉哈蘇蘇起沿阿穆爾江下行，至綏遠縣止，共一百九十俄里，又一千九百二十七年烏蘇里江由嘎雜克維池屯起，至虎林縣止，共三百三十六俄里，兩段之航路工程經費，按俄里計算，每年總計支出之工費逐年開列於後：

年份	盧布數目
一千九百二十二年	二千八百九十五元
一千九百二十三年	二千四百七十元
一千九百二十四年	三千三百四十四元
一千九百二十五年	四千零六十元
一千九百二十六年	四千九百零二元
一千九百二十七年	一萬四千四百十二元
總數三萬二千一百八十三元	

茲將共同修理阿穆爾江航路工程由一千九百二十二年起至一千九百二十七年止，並將一千九百二十七年烏蘇里江航路工程每年經費逐年臚陳於左：

年份	盧布數目
一千九百二十二年	二萬零一百六十八元九角九分
一千九百二十三年	二萬二千一百五十六元八角六分
一千九百二十四年	三萬零九十七元九角
一千九百二十五年	三萬六千四百零八元四角六分
一千九百二十六年	四萬三千九百六十七元零八分
一千九百二十七年	五萬五千二百八十六元八角四分
總共二十萬零八千零八十六元一角三分	

因爲中國中央政府對於接濟共同修理國際江流航路工程經費問題至今尚未解决，故瑷琿關税務司乃呈請北京總税務司准許由松花江江捐項下暫借若干，以作補助。阿穆爾江航路工程經費不敷之數，並同時在當地提出增加阿穆爾江江捐之問題。瑷琿關税務司於奉到北京總税務司准予由松花江江捐項下借款之命令後，遂於一千九百二十六年借大洋二萬元，又於一千九百二十七年借大洋五千元。既有此項借款，而地方之江捐又復增加，遂於一千九百二十七年將阿省水道局之欠款付清。然關於江捐不敷開支之問題，因年來貨物運輸日形疲滯，迄未解决也。

第八章　阿穆爾江（黑龍江）航業運輸及航行各情形

四六、俄方水道轉運局最近情形

自俄國革命事起，將私人所有船隻盡行没收，組織阿穆爾省國家水道轉運局，專從事商業方面之工作。查自國事破壞以來，經濟狀況日趨惡劣，以致往來於阿穆爾省之貨物漸見稀少，及至最近已無貨物運輸之可言也。阿穆爾省水道轉運局之執政者，全非商界人才，擬試辦過境貨物及地方出産貨物之運輸，但試驗之結果，以事業虧累告終焉。於是，减少船隻之航行，以便（樽）〔撙〕節經費，故於一千九百二十八年航行期内，阿省水道轉運局之郵船開航者不過十二隻，而拖貨之輪船僅有六隻而已。水道轉運局每年决算總歸虧累，甚至無款辦理。其他商業，即修理船隻所需之工料亦無款開支，輒從舊壞不堪之船隻拆卸木料或鐵板而利用之。自阿穆爾鐵路築成後，由司列金斯克城至布拉果威臣斯克城一段水道已失其原有之意義，蓋貨物及乘客，凡以前由船隻輸送者，此時皆改由鐵路運輸也。近因採金事業停辦，致運赴結牙江（即精奇里河）上游及邪列木日阿江（即麒麟甲）、布列牙江，並阿拉公河等處之貨物亦皆停止。自從蘇俄政府禁止人民夏季在阿穆爾江捕魚後，由尼果拉耶夫司克（即廟街）運來之江魚日見减少。因此，該處之食糧需要亦隨之低減。查近兩年來，烏蘇里江之郵船亦缺乏貨物及乘客也。俄方擬由額爾古納河運輸小麥出口，因於該河内航行困難，故迄未成爲事實也。

四七、東北聯合航務局近年航業大概情形

自俄國船隻之一部分落於華人手中後，自一千九百十七年起，中國船隻乃得開始航行於國際河流之中，並成立一最完美航業公司，定名爲戊通公司。爲報復蘇俄官廳於一千九百二十三年禁止華船航行於俄岸起見，於是中國政府亦曾禁止蘇俄船隻駛入松花江中。自一千九百二十五年九月一日起，所有戊通公司之船隻均歸併新成

立之東北聯合航務局，並將商船及大部分私人之船隻亦聯絡於東北聯合船務局內，並將以前與俄輪競爭時代之最低運費票價極力提高之。因地方移民事業之發達，及開墾荒地日見進步，又年來松花江流域年景豐收，石粮出口數目驟增，故東北聯合航務局於一千九百二十六年及一千九百二十七年開江期間，得有四百萬元之盈餘也。查航業發達之原因，不外以下各項：即船隻之開駛有定期；船面及機器之完整；衛生之注意；職員水手等之薪金應予增高，並按時發給。苟能如此，則航務必能日見起色也。在一千九百二十六年航行期終了之際，中東路之船隻曾盡歸入東北航務局管轄之中。自從烏蘇里江沿岸移民政策發展後，烏蘇里江之航業亦隨之而發展，然反觀阿穆爾江沿岸之情形則異是也。交通斷絕，貿易停止，採金事業日見衰落，哈爾濱麵粉禁止出口，沿江各地之荒地亦多爲開墾可耕之田，致使貨物之運輸大見低減也。查松花江沿岸之木柈價值甚昂，木質甚壞者，每立方沙申尚值大洋五十元。在佳木斯對面，距江岸六十俄里地方，開有大規模之煤礦一處，煤質甚佳，而價值每甫子僅售大洋八分，於是航務局由一千九百二十七年航行期間起，將拖貨輪船盡改燃煤，所以燃料之價值較之以前價廉多多也。

四八、風船航運情形

查與輪船競爭而奪利者，惟有風船而已。蓋因輪船無定期之航行，而運費又極貴昂，以致來往載運木柈皆風船爲之。在一千九百二十二年間，航行於大黑河口岸之風船數達六十隻之多，其載重力計由四百甫特起至五千甫特止。自從斷絕交通以來，風船之運輸事業大受影響，於一千九百二十七年航行期間，航行於大黑河口岸之風船僅有二十隻。於一千九百二十七年航行期內，由松花江駛入烏蘇里江之小船甚多，達一百五十隻，專作捕魚及捕大瑪哈魚之用。

四九、大黑河口岸船隻次數及乘客並貨物數目

進口輪船之次數：

國籍	一九二二年	一九二三年	一九二四年	一九二五年	一九二六年
中國船	一九〇	一六四	一五二	一二四	一四八
俄國船	四二二	五五	一八	四	八
總數	六一二	二一九	一七〇	一二八	一五六

進口拖船之次數：

年份	一九二二年	一九二三年	一九二四年	一九二五年	一九二六年
隻數	一六八	九〇	四一	二七	六六

由輪船輸入之進口貨物數目（以甫特計算之）：

年　份	中國船甫特	俄國船甫特	甫特總數
一九二二年	一百九十萬	一百十一萬	三百萬
一九二三年	一百零八萬五千	四萬五千	一百十三萬
一九二四年	八十一萬二千五百	一千五百	八十一萬四千
一九二五年	八十六萬七千五百九十一	九十六	八十六萬七千六百八十七
一九二六年	八十六萬	無	八十六萬

由輪船運入進口客人之數目：

年　份	中國船乘客人數目	俄國船乘客人數目	總　計
一九二二年	一萬四千	一萬七千	三萬一千
一九二三年	二萬一千	二千	二萬三千
一九二四年	一萬九千	十五	一萬九千零十五
一九二五年	一萬五千二百七十五	無	一萬五千二百七十五
一九二六年	一萬五千零四十五	無	一萬五千零四十五

五〇、一千九百二十三年航行期内阿穆爾江水消漲情形

本年冰排流動高於水平綫以上，故一千九百二十三年航行期水量特别充足，大黑河水平綫最高之時係六月十六日，爲四百二十英尺又十分之六，較太平洋水面爲高，而最低之水平綫時係十一月十一日，爲三百九十九英尺又十分之六，水量昇降相差之數爲二十一英尺。本年結牙江水量增漲最大之時共有三次，第一次爲五月底；第二次爲七月中旬，此爲水量三次增漲中之最大者；第三次爲九月。查結牙江夏冬兩季水平綫昇降相差之數爲二十八英尺。松花江本年航行期内，自始至終並無水淺時期，在三姓淺灘，本年水量最淺時亦未落至三英尺以下，全年航行期内水量均在中度以上，尤以八九月間水量充足，該時三姓淺灘水量深度竟達八英尺又十分之七五（此等水量在三姓淺灘實未多見）。

五一、一千九百二十四年江水消漲情形

本年冰排行動在中等水平綫以上，大黑河地方五月十六日冰排方行流盡。一千九百二十四年，阿穆爾江航行期内之水平綫高出中度以上，超過五英尺，惟松花江内則水勢頗淺，而於邪列木日阿江内曾暴發大水，非僅耕種之田地、菜圃被水淹没，而居室及牲畜等亦多被水所冲去，並有人命之犧牲也。十月十九日於無意中飄降之大雪，忽將良好之航行情形變遷，於十月二十日即發現冰排，因此有許多船隻不能駛回度冬停泊處所也。

五二、一千九百二十五年江水消漲情形

一千九百二十五年，航行期間之江水可認爲水勢特别低淺之時期。於五月一日，大黑河地方即無冰排流動。及至五月一日，於一千九百二十四年冬令在璦琿下流度冬之輪船二隻駛入黑河口岸。因氣温煖，過年雨量缺乏，故江水不能增漲，而冰排因流動於水皮下面，幾無從理會也。於什勒喀河中自航行期開始，水勢即頗低淺（在二英

尺以下），竟延至七月中旬。阿穆爾江上游僅於五月間江水低淺後，因額爾古納河水勢之接濟，水深達中度水平綫。阿穆爾江中段之水量受結牙江、邪列木日阿江及布列牙江水淺之影響，自航行期開始，即行水淺，至八月初旬尚未恢復。甘斯丹金諾烏斯克及伯牙爾郭夫斯克等淺灘之水量，其昇降之度數竟在二英尺以下，凡船隻駛至此等淺灘時，均須繞由富爾馬斯克或秋普力赫二支流中之深處通過之。松花江航行期開始時期水量本已充足，其後漸次低落，故於五月底稍現水淺，然六月中水量又行充足，而七月及八月半則又全爲水淺時期。三姓淺灘之水量，其深不過二英尺而已，八月底、九月及十月之水量，對於航船頗稱順利也。十月二十三日，最後之輪船始由黑河開出，十一月一日即發現冰排，而十一月十七日則大江已封凍矣。

五三、一千九百二十六年江水消漲情形

本年冰排行動於低水平淺以上，大黑河地方於五月十日冰排即已化盡，五月十一日大興輪船亦由哈爾濱開入黑河。最有趣味之現象，即一千九百二十五年間，阿穆爾江右面各支流如額爾古納河、松花江及烏蘇里江水勢均頗低淺，而左面各支流則水量皆頗充足，蓋右面各支流之流動力較左面爲弱，所以於一千九百二十六年航行期間，阿穆爾江並無水淺時期，船隻航行亦並無阻碍也。額爾古納河内水量自開江期起，即現低淺，僅於九月間江水略漲至五英尺有奇。松花江於六七月間水淺特甚（三姓淺灘之水量深僅二英尺），甚至運客輪船亦難於航行也。幸由八月中旬起至航行期終了爲止，水量增漲，故得於八、九、十等月間由松花江下游運輸大宗粮石赴哈也。至於烏蘇里江本年水量雖淺，而中國之淺水輪船運客載貨航行非常發達。阿穆爾江於十月二十日發現冰排，最後之富江輪船於此駛出大黑河也。

五四、一千九百二十七年江水消漲情形

本年冰排行動於低水平綫之下，於五月四日開江，五月十日冰排即已化盡。由哈爾濱開第一次來之海城輪船，於五月六日進口，而五月七日則有瑷琿輪船進口。海城輪船則於五月九日開回哈爾濱矣。阿穆爾江上游水淺時期，曾繼續三星期之久（水深僅在四英尺以下）。别爾美金斯克淺灘在六月中旬，水深僅在三英尺又三寸左右。松花江自開江之初水量非常充足，由九月中旬起則漸見低落。在十月間，三姓淺灘水勢深僅二英尺。額爾古納河航行期開始時之水量較終了時爲佳，但所有航行於該河之船隻，除中國之風船外，並無他項船隻。本年烏蘇里江之水量對於輪船之航行較一千九百二十六年航行期之水量充足，且有餘裕，不意於七月底水勢大漲，至八月底竟至發生水災。按郭自羅烏斯克量水管理站之報告，則查出烏蘇里江一千九百二十七年八月二十二日之最低水平綫，較一千九百二十六年航行期之最低水平綫相差之

數竟高出五百八十一生的米突，即合十九英尺有奇。由大黑河末次開行赴哈爾濱之海城號輪船，係於十月二十日離黑，洪泰輪船於十月二十三日由上游抵黑，冬季即在大黑河停泊。阿穆爾江於十一月五日發現冰排，水平綫非常低下，十八日封江。本年秋季天氣和暖異常，故阿穆爾江至十一月尚未封凍。有蘇俄輪船一隻拖帶拖船二隻，於十一月四日抵布拉果威臣斯克，此爲自有阿省水道局三十年來得未曾有之現象也。

五五、一千九百二十三年至一千九百二十七年間輪船之水上損失

兹將輪船於各種不同之環境（即原因）中發生之水上損失列如下：

（一）有因該輪船載重過量而非該船所能拖運致將貨船擱淺者；

（二）有因對於烟筒之隔離疏忽而又缺少撲滅火星之器具以致發生火災者；

（三）有因輪船逸出水道及駕駛疏忽而將輪船觸於樹根、石塊及冰排者；

（四）有因汽鍋形情不良及烟筒腐舊而汽鍋及汽管炸裂者；

（五）有因船身木質腐舊而船遭沉没者；

（六）有因錨練不甚堅固及銹鈍不堪而將鐵錨遺失或舵柄折斷者；

（七）有因輪船不按正確之途經行駛而發生兩船相撞者（因缺乏航行章程）。

查船隻遭遇水上損失各情形，已如上述。然爲避免上項不幸各情形，極應認真檢查各輪船之船身、汽鍋、烟筒、錨練、舵柄、鐵繩、燈籠及全部鋪墊、消防器具、放水器具等，以至於置備完善之舢板小船、必要之藥品及衛生病室等項，均不可或缺者。兹值中俄船隻共同航行於國際河流之際，自一千九百二十八年航行期起，施行航行章程後，各項船隻於航行出發以前，極應特別注意檢查，即於航行之際亦應加以稽察也。

第九章　大黑河口岸工程之設施

五六、測量港口及拆除木壩

查戊通公司於一千九百十九年建築爲該公司冬季停泊過冬輪船用之木壩，對於港内之水流有莫大不良之影響，遂决於一千九百二十三年四月實行，將該壩拆去八十九英尺，以便使水流自由流入港内。蓋以前因有木壩截堵，致將港口冲塞，且將港口以内之淺灘淤積甚高，阻碍船隻之航行，甚至於中等水量之時尚有危險，故於一千九百二十三年航行期起，在此沙灘之上游尾部安設紅色燈照。然爲使充足之水量流入港内，計於一千九百二十七年春曾由易保羅顧問提議，將圍繞港口之淺灘下游尾部

掘成深溝，至少須深一英尺。此項工程完竣後，又挖水溝長一千零五十英尺，寬八十四英尺。所挖之溝深度平均在一英尺以上，因此次之試驗結果順利，所掘之水溝亦甚準確，水流入港亦較前加強，以致水溝亦未被淤塞。既有如此結果，則極應將水溝再行繼續濬深。總而言之，黑河水港決宜盡心保護，因將來於航業發達時，則木竇以上之碼頭地方甚短，江岸被水冲毁，而水濱隙地又多被建築物侵占也。

五七、量水標尺之設立

爲觀察阿穆爾江水勢昇降準確起見，遂於大黑河港内設立量水標尺一具，由一千九百二十三年二月一日起實行測量。此項標尺與布拉果威臣斯克測量太平洋水量深淺之器具相關連，標尺標示之數目計高出太平洋水面爲四百三十二英尺又百分之八十二六十一又千分之八百三十二沙申。

五八、清除江崖石塊之工程

爲船隻傍岸之際免除危險及遭碰毁起見，於一千九百二十三年春特由大黑河口岸江邊移去大石塊，共計四又四分之一立力沙申。此項石塊均係數年前被冰排冲來者。查此項工程應遂年辦理，在一千九百二十七年至一千九百二十八年之冬季，因封江後日水平綫甚低，故挪移石塊之工程極爲順利，並將港口中之石移去甚多。

五九、修理江堤之工程

春季冰排之流動，夏季江水之增漲，尤以最大之北風掀起之怒濤，遂將大黑河水港之沙岸冲滌破壞，故大黑河海關房址所在之地，於一千九百二十三年時距離江岸即僅五十英尺，因恐將來江岸愈冲愈窄，或使海關房屋亦不免危險及量水標尺無從保存，於是乃設法鞏固江岸，柳條編笆中填以石塊，以免江水冲滌。計此項工程共長四百十七英尺，而積爲一萬三千四百七十六平方英尺。爲保存大黑河江堤及沿岸隙地起見，最少亦須將江岸之一小段修理，使之鞏固也。

第十章　阿穆爾江流域經濟狀況

六〇、俄方之經濟狀況

阿穆爾省所屬地方連同結牙江（即精奇里河又名黄河）以東之平原，先時本甚豐富，産粮尤爲豐饒，不但足供本省之需，且可運輸出口，前赴沿海濱省之哈巴羅夫（即伯力）或尼果拉耶夫斯克（即廟街）及海參威等處，由火磨製成麵粉。除省内之火磨外，而布拉果威臣斯克城内即有火磨八處之多。自革命以還及各項政務廢弛後，所有大實業、大資本均完全破壞，耕種之田地亦立即較前減少，迄未恢復以前之狀態，所有之火磨均被政府充公，迄至現時，在布拉果威臣斯克工作之火磨僅有一處而已。查蘇俄官吏所加征於農人之捐款，農人等實無力担負，蓋

因耕種所得之糧石甚少，市面之糧價又小，而農人等所使用之耕種器具價值又極昂貴，結果致將農村經濟破壞不堪也。蘇俄官吏將高大之房屋及商鋪並輪船等項均爲没收，遂將商業破壞，而貨物運輸之數目亦隨之而減少矣。查由尼果拉耶夫司克（即廟街）至四列金斯克之過境貨物，現已停止運輸，而地方出産又形缺乏，故阿省水道轉運局近來已無事可作，祇每年甘受虧累而已。私人商業因無力担負捐税，均已歇業，而國家所設之貿易局又無貨物可資買賣，而國家貿易局及合作社雖經營頗大，但每年均歸虧賠。國家經營之各項企業中，賠累最甚者，胥爲電影園及戲園。商人既無現款，而銀行所放出之貸款數目又復不多，期限亦短，且銀行於收回貸款時須用現金作價，又往往較市場金價爲低。工人之勞資異常高貴，對於工人之待遇並須給與彼等提成及各項利益，而工人之工作則反不良善，且被雇之工人與雇主等又不時發生爭執。因前赴金礦區域之交通不便，故阿穆爾省及沿海濱省等處私人創辦之採金事業完全停歇。查此二省地方以前所採之金，每年達一千甫特之多，而礦中工人每年亦達三萬六千餘人，蘇俄政府無善策發展採金事業，蓋因採金工人向無俄人，而華工因受斷絶交通及蘇俄政府各項限制之壓迫，無法前赴俄岸也。

蘇俄地方政府禁止人民於春夏季捕大瑪哈魚，工人生活異常困難，日用品之價值非常昂貴，私人及商人運輸魚類由尼果拉耶夫司克者（即廟街）出口者運費極高，操漁者受莫大之打擊，遂使此最富之生産事業直等於零。凡此種種，皆足使阿省水道轉運局虧賠也。

税捐過大及納税人際手續繁雜，百般刁難，工人及林場取得之不易，採伐爲難，故由阿穆爾江上游運發大木及木柈前赴布拉果威臣斯克或哈巴洛夫（即伯力）等處者，較前大爲減少，而大木及木柈之價值亦較歐洲大戰以前貴至五倍以上也。

六一、華方之經濟狀況

自交通斷絶、與俄方經濟絶交以來，阿穆爾江、烏蘇里江及額爾古納河華岸居民大受影響，所有商業盡行停頓，居民甚有棄家而他徙者。

農業　凡沿岸地方山嶺距離江岸較遠者，則地廣而肥，對於耕種或牲畜均極適宜，凡此處居民皆從事農耕，故農業漸次發達。烏蘇里江沿岸之饒河縣，此時且從事種稻矣。邇者有人發起在阿穆爾江沿岸興東或烏雲地方試驗種稻，惟最要者對於農業希望地方官吏予以提倡和輔助，設法減輕輪船運費，俾糧石有出口哈爾濱之可能也。所可惜者，阿穆爾江沿岸所産之糧石，因氣候之關係，其籽粒不能盡長成天然飽滿之程度，又以缺少篩糧機具，以致草糧相混，不能與松花江所産之糧石競爭也。近來，當地農人亦頗努力購置耕種機器，以便糧石淨潔也。

木柈　阿穆爾江沿岸存有大宗之木柈此項木柈遠在

斷絕交通以前預置者，前因航業不振，又無人運輸此項木柈前赴哈爾濱或大黑河，遂致朽爛不堪，價值亦隨之低落，每一立方沙申僅值三元而已，以致屯積木柈之人遭莫大之損失。近年以來，以木柈之稅捐加重，無人再敢預存，僅將以先所餘存者運赴大黑河出售而已。結果所存之木柈不足航行期内之使用，以致一千九百二十七年航行於阿穆爾江上游之兩輪船需用木柈無處購買也。

金礦　查沿邊移民政策之發達與否，皆靠金礦爲轉移。採金事業有由政府經營者及私人經營者，礦區則有漠河、呼瑪河、太平溝、額爾古納河及大黑河左近（距離大黑河由七十俄里至一百俄里）。漠河、呼瑪河與額爾古納河等區之官經金礦，近年以來多已停辦，蓋因礦區之金被採淨盡也。自一千九百二十三年起至一千九百二十四年止，由大黑河左近礦區所採出之金爲數甚巨，每年竟在五百甫特以上，而工作之工人則在二萬人之多。最近數年來，大黑河左近礦區之情形亦見衰落，蓋因礦内金苗採取將盡，而工人又不易招攬也。在金礦興盛之際，地方上所銷之食糧數目亦巨。

酒廠　在俄國革命政變以前，中國方面運赴俄岸之酒精（即火酒）每年約在二萬筒。自雙方交通斷絕後，俄方對於販運私貨應懲極嚴，對於其本國所産之酒精則減輕捐稅，於是華方出口之酒精遽形減少至百分之九十。既有此等情形，所以酒廠事業亦隨之退步。當地所銷售之糧石、土豆等亦形減少也。

圍獵　於阿穆爾江、額爾古納河、阿爾巴吉赫河、庫瑪爾河、松花江及烏蘇里江等流域之間，面積異常廣闊，各類野獸極夥，然以交通不便，從事圍獵者僅有索倫種獵人，以圍獵爲重要之職業，獵捕鹿、麞、灰鼠、狐狸及狼等類。於此等沿邊地方，均有收買皮張之商人。最近數年來，以皮張稀少，價值頗見昂貴也。

火磨　俄國革命政變以前，兩方交通尚未斷絕之際，大黑河、布拉果威臣斯克間貿易繁興，地方亦極發達。是時黑河街内建有火磨兩處，瑷琿城亦建有一處。及至交通斷絕，採金事業衰落，大宗麵粉無處銷售，於是各火磨遂聯合爲一，設於大黑河，然亦不能整年製麵也。

種烟　因交通斷絕及貿易之停止，爲維持地方經濟之發展，黑龍江省境内准許種植鴉片，吉林省雖未經明令許可種植，然非正式所種植之大宗鴉片烟異常豐收。而一千九百二十六年，烏蘇里江沿岸地方移民事業之發達及建築物之增加，率皆由此。但所可惜者，一千九百二十七年由拉哈蘇蘇所派之軍隊，將所種鴉片烟苗一部分剷毁，其未被剷毁者因夏季淫雨連綿，收成不佳，復以秋季水災爲害，又殃及居民不淺也。

放木　查一千九百二十二年，由上游發下大宗木料，因一千九百二十三年春季二月間，俄國海關將木稅增加，故在俄岸不能銷售，致於一千九百二十三年間，發放木排

之人遽形減少。又因近年來，大黑河及璦琿地方無人建築房屋及輪船，木料之運費甚昂，故木料不能銷售於哈爾濱，結果賬[一]買木料之人日減，而價值亦隨之低落，迄今已無人存放木料，而伐木之人亦隨之減少矣。

郵電　郵政電報辦理完善，不但對於軍事利便，而於商業亦有莫大之價值。所可惜者，因年來電綫失修，往往發報不盡準確。然無論如何，極應將烏蘇里江及阿穆爾江沿岸安設電報，於地方上之興通及發達裨益不少也。

第十一章　結論

綜上所述，自民國七年經壽增將黑龍江航權交涉收回後，中國輪船始得航行於該江，惟其時俄國黨爭未息，對於該江一切工程無暇顧及，迨至民國十一年始由中俄地方局部合組航政委員會協議合辦航政工程。自該會成立以來，所有黑龍江、烏蘇里江、額爾古納河一切航政，如安設燈照、竪立標桿、疏濬江道、訂立航章等等，均已次第舉辦。其各該江之航權，截至民國十七年止，先後完全齊備。雖黑龍江下游出入海口以及烏蘇里江由伯力至嘎雜克維池屯一段，因牽涉界務關係未能妥協，然經雙方議定，將此問題保留，待由中俄會議解决。所謂保留者，此問題即是已經成立也，將來中俄會議開議，對於此項問題應請當局加以注意。該條約或爲界務交涉之助歟。

[一] 賬　疑作『購』。

第二册

附　歷年協議原文

一、民國十一年中俄雙方簽訂黑龍江航行地方臨時協議

大中華民國黑河道尹與㈠會議航行黑龍江内之中俄兩國輪船、風船運貨、載客或木排暨木排所載之貨客加捐籌款，維持阿穆爾流域兩國邊界之公共江流航路暨修江行船之設備，整頓行船之辦法。

大中華民國黑河道尹，雙方爲整頓阿穆爾江（黑龍江）航路起見，以中俄兩國國界關係，遂有此協議。大中華民國黑河道尹特派外交科長王杼及外交顧問車席珍爲全權代表。

第一條　辦事規則

第一款　此臨時協議由雙方議決簽字日起爲有效。其有效期間以一千九百二十二年，即大中華民國十一年行船期間爲限。

第二款　此協議以權利關係，宜有雙方合訂契約之性質。凡關於維持修理江道問題，無論中俄船户暨各木排把頭，凡在兩國邊界黑龍江内行駛者均有應負之責任。此協議係一種地方雙方協議性質，並不牽動或變更水道航船章程及其他以往阿穆爾江章程，亦並不影響於中俄兩國運費之規定。

第二條　收捐及開支之規則

第三款　凡輪船、風船所載之貨物暨搭客應納之捐額，由雙方規定之中國黑河道尹兼交涉員、俄阿穆爾國家水道轉運局督辦，召集中俄兩國各公司暨各團體與航務有關係者公同議決實行。

第四款　收貨票捐之手續由阿穆爾國家水道轉運局督辦與大中華民國黑河道尹所派之代表公同規定之。

第五款　凡關於中俄兩國輪船、風船運貨、載客或木排暨木排所載貨客收捐問題暨監督各項開支等事，俟協議定後，由中俄合組機關另定細則行之。

第六款　收捐辦法：　中國方面，無論中俄輪船、風船或木排，由中國海關一律收捐；　至俄國方面，無論中俄輪船、風船或木排，由阿穆爾水道局所屬之委員會一律收之。

第三條　航路之設備與修理釐頓航路之辦法

㈠ 底本此處疑有脱字。

第七款　關於水道設備之工程，按〔一〕設燈照、清理江底礁石或沉物暨其他一切工作，既歸阿穆爾水道局承辦，所需費用應由中俄兩國貨票捐全數收入開支。但前項修江安燈各項工程，凡在中國方面，以地方名義暫時委託俄岸承辦。

第八款　關於前項工程之限度暨手續，應以所收捐款數目爲比例。阿穆爾水道局遵照第五款之規定，預擬辦法送呈中俄合組機關批准後興工。

第九款　履行此協議時，如遇有疑難發生，此項問題應由雙方合組之第三特別委員會裁決之。該委員會之裁決即認爲最後之解決，不得再行提起訴訟。

捐額

貨捐按布特計算，依貨之種類定收捐之額數。如一切建築料、鐵、生鐵、鋼、鉛、五穀、草料、菜蔬、鹽、煤、木炭、農具、機器非木類者，每布特均收捐一分，餘者均損〔二〕二分。但由風船或木排運來者，均照輪船一律減半。

林木捐

燃料暨材料，每俄寸一寸厚、三沙申長之大木收捐半分，再長者以此類推算。木桴俄尺四分之三長者至一俄尺長者，每沙申收捐一毛。

牲畜

牲畜大者每頭收捐三毛，小者收捐一毛五分。

飛禽

飛禽無論大小，收捐一分。

票捐

票捐不分等級，按票價收百分之五。

附言

（一）爲收貨票捐公允起見，黑龍江分爲二段征收。一由黑河至嘎雜克維池，一由黑河至八箇羅夫，每段按捐額全數收二分之一。

（二）中俄兩方于貨票捐收入後，由收捐機關交中俄國家銀行保存，支出時須經合組委員會兩委員長簽字方得支用。

（三）中俄合組委員會委員擬定八人，以中國黑河道尹與俄阿穆爾水道局督辦爲委員長，其餘委員六名，由委員長各指定中俄三人充之。

（四）征收貨票捐，係由黑龍江上下游駛來之輪船、風船及木排所運之貨客而言，横江渡船不在此限。

二、民國十一年雙方續訂細則及收捐辦法

逕啓者：　茲根據本年五月二十七日所簽訂之中俄黑龍江航行地方臨時協議第五款之規定，另擬細則暨收捐辦法如左：

（一）所有收入一切捐款，專爲修理中俄兩國交界之

〔一〕按　應爲『安』。
〔二〕損　前應加『收』字，即『均收損二分』。

黑龍江全部航路暨安設燈照之用，不得移作別項用途。

（二）一切測量修江工程，安設燈照、清理礁石或沉物及其他一切工程，得由中俄兩委員長各派專門委員一人，預將計畫工程製造圖表編成預算各三份，送呈兩委員長批準後施行。如兩委員長不同意時，交合組委員會核議。

（三）中國委員長得隨時派員實地調查修江工程及各項開支賬簿，遇有疑義時，中國代表與俄水道局監督不能在當地解決者，得提出合組委員會議決後行之，如再不能解決，由第三委員會解決之。第三委員會組織法，由中俄兩委員長指定合組會外同等人數組織之。

（四）俄水道局每半月得將每段工程各項開支清單，經俄總司帳暨黑河道尹之代表簽字，抄送中俄兩委員長查核。

（五）修江一切工程在此協約期間，暫委託俄水道局兼辦，一切人員不另支薪。但中俄雙方由所收捐款項下得各提百分之十成，以資兩岸收捐機關辦公。

（六）凡調查員因公外出，得由中俄兩國官憲發給長期護照，妥爲保護。

（七）凡航路調查員因公外出時，乘中外兩國輪船，不給票價，俄國水道局得予以相當協助，並供給各項船隻及住房等項。

（八）一切開支字據，須經中俄兩委員長或中國委員長所派之代表批准後，始准登記賬簿。

（九）所收捐款，無論數目多寡，須發給票據，並留存根。

（十）每月底，須將中俄兩岸收捐確數由經征機關報告合組委員會。

（十一）會址無一定地點，如中國委員長召集開會時，會議地點即在中國地方；俄委員長請召集開會時，會議地點即在俄國地方。中俄兩委員長輪流主席。

收捐辦法

（十二）凡船隻照章完納江捐後，艙口單由征收機關（即海關或水道局）加特別鈐記。

（十三）過江貨物暨客票，無論由華輪或俄輪運載，應在輸出地方完納江捐。凡入口客貨登於艙口單內，而該艙口單按本條第十二款所定，業經徵收機關加蓋特別鈐記者不得重徵，如無以上憑據者，應在卸貨地點征收。

（十四）客票捐之征收限於航行黑龍江。全部依照臨時協議第六款之辦法，中國方面由海關代收，俄國方面由水道局所屬之委員會收之。但過江搭客票捐，無論由華輪或俄輪載運，應在上船地方完納。

（十五）凡貨物由此岸運往對岸者（如黑河運布埠）暨由黑河運至黃河，或由黃河運至黑、布兩埠之貨物，應按照捐額減半征收。

（十六）此細則於雙方簽字後發生效力，其有效期間

與地方臨時協議同。

黑河道尹兼瑷琿交涉員宋文郁
外交顧問車席珍
中華民國十一年七月二十二日簽訂

三、民國十三（十二）年簽訂黑龍江等航行地方臨時協議

大中華民國黑河道尹兼瑷琿交涉員與
俄國阿穆爾國家水道轉運局督辦會議，航行黑龍江、額爾古納河、烏蘇里等中俄兩國交界河流内之中俄輪船、風船運貨、載客或木排及木排所載之貨客加捐籌款，維持兩國交界河流之航路及修江行船之設備，整頓行船之辦法。

大中華民國黑河道尹兼瑷琿交涉員與
俄國阿穆爾國家水道轉運局督辦，爲整頓中俄兩國交界河流航路起見，以中俄兩國國界關係，遂有此協議。

大中華民國黑河道尹兼瑷琿交涉員宋文郁、黑河道尹公署外交顧問車席珍簽訂。

代理俄國阿穆爾國家水道轉運局督辦拉庫金、行政科長借鳩恨、水道局局長裴多羅夫簽訂。

第一條　辦事規則

第一款　此臨時協議由雙方議決簽字日起爲有效。其有效期間，以中華民國十三年十二月一日爲止。在此期間，所有臨時協議條款如有應行修改、廢止者，經雙方議決，無論何時得修正、廢止之。

第二款　此協議以利權關係，宜有雙方合訂契約之性質。凡關於維持修理江道問題，無論中俄船户及各木排把頭，凡在兩國交界河流内行駛者，均有應負之責任。此協議係一種地方雙方協議性質，並不牽動或變更水道航船章程及其他以往阿穆爾江章程，亦並不影響於中俄兩國運費之規定。

第二條　收捐及開支之規則

第三款　凡輪船、風船所載之貨物及搭客應繳之捐額，由雙方規定之中國黑河道尹兼瑷琿交涉員與俄國阿穆爾國家水道轉運局督辦召集中俄兩國各公司及各團體與航務有關係者，公司〔一〕議決實行，其議決捐額於第一附件規定之。

第四款　收貨票捐之手續，由中國黑河道尹兼瑷琿交涉員與俄國阿穆爾國家水道轉運局督辦雙方所派之代表公同議決，於第二附件内規定之。

第五款　凡關於中俄兩國輪船、風船運貨、載客或木排及木排所載貨客收捐問題及監督各項開支等事，於第二附件内規定之。

第六款　收捐辦法。中國方面，無論中俄輪船或木

〔一〕司　疑作『同』。

排，由中國海關一律收捐。至俄國方面，無論中俄輪船、風船或木排，由俄國阿穆爾國家水道局或水道局所屬之機關一律收捐。

第三條　航路之設備與修理整頓航路之辦法

第七款　關於黑龍江自巴個羅夫（即洛古河），至下游嘎雜克維池一段，兩國交界江流内水道設備之工程，按[一]設燈照符號及其他一切工作所需經費，應由雙方收入貨票捐項下開支。此項工程本應由中俄兩方分任，現爲便利工作起見，所有中國應擔任之工作由中國方面暫以地方名義託付俄國阿穆爾水道局承辦，至需款較巨之重大工程，須由承辦者提出工程議案及預算呈由合組委員會核議，非經雙方同意不得舉辦。

中俄合組委員會委員以八人爲限，中俄兩國各四人。中國方面，黑河道尹爲委員長；俄國方面，水道局督辦爲委員長。其餘委員六人，由中俄兩委員長指派。

第八款　關於前項工程之限度及手續應以收入捐款爲標準，不得超過所收捐款全數範圍。凡一切工程均暫由俄國阿穆爾水道局遵照第三附件規定預擬辦法，連同預算，於開江前，送呈中俄合組機關批准後，再行興工。

第九款　履行此協議時，如遇有疑難發生，此項問題應由雙方合組第三特別委員會裁決之。該委員會之裁決認爲最後之解決，不得再行提起訴訟。第三特別委員會之組織，由中俄委員長協議另定之。

附則

本協議尚未加入中國方面所提出之第四條，因該條所規定各節有政治關係，俄國地方官無此權能簽訂協議，並以中俄會議不日在北京開議此項問題，應由該會議解決之。惟值玆行船時代，修理航路急不容緩，本道尹因俄方請求至再，遂表示贊同將本協議第四條所規定各款由第十款起至第二十一款止，作爲懸案附本協議之後。

第四條　附則

凡黑龍江等中俄兩國交界河流各有各半領水權者，祇準中俄兩國各項船隻自由航行，各別外國船隻不準在上開江河内行駛。中國各項船隻得航行黑龍江下游出入海口，及由伯力至嘎雜克維池、烏蘇里江一段，俄國各項船隻得航行松花江下游至哈爾濱，彼此應享平等之權利。

中俄兩國各項商船均準在上開各河流兩國之各口岸甲埠至乙丙等埠往來、停泊及搭客、載貨，惟應遵守所在地之海關行船各章程。

中俄兩國各項商船往來貿易，應各照所在地海關章程交納關税船鈔（凡中國各項商船駛入俄國口岸所納之關税船鈔，應與俄國各項商船相同，其俄國各項商船駛入中國口岸所完之關税船鈔，亦應與中國各項商船相同）。

[一] 按　疑爲『安』。

惟通過之貨，無論運往何國均應免税，其免税辦法照兩國海關章程辦理。

中俄兩國各項船隻得在上開各河流，往來各口岸採購燃料、食物及必需用品，修理打凍僱用引水，彼此商船如欲按照所在地章程租地修築碼頭、貨棧，必須呈明所在地中央政府核示辦理。

中俄兩國交界河流之水道，應由兩國共同管理。其管理方法及各項設備維持並關於河道之修濬，另行分别詳細協定。所有對於各項商船及貨物徵收之捐款，其支用數目以上開各項必需之經費爲限。

中俄兩國各在本管地段内應設官，管理檢查船泊之適航，考驗船員引水資格以及保固河岸，布置燈塔、浮標，防範瘟疫，曉諭行船通告等事（本款所載保固河岸，布置燈塔、浮標，係指第十五款所載範圍以外之工程而言）。

中俄兩國各項商船航行上開各河流進口時，祇應照海關章程查驗，其他各種檢查一律免除。

遇一國有特别檢查必要時，應由該國提出理由先行知照，俟得同意後，再由雙方協商於一定地點内公立檢查機關或各立檢查機關會同執行檢查手續。如三江口俄國所設檢查之輪艦，未得中國同意，係一方面之行爲，不合協商性質，應於開江後撤退，仍以簡速爲當，不得故意留難。

中俄兩國官憲對於航行各項商船，應予以相當之保護及代謀營業上之便利。

中俄兩國各項商船不得將行船權利讓於中俄兩國以外人民，亦不得僱用中俄兩國以外之人民充當船員及水手。

中俄兩國各項商船在所在國境内，應遵守所在國法律。

第一附件

（一）捐額　凡輪船、拖船、木排、小艇、風船所載貨物，均按布特計算交納江捐。一切建築材料、鐵、生鐵、鋼、鉛、五穀、草料、菜蔬、鹽、煤、木炭、農具、機器用器非木類者，每布特均收捐大洋一分，他類物品均捐大洋二分。

（二）木料每厚一俄寸、長三沙申之木，收捐大洋五厘，再長者以此推算。

（三）木桴一俄尺長者，每沙申收捐大洋二角，俄尺四分之三長者，每沙申收捐大洋一角五分。

（四）飛禽無論何種，每隻收捐一分。

（五）牲畜大者（牛馬）每隻收捐大洋三角，小者（猪羊）每隻收捐大洋一角五分。

（六）客票捐不分等級，按票價抽收江捐百分之五。

（七）自行開駛之（木排）小艇、風船非由輪船拖帶者，所運貨物按輪船、拖船捐額半數徵收之。

（八）黑龍江江捐按段數徵收。由黑河至嘎雜克維池爲第一段，由黑河至八箇羅夫爲第二段。每一段徵收捐額之半。由巴箇羅夫嘎雜克維池來往黑龍江所運貨物已交所定江捐者，不得再行徵收各項江捐。

宋文郁
車席珍

第二附件

（一）中俄雙方由所收捐款項下得各提百分之十，以資兩岸收捐機關辦公。中國方面歸海關支用，俄國方面歸水道局支用。

（二）凡船隻照章完納江捐後，艙口單由徵收機關（即海關或水道局）加盖特别鈐記。

（三）過江貨物及客票，無論由華輪或俄輪運載，應在輸出地方完納江捐。凡入口各貨登於艙口單内，而該艙口單内前第二條所載業經徵收機關加盖特别鈐記者，不得重徵。此項辦法只限於由巴箇羅夫至嘎雜克維池一段，如無以上憑據者，應在卸貨地點徵收。

（四）客票捐之徵收限於航行黑龍江，全部依照本臨時協議第六款之辦法。中國方面由海關代收，俄國方面由水道局或水道局所屬機關收之。但過江搭客票捐，無論由華輪或俄輪載運，應在上船地方完納。

（五）凡貨物由此岸運往彼岸者（如黑河運往布埠），及由黑河運至黄河，或由黄河運至黑布兩埠之貨物，應按照捐額四分之一徵收。

（六）所收捐款，無論數目多寡，概給票據，並留存根。

（七）第三附件内所載工程計劃及預算，非經中俄委員會批准不生效力。

（八）中國委員長得隨時派員一人實地調查修江工程及各項開支賬簿，其所派之員調查前項事宜，俄國水道局應予以利便。

（九）凡調查員因公外出，由中俄兩國官憲發給長期護照，妥爲保護。

（十）凡航路調查員因公外出時，乘中俄兩國輪船不給票價，俄國水道局得予以相當協助，並供給各項船隻及住房等項。

（十一）每月底應將上月華俄兩岸收入江捐確數，由徵收機關報告合組委員會查核。

（十二）中俄合組委員會會議隨時召集，無一定會址。如中國委員長召集開會時，會議地點即在中國地方；俄國委員長召集開會時，會議地點即在俄國地方。中俄兩委員長輪流主席。

（十三）中國方面所收江捐除提辦公一成外，如應攤修江、設燈之數超過收捐淨數，華委員長不負責任（即顧問署經費及華委員長辦公津貼並水道局預算）。

（十四）所收九成江捐内，每月須先提撥顧問署經費及華委員長辦公津貼。預計專門顧問署經費八千元，華

委員長辦公津貼二千元。

（十五）除以上開支外，所餘之款，撥給俄國水道局經費，不得超過預算百分之五十。惟該局經費應照第三附件辦理，並按本附件第七條之規定，應經中俄委員會批准。

（十六）中國方面應攤經費數目，以預算内所列每月數目於每月月初照百分之七十五撥給，俟俄國水道局賬目結清，再發其餘二十五分。

（十七）中國方面所攤經費專爲黑龍江上游巴箇羅夫（即洛古河）至下游嘎雜克維池一段修江、設燈之用，不得挪作别項用途。

（十八）俄水道局工程總賬目應於三月一日以前結清，列表送呈華委員長查核。

（十九）此附件有效期間與民國十二年地方臨時協議同。

宋文郁
車席珍

第三附件

民國十二年自一月至十三年十一月三十日，修理江流工程及一切經費，統共計劃列左： 自巴箇羅夫至嘎雜克維池，此段國際江流若能分爲五段方爲妥善。按照去年辦法，今年應設之站所如左：

懸掛水量深淺附號站　七站
指揮輪船進退站　二站
量水處　十一所
淺灘應設燈照之處　四處

安設新立，修理舊有，各項標樁，其經費仍以去年開銷爲標準。

其專門段暨各段機關所用人員數目不超越去年之數，其專門段（該專門段除管修理黑龍江國際江流外，且管俄國内地江流）之經費以半數歸入中俄合組委員會預算之内。應備小火輪一艘，爲專門段及合組委員會各人員辦公之用。

統共兩年修江經費不得超過五萬五千元，至用機器挖江等工程另案協議。

四、民國十四年黑龍江協議聲明書

大中華民國黑河道尹兼瑷琿交涉員宋文郁與大蘇俄阿穆爾國家水道轉運局督辦且比索夫聲明：

中華民國十二年，即西曆一千九百二十三年，雙方所訂黑龍江中俄兩國交界河流航行地方臨時協議及附件等，除第三附件另行規定外，其餘繼續有效，仍照舊章辦理，不得稍有更張。有效期間以一年爲限，如本年十二月一日以前中俄會議國際航行訂有辦法，該項地方協議等件即行廢止。如十二月一日以後中俄會議仍未訂有辦法，再由雙方商訂地方臨時辦法。再，本年修江一切經費總數，不得超過預算金洋四萬四千二百六十八元。爲此，

雙方訂立聲明書一件，計中俄文各兩份，互相簽字，蓋印，以昭信守。

大中華民國十四年五月十八日
西曆一千九百二十五年五月十八日　訂於黑河

道尹宋文郁
督辦且比索夫

五、民國十五年黑龍江協議聲明書

大中華民國護理黑河道尹兼瑷琿交涉員章霖與大蘇俄阿穆爾國家水道轉運局督辦（一）：

中華民國十二年（即西曆一千九百二十三年），雙方所訂黑龍江中俄兩國交界河流地方臨時協議暨附則，以及第一、第二兩附件，於民國十四年（即西曆一九二五年）曾經雙方聲明展期一年，現因期滿，特再展期一年。自民國十四年（即西曆一九二五年）十二月一日起至民國十五年（即西曆一九二六年）十二月一日止繼續有効，仍照舊章辦理。在此期間，如中蘇會議國際航行訂有辦法，該項地方協議等件即行廢止。又本年修理黑龍江一切經費不得超過預算金洋六萬零零三十一元。爲此，雙方協訂聲明書一件，計中俄文各兩份，互相簽訂，蓋印，以昭信守。

護理道尹兼交涉員章霖
顧問車席珍
科長沈廷榮

大中華民國十五年四月二十一日
西曆一千九百二十六年四月二十一日　訂於黑河

俄水道局督辦
駐黑俄領事
俄水道局長
俄水道局副局長

六、民國十六年黑龍江協議聲明書

大中華民國黑龍江省黑河道尹兼瑷琿交涉員張壽增與大蘇維亞社會聯邦共和國駐黑河領事默拉美德聲明：

中華民國十二年，即西曆一千九百二十三年，雙方所訂黑龍江等中俄兩國交界河流航行地方臨時協議暨附則以及第一、第二兩附件，茲再展期一年。自中華民國十五年，即西曆一千九百二十六年十二月一日起至中華民國十六年，即西曆一千九百二十七年十二月一日止繼續有效，仍照舊章辦理。在此期間，如中蘇會議國際航行訂有辦法，該項地方協議等件即行廢止。又本年修理黑龍江一切經費不得超過預算金洋六萬元，除機器挖江及修理烏蘇里江、額爾古納河等三項另議外。爲此，雙方協定聲明書一件，計中俄文各兩份，互相簽字，蓋印，各執華俄文各一份，以昭信守。

大中華民國十六年一月十日
西曆一千九百二十七年一月十號　訂於黑河

（一）『督辦』後似應加『聲明』二字。

中國方面　黑河道尹兼交涉員張壽增

黑河道署外交顧問車席珍

黑河道署外交科長沈廷榮

璦琿關税務司鐸博賚

航務專門顧問易保羅

蘇聯方面　駐黑河蘇俄領事默拉美德

阿穆爾國家水道局局長紀阿諾夫

阿穆爾國家水道局副局長且比索夫

阿穆爾國家水道局航路工程師彌哈依羅夫

七、民國十六年簽訂會修烏蘇里江協議聲明書

大中華民國黑龍江省黑河道尹兼璦琿交涉員張壽增與大蘇維亞社會聯邦共和國駐黑河領事默拉美德對於會修烏蘇里江一事共同聲明如左：

（一）中蘇雙方議定烏蘇里江由嘎雜克維池俄屯至虎林縣一段，應行修理江道、安設燈照事宜，按照中華民國十二年，即西曆一九二三年十月二十八日所訂黑龍江協議之辦法辦理。除第三附件另議外，其餘所有附件均皆有效。

在此期間，如中央中蘇會議國際航行訂有辦法，此項地方協議即行廢止。

（二）華方要求安設燈照由嘎雜克維池俄屯到伯利之問題，因其有牽涉及於中蘇界務之關係，非地方委員會所能解決。該項問題應候北京中蘇會議决定之。

（三）自本年六月一日起至十二月一日止，所有由嘎雜克維池俄屯至虎林縣一段共同修理江道、安設燈照之工程經費，議定金洋八千六百元，不得超過議定預算數目。

（四）此項聲明書計華俄文各兩份，由雙方簽字，蓋印，彼此各執華俄文各一份，以昭信守。

大中華民國十六年六月十七日

西曆一千九百二十七年六月十七日　訂於黑河

中國方面　黑河道尹兼交涉員張壽增

黑河道署外交顧問車聘珊

黑河道署外交科長沈廷榮

璦琿關税務司鐸博賚

航務專門顧問易保羅

蘇俄方面　駐黑蘇俄領事默拉美德

阿穆爾國家水道局局長紀阿諾夫

阿穆爾國家水道局副局長且比索夫

阿穆爾國家水道〔局〕航路工程師彌哈依羅夫

八、民國十七年黑龍江協議聲明書

華方委員長大中華民國黑河道尹兼璦琿交涉員張壽增、華方委員璦琿關税務司鐸博賚、黑河道尹公署外交科長沈廷榮、航路專門顧問易保羅，俄方委員長大蘇維亞社會聯邦共和國駐黑河領事默拉美德、俄方委員阿穆爾國家水道局局長紀阿諾夫、阿穆爾國家水道局副局長且比索

夫、阿穆爾國家水道局航路工程師彌哈依羅夫，於民國十七年，即西曆一千九百二十八年一月十一日，在大黑河地方臨時協議工程委員會正式會議，共同商定聲明如左：

中華民國十二年，即西曆一千九百二十三年，雙方所訂黑龍江等中俄兩國交界河流航行地方臨時協議及所有附則、附件等，除第三附件另行規定外，其餘仍照舊章辦理，再展期一年，自中華民國十六年，即西曆一千九百二十七年十二月一日起至中華民國十七年，即西曆一千九百二十八年十二月一日止，繼續有效。在此期間，如中蘇會議國際航行訂有辦法，該項地方協議等件即行廢止。又本年共同修理黑龍江一切經費議定金洋六萬元，各項支出款項不得超過議定預算數目，除機器挖江及修理額爾古納河等工程另議外。爲此，雙方協訂聲明書一件，計中俄文各兩份，互相簽字，蓋印，各執中俄文各一份，以昭信守。

大中華民國十七年一月十一日

西曆一千九百二十八年一月十一日訂於黑河

中國方面　黑河道尹兼交涉員張壽增

璦琿關稅務司鐸博賚

黑河道署外交科長沈廷榮

航路專門顧問易保羅

蘇俄方面　駐黑河俄領事默拉美德

阿穆爾國家水道局局長紀阿諾夫

阿穆爾國家水道局副局長且比索夫

阿穆爾國家水道局航路工程師彌哈依羅夫

九、民國十七年烏蘇里江協議聲明書

華方委員長大中華民國黑河道尹兼璦琿交涉員張壽增、華方委員璦琿關稅務司鐸博賚、依蘭道署外交科長鄭步蟾、航路專門顧問易保羅，俄方委員長大蘇維亞社會聯邦共和國駐黑河領事默拉美德、俄方委員阿穆爾省國家水道局局長紀阿諾夫、阿穆爾省國家水道局副局長且比索夫、阿穆爾省國家水道局航路工程師彌哈依羅夫，於中華民國十七年（即西曆一千九百二十八年）一月十一日，在大黑河地方臨時協議工程委員會正式會議，共同商定聲明如左：

（一）中華民國十二年（即西曆一千九百二十三年）十月二十八日，雙方所訂中俄兩國交界河流航行地方臨時協議，關於烏蘇里江由俄屯嘎雜克維池至虎林一段，至中華民國十六年（即西曆一千九百二十七年）十二月一日期滿，現經雙方決定照此協議再展期一年，至中華民國十七年（即西曆一千九百二十八年）十二月一日止，該協議以及所有附件等，除第三附件另行規定外，其餘仍照舊章辦理，繼續有效。

（二）在此期間，如中俄會議國際航行訂有辦法，此項地方協議即行廢止。華方要求安設燈照由嘎雜克維池俄屯到伯力之問題，因其有牽涉及於中俄界務之關係，非地方委員會所能解決。該項問題應俟北京中俄會議決

定之。

（三）中華民國十七年份，即西曆一千九百二十八年共同修理烏蘇里江江道，由俄嘎雜克維池至虎林縣一段安設燈照之工程，全年經費定爲金洋八千六百元。各項支出之款不得超過議定預算數目。

（四）中華民國十六年份，即西曆一千九百二十七年共同修理烏蘇里江，由俄屯嘎雜克維池至虎林縣一段，共支出金洋八千六百元之決算表應行核對完竣，以便清結。

（五）此項聲明書，計華俄文各兩份，由雙方簽字，蓋印，彼此各執華俄文各一份，以昭信守。

大中華民國十七年一月十一日

西曆一千九百二十八年一月十一日　訂於黑河

中國方面　委員長黑河道尹兼璦琿交涉員張壽增

璦琿關稅務司鐸博賚

依蘭道署外交科長鄭步蟾

航路專門顧問易保羅

俄國方面　委員長駐黑蘇俄領事默拉美德

阿穆爾省國家水道局局長紀阿諾夫

阿穆爾省國家水道局副局長且比索夫

阿穆爾省國家水道局航路工程師彌哈依羅夫

一〇、民國十七年額爾古納河協議聲明書

華方委員長大中華民國黑河道尹兼璦琿交涉員張壽增、華方委員璦琿關稅務司鐸博賚、黑河道署外交科長沈廷榮、航路專門顧問易保羅，俄方委員長大蘇維亞社會聯邦共和國駐黑河領事默拉美德、俄方委員阿穆爾國家水道局局長紀阿諾夫、阿穆爾國家水道局副局長且比索夫、阿穆爾國家水道局巡江司班吉列耶夫，於中華民國十七年（即西曆一千九百二十八年）一月十九日，在大黑河地方臨時協議工程委員會正式會議，共同商定聲明如左：

（一）（甲）中蘇雙方議定期限以一年爲限，由中華民國十六年，即西曆一千九百二十七年十二月一日起至中華民國十七年，即西曆一千九百二十八年十二月一日止，共同修理額爾古納河由奧爾秦斯克站至巴克羅夫（即洛古河）一段之江道，應行安設燈照、標幟事宜，按照中華民國十二年，即西曆一千九百二十三年十月二十八日所訂黑龍江協議之辦法辦理。除第三附件另議外，其餘所有附件均皆有效。

（乙）在此期間，如中蘇會議國際航行訂有辦法，此項地方協議即行廢止。

（二）中華民國十七年，即西曆一千九百二十八年份，所有由奧爾秦斯克站至巴克羅夫（即洛古河）一段共同修理江道，安設燈照之工程經費議定預算金洋三千元，各項工程開支之款不得超過議定預算數目。

（三）此項聲明書，計華俄文各兩份，由雙方簽字，盖印，彼此各執華俄文各一份，以昭信守。

中華民國十七年一月十九日訂於黑河
西曆一千九百二十八年一月十九日
中國方面　黑河道尹兼璦琿交涉員張壽增
璦琿關税務司鐸博賚
黑河道署外交科長沈廷榮
航路專門顧問易保羅
蘇俄方面　駐黑蘇俄領事默拉美德
阿穆爾國家水道局局長紀阿諾夫
阿穆爾國家水道局副局長且比索夫
阿穆爾省國家水道局巡江司班吉列耶夫

一一、民國十七年機器挖江協議聲明書

華方委員長大中華民國黑河道尹兼璦琿交涉員張壽增、華方委員璦琿關税務司鐸博賚、黑河道署外交科長沈廷榮、船務專門顧問易保羅，俄方委員長大蘇維亞社會聯邦共和國駐黑河領事默拉美德、俄方委員阿穆爾國家水道局局長紀阿諾夫、阿穆爾國家水道局副局長且比索夫，於中華民國十七年，即西曆一千九百二十八年六月十九日，在大黑河中俄地方臨時協議工程委員會正式會議共同商定聲明如左：

（一）根據中華民國十二年，即西曆一千九百二十三年十月二十八日，中俄地方所訂黑龍江修江協議各條款爲原則，除第三附件關於預算另議外。茲因黑龍江上游江道水量較淺及各淺灘中之航路狹窄，致發生航行之困難，遂經中俄雙方議定，使用阿穆爾水道局之挖江機船，共同濬深由俄屯且爾年也夫起至扎林達止一段之江道。

（二）挖江工作由且爾年也夫起至扎林達止。此項經費預算估定共六千盧布，各項開支之款不得超過議定預算數目。

（三）該項預算中國方面應攤三千盧布，按兩期交付。第一期須工程做之一半交付（約七月十五日期間），爲數一千五百盧布；　第二期俟工程竣後決算送到再行交付，爲數一千五百盧布。

（四）此項聲明書，計華俄文各兩份，由雙方簽字，蓋印，彼此各執華俄文各一份，以昭信守。

大中華民國十七年六月十九日
西曆一千九百二十八年六月十九日訂於黑河
中國方面　委員長黑河道尹兼璦琿交涉員張壽增
委員璦琿關税務局鐸博賚
黑河道署外交科長沈廷榮
船務專門顧問易保羅
蘇俄方面　委員長駐黑俄領事默拉美德
委員阿穆爾國家水道局局長紀阿諾夫
阿穆爾國家水道局副局長且比索夫

一二、民國十七年協議黑烏額等江臨時航行章程聲明書（並附章程於後）

華方委員長大中華民國黑河道尹兼璦琿交涉員張壽

增、副委員長璦琿關稅務司鐸博賚、華方委員東北船務局局長陳廣起、航務專門顧問易保羅，俄方委員長大蘇維亞社會聯邦共和國駐黑河領事默拉美德、蘇俄方面代理委員長阿穆爾省國家水道局局長紀阿諾夫、俄方委員阿穆爾省國家水道局副局長且比索夫、阿穆爾省國家水道局航路工程師彌哈依羅夫，於中華民國十七年（即西曆一千九百二十八年）一月十一日，在黑河中俄委員會正式會議，共同商定聲明如左：

（一）雙方議決規定一中俄兩國各式船隻及木排等航行交界河流之章程如左：

（甲）核定暫行試辦航行章程，共九十六條。

（乙）暫行試辦航行章程由中華民國十七年（即西曆一千九百二十八年）航行期起，施行於中俄兩國各式船隻及木排等航行於交界河流者。

（丙）如中俄會議國際航行訂有辦法，此項暫行試辦航行章程即行廢止。

（丁）該章程如有添改之處，可以修正，但須經工程委員會議商。

（二）此項聲明書附帶暫行試辦航行交界河流章程，計華俄文各兩份，由雙方簽字、蓋印，彼此各執華俄文各一份，以昭信守。

中華民國十七年一月十一日訂於黑河
西曆一千九百二十八年一月十一日

中國方面　委員長黑河道尹兼璦琿交涉員張壽增
副委員長璦琿關稅務司鐸博賚
委員東北航務局局長陳廣起
航務專門顧問易保羅
蘇俄方面　委員長駐黑蘇俄領事默拉美德
代理委員長阿穆爾省國家水道局局長紀阿諾夫
委員阿穆爾省國家水道局副局長且比索夫
阿穆爾省國家水道局航務工程師彌哈依羅夫

茲因中俄交界河流所有中俄兩國各式船隻應規定一同樣之章程，以便行船遵守，茲由黑河中俄臨時地方協議工程委員會於中華民國十七年，即西曆一千九百二十八年一月十一日，中俄雙方規定航行章程，共九十六條，並於是日雙方簽字。茲定中華民國十七年，即西曆一千九百二十八年航行期起，所有中俄各式船隻及木排等航行於交界河流者，按照該章程一體施行。

中國方面　委員長黑河道尹兼璦琿交涉員張壽增
副委員長鐸博賚
委員東北航務局局長陳廣起
航務專門顧問易保羅
蘇俄方面　委員長駐黑蘇俄領事默拉美德
代理委員長阿穆爾省國家水道局局長紀阿諾夫
委員阿穆爾省國家水道局副局長且比索夫
阿穆爾省國家水道局航路工程師彌哈依羅夫

中華民國十七年一月十一日

西曆一千九百二十八年一月十一日訂於黑河

附 試辦航行章程九章九十六條

阿穆爾江、烏蘇里江及額爾古納河，爲增進航行安全起見，凡華、俄船隻、木排以及其中人員、水手等，駕駛該江時應遵守左列各條章程。

第一章

第一節 總章

（一）凡船隻、木排等行駛於上列國際江流者，應將此章程之刊本安置於相當方便之處。

（二）中、俄船隻應照兩國國家法律懸掛各該國國旗，其下亦準添掛一明顯旗幟，表明該船屬於何公司或商號。惟只準懸掛於船之前桅或船頭所竪之旗桿上，而船名則應書在船之兩傍顯明之處。

第二節 航道

（三）各航道兩傍均竪有標桿、燈照、標幟及浮標，以指示應遵之航路。其燈照、標幟之式樣則在左岸爲白色，右岸爲紅色。

（四）凡有險石淺灘之處，則置有燈照及浮標，紅色則指江道右岸可以航行，白色則反是。若有險處而僅兩傍能航行者，則在晝間置有燈照或標幟，其上有紅白相間之記號，於夜間則燃點燈照或紅或白，或白燈在紅燈之上，以各情形而定之。

（五）凡水淺及有沙灘等處而於船隻及木排等之航行有危險者，則設立燈照管理站。

（六）管理淺灘之夫役應認貨測量水道之深淺，並懸掛標幟於桅上，指示按生的米達測量所得水道深淺之尺數如下：

一、凡懸掛長形之標幟，係表示水深一百生的米達。

二、如加懸一大球，則表示水道加深二十生的米達。加一小球，則加深五生的米達。

（七）燈照管理站前所竪之標桿，應隨時更換。懸掛之標幟以指示船隻及木排之行駛。

（甲）如晝間懸掛一球，夜間懸一紅燈，係禁止上駛船隻之通過。

（乙）如晝間懸掛一三角之木鐘，夜間上掛紅光燈一盞，下掛白光燈一盞，係指示禁止下駛船隻及木排之通過。船隻於木排之通過[一]

（丙）如標桿之上並未懸掛何項標幟，係指示視察所

[一]『船隻於木排之通過』疑爲應删而未删句，因上句已有『船隻及木排之通過』字樣。

及之處並無船隻或木排等，以表示可以自由行駛通過。

第二章　船隻及木排等之配置

第一節　行船之信號

（八）爲傳達信號起見，各式船隻及木排等須置備下列各件：

（甲）信號燈。

（乙）銅鐘一個，重量最輕亦須在四啓羅格蘭，或銅羅一枚，或號角喇叭一個，以後統稱傳達聲音信號。

（丙）白方旗一面，長短須在七十生的米達，以備晝間指揮信號之用。

（丁）白光燈一盞，只須一面安置玻璃，以便夜間指揮信號之用。

（戊）如輪船則除備上列各物外，須置備完善之汽笛二枚。汽油船則須置備汽雷或汽角一個。

註解：在輪船之舵樓內（即輪機室）應置完備之電燈，並須預置燈燭、火柴等物，以便於電燈損壞時燃點指揮信號之燈。

第二節

（九）凡各式輪船在六十馬力以上者，或拖船及帆船在五十噸以上者，應置備舢板小船。

（十）各式船隻及木排等之錨及探水墜，應作特別記號，誌明重量及船主名姓與船隻或木排名稱。

（十一）所有各船之錨，均應有一紅白二色相間之浮標，其大小則應以能浮出水面爲宜。如將錨拋下水道以後，則拋錨處之上面應置帶燈之舢板小船一隻，拋錨用繩之長短以水之深淺爲定奪。

（十二）凡木排則應於其中間木樁之上置一木板，將排主之名姓、發排之江名及排號誌於其上。

第三章　各式船隻燃點之燈

第一節　總章

（十三）凡各式船隻及木排等燃點之燈，應以電燈、植物油燈或由植物油製成之油燈及爉燭等爲宜。非有不得已之情形，不可燃點煤油燈。如燃點煤油燈時，必須特別注意。

（十四）凡各燃點電燈之船隻，須預備充足之提燈及掛燈，以便於電燈損壞時替換之（見第八條）。

第二節　探遠燈之使用

（十五）凡各式船隻及挖江機船，非遇下列各事件於夜間不得使用探遠燈。

（甲）凡在行駛之際，欲分晰水道及兩岸燈照標幟時

則用之。

（乙）凡欲傍岸之際，因停泊各船隻所抛之錨而難傍岸時則用之。

註解　如與他船相遇之際，應立即停止探遠燈光之射照。

第四章　各船隻木排及挖江機船之航行

第一節　總章

（十六）各式船隻之船長及發木排之人，對於船隻、木排等之航行，應當特别注意，以免船隻、木排等發生危險，而保乘客、貨物等之安全，並不得妨碍其他船隻、木排等之航行。而對於航路安設各物，如碼頭、橋樑、燈照、標幟等，亦均應加以保護，不得有損壞情事。

（十七）凡各式船隻、木排等，如無下列各件概不準航行：

（甲）錨及相當之錨鏈。

（乙）傳達信號應用各物件。

（丙）無充足之船員及水手。

（丁）輪船在六十馬力以上或帆船及拖船在五十噸以上而無完善之舢板小船者。

（十八）凡各式船隻及木排等，於抛錨及開行之際，不得有損壞或挖掘堤岸及斜坡等事。

（十九）大副乃船中惟一之負責任人員，應管理船隻之航行，指揮全船職員之工作，維持船員之秩序。如大副離職時，應將職務交與二副，在此時期如遇危險之事，如船隻之碰毁及違犯航行章程等，大副尚須負完全責任。又輪船拖帶拖船之時，則拖船内全部職員、夫役等，亦應服從輪船大副之指揮。

（二十）凡數船隻同時向一方向行駛時，則後駛之船應距離前船之尾部稍遠，以避危險。

（二十一）凡各船隻大副，於船隻傍岸或拔錨開行時，須留意試演輪機，以免阻碍他船之行駛，並避免發生危險（見二十九條）。

（二十二）凡無拖船之輪船於行近碼頭、挖江機船或船隻起卸貨物等處，須開慢車，庶使浪小，以免有損他船之虞。

第二節　霧天雨天及雪天時之航行

（二十三）在降大霧、大雨或大雪之時，江中對面不能相辨之際，只準未帶拖船之上駛輪船行駛，其他船隻應即時停泊於水道以外地方或停江岸。其停泊之船隻須隨時發出傳達聲音之信號，而行駛之船則應隨時鳴發長聲汽笛。

（二十四）如所降之霧、雨、雪甚輕，惟視覺仍不清晰，各式船隻或木排等須慢慢行駛，謹慎從事，並時時鳴吹各種傳達聲音信號之器具。

(二十五)在降大霧、大雨、大雪之時，各式非輪機船隻及木排等概不準航行，應停泊於江岸或水道之外，而隨時敲打各種傳達響聲信號器具（即銅鐘與銅鑼）。

第三節　各式船隻木排及挖江機船相遇及追趕時章程

(二十六)凡船隻彼此相遇時，其選擇行駛之權應操之於下駛之船，即下駛之船有先發揮信號之權指揮上駛之船。

(二十七)凡輪船於帆船或木排等相遇時，則選擇行駛及發揮信號指揮之權，不論上駛與下駛均屬之於輪船（見第六十九條）。帆船及木排等應服從輪船所指示之路途而行駛（見第七章第一節）。

(二十八)凡數船隻魚貫而行與他船相遇時，應按船發揮信號。其第一船應按信號行駛，其餘之船則追隨第一船之後行駛。如下駛之船欲駛過上駛之船，則下駛之船須開慢車停泊於側面，俟所遇之船通過後方可開行。

(二十九)爲避免船隻相碰起見，凡船隻返駛之際，不得在他船之前面轉彎行駛，只準於他船之後面轉彎行駛（見第二十一條）。

(三十)凡後駛之船意欲追過前行之船時，前行之船不得設法阻碍後行之船之駛過，祇可慢慢行駛，以讓後船駛過。如在江中危險之處，管理航路之巡江員吏得以禁止各船隻之彼此追趕，但須預發佈告週知。

(三十一)凡各種小船不得在輪船前面横渡或駛近輪船及向輪船行駛，以免妨害輪船之行動。

第四節　各式船隻及木排等航行淺灘之章程

(三十二)凡各式船隻及木排等於經過淺灘時，其所吃之水量應較水道之深度爲小，在阿穆爾江上游應留出六英寸或十五生的米達水量之餘地，在中段應留出八英寸或二十生的米達之水量應[一]餘地。各式裝運爆裂物品之船隻所吃之水量，應較在船底留出水之深度爲小，即在阿穆爾江上游應留出二十五生的米達，在中段則應留出三十生的米達。

(三十三)爲便於管理航路之巡江員吏稽查各船隻所吃之水量起見，凡各式船隻均應於船隻之前部兩傍明顯之處、中部並尾部作出計號，寫明吃水重量之英尺數目或生的米達。

(三十四)凡船隻及木排等駛近淺灘時，應立即測量水道之深淺。如所留吃水之餘量不足時，應即時停泊或卸貨，以便易於通過。

[一] 應　應作『之』。

第五章　各式船隻及木排等停泊之章程

第一節　總章

（三十五）凡各式船隻及木排等無論馬力或噸數之大小，概不準停泊於水道之中。

（三十六）如江岸竪有標桿，寫明江底有電報、電話之水綫等物，此等處所各式船隻或木排概不準拋錨停泊。又船隻停泊之際，不准拴縛繩索於電話或電報等柱上，或燈照、標幟之上。

（三十七）凡各式船隻及木排等，概不準停泊於淺灘及狹窄等處，或距水道相近之江岸、江流緊急之處。

（三十八）凡各式船隻於停泊之際，均應將繩索拴縛堅固。

第六章　法定之燈

第一節　總章

（三十九）凡各式船隻及木排等，無論何種天氣，於每日由日落起至次日日出止，應常備法定之航行燈，以備燃點。如無此等法定之燈不準航行。

註解：船頭下面所掛之燈，不在法定航行燈數以內。此燈專爲船隻航行時以備水手度量水道深淺之用。

（四十）凡各式船隻裝運危險物品及易於燃燒等物，除備上列之法定燈外，於夜間應燃點特別燈，晝間則備特別信號器具（見第五十三及第五十四條）。

第二節　停泊時燃點之燈

（四十一）凡各式船隻及木排等停泊時燃點之燈，須用五金質所製者。燃點時須發出常明不斷之白光照射四面，遠近在一啓羅米突半（即一俄里半）。

（四十二）凡各式船隻或木排等擱淺時，如至夜間尚不能出淺，則除桅上所掛之法定航行燈外，再備一法定色之燈，向可以自由行船之水道處掛之，以便使他船航行。

第三節　駛行時燃點之燈

（四十三）凡各式船隻或木排等於行駛之際，應備下列各種五金質法定燈：

（甲）凡各輪船應備白光燈一盞，掛於前桅或旗桿之上，務使其光常明，不斷射照在地平圜二百二十度。而在昏暗無霧之夜間，須能照射遠近在八啓羅米突（約八俄里或四個半海里）。

（乙）凡各帆船及木排等應備白光燈一盞，掛在前桅之上，務使其光常明，不斷射照在地平圜三百六十度。遠近最少須在一啓羅米突半。

（丙）船之兩傍應備之法定邊燈如左：

船之右邊應掛綠光燈一盞，左邊則掛紅光燈一盞，務使其光明亮不斷。每燈射照綫由船頭起至船腰止，共地平圜四分之一再向後過二十度，每燈其射照地平圜一百一十度，務使其光於昏暗之夜亦得射照遠近四啓羅米突（約四俄里）。邊燈應設在船之兩傍，每燈傍應竪立一木板，長短須一米突（約一個半俄尺），以免一邊之燈光射在第二邊。

（丁）船尾應設白光燈一盞，其安置之法不得使燈光射照在船之前部。

（四十四）凡兩船彼此相遇欲傳達信號指揮船隻行駛之方向時，應用揮發信號使用之燈。

揮發信號之燈只准一面設置玻璃，使之發光，其餘三方面則用暗板，以便由外轉裏之際使燈光不得外射，揮發信號燈射照光力之度數如左：

凡各輪船所用發揮信號燈射照光力之遠近，須與前桅所掛之燈光相同，即四啓羅米突或約四俄里。

凡各帆船及木排等所用之揮發信號燈射照光力之遠近，須與船首所掛之燈光相同，即一啓羅米突半或一俄里半。

第四節　各式船隻或木排等裝置及使用法定燈及號燈章程

甲　各式船隻所使用之法定號燈

（四十五）輪船應備之燈。

（甲）停泊之際，在船桅或旗桿上應掛白光燈一盞（見第四十一條），懸掛之處最少須在六米突高以下（約三沙申）。

（乙）凡無拖帶船之輪船於行駛時（見第四十三條），應掛白光明燈一盞於前桅上，懸掛之處最少須在六米突高以上（約三沙申），並應懸紅光及綠光邊燈各一盞。

（丙）凡拖帶拖船之輪船於行駛時，除船之兩傍所掛紅綠色之邊燈外，前桅上尚須垂直懸掛白光明燈二盞，懸掛之處最少須在六米突高以上（約三沙申）。兩燈上下之距離最少一米突（約一個半俄尺），而所帶之拖船則每隻應掛白光明燈一盞（見第四十三條），懸掛之處須在六米突高以上（約三沙申）。

（四十六）凡數輪船魚貫駛行而均係拖帶拖船者，此等船隻均應按照第四十五條各自燃燈。若遇前來或追趕船隻，亦應各自發揮同樣之信號。

乙　拖船所用之法定號燈

（四十七）拖船應備之燈。

（甲）停泊之際應掛白光明燈一盞（見第四十一條），懸掛之處最少須離甲板六米突高以上（約三沙申）。

註解：　凡拖船長短不逾三十米突者（約十五沙申），所掛之燈可以稍低，惟懸掛之處由甲板起，最少亦在二米突高以上（約一沙申）。

（乙）拖船駛行時應掛之燈。

（一）凡被輪船拖帶之拖船在行駛之時所掛之燈，應與本條（甲）段情形相同。

（二）凡非輪船拖帶之拖船在下駛之時，應掛白光明燈二盞。一在船頭，一在船尾。其懸掛之高低則與本條之（甲）段情形相同。

丙　帆船所用之法定號燈

（四十八）帆船應備之燈。

（甲）凡帆船長短在在三十米突（約十五沙申），或逾此數者於停泊之際，應掛白光明燈一盞（見第四十一條），懸掛之處最少須離甲板六米突高以上（約三沙申）。其長短不逾此數者，可將燈懸掛於二米突高之處（約一沙申）。

（乙）凡帆船在行駛時，應直掛白光明燈二盞於桅桿之上，務使其光常明不斷（見第四十三條至四十六條）。懸掛之處最少須在六米突高以上（約三沙申），而兩燈上下之距離最少須一米突（約一個半俄尺）。

丁　捕魚之船及小船所用之法定號燈

（四十九）凡捕魚船及小船行駛或停泊之際，應在桅桿上掛白光明燈一盞，懸掛之處須在二米突高以上（約一沙申）（見第四十一及四十三條）（乙段）。

戊　木排所用之法定號燈

（五十）木排於行駛或停泊之際應備之燈。

（甲）木排長短不逾五十米突者（約二十五沙申），應在中央掛白光明燈一盞。

（乙）木排長短已逾五十米突而不過一百米突者（約五十沙申），應於排之前後兩端各掛白光明燈一盞。

（丙）木排長短已逾一百米突者（約五十沙申），除兩端各掛白光明燈一盞外，應於排之中央再添掛白光明燈一盞（見第四十一及四十三條）（乙段）。

己　使槳小船所用之法定號燈

（五十一）凡使用木槳小船行駛於水道或由一岸而向他岸行駛之時，應在船頭掛白光明燈一盞。

庚　挖江機船所用之法定燈號

（五十二）於行駛或停泊之際應備之燈。

（甲）挖江機船於居住工作人役等之拖船並運送所挖出泥沙等物之拖船，於拋錨停泊之時，或拖帶拖船行駛之際，應各掛白光明燈一盞，懸掛之處須在六米突高以上（約三沙申）。

（乙）挖江機船於工作之際，應在桅桿上懸掛綠光燈一盞，高低須在六米突以上（約三沙申）。

註解：凡挖江機船停泊於水道上，無論工作與否，路過此等處所之輪船應特别加以注意，並於必要時須開慢車。

辛　裝運煤油暨爆裂物品或易於燃燒之各貨物之船隻所用之號燈

（五十三）（甲）凡船隻裝運石腦油或煤油或由此等油所製成之各物品，爆裂性在攝氏温度二十八度者，除所掛

各式法定號燈外，於夜間應在桅桿上再加掛紅光燈一盞，而晝間則換掛紅旗一面，高低須在六米突以上（約三沙申）。

（乙）凡船集裝運爆裂物品或其他危險物品或由石腦油所製成之各項物品，爆裂性在攝氏温度二十八度或以下者，於夜間應在前桅上下直掛紅光燈二盞，兩燈上下之距離須一米突（約一個半俄尺），而晝間則代以紅旗二面，其應掛之高低則與本條（甲）段相同。

（五十四）凡船隻拖帶裝運爆裂物品或由石腦油製成之物品，爆裂性在攝氏温度二十八度或以下者之拖船，且本船亦運有此等物品者，應在桅桿上共掛號燈三盞，即白光者二盞，紅光者一盞。

第五節　應備特別法定之號燈

（五十五）凡拖船在輪船兩傍拖帶者，除桅桿上懸掛之法定號燈外，拖船之外甲板上應再掛白光燈一盞，向傍面之江中射照（見第四十七條）（乙段）。

（五十六）凡輪船如發覺所載之客人中有患霍亂病症或傳染病者，即經過水道佈告中所指之患病地方，除所備之各項信號標幟外，於夜間應在桅桿所掛之白光明燈以上七十五生的米達地方再掛緑光及紅光燈各一盞，而晝間則在船頭之桅桿上掛黄色方旗一面。

第七章　船隻相遇時及追赶時所用之信號

第一節　總章

（五十七）凡各式船隻及木排等於相遇或追趕之際，無論晝夜，彼此均應預先傳達法定之各項信號或標幟。雖在水道寬闊之地易於分晰航路方向之處，亦應照辦，以避免相碰之虞。

註解：（一）船隻相遇或追趕之際，所用傳達信號之各種標幟或器具，不外下列兩條中所指各件：

（甲）各式船隻或木排等所用揮發之信號，晝間應使用旗幟，夜間則用號燈。

（乙）輪船使用汽笛，其他各式船隻或木排等則使用響聲傳達信號，如敲打銅鐘、銅鑼或吹號角、喇叭。

註解：（二）所用傳達信號使用之汽笛，應分爲兩種，即作長時間或短時間之信號。長時間每鳴汽笛一聲須由六秒鐘至八秒鐘，而短時間者，每鳴汽笛一聲不得過半秒鐘。

（五十八）傳達信號使用之各項器具或標幟應預備整齊，以便隨時使用。

（五十九）凡各式船隻或木排等傳達信號之時，應向無阻碍之航路方面揮發之，以便使相遇或追趕之船隻由所指之水道通過之。

註解：　凡輪船傳達信號之時，應由船之兩傍所置之邊燈上面傳達或揮發之。

（六十）凡輪船未傳達信號以前，應先長鳴汽笛一聲，而他類船隻或木排等可鳴響汽以代之，隨即須在船邊或木排之傍處傳達發揮信號。若由舵樓内或船之中部，或木排中間等傳達信號，則在禁例。

（六十一）晝間如遇他船而欲經過時，須用白旗傳達信號，夜間則以白光燈代之（見第四十四條）。其傳達信號時間之長短，則以接到相遇或追趕之船回答之信號爲止。

（六十二）凡所遇或追趕之船隻，如認可而接受他船所發之信號時，則應答覆以長時間之汽笛一聲，或使用各種傳達信號使用之響音器具作長時間之聲音，並晝間揮白旗，而夜間以白號燈向發信號之船答覆之。

註解：　凡不認可或不願接受他船所發之信號時，則應按照本章程之第六十六及第六十七兩條内所列各信號答覆之。

（六十三）凡輪船之汽笛只準作爲傳達信號之用，其作他項使用，如兩船相遇彼此鳴汽笛以致敬禮或鳴汽笛以作集合船員水手等，則在禁止之例。

第二節　各式船隻及木排等相遇時所用之信號

（六十四）下駛輪船或木排等路途中，如遇他船或木排在相距尚有之啓羅米突時，應鳴汽笛一長聲或響器代之。隨即使用傳達信號，以便指揮。上行船或木排須在河邊讓道行駛，而上駛輪船或木排應立即答覆信號。如輪船欲開倒車，則在未發揮信號前須鳴長時間汽笛二聲，一代一聲。

（六十五）如有危險之處，先由上駛船隻或木排發覺而下駛船隻尚未發覺者，則上駛輪船應鳴短汽笛數聲（須三聲以上），以警示下駛船隻或木排，而免發生危險。

（六十六）凡上駛之輪船或木排，如發覺於本船及下駛之輪船並無何等危險之處，而上駛之輪船或木排不欲遵照下駛之輪船所發之信號而行駛時，則應即時鳴短時間之汽笛二聲，並答以欲向何方行駛之信號。惟於揮發答覆信號之前，上駛之輪船如拖帶拖船者，則應開慢車，以便慢行。如上駛之輪船無拖船拖帶者，則應開慢車，以便勿再前行，或開倒車以便距離稍遠。

（六十七）凡下駛船隻或木排等接到不能遵守信號之答覆後，應遵守下列各條：

（甲）如下駛之輪船承認上駛輪船所答之信號而能照所指路途行駛時，則應鳴長時間之汽笛一聲，以示認可。

（乙）如下駛之輪船不能遵照上駛之輪船所指示之途徑行駛時，則應即時連鳴短時間繼續不斷之警報汽笛或别種信號。如係非拖帶拖船之輪船，則即開倒車；如係拖帶拖船之輪船，則應將拖船船尾之錨拋下。設因故而不能照辦時，則應設法以避相碰。

（六十八）凡各式船隻相遇，距離已近而信號尚未揮發或未答覆時，或所發之信號不甚明瞭時，則上駛之船應即停駛，以俟下駛之船揮發信號指示路途。各式船隻或木排等相遇時，必須俟兩方交換信號妥協後，方可繼續行駛。

（六十九）凡輪船與其他各船隻或木排等相遇時，其選擇行駛之路途屬之於輪船，此等船隻、木排等則應按照輪船所發信號中所指之路途行駛之（見第二十七條）。

第三節　各式船隻及木排等追赶時所用之信號

（七十）凡輪船或拖帶拖船之輪船意欲追趕前行之輪船，或各式船隻或木排時，應於駛行相近在四百米突（約二百沙申）之處，先鳴短時間之汽笛三聲，繼之以發揮信號指示所欲通過之路途，以便使被赶之輪船或各式船隻並木排等讓路。

如被追趕之各式船隻或木排等接到追趕輪船所發之信號後，則應即遵照下列各條辦理之：

（甲）如能遵照追趕輪船所指示之路途行駛時，則應鳴長時間之汽笛一聲，或敲鐘及銅鑼，並隨即按照定章揮發信號。

（乙）如不能遵照追趕輪船所指示之路途行駛時，則應答短鳴時間之汽笛二聲，及敲鐘或銅鑼或號角、喇叭，並揮發信號指示可以通過之路途。

（七十一）凡被追趕各式船隻或木排，因特別情形而不能遵照追趕輪船所指示之路途行駛時，則應立即連鳴繼續不斷之短時間警報之汽笛，或代之以傳達信號之響器。而追趕之船隻接到此項信號後，應立即等候相當之時間或地方再行前駛。

第四節　船隻通過狹窄處所用之信號

（七十二）凡輪船駛近江道彎曲之處，或壁崖直立及狹窄等處，而不能與對面所遇船隻相見者，則應鳴長時間之汽笛一聲，如無答覆之信號，應再鳴長時間之汽笛二聲，然後方可前進。帆船或木排等航行此等處所，則代以各種響音器具之信號。

（七十三）上駛輪船駛近彎曲及狹窄等處，如接到下駛輪船所發之信號後，應遵守下列各條：

（甲）如尚未駛入彎曲及狹窄等處時，則應停止進行，俟下駛之輪船通過後再行前駛。

（乙）如已駛入此等處所，則應開慢車等候下駛輪船之第二次信號。而下駛輪船亦應立開慢車，以不失撐駕之能力爲度，駛行惟愈慢愈妙。

第五節　船隻經過挖江機船停泊工作之地方所用之信號

（七十四）凡各式船隻或木排等駛近工作於水道之挖江機船時，如欲由傍邊駛過，須在距離四百米突以外地方

(約二百沙申)發揮各種響器之信號，即輪船鳴長時間之汽笛一聲，而其他船隻則代之以敲鐘，或打銅鑼及吹號角、喇叭。

(七十五)如停泊之挖江機船傍之水道無何阻碍可使駛近船隻通過時，則挖江機船於接到信號之際，應答鳴長時間之汽笛一聲，以示認可。如汽笛損壞，則用其他相當之響器信號以代之，並於晝間用白旗揮之，而夜間則用揮發信號用之白光燈揮之，以指示駛近船隻及木排等通過之路途。

(七十六)如停泊挖江機船傍之水道有何阻碍不能使駛近船隻通過時，則挖江機船應連鳴短時繼續不斷之警報汽笛，以作警告。駛近各船隻或木排等於接到此項信號後，應即時停駛，俟接挖江機船再鳴長時間之汽笛一聲，及用揮發信號所用之旗或燈續發信號時，方可再向前駛行。

第六節　所用求救之信號

(七十七)凡船隻遇火災或碰毁及遇不測等事時，應發下列各項信號，以便求救協助之用：

(甲)如係輪船，晝間則除用長時間之汽笛頻鳴不停外，並將前桅所掛之旗降至桅杆中部。而夜間則除頻鳴長時間之汽笛外，並將桅上所掛之白光燈降至中部，頻降頻升，以示警報。

(乙)如其他船隻或木排等，則代之以傳達信號用之

各種響器，以示警報。

(丙)在出險處相近之各式船隻，亦應發相當之信號，以示警報。

第七節　呼叫小船用之信號

(七十八)凡欲向江岸呼叫小船時，應鳴長時間之汽笛二聲及短時間之汽笛一聲。

(七十九)凡欲向水道燈照管理站呼叫小船時，應鳴長時間之汽笛一聲及短時間汽笛一聲。

第八節　駛入碼頭或駛出碼頭所用之信號

(八十)凡輪船駛入碼頭之際，應鳴長時間之汽笛一聲。

(八十一)凡輪船開行前，應先鳴長時間之汽笛一聲及短時間之汽笛一聲，繼之以鳴長時間之汽笛一聲及短時間之汽笛二聲，最後鳴長時間之汽笛一聲及短時間之汽笛三聲，然後船方可行駛離開碼頭。

第八章　各式船隻關於航行發生阻礙各事應守各条

第一節　在水道及浅狭之处发生阻礙各事

(八十二)凡各式船隻或木排等，不得向江中及冰上

拋擲及堆積沙石或灰炭及建築遺棄等物，以免有礙航路。

（八十三）凡各式船隻或木排等，如遺失鐵錨或其他物件於江中，而有妨礙於航行者，船主或木排主應立即設法尋撈或除去。如遺失之物品無法取出，則船主或木排主等應在該遺失物之水面設置浮標之特別標幟，如不能安置於水面時，可在江岸相對該遺失物之處設置一特別標幟。除將安置標幟及遺失特別等情向左近岸上之燈照管理站報告外，並應向各該國之水道機關報告之。

（八十四）凡船隻或貨物沉於江底者，則該處水面上應置一特別標幟。同時，船長或排主速即報告左近之燈照管理站並各該國之水道機關。

（八十五）凡因遇險而沉江底之船隻、木排或貨物等，如本章程第八十三條内所列舉者，應由原主在各該國之水道機關所限定之時間内除去，如逾期未曾除去，則由各該國之水道機關代爲除去，其各項費用則由原主担負之。

（八十六）凡各式船隻或木排等，如因淺灘擱淺，船身損壞或碰毁，及因所載太重，水淺不能前進者，或因萬不得已必須靠岸卸貨者，得準其靠岸而卸下一部分或全部分之貨物，惟船主或木排主應立即報告左近之水道機關，以便前來考察一切，或施以相當辦法。同時，該船主或排主應服從及遵守該處之各項章程及法律。

（八十七）凡於航路有阻碍各件，或水道不確與不完善，或缺少燈照標幟等情，如經船主或木排主發覺者，應即時報告於左近之燈照管理站及水道機關。

第九章　遇不測之事時應遵守之章程

第一節　總章

（八十八）凡各船主或木排主等，如遇意外不測之事而與貨物或船客有生命危險者，應即速報告於左近之本國管理航路之巡江員吏。

（八十九）凡船隻、木排、貨物或船客發生不幸而罹危險時，或於水道航行有妨碍時，其路過此等處所或在此等處所左近之各國船隻，應立即加以相當之援助。

（九十）凡各式船隻如遇意外不測而罹難時，船主人等應以救護各人之生命爲前題〔一〕，然後方可援救所載之貨物。

（九十一）凡各式船隻於出事後既經採取應有之步驟，其管理貨物之人應將出事前後確實情形無分巨細作一詳細報告，由其本人及見證多人負責簽字。如該項意外之事波及船隻本身，其船主應作一同樣之報告，由其本人及負責之水手二人並見證多人簽字。如所作之報告疏而不詳，或所陳者與當時事實不符，該證人可發表個人之

〔一〕題　疑爲『提』字之誤。

意見，以作參考。該報告書應即時呈交各該國最近之管理航路之巡江員吏。

（九十二）在報告書上簽字之證人，應將本人之名姓、籍貫、職業及其營業或工作地點註明。

註解：如於備立報告書時所有在船應簽字各人，如有不識字者，或彼此言語不通者，應由遇事之船主向左近之本國水道機關報告，由該機關員吏詢問一切，以便預備應作之報告書。

（九十三）報告書中應註明下列各事：

（甲）遇事之時期。

（乙）遇事之詳情，並遇事之地點。

（丙）遇事前後或遇事時，船長或二副所發之號令。

（丁）貨物損失之詳細數目及預算，船隻應損失之數目。

（戊）遇事前是否極力設法避免發生不測，或是否遵照本航行章程辦理。

（己）船客有無死傷者。

（庚）遇事時之草圖表明出事地點及如何發生不測，及出事後船隻之行動。

（辛）備立報告書者之姓名及籍貫。

（九十四）如船上發覺有殺人、搶劫或偷盜等事，其船主或木排主應即時報告左近各該國之警察署及水道機關。

（九十五）凡船隻或木排彼此相碰時，該船隻應即時停駛，以便彼此相救，並共同立一報告書，由證人簽字（見第九十三條）。如彼此意見不同時，可各自備立一報告書。惟所備立之報告書由證人簽字後，應各出收據，將副本彼此交換。

（九十六）凡因防範不嚴，或由巡視不週暨不經心而遇意外不測之事，船主、船長及船員等皆不得卸其責任，則對於此節，各船用人祇可選擇歷練素著者爲宜。

楊學墉 著

東北水利述要

王爽 整理

整理説明

一、關於此書的版本及傳世情況

《東北水利述要》一書爲油印本，折頁平裝。此書屬非正式出版圖書，通過此書本身無法瞭解作者及其具體成書年代。據查相關文獻，本書應爲楊學墉與相關水利工作人員合著。根據此書前言介紹，此書應成書於日本戰敗投降後，到中華人民共和國成立之前這段時間。經查《東北地方文獻聯合目録》，查國家圖書館、上海圖書館、吉林省圖書館、黑龍江省圖書館、中科院圖書館等館之電子藏書目録，都無此書，遼寧省圖書館僅收藏一本。此書應爲東北民國地方文獻的稀缺、珍貴版本。

二、關於此書的内容和價值

此書共十二章三十八節，目録十頁，附表五十二份，正文二百九十頁（其中包含圖表）。

本書正文内容包括以下方面：綜述了東北地勢、河流及湖泊、氣象、水文狀況，詳述了遼河水系、北部水系、鴨緑江水系及附近河流、凌河水系以及圖們江水系相關的灌溉、水電、航運、給水、港埠等狀況，另記述了松遼運河規劃。書中涉及大量數據並配有相關專業表格，對於研究東北水利發展歷史具有一定史料價值。

此書也許因爲出書倉促或是其他原因，没有配圖，雖然有十幾處『參見圖某某』之處，但無圖可供查閲，甚是遺憾。

三、關於此書的作者

經查《中國現代水利人物志》（中國水利百科全書編輯委員會、水利電力出版社中國水利百科全書編輯部編，水利電力出版社，一九九四年十一月第一版），書中提到楊學墉和他人合編有《東北水利述要》一書，但未提及其餘參編者。楊學墉（一九〇五年至一九七六年），遼寧遼中人。一九三一年畢業於日本名古屋高等工業學校土木科。曾任奉天第一工科高中、西安國民高等學校教員，長春交通部理水調查處技佐，東北水利工程總局技正，資料室主任等。一九四五年抗戰勝利前夕，楊任技佐時，目睹日軍燒毁了大量僞滿東北地區的水利資料，深感痛心。抗戰勝利後，爲使剩餘的水利資料免遭丟損破壞，經技職人員公舉，楊擔任臨時成立的『東北水利保管委員會』負責人，對資料進行了整理和保護。一九四八年後，楊歷任東北水利總局副處長兼科長，副處長兼室主任，水利部瀋陽勘測設計院主任工程師兼室主任，副總工程師，遼寧省水利勘測設計院副總工程師。楊參加創建東北水利科學試驗所，主持松花江和遼河防洪水利初步規劃，負責松遼運河選綫及其水源的勘查和初步開發規劃。

四、關於此書的點校整理

關於本書的頁碼：本書的原有頁碼排序中有兩頁屬於後插入，因此插入頁的頁碼起名爲某頁其一，例如二一八頁的下一頁爲二一八頁其一。經過校對，按順序排序，頁碼依次向後推。

關於本書的文字，本書基本尊重原書文字，如不出現不統一現象不做統一轉爲繁體的修改。只有用字不統一之處，經過點校，取其常用的繁體字，全部加以改正統一。

本編纂單元點校者爲王爽，審稿者爲蔣超、陳志雲、姜智。不當之處請批評指正。

整理者

目録

[一] 計劃　底本原作『計画』，其餘徑改。

附表目録

第一章　緒言

自『九・一八』事變之後，日人侵佔我東北，建立僞滿政府，實行其大陸政策，積極移民，施以經濟之榨取。初以松花江流域爲移民中心，逐漸南伸，而達遼河流域。置重工業重點於瀋陽、鞍山、撫順、本溪湖等地，復漸擴至東邊道一帶。嗣以民國二十二及二十四年，松、遼兩河先後洪水爲患，損失甚鉅，始悉河道之整治不可或忽。且農産之增加，重工業之開發等，又莫不與水利息息相關。因於民國二十二年在僞滿國務院國道局中設第二技術處，專事各河流之勘測調查。迄民國二十六年一月，廢國道局，設土木總局，改隸僞民政部。河流調查與治理事宜仍由該局之第二工務處掌管之。同時設水力電氣建設局，隸僞産業部。將國道局時代所調查計劃之第二松花江大豐滿付諸實施（即大豐滿水電廠）。是年七月復并土木總局於交通部，設航路司，負水利行政之責。民國三十年改航路司爲水路司，另設理水調查處，掌東北九省與熱河各水道之勘測與設計事宜，以迄於今。

東北各水系之具體勘測調查工作始自民國二十三年，同時并計劃各主要城市之防水工事，翌年興工。始自哈爾濱、永吉、依蘭、洮南等地之防水工程。其後逐步實施安東、瀋陽、錦州、義縣、佳木斯、齊齊哈爾、琿春、春化、孫吳、海拉爾、圖們、牡丹江等市之工程，現皆次第竣事。

民國二十四年，河道勘測調查之重心置於遼河水系。民國二十六年曾召開治水會議，確定遼河治水計劃之方針，擬以滿幣一億五千萬圓之工款及十五年之期間，實施此水利工程。於民國二十七年再事遼河水系之詳細調查，設遼河治水調查處於長春，專司其事。并於彰武、錦州、營口設置土木工程處，辦理柳河、繞陽河、東沙河及遼河下游各工程。迄民國三十一年全水系之勘測設計工作全部完成，所需工程總費則爲七億一千餘萬元矣。

民國二十七年，僞滿政府以河道工程、土地開發、水力發電等水利事業逐漸發達爲因應需要計，於是年四月公佈河川法，逾年施行。自是，水行政有所依據。對於地方水利工程及民營水利事業則積極指導提倡，并補助其工費，以資獎勵。

遼河水系調查竣事後，乃將工作重心移至松花江水系。僞滿理水委員會曾決議以滿幣五百六十萬圓之勘測費，以四年爲期，從事松花江之調查事宜。惟以時間有限，僅獲初步之草案，且於日人投降之初，該項資料多遭焚毀，良屬可惜。至邊境河道則以軍事所需，亦間有調

查，然極秘密，資料焚損尤多。

東北河流以遼河與松花江爲腹地之兩大水系，流域所及概屬東北之精華，故東北水利之開發當先自松、遼兩河入手。日人雖經多年之調查運籌，然以戰事影響、財力不逮，多未施工；而其他各水系之水利事業，亦需從事籌劃實施。凡此種種，皆有待吾人之努力也。

第二章　東北地勢

東北全面積爲一三〇三四三七平方公里（包括熱河在内）。通觀其地勢，尚屬單純，四周群山環繞，中部爲一大盆地，詳見圖一（東北地勢圖）(一)。大興安嶺山脈雄居西北，綿亘約一五〇〇公里，北接小興安嶺，南接陰山山脈。大興安嶺無高峰，其標高在二〇〇〇公尺以上者甚少，餘皆在一〇〇〇至一六〇〇公尺左右。基礎岩盤概爲變質之水成岩暨水成岩，其中并含有噴出岩、粗面岩及玄武岩介乎其間，其岩層之方向與山向略同。小興安嶺山脈峙立東北，其東端越松花江而伸向東南，稱爲完達山脈，更南爲長白山脈。長白山脈南與千山山脈相接，爲遼東之脊背。長白山脈綿亘於中、韓國境，其最高峰曰白頭山，峰高二七四四公尺，山巔有池曰天池，爲松花江、圖們江、鴨緑江三河之發源地。全山脈長約一三〇〇公里。與大興安嶺山脈相平行，由長白山脈之南端而西南行，經鐵嶺、開原、越遼河，則爲醫巫閭山脈，與陰山山脈又相銜接，完成環繞之形勢。

各山脈間之平原，北爲松花江流域，南爲遼河流域。松、遼兩流域以公主嶺爲分水嶺。山爲丘陵，標高約在二五〇公尺上下。東北之平原大致可分爲三類：一爲由河流湖沼衝積而成之平原，如松花江、嫩江及遼河各流域之平原是；二爲受乾燥氣候影響，由飛沙構成之草甸，如大興安嶺東側一帶與呼倫池、貝爾池附近之平原是；三爲受侵蝕作用致地盤陷落而成之凖平原，如烏蘇里江、松花江及黑龍江所包圍之地域是。

衝積平原爲東北主要之農産地，以嫩江、松花江及遼河流域爲最大。以嫩江與松花江合流點爲中心，跨松、遼分水嶺兩側，成一菱形，南北約長六百公里，東西約長四百公里，在瀋陽附近標高爲四九公尺，哈爾濱附近標高爲一三〇公尺。土質大部爲河砂，而混有黄土成分，稍帶鹹性，最適於大豆、高粱等農作物之種植，土地肥沃，莫與倫比。

草甸爲大陸氣候之特殊平原，每受季候風之影響，移砂成丘，地表且含鹹鹽等成分，故農産不生，僅有禾本科及矮小樹木繁滋而已。大興安嶺東側草甸，由嫩江之西達遼河之北，寬約一五〇公里，係由大戈壁、沙漠東漸之影響，此項沙漠今後更有向東或東北推進之傾向，致河道或湖沼多有受其影響逐断阻塞不通矣。凖平原之窪濕地，在黑龍江、松花江及烏蘇里江所包圍之地區與興凱湖

(一) 底本未收録此圖，故不能查閱。

附近，地勢低下，易於積水，每值雨季時成湖沼，故地下水特爲豐富，是謂東北之最窪濕地帶。

東北著名之湖沼多在北部，如興凱湖、鏡泊湖、達賴湖、貝爾池等是。在中央部平原中，如哈爾濱與洮南之間，受降雨之影響，時現臨時之湖沼，倘遇乾旱，則涸爲平地矣。

東北之主要河流參閲圖二（東北河流水系圖）〔一〕，爲松花江、黑龍江、烏蘇里江、圖們江、鴨緑江、遼河、大小凌河等，均發源于山嶺地帶。松、遼兩河爲東北腹地大川，流域所及形成東北之兩大平地。□□〔二〕河外其在我國境内入海者，謹鴨緑江、遼河及大凌河，以及鴨緑江支流之沙河。遼河支流之柳河，大凌河支流之東西二沙河，均爲含沙量最大之河流，故土砂之流出量頗大，港口多被淤塞。因無良好之河口港可言，至各河流之侵蝕情形，示如圖三〔三〕。

綜上所述，東北之山嶽地約占全面積之半數以上，但入老年期者頗多，雖有一望蒼蒼原始樹木存在之山嶺，而無木可尋之童山亦到處皆是。故地表多爲風雨所侵，殘削至巨，河道之中下游，亦因坡平流緩時起變遷，携帶土砂隨地淤積。北部復受强烈季候風之作用，飛砂成丘，漸成草甸，影响耕地至鉅。

〔一〕〔三〕底本未收録此圖，故不能查閲。

〔二〕底本此處字迹不清，無法辨認。

第三章　河流及湖泊

第一節　河流

東北河流可概分爲境内河流及國境河流兩類（參閲圖二東北水系圖）〔一〕。境内河流以松、遼兩水系爲主，以公主嶺爲分水嶺，分流南北，構成東北腹地之兩大平原。國境河流以黑龍、烏蘇里、鴨緑及圖們諸水系爲主，環繞國境三面，以與蘇聯及朝鮮爲界。兹將東北主要河流表列如次（見表一），并分述之。

表一　東北主要河流一覽表

一、境内河流

河流名	流域面積（平方公里）					流路延長（公里）	流域平均寬（公里）	會流點附近標高（公尺）	流域内最高標高（公尺）	流域内主要都邑	備考
	山嶽	低平地	沼澤	沙漠	合計						
遼河	121 484	65 588	5 816	21 833	234 721	1 344.5	167.26	0.0	1 911	瀋陽	
左側支流太子河	15 496	3 337	193	—	14 086	425.0	33.00	4.2	1 360	鞍山	
左側支流渾河	7 550	3 021	1 146	—	11 017	364.0	22.19	4.5	887	撫順	
右側支流柳河	4 607	1 265	—	1 040	7 132	256.5	27.80	28.5	866	新民	
左側支流東遼河	3 059	7 170	89	—	12 318	333.5	30.94	185.0	158	公主嶺	
左側支流西拉木倫河	22 292	3 810	41	2 114	28 664	412.0	90.11	266.0	1 910	林西	
左側支流繞陽河	1 534	3 436	130	15	5 114	247.5	20.67	0.0	628	盤山	

〔一〕底本未收録此圖，故不能查閲。

河流名	流域面積(平方公里)					流路延長（公里）	流域平均寬（公里）	會流點附近標高（公尺）	流域内最高標高（公尺）	流域内主要都邑	備考
	山嶽	低平地	沼澤	沙漠	合計						
左側支流東沙河	8 835	2 936	177	—	4 946	189.5	26.11	0.0	431	太虎山	
松花江	331 145	150 656	41 568	215	523 584	1 958.0	267.67	53.0	2 668	長春	黑龍江左側支流
左側支流湯汪河	8 777	374	635	—	9 986	236.0	41.96	84.5	1 100	湯原	
右側支流倭肯河〔一〕	9 140	390	2 289	—	11 819	248.0	47.63	89.8	—	依蘭	
右側支流牡丹江	31 310	2 075	2 291	—	35 664	666.0	53.58	98.0	1 413	牡丹江	
右側支流蚂蟻河	9 053	3 051	606	—	16 710	273.0	39.23	108.0	1 206	方正	
左側支流呼蘭河	15 097	18 602	3 574	—	37 265	413.0	90.23	126.0	1 350	綏化	
右側支流拉林河	3 628	6 064	1 553	—	21 845	355.0	61.53	124.0	1 377	五常	
右側支流第二松花江	52 654	24 194	1 120	215	78 183	715.0	47.04	130.0	2 668	吉林	
右側支流洮兒江	20 617	9 429	1 322	—	30 622	534.0	57.72	134.8	580	王爺廟	
右側支流截兒河	15 075	1 263	944	—	17 282	516.5	33.46	148.4	1 055	音德爾	
右側支流雅魯河	17 419	3 836	438	—	21 773	333.0	65.38	152.7	720	札蘭屯	
右側支流阿倫河	7 651	1 482	464	—	9 597	329.0	27.17	160.7	820		
右側支流諾敏河	22 708	1 962	444	—	24 214	430.0	56.31	173.5	1 163		

〔一〕此處似有誤。

河流名	流域面積（平方公里）					流路延長（公里）	流域平均寬（公里）	會流點附近標高（公尺）	流域內最高標高（公尺）	流域內主要都邑	備考
	山嶽	低平地	沼澤	沙漠	合計						
左側支流呼初爾河	5 989	5 004	930	—	11 923	426.0	27.99	150.0	600	克山	
左側支流諾謨爾河	11 451	858	1 250	—	13 559	403.0	33.65	185.4	950		
右側支流甘河	19 294	617	58	—	19 989	394.0	50.68	223.0	1 100		
大凌河	20 046	3 100	11	—	23 157	362.0	63.97	0.0	850	凌源	
小凌河	4 558	634	—	—	5 192	170.0	30.54	0.0	653	錦州	
大洋河	5 308	923	11	—	6 237	177.0	35.23	0.0	963	岫巖	
碧流河	2 516	867	—	—	2 883	161.2	17.89	0.0	1 052	萬福庄	

二、國境河流

河流名	流域面積（平方公里）					流路延長（公里）	流域平均寬（公里）	會流點附近標高（公尺）	流域內最高標高（公尺）	流域內主要都市	備考
	山嶽	低平地	沼澤	沙漠	合計						
黑龍江	217 983	36 514	29 831	3 032	287 360	3 409.0	84.29	35.0	1 835	黑河	中國領土
右側支流遜別拉河	15 729	41	2 200	—	17 977	255.0	70.50	106.0	855	（遜）〔孫〕吳	
右側支流呼瑪河	21 841	1 804	259	—	23 912	464.0	51.32	170.0	1 169	呼瑪	
右側支流額穆爾河	18 008	342	173	—	18 523	356.5	51.95	280.0	1 310		
右側支流根河	10 484	1 423	890	—	13 797	383.0	36.02	511.0	1 145		
右側支流海拉爾河	35 930	9 116	5 117	2 350	53 013	133.0	83.75	531.0	1 067	海拉爾	

河流名	流域面積（平方公里）					流路延長（公里）	流域平均寬（公里）	會流點附近標高（公尺）	流域內最高標高（公尺）	流域內主要都市	備考
	山嶽	低平地	沼澤	沙漠	合計						
烏蘇里江	19 733	4 222	32 541	—	56 496	609.5	92.69	35.0	644	東安	中國領土
左側支流撓力河	5 603	—	13 910	—	19 513	370.0	50.04	45.0	—		
左側支流穆棱河	10 020	4 222	4 325	—	18 567	135.0	29.24	66.0	1 091		
鴨緑江	29 831	1 849	75	—	31 746	773 0	41.10	0.0	2 586	安東	中國領土全面積 61 889km²
左側支流靉河	5 339	490	—	—	5 829	119.0	48.98	23.5	1 201	通化	
左側支流渾河	14 183	581	75	—	14 838	438.5	34.31	144.5	1 368		
圖們江	21 601	1 223	36	—	22 860	479.0	47.73	0.0	1 951	圖們	中國領土全面積 33 168km²
左側支流琿春河	3 620	405	—	—	4 025	160.5	25.10	25.5	965	琿春	
左側支流嘎呀河	13 108	621	—	—	13 729	196.5	68.87	88.5	1 007	延吉	

（一）遼河

遼河之上游曰老哈河，發源於熱河七老圖山脈之光頭山。流經溪谷山野地帶，至八家子與來自赤峰之西路嘎河相會。過石門子至海拉爾，與西拉木倫河會流，稱西遼河。至蘇家堡向左分流爲新河。東流三二三公里，經通遼而至鄭家屯，復相會流，自此以下始稱遼河。

遼河由鄭家屯漸次南折，至枯榆樹附近與經西安、懷德、梨樹、双遼而來之東遼河相會，再南行至高山屯與由四平、八面城、昌圖而來之招蘇台河相會。自此以降，乃左折而東流，水路迂迴而下約七〇公里，清河由西豐、開原來滙。至鐵嶺與柴河相會。再下流二二公里與范河相會。折向西南流，越北寧路至新民之南，與來自彰武、庫倫之柳河會流。而後蜿蜒南流，經唐家窩棚與双台子河

分流入海。

双台子河西流二七公里與繞陽河相會。過盤山更有東沙河注入。計由唐家窩棚起，約經五七公里而入渤海。

遼河本流由唐家窩棚東南流三九公里而至三叉河，與經清原營盤、撫順、瀋陽之渾河及經本溪湖、橋頭、遼陽南來之太子河相會，流量倍增，地形甚爲混亂。由三叉河以下爲遼河之下游，河道盤旋曲折，歷八〇公里，過營口而入渤海。

遼河水系之地質在老哈河及西拉木倫河流域者，以石英粗面岩、安山岩、玄武岩爲多，隨處間有片麻岩、花崗岩之流露地面。平原則多爲黄土所覆，東部以片麻岩、花崗岩爲多，中部在鐵嶺、開原之西者可見花崗岩及片麻岩等存在。山麓尚雜，有洪積層。通遼之北，沿松、遼分水嶺一帶，則爲覆有黄土或砂粒之高原地。總之，遼河流域之平原，均爲遼河由西部所携泥砂淤積，故可稱爲衝積平原。

遼河通航之地可由營口上達鄭家屯，沿太子河可由韓家店至三叉河，沿渾河可由長灘至三叉河，航路總長達一五〇〇公里（鄭、營間九六〇公里，韓三間二七〇公里，長三間二八〇公里）。但因河道淤塞過甚，水深不足，除伏汛期外，上游航行甚感困難。

遼河幹流長凡一三四五公里，流域包括遼寧之全部，熱河、遼北、興安、吉林及安東之一部，面積達二三四七二〇平方公里。

（二）松花江

松花江本流發源於長白山脈白頭山巔之天池，爲（炎）〔岩〕石所成。舊火山口直徑約爲三點五公里，會二道江及頭道江後始稱松花江。松花江之上流爲玄武岩所構成之山地，林木繁茂，多爲針葉樹類。北流經由片麻岩構成之横谷至吉林附近而入平原，河道亦漸寬。至三叉河乃與發源於大興安嶺東側而南流之嫩江相會，自是流量大增。東流至依蘭附近又與牡丹江會流，流量益宏。至同江注入黑龍江。嫩江發源於伊勒呼里山嶺，其最上游曰納約爾河，流向東南，會嘎魯河、喇都里河及多布庫爾河後，始稱嫩江。至巴彦旗，甘河由西北來滙。南流至納河，訥謨爾河及諾敏河由左右注入，流量漸增。至札布哈，與阿倫河會流。過齊齊哈爾，與雅魯河及截爾河會流。至大賚之北，洮兒河由西來滙。江折東流，至大賚之東，與第二松花江會流，是爲松花江本流。

嫩江幹流長爲一四九〇公里，流域面積爲二四三九〇三點八三平方公里。佔松花江水系百分之四六。大部爲肥沃平原，實東北北部之精華區域也。

牡丹江發源於白頭山北側之牡丹嶺，北流入鏡泊湖，地質爲新成之玄武岩。鏡泊湖北口有瀑布二，落差各二

○公尺，今已用以發電，稱鏡泊湖電廠。北流至東京城，經玄武岩之峽谷，而入結晶片岩及花崗岩等山地。其下，河道漸寬，水勢亦緩，河身曲折，兩岸因多濕地。至依蘭滙於松花江。

松花江流域面積約爲五二三六○○平方公里，佔舊遼、吉、黑、熱四省面積四分之一，擁有人口一八○○萬。幹流之長約爲一九五六公里，如與主要支流合計，則約長二七○○○公里。流域面積達一萬平方公里以上之支流，則有甘、諾敏、阿倫、雅魯、截兒、洮兒、諾謨爾、呼裕爾、第二松花江、拉林、呼蘭、螞蟻、牡丹、倭肯、湯旺等十五河流，蘊有富饒之平原，面積約一九萬平方公里。

本流域地勢爲大小興安嶺及長白山脈所包圍，故河道之迂迴殊甚。河源森林密佈，河水清澄，一至平坦地帶河底坡降驟減，在哈爾濱下游者，僅爲八千分之一至一萬五千分之一。其上游數百公里間，乃爲二萬分之一至五萬分之一，故水流甚緩，易致泛濫，且每經泛濫，積水難洩，存水之期恒達一月以上，致沃野多變爲荒蕪之濕地，損失至鉅。

本河道早獲航路之利。汽船可由同江沿嫩江至齊齊哈爾，航程長爲一二二○公里。第二松花江之三叉口至吉林間亦通航運，航程長爲三五○公里。兩者總長達一五七○公里。除結冰期外，即在枯水期尚可容吃水一二公尺之汽船自由往來。故松花江實爲北部五省之交通動脈。

(三)黑龍江

黑龍江之上游爲哈拉哈河(一名哈拉欣河)。發源於大興安嶺南端之達爾那搓湖(一名達爾彬湖)。沿外蒙边境西北流而入貝爾池。再北流稱烏爾順河，注入呼倫池。現烏爾順河道爲沙丘所阻，已與其下游額爾克納河之聯絡中斷。額爾克納河源出於呼倫池，其支流海拉爾與伊敏兩河自海拉爾來滙，沿中蘇國境流向東北，至額勒和合達與蘇境之西路卡河合流，自是始稱黑龍江。江水含黑色土質，色稍黑，古稱黑水，因是得名。

黑龍江與西路卡河會流後，即向東流，沿岸多屬山地，水行峽谷中，經連金、鷗浦至黑河，與蘇境之這木牙河相會。河面漸寬，兩岸多平原。由黑河東流至常發屯，蘇境之溥雷亞河於此注入。自是以下，江面頗寬，內多島嶼，兩岸山地亦多林木，再東流經寶興鎮至同江，與東北腹地大河松花江相會。過同江而東，則與烏蘇里江漸次接近，河身分岐，兩岸低下，坡度亦緩。過撫遠至蘇領之伯利，則與烏蘇里江會合，北注間宮海峽。

黑龍江沿國境長約三四○○公里。在我國內之流域面積爲二八二○○○平方公里。由西路卡河會流點至伯利之間，沿河兩岸漸多平原，至寶興鎮附近則入峽谷。長凡一四○公里，爲新期地質構造之遺跡。過此則

又入平原地帶，河床寬度達一六至二〇公里不等，夏期水漲，時患泛濫。自松、黑兩江會流後至伯利之間，河道迂迴曲岐，坡平流緩，因之湖沼濕地沿江皆是。本河道自漠河以下，除每年十月至翌年五月結冰期外，均可通航，我國北部之主要交通實利賴之。

（四）鴨緑江

鴨緑江爲中、韓之國境河，發源於長白縣之白頭山。西南流經臨江、輯安至安東而入黄海，全長約爲七九〇公里，流域面積爲三一五〇〇平方公里，在吾國境内者約當其半。

本河道在臨江以上，江行峽谷中，兩岸呈火山岩，至輯安附近河身漸闊，曲折亦甚。下游地質爲變質之水成岩暨花崗岩。至長甸河口，兩岸相距約一公里，比至東安附近，則達二公里。河口多三角洲，水流較之東北他河爲急。其主要支流爲靉河及渾江，帆船可由安東（溯江）至長白，惟水淺流急，載重甚小耳。

（五）圖們江

圖們江亦爲中、韓之國境河道，發源於白頭山之東。沿蓋馬高原之東側而東北流，其上游之支流多在韓國境内，河道頗曲折。中游以下之支流多在吾國境内。在延吉之東轉向東南流經苏、韓國境，由雄基而入日本海，全長爲五二〇公里。在吾國境内之流域面積達二三九〇〇平方公里，當全流域面積之三分之二。其主要支流爲琿春河、嘎呀河等。吾國境内可通航段爲琿春至和龍之間。

（六）烏蘇里江

烏蘇里江發源於興凱湖及其東南之山地，沿中、蘇國界北流注入黑龍江。兩岸岩層多向北東傾斜，與河身成斜交。河道沿國境長爲六〇〇公里。在吾國境内之流域面積爲五六〇〇〇〔平〕方公里。其主要支流曰撓力河、穆棱河等。撓力河沿岸多濕地；穆棱河沿岸則屬沃野，頗適耕種。烏蘇里江亦通航，江輪可溯江由伯利以達虎頭。

（七）綏芬河

綏芬河發源於完達山脈。東側老嶺附近爲東北之東部河流，跨中蘇二國之間，自東寧以東入蘇境，經海參崴入日本海。在吾國之流域面積約爲一萬平方公里。沿岸多山，可資建築蓄水庫之處頗多，尚待今後之調查也。

（八）大、小凌河

大凌河發源於熱河凌源山脈凌源附近。東北流經朝陽至北票乃轉向東南流，過義縣越北寧路入於渤海。

凌河及其支流之發源地缺乏林木，沿岸地表多爲風雨所浸，故含砂頗大。自義縣以下流勢漸緩，致土砂沉積，兩岸土地多被淤墊。其河口三角沙丘之展擴尤速，曩者帆船可溯水上達義縣，今已不復通航矣。小凌河爲跨錦、朝兩縣之河流。其支流女兒河，水質清澄，沿岸土地肥沃，爲遼西之冠。

第二節　湖泊

（一）達賴湖

達賴湖一名呼倫池，在滿洲里南約六〇公里。往昔湖爲橢圓形，近則漸形仄長，計長四〇公里，寬約八公里，蓄水面積亦較昔減少三分之一矣。湖爲淡水，質頗濁，平均水深約一公尺，較深處可達十公尺。水面標高爲五三四公尺。産魚頗富，就中以鯉魚爲著。源出戈壁之克魯倫河注入本湖。本湖之成因爲地表之陷落所致。且因附近之沙丘甚多，阻水外流，惟風砂時吹湖内之淤墊亦速，兼以氣候乾燥蒸發頗大，湖面逐漸縮小，水深亦減，深慮此湖將漸爲平地矣。

（二）貝爾池

貝爾池在達賴湖之南約一〇〇公里，兩湖以烏爾順河相通。池水常北流入達賴湖。本池面積約爲達賴湖之二倍，爲橢圓形，其成因亦與達賴湖同。哈爾哈河由東南方向流入本池。池爲淡水，質清。水深約達九公尺，湖面逐年亦漸縮小，將來年久亦可能與達賴湖同归消滅。

（三）鏡泊湖

鏡泊湖又名再勝湖，位於寧安之南五〇公里。爲新期玄武熔岩流入牡丹江瀦水而成，故湖爲牡丹江之一部。形狹長，長約四〇公里，水淺，質淡。湖中有島嶼數處，爲昔日沿江之丘陵。水面標高約爲三〇〇公尺。湖水由北側之石峽流出，形成瀑布，今已利用以發電矣。

（四）興凱湖

興凱湖在吉林省之東界中、蘇國境，其北部爲我國領有。北寬南狹，適成卵形，南北之長爲九〇公里，寬爲五〇公里，水面標高爲八八公(里)〔尺〕。湖水頗淺，最深處亦不及六公尺。水質淡而色黄濁，産各種魚類，甚豊。小興凱湖在其北，似原爲興凱湖之一部，後爲沙丘所阻而致分離。興凱湖之南、東、北三面均爲低地，西北爲波狀花崗岩之平坦丘陵，西部則緊接山地，斷崖甚顯，由其附近之地形推測，湖係地殼陷落，瀦水所致。由興凱湖流出之水入烏蘇里江，沿中、蘇國境注入黑河。

第四章 氣象

民國二十二年以前，東北氣象僅由滿鐵及關東局沿南滿鐵路之主要都市設站觀測，嗣僞滿政府成立中央觀象台，亦設站記録。民國二十二年之後，各水系之氣象則由水利機構自行調查。至目前直轄於水利機構之氣象站已有三四三處，屬於滿鐵及中央觀象台者八一處，參閲圖四（東北水文氣象觀測站一覽圖）〔一〕即可概見前者觀測站之分佈情况矣。茲將東北氣温、雨量及蒸發情形分述如後。

第一節 氣温

東北位於北緯三十八度與五十四度之間，氣候爲大陸性，冬夏温度相差甚巨，參閲圖五（東北氣温比較圖）〔二〕及表二與表三（松遼兩水系主要地點氣温表）可知梗概。每歲正月爲最寒，七月最暖，冬期較長，各地平均約當全年之半。四季氣候之變遷，大致由冬至夏，由夏而冬，春秋兩季爲期至暫。又因所在緯度之不同，各地氣温相差亦巨。北部以海拉爾爲中心之呼倫貝爾及興安嶺北部一帶，冬季氣温常降至零下四十度以下。南部及東部則爲零下十度至二十度左右。夏季氣温，南部平原可達三十度左右，北部亦可昇至二十餘度，其差較微。東北之高氣壓，恒起於呼倫貝爾北之西伯利亞，受西北風影響，氣温下降，經三四日後，由華北及蒙古地方所起之低氣壓，向東或東北進行，横貫東北而至日本海，与西伯利亞所起之高氣壓漸次消減之。自是風向偏南，氣温上昇，又經三四日後，復受西伯利亞高氣壓影響，再轉西北風。週而復始。此種現象約以一週或十日爲期，循環不已。

北部海拉爾地方之地層，有前年結凍未解而今年之冰期又至，是稱爲永久結凍地層，爲吾國罕見之現象。

黑龍江最北部，每年十月中旬即有冰排下流而漸次結冰。在正月間冰厚可達一點八公尺，完全解冰期約在次年之四月末五月初之間。南部最暖地方河道結冰約起於十一月底，完全解冰約在次年三月之初。其他各地因緯度不同，其結冰與開河之期約在以上二者之間。茲將各水系之主要地點結、解冰期列爲表四與表五（參閲圖六，遼河水系結、解冰狀況圖）〔三〕。

〔一〕〔二〕〔三〕底本未收録此圖，故不能查閲。

表二　遼河水系主要地點氣温表月平均攝氏(一)表示零下

地名＼月別	一月	二月	三月	四月	五月	六月	七月	八月	九月	十月	十一月	十二月	年平均	最高（七月）	最低（一月）	較差
林西	(一)一六	(一)一二	(一)一	八	一三	二〇	二二	一九	一五	七	四	(一)一二	五點六	二七點五	(一)二二點二	四九點七
赤峰	(一)一三	(一)九	〇	一〇	一五	二一	二四	二三	一五	九	(一)二	(一)九	六點九	二九點二	(一)二〇點三	四九點五
建平	(一)一三	(一)九	(一)二	一〇	一六	一九	二四	二一	一六	七	(一)五	(一)一〇	六點二	二八點二	(一)一九點一	四九點三
奈曼旗	(一)一五	(一)一二	(一)一	八	一五	一九	二五	二一	一九	一〇	(一)二	(一)一〇	六點四	三一點四	(一)二三點五	五三點九
開魯	(一)一七	(一)一〇	(一)二	九	一五	二一	二五	二三	一五	八	(一)二	(一)一二	六點一	三二點三	(一)二四點六	五六點九
通遼	(一)一八	(一)一一	(一)二	一〇	一七	二一	二六	二三	一九	九	(一)四	(一)一一	六點七	三一點五	(一)二一點三	五二點八
公主嶺	(一)一八	(一)一一	(一)一	七	一七	二一	二五	二三	一七	一〇	(一)二	(一)一一	六點四	二八點五	(一)二一點〇	四九點五
梨樹	(一)一七	(一)一〇	一	一〇	一七	二一	二五	二三	一七	一〇	(一)二	(一)九	七點二	二九點五	(一)二三點三	五二點八
開原	(一)一六	(一)一二	(一)二	八	一六	二一	二五	二三	一四	九	(一)一	(一)一二	六點一	二九點九	(一)二三點九	五二點八
瀋陽	(一)一四	(一)七	(一)一	一〇	一七	二三	二六	二五	一八	一二	一	(一)七	八點五	三一點二	(一)一九點六	五〇點八
撫順	(一)一五	(一)九	〇	九	一六	二一	二六	二四	一八	一一	〇	(一)一一	七點五	三〇點七	(一)二一點四	五二點一
清原	(一)二〇	(一)一二	一	一一	二〇	二三	二七	二四	一七	一一	〇	(一)一一	七點五	三一點〇	(一)二〇點七	五一點七
興京	(一)二〇	(一)一三	(一)一	一〇	一六	一九	二六	二三	一七	一〇	一	(一)一三	六點三	二八點九	(一)二六點四	五五點三
鞍山	(一)一二	(一)七	二	一一	一五	二一	二六	二四	一九	一三	一	(一)四	九點一	二九點九	(一)一八點一	四八點〇
海城	(一)一〇	(一)五	三	一二	二〇	二四	二九	二六	一九	九	四	(一)五	一〇點五	三一點五	(一)一七點八	四九點三
彰武	(一)一五	(一)一〇	三	一〇	一七	二一	二六	二三	一七	九	(一)一	(一)一〇	七點四	三一點四	(一)二〇點二	五一點六
盤山	(一)一二	(一)七	二	一一	一五	二一	二六	二四	一九	一三	一	(一)四	九點一	二九點九	(一)一八點一	四八點〇
營口	(一)一二	(一)六	三	一一	一六	二三	二六	二六	一八	一二	二	(一)七	九點三	三〇點六	(一)一六點八	四七點八

表三　松花江水系主要地點氣温表月平均攝氏(—)表示零下

地名＼月别	一月	二月	三月	四月	五月	六月	七月	八月	九月	十月	十一月	十二月	年平均	最高（七月）	最低（一月）	合計
哈爾濱	(—)二一	(—)一五	(—)一	六	一五	二一	二四	二三	一五	七	(—)四	(—)一七	四點四	二八點七	(—)二六點七	五五點四
通河	(—)二三	(—)一六	(—)六	七	一四	二〇	二五	二三	一七	一〇	(—)六	(—)一八	四點〇	三〇點一	(—)二八點八	五八點九
依蘭	(—)二〇	(—)一四	(—)五	七	一五	二一	二五	二三	一六	八	(—)五	(—)一五	四點七	二九點一	(—)二四點三	五三點四
巴彥	(—)二〇	(—)一六	(—)五	七	一五	二一	二四	二三	一六	八	(—)六	(—)一七	四點二	二七點九	(—)二六點〇	五三點九
同江	(—)二〇	(—)一四	(—)五	六	一四	一九	二四	二四	一八	九	(—)六	(—)一八	四點三	二七點七	(—)二九點〇	五六點七
富錦	(—)二二	(—)一六	(—)六	六	一四	二〇	二四	二三	一六	六	(—)五	(—)一九	三點四	二七點六	(—)二五點九	五三點五
東興	(—)二五	(—)一八	(—)四	五	一一	二三	二四	二四	一五	六	(—)六	(—)一八	三點〇	二七點六	(—)三一點六	五九點二
敦化	(—)一九	(—)一四	(—)五	三	一一	一六	二〇	一六	一三	五	(—)六	(—)一五	二點一	二五點〇	(—)二六點一	五一點一
鏡泊湖	(—)一八	(—)一五	(—)五	六	一三	一七	一九	二二	一五	八	(—)五	(—)一六	三點四	二八點一	(—)二二點八	五〇點九
拜泉	(—)二三	(—)一六	(—)六	六	一五	二一	二四	二三	一六	六	(—)七	(—)一九	三點三	二七點五	(—)二九點八	五七點三
安達	(—)二〇	(—)一四	(—)五	七	一五	二三	二四	二一	一六	八	(—)六	(—)一七	四點三	二六點四	(—)二八點四	五四點八
齊齊哈爾	(—)二一	(—)一六	(—)七	二	一三	一九	二三	二一	一四	五	(—)八	(—)一九	二點二	二七點五	(—)二七點二	五四點七
甘南	(—)一五	(—)一四	(—)四	七	一四	二一	二三	二三	一五	七	(—)八	(—)一八	四點二	二七點三	(—)二六點九	五四點二
扶餘	(—)一六	(—)一一	(—)二	八	一七	二三	二五	二五	一八	一〇	(—)四	(—)一四	六點五	二九點〇	(—)二四點五	五三點五
樺甸	(—)二一	(—)一五	(—)三	九	一六	二一	二五	二四	一七	八	(—)三	(—)一六	五點二	三〇點七	(—)二七點一	五七點八
富林	(—)一九	(—)一四	(—)二	九	一七	二一	二五	二四	一六	一〇	(—)二	(—)一四	五點九	二九點一	(—)二七點〇	五六點一
長春	(—)一六	(—)一三	(—)三	八	一五	二〇	二四	二三	一六	八	(—)四	(—)一五	五點三	二八點九	(—)二三點一	五二點〇
開通	(—)一五	(—)九	(—)一	一〇	一八	二三	二四	二三	一八	九	(—)二	(—)一一	七點一	三〇點五	(—)二二點九	五三點四
克山	(—)二五	(—)一九	(—)七	六	一四	二〇	二三	二三	一四	五	(—)一〇	(—)二一	一點八	二七點一	(—)二九點九	五六點〇
北安	(—)二五	(—)一九	(—)八	五	一三	二〇	二三	二一	一四	四	(—)一〇	(—)二一	一點四	二六點二	(—)三一點一	五七點三
訥河	(—)二二	(—)一七	(—)六	六	一四	二一	二三	二二	一五	四	(—)八	(—)一九	二點七	二七點〇	(—)三一點二	五八點二

表四　遼河水系主要地點結解冰表

河名	地點	流冰開始（月・日）	完全結冰（月・日）	冰厚（公尺）					解冰開始（月・日）	完全解冰（月・日）	摘要
				十二月十五日	一月一日	一月十五日	二月一日	二月十五日			
双台子河	盤山	一一・二二	一一・二七	○點二一	○點三一	○點四七	○點五二	○點五四	三・五	三・二二	本表爲自觀測開始至民國二十九年末平均值
双台子河	冷家窩棚	一一・一九	一一・二八	○點二二	○點三二	○點三八	○點四三	○點四四	三・一〇	三・二六	
遼河本流	唐家窩棚	一一・一七	一一・二三	○點一五	○點二八	○點三三	○點三六	○點三六	三・五	三・一八	
遼河本流	巨流河	一一・一五	一二・五	○點二六	○點三八	○點四七	○點四一	○點六〇	三・一〇	三・二七	
遼河本流	石佛寺	一一・一七	一一・二九	○點二三	○點三〇	○點四〇	○點四六	○點四七	三・六	三・一九	
遼河本流	双岔口	一一・一五	一一・二三	—	○點二七	○點三七	○點四二	○點四六	三・一三	三・三〇	
西遼河	鄭家屯	一一・七	一一・二三	○點三八	○點五三	○點六八	○點七八	○點八一	三・一二	三・二七	
西遼河	通遼	一一・一〇	一一・一八	○點三六	○點四八	○點四九	○點六一	○點八六	三・一四	三・二〇	
老哈河	黑水	一一・六	一一・二〇	○點二四	○點五三	○點六六	○點六六	○點六三	三・一〇	三・二七	
太子河	小北河	一一・一七	一二・一〇	○點一〇	○點〇八	○點二二	○點三八	○點二九	二・二四	三・一七	
太子河	遼陽	一一・一〇	一二・三	○點〇三	○點一八	○點四七	○點五七	○點六三	三・五	三・一八	
太子河	本溪湖	一一・八	一二・一二	—	○點三六	○點四七	○點五七	○點五七	三・九	三・一二	
同湯河	湯河沿	一二・二	一二・一〇	○點三三	○點三四	○點三四	○點五〇	○點四九	三・九	三・二七	
同立山河	立山	一一・二〇	一二・六	○點〇七	○點一七	○點二三	○點二七	○點二七	三・二	三・一三	
同海城河	海城	一一・二四	一二・六	○點一二	○點一六	○點三三	○點四八	○點四七	三・一一	三・二六	
渾河	北大溝	一一・一一	一一・二七	○點一〇	○點一八	○點三九	○點四二	○點三九	三・八	三・二三	
渾河	奉天	一一・一〇	一一・二九	○點二七	○點四〇	○點四七	○點五七	○點六三	三・一三	三・二六	
渾河	撫順	一一・八	一二・一一	○點一六	○點一七	○點二六	○點三二	○點四二	三・八	三・二一	

河名	地點	流冰開始（月·日）	完全結冰（月·日）	冰厚（公尺） 十二月十五日	一月一日	一月十五日	二月一日	二月十五日	解冰開始（月·日）	完全解冰（月·日）	摘要
渾河	營盤	一一·九	一二·五	○點二一	○點三三	○點四五	○點四九	○點五四	三·五	三·二六	
招蘇台河	孟家窩棚	一一·一○	一一·二○	○點二○	○點三六	○點四四	○點五六	○點六三	三·一○	三·二九	
范河	張家樓子	一一·一三	一一·二四	○點○八	○點二○	○點二三	○點二二	○點二三	三·一五	四·一	
柴河	太平寨	一一·九	一二·一七	—	○點二四	○點三四	○點四三	○點四五	三·九	三·二七	
清河	開原	一一·一○	一二·四	○點○五	○點一二	○點一九	○點二七	○點二七	二·二一	三·一八	
東遼河	滴打嘴子	一一·八	一一·二三	○點四一	○點五八	○點七一	○點八八	○點九二	三·一四	三·三一	
西拉木倫河	德博勒廟	一一·八	一一·二七	○點四六	○點二二	○點五四	○點五四	—	二·一二	三·二六	
東沙河	杜家台	一一·二二	一一·二八	○點○九	○點一八	○點二九	○點二二	○點三五	三·一四	三·二五	
繞陽河	白旗堡	一一·二三	一一·二六	○點一六	○點三六	○點四四	○點四八	○點四八	三·一二	三·二三	
柳河	新民	一○·二○	一一·三一	○點二四	○點四一	○點四八	—	—	三·一○	三·三一	

表五(其一)　北部水系主要地點結解冰表

水系名	河名	地點	流冰開始（月·日）	完全結冰（月·日）	解冰開始（月·日）	完全解冰（月·日）	摘要
松花江水系	第二松花江	紅石磖子	一一·一一	—	三·三一	四·一一	本表自觀測開始
松花江水系	第二松花江	大豐滿	一一·一七	一一·二○	三·二五	四·一四	民國二九年之觀測值
松花江水系	第二松花江	吉林	一一·一九	一二·九	三·二九	四·四	民國二九年之觀測值
松花江水系	第二松花江	錦州	一一·八	一一·一八	四·五	四·九	民國二九年之觀測值
松花江水系	伊通河	長春	一一·二三	一二·二	四·九	一二·二一	民國二九年之觀測值
松花江水系	伊通河	農安	一○·二一	一一·二六	三·二○	四·九	民國二九年之觀測值

水系名	河名	地點	流冰開始（月·日）	完全結冰（月·日）	解冰開始（月·日）	完全解冰（月·日）	摘要
松花江水系	呼蘭河	呼蘭	一一·九	一一·一九	四·一二	四·一四	民國二九年之觀測值
松花江水系	螞蟻河	延壽	一一·一〇	一一·二五	四·一一	四·一五	民國二九年之觀測值
嫩江水系	嫩江	布西	一〇·二三	一一·三	四·二三	四·二五	民國二九年之觀測值
嫩江水系	嫩江	庫漠屯	一〇·一九	一〇·三一	四·一四	四·一七	民國二九年之觀測值
嫩江水系	嫩江	甘南	一一·二	一一·一六	三·三〇	四·五	民國二九年之觀測值
嫩江水系	嫩江	江橋	一〇·二五	一一·六	四·二	四·一四	民國二九年之觀測值
黑龍江水系	黑龍江	黑河	一〇·二一	一一·七	四·二五	五·一一	民國二九年之觀測值
黑龍江水系	黑龍江	東新屯	一〇·二〇	一一·一〇	四·二一	五·八	民國二九年之觀測值
黑龍江水系	黑龍江	雙河鎮	一〇·二一	一一·九	四·一九	五·一〇	民國二九年之觀測值
黑龍江水系	黑龍江	漠河	一〇·一七	一一·七	五·二	—	民國二九年之觀測值
黑龍江水系	黑龍江	呼瑪	一〇·一七	一一·一三	五·三	—	民國二九年之觀測值
黑龍江水系	黑龍江	奇克	一〇·二一	一一·一九	四·二九	五·一二	民國二九年之觀測值
黑龍江水系	黑龍江	孫吳	一〇·三〇	一一·二	四·一六	四·二五	民國二九年之觀測值
黑龍江水系	黑龍江	烏雲	一〇·二一	一一·一二	四·二五	五·七	民國二九年之觀測值
黑龍江水系	黑龍江	佛山	一〇·三一	—	四·二七	四·二八	民國二九年之觀測值
黑龍江水系	黑龍江	蘿北	一〇·二三	一一·一六	四·二〇	五·七	民國二九年之觀測值
烏蘇里江水系	烏蘇里江	饒河	一一·九	一一·六	四·一九	四·二三	民國二九年之觀測值
烏蘇里江水系	烏蘇里江	東安鎮	一〇·二四	一〇·二七	四·二〇	三·二六	民國二九年之觀測值

以上各水系結冰厚度調查資料均被焚毀，不能作圖。

表五(其二) 綏芬河水系主要地點結解冰狀況一覽表

河名	地點	流冰開始(月·日)	結冰開始(月·日)	解冰開始(月·日)	流冰完了(月·日)	觀測年數	備考
綏芬河	東寧第一	一一·一一	一二·三	四·二	四·一一	五	自民國二十四年至民國二十八年
綏芬河	東寧第二	一一·一三	一一·二五	三·二〇	四·五	五	自民國二十四年至民國二十八年

表五(其三) 鴨綠江水系主要地點結解冰狀況一覽表

河名	地點	流冰開始(月·日)	結冰開始(月·日)	解冰開始(月·日)	流冰完了(月·日)	觀測年數	備考
鴨綠江	臨江	一一·二九	一二·一〇	三·一九	四·一	二	民國二四年、民國三〇年二年
鴨綠江	通化	一一·一四	一二·三	三·二〇	四·二	六	自民國二十五年至民國三〇年
鴨綠江	桓仁	一一·一四	一一·三一	三·一二	三·三〇	六	自民國二十五年至民國三〇年
鴨綠江	草河	一一·一九	一二·二	三·九	三·二三	七	自民國二十四年至民國三〇年
鴨綠江	安東	一二·一	一二·一九	三·一一	三·二〇	六	自民國二十四年至民國二十九年

表五(其四) 圖們江水系主要地點結解冰狀況一覽表

河名	地點	流冰開始(月·日)	結冰開始(月·日)	解冰開始(月·日)	流冰完了(月·日)	觀測年數	備考
圖們江	龍井	一一·九	一一·一八	三·二〇	三·三一	七	自民國二十四年至民國三〇年
圖們江	延吉	一一·一一	一一·一二	三·二四	四·一	五	自民國二十四年至民國二十八年
圖們江	琿春第一	一一·七	一一·一六	三·二三	三·三一	四	自民國二十三年至民國二十六年
圖們江	下坎子	一一·一〇	一一·二七	三·二〇	三·三一	三	自民國二十八年至民國三〇年

表五（其五）　大凌河水系主要地點結解冰狀况一覽表

河名	地點	流冰開始（月·日）	結冰開始（月·日）	解冰開始（月·日）	流冰完了（月·日）	觀測年數	備考
大凌河	凌源	一一·一四	一二·八	二·二一	三·一一	六	自民國二十四年至民國二十九年
大凌河	朝陽	一一·九	一二·六	三·五	三·一七	七	自民國二十四年至民國三〇年
大凌河	大凌河	一一·一〇	一一·二二	三·一二	三·一七	七	自民國二十三年至民國二十九年

東北河道有自南而北流者，故河道各地所佔之緯度不同，時有在下流結冰未解而上流冰雪已融，隨流而下，每釀成泛濫。兼之河道受結冰影響，土質疏鬆，易致衝刷，而河道中設置之構造物亦常爲冰排所激，致受損害。

第二節　降雨量

東北降雨量較之華北爲高，而低於華南。年降雨總量在三〇〇公厘至七〇〇公厘之間。細查圖七（東北雨量分佈圖）[一]及表六（松遼兩水系平均月雨量表）與表七（松遼兩水系最大雨量表），可知雨量最多之處爲鴨緑江之下游，年達一千公厘左右。熱河省及海拉爾附近雨量最少，年僅有三百公厘上下。各地之降雨量，以一月至三月爲最低，隨氣温上漲而遂漸增加，至六月而激增，九月之後又形減少。每年在六、七、八、九四個月中，降雨量約爲全年百分之八十，故六、七、八三月可稱爲東北之雨季。此種雨季與江南梅雨不同，係由大陸以内局部之低氣壓所構成。在民國二十七年八月十五日之大雨，圖們江流域土門子之日雨量達三〇六公厘。民國二十六年八月四、五兩日，小凌河流域錦州地方，降雨量達四七九公厘，幾爲全年降雨量百分之八十。故東北水患概在每年之雨季也。

[一] 底本未收録此圖，故不能查閱。

表六（其一） 遼河水系月平均雨量表 光緒三十二年—民國二十九年 月 日年平均

月別＼地名	赤峰	建平	奈曼旗	烏丹城	開魯	通遼	公主嶺	赫爾蘇	梨樹	昌圖	開原	鐵嶺	瀋陽	撫順	清原	興京	遼陽	鞍山	海城
一月	○點七	一點二	一點七	一點五	三點一	一點○	四點五	五點九	五點六	二點七	六點六	二點八	四點八	六點六	九點五	五點一	四點一	六點三	三點八
二月	○點九	○點九	○點六	二點七	—	一點○	五點一	一點九	四點○	二點一	七點八	五點○	五點八	六點二	七點一	四點三	六點八	四點七	二點四
三月	五點二	六點○	八點一	七點二	六點○	七點七	一一點五	七點四	一○點○	一八點三	一四點六	九點六	一六點九	二一點○	二二點九	二○點五	一九點四	一八點五	九點六
四月	八點一	九點八	一○點四	六點二	九點一	一四點八	二二點七	一八點二	二九點三	三七點一	二六點一	三四點五	二八點五	三三點四	三七點九	二五點一	二九點一	三○點六	三三點○
五月	二二點九	三一點三	二三點四	三三點四	二五點○	二○點四	五二點○	六一點○	五一點三	五○點六	五七點二	四三點二	六一點九	六八點二	七五點一	五八點九	六○點○	九三點八	六六點五
六月	五七點九	七四點七	六二點三	四七點二	六八點五	七○點八	一○七點八	七八點○	一二四點九	一○五點一	九六點五	一二○點二	九三點五	一○八點七	一一五點○	九五點○	八五點九	八一點一	八四點六
七月	一二四點一	一三五點五	六八點四	一二三點六	一二六點二	八六點○	一六○點九	一一九點五	一五七點六	一五○點四	一七七點○	一七九點九	一六七點九	一八五點一	二二二點一	二一○點九	一六三點八	一七一點八	一五一點○
八月	七九點一	一二○點三	七二點九	五八點七	七七點八	七三點四	一三一點五	一五二點七	一五四點四	一三四點九	一四八點二	一八一點七	一五八點一	一七四點六	一四三點七	一四七點四	一五五點六	一七六點二	一九三點五
九月	三七點三	三四點三	二四點八	二一點一	三三點○	三三點一	五五點○	八九點三	八六點一	八五點二	七五點三	八六點四	七九點五	八五點五	一一八點七	一○三點一	七一點九	七四點四	六九點七
十月	一五點七	二五點二	一三點六	一二點一	八點○	一二點四	三六點六	二○點九	二九點六	三九點九	四六點二	六七點五	四○點二	五一點一	四一點三	四四點八	四八點三	五六點六	五七點○
十一月	一六點八	一○點一	一二點三	一○點三	一點六	九點五	一五點一	一三點九	一九點八	二一點八	一八點六	二六點五	二二點五	二四點九	二六點四	二五點三	二八點二	二九點五	二三點二
十二月	一點六	一點五	二點六	四點○	○點七	○點九	五點四	八點八	四點三	七點七	九點七	六點九	八點九	一一點一	一三點○	一七點三	一二點一	一六點三	四點九
計（公厘）	三七○點三	四五一點八	三○一點一	三二八點○	三五九點○	三三一點○	六○八點一	五七七點五	六七六點九	六五五點八	六八三點八	七六四點二	六八八點五	七七六點四	八三二點七	七五七點七	六八五點二	七五九點八	六九九點二

地名 \ 月别	一月	二月	三月	四月	五月	六月	七月	八月	九月	十月	十一月	十二月	計（公厘）
哈爾套街	一點七	—	一點三	○點四	一七點五	二四點九	三一點○	四九點七	三四點八	三點八	一三點二	八點五	一八六點八
彰武	一點三	一點四	五點○	一五點八	三四點三	七四點七	一三九點三	一五七點四	四五點二	三五點九	一三點九	二點二	五二六點四
阜新	三點七	一點七	四點一	七點九	四八點六	七九點七	一八一點五	一四○點一	三七點五	五○點三	一八點七	四點八	五七八點六
溝幫子	一點六	—	六點二	二點五	二八點六	五○點五	二二九點三	一六九點八	三三點○	三二點一	四○點三	四點三	五九八點二
盤山	三點○	一點九	六點○	二○點一	六四點五	四二點一	一七一點六	二七八點五	八五點五	三六點二	二六點四	一點六	七三七點四
營口	六點四	五點八	一七點九	二六點一	五○點九	六二點○	一七二點四	一七七點四	七五點三	四六點三	二二點九	八點一	六七一點五

表六（其二） 松花江水系平均雨量表民國二十三年—民國二十八年

地名 \ 月别	一月	二月	三月	四月	五月	六月	七月	八月	九月	十月	十一月	十二月	計（公厘）
哈爾濱	四點四	三點七	七點四	二六點九	四八點○	一○七點八	一八一點三	一○二點七	六二點九	四○點二	八點○	四點○	五九七點二
巴彥	五點二	一六點三	一五點三	三一點四	五○點四	一一八點八	一四四點六	一一五點四	九○點八	四三點三	八點三	三點六	六四三點四
通河	六點○	四點九	九點三	二七點四	五八點六	一○五點四	一七三點九	一二六點二	八六點四	二四點九	一四點二	八點五	六四五點七
依蘭	五點○	五點五	一二點三	三六點八	五三點○	一○八點七	一三八點二	一○四點八	八三點四	三七點一	一二點八	三點九	六○一點五
索倫	二點七	二點二	三點三	一五點八	二三點七	七七點七	一二四點二	九一點二	四八點四	二二點○	四點一	五點三	四二○點六
同江	八點六	二三點九	九點六	三七點二	四二點○	四○點五	七○點一	八七點○	五五點四	二六點二	二四點一	九點二	四一三點八
富錦	三點五	一一點二	八點九	三六點五	五六點二	七一點九	一四○點七	七二點四	九二點七	三○點七	一三點七	四點五	五四二點九
東興	三點七	六點二	一九點○	二四點九	二八點二	六○點一	一四六點八	八二點三	九○點七	四五點五	二○點四	一四點○	五五九點八
敦化	二點四	三點六	一二點三	二點四	五八點四	一一九點二	一五一點二	一二六點四	五四點九	三六點六	二○點八	八點一	六一七點九
鏡泊湖	四點六	四點一	六點四	二六點九	五一點三	六八點六	一二三點二	一一七點四	六八點八	五五點○	二○點三	五點五	五五二點一
拜泉	三點一	五點四	四點三	二九點一	六二點四	七六點八	一七三點三	六七點○	五四點九	二二點○	六點○	二點六	五○六點八
呼蘭	四點九	五點五	八點二	一點四	三二點二	一○三點九	一一七點九	七八點七	六二點八	三一點三	一○點一	三點九	四六○點八

地名＼月別	一月	二月	三月	四月	五月	六月	七月	八月	九月	十月	十一月	十二月	計（公厘）
五常	八點一	五點五	一四點七	三六點五	五一點九	一一七點八	二四七點九	一二九點九	七四點五	五五點一	一六點○	六點二	七六四點一
双城	五點三	四點一	一一點三	二九點七	三三點二	一二五點六	一三二點四	一六六點三	六一點四	六二點八	九點四	三點七	五八三點五
齊齊哈爾	一點五	二點四	四點○	二四點五	四一點九	八七點四	一七○點一	八二點三	六三點○	二八點八	八點六	二點一	五一六點六
甘南	一點六	二點九	六點九	二○點八	三七點七	一○一點二	一七六點一	八○點八	四六點八	二一點○	一○點五	二點四	五○八點七
庫漠屯	五點一	一六點三	五點八	一一點七	二六點九	六○點一	一八一點九	九○點七	六六點○	一五點九	一○點九	三點七	四九五點○
扶餘	○點八	二點六	九點九	一八點九	二四點九	七七點七	一一七點九	八四點六	三八點二	二二點五	二點五	二點六	四○三點一
樺甸	三一點二	一七點一	七點○	三八點○	七三點○	一三二點九	一八九點五	一四四點○	一○六點三	五○點三	四二點二	二一點二	八○二點七
松花江村	二點六	三點四	六點六	二六點九	四四點六	九六點九	一四二點八	九四點三	七三點一	五一點五	八點一	二點八	五四七點○
金川	六點九	五點七	一八點六	四一點一	七四點四	八○點八	一一四點九	一四○點○	一○七點一	六一點九	二四點六	一四點一	六九○點一
吉林	五點二	四點九	一四點一	四○點五	六六點八	一六○點七	一七五點九	一三五點○	九三點○	六八點九	二二點七	六點四	七九三點七
農安	一點五	一點三	八點二	二五點五	四二點七	一二○點四	一五五點七	一二○點二	五五點五	四○點○	四點五	二點四	五七七點九
長春	二點六	一點八	八點三	二七點一	三三點一	一三五點六	一七二點五	一五五點四	六一點五	四五點九	二二點二	三點一	六五九點一
依通	四點八	二點六	七點九	三七點八	五六點八	一一四點七	一二三點七	一三六點一	八六點○	四七點九	二二點八	五點二	六三六點三
開通	二點○	二點八	三點○	一一點三	一五點八	七六點三	九六點○	五九點八	二五點二	二五點六	六點七	七點七	三二七點二
王爺廟	二點五	五點一	四點五	一七點六	二四點八	一一四點五	二八三點四	一二三點七	五八點六	二四點九	三點四	二點八	六六五點八
札蘭屯	一點五	○點九	八點七	○點○	三五點一	八七點三	六○點九	八二點三	三一點三	一九點二	三點八	二點九	三三三點九
景星	二點六	四點九	一○點四	二三點七	三四點六	七七點一	一四六點七	六七點九	五六點二	三四點一	一○點七	四點一	四六三點○
克山	三點四	五點二	二點四	二九點五	四三點八	八四點五	一八三點九	八六點三	六九點三	一九點五	五點五	二點一	五三五點四
北安鎮	三點七	五點三	五點四	二六點二	四八點八	一○○點四	一八五點五	一○二點二	八八點二	一九點三	七點六	四點○	五九六點六
訥河	五點七	一一點四	四點○	一八點七	四五點○	九二點八	一五○點二	八九點六	七八點三	一五點二	八點三	五點六	五二四點七
安達	三點九	七點三	三點七	一八點八	四二點一	七○點三	一三五點四	一○三點三	六○點○	二六點○	一○點二	一二點○	四九三點○

表七(其一)　遼河水系最大雨量表

地名	平均年雨量		最大年雨量		最大平均月雨量		最大日雨量	
	雨量(公厘)	觀測年數	雨量(公厘)	發生年	雨量(公厘)	發生月	雨量(公厘)	發生年·月·日
赤峰	三七〇點三	六	五三〇點七	民國二十八年	一二四點一	七	七六點五	民國二七·七·二二
建平	四五一點八	六	七二四點四	民國二十七年	一三五點五	七	一〇三點六	民國二七·七·二〇
奈曼旗	三〇一點一	五	三三八點八	民國二十七年	七二點九	八	四七點〇	民國二七·七·二一
烏丹城	三二八點〇	六	三八九點一	民國二十八年	一二三點六	七	九七點六	民國二五·九·六
開魯	三五九點〇	七	五九一點九	民國二十九年	一二六點二	七	七五點〇	民國二九·七·一五
通遼	三三一點〇	七	四三八點〇	民國二十七年	八六點〇	七	五四點二	民國二七·七·一二
公主嶺	六〇八點一	一七	九四〇點〇	民國二十五年	一六〇點九	七	一〇七點六	民國二五·七·二五
赫爾蘇	五七七點五	五	七二五點六	民國二十五年	一五二點七	八	六二點五	民國二八·九·一
梨樹	六七六點九	五	八九八點〇	民國二十五年	一五七點六	七	八〇點〇	民國二六·六·二九
昌圖	六五五點八	五	八七四點七	民國二十五年	一五〇點四	七	一四一點二	民國二七·七·二〇
開原	六八三點八	一六	八一四點一	民國二十三年	一七七點〇	七	一三七點二	民國二〇·七·三一
鐵嶺	七六四點二	六	一〇六五點九	民國二十五年	一八一點七	八	九六點二	民國二六·八·一九
瀋陽	六八八點五	三五	一〇六四點九	民國十二年	一六七點九	七	一四八點七	宣統三·八·二二
撫順	七七六點四	一九	九八七點〇	民國十二年	一八五點一	七	一八〇點三	民國一八·八·六
清原	八三二點七	七	一一四一點一	民國二十五年	二二二點一	七	一三五點〇	民國二五·八·九
興京	七五七點七	七	九七三點二	民國二十五年	二一〇點九	七	二一五點五	民國二六·八·一
遼陽	六八五點二	二四	九三五點三	民國十八年	一六三點八	七	二三〇點二	民國一八·八·七
鞍山	七五九點八	一五	九二九點五	民國二十六年	一七六點二	八	一一四點二	民國一八·八·七

地名	平均年雨量		最大年雨量		最大平均月雨量		最大日雨量	
	雨量(公厘)	觀測年數	雨量(公厘)	發生年	雨量(公厘)	發生月	雨量(公厘)	發生年・月・日
海城	六九九點二	六	八九〇點一	民國二十六年	一九三點五	八	九八點七	民國二六・八・六
哈爾套街	一八六點八	三	二五〇點〇	民國二十八年	四九點七	八	二四點三	民國二八・八・一〇
彰武	五二六點四	七	八七四點一	民國二十七年	一五七點四	八	一一九點二	民國二七・八・一三
阜新	五七八點六	三	六九二點三	民國二十七年	一八一點五	七	七七點八	民國二八・八・二一
溝幫子	五九八點二	三	六三五點二	民國二十九年	二二九點三	七	八三點八	民國二八・七・七
盤山	七三七點四	五	九九九點八	民國二十六年	二七八點五	八	一四一點〇	民國二六・八・二四
營口	六七一點五	三五	一一三六點三	民國十二年	一七七點四	八	二〇九點三	宣統三・八・一三

表七(其二)　松花江水系最大雨量表

地名	平均年雨量		最大年雨量		最大平均月雨量		最大日雨量	
	雨量(公厘)	觀測年數	雨量(公厘)	起年	雨量(公厘)	起月	雨量(公厘)	起年・月・日
哈爾濱	五九七點二	九	七六五點二	二三	一八一點三	七	九九點一	二一・七・一八
巴彥	六四三點四	六	七三四點〇	二七	一四四點六	七	七一點〇	二七・九・九
通河	六四五點七	六	七三八點九	二八	一七三點九	七	八五點〇	二七・八・二八
依蘭	六〇一點五	六	七一三點七	二八	一三八點二	七	七二點〇	二七・六・二八
索倫	四二〇點六	五	六五八點〇	二九	一二四點二	七	六二點八	二七・八・一八
同江	四一三點八	六	五一四點三	二六	七〇點一	七	五二點一	二四・八・二
富錦	五四二點九	五	六一〇點九	二七	一四〇點七	七	五〇點二	二六・七・二七
東興	五五九點八	五	六四四點四	二八	一四六點八	七	八七點〇	二七・九・一一
敦化	六一七點九	一〇	七三二點二	二七	一五一點二	七	一一六點三	一九・八・八
鏡泊湖	五五二點一	五	七四二點四	二四	一二三點二	七	六二點二	二四・七・二八

地名	平均年雨量		最大年雨量		最大平均月雨量		最大日雨量	
	雨量(公厘)	觀測年數	雨量(公厘)	起年	雨量(公厘)	起月	雨量(公厘)	起年·月·日
拜泉	五〇六點八	六	五八四點七	二七	一七三點三	七	五三點四	二六·七·一〇
呼蘭	四六〇點八	六	六〇五點八	二三	一一七點九	七	五七點一	二三·六·二九
五常	七六四點一	五	八七三點四	二五	二四七點九	七	一四三點七	二五·七·二〇
双城	五八三點五	五	七一二點五	二七	一六六點三	八	五七點八	二七·八·二五
齊齊哈爾	五一六點六	六	五八九點〇	二三	一七〇點一	七	一六〇點七	二七·七·二五
甘南	五〇八點七	五	七八七點九	二七	一七六點一	七	一〇二點〇	二七·七·一三
庫漠屯	四九五點〇	五	六九一點二	二七	一八一點九	七	六二點五	二七·七·二五
扶餘	四〇三點一	六	五九三點〇	二七	一一七點九	七	一一二點〇	二七·八·二三
樺甸	八〇二點七	六	二〇九點二	二七	一八九點五	七	一〇四點〇	二八·九·一
松花江村	五四七點〇	五	七二〇點〇	二五	一四二點八	七	一一三點九	二五·七·一八
金川	六九〇點一	五	七七七點五	二五	一四〇點〇	八	八〇點〇	二六·八·五
吉林	七九三點七	六	一〇四〇點五	二四	一七五點四	七	一二一點〇	二四·七·二八
農安	五七七點九	六	六五三點七	二三	一五五點七	七	七〇點六	二六·八·九
長春	六五九點一	六	七四五點七	二五	一七二點五	七	一二五點〇	二七·七·三
依通	六三六點三	五	七四四點八	二五	一三六點一	八	一二〇點〇	二四·八·一八
開通	三二七點二	六	四五〇點二	二三	九六點〇	七	八九點〇	二三·七·二七
王爺廟	六六五點八	五	七二五點五	二七	二八三點四	七	七二點〇	二五·七·二八
扎蘭屯	三三三點九	三	四九七點六	二八	八七點三	六	三七點一	二八·八·二三
景星	四六三點〇	六	七一七點八	二七	一四六點七	七	一二五點二	二七·七·一三
克山	五三五點四	六	六一〇點七	二七	一八三點九	七	七九點三	二五·七·七
北安鎮	五九六點六	六	六八九點三	二七	一八五點五	七	五六點二	二三·八·二八
訥河	五二四點七	六	六九三點七	二七	一五〇點二	七	八〇點一	二五·八·八
安達	四九三點〇	六	六四四點一	二三	一三五點四	七	九五點〇	二三·七·九

第三節　蒸發量

東北除遼河流域之一部外，每歲十一月中旬至次年三月上旬，四個月間爲結凍期，每月之蒸發量則甚微小，約在八點〇至四〇點〇公厘左右，僅当年總蒸發量百分之十上下。由三月中旬以後入解凍期，蒸發量亦高，至四月中隨氣温之增加而激增。五月之蒸發量爲全年之冠，達一五〇至二五〇公厘； 其五月之每日蒸發量可至一五公厘，約当冬季一月間之蒸發量矣（參閲表八，各河流主要地點蒸發量表）。東北蒸發量之最高記録，爲遼河水系之黑頭山，其三年間平均年蒸發量爲一 七八七公厘。其蒸發量之最小者，在東部之森林地帶，年蒸發量僅爲八〇〇至九〇〇公厘。中部之平原區域之蒸發量概在九〇〇至一 二〇〇公厘之間。

表八（其一）　遼河水系及凌河水系最大蒸發量表

地名	平均年蒸發量		最大年蒸發量		最大平均月蒸發量		最大日蒸發量	
	蒸發量	觀測年數	蒸發量	發生年	蒸發量	發生月	蒸發量	發生年·月·日
赤峰	二一一一點八	六	二三三一點六 耗	民國二十六年	三五七點五	五	二二點七 耗	民國二六·七·二五
建平	一七〇二點二	七	一九八六點一	民國二十九年	三一八點七	五	一九點五	民國二五·五·一一
奈曼旗	一九六一點〇	六	二二六一點九	民國二十九年	三三七點八	七	二〇點〇	民國二九·五·一二
烏丹城	二一六三點〇	六	二二一二點〇	民國二十六年	三三七點三	五	二二點五	民國二九·六·二三
開魯	一八一八點五	六	二〇二三點七	民國二十六年	三二一點四	五	一九點五	民國二四·五·三一
通遼	一八六三點七	七	二二七五點〇	民國二十九年	三二九點一	五	三一點〇	民國二九·五·二一
公主嶺	一二七六點五	一七	一六九一點二	民國十五年	二〇四點〇	五	二四點九	民國一五·六·八
赫爾蘇	一五六五點〇	四	一七八二點九	民國二十七年	三〇九點一	五	一八點七	民國二九·五·一四
梨樹	一四三六點三	五	一六六四點五	民國二十八年	二三一點二	五	二〇點〇	民國二九·四·三〇

地名	平均年蒸發量		最大年蒸發量		最大平均月蒸發量		最大日蒸發量	
	蒸發量	觀測年數	蒸發量	發生年	蒸發量	發生月	蒸發量	發生年·月·日
昌圖	一二八五點六	四	一四八五點一	民國二十九年	二二五點八	五	一九點〇	民國二九·五·一一
開原	一五八四點二	一六	一八〇一點二	民國十五年	二六〇點八	五	二七點四	民國一五·六·八
鐵嶺	一一二一點六	六	一三二八點三	民國二十九年	一六四點九	七	一九點二	民國二九·七·一九
瀋陽	一三四六點五	三五	一七七八點五	民國二年	二〇八點九	六	一八點八	民國　三·五·一七
撫順	一〇〇二點〇	一九	一三三八點八	民國十三年	一四八點一	五	一八點九	民國一三·六·一八
清原	九三二點三	七	九八一點二	民國二十六年	一五四點四	五	一四點〇	民國二四·七·一五
興京	一〇〇七點六	七	一二一四點四	民國二十四年	一六五點〇	五	一四點五	民國二九·七·三
遼陽	一三〇七點三	二四	一八六四點三	民國二十九年	二一一點九	五	二二點五	民國二六·五·一六
鞍山	一七〇四點二	一四	一九六四點八	民國十五年	二八二點二	五	二八點四	民國二九·五·二〇
海城	一八一三點三	六	二二一一點八	民國二十九年	三〇五點〇	五	三〇點〇	民國二九·五·二〇
哈爾套街	二〇三七點六	三	二〇五四點三	民國二十八年	二七三點一	六	二二點〇	民國二九·六·三〇
彰武	一六四五點六	七	一九八八點四	民國二十九年	二七〇點三	五	二六點二	民國二九·五·二六
阜新	一七五四點八	八	一九〇七點一	民國二十八年	二九二點五	六	二一點七	民國二六·五·四
溝幫子	一四五五點七	三	一五二〇點〇	民國二十九年	二五七點五	五	一三點四	民國二九·五·二〇
盤山	一四九〇點七	四	一五七八點二	民國二十八年	二三一點一	六	一四點〇	民國二七·五·一三
營口	一四五三點五	三五	一八〇八點八	光緒三十四年	二一五點九	五	一七點八	光緒三三·六·二七
松嶺門	一六一六點四	四	一七七八點七	民國二十四年	二六四點七	五	一七點九	民國二四·四·二五
義縣	一七五四點六	三	一八七七點〇	民國三十一年	二五五點七	六	二一點〇	民國三二·七·八

表八(其二)　松花江水系主要地點自民國二三年至二八年蒸發量表

地名／月別	哈爾濱	巴彥	通河	依蘭	同江	富錦	敦化	鏡泊湖	拜泉	安達	呼蘭	五常	齊齊哈爾	甘南	扶餘	吉林	樺甸	農安
一	一九點三	一八點六	一六點〇	一六點六	二〇點四	二〇點二	二一點六	三〇點四	一八點四	一六點五	二六點七	二七點五	一〇點六	二八點五	四二點二	二一點四	二一點九	二四點六
二	二九點〇	三七點七	二四點七	二二點四	一九點一	二九點七	二九點三	三五點五	二四點九	一八點六	二七點三	三一點六	二三點〇	三七點二	四一點〇	二六點四	二五點三	三七點八
三	六八點七	五三點五	五八點九	三四點七	三一點九	六五點八	六四點五	七五點六	五五點二	三八點五	六六點四	六四點一	六七點五	八二點八	六六點四	五八點五	四〇點六	八七點三
四	一四六點五	一五五點五	一〇六點五	七七點四	六九點〇	一一七點四	一二三點九	一二六點五	一一四點〇	九六點九	一二七點一	一一七點四	一四八點六	一五四點〇	一三一點二	一一一點九	六四點四	一七三點二
五	二〇四點五	二一五點五	一〇六點一	九二點〇	八六點九	一七〇點八	一六七點一	一八八點四	一六七點一	一五八點七	二一一點六	一九四點九	一九四點〇	二〇四點七	二一三點三	一五七點九	一二九點八	二三二點三
六	一八〇點二	一七五點五	一五六點六	一二五點三	八四點一	一九一點七	一三七點〇	一六九點八	一九五點八	一六三點三	一六一點五	一七九點五	一八八點二	二二六點七	二〇四點七	一三一點〇	一三〇點八	一八九點九
七	二二九點〇	一六一點二	一三七點三	一二九點〇	九九點三	一七九點六	一三三點七	一七五點一	一七九點八	一五九點三	一五五點二	一四二點六	一六九點四	一八九點七	一八七點六	一四六點五	一四二點二	一七六點〇
八	二二六點三	一六〇點六	一三二點八	五九點四	九一點四	一六二點五	一二四點一	一六三點七	一六八點六	一五二點八	一三九點七	一一九點五	一五四點八	一七六點二	一八三點八	一〇四點九	一三六點三	一四二點七
九	九六點七	一〇九點九	八二點三	七七點四	六七點六	一〇一點四	八六點二	一二五點七	一〇八點〇	一〇六點〇	八八點二	九二點〇	九三點〇	一一六點九	一四三點〇	六一點九	八五點四	九九點九
十	八二點五	八二點五	六〇點〇	五一點七	四一點〇	七五點八	七八點四	九六點二	八一點三	七〇點五	七八點三	七二點〇	七一點三	八四點九	一〇四點九	六四點七	六三點七	八四點〇
十一	四五點三	三七點七	四〇點〇	三二點〇	三三點九	四〇點八	四〇點一	四五點五	四〇點九	三三點四	五一點九	三九點五	二九點〇	五〇點六	五六點八	四三點三	三五點〇	四七點九
十二	二二點九	一八點三	二三點九	二二點〇	二五點一	二〇點九	二二點二	三〇點五	二一點三	一七點五	三三點〇	二九點七	一二點四	二七點五	三三點〇	二三點〇	一八點八	三七點七
總計	一一五〇點九	一二二六點五	九四五點一	七三九點九	六六九點七	一一七六點六	一〇二八點一	一二六二點九	一一七五點三	一〇三二點〇	一一六六點八	一一一〇點三	一一六一點八	一三七九點七	一四〇七點九	九五一點四	八九四點二	一三三三點四

地名＼月別	一	二	三	四	五	六	七	八	九	十	十一	十二	總計
長春	二三點九	二六點一	七八點三	一四〇點五	一八六點一	一七一點四	一四五點一	一二七點九	一〇〇點三	九〇點六	五四點八	三三點八	一一七七點八
依通	二五點五	五八點〇	五七點五	一三三點四	一八一點七	一五八點五	一五一點二	一四四點〇	七七點三	七四點九	六一點四	一四一點〇	一一六四點四
開通	五一點五	四九點四	九〇點一	一三五點〇	二三〇點九	二二八點五	二二七點五	一五七點二	一〇〇點九	二六點八	五六點六	五四點〇	一四〇八點四
扎蘭屯	四四點四	三六點九	八八點〇	一〇一點四	一三二點〇	一一〇點五	一四三點八	一二五點二	八一點二	七一點五	四五點七	三二點六	一〇一四點二
景星	二二點四	二九點〇	四九點七	七三點三	一四三點六	一七七點四	二二〇點三	二四三點三	一二八點六	六九點六	四〇點七	二六點一	一二二四點〇
克山	二〇點八	二九點七	六七點三	一四七點三	一八四點五	一八〇點四	一六七點六	一八二點一	一一七點一	八六點二	三〇點〇	二〇點六	一二三三點六
北安	一五點六	一八點七	四三點六	八七點三	一四一點一	一二九點六	一一一點二	一二一點二	六八點三	五八點三	三〇點二	一八點四	八四三點六
訥河	二四點四	二九點七	七二點一	一一四點〇	一七九點二	一七八點九	一六七點〇	一六六點〇	一〇六點七	七一點六	三八點五	二六點六	一一七四點七

表八(其三)　遼河水系及凌河水系月平均蒸發量表　光緒三十二年—民國二十九年

地名＼月別	一月	二月	三月	四月	五月	六月	七月	八月	九月	十月	十一月	十二月	計
赤峰	四一點一	六一點九	一二一點二	二四五點五	三五七點五	三二〇點六	二九九點七	二〇七點七	一七一點八	一五四點九	八二點一	四七點八	二一一一點八
建平	四六點六	六四點六	一〇三點三	二二六點二	三一八點七	二四七點三	二〇八點八	一四三點七	一一一點二	九九點〇	八一點二	五一點六	一七〇二點二
奈曼旗	三四點九	三三點六	九三點一	二一二點三	三二五點〇	二七〇點一	三三七點八	二一五點七	一五二點五	一五〇點四	八五點三	五〇點三	一九六一點〇
烏丹城	四九點六	六三點一	一一四點八	一八六點六	三三七點三	三一〇點四	二七五點六	二四六點〇	二二七點五	一八八點五	一〇〇點四	六三點二	二一六三點〇
開魯	二九點八	四七點六	九四點八	二二八點三	三二一點四	二五六點〇	二四七點〇	二〇〇點六	一五二點七	一二六點〇	六八點八	四五點五	一八一八點五
通遼	二五點七	四二點一	一二〇點一	二三七點六	三二九點一	二四八點二	二七三點六	二〇七點六	一五七點五	一二三點九	六二點六	三五點七	一八六三點七
公主嶺	二八點三	三七點五	七六點一	一五三點六	二〇四點〇	一九七點二	一五七點七	一三七點三	一一四點四	八八點七	五一點〇	三〇點七	一二七六點五

月別＼地名	赫爾蘇	梨樹	昌圖	開原	鐵嶺	瀋陽	撫順	清原	興京	遼陽	鞍山	海城	哈爾套街	彰武	阜新	溝幫子	盤山	營口	松嶺門	義縣
一月	四六點八	四一點二	二二點四	三一點七	二九點三	三一點三	二四點二	二二點三	二一點四	二九點四	四四點一	三七點〇	一〇〇點八	三一點一	五五點二	三四點九	四〇點四	三二點七	四八點八	七四點二
二月	五八點〇	五三點四	三七點〇	四七點三	四〇點三	四一點六	三三點二	二五點八	二五點九	五三點六	五七點六	五八點八	八七點〇	四〇點四	六九點五	五九點一	六六點三	四四點一	七〇點一	七一點二
三月	八〇點五	一〇〇點〇	九三點六	九一點一	六九點八	八二點六	五八點三	四四點八	四一點二	八二點八	一一二點七	一二六點四	一一九點一	九二點六	一〇九點七	九九點一	一一六點二	八七點一	一一三點八	一〇九點三
四月	一四七點一	一七八點二	一三四點四	一九九點八	一一三點六	一五七點〇	一二四點五	九四點五	一〇〇點〇	一五八點八	二〇九點八	二二九點六	二〇六點二	一八三點八	一七三點二	一五九點九	一五三點五	一五九點二	二〇七點九	一五一點一
五月	三〇九點一	一三一點二	二二五點八	二六〇點八	一六三點七	二〇八點八	一四八點一	一五四點四	一六五點〇	二一一點九	二八二點二	三〇五點〇	二四八點九	二七〇點三	二六一點一	二五七點五	二二九點四	二一五點九	二六四點七	一九六點四
六月	一九二點〇	二〇五點一	六九點七	二五〇點一	一六二點〇	二〇八點九	一四五點四	一二九點一	一五七點九	二一〇點八	二五七點〇	二八七點一	二七三點一	二五〇點四	二九二點五	二三四點九	二三一點一	二一五點八	二二八點四	二五五點七
七月	二〇八點七	一八二點六	一八六點四	二〇八點□	一六四點九	一七七點五	一二四點〇	一三六點八	一六四點六	一七一點八	二〇六點七	二二八點六	二五三點二	二四一點七	二四七點〇	一六一點〇	一八二點〇	一九六點〇	一六九點八	二四二點一
八月	一七五點七	一三五點四	一二七點二	一五六點〇	一一七點五	一四四點五	一〇七點四	一二〇點一	一二二點九	一二四點八	一四九點七	一四七點七	二四八點二	一九一點一	一七五點四	一三二點四	一四三點八	一六七點二	一五六點二	一八一點三
九月	一三二點七	一一二點七	一〇五點一	一四九點五	九二點二	一一七點〇	九八點五	九一點一	九一點五	一〇二點〇	一四四點五	一三五點八	一五一點二	一四四點六	一三四點八	一二八點一	一二八點六	一三八點九	一三二點八	一二九點一
十月	九五點六	九三點五	九〇點六	一〇四點五	八二點〇	九二點〇	七一點一	六五點三	六八點〇	八三點〇	一二一點五	一四一點八	一五八點三	一〇六點八	九六點四	九四點六	九四點〇	一〇三點三	一〇七點二	一四八點七
十一月	六二點一	六〇點二	四五點六	五四點四	五三點一	五一點七	四〇點一	三〇點六	二六點四	四四點二	七四點七	七一點八	七六點二	四八點一	七一點一	五三點〇	六〇點一	五八點一	六六點二	一〇五點一
十二月	五六點七	四二點八	二七點八	三一點〇	三三點二	三三點六	二七點二	一七點五	二二點八	三四點二	四三點七	四三點七	一一五點四	四四點七	六八點九	四一點二	四五點三	三五點二	五〇點五	九〇點四
計	一五六五點〇	一四三六點三	一二八五點六	一五八四點二	一一二一點六	一三四六點五	一〇〇二點〇	九三二點三	一〇〇七點六	一三〇七點三	一七〇四點二	一八一三點三	二〇三七點六	一六四五點六	一七五四點八	一四五五點七	一四九〇點七	一四五三點五	一六一六點四	一七五四點六

第五章　水文

第一節　水位

東北各水系水位之觀測，在民國二十二年以前設站甚少。是年之後，日人開始作遼河水系之調查，因之積極設立水尺從事觀測，漸次拓展至各水系。截至目前止，已設立水位站達三七九處。參閱圖四（東北水文氣象觀測站一覽圖）㈠，可知各站之位置矣。東北河流之水位隨解冰期而增長：計北部由在四月底，南部由二月底至三月初，水位即漸次昇高。北部在四月底至五月底間，南部在四月中旬，則達春季水位之最高峰，其上昇現象以遼河水系之最上游與松花江水系之中游以上爲最顯著。蓋因上游所在緯度不同，較其下游解凍爲早，故冰雪融解流經下游之冰上，致水位有甚顯明之昇高也。南部在五月初，北部在五月底，水位又逐次減低。南部至六月上旬，北部至六月底，乃降至最低水位。由六月下旬以後，即入東北之雨季。每遇降雨，水位即行上騰，比至九月初旬，雨季已過，而水位又漸下降，至十月下旬，則達平水位或最低水位狀況中。南部在十一月下旬，北部在十月末，則入結冰之期。自是水位之變化甚微。

洪水位之記録，爲水利工事設計之依據。各河之洪水位，除松花江於民國二十二年，遼河於民國二十四年，兩次大洪水獲有記録外，餘無可考。雖經由以往洪水痕跡推定得之，然終慮失實，今將松、遼兩水系主要地點之各種水位表列如下（表九）：

表九（其一）　遼河水系主要地點洪水位一覽表

河名	水文站	零點高（公尺）	列年洪水位（公尺）							累年最高洪水位（公尺）			
			民二三㈡	民二四	民二五	民二六	民二七	民二八	民二九	既往痕跡	年月日	觀測記録	年·月·日
双台子河	盤　山	○點六○二	一點六九	一點八一	三點九八	四點六八	三點八八	四點二五	三點六○	—	—	四點六八	民國二六·九·二
双台子河	冷家窩棚	二點八六○						六點○九	四點九八	—	—	六點○九	民國二八·九·八

㈠ 底本未收録此圖，故不能查閲。

㈡ 民二三　即民國二十三年。餘同。

河名	水文站	零點高(公尺)	列年洪水位(公尺) 民二三	民二四	民二五	民二六	民二七	民二八	民二九	累年最高洪水位(公尺) 既往痕跡	年月日	觀測記録	年・月・日
遼河本流	鴨島	(—)一點二九〇						五點七〇	四點二〇	—	—	五點七〇	民國二八・一二・一五
遼河本流	田莊台	(—)一點二九九			四點一〇	四點二五	三點九五	四點二二	三點九八	—	—	四點二五	民國二六・八・一八
遼河本流	巨流河	二六點七八四		三點八二	四點四四	四點七三	四點三〇	五點〇〇	四點一四	五點六六	光緒十二年七月	五點〇〇	民國二八・九・七
遼河本流	石佛寺	三八點九五〇		四點二〇	四點〇二	四點七五	三點九一	四點三八	三點三八	五點六〇	光緒十二年七月	四點七五	民國二六・八・二六
遼河本流	双岔口	五五點三五八	二點九八	二點九〇	二點七二	三點七一	二點三〇	二點八六	二點一五	五點五〇	光緒十二年七月	三點七一	民國二六・八・二六
西遼河	鄭家屯	一一四點〇〇〇	二點七一	二點六三	二點九〇	一點九〇	二點九〇	二點七〇	二點一四	二點九二	民國十九年七月	二點九〇	民國二七・七・二五
西遼河	通遼	一七八點九六		二點四五	一點八八	—	二點一五	二點五一	二點一〇	三點七五	光緒年間	二點五一	民國二八・八・二一
老哈河	海流吐	二八六點六二〇					二點一五	二點一四	一點六八	—	—	二點一五	民國二七・七・二三
老哈河	响水廟	三七六點〇〇五					二點〇〇	三點二〇	一點七五	十一點〇〇	光緒年間	三點二〇	民國二七・一〇・五
老哈河	赤峰	五五七點九四〇		一點二四	一點三二	一點一〇	二點八〇	三點一〇	二點二〇	—	—	三點一〇	民國二八・七・一〇
老哈河	黑水	四八七點六〇二		一點三〇	一點二〇	一點〇二	二點四五	一點五五	一點二八	—	—	二點四五	民國二七・七・二二

河名	水文站	零點高（公尺）	列年洪水位（公尺）							累年最高洪水位（公尺）			
			民二三	民二四	民二五	民二六	民二七	民二八	民二九	既往痕跡	年月日	觀測記録	年·月·日
太子河	小北河	六點五〇	五點三二	八點四六	六點四七	七點五六	六點五二	七點九五	六點九一	九點五〇	光緒十四年七月	八點四八	民國二四·七·三〇
太子河	遼陽	一九點九五四	二點九五	六點七一	三點二三	五點〇二	三點二〇	四點八四	三點三六	八點六〇	光緒十四年七月	六點七一	民國二四·七·二九
太子河	葠窩	五九點六五四		六點二〇	四點〇五	五點九〇	三點二五	五點六〇	三點八五	十一點二〇	光緒十四年七月	六點二〇	民國二四·七·二九
太子河	本溪湖	一〇三點七四七	二點三〇	六點三〇	三點八九	五點八八	三點三六	四點九六	四點三八	一〇點五二七	民國十八年八月	六點三〇	民國二四·七·三〇
同海城河	海城	二三點七五		四點六八	一點三四	三點七四	二點六四	二點六五	一點五七	四點七〇	民國十八年八月	四點六八	民國二四·七·二九
同海城河	石門嶺	四六點九〇二		四點七六	一點〇六	三點八〇	三點四〇	三點七五	二點二八	六點五五	民國十八年八月	四點七六	民國二四·七·二九
同千山河	千山	二二點四〇二		二點九二	一點八〇	三點三〇	五點〇〇	三點二〇	〇點九八	五點一〇	民國十八年八月	五點〇〇	民國二七·八·六
同立山河	立山	二四點一二九		二點〇五	一點八五	二點五四	二點七〇	二點六九	〇點五九	四點二〇	民國十八年八月	二點七〇	民國二七·八·一二
渾河	北大溝	六點五〇	五點三五	六點七四	六點九四	七點一二	六點八八	七點〇七	五點三四	八點二〇	光緒一四年七月	七點一二	民國二六·八·七
渾河	瀋陽	三五點二一二		五點六九	五點一〇	四點二〇	四點五三	四點九六	三點一〇	七點〇〇	光緒一四年七月	五點六九	民國二四·七·三〇
渾河	撫順	七〇點三九三						二點九三	一點八六	六點一八		二點九三	民國二五·八·一〇

河名	水文站	零點高（公尺）	列年洪水位（公尺）民二三	民二四	民二五	民二六	民二七	民二八	民二九	累年最高洪水位（公尺）既往痕跡	年月日	觀測記録	年・月・日
渾河	營盤	一〇七點二七一			三點〇〇	二點四〇	二點三七	二點四九	二點二七	—	—	三點〇〇	民國二五・八・一〇
招蘇台河	孟家窩棚	八一點三四〇						二點四八	二點二二	—	—	二點四八	民國二八・九・八
范河	張家樓子	七一點九一〇		五點三〇	二點二五	七點〇〇	二點二〇	三點六五	二點六〇	五點八九	光緒一四年七月	七點〇〇	民國二六・八・五
柴河	太平寨	九七點四〇三						三點一四	一點二二	五點五六	民國六年六月	三點一四	民國二八・九・一一
清河	開原	八五點四〇三		三點五四	三點二〇	三點七九	三點三四	三點五八	二點七〇	四點五〇	民國六年七月	三點七九	民國二六・八・二五
東遼河	三江口	一〇三點〇二二	四點三〇	三點八五	三點六六	三點八六		三點八二	三點五二	五點三三	民國一八年八月	四點三〇	民國二三・七・一七
東遼河	滴打嘴子	一九九點〇五六	五點二四	五點七〇	三點六八	五點二二	五點六五	四點〇四	四點二五	七點七八	民國六年六月	五點七〇	民國二四・七・二九
新河	閣家穢子	二六點一六〇	一點二五	一點〇二	一點四二	一點三〇	一點九三	三點二六	二點〇〇	—	—	三點二六	民國二八・八・二八
新河	敖保芬	一八二點八四四						二點〇七	二點〇七	—	—	二點〇七	民國二八・七・一一
西拉木倫河	德博勒廟	二九三點三五六						一點四〇	一點二七	—	—	一點四〇	民國二八・三・三一
西拉木倫河	海蘇廟	四四一點一六三						一點七九	一點五一	—	—	一點七九	民國二八・三・一一

河名	水文站	零點高（公尺）	列年洪水位（公尺）							累年最高洪水位（公尺）			
			民二三	民二四	民二五	民二六	民二七	民二八	民二九	既往痕跡	年月日	觀測記録	年·月·日
繞陽河	白旗堡	二一點九〇六		一點三三	一點二〇	一點五五	二點七三	一點六七	一點七五	—	—	二點七三	民國二七·九·一三
東沙河	杜家台	〇點七九二						三點一〇	二點八七	—	—	三點一〇	民國二八·九·二
東沙河	曹家壕	一三點五八八					二點八四	二點三〇	一點五八	三點三三	民國一九年七月	二點八四	民國二七·八·一三
柳河	新民	三二點〇三六		一點九八	二點三五	二點三〇	五點五〇	三點一〇	三點一七	—	—	五點五〇	民國二七·七·二二
柳河	彰武	七七點二〇三					二點六〇	二點九七	三點一〇	—	—	三點一〇	民國二九·三·一四
柳河	鬧得海	一四八點六五六					四點七〇	四點一〇	三點一五	—	—	四點七〇	民國二七·七·二二

表九（其二）　遼河水系主要地點平水位一覽表

河名	水文站	零點高（公尺）	列年平水位（公尺）								摘要
			民二三	民二四	民二五	民二六	民二七	民二八	民二九	平均	
双台子河	盤山	〇點六〇二									
双台子河	冷家窩棚	二點八六〇						三點一二	二點六八	二點八九	
遼河本流	鴨島	（一）一點二九〇									
遼河本流	田莊台	（一）一點二九九									
遼河本流	巨流河	二六點七八四		一點六七	二點五六		一點八五	一點九〇	一點二八	一點八五	

河名	水文站	零點高（公尺）	列年平水位（公尺）								摘要
			民二三	民二四	民二五	民二六	民二七	民二八	民二九	平均	
遼河本流	石佛寺	三八點九五〇		一點一二	二點四〇	〇點六二	一點六八	一點七八	一點一四	一點四六	
遼河本流	双岔口	五五點三五八	一點一八	一點二九	一點六〇	〇點九三	〇點七四	〇點六六	〇點四七	〇點九八	
西遼河	鄭家屯	一一四點〇〇〇	二點二四	二點〇三	一點五五	一點一〇	二點二〇	一點七六	一點三八	一點七四	
西遼河	通遼	一七八點九六		一點四八	一點一〇		一點一三	一點二七	〇點七八	一點一三	
老哈河	海流吐	二八六點六二〇							一點三二	一點三二	
老哈河	响水廟	三七六點〇〇五							〇點七二	〇點七二	
老哈河	赤峰	五五七點九四〇		〇點五六	〇點三七	〇點三四					
老哈河	黑水	四八七點六〇二		〇點三五	〇點三六	〇點四二	〇點四九	〇點四七	〇點四八	〇點四二	
太子河	小北河	六點五〇	一點七三	二點〇〇	二點二五	一點八八	二點二二	一點九五	一點三二	一點九一	
太子河	遼陽	一九點九五四	一點三五	一點一八	一點三〇	〇點九二	一點一四	〇點八八	〇點五七	一點〇五	
太子河	葠窩	五九點六五四			〇點六九	〇點八六	一點一六	一點〇八	〇點八四	〇點九三	
太子河	本溪湖	一〇三點七四七	〇點八三	〇點八二	〇點八二	〇點八六	一點一〇	〇點九二	〇點五八	〇點八五	
同海城河	海城	二三點七五		〇點六五	〇點五七	〇點八〇	〇點八二	〇點六七	〇點八三	〇點七二	
同海城河	石門嶺	四六點九〇二		〇點七〇	〇點三六	〇點四六	〇點五七	〇點七〇	〇點五七	〇點五六	
同千山河	千山	二二點四〇二		〇點一四	〇點一〇	〇點一八	〇點二五	〇點一六	〇點〇〇	〇點一四	
同立山河	立山	二四點一二九			〇點三八	〇點三六	〇點三六	〇點二五	〇點〇九	〇點二九	
渾河	北大溝	六點五〇	一點三一	一點八一	一點八四	一點六五	一點八〇	一點四九	一點三三	一點六〇	
渾河	瀋陽	三五點二一二		一點一三	一點四八	一點二二	一點四二	一點三〇		一點三一	
渾河	撫順	七〇點三九三							〇點四四	〇點四四	

河名	水文站	零點高(公尺)	列年平水位(公尺)								摘要
			民二三	民二四	民二五	民二六	民二七	民二八	民二九	平均	
渾河	營盤	一〇七點二七一			〇點四八	〇點四三	〇點五一	〇點五〇	〇點五五	〇點四九	
招蘇台河	孟家窩棚	八一點三四〇						一點三六	一點三七	一點三七	
范河	張家樓子	七一點九一〇		〇點三〇	〇點四〇	〇點四一	〇點二五	〇點一九	〇點一三	〇點二八	
柴河	太平寨	九七點四〇三							〇點五二	〇點五二	
清河	開原	八五點四〇三		一點〇〇	一點三三	一點〇八	一點〇九	〇點八六	〇點九〇	一點〇四	
東遼河	三江口	一〇三點〇二二	一點三四	一點一二	一點四〇	〇點九八	〇點八四	一點一〇	一點二二	一點一四	
東遼河	滴打嘴子	一九九點〇五六	一點〇〇	一點二六	一點四〇	一點三八	一點四一	一點九八	一點三一	一點二六	
新河	閻家穢子	二六點一六〇	〇點九三	〇點八八	〇點七一	〇點七二	〇點九九	〇點七二	一點五〇	〇點九二	
新河	敖保芬	一八二點八四四							〇點五六	〇點五六	
西拉木倫河	德博勒廟	二九三點三五六							〇點七六	〇點七六	
西拉木倫河	海蘇廟	四四一點一六三						一點〇六	一點〇五	一點〇六	
繞陽河	白旗堡	二一點九〇六		〇點六〇	〇點三二	〇點三〇	一點一〇	一點二三	一點一五	〇點七七	
東沙河	杜家台	〇點七九二						一點三七	一點二〇	一點二四	
東沙河	曹家壕	一三點五八八					〇點九四	〇點四九	〇點三八	〇點六〇	
柳河	新民	三二點〇三六		一點三六	一點二五	一點四四	一點六九	二點三三	二點四六	一點七六	
柳河	彰武	七七點二〇三							一點八六	一點八六	
柳河	鬧得海	一四八點六五六							一點八一	一點八一	

註：平水位指一年除結冰期間外，定時所觀測之水位中，總觀測同數之半數比此水位高，其他半數比此水位低之水位稱曰平水位。平水位累年平均之稱爲平均平水位。

表九(其三) 遼河水系主要地點最低水位一覽表

河名	水文站	零點高(公尺)	列年最低水位(公尺) 民二三	民二四	民二五	民二六	民二七	民二八	民二九	累年最低水位(公尺) 水位	年·月·日	摘要
双台子河	盤山	○點六○二	(一)一點五○	(一)一點九二	(一)二點○八	○點四四	○點九四	○點二八	○點二五	(一)二點○八	民二五·三·一八	
双台子河	冷家窩棚	(一)一點八六○						一點○一	一點二五	一點○一	民二八·六·五	
遼河本流	鴨島	(一)一點二九○						(一)○點四○	(一)○點三○	(一)○點四○	民二八·二·一三	
遼河本流	田莊台	(一)一點二九九		○點一○	○點五○	○點四五	○點○○	○點四二	○點○五	○點○○	民二八·二·一三	
遼河本流	巨流河	二六點七八四		○點一八	(一)○點七五		○點六一	○點○○	○點○○	(一)○點七五	民二五·四·八	
遼河本流	石佛寺	三八點九五○		○點七○	○點六六	○點三七	○點三三	○點六四	○點六四	○點三三	民二七·四·三	
遼河本流	双岔口	五五點三五八	(一)○點一八	○點○二	○點六○	○點二○	○點一五	(一)○點二二	○點○三	(一)○點二二	民二八·六·二四	
西遼河	鄭家屯	一一四點○○○	一點六八	一點三○	○點八五	○點四○	一點○○	○點七二	○點五八	○點四○	民二六·七·二六	
西遼河	通遼	一七八點九六		一點一一	一點○二		○點八一	一點一二	○點一八	○點一八	民二九·七·三	
老哈河	海流吐	二八六點六二○					○點一一	○點二○	一點一八	○點七一	民二七·七·一○	

河名	水文站	零點高(公尺)	列年最低水位(公尺)							累年最低水位(公尺)		摘要
			民二三	民二四	民二五	民二六	民二七	民二八	民二九	水位	年·月·日	
老哈河	响水廟	三七六點〇〇五					〇點七六	〇點九〇	〇點五〇	〇點五〇	民二九·三·二四	
老哈河	赤峰	五五七點九四〇		〇點三六	〇點二〇	〇點一六	〇點二七	一點二三	一點二六	〇點一六	民二六·五·二八	
老哈河	黑水	四八七點六〇二		〇點二〇	〇點一〇	〇點〇三	〇點三八	〇點二四	〇點三三	〇點〇三	民二六·二·三	
太子河	小北河	六點五〇	〇點九八	〇點六八	一點一五	一點一二	一點二四	一點〇〇	一點九四	〇點九八	民二三·二·四	
太子河	遼陽	一九點九五四	〇點四〇	〇點三二	〇點九〇	〇點三二	(一)〇點〇八	(一)〇點四七	〇點二六	(一)〇點四七	民二八·二·二七	
太子河	葠窩	五九點六五四		〇點〇〇	〇點二四	〇點二二	〇點三四	(一)〇點〇五	〇點〇〇	(一)〇點〇五	民二八·三·二六	
太子河	本溪湖	一〇三點七四七	〇點五三	〇點四四	〇點五八	〇點三一	〇點二一	(一)〇點一二	〇點二四	(一)〇點一二	民二九·三·一九	
同海城河	海城	二三點七五		〇點五一	〇點四五	〇點四八	〇點五六	〇點五〇	〇點六六	〇點四五	民二五·六·二三	
同海城河	石門嶺	四六點九〇二		〇點一九	〇點一六	〇點三一	〇點三〇	〇點五五	〇點四二	〇點一六	民二五·三·二三	
同千山河	千山	二二點四〇二		(一)〇點一九	〇點〇二	〇點〇八	〇點〇七	〇點〇八	(一)〇點一九	(一)〇點一九	民二四·三·一〇	

河名	水文站	零點高（公尺）	列年最低水位（公尺）							累年最低水位（公尺）		摘要
			民二三	民二四	民二五	民二六	民二七	民二八	民二九	水位	年·月·日	
同立山河	立山	二四點一二九		○點二七	○點二四	○點○八	○點二○	○點一二	（一）○點○六	（一）○點○六	民二九·五·一○	
渾河	北大溝	六點五○	○點七五	○點五七	一點○二	○點八二	一點○七	○點九四	○點七七	○點五七	民二四·五·二三	
渾河	奉天	三五點二一二		○點六五	○點八六	○點六一	○點八五	○點八五	○點七一	○點六一	民二六·七·三	
渾河	撫順	七○點三九三						○點二八	○點三○	○點二○	民二九·五·二五	
渾河	營盤	一○七點二七一		○點○○	○點一○	○點一五	○點二二	○點四三	○點四二	○點○○	民二四·一○·五	
招蘇台河	孟家窩棚	八一點三四○						○點四三	○點八九	○點四三	民二四·四·一○	
范河	張家樓子	七一點九一○		○點○四	○點一八	○點一五	○點○五	○點○五	○點○一○	○點○○	民二九·五·二	
柴河	太平寨	九七點四○三						○點四六	○點二六	○點二六	民二九·五·二二	
清河	開原	八五點四○三		○點五二	○點五九	○點六四	○點六六	○點五五	○點四○	○點四○	民二九·五·二六	
東遼河	三江口	一○三點○二二	○點九○	○點五七	○點二○	○點三五	○點三八	○點五二	○點七三	○點二○	民二五·五·一○	

河名	水文站	零點高（公尺）	列年最低水位（公尺）							累年最低水位（公尺）		摘要
			民二三	民二四	民二五	民二六	民二七	民二八	民二九	水位	年·月·日	
東遼河	滴打嘴子	一九九點〇五	〇點九一	〇點八四	〇點七一	〇點八〇	〇點九四	〇點六七	〇點九〇	〇點六七	民二八·五·一〇	
新河	閻家禨子	一一六點一六〇	〇點五八	〇點六〇	〇點三八	〇點三六	〇點三〇	〇點二〇	〇點四五	〇點二〇	民二八·四·七	
新河	敖保芬	一八二點八四四						〇點〇〇	〇點〇七	無水		
西拉木倫河	德博勒廟	二九三點三五六						〇點一〇	〇點一二	〇點一〇	民二八·六·二三	
西拉木倫河	海蘇廟	四四一點一六三						〇點六五	〇點八四	〇點六五	民二九·七·四	
繞陽河	白旗堡	二一點九〇六		〇點〇五	（一）〇點一〇	（一）〇點三五	〇點七六	〇點〇〇	〇點〇一	（一）〇點三五	民二六·三·二九	
東沙河	杜家台	〇點七九二						〇點〇〇	〇點〇五	〇點〇〇	民二八·一·二七	
東沙河	曹家壕	一三點五八八					〇點〇九	〇點〇〇	〇點〇五	〇點〇〇	民二八·一·二一	
柳河	新民	三二點〇三六		一點一五	〇點七八	〇點九八	〇點五三	二點〇八	二點二五	〇點五三	民二七·一二·八	
柳河	彰武	七七點二〇三					〇點六五	一點三五	一點四〇	〇點六五	民二七·三·二二	
柳河	鬧得海	一四八點六五六					〇點八五	〇點三九	〇點九六	〇點三九	民二八·七·二三	

表九（其四）　松花江水系各年度最高水位一覽表

流域名	地點	民國二三年	二四年	二五年	二六年	二七年	二八年	六個年間 年·月·日	六個年間 最高水位	零點標高
松花江本流	哈爾濱	八點五五	六點三一	六點五七	六點四二	七點五八	七點二九	二三·八·一三	八點五五	一一〇點〇〇〇 公尺
松花江本流	阿城	三點二〇	〇點八七	三點一二	二點五一	三點六三	四點一〇	六·七·四	四點一〇	一三五點一九八
松花江本流	同江	六點九八	六點九七	六點六〇	五點〇二	六點七五	五點一二	二三·九·二	六點九八	五二點三〇〇
松花江本流	佳木斯	—	二點九〇	三點五〇	四點四三	四點四八	五點二九	二八·七·一七	五點二九	七三點四三九
松花江本流	通河	—	三點九七	四點四九	四點〇五	五點三〇	四點七〇	二七·九·一五	五點三〇	九八點六七五
松花江本流	木蘭	—	—	三點六八	—	四點八六	四點二四	二七·九·一五	四點八六	一〇三點一八七
松花江本流	三姓	—	—	—	—	四點三七	四點三九	二八·七·一五	四點三九	九〇點二八四（獨立）
牡丹江	寧安	三點二〇	三點一七	一點五〇	一點四七	一點三〇	一點七〇	二三·八·三	三點二〇	二三八點六四九
牡丹江	敦化	三點九〇	三點二〇	—	—	二點六五	—	三三·七·二九	三點九〇	九九點二〇〇（獨立）
牡丹江	東京城	—	—	二點一八	二點二〇	三點一〇	三點二三	二八·九·一三	三點二三	二七〇點八三八
牡丹江	鏡泊湖	—	—	二點二八	二點一三	—	三點〇四	二八·九·一七	三點〇四	三三七點八一九
螞蟻河	一面坡	三點七二	一點八八	三點一二	一點七〇	—	一點九八	二三·七·九	三點七二	二〇九點九二三
螞蟻河	延壽	三點二六	一點六一	四點七八	三點五八	三點七一	四點二〇	二五·六·一八	四點七八	九四點四五〇
呼蘭河	呼蘭	—	四點〇四	六點三六	四點九九	五點七二	六點四五	二八·七·二四	六點四五	一九一點一九四

流域名	地點	民國二三年	二四年	二五年	二六年	二七年	二八年	六個年間 年·月·日	六個年間 最高水位	零點標高
拉林河	蔡家溝	六點〇〇	三點五六	四點八六	三點四六	二點四一	三點六五	二三·七·二	六點〇〇	一三五點一二〇
拉林河	太平橋	—	—	—	四點九〇	三點八二	四點七四	二六·九·七	四點九〇	九三點八七四(獨立)
拉林河	前紅石磖	—	—	—	四點六五	三點七八	四點三三	二六·九·三	四點六五	八九點三五四(獨立)
嫩江本流	江橋	四點八一	二點九四	四點九〇	二點八九	五點二〇	五點〇五	二七·八·七	五點二〇	一三三點九二八
嫩江本流	嫩江	二點八四	二點二七	四點七九	二點七〇	四點三四	三點四二	二五·七·一九	四點七九	二一六點二七二(獨立)
嫩江本流	嫩江橋	六點六五	四點五二	六點三一	四點一五	六點四五	—	二三·七·一七	六點六五	一四四點〇九三
嫩江本流	大賚	—	四點八四	五點五六	五點〇三	六點三六	五點九二	二七·八·二九	六點三六	一二四點三三
嫩江本流	塔哈爾站	—	二點一二	四點一〇	一點二六	四點〇六	四點四三	二八·七·二七	四點四三	一四八點三八四(獨立)
嫩江本流	庫漠屯	—	二點五八	四點八五	三點五二	三點二九	五點六〇	二八·四·一七	五點六〇	二三八點六〇一
嫩江本流	富拉爾基	—	三點〇五	四點八四	二點八八	五點二四	四點五〇	二八·八·六	五點二四	一三九點〇〇〇
第二松花江	吉林	四點八二	五點〇五	四點三六	五點一六	五點一四	五點五二	二八·九·八	五點五二	一八五點八一四
第二松花江	扶餘	—	三點九五	三點四七	—	三點五七	四點〇五	二八·九·一四	四點〇五	一二八點九九〇
第二松花江	錦州	—	五點九〇	五點〇二	五點五五	五點四九	六點〇八	二八·六·八	六點〇八	一六九點〇七七
第二松花江	松花江村	—	五點〇〇	七點二〇	七點三五	七點三五	八點〇〇	二八·九·三	八點〇〇	一一六點五六六
第二松花江	樺甸	—	—	五點二九	六點二九	五點一八	六點一五	二六·八·八	六點二六	二五五點七四〇
第二松花江	紅石磖子	—	—	—	七點二〇	六點二四	五點三一	二六·八·六	七點二〇	二六一點七三二

流域名	地點	民國二三年	二四年	二五年	二六年	二七年	二八年	六個年間 年・月・日	六個年間 最高水位	零點標高
第二松花江	大豐滿口子	—	—	—	六點八八	八點五六	八點二九	二七・七・二三	八點五六	一九一點九〇九
飲馬河	石頭口門	六點〇〇	五點〇四	五點二六	四點二〇	三點二〇	三點八二	二三・七・一二	六點〇〇	九三點九二五(獨立)
飲馬河	農安	六點六〇	五點七八	五點八二	五點二五	三點四五	三點九八	二三・七・一六	六點六〇	九四點〇〇〇
飲馬河	長春	〇點九四	三點八五	二點八三	二點一〇	一點一〇	二點〇〇	二四・八・二二	三點八五	一九一點〇〇〇
飲馬河	德惠	—	—	—	—	五點八五	六點二〇	二八・九・一九	六點二〇	一四七點六九七(獨立)
洮兒河	洮南	五點三四	二點七五	一點七二	—	三點二〇	四點八八	二三・七・一三	五點三四	一四六點三三八
洮兒河	索倫	三點一〇	一點九〇	—	—	二點八四	三點三九	一六・八・二七	三點三九	四九六點五三六
綽爾河	文得根	—	〇點九九	一點五〇	一點一四	二點四六	一點八六	二七・七・一七	二點四六	三三一點四〇五
雅魯河	碾子山	四點三二	二點一六	二點六〇	二點一七	二點六六	三點〇五	二三・七・一〇	四點三二	二二〇點〇二八
雅魯河	景星	—	五點九〇	一點二〇	—	二點三五	三點八一	二八・八・二〇	二五點八一	九六點七三一
呼裕爾河	克山	二點九八	二點三一	三點二〇	二點九五	二點二〇	三點〇一	二五・七・三一	三點二〇	九六點四七四
音河	甘南	二點九八	〇點八〇	〇點四〇	〇點二八	一點〇〇	〇點九〇	二三・七・一一	二點九八	一八八點八七三(獨立)
阿倫河	烏司門	—	一點七二	三點二四	一點七四	三點二〇	二點六六	二五・七・三一	三點二四	九六點〇二一(獨立)
訥謨爾河	訥河	二點九五	二點八〇	三點二六	二點六五	三點五一	三點二五	二七・八・三	三點五一	一九一點〇五二
諾敏河	烏爾科	—	四點一五	四點一四	三點二四	四點七〇	四點三九	二七・七・二三	四點七〇	一九七點四六三
甘河	柳家屯	—	一點八四	二點九三	〇點九二	二點五七	四點八五	二八・四・一四	四點八五	二二二點八〇七

表九(其五)　松花江水系各年度平水位一覽表

流域名	地點	民國二三年	二四年	二五年	二六年	二七年	二八年	平均	零點標高(公尺)
松花江本流	哈爾濱	五點九八	四點一五	五點四七	四點二七	五點一一	五點三三	五點〇五	一一〇點〇〇〇
松花江本流	阿城	〇點五八	〇點一一	〇點六二	〇點七八	一點一〇	〇點七三	〇點六五	一三五點一九八
松花江本流	同江	四點五二	四點六〇	四點六三	三點一二	三點九〇	二點九九	三點九六	五二點三〇〇
松花江本流	佳木斯	—	一點一〇	一點三二	二點九四	三點〇二	二點七三	二點二二	七三點四三九
松花江本流	通河	—	二點四〇	三點四八	二點六九	三點三五	三點三六	三點〇五	九八點六七五
松花江本流	木蘭	—	—	三點一六	—	三點四四	二點八五	三點一五	一〇三點一八七
松花江本流	三姓	—	—	—	—	二點三九	二點〇一	二點二〇	九〇點二八四(獨立)
牡丹江	寧安	〇點九八	一點〇四	〇點八五	〇點八三	一點〇三	〇點八六	〇點九三	二三八點六四九
牡丹江	敦化	〇點四七	〇點五四	—	—	〇點八〇	—	〇點六〇	九九點二〇〇
牡丹江	東京城	—	—	一點一三	一點二五	一點一八	一點〇六	一點一六	二七〇點八三八
牡丹江	鏡泊湖	—	—	一點五七	一點五一	—	一點六〇	一點五六	三三七點八一九
螞蟻河	一面坡	一點三九	一點三二	〇點九四	〇點八七	—	〇點九九	一點一〇	二〇九點九二三
螞蟻河	延壽	一點六一	一點四三	一點二八	一點五八	一點五〇	一點〇六	一點六一	九四點四五〇
呼蘭河	呼蘭	—	三點四三	三點六九	三點一〇	三點一八	二點九五	三點〇〇	一九一點一九四

流域名	地點	民國二三年	二四年	二五年	二六年	二七年	二八年	平均	零點標高
拉林河	蔡家溝	二點一六	一點七〇	一點六四	一點三七	—	—	〇點九五	一三五點一二〇
拉林河	太平橋	—	—	—	二點三四	二點三八	二點二六	二點三三	九三點八七四(獨立)
拉林河	前紅石磖	—	—	—	一點七八	一點六九	一點五八	一點六八	八九點三五四(獨立)
嫩江本流	江橋	二點二五	〇點九六	二點二五	一點七四	二點八八	二點四五	二點〇九	一三三點九二八
嫩江本流	嫩江	一點一〇	一點三五	二點六四	一點八四	一點八八	—	一點七六	二一六點二七二(獨立)
嫩江本流	嫩江橋	四點四四	二點六四	三點七二	三點二八	三點九四	—	三點六〇	一四四點〇九三
嫩江本流	大賚	—	三點八四	三點七九	三點四九	四點六五	四點二〇	四點〇〇	一二四點二三二
嫩江本流	塔哈爾站	—	〇點六八	一點四三	〇點四八	二點六〇	一點〇三	一點二四	一四八點三八四(獨立)
嫩江本流	庫漠屯	—	一點二二	二點〇〇	一點六八	一點五四	一點二八	一點五四	二二八點六〇一
嫩江本流	富拉爾基	—	一點三九	二點三四	一點九九	二點七八	二點〇一	二點一〇	一三九點〇〇〇
第二松花江	吉林	一點二三	〇點九六	一點一〇	〇點九二	一點一八	一點〇四	一點〇六	一八五點八一四
第二松花江	扶餘	—	一點四八	一點六一	—	一點八五	一點五五	一點六二	一二八點九九〇
第二松花江	錦州	—	一點〇〇	一點三〇	〇點八六	一點一〇	一點〇一	一點〇五	一六九點〇七七
第二松花江	松花江村	—	—	四點〇四	三點六二	三點八八	五點八五	三點八五	一一六點五六六
第二松花江	樺甸	—	—	一點五四	一點一〇	〇點七五	〇點九七	一點〇九	二五五點七四〇
第二松花江	紅石磖子	—	—	—	二點〇八	二點四三	二點三三	二點二八	二六一點七三二

流域名	地點	民國二三年	二四年	二五年	二六年	二七年	二八年	平均	零點標高
第二松花江	大豐滿口子	—	—	—	一點〇八	一點八〇	一點三九	一點四二	一九一點九〇九
飲馬河	石頭口門	〇點九二	〇點八〇	一點〇〇	〇點七三	〇點九六	〇點七七	〇點八六	九三點九二五（獨立）
飲馬河	農安	一點四二	一點一五	一點五五	一點三三	〇點九八	〇點六六	一點一八	九四點〇〇〇
飲馬河	長春	—	〇點二一	〇點五三	〇點五四	〇點五七	〇點三八	〇點四五	一九一點〇〇〇
飲馬河	德惠	—	—	—	—	—	二點五四	二點五四	一四七點六九七（獨立）
洮兒河	洮南	—	一點四二	〇點九七	—	一點九〇	一點七九	一點五二	一四六點三二八
洮兒河	索倫	—	一點六五	—	—	二點四一	一點九一	一點九九	四九六點五三六
綽爾河	文得根	—	—	一點〇八	〇點九一	一點〇三	—	一點〇一	三三一點四〇五
雅魯河	碾子山	二點五四	一點九一	二點〇〇	一點九五	二點二〇	二點三一	二點一四	二二〇點〇二八
雅魯河	景星	—	〇點七八	〇點六二	—	一點七〇	二點〇九	一點三〇	九六點七三一
呼裕爾河	克山	—	一點六一	二點二三	二點一五	一點二四	—	一點八四	九六點四七四
音河	甘南	〇點九九	〇點三〇	〇點二四	〇點一五	〇點五七	〇點四三	〇點四六	一八八點八七三（獨立）
阿倫河	烏司門	—	一點三一	一點□〔一〕九	一點〇八	一點四一	一點五八	一點三三	九六點〇二一（獨立）
訥謨爾河	訥河	—	一點九二	一點□〔二〕七	二點〇二	二點〇一	一點九五	一點九七	一九一點〇五二
諾敏河	烏爾科	—	二點一二	二點三九	二點三〇	二點六四	二點四四	二點三五	一九七點四六三
甘河	柳家屯	—	〇點五〇	〇點四五	〇點二八	一點〇五	〇點五一	〇點五六	二二二點八〇七

〔一〕〔二〕底本此處不清，無法辨認。

表九（其六）　松花江水系各年度最低水位一覽表

流域名	地點	民國二三年	二四年	二五年	二六年	二七年	二八年	六個年間 年・月・日	六個年間 最低水位	零點標高（公尺）
松花江本流	哈爾濱	二點〇七	一點九九	二點一四	二點〇七	一點九一	二點一五	一七・二・二五	一點九一	一一〇點〇〇〇
松花江本流	阿城	〇點〇五	〇點〇〇	〇點〇一	〇點三二	〇點四〇	〇點二〇	二四・四・一九	〇點〇〇	一三五點一九八
松花江本流	同江	〇點八八	〇點六八	〇點二〇	〇點四三	（一）〇點五六	〇點〇一	二七・一・一五	（一）〇點五六	五二點三〇〇
松花江本流	佳木斯	—	〇點〇〇	〇點二六	（一）二點二四	（一）二點〇九	一點五〇	二六・一二・三一	（一）二點二四	七三點四三九
松花江本流	通河	—	一點四七	一點四七	二點一二	二點〇〇	一點七五	二四・三・二〇	一點四七	九八點六七五
松花江本流	木蘭	—	—	一點六八	—	一點五八	一點五〇	二八・四・一一	一點五〇	一〇三點一八七
松花江本流	三姓	—	—	—	—	〇點七〇	〇點五二	二八・六・六	〇點五二	九〇點二八四（獨立）
牡丹江	寧安	〇點三〇	〇點五〇	〇點五八	〇點六五	〇點五八	〇點六〇	二三・二・一九	〇點三〇	二三八點六四九
牡丹江	敦化	〇點〇三	〇點〇七	—	—	〇點三三	—	二三・一・三	〇點〇三	九九點二〇〇（獨立）
牡丹江	東京城	—	—	〇點七〇	〇點四五	〇點三〇	〇點三二	二七・四・六	〇點三〇	二七〇點八三八
牡丹江	鏡泊湖	—	—	〇點六九	〇點七八	—	一點二五	二五・三・一九	〇點六九	三三七點八一九
螞蟻河	一面坡	〇點六三	〇點七六	〇點六〇	〇點四六	—	〇點四四	二八・一二・四	〇點四四	二〇九點九二三
螞蟻河	延壽	一點一二	一點一二	〇點九五	〇點八八	〇點八〇	〇點八〇	二七・一・二九	〇點八〇	九四點四五〇
呼蘭河	呼蘭	—	二點四〇	二點六四	二點七〇	二點七〇	二點六二	二四・二・二六	二點四〇	一九一點一九四
拉林河	蔡家溝	〇點三二	〇點〇五	〇點五五	〇點五八	〇點六〇	—	二三・二・二七	〇點三二	一三五點一二〇
拉林河	太平橋	—	—	—	一點四二	一點五〇	一點六〇	二六・一二・一六	一點四二	九三點八七四（獨立）
拉林河	前紅石磖	—	—	—	〇點七〇	一點一〇	〇點九〇	二六・六・三	〇點七〇	八九點三五四（獨立）

流域名	地點	民國二三年	二四年	二五年	二六年	二七年	二八年	六個年間 年・月・日	六個年間 最低水位	零點標高
嫩江本流	江橋	(一)〇點二五	(一)〇點一六	(一)〇點一一	〇點三四	(一)〇點〇九	〇點〇二	二三・二・二七	〇點二五	一三三點九二八
嫩江本流	嫩江	二點〇一	(一)〇點二七	〇點二〇	〇點六八	二點七〇	—	二三・一二・一一	〇點〇一	二一六點二七二(獨立)
嫩江本流	嫩江橋	二點〇〇	一點〇〇	〇點五五	一點七六	二點〇〇	—	二五・二・一	〇點五五	一四四點〇九三
嫩江本流	大賚	—	〇點六一	〇點三三	〇點七二	一點三五	〇點〇一	二八・二・一〇	〇點〇一	一二四點二三二
嫩江本流	塔哈爾站	—	〇點四六	〇點四〇	〇點三九	〇點三八	〇點五〇	二七・五・一三	〇點三八	一四八點三八四(獨立)
嫩江本流	庫漠屯	—	〇點四〇	(一)〇點〇八	〇點六〇	〇點一九	〇點一二	二五・三・三	(一)〇點〇八	一二八點六〇一
嫩江本流	富拉爾基	—	〇點六八	〇點四五	〇點三三	〇點五二	〇點七三	二六・四・五	〇點三三	一三九點〇〇〇
第二松花江	吉林	〇點一二	〇點二五	〇點四九	〇點一〇	〇點二〇	〇點三三	二六・二・五	〇點一〇	一八五點八一四
第二松花江	扶餘	—	〇點九〇	一點〇七	—	—	一點一〇	二四・四・九	〇點九〇	一二八點九九〇
第二松花江	錦州	—	(一)〇點〇五	(一)〇點一〇	〇點〇三	〇點一一	〇點一二	二五・一・一三	(一)〇點一〇	一六九點〇七七
第二松花江	松花江村	—	三點三〇	三點四〇	二點七〇	二點八八	二點六七	二八・四・一二	二點六七	一一七點五六六
第二松花江	樺甸	—	—	〇點九三	〇點三四	〇點一一	〇點三五	二七・五・一一	〇點一一	二五五點七四〇
第二松花江	紅石砬子	—	—	—	一點三九	一點四五	一點五六	二六・一二・二六	一點三九	二六一點七三二
第二松花江	大豊滿口子	—	—	—	(一)〇點〇七	(一)〇點一一	〇點〇三	二七・一二・一	(一)〇點一一	一九一點九〇九
飲馬河	石頭口門	〇點三五	〇點二〇	〇點二五	〇點三〇	〇點三〇	〇點二〇	二四・五・八	〇點二〇	九三點九二五(獨立)
飲馬河	農安	〇點四六	〇點四二	〇點四八	〇點五八	〇點四〇	〇點〇三	二八・五・三〇	〇點〇三	九四點〇〇〇
飲馬河	長春	〇點二六	(一)〇點一四	〇點〇一	〇點二四	〇點三一	〇點二五	二四・五・一〇	(一)〇點一四	一九一點一〇〇
飲馬河	德惠	—	—	—	—	二點五五	一點八六	二八・六・一四	一點八六	一四七點六七七(獨立)
洮兒河	洮南	一點五〇	〇點九五	〇點六一	—	〇點八二	〇點〇二	二八・六・八	〇點〇二	一四六點三二八

流域名 地點 ＼ 最低水位 年度	民國二三年	二四年	二五年	二六年	二七年	二八年	六個年間 年·月·日	六個年間 最低水位	零點標高
洮兒河 索倫	一點五五	一點二〇	—	—	〇點八六	〇點八八	二七·五·一四	〇點八六	四九六點五三六
綽爾河 文得根	—	〇點一七	〇點五〇	〇點〇八	〇點四六	〇點一〇	二八·六·二〇	〇點一〇	三三一點四〇五
雅魯河 碾子山	二點一〇	一點五〇	一點六九	一點四〇	一點二六	一點四八	二七·三·二七	一點二六	二二〇點〇二八
雅魯河 景星	—	〇點一四	〇點〇〇	—	〇點四一	〇點三〇	二五·五·一三	〇點〇〇	九六點七三一
呼裕爾河 克山	一點三三	一點〇一	一點〇一	一點〇〇	〇點〇〇	〇點〇二	二七·一二·二九	〇點〇〇	九六點四七四
音河 甘南	〇點二八	〇點一〇	(—)〇點三四	(—)〇點一二	(—)〇點〇八	〇點二四	二五·三·一五	(—)〇點三四	一八八點八七三(獨立)
阿倫河 烏司門	—	一點一四	〇點九四	〇點七八	〇點四二	〇點六二	二七·一·三一	〇點四二	九六點〇二一(獨立)
訥謨爾河 訥河	一點五四	一點三〇	一點二五	一點一二	一點二四	一點四〇	二六·一·三〇	一點一二	一九一點〇五二
諾敏河 烏爾科	—	〇點五八	〇點四八	一點四五	一點三七	一點〇〇	二五·二·三	〇點四八	一九七點四六三
甘河 柳家屯	—	〇點二〇	〇點〇〇	〇點一四	〇點〇三	〇點〇一	二五·四·二九	〇點〇〇	二二二點八〇七

其他水系因測定所得結果尚少，未能開始製作。

各河之結冰流量，於民國三十三年方行着手測量，惟流速器之機軸每因凍結失靈，或測站之河水完全凍結以及量水標尺之下完全結冰等，致使所測結果多失正確。今後對於結冰流量，尚須進一步之研究也。兹將松、遼兩水系主要地點各種流量表示如下（表十）：

第二節　流量

東北各河流量之觀測始自民國二十二年。初以遼河水系爲主，截至民國三十三年，已設測站五十七處。松花江及其他水系，由民國三十二年始行着手，現有測站十餘處。至各測站之位置，詳見圖四（東北水文氣象觀測站一覽圖）㈠。根據此項觀測之結果，施行流量曲綫計算並繪製成圖，以資應用。現遼河水系流量曲綫圖已製成册，而

㈠ 底本未收録此圖，故不能查閱。

表十(其一)　松花江水系主要地點洪水流量一覽表

河名	地點	流域面積(平方公里)	觀測開始前最大流量 m³/sec 水位(公尺)	觀測開始前最大流量 流量	觀測開始前最大流量 年月	觀測期間中最大流量 m³/sec 水位(公尺)	觀測期間中最大流量 流量	觀測期間中最大流量 年·月·日	摘要
松花江本流	佳木斯	五一五點三五一	六點六四	一四二五〇	二一—	五點二九	一〇六〇〇	二八·七·一七	
松花江本流	哈爾濱	三六八點四四六	九點二三	一一〇〇〇	二一—	八點五五	八四〇〇	二三·八·一三	
第二松花江	吉林	四三點〇三〇	—	—	—	五點五二	六八八〇	二八·九·八	
第二松花江	小豐滿	四二點五〇〇	—	—	—	六點八六	六九三〇	二七·七·二三	
第二松花江	紅石砬子	二〇點二〇七	—	—	—	七點三六	六一三〇	二六·八·六	
第二松花江	樺甸	一三點〇三九	—	—	—	六點七三	二八四〇	二六·八·八	
第二松花江	四道溝	—	—	—	—	六點四六	二二二〇	二八·九·五	
第二松花江	撫松	—	—	—	—	四點〇四	一二七〇	三一·八·一六	
牡丹江	泥什哈	—	—	—	—	五點五一	二〇六五	二五·六·二〇	
牡丹江	揗河	二二點〇九六	—	—	—	四點〇〇	二一八〇	二五·六·一八	
拉林河	蔡家溝	二〇點三五四	—	—	—	六點〇〇	二一〇〇	二三·七·一一	
飲馬河	德惠	七點六九六	—	—	—	六點二〇	五七〇〇	二八·九·一九	
呼蘭河	呼蘭	三七點一〇二	七點三〇	五五〇〇	二一—	六點四五	三〇八〇	二八·七·二四	
呼蘭河	蘭西	—	一一點〇〇	二二〇〇	二一—	九點一〇	一〇五〇	三一·七·二五	
呼蘭河	秦家崗	八點二五二	四點八五	六〇〇	二一—	三點九〇	三六三	二八·七·二〇	
嫩江本流	江橋	一六三點九一七	六點九〇	七九〇〇	二一—	五點二〇	三八〇〇	二七·八·七	
嫩江本流	富拉爾基	一二二點六二三	五點八九	六五一〇	二一—	五點二四	四一〇〇	二七·八·六	
嫩江本流	庫漠屯	三三點一五五	—	—	—	三點七七	一三〇〇	二八·四·一七	
呼裕爾河	克山	四點七四四	三點九〇	四五〇	二一—	三點二〇	二一九	二五·七·三一	

河名	地點	流域面積(平方公里)	觀測開始前最大流量 m³/sec 水位(公尺)	流量	年月	觀測期間中最大流量 m³/sec 水位(公尺)	流量	年・月・日	摘要
甘河	柳家屯	一九點八九九	四點八五	二三五〇	一八—	四點八五	二三五〇	二八・四・一四	
訥謨爾河	訥河	一二點九七九	五點一五	二二〇〇	光緒一七—	三點五一	一〇〇	二七・八・三	
諾敏河	烏爾科	二二點三三九	六點五六	四四〇〇	二一—	四點七〇	一三五〇	二七・七・二二	
阿倫河	烏什門	七點二六三	三點五九	四九〇	二一—	三點二四	三〇五	二五・七・三一	
雅魯河	碾子山	八點九三四	—	—	—	四點三二	二一〇〇	二三・七・一〇	
綽爾河	文得根	一二點四六四	—	—	—	二點四六	四四〇	二七・七・一七	
洮兒河	洮南	四點〇七九	六點八二	六八〇	二一—	五點三四	一三八	二三・七・一三	
洮兒河	葛根廟	一五點四五〇	—	—	—	三點七三	二二〇〇	二三・七・九	
洮兒河	察爾森	七點七六三	—	—	—	三點六〇	一六一〇	二三・七・一一	

表十(其二)　松花江水系主要地點平水位流量一覽表

河名	地點	流域面積(平方公里)	平水位流量 m³/sec 平均平水位	流量	渴水位流量 m³/sec 平均渴水位	流量	觀測年數	摘要
松花江本流	佳木斯	五一五三五一	二點二二	三四〇〇〇點〇	〇點六九	一〇〇〇點〇	五	
松花江本流	哈爾濱	三六八四四六	五點〇五	一七〇〇〇點〇	二點六八	七二七點〇	七	
第二松花江	吉林	四三〇三〇	〇點九九	五一四點〇	〇點二五	一四四點〇	七	
第二松花江	小豐滿	四三二五三	一點四六	四八五點〇	〇點四八	一二一點〇	四	
第二松花江	紅石磖子	二〇七〇七	二點二〇	二七五點〇	一點五七	八一點〇	四	
第二松花江	樺甸	一三〇三九	〇點五四	五二點〇	〇點〇四	一點九	四	
第二松花江	四道溝		〇點五四	五三點〇	〇點二五	一七點〇	四	

河名	地點	流域面積（平方公里）	平水位流量 m³/sec		渴水位流量 m³/sec		觀測年數	摘要
			平均平水位	流量	平均渴水位	流量		
第二松花江	撫松		二點〇四	六五點〇	一點六三	二〇點四	二	
牡丹江	泥什哈		三點九六	五八四點〇	三點〇〇	二二點七	三	
牡丹江	揎河	二二〇九六	一點三六	三二〇點〇	一點一〇	一三二點七	六	
拉林河	蔡家溝	二〇三五四	一點七二	一三五點〇	〇點九七	五五點〇	七	
飲馬河	德惠	七六九六	〇點八六	二點〇	〇點四六	—	二	
呼蘭河	呼蘭	三七一〇二	三點八八	二〇〇點〇	一點五一	一九點五	五	
呼蘭河	蘭西	—	六點二〇	六八〇點〇	四點五五	二三點七	—	
呼蘭河	秦家崗	八二五二	一點五五	三一點〇	〇點八一	二七點三	六	
嫩江本流	江橋	一六三九一七	二點〇九	九一〇點〇	〇點七四	三一一點〇	七	
嫩江本流	富拉爾基	一二二六二三	二點一〇	五八〇點〇	一點〇八	二八點五	五	
嫩江本流	庫漠屯	三三一五五	一點五七	一九五點〇	〇點八八	一三點一	五	
呼裕爾河	克山	四七四四	一點八一	一一點〇	一點一四	三點〇	六	
甘河	柳家屯	一九八九九	〇點五六	一四五點〇	〇點五一	一一七點七	五	
訥謨爾河	訥河	一二九七九	一點九七	三〇點〇	〇點九九	一六點四	六	
諾敏河	烏爾科	二三三三九	二點三八	一九〇點〇	一點六二	五八點九	五	
阿倫河	烏什門	七二六三	一點二六	二一點六	〇點八二	五點〇	五	
雅魯河	碾子山	八九三四	二點一四	五〇點〇	一點一二	七點二	六	
綽爾河	文得根	一二四六四	一點〇一	六八點〇	〇點四六	二五點〇	四	
洮兒河	洮南	四〇七九	—	—	—	—	—	
洮兒河	葛根廟	一五四五〇	一點〇八	一三點〇	〇點七三	—	六	
洮兒河	察爾森	七七六三	〇點七二	八點四	〇點四五	七點〇	六	

表十(其三)　遼河水系主要地點洪水流量一覽表

河名	地點	流域面積（平方公里）	觀測開始前最大流量 m^3/sec 水位（公尺）	流量	年月日	觀測期間中最大流量 m^3/sec 水位（公尺）	流量	年月日	摘要
遼河	唐家窩棚	一二七一七一	五點三五	三〇〇〇	民國一八年七月	五點一五	二一〇〇	民國二四年九月八日	流量數值是
遼河	巨流河	一一八〇五三	五點六六	四一〇〇	光緒一二年七月	五點〇〇	二四〇〇	民國二八年九月七日	用流量曲綫
遼河	石佛寺	一一四四八〇	五點六〇	七〇〇〇	光緒一二年七月	四點七五	三四〇〇	民國二六年八月二六日	圖延長推得
遼河	双岔口	一一一四〇二	五點五〇	一〇六〇〇	光緒一二年七月	三點七一	二八〇〇	民國二六年八月二六日	
西遼河	鄭家屯	八五四九九	二點八〇	六七〇	民國一九年七月	二點九〇	七四〇	民國二六年八月二五日	
西遼河	通遼	六二三四九	—	—	—	二點五四	九〇〇	民國二八年八月二一日	
老哈河	响水廟	三〇九二四	一一點〇〇	四〇〇〇	光緒年間	九點〇〇	二八〇〇	民國二八年一〇月五日	
太子河	小北河	一〇三八八	九點五〇	一四〇〇〇	光緒一四年七月	八點五〇	四八〇〇	民國二四年七月三〇日	
太子河	遼陽	八一一五	八點六〇	一二〇〇〇	光緒一四年七月	六點七一	七三〇〇	民國二四年七月二九日	
太子河	葠窩	六二三二	一一點二〇	一〇〇〇〇	光緒一四年七月	六點二〇	四二〇〇	民國二四年七月二九日	

河名	地點	流域面積（平方公里）	觀測開始前最大流量 m^3/sec 水位（公尺）	流量	年月日	觀測期間中最大流量 m^3/sec 水位（公尺）	流量	年月日	摘要
太子河	本溪湖	四二三四	一〇點五三	九〇〇〇	民國一八年八月	六點三〇	三五〇〇	民國二四年七月三〇日	
同海城河	牛莊	一一八八	四點八四	五〇〇	民國一八年八月	三點八七	二九〇	民國二八年九月	
同海城河	海城	一〇七四	四點七〇	三二〇〇	民國一八年八月	四點〇八	二二〇〇	民國二四年七月二九日	
同海城河	石門嶺	八八七	六點五五	二四〇〇	民國一八年八月	四點二三	七二〇	民國二四年七月二九日	
同千山河	千山	九八	六點一七	八五	民國一八年八月	五點〇〇	四四	民國二六年八月六日	
同立山河	立山	三三七	四點二六	一三〇〇	民國一八年八月	二點七〇	三八〇	民國二六年八月一二日	
同湯河	湯河沿	一二三四	四點七一	四〇〇〇	民國一八年八月	二點一六	五五〇	民國二八年九月五日	
渾河	北大溝	九四四六	八點二〇	一〇〇〇〇	光緒一四年七月	七點一二	四二〇〇	民國二六年八月七日	
渾河	瀋陽	八一六三	七點〇〇	一〇〇〇〇	光緒一四年七月	五點六九	五〇〇〇	民國二四年七月二〇日	
渾河	撫順	六八八一	六點一六	八八〇〇	光緒一四年七月	二點九三	一八〇〇	民國二八年九月二日	
渾河	大〔火〕〔夥〕房	五五六〇	六點六〇	八〇〇〇	光緒一四年七月	二點九〇	一三〇〇	民國二四年七月二六日	

河名	地點	流域面積（平方公里）	觀測開始前最大流量 m³/sec 水位（公尺）	觀測開始前最大流量 m³/sec 流量	觀測開始前最大流量 m³/sec 年月日	觀測期間中最大流量 m³/sec 水位（公尺）	觀測期間中最大流量 m³/sec 流量	觀測期間中最大流量 m³/sec 年月日	摘要
范河	張家樓子	八五一				五點八九	一九〇〇	民國二六年八月五日	
柴河	太平寨	一一四九	五點五六	二一五〇	民國六年六月	三點一四	五五〇	民國二八年九月二日	
清河	開原	四七五五	四點五〇	二八〇〇	民國八年七月	三點六四	一六五〇	民國二六年八月二五日	
東遼河	三江口	一〇〇七八	五點三三	一三〇〇	民國六年	四點八〇	九六〇	民國二三年七月一七日	
東遼河	滴打嘴子	三六四四	七點七八	二三五〇	民國六年六月	五點七〇	一〇五〇	民國二四年七月二九日	
東沙河	曹家壕	二三二四	三點三〇	六六〇	民國一九年七月	二點八四	三〇〇	民國二七年八月一三日	
繞陽河	東白城子	一八三六	三點一〇	二二〇〇	民國一九年七月	二點三五	一二〇〇	民國二七年八月一三日	
柳河	新民	五三九一				五點五〇	五〇〇〇	民國二七年七月二一日	
柳河	彰武	四八一九				三點九〇	四六〇〇	民國二七年七月一日	
柳河	鬧得海	三八〇三				五點〇〇	四〇〇〇	民國二七年七月二一日	

表十（其四）　遼河水系主要地點平水流量一覽表

河名	地點	流域面積（平方公里）	平水位流量 m^3/sec		枯水位流量 m^3/sec		觀測年數	摘要
			平均平水位 m	流量	平均渴水位 m	流量		
遼河	唐家窩棚	一二七一七一	一點六七	四八	○點六二	九	三	
遼河	巨流河	一一八○五三	一點六五	一一二	○點四一	三二	五	
遼河	石佛寺	一一四四八○	一點四六	七八	○點七八	二二	一	
遼河	双岔口	一一一四○二	○點九八	三○○	○點三六	九○	一	
西遼河	鄭家屯	八五四九九	一點七四	九○	一點二五	一六	三	
西遼河	通遼	六二三四九	一點三○	二八	一點一三	九	三	
老哈河	响水廟	三○九二四	○點七二	一六	○點五五	九點八	二	
太子河	小北河	一○三八八	一點九一	七○	一點一七	二九點五	二	
太子河	遼陽	八一一五	一點○五	一二○	○點五八	五八	六	
太子河	葠窩	六二三二	○點九三	三九	○點五五	七點五	五	
太子河	本溪湖	四二三四	○點八五	八○	○點五三	四四	一	
同海城河	牛莊	一一八八	○點六八	四點一	○點三八	○點五	二	
同海城河	海城	一○七四	○點七二	一二	○點五七	一點八	一	
同海城河	石門嶺	八八七	○點五六	九點四	○點三七	三點六	一	
同千山河	千山	九八	○點一四	○點四六	○點○四	—	一	
同立山河	立山	三三七	○點二九	○點七二	○點一九	○點一一	二	
同湯河	湯河沿	一二三四	○點四一	四點六	○點三三	二點六	二	

河名	地點	流域面積（平方公里）	平水位流量 m^3/sec		枯水位流量 m^3/sec		觀測年數	摘要
			平均平水位 m	流量	平均渴水位 m	流量		
渾河	北大溝	九四四六	一點六〇	七六	〇點九二	一八	二	
渾河	瀋陽	八一六三	一點三一	五四	〇點八六	六點四	三	
渾河	撫順	六八八一	〇點四四	四三	〇點二二	一一點五	二	
渾河	大（火）〔夥〕房	五五六〇			〇點二四	一八	一	
范河	張家樓子	八五一	〇點二八	一點一	〇點一一	〇點二一	二	
柴河	太平寨	一一四九	〇點五二	三點八	〇點三四	〇點六	二	
清河	開原	四七五五	一點〇四	一一點五	〇點六四	〇點三六	二	
東遼河	三江口	一〇〇七八	一點一四	一〇	〇點五九	〇點七	二	
東遼河	滴打嘴子	三六四四	一點二六	四點二	〇點九一	〇點五	三	
東沙河	曹家壕	二三二四	〇點六〇	〇點〇〇九	〇點一七	—	四	
繞陽河	東白城子	一八三六	〇點四七	八	〇點三一	一點一	三	
柳河	新民	五三九一	一點七六		一點五四		三	
柳河	彰武	四八一九	一點八六	一八〇	一點四一	三	一	
柳河	鬧得海	三八〇二	一點八一	二四	一點〇五	〇點二	一	

第三節　含砂量

東北河流之含砂量，以遼河水系爲最大，松花江水系則較少。蓋遼河水系各支流發源於沙漠地帶者爲多，且沿河林木多被採伐，未加栽植，致使地表外露，不耐風雨侵蝕，所有泥土隨雨水輸入河內，順流而下。每屆洪水，則含砂量大增。北部數水系流域開闢較遲，其原有林木未經採伐者尚多，地表爲林木所覆，風雨不易侵蝕。而各河發源地概屬森林地帶，雖受季候風影響，飄來土砂流入河內，然爲量亦甚微耳。查各水含砂量較大之原因，約有下列數端：

一、河流發源於沙漠地帶，故土砂易於隨流携出。

二、沿岸地表缺乏之草木，易爲風雨所侵，輸砂河內。

三、因結凍及解凍之影響，助長土砂之風化作用，將其粒度更分解爲微細之粒，易乘風飛散飄揚各地，流入河內。

四、受季候風影響，將砂漠地帶之土砂飄入河內。

五、乾燥期過長，土砂結合力微小，易隨風飄入河內。

六、黃土地層不耐衝刷，致泥土隨水下流。

遼河水系之柳河兼具以上諸因素，故其含砂率爲最大，每届洪水時期，河水混濁，幾如濃厚之泥漿，含砂量最高達百分之六十二，參閲表十一（各水系主要地點含砂量表），致使彰武、新民一帶多爲泥沙埋没。又遼河上游之老哈河及分流之新泛河、西拉木倫河之含泥率亦大，均爲下游河道淤塞之原因。細閲表十一，可知遼河西部諸支流發源於砂漠與黃土地帶，故河水含砂較多，而東部諸支流則不然。兹將柳河及渾河含砂情形製如圖八[一]，以資比較。營口港每年土砂流出量約在三〇〇〇萬立方公尺左右，如將各河沿岸淤積土砂計入，每年土砂流出量當有一〇〇〇〇萬立方公尺，故營口港爲淤泥所阻，船隻通行近感困難。

表十一（其一）　遼河水系主要地點含砂量百分率(%)表

河名	地點	最大含砂率 數目	最大含砂率 年月日	平均含砂量百分率 一月	二月	三月	四月	五月	六月	七月	八月	九月	十月	十一月	十二月	年平均	河平均	摘要
双台子河	盤山	2.2500	民國二八年八月十六日	0.0345	0.0470	0.0532	0.3426	0.1226	0.1987	0.5117	0.8176	0.2656	0.1176	0.1061	0.0524	0.2224	0.2224	
遼河本流	唐家窩棚	3.8820	民國二七年七月十二日	0.0709	0.0379	0.0496	0.5538	0.2257	0.4055	0.9485	0.9425	0.4513	0.3006	0.1208	0.0332	0.3450	0.2991	
遼河本流	巨流河	2.7308	民國二七年七月十三日	0.0327	0.0185	0.1398	0.4760	0.2255	0.2375	0.6281	0.5905	0.3297	0.2254	0.1213	0.0134	0.2532		

[一] 底本未收録此圖，故不能查閲。

河名	地點	最大含砂率 數目	最大含砂率 年月日	平均含砂量百分率 一月	二月	三月	四月	五月	六月	七月	八月	九月	十月	十一月	十二月	年平均	河平均	摘要
西遼河	鄭家屯	8.4724	民國二七年七月七日	0.0227	0.0361	0.1280	0.4152	0.2416	0.4656	2.4281	1.9992	1.4482	0.5502	0.1654	0.0210	0.6601	0.7274	
西遼河	通遼	9.6584	民國二七年八月一日	0.1848	0.898	0.4328	1.0940	0.8273	1.1371	1.3674	1.8283	1.1304	0.6490	0.4385	0.2587	0.7948		
老哈河	海流吐	8.2000	民國二八年七月七日	0.0286	0.1109	0.4536	0.5830	0.7936	1.1898	2.0164	1.3115	0.9180	0.6719	0.2938	0.8252	0.7330	0.4961	
太子河支流老哈河	赤峰	12.9042	民國二五年八月九日	0.0318	0.0462	0.0865	0.1684	0.1285	0.4470	0.9280	0.7881	0.3725	0.0495	0.0376	0.0258	0.2591		
太子河	小北河	0.6817	民國二六年四月十五日	0.0604	0.0313	0.0355	0.0701	0.0567	0.0409	0.1005	0.1141	0.0719	0.0439	0.0301	0.0319	0.0567	0.0468	
太子河	遼陽	2.5040	民國二四年七月三十日	0.0295	0.0277	0.0279	0.0465	0.0452	0.0668	0.0732	0.0644	0.0661	0.0534	0.0393	0.0274	0.0473		
太子河	葠窩	0.7760	民國二六年八月二日	0.0392	0.0201	0.0310	0.0639	0.0339	0.0581	0.0693	0.0749	0.0465	0.0338	0.0464	0.0206	0.0448		
太子河支流湯河	湯河沿	0.4340	民國二八年七月八日	0.0136	0.0187	0.0205	0.0461	0.0212	0.0310	0.0526	0.0514	0.0757	0.0520	0.0426	0.0316	0.0380		
同海城河	海城	1.6352	民國二七年七月十二日	0.0592	0.0293	0.0695	0.0643	0.0512	0.0676	0.1021	0.0698	0.0649	0.0419	0.0431	0.0445	0.0589		
同海城河	石門嶺	0.3660	民國二八年七月二日	0.0218	0.0270	0.0256	0.0617	0.0399	0.0327	0.0296	0.0467	0.0389	0.0359	0.0345	0.0320	0.0355		
渾河	瀋陽	0.7944	民國二五年七月二二日	0.0323	0.0212	0.0193	0.0447	0.0504	0.0623	0.0912	0.0569	0.0523	0.0299	0.0239	0.0190	0.0419	0.0471	

表十一（其二）　鴨緑江水系主要地點含砂量百分率一覽表

河名	地點	最大含砂％ 數值	最大含砂％ 年月日	平均含砂量百分率 一月	二月	三月	四月	五月	六月	七月	八月	九月	十月	十一月	十二月	年平均	河平均	備考
鴨緑江支流渾江	通化	1.0521	民國二五年八月	0.0174	0.0228	0.0404	0.0377	0.0313	0.0387	0.0407	0.1045	0.0169	0.0055	0.0101	0.0142	0.0317	0.0287	本表之平均值自民國二十五年至二十九年之平均值
鴨緑江支流渾江	桓仁	0.4104	民國二六年四月	0.0256	0.0185	0.0358	0.0355	0.0306	0.0282	0.0393	0.0417	0.0164	0.0078	0.0192	0.0099	0.0257		

表十一（其三）　大凌河水系主要地點含砂量百分率一覽表

河名	地點	最大含砂％ 數值	最大含砂％ 年月日	平均含砂量百分率 一月	二月	三月	四月	五月	六月	七月	八月	九月	十月	十一月	十二月	年平均	備考
大凌河	大凌河	5.1002	民國二六年八月	0.0338	0.0451	0.1614	0.2065	0.2559	0.7898	1.0717	0.6542	0.3855	0.1328	0.2969	—	0.3667	本表之平均值爲自民國二十五年至二十九年之平均

表十一（其四）　松花江水系主要地點含砂量一覽表

河名	地點	最大含砂％ 数值	最大含砂％ 年月日	平均含砂量百分率 一月	二月	三月	四月	五月	六月	七月	八月	九月	十月	十一月	十二月	年平均	河平均	備考摘要
第二松花江	吉林	—	民國二四年至二九年	0.5696	0.3777	0.4905	1.1168	0.9516	1.3050	1.2839	1.4102	0.5978	0.4196	0.5385	0.1367	0.7665		
松花江本流	哈爾濱	—	民國二五年至三〇年	0.4578	0.5230	0.5329	1.1957	1.6157	1.3974	1.3946	1.0558	0.9892	0.2607	0.3283	0.2947	0.8305		
第二松花江	樺甸	—	民國二五年至三〇年	0.6283	0.4697	1.0099	1.3369	0.8718	1.3831	1.6437	1.5804	0.8319	0.2774	0.1991	0.1843	0.8680		

河名	地點	最大含砂%		平均含砂量百分率														備考
		数值	年月日	一月	二月	三月	四月	五月	六月	七月	八月	九月	十月	十一月	十二月	年平均	河平均	摘要
第二松花江	紅石磖子	—	民國二五年至三〇年	0.1315	0.4255	0.6982	0.8377	0.9381	1.4718	0.8407	0.7934	0.5249	0.1882	0.1558	0.1559	0.5968		
第二松花江	大豐滿	—	民國二五年至三〇年	0.4384	0.2334	0.8808	0.5147	1.0467	1.1736	0.7692	0.9619	0.1928	0.1836	0.3571	0.9809	0.6444		
渾河	營盤	0.2400	民國二九年十月五日	0.0385	0.0290	0.0225	0.0224	0.0362	0.0154	0.0298	0.0518	0.0640	0.0596	0.034	0.0176	0.0356		
渾河	北大溝	1.3460	民國二六年八月三日	0.0277	0.0246	0.0217	0.1017	0.0496	0.0919	0.1215	0.1500	0.0723	0.0374	0.0419	0.0250	0.0638		
范河	張家樓子	0.8400	民國二八年十一月十一日	0.0383	0.0234	0.0366	0.0505	0.0847	0.0617	0.0348	0.0432	0.0540	0.0649	0.6655	0.0283	0.0488	0.0488	
柴河	大白梨溝	1.1440	民國二九年八月三日	0.0442	0.0348	0.0585	0.0236	0.0898	0.0609	0.0915	0.1378	0.0834	0.0443	0.0334	0.0483	0.0625	0.0625	
招蘇台河	孟家窩棚	0.7400	民國二八年七月十五日	0.0255	0.0251	0.0200	0.0355	0.0856	0.0467	0.0890	0.0496	0.0316	0.0483	0.0347	0.0459	0.0448	0.0448	
東遼河	三江口	2.0100	民國二九年八月十四日	0.0417	0.0213	0.1028	0.2119	0.0415	0.0981	0.2381	0.2682	0.1909	0.0729	0.0363	0.0454	0.1141	0.1193	
東遼河	滴打嘴子	2.9600	民國二九年五月三一日	0.0553	0.0145	0.0233	0.0665	0.1600	0.2237	0.3455	0.2321	0.2445	0.0576	0.0354	0.0372	0.1246		

河名	地點	最大含砂% 數值	最大含砂% 年月日	平均含砂量百分率 一月	二月	三月	四月	五月	六月	七月	八月	九月	十月	十一月	十二月	年平均	河平均	備考摘要
新河	閣家穢子	0.8140	民國二八年八月七日	0.0857	0.0298	0.0347	0.0772	0.0725	0.0381	0.1498	0.1006	0.0248	0.0246	0.0510	0.0357	0.0604	0.0604	
西拉木倫河	德博勒廟	8.7800	民國二八年七月六日	0.3219	1.0539	0.3406	0.5782	0.5468	0.8688	1.2155	1.0470	0.7544	0.7483	0.4419	0.2459	0.6802	0.5387	
西拉木倫河	海蘇廟	3.6200	民國二八年八月一六日	0.1748	0.3174	0.1395	0.3781	0.3244	0.5804	0.8113	0.8866	0.4621	0.2536	0.2550	0.1785	0.3972		
繞陽河	白旗堡	0.7010	民國二八年十二月二十日	0.0071	—	0.0074	0.0096	0.0175	0.0305	0.0659	0.0263	0.0372	0.0311	0.0481	0.0874	0.0336	0.0336	
東沙河	曹家壕	2.8960	民國二七年八月十三日	0.0070	0.0060	0.0815	0.0208	0.0140	0.1040	0.2071	0.3186	0.1050	0.1051	0.0544	0.0442	0.0886	0.0886	
柳河	新民	62.6364	民國二五年八月十日	0.1209	0.2544	0.4014	2.6889	2.3537	3.6243	3.9668	3.4958	2.0909	1.8004	1.3741	0.3979	1.8641	1.1682	
柳河	彰武	19.6184	民國二九年八月二日	0.1289	0.1300	0.4099	1.5088	1.2727	1.3036	1.7657	2.0996	1.0375	0.8858	1.1195	0.1842	0.1872		
柳河	閙得海	23.0520	民國二八年七月五日	0.0331	0.0313	0.1156	0.7984	1.0217	0.9368	2.1209	1.0459	0.9580	0.4354	0.4955	0.0486	0.6534		

第四節　洪水

東北諸水系之洪水，起於四五月解凍期間者較少，由氣温之上昇，受大降雨之影響者爲多。故泛濫時期多在七月下旬至八月上旬之間，起於六月及九月者爲數甚鮮。

據松花江過去三十年間記録，大洪水凡四次，平均每八年一次，小洪水爲十一次，平均每三年一次。其中以民國二十一年八月之洪水爲最大，被淹面積爲四二〇〇〇平方公里。當時災害所及，以該時物價計算之，達二八 七〇〇萬圓。松花江在哈爾濱上游河身之縱横坡度均甚平坦，故被淹面積乃有如是之巨，而積水無法排除之期達二個半月以上。

遼河上游老哈河、西拉木倫河水患較少，其下游因滙集渾河、太子河、柳河、蒲河等水於平坦地区，而渾、太兩河又爲該水系之多雨地帶，流量洪大，每遇大水泛濫，長春鐵路南段與北寧路所包圍之區域，徧成澤國。據已往三十年間之記録，大泛濫凡三次，平均每十年一次；小泛濫凡九次，平均每三年一次。民國二十四年八月之水災，被淹面積爲二萬平方公里，水患之損失達六 四〇〇萬圓；民國十二年之泛濫，瀋陽附近之洪水高程較二十四年者尚高出約一公尺；光緒十四年之洪水高程，又較民國十二年者高半公尺許，是爲遼河泛濫中之最高記録。

民國二十六年，東北之南部雨量特豐，以致大凌河、小凌河及灤河均行泛濫，損失甚巨，又民國二十七年圖們江水系亦有泛濫，鐵路、公路被害亦巨。

第六章　遼河水系概要

第一節　總説

遼河貫流肥沃平原，爲腹地之第二大河。發源於熱河省七老圖山脈之光頭山，流域涉及遼寧、遼北、吉林、熱河四省八市四十九縣旗，下流注入渤海。其流域面積爲二三四 七二〇平方公里，所經平原爲一一三 二三六平方公里，約當全流域面積之半，其物産之富，甲於東北。

本流域氣候温和，年降雨量：西部爲三〇〇公厘，東部爲一 〇〇〇公厘，平均爲四八〇公厘。沿岸平原土地肥沃，農産豐饒，人口稠密，文化亦高，爲東北著名之産糧地區。惟河源缺少森林，河身之荒廢已久，每遇降雨泛濫成災，禾稼致數年一穫。沿岸曾由民衆自行建設小〔規〕模堤防，但断續不常，所留河道亦狹，無總盤計劃，未能容納所有水量，致時遇潰決，比年以來受害甚巨。

查遼河水系每年水害損失，價格平均約爲三五〇〇萬圓（民國二十二年物價）。倘遇較大洪水，其損失恒逾一億圓以上。民國二十六年八月，遼寧省四部受中常洪水之直接損害爲五 四〇〇萬圓，致鐵路不通者達十數日。災後，時疫流行，居民難安，彼時待救濟之難民約達六〇萬人。南部中心地帶如瀋陽、遼中、海城、台安、盤山、新民等縣，沃野二二 〇〇〇平方公里隨爲一片汪洋，且應付甚鉅，其爲害之鉅非可言喻。

遼河原通航運，昔爲東北之南部交通孔道，船隻往來絡繹不絶，溯營口而上可達鄭家屯。近以河道爲土砂淤積，河底隆起，水深日淺，河身移動，故航行狀況亦漸衰廢。於民國初年，曾由日人由二道橋至夾信子闢長約二十公里之運河，由英人將營口港之一部加以改良，然航路終未能改善。本流域可引水溉田之處頗多，如營口附近之田莊台、瀋陽附近之馬三家子，均經早闢爲稻田。最近有海城之農地開發事業局及遼北省境内東遼河開發事業局，規模頗大，迄今尚未全部竣工。除此以外，散在之稻田隨處亦多。

本水系之太子河及渾河皆發源東部山地，水量豐富，可資發電。太子河在民國三十三年於葠窩雖經着手建設蓄水庫，但因材料不足，未幾而告終止。遼河防洪工程，歷年雖經施工，然頗零散，其規模較大者爲柳河之防砂攔河堤及瀋陽都市防水工程而已。東遼河之蓄水庫於民國二十七年開始興建，意在蓄水溉田，兼充防洪。截至日人投降之時止，尚餘小部工程未經完成。

本流域之工業都市，如瀋陽、鞍山、撫順、本溪湖等

地，工業用水甚多，而撫順與鞍山兩市近因重工業之特殊發達，需用水量尤大，每感水源不足。如不於渾河上游築堤蓄水，則其工業之發展必遭限制也。

自東北淪陷後，敵僞在民國二十二年對遼河水系即行準備調查。於民國二十四年施行正式勘測，於二十六年十二月舉行遼河治水計劃審議會，決定遼河改修計劃大綱。翌年即於柳河之鬧得海着手建壩防砂，兼節洪流並對全水系施行全盤之調查。於三十一年全部完竣，分河道爲二十二段，完成改修計劃説明圖表等二十二副，於三十一年八月公佈，視爲今後遼河改修之準繩。其治河計劃基本方針，爲達成河水暢流並儘量予以利用，以增强航運、灌溉、給水之價值，更以餘力開發水電，不使天然資源稍棄於地也。

第二節 航運

遼河流域雨量較富，流量亦宏，在鐵道未發達之前，幹流自鄭家屯迄營口間，凡九六〇公里，爲東北南部之交通孔道。近年因鐵路、公路等逐漸發展，承運之重要性已被掠奪。加以河道變遷靡定，流砂淤積，水深日淺，灘險現達十七處之多，其運輸之價值已非昔日可比矣。茲將遼河平水時期水深及河面寬度列表於後：

表十二 遼河平水期水深及河寬表

區間	起迄地點	一般水深	淺灘水深	平均河寬	最狹河寬	平均流速
上游	鄭家屯—通江口	〇點八公尺	〇點四—〇點五公尺	七〇公尺	二〇公尺	〇點八公尺／秒
中游	通江口—三叉河	一點〇—一點五公尺	〇點五—〇點六公尺	九〇公尺	四〇公尺	〇點七—〇點八公尺／秒
下游	三叉河—營口	二點五公尺以上	無	二〇〇—一〇〇〇公尺		〇點五—二點〇公尺／秒

遼河船隻航行於上游者，其吃水標準爲〇點五公尺。航行於中游者，自通江口至卡力馬爲〇點七〇公尺，自卡力馬至三叉河爲〇點九〇公尺。航行於下游者，爲二點五公尺。船隻之載重量受吃水限制，由營口而上逐減少，且受水災影響，農産日減，故河運乃至一蹶不振。自民國七年以來，鄭家屯區少有船隻往來。現僅通航至通江口之上游一六公里之孟家窩棚而已。當清光緒年間，船運盛極一時，彼時所有船隻約萬數左右，現已減至不達千隻矣。茲將民國二十七年船隻調查之結果表列如下：

表十三　遼河船隻調查表

類別	船籍						載重	船尺寸		吃水	
	營口	新民	鐵嶺	開原	昌圖	遼源	公噸	長（公尺）	寬（公尺）	空船（公分）	滿載（公分）
手搖船	一五三	六	九	—	三五	一	七—二五	一一—一二	二點五—三點五	三〇—六〇	四五—九〇
槽子	四五九	—	—	—	三	—	一二—四〇	一〇—二〇	二點七—四點四	六〇—七五	九〇—一一〇
撥船	二〇	—	—	—	—	—	五〇—六〇	十七左右	四點三—五點〇	九〇上下	一一〇上下
其他	二七	一	二	一	五	—	七—二五	—	—	—	—

遼河船隻之上行者所載貨物以鹽、葦蓆、白麵、鐵器雜貨爲主，下行者則載運米穀雜糧。在東北未施行糧穀統製政策時，每年由水運抵營口之糧穀約有四九〇〇〇〇公噸。

遼河支流之太子河昔時亦通航運，船隻往來於遼陽、本溪湖城廠間，甚屬頻繁。近因水害及河身不良，遼陽以上除木筏外，船運已絕。渾河水量原本豐富，昔撫順營口間通航頗盛，現以河道爲沙所淤，瀋陽以上已不通航矣。（參閲圖九，東北河道通航區間一覽圖）〔一〕。

第三節　灌溉

遼河流域自遼源而南，沃野千里，大小河流四方來會，水量之宏，在東北境内除松花江外無與比倫。曩者，國人僅知栽植水稻，仰賴天雨，不知引用河水灌溉之利。自日俄战後，日寇侵入東北，乃利用韓人着手開拓水田，而以瀋陽縣三家子至新民境之蒲河沿岸所闢水田面積爲最大。國人受韓人種稻田之刺激，乃漸有僱用韓人自行經營者，但只限於撫順、本溪湖等數處而已。『九·一八』事變後，日寇更藉南滿鐵道公司之調查，擇地開田，不遺餘力。最近數年，更因於食糧不足，及推進向東北移民政策，開發稻田之處乃與日俱增（參閲圖十，東北灌溉水利分佈圖）〔二〕。擇其規模較大者分述如下：

（一）東遼河開發區

東遼河爲遼河水系之一大支流，源出遼北省西安縣

〔一〕〔二〕 底本未收録此圖，故不能查閲。

之東，經赫爾蘇、滴打嘴子，在長春之東乃離山地北行，於三江口入遼河。幹流長爲三三四公里，流域面積爲一〇三一八平方公里，土地肥沃，最適耕種。

本流域内之土地可分山嶽與平原兩部。由河源至滴打嘴子（標高由四〇〇至五〇〇公尺）爲山嶽地帶，其面積爲三〇五九〔平〕方〔公〕里，約當全流域面積百分之三十，滴打嘴子之下爲平原地帶，其面積爲七一六九〔平〕方公里。每遇洪水泛濫之時，存水期間恒經十餘日，被災損失年平均約在二九〇六四七六圓。被災面積約有一一〇〇平方公里。民國二十七年僞滿於滴打嘴子開始建築蓄水庫一座，節制水量，以防水害，利用貯水兼供灌溉給水之需。壩爲土質，高二四點六公尺，長四九八公尺，滿水時水面標高爲二二一公尺，堤頂標高二二三公尺，蓄水庫長爲二五點〇公里，蓄水量爲八點〇億立方公尺，並於沿河下游築堤防水。計自遼北省梨樹縣之二合屯至吉林省伊通縣之赫爾蘇門，共長三一三點七公里。本工程完成後可溉梨樹、雙遼等縣良田七十五萬市畝。所需流量爲七四點五秒立方公尺，所需經費按民國三十一年之預算爲三〇〇〇萬圓。此項工程於去歲八月已完成百分之九十，日人投降後隨告停頓，迄今數月未能復工。爲土壩之安全計，亟宜於本年洪水期前予以完成也。

（二）遼寧省盤山縣土地改良區

本區位於盤山縣之南，北寧路河北支綫之西，土壤含多量之鹹質，尤多未耕地。本計劃擬於田莊上游設機抽水，可溉田一五〇〇〇〇市畝。其程設施，計設抽水機八，其每機口徑爲一三〇〇公厘，由三五〇匹馬力之電動機直接帶動之，抽水高度爲六公尺，每機之汲水量爲三點一二五秒立方公尺，八機共爲二五秒立方公尺。

（三）遼寧省撫順縣前甸區

本區位於瀋陽縣撫順舊城之東，至前甸、章党兩村之間。沿渾河面積爲一一平方公里，平原土厚約三公尺，爲細沙混以粘土，頗適耕種。本工程擬於渾河建攔河滚水壩一座，以石材爲之，高一點五公尺，長二〇〇公尺，貯水溉田，其引水量爲二秒立方公尺。另築幹渠八〇〇〇公尺，所費工程費，按民國二十九年之預算爲三七五〇〇〇圓。

（四）遼寧省海城縣西南區

本區位於海城縣東台等十二村及營口市一帶，灌溉面積爲六六〇〇〇〇市畝。擬設抽水機二十六具，其口徑爲一〇〇〇公厘者一九具，一三〇〇公厘者七具，分

別以二〇〇匹及三三〇匹馬力之電動機帶動之，計總抽水量爲五二秒立方公尺。築幹渠十，總長爲六六點八公里。另築排水渠六，總長爲九七點五公里，排水量爲〇點六一三秒立方公尺。全部工程費，按民國三十二年之預算共爲三四五一七〇〇〇圓。本工程自民國三十二年興工，擬於民國三十七年完成。截至目前止，約已完成百分之四十，但自日人投降後聯絡中斷，迄今未得確報，是否曾受破壞，尚不可知。

（五）遼寧省康平縣土地改良區

本區土地大部爲微鹽基性之潮濕地帶。值遼河泛濫時，洪水溢入本區，隨成湖沼。今擬將積水排除，俾得水田六〇〇〇市畝，旱地一〇三五〇〇市畝。又爲防洪起見，將遼河現有堤防予以補修，並另築新堤阻水泛濫。水田灌溉之用水，則於康平縣三寶村二道河子遼河岸，設機抽水供給之。本計劃改良土地之面積爲九一點〇〇平方公里，築排水幹渠一，長二三點二公里，支綫八，長二七點七公里，引水設備爲口徑八〇〇公厘之抽水機一具，抽水高度爲二點八公尺。幹渠一，長四五公里，支綫一，長三點〇公里。

以上所舉爲開拓面積之較大者，至零星之灌溉區域爲數甚多，茲按本水系各支流流域之灌溉面積表列如後：

表十四　遼河水系灌溉面積總表

流域區分	河流別	已成稻田及計劃稻田面積			備考
		已成（平方公里）	計劃（平方公里）	總計（平方公里）	
遼河水系	幹綫流域	二六九點三八	六二點三九	三三一點七七	
	海城河	〇點四四	—	〇點四四	海城縣西南區四四〇點〇〇平方公里未計在內
	太子河	三五點四〇	—	三五點四〇	
	渾河	一八五點六六	一三點八〇	一九九點四六	
	汎河	二二點三八	—	二二點三八	
	柴河	一三點二〇	—	一三點二〇	
	清河	七五點八二	—	七五點八二	

流域區分	河流別	已成稻田及計劃稻田面積			備考
		已成（平方公里）	計劃（平方公里）	總計（平方公里）	
	亮子河	七點九九	—	七點九九	
	招蘇台河	二一點六一	—	二一點六一	
	東遼河	二二點二一	三點八〇	二六點〇一	東遼河開發局附屬稻田面積三六〇點〇〇平方公里未計在内
	馬連河	一點三七	—	一點三七	
	拉馬河	五點二二	—	五點二二	
	馬朝河	〇點六〇	一點五〇	二點一〇	
	柳河	三點九六	—	三點九六	
	繞陽河	四點三六	—	四點三六	
	東沙河	二點〇六	二點四〇	四點四六	
	湯河	〇點一三	—	〇點一三	
計		六七一點七九	八三點八九	七五五點六八	
總計		一四七一點七九	八三點八九	一五五五點六八	海城与東遼河之稻田面積包括在内

上表所示，遼河水系業經開拓之水田爲六七一點七九平方公里，計劃開拓之水田爲八三點八九平方公里。今後如遼河改修計劃成功，灌用水勿慮，則更可開拓二一〇〇點〇〇平方公里之灌溉面積，對於經濟、民生（供）〔貢〕獻至大。

第四節　水電

本流域可發電之處，計有下列六所。兹將其發電量及蓄水庫之情形列入下表（參閱圖十一，東北水電分佈圖）〔二〕：

〔二〕底本未收録此圖，故不能查閲。

表十五　遼河水系水力資源表

河流	地點	水力來源	平均使用水量 m^3/sec	有效落差（公尺）	平均發電量（kW）	設備容量（kW）	蓄水庫						全流域面積（平方公里）
							壩型	壩高（公尺）	壩長（公尺）	蓄水量（億立方公尺）	蓄水面積（平方公里）	流域面積（平方公里）	
太子河	葠窩	築壩	七八	四五	二九	五一	混凝土重力式	五八點○	五一五	一二點九	七七點○	六一○○	一四○○○
渾河	大(火)〔夥〕房	築壩	四五	二八	一○	二○	同上壩	四三點五	二九○ 一五二○	一七點二	一○四點八	五七○○	一一七○○
渾河	清原	築壩	一二	五四	五	一○	混凝土重力式	七三點○	三八○	二點五	八點五	八五八	—
老哈河	响水廟	築壩	二三	四○	八	一六	混凝土重力式	五三點○	四五○	二二點○	二四五點○	二九八○○	三一五○○
西拉木倫河	海蘇廟	築壩	二○	三六	六	一二	混凝土重力式	四三點○	一六○○	三○點○	一八七點○	二二五○○	二八九○○
渾河	蘭坎少	築壩	二九	四九	一二	二○	混凝土重力式	六六點○	五六八	六點○	二四點○	一九三○	—
計					七○	一二九							

上表所列之水力發電地點，僅葠窩一處曾予詳細調查，民國三十年并經施工，但興工未久即行停止，其所完成者，乃與發電無關之排水路而已。

第五節　水害及柳河工程

(一)水害狀況

遼河水系自遼源以下，爲東北水害最重之區。沿岸人民雖有自動建築堤防者，但断面矮小，缺乏統籌之計劃，故洪水之泛濫終難防止，廣大平原恒成澤國，受害之巨實難言喻。今將其上下游水害情形分述於後：

一、上中游之水害：自河源至巨流河間幹、支流之水害。

本水系上游之老哈河及西拉木倫河荒廢頗甚。每當暴雨驟至，則滔滔濁流順河而下，兩岸爲其浸衝崩潰，致河道之變遷無常。在水源一帶，居民多以牧畜爲業，人口稀少，文化亦低，故受泛濫之害尚小。但自兩河會流後，沿岸之農耕漸繁，人口密度亦大，故其被害程度乃較顯著。其北爲新河上游，洪水分流歸之，因致新河沿岸時有泛災，每歲之損害亦至慘重。

自鄭家屯以下，水害之最重者，以東遼河爲首。沿岸各地均有泛濫遺跡，沃野千里，時成澤國。被淹期間恒達十數日。招蘇台河、清河、柴河、范河等因河道之狀況不同，其洪水爲害之情勢亦異，蓋河入平原之後，坡平流緩，排水不良（參閱圖十二，遼河水系河道坡度圖）〔二〕，尤常泛濫，農田數年而僅一獲。然所幸者爲本區域歷年降雨狀態大致由西南而進向東北，故洪水之增落傾向乃自下游而逐漸上移，上游各支流洪水到達下游時，則下游洪水已遞減矣。倘反是，則水害更不知將增加若干倍也。

二、東部支流之水害：渾河與太子河水害。

渾河與太子河皆發源東部山嶽地帶。其流域爲遼河水系中之多雨地區，二河並流，故水害恒属同時。渾河之泛區在撫順以下，太子河則在長春鐵路以西。渾河支流之蒲河，太子河支流之沙河、立山河、千山河、三里河、海城河等，每受本流水位之影響，宣洩不暢。蒲河流域又爲遼河本流與渾河間所挾之低地，形成兩河之排水區，在洪水時浸水面積常達全區百分之六十，故河流所經之地，多淪爲濕地與澤沼也。

本區域擁有瀋陽、鞍山、遼陽、本溪等都市，爲東北工業及産糧地區。各市雖經築堤防水，仍欠統籌之計劃，故效用殊微。三叉河以下之水患，實爲渾、太兩河洪水所促成，故其防止本區之水害，應由渾、太二河着手也。

〔二〕底本未收録此圖，故不能查閱。

三、西部支流之水害：柳河、繞陽河、東沙河之水害。

柳河源出沙漠地帶，含沙最大，沿岸土地每爲泥沙淤没，河身移動無常，予下游之新民縣城及北寧鐵路以莫大之威脅。據新民縣之調查，較大洪水之週期約六七年，普通洪水則爲每三年一次，被害面積達全縣二分之一至四分之三不等。農田約爲三年一穫，而土地瘠薄，使人民時彷徨於飢饑之途。營口港之淺灘日增，水深日減，均受本河流之影響所致。

繞陽河與東沙河爲双台子河之支流。兩河於中游以下地勢低平，池沼濕地甚多，洪水來襲，廣大區域均成泥海，排水狀况極惡，存水期間約在數個月以上，農産盡毁。

四、中上游之水害：巨流河下游之水害。

遼河水系中累年受災之最烈者，當以南部之平原爲甚，亦即以瀋陽爲中心，沿長春、北寧二路所包圍之三角地帶是也。遼河上游諸支流均屬少雨地區，即遇洪水其下流亦緩。上述地區因之所受災害亦較少。而渾、太兩河爲多雨區，坡陡流速（參閲圖十二）[一]，每遇洪水，則上述地區又受災害。他如柳河之泥沙與繞陽河、東沙河之洪水皆足爲害，每致損失甚大。

上述各區域之洪水，如其中有二三處同時發生，則泛濫之情形益爲嚴重，而以海城縣三叉河、遼、渾、太三大河流會合之處爲最險惡也。

（二）已往洪水

已往洪水素乏記載，僅由少數之間接記録——長老之口傳及洪水痕跡予以推断。兹將已往可考表列如下：

表十六　遼河水系已往洪水記録表

國曆	西曆	上中游部	柳河	中下游部	摘要
光緒一二	一八八六	文獻	—	—	
光緒一四	一八八八	—	—	文獻	少有之大洪水
光緒一五	一八八九	—	—	文獻	開双台子河
光緒二〇	一八九四	文獻	—	—	西拉木倫河决口新開河分流
宣統一	一九〇九	痕跡	—	—	
宣統三	一九一一	—	記録	—	
民國六	一九一七	痕跡	記録	—	東遼河已往之最高水位
民國一〇	一九二一	痕跡	—	—	西拉木倫河漲水
民國一二	一九二三	—	記録	文獻	
民國一三	一九二四	痕跡	記録	—	西遼河漲水
民國一八	一九二九	—	—	文獻	
民國一九	一九三〇	痕跡	記録	—	柳河之已往最大洪水
民國二四	一九三五	—	—	記録	
民國二六	一九三七	—	—	記録	
民國二七	一九三八	記録	記録	—	

[一] 底本未收録此圖，故不能查閲。

上表所舉洪水之較大者，今略述如下：

民國十二年七月之大洪水，瀋陽水深達五點五公尺。南部平原均被淹没。光緒十四年七月之洪水，更高出前者○點五公尺，爲所知之最大洪水。而在光緒十五年，洪水繼至，爲害至烈。在泛濫後，爲排洩集水計，當地人民乃由唐家窩棚附近開一新河，使水西流，俾經盤山入海。新開河道整直寬廣，即爲今日之双台子河是。

民國二十四年之洪水，係由渾、太兩河流域大雨所致。降雨由七月二十七日起至二十九日止，連續三日。二十八日一日間，海城河析木城之降雨量爲一七八點二公厘，太子河之本溪爲一三七點五公厘，渾河之興京爲一二四點二公厘。二十九日，渾河之清原爲一二二點○公厘。兩河洪水到達三叉河後，遂成極大之洪流，泛濫成災。遼河本流之四平街，於二十八日雖降大雨，惟因洪水到達時間不同，其影響尚微。當時瀋陽之水位記録，於七月三十一日水深爲五點六九公尺，堪稱近年來之最大洪水。至八月始行退除。在當時瀋陽市較高街巷亦積水尺餘。長春路以西至繞陽河、東沙河及北寧路以南各地，盡成澤國。其被水面積達三三○○萬市畝。

民國二十六年七月末至九月初間，瀋陽之降雨量達三六○點○公厘，致使八月上旬及下旬發生兩次洪水，被災之區甚廣。八月一日之洪水，渾河、太子河、遼河下游双台子河均行泛濫。而八月五日，渾河、太子河、双台子河各河流域又降大雨。三日之後，三叉河一帶即遭水災。八月下旬，遼河中下游之大雨，促成唐家窩棚之泛濫。本年因雨受水害，中下游各河沿岸田稼多毁，人民受災甚巨，彼時待救之難民達六十餘萬人。

(三)洪水損失

遼河幹、支各流每年受水害之損失不下二五○○萬圓(按民國三十一年物價計)。中級洪水損失可達六○○○萬圓。較大洪水之損失，每超一億圓以上，逐年平均損失額亦在三五○○萬圓。要按現在東北之物價言，當各百倍於上數。又遼河主要支流如渾、太、繞陽、東沙、東遼等河，年平均水害損失額各達三五○○萬圓。

上述損失額如按區以百分率言之，則上中游河流爲百分之二五點九，在巨流河以南之平原，損失額約佔全額之百分之七一點三。今將各水系年平均被害額列表如次：

表十七　遼河水系年平均損失額表

段別	河流名	農產損失		建築及其他損失（圓）	損失總額（圓）	各段之損害（圓）	百分比	摘要
		泛濫面積（平方公里）	損失額（圓）					
水源河流	新河	一九一一點〇〇	三四九一八三	六〇一八七九	九五一〇六二	二五二二三〇五八	七二	
	西遼河	四七四八點一〇	九二五九九五	六四六〇〇一	一五七一九九六			
中上游	東遼河	一五二一點七〇	三〇七四〇八三	二七〇〇〇〇〇	三三四四四八三	七五一四七六六	二一點五	
	招蘇台河	二四六點四〇	三二四六二四	一三〇〇〇	三三七六二四			
	清河	一四一點六〇	一六〇四九〇	—	一六〇四九〇			
	柴河	三點三〇	六六二九	—	六六二九			
	范河	二一點四〇	四三〇一六	—	四三〇一六			
	上中流部	一九一六點八〇	三二八六九二四	三三六〇〇〇	三六二二九二四			上游暨中游上區
東部河流	渾河	二二三三點六〇	二一一七三二七	一一三〇八五六	三二四八一八三	九八三五四三三	二八點一	
	蒲河	一七三八點三〇	二一三六三七一	四四八六二九	二五八五〇〇〇			
	太子河	一二八九點六〇	二四九二九七七	一二六五五七七	三七五八五五四			太子河包括舊太子河、沙河
	海城河	三七點八〇	六九九五七	一七三七三九	二四三六九六			
西部河流	柳河	八二〇點五〇	一五九三八九八	二〇七五四四	一八〇一四四二	六〇四三八二四	一七點三	
	繞陽河、東沙河	一一九八點九〇	三〇九五八九三	五七九〇一九	三六七四九一二			
	双台子河	三八三點六〇	四三五九〇五	一三一五九五	五六七五〇〇			
中下游	中游部下區	一〇五三點九〇	一一〇四一六四	二六六九四二	一三七一一〇六	九〇六四五五四	二五點九	
	下流部	一八一五點〇〇	五〇二二五二七	二六七〇九二一	七六九三四四八			
計		二一九八一點六〇	二六二三九九六三	八七四一七〇二	三四九八一六六五	三四九八一六六五	一〇〇點〇	

（四）柳河閙得海蓄水庫工程

民國二十四及民國二十六年，僞滿受遼河兩次洪水之災害，乃鋭意改善。首由柳河蓄水庫工程着手，以期逐步拡展至全流域之改善工程。

柳河發源於熱河省阜新縣愛力木頭山。北流經黄土地帶，沿岸脈狀地溝之水多注入之。更與庫倫河及養息木河相會，東流一五公里入閙得海山谷，蜿〔延〕〔蜒〕三公里而入平原地帶。東南流由彰武之東入新民境，經新民縣城之西而與遼河相會流，河長凡二五六公里。

本河流域地勢平坦，河身坡度甚緩。而沿河地帶多屬沙漠與黄土質，且無森林保護地表，每遇大雨，則河岸崩潰，土砂乘水而下，其河水平均之含泥量可達百分之二十。

本蓄水庫攔河壩所在地曰閙得海，爲岩盤之溪谷。河岸高約五〇公尺，上部河寬約一四〇公尺，河底寬五〇公尺。上流左岸地形豁然開朗，適爲天然之蓄水庫，故壩之位置尚屬良好。惟地質乃爲古期之安山岩，縫裂甚多。建重力或混凝土壩，其滚水部壩高爲三二公尺，非滚流部壩高爲三八公尺，頂寬爲四公尺，頂長一六五公尺。滚水流部長六二公尺。壩後坡爲一比〇點一，前坡爲一比〇點八，所用混凝土爲六五 六三二立方公尺。

蓄水庫之蓄水面積爲二七平方公里，蓄水量爲一億七千萬立方公尺。倘土砂積至與滚水面同高時，其貯沙量爲一億二千萬立方公尺，此時尚可貯水五千萬立方公尺，對節制洪水尚感充裕。

民國二十七年三月於彰武設土木工程處，着手基本之調查，於民國二十八年開始施工，於民國三十一年八月三日壩工全部告竣。在該年十月下旬乃開始造林防沙。其植樹面積迄今尚無何成果可言。本工程所用工程費爲二六七一 二二三圓。

第六節　給水

遼河流域諸城市現有給水設備者，已達二十七處。其中，給水之源取之於地下水者，凡十五處；淺井者，一處；潛流水者，七處；直接取用河水者，四處。兹將諸市取用水量及水源列爲下表（參閲圖二十一）〔一〕：

〔一〕底本未收録此圖，故不能查閲。

表十八　遼河流域諸市給水量一覽表

給水城市	取水區別	取水量 噸/日	水源名	備考
鞍山市	潛流水	五〇〇〇〇	千山河	
鐵嶺市	潛流水	二〇〇〇〇	柴河	
本溪湖市	潛流水	五四〇〇	太子河	
四平市	潛流水	四四〇〇	小紅咀河	
熊岳城	潛流水	五〇〇	熊岳城河	
蓋平	潛流水	二〇〇	蓋平河	
金縣	潛流水	二五〇〇	北大河	
撫順市	河水	三五〇〇	渾河	
營口市	河水	一二三〇〇	遼河	
旅順市	河水	一〇〇〇〇	大河	
大連市	河水	四二〇〇〇	貯水庫	

第七節　港埠

遼河流域之港埠，除旅順、大連因無資料詳情不獲外，僞滿經營之港，尚有營口、四道溝、鹽廠、長治四處。就中營口港之開設已久，爲遼河之河口商業港，其外三港均爲漁港，且建設不久，（模規）〔規模〕尚小。今將其設備與建設費表列如下：

表十九　遼河水系漁港一覽表

港名	設備	建設費	計劃捕魚利益	備考
四道溝	卸貨場、拖船場	一五〇〇〇〇〇圓	一〇〇〇〇〇〇〇圓	未竣工
鹽場	防波堤、卸物場	五〇〇〇〇〇圓	五〇〇〇〇〇〇圓	同
長治	同	四〇〇〇〇〇圓	五〇〇〇〇〇〇圓	同

營口港之建設，遠在西曆一八二七年，爲東北之主要交通港。惟因位於遼河之河口，歷年淤砂爲患，阻礙輪船出入，且受大連港之威脅，故漸趨不振（參閱圖十三，營口港平面圖）〔一〕。

營口港位東經一二〇度一四分，北緯四〇度四十分，爲遼河口内之河港。因遼河幹、支各流含砂過多，河道曲折，河水混濁，在西曆十九世紀之末，船隻往來即感困難。而河口處之沙洲，日漸發達，海洋輪船亦难出入，故於民國三年由國際協力对營口港計劃改修，成立遼河工程局。以牛莊海關道爲督辦，於上下游分設兩工程局，由日人、

〔一〕底本未收録此圖，故不能查閲。

英人分任其事。下游工程局所担任之工程爲切斷兩叉道，築順水堤，以東流，并用挖泥船浚(渫)〔洩〕水道，增加河口水深。同時於鴨島頭部施護岸工程，以免浸蝕。原計劃之順水堤爲東西平行之二堤，兩側同時興工，但因石料之供給不繼，且兩叉道既經切斷，故僅將東順水堤延長，即可無須更築西堤矣。此項工程於民國二十一年末竣工，堤長一一六五〇公尺，所投入之石料已達五四三〇〇〇立方公尺。

至民國十六年，更以每小時挖泥五〇〇立方公尺之挖泥船(營福号)從事疏浚，兼之順水堤内水力之自然衝刷，效果亦宏。至民國十一年，水深已達十二公尺，約較原有水深增加一倍矣。

鴨島頭部之護岸工程，於民國七年開工，加緊完工。其後并時加修補，以防浸蝕。

上游工程局所担任之工程，爲由双台子河二道橋子起至遼河夾信子止，長二二點五公里之運河工程，并於二道橋子設閘調節流入遼河及双台子河之流量。

以上工程雖經完成，但實際效能未達預計之美滿。『九・一八』事變後，上游工程局僅任二道橋子水閘及新開河道之維持事務。下游工程局則僅維持東順水堤工程。在民國二十二年，其疏浚工程完全停止，水深已減至九英尺。後經工程局會商，將全部港務交由僞滿政府辦理。其間所用之工程費及事務、人事費，共計爲九〇七二三八八圓。

敵僞接收後，由交通部在營口設營口航政局。局内設工程科担任施工，而工程計劃則由臨時之遼河工程技術委員會任之。至民國二十六年七月一日，改航政局爲航務局，其職掌爲養護及改良遼河幹、支流在該區域内之航路、港灣等事宜。

航務局成立後，至民國三十二年間，所實施之工程略爲下列：

(甲)上游工程：

一、双台子河二道橋至遼河夾信子間疏浚工程。

二、二道橋水門、閘門、攔河堤之養護及補修工程。

(乙)下游工程：

一、東順水堤補修工程。

二、河口疏浚工程。

三、西炮台迴水建設工程。

四、鴨島迴水養護工程。

五、牛家屯護岸工程。

六、河北迴水建設工程。

七、永遠角護岸工程。

八、碎冰工程。

九、東順流堤延長工程。

營口港在民國二十年之貿易額達一九六〇五四

九八〇圓，僅次於大連。民國二十二年已減至七九〇三五六六七圓，逐漸不振。惟爲東北今後貿易計，該港之價值甚大，今後亟宜予以整修拡展。且該港之地位，遠在遼河口内，不受海浪之害，其所以未如理想者，即爲河口之沙洲及冬季之結冰而已。故本港今後之改修計劃，應注意於河口沙洲之疏浚與碎冰之設備也。

第八節　遼河水系改修計劃

遼河流經南部平原，流域面積達全東北面積百分之十七，沃野千里，概屬精華地區。惜其幹、支河道皆淪於原始狀態，不爲民利，反災害頻仍。損失情形業於前節言之。民國二十二年，僞滿政府在『國土計劃』及『産業拓張』之口號下，乃籌劃本水系之調查事宜。自民國二十四年起，以七年之時日，不惜巨資從事勘測，迄民國三十一年全部調查竣事，并擬具遼河改修計劃，視爲今後治遼之準繩（參閲圖十四，遼河治水計劃圖）〔一〕。兹將其計劃概要分述如次：

（一）遼河水系資料

流域面積：　二一三四七二〇平方公里。

幹流長：　一三四五公里。

主要支流長合計：　三七〇〇公里。

流域内平均年降雨量：　一一三六億立方公尺。

流域内平均年降雨强度：　三〇〇至一〇〇〇公厘，平均爲四八〇公厘。

全流域平均年流出量：　一六〇億立方公尺。

流域内人口：　一五〇〇萬人。

水系内所涉省份：　遼寧、遼北、吉林、興安、熱河、安東。

水系内工業城市：　瀋陽、鞍山、遼陽、本溪湖、撫順。

水系内重要城市：　開原、四平街、公主嶺、鐵嶺。

水系内重要海港：　營口。

流域内雨量：　概以六月至九月爲雨季，餘爲乾燥期。雨期之降雨量，約爲全年百分之七十五，七、八兩月間之雨量，約達全年降雨量百分之五十五。由於降雨量分佈之不均，洪水每起於八月前後，而乾燥期内，即流域内之較大河道亦呈乾旱狀態。河源草木之滋生不良，土質疏鬆，河水含砂因之亦大，致河身性質惡化，增加泛濫之傾向。

〔一〕底本未收録此圖，故不能查閲。

(二)河段之劃分

爲便於計劃計，將幹、支各河道之區段劃分如次：

一、老哈河： 由河源至蘇家堡(遼河幹流最上游)。

二、西拉木倫河： 由河源至與老哈河合流處(海流吐)。

三、西遼河： 由蘇家堡至鄭家屯(遼河幹流)。

四、新河： 由蘇家堡至鄭家屯(遼河幹流之分支)。

五、遼河幹流上區： 遼河幹流自鄭家屯至前新攻。

六、遼河幹流中區上段： 遼河幹流由前新攻至巨流河。

七、遼河幹流中區下段： 由巨流河至唐家窩棚。

八、双台子河： 遼河幹流自唐家窩棚至河口。

九、東遼河： 由河源至與遼河幹流合流處。

一〇、招蘇台河： 同。

一一、清(清)〔河〕： 同。

一二、柴河： 同。

一三、范河： 同。

一四、渾河： 由河源經北大溝，過新改河道至唐家窩棚，與遼河幹流會流處。

一五、蒲河： 由河源過新河道至遼河本流會流處。

一六、太子河： 由水源經小北河至北蒲河之新河道，經現渾河下游而至三叉河。

一七、舊太子河： 由小北河至三叉河之現太子河道。

一八、沙河： 由水源至新太子河會流處。

一九、海城河： 由河源至現太子河會流處。

二〇、遼河幹流下區： 由三叉河至營口。

二一、柳河： 由水源經新河道至遼河幹流會流處。

二二、繞陽河與東沙河： 繞陽河由河源經改正河道會東沙河，東沙河由河源過杜家台至河口。

(三)計劃要點

依據遼河水系特性，擬定治遼計劃方針如下：

一、上游： 防砂保土。

二、中游： 築壩蓄水，調節流量，廣闢水利。

三、下游： 築堤制水，預防泛濫，闢分水路，便水暢流。

四、渾河： 闢南部運河，以便航運。

茲就上述方針，將其計劃要點伸述如下：

一、上游之防砂保土

遼河西部諸支流，爲西拉木倫河、老哈河、柳河、繞陽河、東沙河，所經各地均爲沙漠或黃土地帶。計劃於河源設防沙堰及地溝，防止土砂入河。山坡植林，並施沙漠防止林、護岸林等工程，控制土砂下流，以減河水之含砂量。

二、中游築堰工程

計劃於老哈河、東遼河、清河、柴河、范河、柳河、渾河、太子河之中游，擇可設堰之地，築壩十處（渾、太兩河各二處，參閱圖十四）〔一〕，用節洪水。藉闢水利改良河身，與下游計劃之堤防工程相爲表裏。闢耕地，開水田，便利航運，兼謀工業用水之無慮，並以餘力建設水力發電，用充工業之動力。

三、下游堤防工程

中游築堰制水之結果，洪水流量當有顯著之減少（參閱表二十一）。於其下游河道平坦之地，凡遭泛濫之區，沿河築堤，以防洪水之漫溢。

惟現時之河道蜿曲頗甚，欲求甚整直，則需費至巨，故河堤之基綫，擬順水勢包容曲折，除必要者外，不予改正。本計劃所用之堤防断面，須參照河道之狀况與流量之多寡，分爲四種（詳見圖十五）〔二〕。至堤内積水則設涵洞、地溝以宣洩之。凡河岸易於出險之處，更施護岸工程，予以保護。

四、下游分水工程

下游之分水工程以三叉河爲中心，使會流該處之洪水分別宣洩入海。其計劃爲：

（甲）由唐家窩棚附近，將双台子河拡充之，導遼河幹流洪水，使經盤山取捷道入渤海。

（乙）利用渾河與遼河幹流洪水到達時間之不同，由黄土坎闢新河道，導渾河之水於唐家窩棚上游入遼河，並使蒲河與渾河之水分流，南注於遼河。

（丙）由小北河起闢新河道，導太子河水經三叉河達營口入渤海。

五、南部運河

上述之分水工程，使太子河下游小北河以南之舊太子河與上游所來之洪水絶緣，所餘者僅爲其支流所排之洪水而已，倘施以簡單之低水工程，即可維持航運及所需之必要水量，下游與遼河左岸之洩水道相接連以達營口。此項計劃將於第九節中詳爲述之。

六、河水之控制

遼河水系因四季雨量之不均，致流量高下懸殊，其洪水流量雖大，而枯水流量則微。是以每受大水之害而不獲低水之利。故計劃於水系之主要支流築水庫十處，用以儲水，除節制洪流外，兼獲灌溉、給水及水力之利。兹將其蓄水庫之計劃與節制機能示如下表（表二十與二十一）：

〔一〕〔二〕底本未收録此圖，故不能查閲。

表二十　遼河水系各蓄水庫計劃概況表

河流	蓄水庫	集水面積（km²）	壩高（自河底起）（m）	壩頂長（m）	總容積（億m³）	調節洪水用之容積（億m³）	利用之容積（億m³）	積砂用之容積（億m³）	洪水期水位標高（m）	計劃水位標高（m）	滿水時面積（km²）	滿水時流長（km）
老哈河	石門子（混凝土壩）	二九八〇五點八	二一點五	一一九點五	六點六	三點〇	〇點七	二點九	四一七點七	四二一點二	九九點四	四一點〇
東遼河	滴打嘴子（土壩）	三七九四點三	二四點八	四九八點〇	八點二	一點七	五點八	〇點七	二一九點六	二二一點二	一〇八點〇	二五點四
清河	東石人溝（同上）	二一四四點八	二八點三	九〇八點〇	二點三	一點一	一點一	〇點一	一四六點三	一五一	三六八	一五點七
柴河	太平寨（同上）	一一四九點四	三〇點八	三四〇點〇	三點二	二點六	一點二	〇點二	一一八點六	一二六點二	二八點四	一六六
范河	張家樓子（同上）	八五一點三	二四點一	四四〇點〇	一點九	一點五	〇點三	〇點一	八三四	九二點七	二三點〇	九一點〇
柳河	鬧得海（混凝土壩）	四六四〇點〇	三二點〇	一六五點〇	一點七	〇點五	—	一點二	一八八點〇	一八八點〇	二六點〇	二一點〇
渾河	古樓（土壩）	二〇三七點六	四四點八	八〇〇點〇	四點二	〇點五	〇點八	〇點二	一五二點二	一七二點四	二二點五	二七點八
渾河	大（火）〔夥〕房（同上）	三五二五點四	二九點〇	一二七點〇	四點三	三點一	二點九	〇點三	一一三點八	二六點六	四三點五	二〇點〇
太子河	葠窩（混凝土壩）	六二三二點〇	五二點四	五七〇點〇	一三點一	六四	六點二	〇點五	九八點〇	一〇八點〇	七六點〇	一二九點五
太子河	湯河沿（同上）	一三三四點〇	三九點四	四六五點〇	四四	□□〔一〕	一點一	〇點三	九二八	一〇五點五	三三點八	一六點五

〔一〕底本此處字迹不清，無法辨認。

河流	蓄水庫	月平均有效流入水量（億 m^3）	利用水總量（億 m^3）	利用率（%）	備考
老哈河	石門子（混凝土壩）	七點六	六點〇	七九點〇	
東遼河	滴打嘴子（土壩）	一〇點六	九點四	八九點〇	工程已完成90%
清河	東石人溝（同上）	六一	四點一	六七點〇	
柴河	太平寨（同上）	四一	二七	六六點〇	
范河	張家楼子（同上）	五點一	二點三	四五點〇	
柳河	鬧得海（混凝土壩）	四點三	〇點五	一二點〇	
渾河	古樓（土壩）	（九點一）	（五點二）	（五七點〇）	爲大（火）〔夥〕房補助池其利用率計入大（火）〔夥〕房内
	大（火）〔夥〕房（同上）	二〇點一	一五三	七六點〇	
太子河	葠窩（混凝土壩）	二八點二	一八五	六六點〇	中途停工
	湯河沿（同上）	三點九	三點〇	七七點〇	

表二十一　遼河水系各蓄水庫之洪水節制機能表

河流名	蓄水庫地點	設壩堰處			會流處			會流地點
		最大洪水流量 m^3/sec	節制後之流量 m^3/sec	比率%	最大洪水流量 m^3/sec	節制後之流量 m^3/sec	比率%	
老哈河	石門子	三五〇〇	—	—	三五〇〇	一五五〇	四四點三	蘇家堡
東遼河	滴打嘴子	三〇〇〇	一〇二五	三四點二	五〇〇〇	三〇五〇	六一點〇	枯榆樹
清河	東石人溝	一七六〇	六五〇	三六點九	三八〇〇	二九〇〇	七六點三	開原
柴河	太平寨	二一〇〇	一八〇	八點六	二四〇〇	六八〇	二八點三	鐵嶺
范河	張家楼子	一九〇〇	四六〇	二四點二	二一〇〇	七六〇	三六點一	大范河
柳河	鬧得海	三五〇〇	一八六〇	五三點一	五〇〇〇	三五〇〇	七〇點〇	新民

河流名	蓄水庫地點	設壩堰處			會流處			會流地點
		最大洪水流量 m^3/sec	節制後之流量 m^3/sec	比率%	最大洪水流量 m^3/sec	節制後之流量 m^3/sec	比率%	
渾河	古樓大（火）（夥）房	八〇〇〇	三〇〇〇	三七點五	一〇三〇〇	七〇〇〇	六八點〇	黃土坎
太子河	葠窩湯河沿	一〇〇〇〇 四〇〇〇	二三〇〇 二〇〇	二三點〇 五點〇	一二五〇〇	五五〇〇	四四點〇	三叉河
計	一〇處	三七七六〇	九六七五	二五點六	四四六〇〇	二四九四〇	五五點九	八處

由前表可知，十處蓄水庫之集水面積合計爲五五五〇〇平方公里，適當全流域面積之四分之一，但建壩地點之最大洪水流量，總計爲三七七六〇秒立方公尺。建蓄水庫後之流量爲九六七五秒立方公尺，即減低至四分之一矣。按遼河水系全流域之平均年流出量約爲一六〇億立方公尺，而蓄水庫之年平均流入量已爲九〇億立方公尺，是蓄水庫之機能是以調節其流出量之二分之一。蓄水庫之容積，雖仍不能容納所有之洪水量，但其利用率平均可達百分之七十，由蓄水庫確能收到之可用水量年平均當有六十二億立方公尺。此項水量擬以左列之計劃使用之：

（甲）灌溉用水： 於泛濫區内計劃以荒地爲主，熟地爲從，開闢水田二千八百五十平方公里。平均使用水量爲四一〇點四秒立方公尺，其中有四五點〇秒立方公尺之水量將由運河排出。灌溉期間大致由五月上旬至八月下旬之間，凡一一〇日。其灌溉面積及用水量略如下表：

河流名	蓄水庫	灌溉面積（平方公里）	灌溉用水 m^3/sec
西遼河	石門子	二〇點〇	三〇點〇
新河	石門子	一五〇	二二點一
東遼河	滴打嘴子	五點〇〇	七四點五
遼河	東石八溝 太平寨 張家樓子	四七〇	六九點三
柳河	鬧得海	三〇	四五
渾河	大（火）（夥）房	三四〇	五〇點八
蒲河	大（火）（夥）房	三六〇	五四點二
太子河	葠窩湯河沿	四五〇	六〇點〇
遼河下游	運河水再使用	三五〇	四五點〇
計		二八五〇	四一〇點四

（乙）工業及家用水：根據目前城市給水之使用量，預測將來四平等八市之給水量，約爲二九點三秒立方公尺（月量爲二五二萬噸，運河排出之水在內）。略如下表：

河流名	東遼河	柴河	渾河	渾河	太子河	太子河	太子河	遼河下游部	計
蓄水庫	滴打嘴子	太平寨	大（火）〔夥〕房	大（火）〔夥〕房	葠窩	葠窩	葠窩	運河水再使用	
都市名	四平	鐵嶺	撫順	瀋陽	本溪湖	遼陽	鞍山	營口	
用水量 m^3/sec	二點三	二點〇	三點〇	七點〇	二點〇	三點〇	七點〇	三點〇	二九點三

（丙）運河用水：南部運河之用水量爲五五點〇秒立方公尺（詳見第九節），其供給期間係由四月上旬至十一月下旬，凡二四四日，故全年平均用水量約爲三七點〇秒立方公尺。其用水量之分配約如下表：

河流名	渾河	太子河	太子河	遼河下游	計	摘要
蓄水庫	大（火）〔夥〕房	葠窩	葠窩	運河用水再使用	—	
運河名	瀋陽運河	鞍山運河	太子河運河	洩水路運河	—	
用水量 m^3/sec	五點〇	五點〇	四五點〇	（二點〇）	五五點〇	括弧示運河用水再使用

（丁）平時放水量：爲維持河道經常之水位及防止地下水面下落計，於冬季枯水時節，由各蓄水庫分別放水，以緩維繫。其放水量共爲二八點〇秒立方公尺，約如下表，全年平均放水量爲一四點〇秒立方公尺。

河流名	老哈河	東遼河	清河	柴河	范河	渾河	太子河	太子河	計
蓄水庫	石門子	滴打嘴子	東石人溝	太平寨	張家樓子	大（火）〔夥〕房	葠窩	湯河沿	
放水量 m^3/sec	四點〇	四點〇至一〇點〇	二點〇	二點〇	四點〇	二點〇	二點〇	二點〇	二八點〇

(戊)水力發電：利用築壩後水位之落差，必要時可供發電之用。此項計劃與用水量業於第四節中言之。

以上五項，需用之水量共爲四四二點七秒立方公尺。

七、工程費預算

本計劃所要之工程費預算，共爲七億一千七百六十萬圓（按民國三十一年東北物價預算）。其分配情形約如下表：

表二十二　遼河治水計劃各河流所需工程費表

河流名	工程費（萬圓）	河流名	工程費（萬圓）	河流名	工程費（萬圓）	河流名	工程費（萬圓）
一、老哈河	二九〇〇	七、双台子河	三〇〇〇	十三、蒲河	三四一〇	十九、海城河	一〇〇〇
二、西拉木倫河	一五〇〇	八、東遼河	三七五〇	十四、渾河	八九五〇	二十、遼河下區	二九六〇
三、西遼河	四八〇〇	九、招蘇台河	一四〇〇	十五、渾河改正河道	一七二〇	二十一、柳河	一三〇〇
四、新河	二八五〇	十、清河	二一〇〇	十六、太子河	九九六〇	二十二、繞陽河及東沙河	三六〇〇
五、遼河上區之中區上段	七六〇〇	十一、柴河	八八〇	十七、舊太子河	一一四〇		
六、遼河中區下段	四八九〇	十二、范河	一二五〇	十八、沙河	八〇〇	計	七一七六〇（萬圓）

表二十三　遼河治水計劃各項工程所需費用表

工程種類	工程費（萬圓）	施行河流計劃河段劃分號別	河道數	摘要
防砂工程	三六三〇	(1)(2)(21)(22)	四	
築壩工程	一九一二五	(1)(8)(10)(11)(12)(13)(14)(16)(27)	八	(10)處中（土壩六處 混凝土十四處〔一〕）
築堤工程	四五六四五	(2)(10)以外各河道	二十	築堤延長三五八二點一公里
河道改正工程	二四九〇	(15)(16)	二	
洩水路工程	八七〇	(20)	一	

〔一〕此處似有誤。

八、各河段之施工計劃概略

老哈河：　本河道除於上游施設防砂工程外，並於中游石門子處築壩儲水，調節有無。故本流域之洪水量可減至無害之程度。因無沿岸築堤之必要，惟爲控制西拉木倫河之洪水計，乃於兩河之會流處海流吐下游至蘇家堡間，建築堤防，阻水泛濫。石門子築堰後，對於西遼河及新河沿岸之灌溉用水，可保無虞。

西拉木倫河：　沿河源及全河道施以防砂工程，以免沉砂入河而影響下游之河道。地居偏野，無需堤防，惟沿岸一四一〇公里間植護岸林，以防泥沙，兼防洪害。

西遼河：　全河道擬均施築堤防，左岸堤長二五七點九公里，右岸堤長二五九點二公里，共長五一七點一公里。更於新河分流點蘇家堡處，設分水堰以調節洪水之分流。教連河與本河之會流點爲劉家窩棚，擬於通遼上游瓦房附近最近西遼河之處，鑿開長四五公里之新河，使與本河相會流。

新河：　新河西北之爾齊木耳河及保倫勾婁河，往昔似與新河會流，現爲砂丘所阻，已成潛河狀態。擬於將來闢掘水路，仍使其與新河相會，所擬定之烏爾齊木耳河會流點至下游鄭家屯間，施行堤防，兩岸共長三六六公里。

遼河幹流上區：　本段由鄭家屯至前新坟間，長共一四一點六公里，擬沿兩岸築堤以防泛濫。

遼河幹流中區上段：　本段由前新坟至巨流河間，長共九七點〇公里，擬沿河岸築堤。

遼河幹流中區下段：　本段由巨流河至唐家窩棚，河長九八點八公里，擬沿河築堤，兩岸共長二〇〇點八公里。另設分流工程於後長林子及唐家窩棚，將蒲河及渾河之水導入本段。

双台子河：　本河道爲遼河之放水路，故兩岸須設堅固之堤防。其右岸河堤使興改修後之繞陽河、東沙河左岸河堤相銜接，左岸河堤則築至盤山以下十五公里爲止。

東遼河：　於滴打嘴子設堰儲水，除節制洪水及下游灌溉外，兼供四平市工業給水之用。并擬由長春鐵道東（則）〔側〕十公里處起至與遼河會流處止，修筑堤防，兩岸堤長共爲三一三點七公里。

招蘇台河：　本河道流經平原，無可設堰之處，擬於四洮路橋至與遼河會流處止，全部築堤，兩岸堤長共爲一三五點五公里。

清河：　擬於清河上游東石人溝築堰，節制洪水，而利灌溉。并由開原北寇河會流點以下，兩岸築堤，兩岸堤長共爲六一點三公里。

柴河：　擬於遼河會流點上游四〇公里之太平寨築堰蓄水，節制洪水，兼充灌溉及家庭與工業給水之用。築堰後可無洪水，故兩岸無築堤之必要。

范河：　擬於遼河會流點上游二五點四公里之張家樓子築堰蓄水，節制洪流而利灌溉。下游河道因設堰結

果，雖可不設堤防，但受遼河之迴水影響，須於長春路西下游一段一二公里間，兩岸築堤，共長一七點八公里。

渾河：　擬於瀋陽東約六十公里之大(火)〔夥〕房及其支流蘇子河之古樓兩處設堰，蓄水節制洪流，除供灌溉及工業用水外，並使運河用水供應無虞。　自北大溝下游開鑿新河，導流入遼，并由瀋陽以下全部築堤預防泛濫。

蒲河：　本河道與渾河道平行，流經黄土坎下之新河道，與遼河會流。　兩岸自北寧路以下均施堤防，用阻洪水泛濫。　渾河舊道在北大溝附近，最近遼河，且其河流形勢暨地形等亦甚宜予以改正。　復察渾、遼兩河流域不同，兩河之供水時間亦不一致，故於北大溝至唐家窩棚間開鑿新河，將渾河洪水盡排入遼，俾便從速下洩。　而在平水時期，則利用水閘仍使其歸入渾河下游舊道。

太子河：　擬於遼陽東之葠窩及湯河沿兩處築堰儲水，用以防洪，兼供灌溉、工業、運河之用水。　並可利用築壩之落差開發水電，再於北大溝闢新河道，導洪入渾河舊道，以便宣洩。　僅於平水時期利用水閘，使仍由舊太子河道下流，以利航運。

舊太子河：　上項所述計劃，可使太子河之洪水對本河道之威脅全部掃除，以充南部運河路綫之用。　又爲防止立山河至三叉河間所滙集各支流之供水起見，則修補舊有河堤，以固堤防。

沙河：　擬由長春鐵路至與太子河會流點全部築堤，兩岸堤長共爲七二點八公里。　惟會流處河形不良，且受太子河迴水影響甚巨，故將河口予以改正，使水流暢達。

海城河：　長春鐵道至河口全部築堤，兩岸堤長五四五公里。　其南有八里河，不僅河道狹小，且下流之河身不定，適足爲濕地造成之原因，故擬由東柳公屯附近開河，導八里河子水入本河。

遼河幹流下區：　由於中區下段所施分流工程之結果，本河道可能之洪水來源則僅爲太子河水系，因之處理較易。　擬於三叉河至營口四九公里間，沿岸築堤，長共一〇二點四公里。　再者，營口附近之河道曲折特甚，且地鄰都市，截灣築堤均感困難，且本區與營口港之建設有密切之關係，其整理計劃應與營口港計劃並行，方屬上策。　目前僅擬於沿岸設壁式防水堤，而於小馬溜至三家子間(營口附近)闢洩水道，宣洩窪地積水且兼運河之用。

柳河：　計劃於上游設防沙工程，制沙入河。　中流於鬧得海設堰(已竣工)止沙，兼節洪水。　由河口上溯三八點六公里至大汗屯，兩岸築堤，共長七五點八公里，以防泛濫。　再者，柳河注入遼河處，河底甚高，會流角度亦不甚當，故需加以整理，便水暢流。

繞陽河與東沙河：　擬於河源施防沙工程控制土砂。自北寧路以下全部築堤，防止洪水外溢。　繞陽河之下游河道過小，坡度亦緩，兼受双台子河之迴水影響，洪水下流甚感困難，故擬於後賈家窩棚附近闢新河道，導之入東

沙河。東沙河支流之沙河則擬順應地勢，使與黑魚溝水系相會，直入渤海。

第九節　南部運河

南部運河爲聯絡營口、鞍山、瀋陽三市運河之總稱，共長二一九公里（參閱圖十六）〔二〕。民國二十四年開始計劃，至二十九年完成。治遼計劃完成後，運河用水自可確保無虞。其終未能開始施工者，一因本運河完成後，可與日人之南滿鐵路相競争，致遭滿鐵之坚强反对；復因日僞自民國二十九年後受戰事所迫，無暇經營。但本運河之建設对於今後東北經濟之發展關係頗大，極宜促其早日實現也。本計劃實現後，一則由營口入港貨物可以低廉之水運，經運河直達至南滿工業重心之鞍山、撫順、瀋陽一帶；並可促進營口港及沿運河一帶都市之發展與農業及工鑛事業之勃興。今將其計劃概要略述如下：

南部運河長共爲二一九公里。計：

鞍山——唐馬寨——營口間　一一七公里

唐馬寨——瀋陽間　一〇二公里

瀋陽——唐馬寨——營口間　一九五公里

鞍山——唐馬寨間　二四公里

本運河計劃可通行六〇〇噸之運河船及一般民船。貨物輸送能力，鞍山——營口及瀋陽——營口間，年額約爲五〇〇萬噸。

（一）運河計劃

一、鞍山——營口間之運河——鞍山至唐馬寨間長二四公里，擬開鑿新河，以通兩地。由唐馬寨至小馬溜間，長爲五十五公里，擬利用現在太子河道而略加浚（渫）〔洩〕或改修小馬溜至營口間，長爲三十八公里，則利用治遼計劃中所設之洩水道經通河口。

二、瀋陽——營口間運河——瀋陽至唐馬寨間，長爲一〇二公里。將開鑿新河於北大溝，闢長二公里之新河，用以溝通渾、太兩河。唐馬寨至小北河間長四十公里，由現太子河道改修充之。唐馬寨至營口間，則由前段所述，仍爲鞍山營口間之運河綫也。運河之總長如下：

新開河道　八六公里

太子河道　九五公里

遼河下游水道　三八公里

合計　二一九公里

三、運河断面：計劃運河之底寬爲二十公尺，水面寬三〇公尺，兩岸边坡爲一比二點五，水深二點五公尺，沿河施護岸工程，至淺水道之水面寬度爲三〇至一〇〇

〔二〕底本未收録此圖，故不能查閲。

公尺，低水位时之水深爲二點五公尺。

四、船閘：沿運河所設之船閘凡十一處〔一〕。計鞍山與唐馬寨間者四，小馬溜一，三家子一，瀋陽北大溝間者五，北大溝小北河間者一。鞍山唐馬寨及瀋陽北大溝間之船閘共九處，其閘室之有效長爲八十五公尺，寬爲十二公尺，閘程爲四點五公尺，採斜接式之閘扉。小馬溜三家子及北大溝至小北河間之船閘共三處，閘室之有效長爲七十五公尺，寬爲十二公尺，採昇降式之閘扉，但小馬溜及三家子水閘，因落差較大，則各設兩級式之船閘。

五、除以上之設備外，於唐馬寨及北大溝二處各設安全閘一處，□□□〔二〕二百瓦照明用電灯一隻及電报電話綫等，以便昼夜通行。

（二）運河用水

一、鞍山、唐馬寨間運河之用水，則取給水太子河上游鵝房附近之取水工程，計可引用之水量爲五秒立方公尺。小馬溜至三家子間，則由太子河之水維持航運，計爲二秒立方公尺。至利用現太子河之航路一段，按已往四年間之低水位將其浚渫，可使通航無阻。其維持通航所必要之水量，則爲五五秒立方公尺，將由太子河葠窩蓄水庫及葠窩以下之兩岸所排水量供應之。

二、瀋陽北大溝間運河之用水，爲五秒立方公尺，則由渾河之大（火）〔夥〕房蓄水庫供應之。

（三）工程費

南部運河工程所需之全部經費如下（民國二十九年之預算）：

工程費	二〇三三一〇〇〇圓
購地費	一一四〇〇〇〇圓
測地費	二一九〇〇〇〇圓
機械費	二五〇〇〇〇〇圓
其　他	二〇〇〇〇〇〇圓
合　計	二六一九〇〇〇〇圓

〔一〕此處似有誤，據後文應爲『十二處』。
〔二〕底本此處字迹不清，無法辨認。

第七章　北部水系概要

第一節　總説

北部水系所包括之範圍，爲北緯四十四度以北之六省八十縣之區域，人口約達八五九七四八八人。其河流幹綫爲嫩江、第二松花江、松花江本流、黑龍江、額爾克納河及烏蘇里江等六大幹流。注入此六大幹流之大小支流約達二百以上，流域之内資源豊富，可資開發之處甚多。

本水系所包括之總耕地面積達五四 〇〇〇平方公里，已經開闢者約在五二〇〇〇平方公里。年平均産糧穀總量約爲六〇〇萬公噸。内中由水運向外輸出者在哈爾濱上游流域爲三二〇〇〇公噸，下游爲四一四 〇〇〇公噸。

北部山林多爲原始林，蘊藏木材之量頗巨，全部森林之總面積爲四四六二七〇平方公里，爲東北北部農、林、礦三大産業之一。

各河水量宏富，均有通航之利。黑龍江由哈爾濱可達漠河，松花江由哈爾濱可達同江，第二松花江由哈爾濱可達吉林，嫩江由哈爾濱可達齊齊哈爾，烏蘇里江由哈爾濱可達虎林，故北部水運以哈爾濱爲中心，四通八達，占東北交通界之重要地位。惟因氣候較寒，每年通航期間不過二百日耳。

松花江及黑龍江流量甚大，據已往之調查，知能引水發電之處有二十二所。其中已經利用者僅二處，倘將來全部予以利用，實足電化全東北也。

北部各地居民，原以耕種旱地爲主，自日人侵入後，施其移民政策，耕種稻田，結果頗爲良好。惟松花江、黑龍江及烏蘇里江三河包圍地域，以齊齊哈爾以下、吉林以北地帶，因河流坡度過緩，每易泛濫，積水爲災。爲防洪得策，將此等濕地全部予以開拓，則所得良田當不在少數。故本河之防洪事業爲本區經濟建設上最重要事業之一。

第二節　航運

北部河道可通航者，均屬於黑龍江水系，即黑龍江幹流、額爾克納河、烏蘇里江、松花江、嫩江、呼蘭河、第二松花江及牡丹江等（參閱圖九）〔一〕。今就各河航道分別述之：

〔一〕底本未收録此圖，故不能查閲。

一、松花江

松花江發源於白頭山之天池，流經狹隘之山谷，北流與二道、輝法、拉法等河相會，經吉林之東北而向西北流，於法拉哈邊門附近，更會飲馬、伊通兩河之水，至伯都訥再北流與嫩江相會。嫩江會流與以上之松花江稱爲第二松花江。再東北流，會拉林、呼蘭、螞蟻、牡丹、湯旺各河之水，在同江北六公里處而入黑龍江，流長約達一九二七公里。今分述於後：

（一）河源至吉林——五九九公里。

本區間爲山嶽地，河寬不定，水流頗急（參閲圖十七，松花江水系河道坡度圖）〔二〕，不僅大小淺灘分散各處，而水深亦衹在二英尺左右，故不適於江輪通行，僅於本區下游通行民用之平底小船而已。

（二）吉林至嫩江合流點——三九二公里。

吉林以下松花江流入平原，河道亦逐漸展開，至第二松花江鐵橋附近，河寬在高水時達一公里以上，低水時亦可有三〇〇至三五〇公尺。至其下游則更形擴大，於伯都訥附近高水時可達一公里，沙丘淺灘之處頗多；平水時淺水深僅二點五英尺，但江輪至吉林之航行無阻。

（三）嫩江會流點至哈爾濱——三四五公里。

本區河道所經爲廣大平原與草地，河底爲泥沙質，河身直曲不定，在哈爾濱之河寬，平水時爲一公里以上，低水時爲五〇〇公尺以下。於哈爾濱江橋下游，河寬爲六五〇公尺，平時水深由四英尺至八英尺，其淺灘處水深乃爲三英尺至四英尺，江輪之航行可以無阻。以往松花江在哈爾濱以上並無航路標識，自民國二十二年至二十三年六月，由伯都訥止，哈爾濱江橋間已全部佈設竣事。

（四）哈爾濱至河口——六九五公里。

本區河道水流較緩，河身曲折，河道中多有沙丘，河寬爲三二〇公尺至四五〇公尺，下游寬至八五〇公尺以上。水深由七英尺至十四英尺不等，最深處可達三〇英尺，而淺灘處水深僅爲二英尺至四英尺。本區河中均設有航行標識，江輪通行頗爲安全。

本區在哈爾濱下游三一五公里至三四二公里間之三姓上流，有長二七公里之淺灘，河底爲岩石所成，平均水深由四英尺至六英尺，低水時最淺處僅一點五英尺至二英尺。日僞对此歷年曾以設法改善，但迄今尚未竣事。其所施行之工程，詳示於圖十八（三姓淺灘平面圖）〔三〕中。

松花江於吉林附近接吉、長路，於松花江驛接長春路，於哈爾濱接長春與拉賓兩路。以上三地，爲航路上之主要航路站，貨物運轉爲量衆多，而尤以哈爾濱爲首位，且哈爾濱至同江間爲北部主要產糧區，故運輸業務之發

〔二〕〔三〕底本未收録此圖，故不能查閲。

展前途實不可限量。

二、嫩江

嫩江發源於伊勒呼里山之南麓，下會甘河而向西南流。至齊齊哈爾更向東南流，流經長達一一七〇公里。兹分區述之於后：

（一）發源地至墨爾根——四八五公里。

本區河道流貫伊勒呼里山脈及小興安嶺支脈之山谷，下流其河寬及流域逐漸拡大。墨爾根附近水深爲五英尺至六英尺，高水時可達一二英尺至一四英尺。河底岩石頗多，水流甚急，全區不能通航，僅有木筏順流而下。

（二）墨爾根至齊齊哈爾——二三〇公里。

本區水流較緩，河寬約一五〇公尺至四二〇公尺，無淺灘，高水時全區均可通航，惟迄今尚未能廣泛利用，僅有少數舟楫作局部之航運而已。

（三）齊齊哈爾至第二松花江會流點——四三五公里。

本區河寬爲三八〇公尺至九〇〇公尺，最大水深達三〇英尺，淺灘處平時爲四英尺至六英尺，低水時約在二英尺以下。全已均可通航。嫩江河道在江橋與洮昂路相交，在富拉爾基與長春路相交，故亦有集散本流域内物資之功效。

三、松花江主要支流

（一）牡丹江

牡丹江長四七五公里，發源於長白山之北側，東北流入鏡泊湖，再出湖北流而入松花江。河寬在寧古塔處約爲一五〇公尺，江口爲七二〇公尺。平水時水深於寧古塔附近爲三英尺至五英尺，最深部達一〇英尺。

牡丹江之流速甚急，河底尤多岩石，通行水筏，船運頗感困難。

（二）呼蘭河

呼蘭河發源於佛倫山嶺之南側。南流在哈爾濱下游二三公里處入松花江。河長約爲三七五公里，河底爲沙質。河寬在上流鐵山包附近達三〇公尺至三五公尺，於呼蘭附近約爲一〇〇公尺。由呼蘭至河口之間，當低水時爲一二五公尺至一六〇公尺。河口至呼蘭間可通行吃水三英尺至三點五英尺之江輪。

四、額爾克納河

額爾克納河上游支流爲海拉爾河。海拉爾河發源於大興安嶺之西南。初向西流，於哈巴卡屯（譯名）附近轉向東北流，稱爲額爾克納河。河長由哈巴卡屯以下爲八

五〇公里，由根河會流點以下河寬爲十五公尺，水深由四英尺至三〇英尺。河底爲沙泥質。更下，過烏瑪河口，河寬由二〇〇公尺至三〇〇公尺，水深由四英尺至二〇英尺。河底多有岩石暗礁。

額爾克納河自哈巴卡屯以下舟楫可往來無阻。民國七年，哈爾濱之江輪（名山號）曾由河口上行二一二公里。

五、黑龍江

黑龍江爲西路卡河與額爾克納河會流後之河道。由額爾克納河口下長一八六五公里，爲中、蘇之國境河流。初向東流，過興安嶺之森林地帶後，轉向東南。至呼瑪河會流點附近，興安嶺更迫近河岸。至大黑河附近，山脈標高漸低，且去岸亦遠。北方乃爲平坦地帶，過捕鴉河口後，兩山夾峙，與河道並行。待至烏蘇里江江口處，河幅乃大形開展，兩岸成草原地帶。

本河道全區均可通航，河寬甚不一致，最狹處僅二五〇公尺，最寬者常超二公里以上。水深最小者爲三英尺，最深者可達數十英尺。黑龍江之重要航行區間，爲同江至漠河之一五五六公里間。

六、烏蘇里江

烏蘇里江之上游爲寬一〇〇公尺至二〇〇公尺之亂流，至與發源於興凱湖之松阿察河之水相會後，河寬漸拡，水流甚緩，爲絶好之航路。

烏蘇里江雖可上航至興凱湖，但主要航路在同江至虎林之五九六公里間。其重要碼頭爲海青鎮、饒河、團山子三處，惟規模均小。

七、通航期間

北部河流之春季水量，視上游冬季所降雪之多寡而異。一般在解冰時水量頗大，由六月下旬以至七月間水量即感不足。至夏季雨期時，水量乃行激增，時有泛濫之虞。又自九月下旬至終航期水位最低，通航逐感困難。

北部河流航運概受結冰之限制，每年在十月中旬開始流冰，十一月中旬乃行封河，至翌年四月中旬後河冰始解。松花江之結冰時期每年約在陰曆十月中旬、小雪前一兩日開始，至翌年清明節後數日方解。

哈爾濱之通航期間，據以往紀録，最短爲二一一日，最長爲二四〇日，平均約二三〇日，但結冰及解冰前後之一個月，因有流冰之危險，亦不能通航，故航行期間約爲二〇〇日至二一〇日左右。

八、航運沿革

北部航運，始於西曆一六五九年（即清順治十五年）。由吉林起，順松花江入黑龍江，而以璦琿爲中心，負國境警備任務。至一八四四年帝俄組黑龍江遠征隊，一八五

五年有遠征隊江輪五隻航入江面。至一八九七年，爲運輸中東路之建設材料，江輪始航行於松花江，自伯力至哈爾濱之間。一九〇二年中東路鋪設完竣後，其運搬材料船隻乃編爲中東商船隊，由中東附帶經營。一九〇五年中俄兩國対松花江航運構結條約，松花江之航政權乃全爲蘇聯所有。一九一七年當蘇聯革命，黑龍江流域之政權不安，松花江之蘇聯江輪管制紛亂。一九一八年，我黑龍江省督軍鮑貴卿欲乘勢收回航權，以資本二百萬圓組織戊通公司，有汽船二九隻，拖船（或曳行船）二〇隻，開始經營。但受蘇聯之商權所限，營業終於不振。一九二四年，我爲保全國權計，禁止松花江之外船通航，而蘇聯乃以一九〇五年之條約爲口實，致惹起紛争。一九二六年，我國以武力將中東江輪全部封鎖，其商船隊之江輪及哈爾濱江南碼頭均（與）〔予〕没收，改組爲東北海軍江運處。同年將營業不振之戊（適）〔通〕公司改爲官營，設立東北航務局，江運處所屬船隻指由該局承管，但營業仍無開展。一九三一年，由官方組織航業聯合局，提高運費，復遭下游商民之反對，於八月乃行解散。一九三二年，東北『九·一八』事變後，日寇駐哈第十師團爲與我方抗日救國軍作戰，全江所有船隻均被徵用，於作战後乃組織臨時松花江水運委員會，由日駐哈之陸、海軍及其官民之首腦者組成，其目的在於運輸其軍用物資，統制民船。一九三二年，由南滿鐵路公司在哈成立哈爾濱水運個所，經營統制敵僞之官有船隻。一九三四年，其水運個所改稱爲鐵路總局哈爾濱江運局，担任官有船之合并運用及碼頭造船所之經營事宜。以至光復，至航路之整理改修，乃由僞滿交通部哈爾濱航務局任之。

九、碼頭暨造船所

（一）碼頭

僞滿鐵道總局受僞滿交通部之委讓，經營僞滿之水運事業。哈爾濱江運局所經營之碼頭爲：哈爾濱之碼頭六處，松花江江岸碼頭五處，黑龍江江岸碼頭一處。此外，於松花江之上下游及黑龍江岸，尚有多處之國營特殊公司及民營之碼頭。

（二）造船所

哈爾濱造船所原稱東北造船所，係在一九二八年由東北船務局之修船課所改設者。每年撥給之經費甚巨，其内部設備乃由舊東鐵之江輪部與東北造船所圈兒河工廠所有設備合并而成，專事江輪之修理改裝與製造新船、江用砲艦及旋葉船等。其工廠用地約二十萬平方公尺，公廠面積有四千平方公尺，更附有天然船塢，可容納一〇〇隻之客貨用船。現在可建載重三百公噸之軍艦、一千公噸之江輪及二千公噸之拖船等。

第三節　灌漑

北部諸水系流域内之灌漑計劃，以松江省之防水土地開發事業爲最大。計共改良土地爲一二七〇一四陌，折合二〇五五二一〇市畝，以飲馬河、成吉思汗、景星縣等土地開發改良事業次之，餘皆散在各地。參閲圖十〔二〕可知梗概。茲分述之：

一、松江省防水土地開發計劃

（一）總説

松花江流域之洪水，每三數年必有一度。爲防禦此項洪水計，除對各河流加以防洪之施設外，爲謀人民生活安定計，对防洪施設地域内之未耕地加以開發，闢爲稻田。本計劃在民國二十九年即經着手，同年在僞濱江省成立防水開發事業局。翌年開始準備調查，預計在民國三十八年全部竣工。但因近年來人力、資材均感不足，故未能如預期之進度。

本計劃所包括之區域，爲濱、阿城、五常、双城、蘭西、青崗、巴彦、延壽、珠河、葦河、郭後旗、肇〔洲〕〔州〕及哈爾濱市等十一縣一旗一市。未耕地爲一四九一五六陌（每陌合十五市畝）。改良耕地爲二〇三五一七陌，共計三五二六七三陌。完成後，可有五三五村落，九四三户，二二〇〇〇〇人直接享得水利之惠。其分佈情形見松江省防水土地開發計劃平面圖（圖十九）〔三〕。

本計劃所需費用，總計爲一六〇〇〇萬圓（民國二十九年預算），除由僞政府國庫、受益地主及土地收入負担大部外，餘由該省發行公債充之。

（二）防洪計劃

松花江横貫松江全省，其支流之呼蘭河、拉林河、阿什河、螞蟻河等。沿岸土地肥沃，農産豊富，只以洪水爲災，每年平均損失可達一千數百萬圓。在民國二十一年及二十三年所受之損失，尤爲近來所未有。本計劃爲達成治水與利水目的，擬實施下列各工程：

甲、築堤工程

築堤工程散在各地，總長爲一一三六公里。

乙、排水工程

對每一河道之本支流均聯貫築堤，其堤内存積水量沿堤每隔五公里至七公里即設一排水門，導水外流入河。

〔二〕〔三〕底本未收録此圖，故不能查閲。

丙、附帶工程

於呼蘭河、拉林河、螞蟻河、阿什河等之彎曲較甚之處，施以截灣取直工程，利水下流，共長爲一一〇公里。

爲節制洪水泛濫，並期在枯水時引水灌田計，暫計劃建四個蓄水庫，隨工程之進展，更於他處着手建設之。

（三）土地改良計劃

施行改良之土地，可分爲日人開拓用地、農地造成用地、未利用地等三種。此等土地均施以灌溉暨排水工程，計已耕地二三 五四四陌，未耕地一 一三 四七〇陌，共爲一三七〇 一四陌，對於事業有關土地均備價收購。

在防洪區内未利用地共爲一四九 〇〇〇陌，其中百分之二十爲池沼，不堪利用，故可改良者爲一 一三 四七〇陌。其已改良土地可分爲下列三種：

稻田　八四 三〇〇陌

旱田　二三 五六九陌

牧場　二九 一四五陌

已耕地中之一部旱田亦擬闢爲稻田。全部稻田之灌溉用水量，在各河流之有效流量範圍内計劃之，其不足之水量，則由蓄水庫儲水供給。

（四）人工與物資

本事業之完成，共需二〇〇〇萬圓，動員該省之人民担任之。

本工程以土工爲主，其所需材料概取給於當地。而主要受統制之鋼料五二六噸，木料九 一四〇立方公尺，洋灰五 三二三公噸，則另行籌購。

（五）工程費之籌劃

本事業所需之工程費，由下列四種辦法籌措之：

一、防水利民公債（省地方公債）：　三五 〇〇〇 〇〇〇圓

二、國庫補助費：　二一 三七二 一三七圓

三、受益者負担費：　九九 〇一四 九一七圓

四、利息及雜收入：　四 六一二 九四六圓

計一六〇 〇〇〇 〇〇〇圓

防水利民公債在僞濱江省内募集之，其利率爲年息五厘，五年後開始抽籤償還，十五年内全部償清。其債券種類分爲：五十圓、百圓、千圓及一萬圓者四種。信用保証由政府任之，償還財源由受益者負担及出賣土地所得之地額充之。

（六）本工程現在進行狀況

本工程自民國三十一年着手施工以來，其所施行之工程及防洪改良之土地面積如下表所列：

表二十四　松江省防水土地開發工程一覽表

縣名	已完工程			受惠田地(陌)		
	築堤(公里)	排水門(座)	疏水道(公里)	已耕地	未耕地	計
哈爾濱	六三			五七九	六九八	一二七七
哈爾濱	四五				一四〇〇	一四〇〇
阿城	七四			二〇〇〇	七〇六六	九〇六六
阿城	四八				四〇〇	四〇〇
五常	七七	一	〇點九		二五一二	二五一二
葦河	一〇〇				一二五〇	一二五〇
米蘭	七〇			三〇〇	一〇〇	四〇〇
郭後旗	四五〇	二	一	八二六七	四〇七	八六七四
計	九二七	三	〇點九	一一一四六	一三八三三	二四九七九

表二十五　松江省改良土地一覽表

縣名	改良土地(陌)			
	水田	旱田	牧場	計
哈爾濱		五七〇		五七〇
木蘭	七〇〇	三〇〇	四〇〇	一四〇〇
蘭西		三〇〇〇	一二〇〇	四二〇〇
計	七〇〇	三八七〇	一六〇〇	六一七〇

二、吉林省飲馬河沿岸土地改良區

本區位於吉林省九台、德惠兩縣之間，由第二松花江支流之飲馬河上游石頭口門起，至下游與伊通河會流點附近止，成一狹長地域。

本工程之目的，在防禦洪泛、排洩積水並引水灌田，將已耕田加以改良，未耕地加以開墾，以增加土地之效能。

計劃於飲馬河支流之岔路河與本流石頭口門二處建二蓄水庫，前者可節制洪水下流，後者於節制洪水外，更可引用水庫儲水灌溉稻田。今列舉其工程内容如下：

(一)稻田面積：　二〇〇〇〇陌。

(二)用水量：　每陌計劃爲〇點〇〇二二秒立方公尺，全部用水量爲五〇秒立方公尺。

(三)石頭口門蓄水庫：　流域面積爲四二五九平方公里，蓄水庫蓄水面積滿水時爲七點二平方公里。攔河壩爲混凝土重力式，長四五六公尺，高二八公尺，壩頂寬四公尺。

(四)岔路河蓄水庫：　流域面積爲九二三平方公里，蓄水庫蓄水面積滿水時爲八二平方公里。攔河壩爲混凝土重力式，長六六二公尺，高三七公尺，壩頂寬爲三公尺。

(五)引水及放水設備：　石頭口門蓄水庫之放水門，

高三公尺，寬六公尺，引水時用其一，放水時用其十四，排水能力爲八〇〇秒立方公尺。岔路河蓄水庫之放水塔高三三公尺，半圓形，徑三公尺，排水能力爲五〇秒立方公尺。

（六）工程費：三六一三〇〇〇〇圓。

三、興安省成吉思汗地方土地開發區

本區位於雅魯河與長春路之間，長約爲二十三公里，爲布爾哈齊、成吉思汗、努克圖管界，南端以成吉思汗壘之舊址接嫩江省境。

本區之施工目標專在灌溉。於民國三十一年着手築堤，計長爲二一公里，由堤之北端起於二〇公里及二五公里兩處，在雅魯河之本流設攔河滾水壩，提高水位，以便取水，更於各壩上游穿河岸開引水渠及引水閘，以資引水入田。另設洩水口及洩水道，以便放水入河。本區可灌溉稻田一〇〇〇陌。其工程内容如下：

（一）稻田面積：上游四〇〇陌，下游六〇〇陌，共一〇〇〇陌。

（二）用水量：上游爲三點三四秒立方公尺，下游爲五點〇一秒立方公尺。

（三）取水設備：上游之攔河滾水壩高一點二公尺，長五五點〇公尺，下游之攔河滾水壩高一點三公尺，長一四一公尺。兩壩皆以壘木填石爲之。引水渠之上游，頂寬爲九點九公尺，底寬爲四點五公尺，水深爲一公尺，長四〇〇公尺。下游頂寬九點六公尺，底寬四點五公尺，水深爲一點一公尺，長七點一〇公尺。引水閘皆爲鋼筋混凝土建築，其上游者門寬一點四公尺，高一點二公尺，爲昇降式，共七扇。其下游者，寬一點四公尺，高一點一公尺，亦爲昇降式，共三扇。

（四）洩水設備：洩水道頂寬九點〇公尺，底寬二點五公尺，水深一點二公尺，長七七〇公尺。

四、嫩江省景星縣頭站區

本區位於雅魯河右岸長春路土爾池哈車站南約六〇公里處，擬沿雅魯河岸築堤。設攔河壩，提高水位，並建引水路，導水入哈達罕河，於該河更建一攔河壩而引水灌田，可闢稻田一二〇〇陌。其工程内容如下：

（一）攔河壩：雅魯河之攔河壩長六四點〇公尺，高一點七公尺，寬五公尺。哈達罕河之攔河壩長一八點〇公尺，高一點〇公尺，寬六公尺。

（二）引水路：由雅魯河取水口至哈達罕河間之引水路，長爲七八三二公尺，於距取水口五三〇公尺處建鋼筋混凝土節制水門，以之分水至景星地區，又在哈達罕河左岸建水閘，防止洪水倒流，更於右岸設水門，以之調節水量。

（三）灌溉面積：頭站區九〇〇陌，景星區三〇〇

陌，共爲一二〇〇陌。

（四）使用水量： 每陌計劃水量爲〇點〇〇三秒立方公尺，全部用水量爲三點六秒立方公尺。

（五）工程費： 三六四 七一〇圓。

五、嫩江省泰來縣五廟子貴家窩棚區

本區在嫩江省泰來縣五廟子村，去四洮路五廟子站八公里，北西至綽爾河支流綽勒河，東至五廟子村，南接花家崗堡屯。

本區之東、南、北三部爲旱田，西部綽勒河沿岸一帶概屬平原，大部均爲濕地與荒野。由西而東，地面漸高，爲造成稻田計，乃於綽勒河下流五〇公里之貴家窩棚附近，築攔河滚水壩一座，更於其下游小黄河會流點另築一攔河壩。以上二壩均安裝引水設備，其引水量爲四點六一秒立方公尺。上壩長三一點〇公尺，底寬二一點〇公尺； 下壩長二二點〇公尺，底寬與上壩同。本區之灌溉面積爲八〇〇陌，工程費共爲四四三 〇七〇圓。

六、散在之水田區

除以上五處較大之灌溉區外，尚有散在於各地者：計池沼地三處，烏蘇里江一〇三處，松花江五〇七處，嫩江一一〇處，牡丹江一三一處，第二松花江三一〇處。其水田面積如下（表二十六）：

表二十六 北部水系灌溉面積表

水系	河流	水田面積			備考
		已成(陌)	計劃(陌)	計(陌)	
烏蘇里江	本流	三七五	—	三七五	每陌折合十五市畝
烏蘇里江	撓力河	一九七七	一五〇	二一二七	
烏蘇里江	穆棱河	一四五五四	二四〇〇	一六九五四	
烏蘇里江	小穆棱河	三九	—	三九	
烏蘇里江	興開湖河	六九	—	六九	
烏蘇里江	計	一七〇一四	二五五〇	一九五六四	
松花江	本流	七二〇六	一八二〇	九〇二六	每陌合一五市畝

水系	河流	水田面積			備考
		已成(陌)	計劃(陌)	計(陌)	
松花江	阿陵達河	三八七	五〇三	八九〇	
松花江	花爾市河	一〇一二	二〇〇	一二一一	
松花江	格節河	二〇〇	一〇〇	三〇〇	
松花江	八浪河	八四五	一八五五	二七〇〇	
松花江	小古洞河	二一五	三八五	六〇〇	
松花江	大古洞河	二七〇	二三〇	五〇〇	
松花江	西北河	四一〇	一六〇	五七〇	
松花江	大蘿勒密河	四一〇	五二〇	九三〇	
松花江	大通河	三六一	七七〇	一一三一	
松花江	岔林河	一三一四	二〇〇	一五一四	
松花江	大河	一九五	二四一	四三六	
松花江	濃濃河	九七〇	七〇四	一六七二	
松花江	白水河	九〇二	〇	九〇二	
松花江	木蘭大河	三六三二	一四〇	三七七二	
松花江	沙陵河	一三八六	一七三	一五五九	
松花江	蜚克圖河	八三四	〇	八三四	
計		二〇五四八	八〇〇一	二八五四九	
嫩江	本流	三四五	二九〇	六三五	
嫩江	沐納河	〇	五五〇	五五〇	
嫩江	門臚河	〇	七〇	七〇	
計		三四五	九一〇	一二五五	

水系	河流	水田面積 已成(陌)	水田面積 計劃(陌)	水田面積 計(陌)	備考
獨立沼澤	獨立沼澤	一四	七六	九〇	
計		一四	七六	九〇	
都魯河	本流	七七	四〇〇	四七七	
計		七七	四〇〇	四七七	
梧桐河	本流	三五〇	六〇〇	九五〇	
梧桐河	鶴立河	五二〇	八〇〇	一三二〇	
計		八七〇	一四〇〇	二二七〇	
湯旺河	本流	三六〇	九五〇	一三一〇	
湯旺河	西南义河	一〇	一五〇	一六〇	
湯旺河	朱拉必拉河	一〇	一〇〇	一一〇	
計		三八〇	一二〇〇	一五八〇	
倭肯河	本流	五七一一	一三〇〇	七〇一一	
倭肯河	蘇木河	四五八〇	三七五	四九五五	
倭肯河	八虎力河	二三〇九	二四七〇	四七七九	
倭肯河	七虎力河	二〇二〇	二五〇	二二七〇	
倭肯河	吉興河	四七七	〇	四七七	
倭肯河	老樹河	三八五	〇	三八五	
倭肯河	大碾子河	一六一	〇	一六一	
倭肯河	大五站河	九七	〇	九七	
倭肯河	大茄子河	一七五	二〇〇	三七五	
計		一五九一五	四五九五	二〇五一〇	

水系	河流	水田面積			備考
		已成(陌)	計劃(陌)	計(陌)	
牡丹江	本流	六一一四	二四一一	八五二五	
牡丹江	勃力河	一〇九九	四五〇	一五四九	
牡丹江	烏斯渾河	一四七〇	〇	一四七〇	
牡丹江	五道河子河	三六〇	〇	三六〇	
牡丹江	四道河子河	一七〇	〇	一七〇	
牡丹江	三道河子河	一二〇	〇	一二〇	
牡丹江	二道河子河	一〇五	〇	一〇五	
牡丹江	五河林河	六四八	三三一	九七七	
牡丹江	勃勒裸河	二八〇	〇	二八〇	
牡丹江	海浪河	四三九三	一一一二	五六〇五	
牡丹江	石河	一五九	三〇〇	四五九	
牡丹江	寧古河	二六四〇	二三〇	二八七〇	
牡丹江	哈嗎河	一一八四	一五三五	二七一九	
牡丹江	馬蓮河	一三四二	四〇〇	一七四二	
牡丹江	□[一]因河	二六	一五〇	一七六	
牡丹江	如意河	九〇	二〇〇	二九〇	
牡丹江	爾站河	七四	三〇	一〇四	
牡丹江	塔拉河	三〇	五五〇	五八〇	
牡丹江	都陵河	二九七	一二〇〇	一四九七	

[一] 底本此處字迹不清，無法辨認。

水系	河流	水田面積 已成(陌)	水田面積 計劃(陌)	水田面積 計(陌)	備考
牡丹江	珠爾多河	四五〇	〇	四五〇	
牡丹江	榆樹溝	七八	三〇〇	三七八	
牡丹江	黑石河	一八〇	五七〇	七五〇	
牡丹江	黃泥河	二八二	〇	二八二	
牡丹江	沙河	二五四	六三〇	八八四	
牡丹江	威虎河	二〇〇	〇	二〇〇	
牡丹江	小龍爪溝	一〇一	〇	一〇一	
計		二一一四六	一〇四九九	三一六四五	
螞蟻河	本流	三二八四	一五八八	五二九七	
螞蟻河	大黃泥河	三五七	〇	三五七	
螞蟻河	石頭河	一一〇二	四〇〇	一五〇二	
螞蟻河	東亮珠河	二七二一	一七〇四	四四二五	
螞蟻河	太平河	七〇	〇	七〇	
螞蟻河	東柳樹河	一七三	〇	一七三	
螞蟻河	烏吉密河	四四〇	〇	四四〇	
螞蟻河	黃泥河	四一二	四一三	八二五	
螞蟻河	大亮子河	一二五七	〇	一二五七	
螞蟻河	西柳樹河	六三二	〇	六三二	
螞蟻河	葦沙河	六二	四〇〇	四六二	
計		一一〇一〇	四五〇五	一五五一五	

水系	河流	水田面積			備考
		已成(陌)	計劃(陌)	計(陌)	
呼蘭河	本流	四八六	四一八五	四六七一	
呼蘭河	泥河	四五	五〇	九五	
呼蘭河	克音河	二六二	一二六	三八八	
呼蘭河	諾敏河	二六六二	三八六三	六五二五	
呼蘭河	格木克河	二五	〇	二五	
呼蘭河	墨爾根河	三三二	一二六	四五八	
呼蘭河	欧根河	一八四〇	七七〇	二六一〇	
呼蘭河	拉林河	四一七	四七六	八九三	
呼蘭河	安(拜)〔邦〕河	七八〇	九四一	一七二一	
呼蘭河	依吉密河	三七	二六三	三三〇	
呼蘭河	小呼蘭河	九八	二四二	三四〇	
呼蘭河	通肯河	一六一五	七四一	二三五八	
呼蘭河	海倫河	五二	三三	八五	
呼蘭河	扎克河	四一九	二〇七	六二六	
呼蘭河	七道溝	四〇	八二	一二二	
計		九一一〇	一二一〇七	二一二一七	
阿什河	本流	三七三〇	二五〇八	六二三八	
計		三七三〇	二五〇八	六二三八	
拉林河	本流	七四八一	一三八五	八八六六	
拉林河	大泥河	一七〇八	一一二〇	二八二八	

水系	河流	水田面積			備考
		已成(陌)	計劃(陌)	計(陌)	
拉林河	沖河	七七二	七八〇	一五五二	
拉林河	溪浪河	七六二九	九一八	八五四七	
計		一七五九〇	四二〇三	二一七九三	
第二松花江	本流	一一九一六	三四〇	一二二五六	
第二松花江	鰲龍河	一七八〇	〇	一七八〇	
第二松花江	拉法河	四六七八	六九九	五三七七	
第二松花江	漂河	四四	〇	四四	
第二松花江	木箕河	四二八	三〇〇	七二八	
第二松花江	色洛河	二三三	〇	二三三	
第二松花江	金沙河	二三四四	三〇〇	二六四四	
第二松花江	頭道江	七七	三〇	一〇七	
第二松花江	那爾轟河	二六	一四四	一七〇	
第二松花江	珠子河	五九	四六一	五二〇	
第二松花江	漏河	一〇五	二五	一三〇	
第二松花江	頭道花園河	〇	四五〇	四五〇	
第二松花江	二道花園河	〇	五〇	五〇	
第二松花江	湯河	二三	〇	二三	
第二松花江	輝發河	四八四一	六二七	五四六八	
第二松花江	呼蘭河	一四二五	二〇〇	一六二五	
第二松花江	朱箕河	一五七〇	〇	一五七〇	

水系	河流	水田面積 已成(陌)	水田面積 計劃(陌)	水田面積 計(陌)	備考
第二松花江	蛟河	一八六三	二七〇	二一三三	
第二松花江	蛤蟆河	一〇一二	一三〇	一一四二	
第二松花江	三通河	八四三八	六六六二	一五一〇〇	
第二松花江	响水河	二九	一五〇	一七九	
第二松花江	涼水河	一〇四	二九六	四〇〇	
第二松花江	柳河	五九七七	五五〇	六五二七	
第二松花江	沙河	八三五	〇	八三五	
第二松花江	伊通河	六〇〇七	六一二二	一二一二九	
第二松花江	二道江	二四三	三四六	五八九	
第二松花江	古洞河	三八八	一七一六	二一〇四	
第二松花江	大沙河	一七〇	六九	二三九	
第二松花江	富爾河	三五	八三〇	八六五	
第二松花江	三道口河	〇	八〇	八〇	
第二松花江	四道口河	六〇	二二〇	二八〇	
第二松花江	飲馬河	六一四一	一五九	六三〇〇	
第二松花江	烏海河	三四九	〇	三四九	
第二松花江	岔路河	四五二一	九七	四六一八	
第二松花江	雙陽河	一四七二	〇	一四七二	
第二松花江	伊通河	三二二九	〇	三二二九	
第二松花江	新開河	三一四	〇	三一四	

水系	河流	水田面積 已成(陌)	水田面積 計劃(陌)	水田面積 計(陌)	備考
計		七〇七三六	二一三二三	九二〇五九	
洮兒河	本流	一四三五	七七〇	二二〇五	
洮兒河	歸流河	二五五	一八〇	四三五	
計		一六九〇	九五〇	二六四〇	
綽爾河	本流	一〇五八	一二八四	二三四二	
綽爾河	呼爾達河	六九〇	二四六〇	三一五〇	
計		一七四八	三七四四	五四九二	
雅魯河	本流	四二五〇	三一〇〇	七三五〇	
雅魯河	烏拉痕河	三〇	〇	三〇	
雅魯河	齊沁河	五五六	四四七	一〇〇三	
雅魯河	麒麟河	九七	一九〇	二八七	
雅魯河	滲沁河	二四	二六	五〇	
計		四九五七	三七六三	八七二〇	
呼裕爾河	本流	一二八五	一六九五	二九八〇	
呼裕爾河	鷄走河	二五	三七五	四〇〇	
呼裕爾河	柳毛溝河	〇	三〇〇	三〇〇	
計		一三一〇	二三七〇	三六八〇	
音河	本流	一〇一	三九九	五〇〇	
計		一〇一	三九九	五〇〇	
阿倫河	本流	七八二	二〇三〇	二八一二	

水系	河流	水田面積 已成(陌)	計劃(陌)	計(陌)	備考
計		七八二	二〇三〇	二八一二	
諾敏河	本流	一六	三四	五〇	
諾敏河	西諾敏河	一〇〇	六九〇〇	七〇〇〇	
計		一一六	六九三四	七〇五〇	
訥謨爾河	本流	二一九	二五一五	二七三四	
訥謨爾河	老萊河	三〇〇	六七八	九七八	
訥謨爾河	南陽河	五七	〇	五七	
訥謨爾河	五大連池河	二〇一	二六八	四六九	
訥謨爾河	温察拉河	〇	二〇〇	二〇〇	
計		七七七	三六六一	四四三八	
總計		一八三九五二	九五五七八	二七九五三〇	

第四節　水電

本區河道流量洪富，其可蓄水發電之地點，據已往之調查爲二二處（參閱圖十一）〔一〕，總計發電力爲二四八三〇〇〇瓩，内除第二松花江之大豐滿與鏡泊湖兩處業經建設完竣外，其他尚未能實行調查或着手設計。今將大豐滿及鏡泊湖二水力發電所略述於下：

一、吉林豐滿水力發電所

第二松花江發源於長白山之天池，下會若干支流，流過高山峻嶺之間，約經五〇〇公里而達吉林。經廣大平原又北行五〇〇公里，乃與松花江本流相會。在吉林以上流域雨量豐富，又爲森林地區，人烟稀少，沿河兩岸山

〔一〕底本未收録此圖，故不能查閱。

谷頗多，故能建庫儲水發電之處甚多，豐滿水電廠即其一也。

（一）計劃概要

豐滿水力發電所在吉林松花江上游二□[一]公里處，建重力式混凝土攔河壩，利用其所儲之洪富水量與落差，資爲發電之用。本蓄水庫一方可調節本江之洪流，保障下游一六〇〇〇陌之土地不再受泛濫之害，并增大下游之枯水流量，對於航運（俾）〔裨〕益匪淺。其計劃之概要如次：

蓄水庫

流域面積	四三〇〇〇平方公里
年流出量	一七〇億立方公尺
貯水容量	一二五億立方公尺
有效貯水容量	七五億立方公尺
最高水位	二六六公尺
最低水位	二四八點五公尺
蓄水庫面積	六一〇平方公里

攔河壩

種類	混凝土重力式
壩高	九一公尺
壩頂長	一一〇〇公尺
上游面坡度	〇點〇五
下游面坡度	〇點七〇
混凝土量	二五〇萬立方公尺

發電：

有效落差	六七公尺
平均用水量	每秒五五〇立方公尺
平均實在發電力	三〇〇〇〇〇瓩
設備容量	六〇〇〇〇〇瓩
第一期發電能力	五六〇〇〇〇瓩（發電機八部，每部發電力七〇〇〇〇瓩，現僅存發電機二部矣。）

（二）建設概況

甲、堵水工程：本發電所在民國二十六年於松花江之右岸着手興建堵水工程，至民國二十八年掘鑿岩盤與基礎混凝土工程施工竣事，同年末實施左岸之堵水工程。合龍後，乃於其下游開始建築混凝攔河壩，壩在結冰水面以下部份係在水中施工，結冰水面以上部份在防寒設備中施工，一部分乃於解冰後完成。

乙、基礎工程：攔河壩之基礎地盤爲變質之火成岩，其硬度爲花崗岩之二倍，故壩之基礎頗堪信賴。其掘出之土量如下：

[一] 底本此處字迹不清，疑爲『四』。

土砂　六五〇 〇〇〇立方公尺

軟岩　一五〇 〇〇〇立方公尺

硬岩　九五〇 〇〇〇立方公尺

合計：　九三〇 〇〇〇立方公尺

丙、壩身建築：　本攔河壩所需之混凝土量爲二五〇萬立方公尺，砂及碎石量爲三〇〇萬立方公尺。由壩之上下游四公里至二〇公里之大屯、中島及大長屯等處，採河中之衝積砂石，用輕便鐵道及長春路運至工地。壩身所用之洋灰混合量爲每一立方公尺混凝土混入洋灰二〇〇至三〇〇公斤。建築時爲謀施工之便利與發散混凝土中硬化熱，避免發生裂縫計，乃採用一五公尺至一八公尺之柱形施工法。復爲期本工程之迅速竣工起見，故拌合、運輸、灌澆等均以機械爲之。各年所灌混凝土量如下：

民國二十七年：　三四 〇七三立方公尺

民國二十八年：　一二八 四八五立方公尺

民國二十九年：　二五七 七二五立方公尺

民國三十年：　三四三 五三一立方公尺

民國三十一年：　五六〇 四八一立方公尺

民國三十二年：　一 一七五 七〇五立方公尺

合計：　二五〇〇 〇〇〇立方公尺

丁、發電所工程：　發電所工程於民國二十七年春季開始，至民國三十二年全部竣事。發電機由美國製者三部，德國製者三部，日本製者二部。〔民國〕三十二年已有六部發電所，餘二部則爲準備之用。其掘鑿之石及所用混凝土與鋼鐵量如下：

掘鑿土石量：　一四二 五〇〇立方公尺

混凝土量：　九七 〇〇〇立方公尺

鋼鐵材料：　四五〇〇公噸（所用之機械在外）

戊、洩水路工程：　本工程與發電所工程同時進行，至民國三十一年末竣工。其石方工程爲八五 〇〇〇立方公尺。

己、壩身附屬工程：　爲便於建築壩內之排水閘門及內部之檢查計，設上下兩監查孔（寬一點二公尺、高一點八公尺）及工作孔。

進水鐵管（徑五 六〇〇公厘）安裝於右岸，共十道管，前設有攔物柵與水門。左岸設高六公尺，寬一一公尺之排水門□〔一〕個，排水道下游之鋪裝工程曾作數十種之設計，經模型試驗後而選用之。

庚、一般設備：　除以上發電直屬之工程外，建有職員宿舍四〇〇户，學校、醫院及店鋪、給水、污水道等。对交通方面，由松花江右岸至吉林築寬七公尺，長約二〇公里之公路，壩下游築有寬六公尺，長四二〇公尺之公路橋。

〔一〕底本此處字迹不清，疑爲『二』。

二、鏡泊湖發電所

本發電所計劃於舊溶岩所形成之瀑布上口，築長一六〇〇公尺之攔河壩。

鏡泊湖在合江省之寧安縣，位於東京城西南三〇公里。由地殼所噴出之熔岩堵截河水而成。天然湖泊蓄水面積達九六平方公里，長約四二公里，寬爲〇點五至四點三公里，最大水深五〇公尺，總貯水量可達一二億立方公尺。

本發電所在民國八九年中已爲日人所發現。雖經迭派技術人員從事調查，其計劃終未實現。『九・一八』後，此地爲吾抗日軍所據，一時亦無策進行。直至民國二十六年，由僞政府之臨時産業調查局、國道局、産業部等經過多次調查，方着手建設發電所。其後移歸經濟部水力電氣建設局辦理。至民國三十一年六月，有一部可以發電，同年末乃全部竣工。

（一）計劃概要

本發電所計劃於舊熔岩所形成之瀑布上口築長一六〇〇公尺之攔河壩，提高湖水面達一〇公尺。壩基地質爲深達六〇公尺熔岩堆積層，多孔性裂紋，且處處有氣孔存在。各層之間因經過年代已久，故充滿腐蝕土壤。湖水之滲透頗甚，如擬保持壩之基礎不滲水時，其所需之費用甚大，頗非良策。故改在出水口之熔岩上建設滾水壩，在出水口下四公里處，利用湖面與牡丹江之自然落差建發電所。其概要如下：

平均用水量：九六秒立方公尺

有效落差：四八公尺

平均實在發電能力：三一〇〇〇瓩

最大發電能力：三六〇〇〇瓩

進水隧道：徑五點四公尺，長三〇〇〇公尺

湖之有效蓄水量：八億立方公尺

湖之蓄水面積：一〇四方公里

流域面積：一二三〇〇平方公里

本發電所電力以一一萬伏之電壓向圖們江及牡丹江方面輸送，以充動力及照明之用。

（二）發電設備

甲、出水口滾水壩：本壩橫断於出水口，總長爲二六六〇公尺。其北岸一段壩長一八點五公尺，壩頂點標高三五三點六公尺。中部一段長一五四點五公尺，頂點標高爲三五三公尺。左岸一段長九三〇公尺，頂點標高爲三五三點四公尺。上述第一、二兩段爲重力式混凝土壩。第一段附設高一點五公尺，寬二公尺之流量調節水門四扇，第三段則爲塊石建築。

乙、進水口：爲鋼筋混凝土所造，跨長爲五公尺，計四孔，總長二三點六公尺，中部二孔下端標高爲三三五公尺，左

右二孔之下端標高爲三三八公尺，在湖水之最低水位下五至七公尺。取水口設鋼製之攔物柵。在與隧道聯絡處設節制閘二，並設人孔、空氣孔、自動量水器及操縱室等。

丙、進水隧道：進水隧道爲圓形，總長約爲三公里，直徑五點四公尺，以厚三五〇公厘至六〇〇公厘之鋼筋混凝土爲之。其地質不佳之下游五〇〇公尺間，更以厚八至九公厘之鋼板裝於管內。

丁、平水地：爲圓形鋼筋混凝土者，內徑二三公尺，高二八點七公尺。

戊、進水鋼管：於平水池下以丫形鋼管輸水入機房，管厚約一四至一九公厘。

己、發電所：發電室爲鋼筋混凝土造，長三三公尺，寬二三公尺，面積七五九平方公尺，內設發電室、送電室、修理室、電綫室及事務室等。

庚、排水道：排水道爲明渠式，底寬一七點五公尺，長五〇公尺。兩岸以混凝土及塊石護岸，下與牡丹江相接。

（三）建設概況

本發電所由鏡泊湖工程處負責興建。於民國二十六年籌備，民國二十七年開工，三十一年末全部竣工。本工程所用之物料如下：

鋼鐵材料：七五〇〇公噸

木　材：二四八〇〇立方公尺

洋　灰：二〇一七〇公噸

三、計劃中之水力發電所

除上述者外，現調查完竣者有十處，其他未經調查者尚有十處。列如表二十七：

表二十七　北部水系水力資源表

水系	河流	地點	發電型式	平均用水量 m^3/sec	有效落差 m	平均實在發電力 千瓩	設備發電力 千瓩	攔河壩			蓄水庫			全流域面積 km^2	備考
								型式	壩高 m	壩長 m	總蓄水量 億m^3	蓄水面積 km^2	流域面積 km^2		
松花江	第二松花江	紅石碣子	攔河壩式	一八一	八四	一三〇	二八〇	混凝土重力式	一〇〇	九七〇	四〇	一一六	一九八〇〇	—	已調查
	第二松花江	濛江	攔河壩式	七九	六二	四一	八〇	混凝土重力式	八〇	三四四	九	三八	七一〇〇	—	已調查

水系	河流	地點	發電型式	平均用水量 m³/sec	有效落差 m	平均實在發電力 千瓩	設備發電力 千瓩	蓄水庫 攔河壩型式	壩高 m	壩長 m	總蓄水量 億m³	蓄水面積 km²	流域面積 km²	全流域面積 km²	備考
	第二松花江	王八脖子溪	攔河壩式	三八	八〇	二五	五〇	混凝土重力式	九三	六二〇	七	二一	三一九〇	—	已調查
	第二松花江	花家園	攔河壩式	二三	五八	一一	二四	混凝土重力式	七四	三八二	三	一二	一五三〇	—	已調查
	第二松花江	于牛崴子	攔河壩式	一一五	一三五	一四〇	三〇〇	混凝土重力式	一五五	四〇〇	三〇	九〇	九一〇〇	—	未調查
	第二松花江	漢窑溝	攔河壩式	五二	四二	一九	六〇	混凝土重力式	五五	三六〇	三	二三	七一〇〇	—	未調查
	第二松花江	羊圈子	混合式	一三	二〇〇	二二	五〇	混凝土重力式	三五	五〇〇	四	四八	一〇〇〇	—	未調查
		計				三八八	八四四								
	嫩江	庫漠屯	攔河壩式	一六二	三六	五〇	八〇	混凝土重力式	五六	七二五	六七	四二〇	三二七〇〇	二四三九〇〇	已調查
	嫩江	安彥淺	攔河壩式	三一五	二四	六四	九〇	混凝土重力式	三五	七二〇	五五	三四四	六四一〇〇	—	未調查
	甘河	柳家屯	攔河壩式	一三七	五五	六五	一二〇	混凝土重力式	七〇	八六〇	五八	三七一	二〇一〇〇	二〇二〇〇	已調查
	諾敏河	烏爾科	攔河壩式	一七〇	四二	六〇	一〇〇	混凝土重力式	七五	一四〇〇	七九	四七四	一三四〇〇	二四二〇〇	未調查
	阿倫河	烏司門	攔河壩式	三九	二三	七	一一	土壩	三〇	一九二八	一三	九五	七五〇〇	九六〇〇	已調查
	洮兒河	蘇鄭公府	攔河壩式	四五	二五	九	一六	土壩	三六	一三九〇	一〇	七一	八三〇〇	三〇八〇〇	已調查

水系	河流	地點	發電型式	平均用水量 m³/sec	有效落差 m	平均實在發電力 千瓩	設備發電力 千瓩	蓄水庫 攔河壩型式	壩高 m	壩長 m	總蓄水量 億m³	蓄水面積 km²	流域面積 km²	全流域面積 km²	備考
		計				二五五	四一七								
	牡丹江	石頭	攔河壩式	八一	一五	一〇	一六	混凝土重力式	二二	三三〇	一	二八	一四〇〇〇	—	已調查
	牡丹江	二道溝	攔河壩式	二六	六四	一四四	二八〇	混凝土重力式	九七	九八〇	五二	一七三	二九二三〇	—	已調查
		計				一五四	二九六								
	湯旺河	柳樹河子	攔河壩式	三九	四八	一八	三二	混凝土重力式	六八	八一五	四一	一七七	五七二〇	—	未調查
	梧桐河	梧桐河	攔河壩式	二三	四八	九	二二	混凝土重力式	六三	八四〇	二七	四八	二五〇〇	—	未調查
	大泥河	桃山	攔河壩式	四八	二六	一〇	一八	混凝土重力式	三〇	八一〇	一一	一〇〇	五七〇〇	五八〇〇	未調查
	計					三七	七二								
總計						五七九	一二一二								
牡丹江	呼瑪河	二道盤碴	攔河壩式	一七八	六八	一〇〇	二〇〇	混凝土重力式	六五	四九〇	五〇	二五〇	二〇八〇〇	二三九〇〇	未調查
黑龍江	根河	額爾克納右翼旗	攔河壩式	三三	二六	七	一八	土壩	四一	一〇〇〇	一三	一三三	一〇八〇〇		未調查
	計					一〇七	二一八								
總計						一〇七	二一七								

第五節　防洪

本區最易泛濫之處主要爲松花江流域。在僞滿時代，曾擬計改修，但以未能詳細調查，故尚無具体計劃。

一、河流

松花江幹支流之上游一帶，地多森林，河坡亦大，其中下游河底坡度甚緩。由哈爾濱至下游與黑龍江會流點一段，其坡度僅爲八千分之一至一萬五千分之一，而自哈爾濱以上至江橋附近則不過二萬分之一至五萬分之一。於本段内松花江之最大支流第二松花江注入本流，其水量尤洪。在洪泛之季，水面坡度驟減，有時僅達七萬分之一。上游以齊齊哈爾爲中心，左右來會之大小支流頗多，但河道之變遷失常，尤以由北安鎮、克山方面流來之呼裕爾河及由拜泉、依安地方流來之双陽河地勢低下。其下游河身不定，故在洪水時期，齊齊哈爾至本流之東側一帶，每成泛濫之區。

齊齊哈爾至哈爾濱市間與呼蘭河所包圍地帶，以安達縣爲中心，均屬無河道區域。在大賚南方之安廣及白城子等處，亦與前者略同。以地形平坦，每增尺餘之水，即可淹數十萬畝之田地。一經泛濫，本流水位之降落，恒在一個月以上，即在水位降落後，地面之水亦難即時排洩無餘。故存水期間常達三四個月以上。且有今年洪水退除後，地面未乾，而次年洪水又接踵而至，故遂構成東北特有之濕地，因僅生植特殊濕地之菌類植物。

河身因受河道之亂流影響，時寬時狹，不能一致。凡稍加整流之處，其河寬於中下游者，爲八〇〇至二〇〇〇公尺，上游者約爲四〇〇至一〇〇〇公尺。水深在平水時爲一至三公尺。哈爾濱以下可通行大型江輪，哈爾濱以上至齊齊哈爾附近亦可通行三〇〇公噸之江輪。但在每年五、六、十三月中爲枯水期。在哈爾濱下游有時亦難通行吃水九〇公分之江輪。河道横断面中之最大水深部分，常偏在一岸。其水面與河岸高差一至三公尺。在佳木斯鐵橋之最大洪水量，約爲一四五〇〇秒立方公尺。在其上游哈爾濱之平水流量，爲一三〇〇秒立方公尺。最枯流量，約爲三〇〇秒立方公尺。最大洪水量（長春路鐵橋附近），約爲一一〇〇〇秒立方公尺。

上述洪水量，因在哈爾濱以上既經泛濫其測得之流量，當非松花江之真正之流量。河道兩岸雖亦有河堤散在，但断面均甚單薄，實難抵禦洪水。

二、洪泛

松花江水系每年所受水害之巨，甚爲嚴重。昔日

以人口稀少，經濟建設均未發達，雖受泛濫損失尚微。以往記録在『九・一八』事變以前者，因文卷失散，已不可考。其後，民國二十一年之大洪水，至哈爾濱市之最高水位達一一九點三二公尺（東北標高），浸水面積爲四二二二〇平方公里，損失數目以當時之物價計之，達二億數千萬圓以上。哈爾濱市全部爲水所没，僅市内之損失，即有四千二百萬圓。民國二十三年之洪水，哈爾濱市水面標高達一一八點六五公尺。被淹之耕田面積約爲六千平方公里，損失額達一億二千萬圓以上。哈爾濱市当時竭力堵禦，幸保安全。自此以後以至今日，雖未遭受如上兩次之大洪水，但在民國二十七、八兩年亦曾受洪水之害。松花江洪水災害每年平均損失当不下五千萬圓（以民國三十五年東北物價計算）。東北北部之人口日增，文化程度亦日漸提高，故將來之損失數額當更不止於此。今將由民國二十一年至二十八年之損失情形列表如下：

年代	被淹之耕地面積　平方公里	損失金額（圓）	摘要
民國二十一年	四三二二〇	二八七 一二六 〇八一	被淹地數目中包括未耕田在内
二十二年	一四二八	五 六三四 八八八	
二十三年	五八九〇	一二〇 二七〇 二七三	
二十四年	二七九五	一一〇九五九四	
二十五年	三五七四	一二六六三六七八	
二十六年	一六八	一三二五一二〇	
二十七年	六七九四	三九三八四一七九	
二十八年	五五九六	四〇四七九一九六	
計	六九四六五	五一七九九三〇〇九	
每年平均數額	八六八三	六四七四九一二六	

松花江洪水之泛濫時期，多在每年七月下旬至八月中旬之間。在四、五兩月之解冰期中，及九月之減水時期，泛濫之時頗爲少見。由松花江以往三十年中之記録，曾遭受大洪水四次，小洪水十一次。已往之泛濫，當以民國二十一年者爲最大。

三、松花江防水計劃方針

爲期解決松花江水系之泛濫，僞滿政府曾擬定方針，予以改修。今分述如次（參閱圖二十，松花江改修計劃圖）㈠：

松花江於同江附近入黑龍江，故僅使松花江水位低下而不能將黑龍江同時改修，則甚難達預期之目的。且

㈠底本未收録此圖，故不能查閱。

北部雨量甚少，降雨時期爲每年六、七、八、九四個月，如計劃將洪水於短期間全部排除，則其他時期之河水流量必甚微小，致減低河流之利用價值。兼之北部土地開墾之對象，概爲濕地、鹹地及荒（無）〔蕪〕地之改良，故須設法使河流之水位下降。俾旱田積水得自由洩入河內，而稻田需水又須取給無虞。因之本水系之改修計劃，以下列三則作爲基本方針：

一、擇河道通宜地點盡量建造蓄水庫。

二、窪下平坦地帶劃已築堤，設大游水池。

三、闢順水道，使洪水位下降。

四、各河流改修計劃概述

甲、上游

本區域爲哈爾濱上游一帶，泛濫區域甚大，而利用價值亦巨。其計劃如次：

（一）嫩江上游

庫漠屯之最大流量爲二一九〇〇秒立方公尺，擬於此處設堰，可節制流量爲五三〇秒立方公尺，由設堰點下至納河附近，可免除洪水泛濫，無須築堤。

（二）甘河

柳家屯之最大洪水流量爲二一一三四秒立方公尺。擬設堰節制流量，爲三三一秒立方公尺。本河流之水災可全部免除。

（三）諾敏河

烏爾科處之最大流量爲四二五〇秒立方公尺。擬於此處設堰可節制流量爲四〇〇〇秒立方公尺。由設堰處至會流點之洪水可全部免除。

（四）阿倫河

烏司門處之最大流量爲一二三二秒立方公尺。設堰此處可節制洪流，爲三三秒立方公尺。由設堰處至會流點間，可免除洪水之患。

（五）雅魯河

碾子山處之最大流量爲一二六〇秒立方公尺。設堰可節制洪水量，爲三三秒立方公尺。由堰至會流點間洪害可全免除。

（六）截爾河

文得根處之最大流量爲二二〇〇秒立方公尺。設堰後可節制流量，爲一九〇秒立方公尺。由堰至會流點間之洪水可全部免除。

（七）洮兒河

蘇鄭公爺府處之最大流量爲一一〇〇秒立方公尺。設堰可節制流量，爲七二秒立方公尺。由堰至會流點之洪水可全免除。

（八）第二松花江

已於吉林上游設堰儲水發電，該地之最大流量爲一

萬秒立方公尺，設堰所節制流量，爲三千秒立方公尺。由堰至會流點間洪水可全免除。

（九）拉林河

本河道流勢較急，故洪水之宣洩頗速，與松花江本流洪水概可分離。僅於下游之平坦地帶築堤防，使水迅速宣洩。

（十）納謨爾河

於兩岸築堤，改正河道，使於納河附近與嫩江會流。

（十一）呼裕爾河

兩岸堤防洪水泛濫。於下游河道不定之處開鑿新河，使過齊齊哈爾東部至江橋下游附近，與嫩江本流相會，洪水全部由本河道宣洩，而平水可供泰康、安達地方灌概之用。

（十二）嫩江及松花江本流

由納河附近至哈爾濱區間全部築堤。本河道各支流之下游受本河迴水影響之部分，亦均築堤防水。

又本河道與支流雅魯河、截兒河、洮兒河之會流處，地形極爲平坦，可拡大南北兩堤之間隔，以充游水地之用。

（十三）安達縣地方

該地西爲嫩江，南爲松花江，北爲呼裕爾河暨双陽河，東爲呼蘭河所包圍。境内苦無河道，擬設左列四洩水道疏洩積水：

第一洩水道：　由呼裕爾河下游開鑿之洩水道，於二道橋附近，沿嫩江本流東側貫穿濕地南下，至大賚附近與嫩江本流相會。

第二洩水道：　由呼裕爾河之下游，通過此無河道地帶之中央南下，於頭台附近會松花江。

第三洩水道：　接双陽河之下游南下，沿長春鐵路北部於呼蘭附近而與呼蘭河相會。

第四洩水道：　於長春鐵路北側連結第二、第三兩洩水道。

第四洩水道以洩水爲主，可兼灌溉之用，故呼裕爾河下游兩洩水路互相通流。又於嫩江本流塔哈附近設活動壩，遇呼裕爾河水量不足時，由嫩江取水而輸水入各水路。

（十四）白城子之北無河道地帶，亦擬貫穿各低地，設洩水道。

乙、下游

哈爾濱以下之洪水流量，因松花江本流與其支流之洪水時間各異，故擬使上游下注之水暢通無阻□□□□□□〔一〕黑、松兩江間鑿順水道，使本流之水位下降，利於宣洩兩岸窪地積水。茲分述之：

〔一〕底本此處字迹不清，無法辨認。

（一）呼蘭河

本河道坡度較大，洪水之排洩良好，且本河洪水與松花江洪水不至同時相會，僅於中下游施築堤工程，防其泛濫。

（二）螞蟻河

本流域面積中之三分之二爲山地，河坡頗急，僅於其下游受迴水影響處築堤防泛。

（三）牡丹江

本流上游得鏡泊湖之控制，其下游至會流點處一段概爲狹小之山谷地帶，洪水爲害甚少，故僅於下游三姓一帶築堤，防止因迴水所生之洪水災害。

（四）倭肯河

本河流域多爲山嶽地，河坡亦急，對洪水之宣洩頗速，故僅於受迴水影響處築堤防害。

（五）湯旺河

本河道擬於受松花江迴水影響處築堤，防止洪水泛濫。

（六）松花江幹流

松花江左右兩岸均爲平坦地帶，擬於洪水易泛濫處施行堤防工程，其宣洩量在哈爾濱者，約爲一萬一千秒立方公尺，在佳木斯者，約一萬八千秒立方公尺。

（七）黑、松兩江間順水道

擬於下游距佳木斯七十公里之劉哈沙子（譯名）、二房子處爲起點，聯貫湖泊地帶，至黑龍江右岸名山鎮上流附近，闢長約六十公里之順水道，將松花江洪水流量中之八〇〇〇秒立方公尺導入黑龍江中，故幹流之洪水位即以下降，而便排洩兩岸窪地積水。

（八）開鑿運河

沿上述之順水路兩側開鑿運河，聯絡松、黑兩江航運，避免同江淺灘之險，可縮減航路二百三十公里。

據上述之計劃，於上游設堰儲水及闢游水地之結果，計可節制哈爾濱之洪水流量爲一萬秒立方公尺左右。又因下游之順水道效用，可導洪水之一部入黑龍江，故上下游之洪水位均獲低減，並增加平水流量爲二千秒立方公尺。茲將本水系蓄水庫容量表列如下：

表二十八　松花江水系蓄水庫容量表

河道名	設堰地點	堰高（公尺）	堰長（公尺）	積水面積（平方公尺）	貯水池容量（億立方公尺）	貯水池面積（平方公里）	最大放水量（秒立方公尺）
嫩江本流	庫漠屯	四二	七一五	三二七四〇	四二點一三	二五七	五三〇
甘河	烏爾根	五三	六七〇	一九八八〇	一二點三五	一〇二	三三〇

河道名	設堰地點	堰高（公尺）	堰長（公尺）	積水面積（平方公尺）	貯水池容量（億立方公尺）	貯水池面積（平方公里）	最大放水量（秒立方公尺）
諾敏河	烏爾科	三一	一〇四〇	二三〇〇〇	一二點〇〇	一三五	四〇〇
阿倫河	烏司門	三六	一二二〇	七一〇〇	八點八四	六五	三二點七
雅魯河	碾子山	四九	二一七〇	八八四〇	六點三五	八〇	三二點五
截爾河	文得根	三九	一五七〇	一二七〇〇	四點三六	二六	一九〇點〇
洮兒河	蘇鄭公爺府	二八	一七三〇	七八二〇	四點五五	四六	七二點〇
第二松花江	大豐滿	八一	一一〇〇	四三〇〇〇	二〇點〇〇	五四五	三〇〇點〇至七〇〇點〇
牡丹江	鏡泊湖	五九	一八五	一二〇〇〇	六點六五	九六	
計				一六七三八〇	二〇七點二二	一三五二	

丙、工程費概算

本計劃所需之工費如下：

蓄水庫工程費　二四七五〇〇千圓
河堤護岸工程費　二五〇三〇〇千圓
順水道開鑿費　五二〇〇〇千圓
構造物設備費　六七二〇〇千圓
運河開闢費　二〇〇〇〇千圓
洩水道開闢費　二三一〇〇〇千圓
零細工程及雜費　一一二〇〇〇千圓
合計　九八〇〇〇〇千圓

五、本計劃完成後之效果

本計劃完成後，既可免除洪水之害，又可增加耕地面積，因運河之建設且可免除迂迴淺灘之險，並縮短航路，增加平水時期之流量，既便航運又利灌溉。築壩之處，復可開發水電，振興工業，對於國計民生關係甚巨。兹將其流域内之耕地情形列如下表（表二十九）：

表二十九　松花江水系耕地面積表

河流	泛濫面積（平方公里）	已耕地面積（平方公里）	可能開墾地面積（平方公里）			雜地（平方公里）
			旱田	稻田	計	
松花江本流	三六八五四	一二八九九	一五三三二	三六二〇	一八九五一	五〇〇四
諾敏河	三六三	七二	一七四	五八	二五二	五八
阿倫河	六五一	九二	三六六	五二	四一八	一〇五
雅魯河	一六七五	五八六	三二六	五四五	八七一	二一八
截爾河	一三七三	四一二	四三三	三三六	七六九	一九二
洮兒河	三三一三	一一六〇	九六八	七五四	一七二二	四三一
第二松花江	三八〇五	二四七三	三三三	七三三	一〇六六	二六六
拉林河	一六八三	六七三	四五四	三五四	八〇八	二〇二
訥謨爾河	三一三	六三	一七五	二五	二〇〇	五〇
呼格爾河	二八五八	四二九	一九四三	—	一九四三	四八六
呼蘭河	三七三九	一四九六	一一六九	七〇一	一八七〇	三七三
計	五六五九〇	二〇三五六	二一六七三	七一八〇	二八八五〇	七三八五

面水者四處，潛流水者一處，地下水者十五處。今將使用地面水及潛流水之都市列舉如下（參閱圖二十一）[二]：

第六節　給水

本區内之都市設有給水工程者，凡二〇處。計用地

[二] 底本未收録此圖，故不能查閱。

都市名	水源區别	每日給水量（噸）	水源名	備考
長春	地面水	五〇〇〇〇	伊通河及蓄水庫	尚有一部使用地下水
吉林	地面水	三九〇〇〇	第二松花江	
哈爾濱	地面水	四〇〇〇〇	松花江	尚有一部使用地下水
牡丹江	地面水	五〇〇〇	牡丹江	
敦化	潛流水	六七〇	小石河	

第八章 鴨緑江水系及其附近河流概要

第一節 總説

鴨緑江發源於長白山之天池，東流過臨江，轉向西南流，經輯安、長甸、河口等地而至安東。流長爲七七三公里，流域面積爲三一七四五點八七平方公里，其中山嶽地爲二九八三〇點五六平方公里，平坦地爲一八四〇點〇八平方公里，沼澤地爲七五點二三平方公里。其主要支流在吾國境内，爲靉河、渾江、蒲石河、三道江、五道江等（參閲圖二）[一]。

本河流域爲東北之多雨地區。在安東附近年降雨量約一〇〇〇公厘，全流域内之平均年降雨量約爲八〇〇公厘。沿江兩岸多爲山地，河道坡度甚急，地質良好，可建庫蓄水發電之處甚多，計鴨緑江本流七處，支流渾江二處，實爲東邊道一帶經濟發展上之重要原動力。

本河流域與遼、松兩河所異者，除河道爲國境河流外，乃全流域中百分之八十均爲山地，不適農耕，故産穀之量甚少，可能引水灌田之處不若他水系之多。

鴨緑江於安東附近注入黄海。其上流各地山峽連綿不斷，下流各地又多淺灘，其航運之價值因之大減。安東港於一九〇三年開設，冬期結冰有四月之久，港口水深過淺，在乾潮時只有一公尺許，雖經疏浚多次，但每遇洪水過後，仍復原狀，不適於大船通行。在敵僞時代，於安東附近之趙氏溝發見大東港，其位置良好，冬期結冰時間甚短，且水深亦大，頗備建築大商業港條件。自民國二十八年着手建設以來，現完成之部份甚少。

鴨緑江水系之南端，尚有多數之小河，其河道較長者爲大洋河，次爲莊河、碧流河等。大洋河可資建庫儲水發電，其他各河流量甚小，利用之價值亦低。大洋河及碧流河在接近河口處有小型帆船通行。沿海一帶多産魚蝦，現設漁港二處，惟尚未全部竣工。

第二節 灌溉

本流域多爲山地，平原之面積甚小，故無大規模之灌溉區。今將各河道所有灌溉面積舉之如次（參閲圖十）[二]：

[一][二] 底本未收録此圖，故不能查閲。

表三十　鴨緑江及其附近河流灌溉面積總表

水系區別	河流	稻田面積(陌) 已成	計劃	計	備考
鴨緑江水系	本流	四八七二	五一九六	一〇〇六八	
	渾江	九四三一	一三五八	一〇七八九	
	靉河	五二九七	二九〇七	八二〇四	
計		一九六〇〇	九四六一	二九〇六一	
附近河流	大洋河	六〇一六	一八七七	七八九三	
附近河流	碧流河	一五四		一五四	
	蛤蟆河	五七		五七	
	沙河	五〇		五〇	
	無名河	六八二		六八二	
	莊河	九二九	一八〇	一一五九	
	英那河	五一五	二八六	八〇一	
	沙河	三二〇二	四九	三二〇二	
	龍白河	二〇〇		二〇〇	
計		一一八〇五	二三九二	一四一九七	
總計		三一四〇五	一一八五三	四三二五八	

第三節　水電

鴨緑江之流量豐富，水面坡度亦急，在安東附近水面標高爲五點三四公尺，而距安東四八三點〇七公里處之水面標高乃爲四〇六點三八公尺。沿河可資發電地點七處，以安東爲起點，有義州發電所；上行五二九公里，有水豐發電所；其上一六四點四公里，有渭原發電所；其上五八八公里，有滿浦發電所；再上由滿浦上行九三點七一公里而達雲峰發電所；由臨江上行六三點一一公里，有臨江發電所；由臨江上行五〇點一五公里，即爲最上游之厚昌發電所。此七處發電所已由下游而漸次向上游建設，現已竣工者爲：水豐一處，其義州、雲峰二發電所已着手多日，原擬於民國三十五年完成，然未實現。今將其計劃内容表列如次（參閲圖十一）㈠：

㈠ 底本未收録此圖，故不能查閲。

表三十一　鴨綠江水力資源表

發電所	發電型式	平均用水量 m^3/sec	有效落差 m	平均發電力（千瓩）	設備發電力（千瓩）	蓄水庫：攔河壩式	蓄水庫：壩高 m	蓄水庫：壩長 m	蓄水庫：總蓄水量（億立公尺）	蓄水庫：蓄水面積（平方公里）	蓄水庫：流域面積（平方公里）	全流域面積（平方公里）	備考
厚昌	攔河壩式	一一二	二〇	七五	一五五	混凝土重力式	九六	四五〇	一三	七六	九七七〇	四七一〇〇	未調查
臨江	攔河壩式	一二五	八一	四七	九五	混凝土重力式	五三	四六〇	二	二四	□□〔一〕五〇		未調查
雲峰	攔河壩式	二八六	二九	二五六	五〇〇	混凝土重力式	一一〇	八五五	四七	一三〇	一七二〇〇		施工中
滿浦	攔河壩式	二九二	三一	八〇	一五〇	混凝土重力式	四六	一三七二	二	一二	一七七六〇		未調查
渭原	攔河壩式	三九〇	一〇一	一三七	一八〇	混凝土重力式	四三	四六〇	一	三七	二三九九〇		未調查
水豐	攔河壩式	七七〇	四五	五五〇	七〇〇	混凝土重力式	一〇八	九〇〇	一一六	三四五	四五五五〇		已竣工
義州	攔河壩式	七九〇	七九	一四〇	二〇〇	混凝土重力式	四二	二〇四二	八	八〇	四八一八〇		施工中
計				一二八五	一九八〇								

〔一〕底本此處字迹不清，無法辨認。

鴨緑江支流渾江尚有桓仁與沙尖子二發電所，大洋河有二道溝山發電所。其桓仁發電所曾經施工，但不久即行停止。今述其概要如下：

表三十二　渾江及大洋河水力資源表

河流	發電所	發電型式	平均用水量 m^3/sec	有效落差 m	平均發電力（千瓩）	設備發電力（千瓩）	蓄水庫 攔河壩型式	壩高 m	壩長 m	總蓄水量（億立公尺）	蓄水面積（平方公里）	流域面積（平方公里）	全流域面積（平方公里）	備考
渾江	桓仁	攔河壩式	一五〇	八〇	一一〇	二七五	混凝土重力式	九八	六〇五	六五	二三八	一〇三〇〇	一四八〇〇	已調查
渾江	沙尖子	攔河壩式	二一五	一一〇	二一〇	四四〇	混凝土重力式	一三〇	六七二	八九	二一〇	一四五〇〇		未調查
大洋河	二道溝山	攔河壩式	五五	一八	一〇	二〇	混凝土重力式	四九	四九〇	二六	二五〇	四八〇〇	六二〇〇	未調查
計					三三〇	四三五								

第四節　航運

鴨緑江可航行區間，爲河口至十三道溝，由是以上僅通木筏。今分以下五區説明之（參閲圖九）〔一〕：

一、河源區

本區爲由白頭山至二十四道溝間，長約八〇公里，水勢甚急，水量甚小，實無通航可能，僅木筏能由二十四道溝航行約二八公里。

二、上游區

由二十四道溝至帽兒山一段，稱爲上游區。過長白

〔一〕底本未收録此圖，故不能查閲。

十二道溝而下，水勢漸緩，並由左右會合多數小支流，流量少豐，始具有普通河道形勢。但自長白至十三道溝間水量不大，淺灘、暗礁所在有之，舟楫往來頗爲危險，最險之灘爲門坎子哨，在鴨緑江航道中視爲畏途。本區河寬爲一〇〇至一五〇公尺，其彎曲部分之最狹處爲五〇公尺。載重一〇石至一五石之小型船隻尚能通行。

三、中游區

由帽兒山下流至渾江河口爲中游區。在帽兒山下游八公里間，河寬約達二〇〇公尺，流勢頗佳，且無淺灘難行之處。由此以下至白馬浪四〇公里間，河身狹小，水勢頗深。白馬浪至帽兒山下游四八公里處，河流之屈折頗甚，流勢亦急，舟筏往來頗屬危險。由此以下河寬漸展，曲折較少。中游區可通行載重三〇石之中國式船隻，高水時可通行一二〇石之船隻，上行至察口。

四、下游區

由渾江河口至安東爲下游區，長爲一八〇公里。鴨緑江於本區内與其第一大支流渾江相會，故流量大增，舟楫往來甚便。但因河寬擴展過甚，反致多生淺灘，減低水深，於枯水時期航行不便，且淺灘每因洪水而致移動，航行益感困難。由渾江河口至長甸河口間，可通行載八〇石之木船。長甸河口至安東間，可通行載一〇〇石之木船。

五、河口區

本區爲由安東至河口，長達二八公里，屬於安東港内。其通行狀態將於第六節中述之。

由上所述，本河道平水時水量過小，水深太淺，暗礁淺灘過多，致爲航運碍礙。但如七處發電所建設成功後，由蓄水庫之影響，可增加水深及各時期之流量，不但通航可感便利，而載重亦必增加，其將來之發展頗堪注意。

第五節　給水

本水系之給水都市，如下列八處(參閲圖二十一)〔二〕：

給水都市	水源區別	給水都市	水源區別
安東市	潛流水	旅　順	地面水
通化市	潛流水	金　縣	潛流水
連山關	地下水	大　連	地面水
雞冠山	地下水	貔子窩	地下水

〔二〕底本未收録此圖，故不能查閲。

第六節　港埠

本區之港埠爲大連、旅順、安東、大東溝等四港。另有漁港四處（參閲圖九）〔二〕。但旅、大二港爲『九・一八』事變前之已成港，自始即操於外人之手，所有資料無從獲得。僅將安東、大東溝二港之概要述之如次：

一、安東港

安東港係根據一九〇三年十月十八日中、美『上海條約』所開設之商港。港位於鴨緑江口上游二十八公里（參閲圖二十二）〔三〕。河寬約爲一公里，至下流五道溝約爲一點五公里，自五道溝以下河面漸寬，河中多有島嶼及葦塘，航路分爲中韓國境兩部。河底在上游多沙，下游多泥，深度可達十數公尺。韓國境内河岸多爲土沙所構成；中國境内河岸除三道浪頭有石岩突出外，其他與韓國境内者相同。水深在安奉路鐵橋下者，干潮時平均爲四公尺，滿潮時平均爲七點五公尺。洪水時，乾潮爲七公尺，滿潮爲一三公尺。在下游五道溝之前，乾潮水深，中國境爲一公尺，韓國境爲二公尺。在五道溝前淺灘下游，尚有淺哨一處，以下水深乃漸形增加。至三道浪頭，在最乾潮時水深三公尺左右。薪島以下乾潮時水深七公尺，因河道每遇洪水即行變遷，水深亦異，致對航行之阻碍頗大。

潮水之乾、滿差異，由風向關係亦每生變化。安東附近潮水之增加，小潮爲三公尺，大潮爲三公尺以上。三道浪頭附近，小潮爲四公尺以内，大潮爲四至五公尺。薪島附近，小潮時爲五公尺，大潮時由六至八公尺。

本港之結冰期約在每年之十一月下旬，最大冰層厚達一公尺以上。通航期間在十一月初旬或十月下旬以前及翌年之三月中旬以後。

出入本港之舟楫輪船，其海洋航路主要爲日本、韓國及中國沿海各港。

韓國之碼頭在舊滿鐵附屬地之江岸，爲南滿鐵路公司所經營，下接爲中國之安東海關。所有之護岸長約五〇〇公尺。上游之江岸爲安東總商會所建之碼頭，長達四五一公尺，階形以花崗石灌水泥爲之，其内部則充以土砂，高爲六公尺，寬達一〇公尺。

安東港能靠岸之船隻僅爲帆船或小船等。在安東市街前之河心處，輪船雖能入港，但須經五道淺灘。在大潮時亦僅有五六百噸之船可以通行，故輪船駛抵三道浪頭、薪島、大東溝、多獅島，皆須下錨。

安東港爲河口港，由河道流出之土沙頗多，故五道溝

〔二〕〔三〕底本未收録此圖，故不能查閲。

淺灘之水深逐年減少。現僅爲一公尺以下，雖經滿鐵及敵僞多次疏浚，但每遇洪水即復舊觀，疏浚工程因此停止。安東至河口之河道變遷無常，水深漸減，加以每年結冰期有四月之久不能通航，其背後又有安奉鐵路，而通化一帶貨物現又爲梅輯綫所奪，故出入貨物逐漸減少。

二、大東港

建設概要：敵僞爲開發東邊道一帶豐富資源，擬於鴨綠江流域建設水力發電所九處，並計劃鋪設縱横之鐵路綫及擇定大東溝建設水路交通聯運之港口（參閲圖二十五）[一]。

兹將大東港之計劃目標略述如次：

（一）臨港建設可容一〇〇萬人，面積達一七六平方公里之工業都市。

（二）建設每日可供給三〇萬公噸之給水工程（以工業用水爲主）。

（三）建設可使四〇〇〇公噸輪船自由出入之航道。

（四）建設每年可出入二〇〇萬公噸（商港一〇〇萬公噸，工業港一〇〇萬公噸）之港口。

（五）建設安東至大東溝間約二九公里之鐵路，及三道浪頭至江岸工廠地帶約一六公里之鐵路。

上述五項建設中之商港與鐵路，係委任滿鐵代辦。都市計劃工程，給水工程及航路工程，由僞滿政府設立大東港建設局負責實施。其事業規模與費用如下：

都市計劃區域：　三二三 〇〇〇 〇〇〇方公尺

事業計劃區域：　一七六 一〇〇 〇〇〇方公尺

計劃人口：　一〇〇〇 〇〇〇人

都市事業費：　一〇七 四四八 七七二圓

給水量：　三〇〇 〇〇〇公噸

給水事業費：　五七 三〇〇 〇〇〇圓

航路事業：　可航行四 〇〇〇公噸輪船

航路事業費：　二七 五〇〇 〇〇〇圓

事業費合計：　一九二 二四八 七七二圓

將來大東港完成後，乃包括安東在内，其計劃人口爲二〇〇萬人。築港工程現尚無可靠資料以資記述。兹將有關水利之運河、給水及航路三項工程分述於左：

甲、運河工程

運河工程規模甚小。由航路改修後之港口，起至趙家溝、掛網溝、新開溝各地，而達鞍子溝。現時低潮位水深不足二公分，重加開鑿成爲工業運河，使平底船可自由通行。沿岸之工業地帶，運河水深以通行三〇〇公噸船隻爲限，長約爲一四公里，計劃工程費用爲五 〇〇〇 〇〇〇圓。

[一] 底本未收録此圖，故不能查閲。

乙、給水工程

（一）目標

本工程爲供應大東港所必需之工業與家庭用水而設。其工程計劃乃以八年後之人口與工業所必要之飲用水量爲計劃之標準。

（二）計劃

本計劃以工業用水爲重，並將輪船用水、市民給水一并計入。

給水量：每日三〇萬公噸。

水源：水源地爲鴨緑江支流之靉河及趙氏溝上游之鐵甲房身二處。第一水源在靉河之老龍頭，每日可取二〇萬公噸；第二水源係建造可容一億公噸之蓄水库，每日可供給一〇萬公噸。

輸水管：工業用水每日约爲二十七萬公噸，飲食用水每日爲三萬公噸，於沉濾消毒後分别由輸水管向市内各地輸水。在本給水工程未竣工前，暫由河深溝、大林子、大泉眼、混水池等處設臨時給水工程，已於民国二十九年送水，民国三十年每日送水量爲一萬公噸。

工程費：以上工程之工程費爲七五三〇〇〇〇〇圓。

丙、航路建設工程

（一）鴨緑江河口情形

鴨緑江流域爲東北多雨之區，除冬季結冰期外，即在枯水時期，其流量亦甚豊富。夏季江岸受河水衝刷，石砂每順流而下，淤積河道。近因水豊發電所業經竣工，而其他發電所亦將興築，由其攔河壩之阻止土砂下流，河道當可改善。

鴨緑江河口潮差甚大，其潮水可達上游六〇公里之九連城，由下而上逐漸降低。在民國二十八年大潮時，所測趙氏溝爲六四〇公尺，三道浪頭爲四點六七公尺，安東爲三點二七公尺。昇潮時間長短亦因地點不同而各異，大致由下而上，昇潮時間漸減，落潮時間乃增長。大東溝之昇潮時間，長爲五小時，落潮爲七小時；趙氏溝之昇潮時間，長爲四小時，落潮爲八小時；安東之昇潮時間，長約爲三小時，落潮則達九小時。

風向在四月至九月間約爲南風，十月至三月間約爲北風。其最大之風速，民國二十八年八月所測者，爲南□[一]東一六點六七秒公尺。

波浪由南風所起者爲大，但因到處受淺灘之影響，港内均頗穩靜。航路方向與潮流及恒風方向大体平行，对航行上並無何等碍碍。大東溝爲東北最暖地方，即在嚴寒之冬季，亦少有降至摄氏零下二十五度者，普通均在十七八度左右。

[一] 底本此處字迹不清，無法辨認。

鴨綠江鐵路橋附近，由每年十二月中旬開始結冰而漸擴至下游。一月後可達老溝附近，其下雖在嚴冬亦少有結冰現象，僅爲流冰而已。

大東港一帶爲鴨綠江所流出之土砂構成，由探驗地層之結果，在最低潮面下，爲由粗砂所結成之砂礫層，厚可達十五至十六公尺。河底上層爲細沙與泥土混合層，其厚可達七至八公尺。又在砂礫層之間，尚有厚達七至八公尺之細沙層，故由地質上言之不僅爲良好之下錨地，对護岸及棧橋等建設亦爲適宜。

河水之含鹽量，在滿潮時爲大，昇潮時比降潮時爲多。然其下游不同，由趙氏溝至其下游較多，漸近上游則遽減。安東附近含鹽成分極微，趙氏溝附近經測定者約爲百分之一二點二。

（二）航路計劃

趙氏溝口之上游附近，數十年來，即在最低潮位下，始終保持七公尺左右之水深，可通行三千噸輪船，且備有河口港應有之條件，故擬定爲大東港之公用碼頭。其下游馬島附近航道之變遷頗甚，一部水深在最低潮面下僅深一點五公尺，故河道之改良實爲本航路之主要工程。

本計劃擬使載重四千公噸之輪船行駛無阻，故於中等潮位下，須有七八公尺之水深，航路寬度不能少於一〇〇公尺。玆分述工程施設於下：

甲、導流堤

由外海至雁島之航路，長三三〇〇〇公尺，其中由趙氏溝附近至下游二五〇〇〇公尺之間建築導流堤兩道。兩堤之間距於港口附近爲一二〇〇公尺，趙氏溝附近則爲六〇〇公尺。其構造爲乾砌片石，上寬三公尺，内外兩坡均爲一比一點五，左岸堤長一四五〇〇公尺，右岸長一一五〇〇公尺，共計爲二六〇〇〇公尺。

乙、丁字堤

由上游之雁島附近至趙氏溝八〇〇〇公尺間建丁字堤。由趙氏溝至大東溝口之亂流間除建導流堤外，並建丁字堤，使潮水集中於航道中。其構造與導流堤同。右岸之丁字堤十一道，共長二六四〇公尺，左岸之丁字堤十七道，共長八五〇〇公尺，合計爲二十八道，總長一一一四〇公尺。除上述者外，更於導流堤内築丁字堤十八道，共長三五〇〇公尺。

丙、護岸

鞍子溝下游至大東溝間，除公用碼頭外，築長二四〇六〇公尺之護岸。其構造乃以一比二五之坡度乾砌片石，在衝刷較甚之處，更以柳枝、塊石等加固護岸工程之基礎。

丁、疏浚

由港口至公用碼頭間長二五五〇〇公尺之水道須加浚洩，使其水深在中等潮位以下爲七點八〇公尺，寬爲一〇〇公尺，計出土量約爲一三六〇〇〇〇〇立方公尺。

戊、工期及工費

本計劃之總工程費爲二七五〇〇〇〇〇圓（工業運河開鑿費五百萬元在内）。預定自民國二十八年起，以八年期間完成之。截至今日所完成之工程，爲臨時給水工程、導流堤工程之一部及接岸碼頭之一部而已。

三、沿海岸漁港

除前述二商港外，尚有漁港四處，其規模甚小，尚在施工中。兹表列如下（參閲圖九，東北河道通航區間一覽圖）[一]：

港名	工程内容	捕魚量	工程費（圓）	備考
大東溝	卸貨場、車船場	七〇〇〇〇〇〇	一五〇〇〇〇〇	
南尖	卸貨場、護岸	一〇〇〇〇〇〇	三〇〇〇〇〇	
王家島	卸貨場、防波堤、船場	一〇〇〇〇〇〇	六〇〇〇〇〇	
打拉腰子	卸貨場、防波堤	一〇〇〇〇〇〇	三〇〇〇〇〇	

[一] 底本未收録此圖，故不能查閲。

第九章　凌河水系概要

第一節　總説

（一）凌河古称白狼河，發源於熱河省之凌源縣，流長約爲三六二公里。流域面積中之山嶽地爲二〇〇四六平方公里，平地爲二一一〇〇平方公里，沼澤地爲一〇平方公里，共計爲二一三一一五六平方公里。其主要支流爲西河、牤牛河、梁水河等（參閲圖二）〔一〕。

本河發源於東北之西部，河源地帶無森林，土砂每隨風入河，故河水之含泥量甚大。而其支流之牤牛河、西河等河源草木稀少，每遇大雨則地表土質爲水衝刷流入河内，故本河道自朝陽以下淤積頗甚。在朝陽縣朝陽橋下，其河底之土層不過一點五至三公尺，而其下流一二公里處，則達五公尺以上，至下流義縣，其厚乃達二〇公尺，且均爲細〔二〕沙質。沿河兩岸土地亦多爲砂土所没。在敵僞時代曾擬沿岸施行植林計劃，但成效甚微。在西河流域中，阜新市以煤産關係，曾有都市防水計劃，但僅施行一部之土堤工程。朝陽縣之護岸工程，於民國二十六年業經竣工，後因維持不善，大半破壞。義縣於民國二十八年實施行築堤及護岸等工程，但大凌河仍有越義縣城而下之趨勢，城牆已有一角爲水所奪，僅賴鐵絲籠裝石防堵而已。

本河流自義縣九關台門以下，地勢平坦，沿岸土地肥沃，但入錦縣界，耕地多爲沙所湮没。大凌河村附近曾有韓人開拓團耕種稻田，但收穫之量甚微。本河入渤海處，其河口之變遷不定，淤沙爲患，水深頗淺，故現已無舟楫出入矣。

（二）小凌河發源於朝陽西南二二〇華里之助安喀喇山下，會多數支流，至錦縣城之西南與女兒河相會。南下入遼東灣，注入渤海。流長由女兒河會流點以上爲一三〇公里，全長爲一七〇公里，流域面積爲五一九二平方公里。河道之平均坡度爲八百分之一至千分之一，最大洪水量約爲六二〇〇秒立方公尺。女兒河之流長爲一一二公里，流域面積爲一四七六平方公里，河道之平均坡度約爲八百分之一，最大洪水流量可達三六〇〇秒立方公尺。

小凌河之上游爲山嶽地帶，下游則頗平坦，其迂迴曲折之處甚多，流水不暢，沿岸各地時受水患，而自女兒河

〔一〕底本未收録此圖，故不能查閲。
〔二〕底本此處字迹不清，疑爲『細』字。

會流點以下至海口處，兩岸浸蝕甚巨。

錦縣城南臨小凌河，經民國十八年及民國二十一年兩次水患，該縣城所受之損失頗巨。於民國二十二年曾施塊石灌漿之防水之工程，但構造甚爲單薄，終非持久之計。在民國二十七年修堤防及護岸工程，用費爲四五萬圓。

遼西沿海一帶均産魚蝦，本河道河口附近之天橋村乃爲天然之良好漁港。

（三）六股河發源於熱河省喀喇沁左旗境内，過熱、遼兩省境之山嶺地帶，入綏中縣境。滙集大小支流，經縣城之東而南流，入遼東灣。流長在遼寧省内爲一三四公里，流域面積二一八六五平方公里。河道之平均坡度爲六百分之一，洪水量約爲四五〇〇秒立方公尺。

本河性質與大小凌河相似，河岸侵蝕頗甚，而耕地被害之處亦多，去河口西南約二十公里有二道溝，爲天然漁港。

第二節　灌溉

本水道中可資灌溉之處均在各河下游，惟土地瘠薄，産量較少。表列如下（參閱圖十）〔一〕：

表三十三　凌河水系灌溉面積總表

河流名	稻田面積（陌）			備考
	現在	計劃	計	
大凌河	九四七	六八七	一六三四	
小凌河	四〇〇	一〇〇〇	一四〇〇	
無名河	三七	一一六〇	一一九七	
興城河	五五	一〇〇	一五五	
六股河	一五		一五	
計	一四五四	二九四七	四四〇七	

第三節　水電

本水系各河道僅大凌河之上窩棚可資建庫蓄水發電。詳述其計劃要點如下（參閱圖十二）〔二〕：

河流　大凌河
發電地點：　熱河省凌源縣上窩棚
平均用水量：　每秒三八立方公尺
有效落差：　三九公尺
平均發電力：　一二〇〇〇瓩
設備發電力：　二〇〇〇〇瓩

〔一〕〔二〕底本未收録此圖，故不能查閱。

蓄水庫：攔河壩：混凝土重力式
壩高：五三公尺
壩長：四二二公尺
總蓄水量：一〇億立方公尺
蓄水面積：四三六平方公里

第四節 港灣

一、葫蘆島港

自旅、大兩港爲日人奪取之後，營口港因不能通航大型輪船且冬季之結冰期倘過長，故東北對海外交通頗感不便。後發現葫蘆島適於建港，惟以彼時經費及技術多成問題，調查計劃終未進行。民國九年，東北爲建設海軍計，乃首建航警學校於葫蘆島。至民國十五年前後，因築瀋海路、打通路等，對南滿鐵路取包圍形勢，謀收迴交通主權，而始有建設東北大商港之議。於民國十七年交與荷蘭築港公司着手調查與計劃。但施工未久，即遭受『九・一八』事變，港務因而停止。此後日人對葫蘆島港之建設頗不重視，且爲免除與大連港競争計，故改爲阜新煤礦對外之輸出港。以前所建之工程曾經拆毀不少，而另築一新防波堤，并削平埠内高下之土地，是項工程係由南滿鐵路公司辦理，故無資料可資參考（至本港之平面圖，附如圖二十四）[一]。

二、漁港

本流域沿海一帶，爲東北有名之海産地，故沿海之良好漁港頗多（參閲圖九）[二]。迄今業經建設者，凡三：一在錦縣西海口之天橋村，一在興城海岸菊花島之对岸，一在綏中縣之六股河口附近之二河口。

二河口漁港民國二十八年新建，興城港建於□□[三]年，天橋村港則建於民國三十二年。天橋村漁港因恒風關係，乃以沙石積成寬爲一四公尺，長約一公里之防波堤，頂高出潮面爲一公尺許，而與海中之小島相接，故形勢頗佳。今將三漁港情形表列如下：

港名	工程内容	捕魚量（圓）	工程費（圓）	備考
天橋村	防波堤、卸貨場、護岸、臨港道路	三〇〇〇〇〇〇	六六〇〇〇〇	
興城	防波堤、卸貨場、船場	一〇〇〇〇〇〇〇	二〇〇〇〇〇〇	
二河口	防波堤、卸貨場	一二〇〇〇〇〇	二六〇〇〇〇	

[一][二] 底本未收録此圖，故不能查閲。
[三] 底本此處字迹不清，無法辨認。

第十章　圖們江水系概要

第一節　概説

圖們江發源於中韓國境白頭山之大臙脂，流長約爲五二〇點五公里。下會大小支流而北流，至寒葱嶺乃轉向東流。沿岸多屬山嶽地帶，於河口附近乃爲中蘇國境河流。南入日本海（參閱圖二）〔一〕。

本河流之上游均屬山地，水勢頗急，所會支流在韓國境者，爲小紅湍水、西頭水、延面水、城川水等；中國境者，爲三可達河，下流過茂山而達會寧，其長爲二六四公里。在茂山附近以上均爲森林，木材之産量甚富。由茂山而至會寧，山嶽奇峻，但童山頗多。在會寧附近三十公里間乃展爲平原，頗適農耕。再下又入山嶽地帶，流路乃沿山谷蜿轉，經上三峰而至鍾城附近，方展開爲寬二公里許之平原，頗可耕種。河道在本區内每遇洪水，兩岸所受之浸蝕頗巨。此下至潼關再入山地，於圖們附近構成衝積層之小盆地。左右會嘎呀河、哈爾巴通河及海蘭河等，以下再入山地，河道大形曲折，經涼水泉子附近而轉入平原。至穩城以下七公里，兩岸均山，平原甚少，（自）〔經〕中、蘇國境以至河口，則多屬濕地。

圖們江流域面積爲三三八六五平方公里，在我國境者爲二三三九〇〔平〕方公里。其流路中，山嶽起伏，而流量洪富，可建設水電廠之處頗多，引水灌溉之處則少。上游地方森林繁茂，故以茂山附近爲中心，有多數之木筏下流，至遼寧則改由陸運。自鐵路開設後，已不見木筏出現。河水甚急，舟楫不通，僅有舟船數隻，供擺渡之用。

第二節　灌溉

本流域内各河道所有之灌溉面積如下表（參閱圖十）〔三〕：

表三十四　圖們江水系灌溉面積總表

河流區別	稻田面積（畝）			備考
	既成	計劃	計	
圖們江水流	一一四二		一一四二	
琿春河	三四〇八		三四〇八	
英安河	三〇		三〇	
蜜江	四五		四五	
嘎呀河	一四八一七	九四四	一五七六一	
計	一九四四二	九四四	二〇三八六	

〔一〕〔三〕底本未收録此圖，故不能查閱。

第三節　水力發電

本流域現有之水電計劃如下表（參閱圖十一）(一)：

表三十五　圖們江水系水力資源表

河流	地點	發電方式	平均用水量 m³/sec	有效落差（公尺）	平均發電力（千瓩）	設備發電力（千瓩）	蓄水庫：攔河壩型式	蓄水庫：壩高（公尺）	蓄水庫：壩長（公尺）	蓄水庫：總蓄水量（億立方公尺）	蓄水庫：蓄水面積（平方公里）	蓄水庫：流域面積（平方公里）	總流域面積（平方公里）	備考
圖們江	遠下坍洞	混合式	九一	二九	九〇	一五一	混凝土重力式	一〇三	四八〇	一一	四九	八〇一〇	三三八六五	未詳細調查
	雲渊洞	混合式	一〇一	七〇	五九	九九	混凝土重力式	六三	三七二	二〇	二三	八五八〇		未詳細調查
	土客洞	混合式	二八	五八	五八	九六	混凝土重力式	三八	二四六	三	二五	一〇二七〇		未詳細調查
	江陽洞	攔河壩式	一二七	三一	三一	五二	混凝土重力式	三九	四一四	三	四七	二一二〇		未詳細調查
	黃泥洞	攔河壩式	二七七	三〇	六九	一一五	混凝土重力式	四〇	三一〇	三	四三	二六六七〇		未詳細調查
	計				三一七	五一三								

(一) 底本未收録此圖，故不能查閱。

河流	地點	發電方式	平均用水量 m^3/sec	有效落差（公尺）	平均發電力（千瓩）	設備發電力（千瓩）	蓄水庫 攔河壩型式	壩高（公尺）	壩長（公尺）	總蓄水量（億立方公尺）	蓄水面積（平方公里）	流域面積（平方公里）	總流域面積（平方公里）	備考
哈爾巴通河	蓄水河	水路式	四五	一九	六	一一		—	—	—	—	—	二六〇〇	未詳細調查
琿春河	柳樹河子	攔河壩式	二三	一八	四	七	混凝土重力式	三四	二八〇	七	九□〔一〕	二七〇〇	四〇〇〇	未詳細調查
計					一〇	一八								
合計					三一七	五三一								

第四節　給水

本區内之都市設有給水工程者，有延吉、龍井及琿春三處。除琿春水源爲地下水外，延吉、龍井二處乃爲潛流水。今將給水情形列舉如下（參閲圖二十一）〔二〕：

都市名	水源區别	每日給水量（噸）	水源名	備考
延吉	潛流水	九〇〇	延吉川	
龍井	潛流水	一二〇〇	海蘭河	
琿春	地下水	一一〇〇	鑿井	

〔一〕底本此處字迹不清，無法辨認。

〔二〕底本未收録此圖，故不能查閲。

第十一章　松遼運河

建築松遼聯絡運河之議，始自民國二十七年，但因南部運河尚未着手施工，对本運河之詳細計劃因亦未能進行。惟觀察地勢情形，確有實現之可能。倘能實現連絡南部運河之航綫，則成東北貫通南北之大運河，对東北之交通建設貢獻非淺，其價值實不亞於南北之鐵路也（參閱圖廿五）㈠。

清康熙二十二年，因北部國境軍事所需，曾擬溝通松、遼兩河，以便運輸。當時乃派遣人員着手調查，當時以对本運河最高部份（縱断面圖中之地盤最高部分）水量之供給，無計可施，故終未實現。今據考查結果，知有發源於長春市南大黑山，經范家屯東側而入小合隆西方池沼地帶之一無名河流，流域面積爲一〇二二平方公里，其所涵蓄之水量足供本運河之用，故松、遼連絡運河至此而知有實現之可能。今述其計劃如次：

（一）方針

本計劃爲溝通松、遼兩河之流路，引東遼河之水北入伊通河，再將伊通河改修成爲運河，作爲松、遼連絡運河。

本運河可能吸收之貨運，當以農産、煤、鐵、木材等爲主，擬以六〇匹馬力之拖船，牽三〇〇噸之運河船二隻，可自由航行爲目標，其年輸送力使達三〇〇萬噸。

（二）運河路綫

由東遼河與長春鐵路交叉點之下游約五十公里之土龍村爲起點，經秦家屯附近，沿舊有河道北上，於懷德東南穿松、遼分水嶺，接地河，再北行至農安而入伊通河。再前進入第二松花江（本區延長共計爲二〇〇公里）。該地至哈爾濱之距離爲四九〇公里，由土龍村至營口爲七六〇公里。本計劃完成，船隻可由營口直達松花江而轉入黑龍江及烏蘇里江。航路其由營口至哈爾濱間爲一四五〇公里。

（三）運河船閘

由土龍村至伊通河間，經松、遼分水嶺，如掘深三〇公尺則運河河底高低差爲三一公尺。如設閘八處，每處閘程爲五點五公尺，則舟楫之上下即可無阻。各水閘如通行前述之運河船時，所需閘室之有效長爲一三〇公尺，有效寬爲七公尺，兩端各安裝三點五公尺及九公尺之斜接扉各一付。

（四）運河用蓄水庫

本運河之所用水量將取給於前述之無名河。擬於長

㈠ 底本未收録此圖，故不能查閲。

春至懷德之山谷狹小處設高六公尺之土堰，可得廣爲一一四點四平方公里之蓄水庫，其蓄水量約有四億六千萬立方公尺。以平均平雨量計之，於通航期間每秒可放出一八點二立方公尺之運河用水，足資航運之用。

（五）運河用水

運河所需之水量如下：

甲、運河内損失量（滲透蒸發之損失）：　三點三五秒/立方公尺

乙、船閘消費量：　七點七〇秒/立方公尺

丙、水閘漏水量：　〇點〇六秒/立方公尺

所要用水量为每秒一一點一立方公尺，故蓄水庫之存水確可供應無虞。

（六）運河断面

爲期通行往返並行之運河船起見，運河断面之底寬設爲一三公尺，兩側坡度爲一比二，水深爲二點五公尺，拉牽道頂寬五公尺。

（七）航行所要時間

静水時航行速度每小時爲七公里，順水下航速度爲一〇公里，逆水上航速度爲四公里。如是，則通過松遼運河長二〇〇公里所要時間爲三五小時，除過閘所費時間爲七小時外，運河航行時間爲二八小時。據此速度推算，哈爾濱至營口間所要日數如下：

順水下航所要日數爲一一點五日。

逆水上航所要日數爲一二點五日。

（八）工程費用

運河開鑿費	二〇〇〇〇千圓
船閘設置費	一二〇〇〇千圓
水閘設置費	六八〇〇千圓
蓄水庫築造費	四〇〇千圓
運河區域設備	二五〇〇千圓
鐵路公路之橋樑費	三五〇〇千圓
購地費	五〇〇千圓
測量及工程監理費	四四五〇千圓
零星工程及雜項用費	五〇〇千圓
合　計	四七五〇〇千圓

第十二章　結論

東北境内松、遼兩河貫流南北。流域之内土地肥沃，物産豊饒，人口稠密，爲産業、文化之中心。黑龍江、烏蘇里江、綏芬河、圖們江、鴨緑江等，分流於中蘇、中韓國境。大小凌河則流經東北南部而下注渤海。松、遼二河水災頻仍，每年被害金額達數億圓之鉅。重要都市受其威脅日趨嚴重，至其蹂躪人民之生活，阻礙文化、工業之進步，而致損耗國力者，則更難以數字計算。故言東北水利之建設，當以防洪爲首要。先除其害，兼謀其利，以樹富國利民之本。

東北河流之調查始自遼河水系，至民國三十一年調查計劃完成。次乃着重於松花江水系，边境河流亦間有調查，惟所獲無多。其歷年所用之調查經費，至民國三十二年度止，計爲七 九四〇 七七三圓。观諸僞滿時期之河川調查工作，應行改進之處仍多。水文測站應作網狀密佈，儘量增設。測站員工須受專門訓練，提高素質，增加薪餉，以安定其生活，庶使所得資料正確，而免錯誤之設計，致危害工程本身。他如各水系河狀、地質之調查測量，仍應賡續進行，早予完成。

昔僞滿當局对於河川之治理頗爲重視，惟因資料缺乏及受戰時之影響，未能全力進行。遼河水系全盤治理計劃業已完成，自民國二十七年起，即決定分别施工。要者爲柳河、鬧得海蓄水庫工程，則已工竣，東遼河之滴打嘴子蓄水庫則已完成百分之九十以上，其他零星灌溉開拓工程尚多。業如前言，松花江水系則以調查爲期尚短，具体治理計劃未能提出，但吉林第二松花江豊滿蓄水庫及水力發電工程則早經竣工。哈爾濱防水開發事業，自民國二十九年起施工，現尚待完成。統計截至民國三十二年度，延僞滿交通部所用之河川改修費爲二七 二九〇 五〇三圓。各省實施河川改修費爲一 九 六七六 五七〇圓，各都市防水工事費用爲二二 七九七 一〇七圓，上述三項連同歷年調查用費總支出計爲七七 七〇四 九五三圓。

統觀上述，東北之水利事業当以松、遼二水系爲主，而尤以賡續完成僞滿之未完工程爲急要，以免爲洪水所毁。

次則，急應完成松花江水系之全盤治理計劃，庶可分期配合施工，以免曠延時日。至遼河水系之治理計劃，則應依據現有設計圖表、資料，參照中央之水利建設計劃，即行重加研討、修正。其實施程序，首当在中下游增築堤防，疏浚河身，以納洪水。在上游建築水庫及防砂工事，以減低洪水高峰及含沙量。次及航路、運河、港埠之開

關，水電工程之興建，以及灌溉農田，開拓耕地及都市工業之給水等。國境河川因與國防有關，其着重點自有不同，但河狀地形之勘測，水文測站之設置，亦刻不容緩焉。

整理人：王爽，遼寧省圖書館，從事地方文獻咨詢工作。

石榮暲　編

庫頁島志略

李興盛　整理

整理説明

《庫頁島志略》共四卷，民初石榮暲編。

石榮暲（一八八〇—一九六二年），字蓋年，湖北陽新人。民國年間曾任山西省興縣知事、吉長鐵路文書課長兼附屬鐵路學校校長、吉敦鐵路工程局總務科科長，新中國成立以後被聘爲中央文史館館員。著有《吉敦鐵路調查録》等。民國十六年（一九二七年），石在吉林期間，有感於我國領土庫頁島『既亡於俄，復亡於日本』，於是『於從公之暇，勉力搜求』，將有關庫頁島之相關文獻，編爲《庫頁島志略》一書，以抒發其『慨輿圖之變色，還我何年』的愛國感情。

此書成書於民國十八年（一九二九年），二十三年（一九三四年）刊於其自編的《蓉城仙館叢書》之中。

本書共四卷十三篇。原文在『例言』結束後有半幅残缺圖，此處未收録。卷一爲沿革篇，卷二爲疆域篇、民族篇，卷三爲氣象篇、農業篇、畜牧篇、水産篇，卷四爲森林篇、鑛産篇、實業篇、交通篇、財政篇、習俗篇。

該書囊括了庫頁島之歷史與現狀，包括沿革、氣象、物産、風俗等，應有盡有，作者自謂『我國庫頁島之有專書，權本著爲創始』，可稱當之無愧。據此，此書史料價值之高不言而喻。

另值得説明的是本書中存在較多音譯詞彙，如庫頁島在書中有『庫葉』『庫野』『苦夷』『苦兀』等稱法，即因音譯的緣故，不作統改，以保留歷史語言真貌。

本編纂單元點校者爲李興盛，審稿者爲蔡蕃、謝永剛、姜智。不當之處請批評指正。

整理者

目録

例言

一、我國疆土廣大，歷代對於藩屬但求臣服，向不干涉其内政，以致情形隔閡，漸致淪亡。予不揣固陋，擬將舊有藩屬各地政治風土，各著一篇，陸續出版，以促國人之注意。

一、庫頁島之面積等於臺灣一省。我國關於庫頁之記載並無專書，間有附見於他籍者，亦多簡略。爰就中外書籍詳加參考，復加訪問，俾成一集，是吾國庫頁島之有專書，要以本著爲創始。

一、我國東北幅員寥闊，而庫頁一島喪失於無形，因將中俄交涉之有關係者一併列入，俾明始末。

一、庫頁島歸日俄分領，各種設施自不一致，特就南北實況情形分别列入，以存真相。

一、庫頁島地圖求之我國幾等於零。特訪日俄兩國地圖多種，請平定陸硯農君繪製，誌之以謝。

一、本島喪失之後，日本名曰樺太，俄羅斯名曰薩哈連。是編仍以庫頁名之，以存我國之舊。

一、本編引用各書，凡未載明出處者，即由樺太譯出，其他參考各書，均詳注於下，以便檢查。

一、本編稿經數易，仍欠完善，敬請閲者教正，以便隨時增改，是所深幸。

卷之一

沿革篇

庫頁爲我國艮方一海島耳，島之廣袤埒臺灣。位於混同江口，爲東北邊徼門户，較臺灣、崇明、瓊州各島尤關重要。惟地方荒僻，政府不甚注意。雖《職貢圖》《一統志》《省志》均有記載，確爲我國領土，而外人竟認爲無主荒島，任意侵佔，殖民開拓不遺餘力。我國人士久矣視之漠然，亦無文獻可徵。爰就散見於各書者及其與本島有關係者詳著於篇。

《後漢書》曰：『北沃沮海中有女國。』

《唐書》曰：『日本東北限大山外即毛人。』

《唐書》曰：『流鬼去京師一萬五千里，直黑水靺鞨東北，少海之北，三面皆阻海，其北莫知所窮。』又曰：『流鬼南與莫曳、靺鞨鄰，東南航海行十五日乃至。』

按：《朔方備乘》載庫頁島沿革，或曰：『《唐書》「流鬼國去京師萬五千里，其地直黑水靺鞨東北，少海之北，三面皆阻海，人依嶼散居，有魚鹽之利。」《通典》曰「流鬼在北海之北」，疑即今庫葉島也。』秋濤謹案：《唐書》明言流鬼國『三面皆阻海』，則一面通陸可知，庫葉島在海中，四面阻海，與流鬼不得爲一地。考庫葉島東北隔海，爲俄羅斯國之甘查甲部，亦曰堪察加，亦曰岡札德加，其地東、南、西三面皆阻海，惟北地與疴哥德部相連。其爲古流鬼部無疑。甘查甲西面之海，即黑龍江省東北之海，亦係渤海，非大海也，故《唐書》謂之『少海』。又云在『黑水靺鞨東北』也，或曰流鬼部既非庫葉島，則庫葉島在古當爲何國？《賨綋圖考》以庫葉島即古女國，亦名毛人國。考其説，信歟？秋濤謹案：《後漢書》『北沃沮海中有女國』，《唐書》『日本東北限大山外即毛人』。今庫葉島在海中，恰與混同江口東西相直，正與所謂『北沃沮海中』合。北沃沮，今寧古塔東北之地。沃沮，猶今言窩集，又作渥集，皆同音異字，實一地也。庫葉島南隔一海峽，即日本國。明《開原志》云：『苦兀在奴兒干海東，人身多毛。其鄰吉里迷男少女多。』知女國、毛人皆在此島矣。《三才圖會》有奚部、小如者部，其國無男。小如者，本室韋部名。當與庫葉島相近。《梁四公記》有扶桑國，此記多荒誕之言，然所紀外藩風俗物産，尚有不盡誣者。所謂扶桑國，即今寧古塔極東北之地，其官名與高麗同，其俗使鹿，尤爲切證，特扶桑之名出於附會耳。《記》云：『扶桑國東千餘里有女國，身有毛。』則知女國、毛人蓋本一地，傳聞失實，以爲無男耳。《唐書》記流鬼南鄰莫曳部，明稱苦

兀，今稱庫葉，皆莫曳音轉。吉里迷，《元史》又作帖烈滅。故此島今又名頜里野，又作野合也。合而論之，則庫葉之沿革，思過半矣。暲案：日本白鳥博士謂《唐書》及《通典》之流鬼國，即今之樺太。小川柳坡氏否認是説，主張樺太即莫曳、靺鞨。按里程計，勘察加半島距京師一萬五千里，斷非樺太，更以三面阻海言，流鬼係半島國，其北莫知所窮，確爲勘察加無疑。何氏考證尚稱名（一）晰，惟兩氏之説，各執一理，未敢許其孰是。然從漢文之解釋及地形里程之關係，莫曳部説之一節尚覺近是。據此則小川氏根據何氏之考證，所駁白鳥氏之説，理解正確，毫無疑義，但小川氏未敢確定耳。且莫曳、庫頁字音既同，而地形亦相脗合，益見何氏考覈之精。又按：明行人嘉禾嚴從簡《殊域周咨録》載：『苦兀在奴兒干海東，人身多毛，戴熊皮，衣花布，親死，刳腸胃曝乾負之，飲食必祭，三年後棄之。其鄰有吉里迷，男少女多。女始生，先定以狗，十歲即娶』云云。何氏謂女國、毛人皆在此島，又一明證，至何氏謂黑龍江省東北之海『係渤海，非大海』一語，與今之渤海異。所謂少海者，當即今之韃靼海，然與本島之考證無關，姑置之。

按：《後漢書》『北沃沮海中有女國』，既經何秋濤氏考證，確爲今之庫頁，則吾國知庫頁之爲海島，殆遠在後漢時代。近有謂自永樂用兵征服後，久知其爲海島，已爲晚矣。乃嘉慶十四年，即日本文化六年，間宮林藏氏前往探險，始得明其真相，並欣欣然報告於世界，謂庫頁非毗連大陸而爲海島，係間宮氏之確定而爲日本人所發明者，并改韃靼海峽爲間宮海峽，以表揚其功績。我爲先進國家，而對於本國領土不知整理，一任外人之侵佔、攘奪、誇耀、宣傳而視若無睹，卒至無形喪失，何我國政府麻木不仁，一至於此。嗚乎，痛已！

《新唐書・北狄列傳》云：『黑水東北有思慕部，益北行十日得郡利部，東北行十日得窟説部，亦號屈説，稍東南行十日得莫曳皆部，又有佛涅、虞婁、越喜、鐵利等部。其地南距渤海，北、東際於海，西接室韋，南北袤二千里，東西千里。拂涅、鐵利、虞婁、越喜時時通中國，而郡利、屈説、莫曳皆不能自通。』

按：黑水東北有思慕部，益北行得郡利部，皆應在黑龍江外東北。窟説部與庫頁同音，爲庫頁島當無疑義。稍東南行十日得莫曳皆部，應爲今奇雅喀喇人等所居之地。其佛涅、虞婁、越喜、鐵利等部，以黑水四至徵之，皆應在吉林東北。據《契丹國志》，鐵利在臨潢正東北五千餘里，西南與靺鞨國接，亦應距庫頁不遠。

《金史》有濟喇敏，《元史》有帖烈滅，即吉列迷，與苦夷雜居。

（一）名　應爲『明』。

按：《奴兒干永寧寺碑記》有『其民曰吉列迷，與苦夷諸種雜居』之語。吉列迷即濟密彌爾之對音，即金之濟喇敏，元之帖烈滅也。至其事實則不可考。

《明史・兵志》：『洪武、永樂間，邊外歸附者，官其長爲都指揮、千百户、鎮撫等官，賜以勅書、印記。奴兒干都司領衛三百八十四、所二十四。苦夷爲奴兒干所領。』

明永樂元年，西曆一四〇三年。遣行人邢樞偕知縣張斌往諭奴兒干，至吉烈迷諸部落招撫之。於是海西女直、建州女直、野人女直諸酋長悉竟來附，尋建奴兒干都司。

明行人嚴從簡《殊域周咨録》載：『永樂元年，遣行人邢樞、知縣張斌往諭奴兒干，至吉烈迷諸部落招撫之。於是女直諸酋長來附，授督罕河衛，令馬吉你爲指揮。上諭胡廣等曰：「朕非欲併其土地，蓋以此輩自昔擾邊，至宋歲賂金幣卒爲大患。今既來朝，從所欲，授一官，量給賜賚，捐小費以彌重患，亦不得不然。」乃詔自開原東北至松花江以西置衛一百八十四，曰建州，曰必里，曰毛憐等名。所二十，爲站，爲地面者各七。選其酋及族目授以指揮、千百户、鎮撫等職，俾仍舊俗，各統其屬，以時朝貢。尋復建奴兒干都司於黑龍江之地，設都督、都指揮等官，與各衛、所不相轄屬。其有願居中國者，於安樂州，於開原自在州，於遼陽以處之，量授以官，任其耕獵。故時各衛酋每入貢，賞賜甚厚。所有征調，聞命即從，無敢違期。』按：此節較《明史》所記稍詳，惟設置衛、所之數不同，或奴兒干都司之設在後，故略異耳。

永樂二年西曆一四〇四年。二月，忽刺温等處女直野人頭目把刺答塔來朝，置奴兒干衛，以把刺答塔、阿刺孫等四人爲指揮同知，古驢等爲千户所、鎮撫。

按：此則見於《皇明實録》及《大明會典》，惟《會典》僅載永樂二年女直野人來朝，其後悉衆歸附，稍簡略耳。

永樂七年西曆一四〇九年。閏四月，設奴兒干都司，以東寧衛指揮康旺爲都指揮同知，與兵二百，護印千户，王肇舟等爲都指揮僉事統其衆。

按：此則見於《皇明實録》(一)至《大明會典》設奴干兒都司在永樂九年。

永樂九年，西曆一四一一年。遣内官亦失哈等率官軍前往撫諭。十年，至其國。自海西抵奴兒干及海外苦夷諸部，給以穀米、衣服、器用，宴以酒食，皆踴躍歡欣，捕海青方物朝貢。上嘉其來服。

按：此則見於《奴兒干永寧寺碑記》。又金毓黻氏《遼東文獻徵略》所載《扈從東巡日録》船廠之下按語考證精詳，附録於此：按《遼東志》云：『松花江上有河，曰穩秃。深山多産松木。國朝征奴兒干，於此造船，乘流至

(一)《明實録》原稱《大明實録》，俗稱《皇明實録》。

海西，裝載賞賚，浮江而下，直抵其地。』此萬季野謂明永樂間於此造船之由來也。穩秃河即温德亨河，源出吉林縣南境，流百餘里至吉林城西門外入松花江。滿語温德亨，板片也。茲河上流産木最富，可以截成板片順流而下，故明征奴兒干，清征羅刹，皆於此造船也。紀載諸家於永樂年造船之事，皆不能究其終始，特爲徵攷於上。又，《吉林通志》載：今吉林城東十二里江邊阿什哈達有磨崖字云：『奉天遣興孔兵馬陣前將軍遼東郡同都指揮使劉書，丁未十八年領軍至此，洪熙元年領軍至此，□□[一]七年領軍至此。』按語謂遼東郡設於燕秦，都指揮使司之設始於明洪武八年，此明官而仍題遼東郡，蓋猶文士以古名施於今地之陋習耳。又考洪武以後，洪熙以前，兩遇十八年皆非丁未，『丁未』二字疑爲永樂之剥文，考《明史》洪武二十六年遼東都指揮使司奏朝鮮招引女直五百餘人，欲入寇。蓋洪武、永樂間嘗用兵於女直，故領軍者得以至此也。毓黻按：『丁未』二字永樂之剥文，誠無可疑。而『郡同』二字亦爲都司之譌，以丁未與永樂、郡同與都司皆形似之字也。明初遼東總兵有劉江，見《遼東志》，或即其人。奴兒干都司設立永樂九年，其後叛服不常。《明實録》有『永樂十二年閏九月，命遼東都司設此字疑有誤。兵三百，往護其印』之語。據此，則劉都指揮使之領軍至此，必爲征奴兒干而來也。

永樂十二年西曆一四一四年。閏九月，命遼東都司設兵三百往護其印。

按：此則見於《明實録》金毓黻氏謂設字有誤，予意設字下當有脱漏。

宣德元年，西曆一四二六年。武略將軍崔源同太監亦信下奴兒干等處招諭，進指揮僉事。

按：遼陽金毓黻撰《遼東文獻徵略》載：『近年遼陽千山北麓倪家台發見《明昭勇將軍崔公墓志銘》，志稱：崔源字本清，瀋陽人。曾於宣德元年同太監亦信下奴兒干等處招諭，進指揮僉事。』金毓黻氏附記云『宣德元年，同太監亦信下奴兒干等處』，疑亦失哈名信字失哈。所紀與永寧寺二碑『宣德初復遣太監亦失哈』之語脗合。惟崔源於此役有功，是以得列名碑末。《遼東志》分守內宦有亦什哈。明制，派內監鎮守遼東，秩同總兵，分守各地者，秩同副總兵，遼陽、廣寧皆有鎮守太監府，前人謂金石遺文可補正史之闕，正此之類。然則《崔源墓志》之可葆貴，不幾與永寧寺碑等乎？碑云忽刺温野人、女直野人皆具載於《明實録》，奴兒干都司所屬三百八十四衛、二十四所謂之羈縻衛所，亦具載於《明史・兵志》，特以事涉建州舊蹟，清臣不願剌舉以觸時君之忌，故寧從删削耳。至《崔將軍墓志》係辛浩所撰。考辛浩字養正，湖廣江夏人，

[一] 底本此處字迹不清，無法辨認。

正統七年進士，任監察御史。彈劾不避權勢，謫戍遼陽。俗不尚文學，浩自選將校子弟教之。郡庠生丘霽、周正、胡深、顧能、邵奎皆受學焉，相繼登進士第。天順中復官，後卒於遼。若非墓碑之發見，欲求辛公之一字而不可得，即崔將軍之功烈亦埋没於荒煙蔓草間矣。人以文存，文以人顯，亦崔、辛兩公之幸也夫！

按：《遼東文獻徵略》附記明代疆域一則，論斷精確，可資參照。原文云《全遼志》後附記云：明代之滿洲可分爲二，其一部實隸人明之版圖，爲其領地；其一部則爲明之屬衛，所謂羈縻州者是也。清代官撰諸書嘗謂，明初疆域東盡於開原、鐵嶺、遼、瀋、海、蓋，其東北境全屬我朝，及國初，烏拉、哈達、葉赫、輝發諸國，並長白山之納殷、東海之窩集等部，明人曾未涉其境。永樂二年，做唐羈縻州之制，設尼嚕罕衛。即奴兒干。七年改爲尼嚕罕都司，後又續設衛所之空名，其疆域遠近原弗及知，山川城站亦多在傳聞疑似之間。見滿洲源流考卷卷十二。此種解釋人皆以爲不謬，抑知尼嚕罕用兵之事載於《皇明實録》者實有未盡，且黑龍江口特林之永寧寺碑屹然尚在，非記載當時偉業之證耶？

宣德七年，西曆一四三二年。上命太監亦失哈同遼東都指揮康政率官軍再至其國撫諭。

按：見於《明史》及《奴兒干永寧寺碑記》，僅此。至苦夷來服之起原與設置之沿革，皆不詳，即奴兒干永寧寺二碑僻在荒徼，久已湮没。光緒十一年，枝江曹彝卿觀察廷杰奉命赴東北調查邊務，始經發見，實爲重要史料。潛江甘藥樵廳長在吉林清理財政時，曾親見原搨碑文並撰有跋文三首，考證精切，深爲研究邊疆史地學者之一助。武進魏聲龢氏《吉林地理紀要》亦詳引之。特附録碑文及三跋於後，以資參證。

勅修奴兒干永寧寺碑記 文內旁註數字係所缺字數。

蓋聞天之德高明，故能覆幬；地之德博厚，故能持載。聖人之德神聖，故能悦近而來遠，博施而濟衆。洪惟我朝，統一以來五十年矣。九夷八蠻，梯山航海，駢肩接踵，稽顙於闕庭之下者五東一奴兒干國四之表，其民曰吉列迷及諸三雜居焉。皆二慕一，未能自至。況其地不生五穀，不產布帛，畜養惟狗，或野人二十五衣食之艱，不勝爲三十二監國六十三。永樂九年春，特遣內官亦失哈等二軍三人巨四艘復至其國三，兒干二十七朝三都司七十四收集舊部三之自相統率。十年三十二亦失哈等載至其國自海西抵奴兒干。海一苦夷諸四以衣服器用，給以穀米，宴以酒食，皆踴躍歡欣，二十三而三其民使知敬。五十六奴兒干十而秀麗一是一建觀音堂於其上，一造一塑佛二十七威三厲疫而安二既三古以來未聞若斯一百十一臣服永無七萬方之外率土之民不飢不寒，三戴堯舜之治六九州之內一我十蠻夷戎狄不一而威，莫不朝貢二《中庸》曰：『天之所覆，地之所載，日

月所照，霜露所墜，凡有血氣者，莫不尊親。』故曰：配天
正謂我五至誠無息，與天同二無尚十一云爾。

鎮國將軍指揮同缺事禿缺旲者因帖木兒　朱誠　黃
武缺賽因不花缺速哈　阿缺哈　哈赤兒　李道安　醫士
陳缺郭缺史黃顯　監造千户金缺撰碑記行人銅臺邢缺書丹
甯憲　書蒙古字阿魯不花　來降缺城安東州千户缺兒不
木　里哈衛鎮撫阿可里阿刺卜　百户阿刺帖木缺所鎮撫
賽因塔缺禿不花　自在州缺阿里哥　糚〔一〕塑匠方善慶
鐵匠缺史僧郎　磚瓦窑匠總旗熊缺軍人張猪缺泥水匠王
六十　察罕帖木都指揮同知康旺　都指揮僉事王肇缺佟
答刺哈經歷劉興缺史劉勝

重建永寧寺碑記

五四時行百物生四載三萬物育八時萬姓十六爲一治七惟
我朝布德三而逾明六久矣二蠻夷戎狄四而朝一貢者十六餘
里人有三野人吉列迷苦夷一重譯莫曉其言非威一莫一其心
非一舟難至其地五其一風俗二弗三洪武間遣使至其國而未
通。永樂中上命十航一至其國撫諭三奴兒干都司十捕海青
方物朝貢上嘉其來服六之一朝廷八使柔化之二年秋十三寺
一民所觀十六也。宣德初，復遣太監亦失哈部衆九聖天子
與天同體，明如日月二之七之其民一服且整飾一佛寺二而一
七年，上命太監亦失哈同都指揮康政率官軍二千巨航五
十一至民皆如水一獨永寧寺二基址存焉十者皆悚懼戰慄一
之以戮。而太監亦失哈等體皇上好生二之意，深加二斯民
三宴以酒食六於是人無老少，踴躍歡欣，咸造天朝。有二
之居乃有啟處二我屬無二時八敢不三遂委官重造，命工塑
佛，不費而四得勝於三人無遠近皆來朝首一曰我四無一矣。
以斯觀之，此我聖朝四道高堯舜存三下加三民，使八表四
裔二萬姓無一飢寒者一太監亦失哈都指揮政一能一仁厚德
一治善化三夷四偉歟盛哉二聖主布德施惠非求報於百姓
也，四求報於二也。山致其高，雲雨起焉。水致其深，蛟龍
生焉。君子致其道德，而福禄歸焉。是故有陰德必有陽
報，有隱行必有昭明，此之謂也。二文記萬世不一。

大明宣德八年癸丑歲季春朔日立

欽差都知一太監亦失哈　御馬監鄭一金　內官范二
遼東都指揮康政　指揮高勗　崔源

按：枝江曹彝卿觀察《日記》載：『廟爾上二百五十餘里混同江東岸特林地方，有石礲壁立江邊，形若城闕，高十餘丈，上有明碑二，一刻《勅建永寧寺記》，一刻《宣德八年重建永寧寺記》，皆述亦失哈征服奴兒干及海中苦夷事。碑陰有二體字碑文，碑側有四體字，惟唵、嘛、呢、叭、嘛、吽六字漢文可識，餘皆不能辨。』考《柳邊紀略》載：威伊克阿林碑言：『威伊克阿林者，極東大山也。

〔一〕糚　古同『妝』。

上無樹木，惟生青苔，厚常三四尺。康熙庚午與俄羅斯分界，鑲藍旗固山、阿真、巴海等分三道往視，一從亨烏喇入，一從格林必拉入，一從北海繞入，所見皆同，遂立碑於山上。碑刊滿洲、俄羅斯、喀爾喀文。』按：《紀略》言刊三體字，今實六體字，是否即楊氏所謂威伊克阿林界碑，未敢臆斷。然以所載三路往視之道計之，則道里相合。亨烏喇即呑河，從此入者由齊齊哈爾東逾内興安嶺，順呑河入混同江也。格林必拉，即格楞河，從此入者由瑷琿舊城東逾外興安嶺南支，順格楞河入混同江也。北海即指索倫河東海灣，從此繞入者，由雅克薩城東北至欽都河源上外興安嶺東抵索倫河口，沿海濱繞入混同江也。蓋威伊克阿林在混同江南岸奇吉泊下，今其地名特林，即威伊克阿林之合音，豈分界時即以三體字文刻於明人舊碑之上耶？予按：曹彝卿觀察親歷東北邊陲，考據精確，甘蘗樵廳長三跋永寧寺碑，以此説未覈，辨之尤精，特附録於左。

明奴兒干永寧寺二碑跋

辛亥秋，于役吉林。枝江曹彝卿觀察廷杰以明奴兒干永寧寺二碑拓本見示，一爲永樂中立，一爲宣德八年立，皆紀太監亦失哈撫諭奴兒干及東海苦夷事。文特漫漶，可辨識者不及十之四五。乃鈔撮其略云：東北奴兒干國，其民曰吉列迷，與苦夷諸種野人雜處，地不產五穀，非舟莫至。洪武間遣使而未通。永樂九年，遣内官亦失哈等率官軍一千餘人，巨船二十五艘至其國撫諭之，設奴兒干都司，收集諸部人民，使之自相統屬。歲捕海青方物朝貢。十年，亦失哈等載至其國，自海西抵奴兒干及海外苦夷諸部，給以穀米、衣服、器用，宴以酒食，皆踴躍懽忭。宣德初，復遣太監亦失哈部衆至。七年，亦失哈同都指揮康政率官軍二千、巨船五十再至云云，此《明史》所不載。《明史·兵志》第言洪武、永樂間邊外歸附者，官其長爲都指揮使、百户、鎮撫等官，賜以敕書、印記，設都司衛所，有都司一，曰奴兒干，如此而已。至奴兒干所以來服之起原，與設立奴兒干都司之年月，《明史》均未之詳也。明成祖時，鋭意通四夷，奉使多用中貴，西洋則鄭和、王景弘、西域則李達，迤北則海童，西番則侯顯。《明史·宦官傳》書之特詳。亦失哈亦以太監將數千之衆浮滄海，四使絶域，俾野人部落率衆歸附，勒碑而還。此亦當時大事。《明史》乃隱而不書，非此碑僅存，則明初撫諭東北之事竟無從知其涯略矣。金石遺文，前人謂可補正史之闕，不虚也。彝卿於光緒乙酉奉檄入俄境，游歷至特林，避雨喇嘛廟，得此碑，搨六本，一呈希侯元，一呈樞府，一呈總督，一自藏。餘二本爲喇嘛持去，呈俄政府，海内無第五本也。蓋彝卿自述如此。特林東距廟爾二百五十里，西去三姓蓋二千餘里矣。訪域外殘碑備中土故實，不可不記，因跋其尾歸之。

再跋明奴兒干永寧寺碑

明初設奴兒干都司，其領地《明史・地理志》不載。楊賓《柳邊紀略》謂寧古塔爲明奴兒干都司地，《吉林通志》謂在混同江海口，今考明初所立奴兒干永寧寺碑實在混同江東岸特林地方，距海口纔二百餘里，則謂奴兒干在混同江海口者信矣。碑有『其民曰吉列迷，與苦夷諸種野人雜居』之語。吉列迷爲奇勒爾之對音，一曰濟勒彌，一曰吉里迷，即《金史》之濟喇敏，《元史》之帖烈滅也。自海口逆溯而上，與奇勒爾雜居於混同江兩岸者，有費雅喀、赫哲各部，即碑所謂諸種野人也。然則沿混同江左右以訖於海，凡赫哲、費雅喀及奇勒爾各族所居之地，皆明奴兒干地矣。苦夷即庫葉之對音，其爲混同江口外之庫葉爾島無疑。然則明奴兒干都司所領，殆遠及庫葉島矣。《明史・兵志》謂奴兒干都司，領衛三百八十四、所二十四，即碑所謂招集諸部，使自相統屬者也。是奴兒干都司領地至廣，又不獨東北海濱一隅而已。楊賓僅以寧古塔爲奴兒干都司地者，蓋奴兒干是其總稱，寧古塔殆其治所耳。寧古塔南扼朝鮮，西翼遼瀋，東至庫頁島，跨海外數千里，重關巨扃，扞衛天府，屹然爲東北雄鎮。明初設奴兒干都司於此，以領衛所，頗得控制之宜。惜乎明之君臣無籌邊遠圖，但以羈縻無絶爲懷柔之術，正嘉而後國勢益弱，不能及遠，自失形便，此與三衛之棄同爲失策而已。

三跋明奴兒干永寧寺碑

碑陰碑側有蒙古文，不可識。彝卿爲之説云：楊賓《柳邊紀略》載康熙庚午與俄羅斯分界，巴海等分三道至威伊克阿林，立碑山上，碑刻滿洲、俄羅斯、喀爾喀文。今特林碑陰碑側有六體字，或即巴海等分界時所刻也。余意不然。康熙中與俄畫界，以外興安嶺及額爾古納河爲限，嶺及河以北隷俄，以南隷中國，此見諸條約者。然則自額爾古納河以南黑龍江以北，循外興安嶺麓東至於海及海以外庫葉島，皆中國領土也。特林爲海以内地，東距混同江口二百餘里，北距索倫河千五六百里，當時國威正盛，人才尚多，斷無立碑内地自蹙國境之理。何秋濤氏謂威伊克山界碑當在外興安嶺極東北隅近北海處，此説庶幾近是。後來巡邊將弁憚其險遠，不復巡歷，遂湮没失傳耳。彝卿乃以特林碑當之，豈其然乎？碑末題名有書蒙古字阿魯不花一人，則碑陰蒙古字爲明時所刻無疑。且楊賓謂威伊克山界碑有俄羅斯文，今特林碑無之，則非巴海所刻尤不待辨而明。彝卿於東省輿地考據至精，惟此説未覈，故略辨之，以附諍友之義。

萬曆四十四年清天命元年西曆一六一六年。七月丁亥，清太祖努兒哈赤遣大臣安費揚古、扈爾漢率兵二千，征東海薩哈連部。

安費揚古、扈爾漢率兵行至烏拉簡河，刳舟二百水陸

並進取河南北三十六寨。

八月丁亥，安費揚古、扈爾漢率兵取薩哈連部十一寨。

是月，駐營黑龍江南岸。江水常以九月始冰。是日，衆見他處未冰，獨駐營近地距對岸二里許結冰如橋，約廣六十步，皆以爲異。安費揚古、扈爾漢曰：『觀此冰橋，天佑我國也。』遂引兵以渡，取薩哈連部十一寨。

萬曆四十五年，清天命二年，西曆一六一七年。清太祖遣兵四百，收瀕海散處各部。其島居負險者，刳小舟二百往取。庫頁內附，歲貢貂皮，設姓長、鄉長子弟以統之。

按：《大清一統志》外藩疆域末附云：『盛京東北瀕海，有赫哲、費雅哈、庫倫、鄂倫春、綽奇楞、庫野、恰喀拉諸部落，各沿海島居住，每歲進貂皮，設姓長、鄉長子弟以統之。鄂倫春並設佐領供調遣，皆隸於寧古塔、黑龍江將軍。地雖極邊，人則內屬，故不列於外藩』云。夫既不列於外藩，則東三省邊域中，諒必及矣，乃又一字不及。《皇清通典·邊防門》亦沿此數語，甚至《盛京通志》於此數部之疆域四至、户口沿革亦一字不及，則此各部者既不獲列於外藩，又不獲列於內地。動稱國初聲教逮於使犬、使鹿，而地在何方，人爲何等，茫如絶域，此又兩不收之，一失也。此魏源《聖武記》中之語，對於一代史地掌故無從考證，言之痛切，關外當年文化之鄙陋可見一（班）〔斑〕。然考《大清一統志·吉林山川門》：大洲在寧古塔城東北三千餘里，混同江口之東大海中，南北二千餘里，東西數百里，距西岸近處僅百里許，是大洲即庫頁島。《一統志》曾列於吉林疆域內，但島名不同耳。又案：《吉林省志》亦將庫頁島列於所轄境內，而所載不詳，一如往昔。編輯之餘，殆與魏源有同一之感矣。

按：《職貢圖》『庫野居東海島之雅丹達里堪者是也，每歲進貂皮，設姓長、鄉長以統之。以其居處甚遠，不能至寧古塔，每年六月遣官至距寧古塔三千里之普禄鄉收貢頒賜焉。』又徐曦《東三省紀略》云：據《聖武記》《朔方備乘》等書所紀，似庫頁島之隸屬滿清，蓋在天命二年，惟當時不編佐領，在使馬、使鹿、使犬各部之外，等於羈縻之土番，故閲時未幾，漸與滿洲脱離關係。予按：嘉慶十三年，即日本文化五年，日本間宮林藏氏曾到吾國東北探訪，是時庫頁島人尚復納貢。又道光初年，吉林堂主事滿洲薩英額所撰《吉林外紀》云：黑津名目不一，琿春東南濱臨南海一帶者，謂之恰喀爾，三姓城東北三千餘里松花江下游、齊集以上至烏蘇哩江東西兩岸者，謂之赫哲，齊集以下至東北海島者，謂之費雅喀，又東南謂之庫葉。齊集，地名也。恰喀爾隔年一次，至烏蘇哩、莽牛河，三姓派員收納貢皮九十張，頒給賞物。齊集以上者，俱赴三姓城，交納貢皮，領取賞物。齊集以下者，俱在三姓城東北三千里德勒恩地方，三姓派員收納貢皮，頒給賞物。此三項，黑津每年共納貂皮二千六百張，所有賞賚蟒袍、

妝緞、紬緞、布疋諸物，例由三姓每年派員赴盛京領來分賞。據此則道光初年仍復納貢，斷絕關係必在烏蘇里江以東土地割畀俄人之後。徐曦氏謂『天命二年之後，未幾即與滿洲脱離關係』，殊有未合也。

清康熙中，蝦夷島人屢隨庫頁島人至混同江境內進貢貂皮，給與賞賚，歲以爲例。

按：《朔方備乘》庫葉島貢獻，魏源曰有不編佐領之使鹿部，曰奇勒爾，曰費雅喀，與海中之庫頁島皆更在鄂倫春之外，每歲不能以時至寧古塔，則以六月期集於三千里外之普禄鄉，而章京舟行如期往受之。斯則不惟非滿洲，亦非索倫等部，幾同土番羈縻矣。《會典》雖不隸於理藩院，然赫哲、費雅喀來京娶婦，則禮部光禄寺供筵宴，盛京工部供薪稾，略如蒙古儀。其以非滿洲客之歟？抑八旗而外材武不可勝用，不以遠滿洲擯之歟？要之使犬諸部在混同江以南，其海近朝鮮，使鹿諸部在混同江以北，其海近俄羅斯，故朝鮮亦有獒站，而俄羅斯亦有鹿車。

按：曹彝卿觀察《中俄圖説》：費雅喀、黑津一作黑斤。與庫頁島各族至阿吉上三百餘里莫爾氣對岸烏綾木城處，受衣物、服飾之賞，名曰穿官，後亦貢貂，年共納二千六百餘張。據該族人自述，二十年前每年渡海至西山國穿官，該族呼日本爲西山國。即以木城所受衣物、服飾貢於其國。命官至所止海濱賞黄狐、水獺諸皮，彼此授受俱跪，攜皮回家，俟明年木城穿官賣之，亦至三姓城。自羅刹即俄羅斯。來，不許我等穿官，見木像則焚，見弄熊則阻，又欲我等截髮易服，實不願。女人畏忌更甚，惟望大國如數百年前將羅刹盡驅回國方幸。據此，則費雅喀等地曾隸日本。證以蘇城溝古城、雙城子殘碑，覺日本夙稱北征五十餘國亦非無因。康熙初，羅刹與費雅喀人戰，朝廷屢遣兵征之。至今傳聞不失，想見其人敬畏華人云。

按：《朔方備乘》何秋濤氏謂普禄鄉當即普隆靄噶珊，亦作蒲壟噶山，在庫葉島之西偏。予以爲寧古塔將軍每年派章京前往邊境納貢頒賜，距離較遠，曹彝卿氏所記之烏綾木城及間宫氏所到之台、倫皆在黑龍江流域，間宫氏親往調查，並謂滿洲行署在雞棲湖，其後以次移住各地。是行署並無確定地點。普隆靄噶珊在庫頁島內，何氏謂即普禄鄉，殊難確定，闕疑可也。

康熙二十三年，西曆一六八四年。羅刹侵擾赫真、費雅喀、奇勒爾等處，上命將軍薩布素等遣官兵勦撫牛滿羅刹。二十四年六月克雅克薩城。

薩布素等奏：『牛滿羅刹抵恒滾，同來自北海之羅刹與費雅喀戰，退居河洲，若不速計勦撫，則赫真、費雅喀、奇勒爾人民必被戕害，且恐羅刹後增發前來，宜乘四月冰解時即遣夸藍大二員率官兵三百，並發紅衣礮四具，令附近恒滾口費雅喀噶克當阿等嚮導，抵羅刹所踞地，先行招撫。不即歸降，則進兵勦滅。如羅刹聞風先遁，所發之兵即安輯赫真等處人民，未經來附者，亦招撫之。』上報

可。二十四年六月，官兵克雅克薩城諭曰：『治國之道，期於久安長治，不可圖便一時。當承平無事，朕每殫心籌度，即今征剿羅刹之役，似非甚要，而所關甚鉅。羅刹侵擾我黑龍江、松花江一帶三十餘年，其所竊據距我發祥之地甚近，不速加剪除，邊徼之民不獲甯息。朕自十三歲親政，即留意於此。今收復雅克薩城地方，得遂初心，朕甚嘉焉。』

康熙二十八年，西曆一六八九年。上命內大臣索額圖至尼布楚，與鄂羅斯國定界立約。

鄂羅斯國因師旅既還，抄略未已，用興師復圍其城。彼乃遣使通好，請定疆域。至是上命索額圖等往主其議。索額圖奏稱：『鄂羅斯所據原非羅刹所有，亦非兩界隙地也。況由黑龍江而下可至松花江，由松花江而下可至嫩江，南行可通庫爾瀚江及烏拉、寧古塔、錫伯、科爾沁諸處，若向黑龍江口可達於海。又恒滚、牛滿等江及淨溪里江俱合流於黑龍江，環江左右均係我屬，俄倫春、奇勒爾等民人及赫真、費雅喀所居之地，不盡取之，邊民終不獲安。臣以爲黑龍江上下及通此江之一溪一河皆屬我地，不可棄之於鄂羅斯。如一一遵行，即與之畫疆分界，貿易往來，否則臣當即還，不與彼議和矣。』上允之。索額圖至尼布楚宣布德意，與鄂羅斯使臣費岳多羅、額克里謝等畫疆定界：一、循烏倫穆河相近格爾必齊河上游之大興安嶺以至於海，凡山南流入黑龍江之溪河，盡屬中國，山北溪河盡屬鄂羅斯；一、循流入黑龍江之額爾呼納河爲界，南岸盡屬中國，北岸盡屬鄂羅斯。乃歸我雅克薩、尼布楚二城，立石於黑龍江兩岸刊泐。會議條欵，雜用滿、漢、拉提諾、蒙古、鄂羅斯五體文字。於是東北數千里不毛之地盡隸版圖，自後貿易之使每間歲一至，未嘗稍違。邊鄙人民安堵二百餘年，永無侵凌之患焉。

按：此爲我國與俄羅斯定界之始。羅刹所侵尼滿、恒滚河及赫真、費雅喀、奇勒爾、俄倫春之地，皆屬吉林，而北界之興安嶺、索倫河亦皆昔時吉林疆域。《會典》所謂三姓所屬海以內地。據此則庫頁島所居各族，當爲吉林管轄無疑。又按：康熙三十九年，俄羅斯使臣賫表至京師。上諭大學士曰：『俄羅斯地方遥遠，僻處西北海隅，然甚誠敬。噶爾丹窘迫求救於彼，曾拒而不答。曩者遣人分界，即獻尼布楚地以東爲界。尼布楚等處原係布拉忒、吴郎海諸部落地，彼皆林店〔一〕，以捕貂爲業，人稱爲土中人。後俄羅斯强盛，並吞之。能遂獻還，允當軫念也。』據此觀之，則尼布楚等地早在吾國版圖中矣。

乾隆二十三年，西曆一七五八年。日本松前藩王遣其臣巁崎傳右衛門至本島視察，至日本明和年間復派和田前往。

〔一〕店　應爲『居』之誤。

乾隆三十年，西曆一七六五年，日本明和二年。俄人侵略遠東，達千島，逐漸蠶食其地。未幾，勘至庫頁島，輸送囚徒，開發漁業、礦業之利。

按：俄羅斯侵略遠東始於明末清初之際。明崇禎十二年，達於極東鄂霍司克海岸。崇禎十六年，至勘察加，至是始至庫頁島。

乾隆五十年，西曆一七八五年，日本大明五年。日本松前藩王更派新井隆助迭次探察，至本島西海岸庫孫內、東海岸那嶽若。

日本德川幕府命勘定奉行，主計官。松本秀持使御普請役，司工官。山口鐵五郎等五人至蝦夷地探險。

是役也，前後二年兩至本島視察。

乾隆五十一年，西曆一七八六年，日本大明六年。日本幕府派大石逸平巡視本島。

乾隆五十四年，西曆一七八九年，日本寬政元年。俄人在本島南岸母子泊地方置政廳，設監獄，立教堂，駐守備兵，復移殖人民謀實業之發展。

俄人至本島之西岸測量，橫加强暴，又至南格里地方肆行劫掠，居民不堪其擾。

日本松前藩王令高橋清左衛門至本島西拉奴建交易所及漁場。

高橋清左衛門此次巡視庫頁島，西岸至孔達，東岸至雪蘭，惟向北不得前進，乃歸南岸置納税所於楠溪，又設事務所於西岸之脱克奔。召集土人於此二處，力示懷柔，於是該島南部大有爲松前藩屬地之趨向矣。

乾隆五十五年，西曆一七九〇年，日本寬政二年。日本松前藩王在本島庫孫克丹、哥爾薩可夫及西拉努斯等處設局管理漁業。

自乾隆十六年以來，由奥羽地方移民來此從事漁業者逐年增加，且倭奴屢次請願依附。是時日本藩王僅對漁業之管理置有少數小吏，在國防上尚無設施也。

乾隆五十七年，西曆一七九二年，日本寬政四年。日本幕府復派屬吏最上德內常榘和田兵太夫典恒等至本島視察，發見西岸之克蘇蘭，東岸之土富士。

嘉慶六年，西曆一八〇一年，日本亨和元年。日本德川幕府使函館奉行屬吏中村小一郎及御小人目附高橋治太夫至本島視察。

是役也，西至沙耶，東至內富士，不得再向北進，如是者數次，終以水陸道路險惡難於深入，東不過雪蘭，西不過沙耶。

嘉慶八年，西曆一八〇三年，日本文化元年。俄政府命克耳仙西丁東來測量黑龍江口及庫頁島之東北部。

嘉慶十年，西曆一八〇五年，日本文化三年。日本常陸國人間宮林宗奉命至庫頁島調查風土，在島上巡察二年而返。

嘉慶十一年西曆一八〇六年，日本文化四年。九月十一日，俄皇命胡斯圖到庫頁島阿尼華灣遺留俄文銅版，以爲占

領本島之紀念。

銅版文曰：『胡斯圖受俄羅斯國皇帝之命占領此島，遺銅版於此。』

俄羅斯亞米利加公司員發斯特夫及道克特夫率海獸獵船侵入本島。

先是乾隆五十五年之際，俄人時來侵掠日本人漁場。至嘉慶十年，俄遣使列薩諾夫來島通商，被日人拒絶。至是，亞米利加公司受政府之補助，屢來本島視察。

嘉慶十二年，西曆一八〇七年，日本文化四年。日本德川幕府以北海道西北部及庫頁島收歸直轄。次年改庫頁爲北蝦夷，以統御之。

德川幕府因北境告警，知松前藩王之力不克防守，遂將北海道西北部及庫頁島收歸直轄，使函館之守管理之，更命各藩出兵以固蝦夷各地。文化五年，委會津藩；六年，委津輕藩，負警備之任，改本島爲蝦夷，設北蝦夷會所，以統御漁民管轄之權。

嘉慶十三年，西曆一八〇八年，日本文化五年。日本政府派松前上大夫、松田傳十郎及間宮林宗等赴庫頁島探險。次年復遣間宮林宗調查山丹等地。

按：日本鳥居龍藏《東北亞洲搜訪記》云：『間宮氏受幕府之命調查庫頁島內地山靼及東韃地方，是時俄人南下之勢益急。文化三年九月十一日，俄人侵庫頁，擒松前藩之守吏。文化四年四月二十三日，又侵入擇捉島，德川幕府爲之震駭，不知所措。肥後守松前氏與但馬守荒尾氏連名向幕府執政提出對俄意見，幕府益知非直接處分不可。至文化五年，使松田傳十郎巡察山靼地方，庫頁之北及黑龍江地方，日本稱曰山靼及東韃。間宮林藏氏隨行。文化五年四月十三日，從北見國宗谷岬山發，前達庫頁島之白主。離宗谷時，據松田氏之感想，謂本年俄船有至庫頁之説，或與相遇，亦在意中，且恐途中有缺糧之虞，遂將自江户同來之壯丁減去，輕裝就道。有所謂白主者，在西方德羅岬附近與宗谷相對，爲庫頁島之南端。此處有日本之漁場汛地住有日人。松田與間宮約謂：君往東海岸，己則往西海岸，至某地相會。乃分道而行。松田所取之道路，往西海岸至霍洛古坦爲止。據相從之蝦夷云，自此以往皆爲史美倫格，即基里亞克。奥洛古山靼夷恐怖，不復前進。松田誘之，謂無論如何必至泊星。於是更進至塔夏姆，達於那育洛，在此地小住。松田復云，自那育洛至東海岸，一日可達那育洛地方。日本人先松田而來者，寬政四年五月二十六日，有最上德内氏從者，名曰和田，最上氏亦曾往來千島，實爲聞人。此外則有高橋次者，亦曾旅行至拉衣區西加。日本人在寬政、文化之間已奉命爲内地探險之舉，此吾等今日對於諸人不能不深爲感謝者。是時俄人每至庫頁之穹科塔頁，即今之大泊。防守其地之日人有爲捕虜者，千島方面擇捉島亦受俄人之虐待。日本與俄羅斯之衝突，宛如今日太平洋問題，日本與美國不

時齟齬。當時以勘察加爲中心，俄之極東勢力實爲與日本衝突之時代，其衝突要點則千島及庫頁島也。松田傳十郎更進而至莫西里亞，爲奥洛古與史美倫格雜居之地，再北上至奴台海峽，已無蝦夷人種，惟有基里亞克及奥洛古土人而已。觀當時地圖，亦云繼此以往，皆爲山靼人之風俗。此圖爲安政年間出版者，松田氏自奴台更向北行，至那資谷。在此西望，與山靼極近，即沿海洲之沿岸矣。附近海岸潮落時，則岸上一帶海草叢生。松田氏更進而至拉資加，欲再北上，而海草一片腐敗，無插足地，陸行亦頗不易。此地爲曼谷河即黑龍江。之出口，泥沙沖刷，海水頗淺，松田氏於此處知庫頁爲離開大陸之海島，當在間宫氏之先也。在拉資加不克前進，遂即此定爲國境而歸那資谷。時尚未與分途之間宫氏會晤，翌日將返奴台，而間宫氏乘舟適至，互慶平安，各道經過，同歸白主。逌返宗谷，以其顛末報告於長官焉。其時間宫氏所取途徑即今日敷設鐵路之地，蓋自科穹那至馬奴之道路，當時已爲官道，幕府官吏巡視庫頁時亦由此道而行。松浦氏之《唐太日記》中即載此路氏由馬奴經海岸，直至知床岬。自此以往，則波濤險惡終不能行，不得已，經故道折回馬奴。其地距西海岸較近，即由此地越山而至西海岸之那育洛，以舟追松田，之後在那資谷與松田會合，同歸宗谷。松田氏之工作我輩深表敬意。其時適在拉貝爾氏乘法國軍艦測量庫頁後七八年。是時歐洲之形勢方爲拿破崙威脅外國侵入莫斯科之前後也。松田、間宫二氏既探險而歸，當時之長官謂間宫行至知牀而止，尚有疑點，復命爲二次之探險。文化五年七月十三日，間宫氏一人由宗谷出發，九月三日抵托資修古，氣候日見寒冷，乃定俟海中結冰再至東韃。幾經遲延，直至文化六年五月十二日始抵諾尼阿。自奴台至此，與東韃地方之沿海州相對，海峽極狹，潮水南流，其間雖有潮路，但浪不甚高，扁舟往返殊爲平穩，土人均於此處對渡。自此而北則海面漸闊，潮水北注，浪高時不克行船。不得已，復返奴台。從者思歸，於是解雇。間宫氏暫住於奴台酋長古尼之家中，助其操作。旋得其許可，謂滿洲台倫地方有官署將往交易，可附舟而往。間宫氏亟欲往遊，遂於六月二十六日乘山靼船由奴台岬出發，對渡至東韃。又因風潮險惡折回拉加岬小住數日，以海苔草根爲食。至七月二日，風浪漸平，又復出發，但大霧彌漫，咫尺莫辨，漂流於大洋之中，行約十八里，抵東韃之舊泊，即今之薩哈連州。由此沿岸放舟而南，浪湧如山，冒險行三里許，至拉加馬基，又六里，泊於亞爾古埃，在海岸造成假屋以居。此處有三灣，即今之台卡司脱附近，今日軍艦商船均避風於此，較庫頁之亞港尤爲安穩。間宫氏之船於三日去亞爾古埃而泊於牟西。此處曳船上岸較爲便利，且人船輻輳，土人頗爲公道。曳獨木舟上岸，取去什物，成爲空船，肩之而過塔八嶺，即入雞棲湖。湖與黑龍江通，過湖即入江。當時來此之土人有卡加、拉

奇蒙、蝦夷等。舟行至雞棲湖，半途而泊。此處有基里亞克人村落曰雞棲者，約有居民六十家，或即今之哈爾馬之基里克村。自此以往即入黑龍江。其時尚無所謂馬林斯克。溯江而上遂至台倫，是時爲七月十一日，台倫居黑龍江沿岸蘇非司克之上游，去黑龍江與戈林河合流處稍在下游江之右岸。此地有滿洲行署。間宫氏來此之前，以爲有俄人居此，欲確知俄人情狀，故來此地，豈知絶無俄人踪跡，惟有中國官吏在台倫署中受各地土人貢物而監督其交易，故一千八百年之初，黑龍江流域及沿海州爲清朝管轄，其事甚明。台倫官署稱爲滿洲行署爲臨時設立者，故其官吏非終年居此，在六月前後氣候和暖之時，自三姓乘舟來此辦公。是時各地土人雲集，獻其貢物，開始交易。至九月中旬氣候冷時，撤銷行署吏役，皆返三姓。間宫氏於此事調查頗詳。作爲一八〇〇年時代黑龍江下游之最初記述，蓋非常重要之報告也。黑龍江流域非俄國土地，而爲滿洲所管轄，至此時始知之。行署之於間宫非常優遇，其行署各地皆有雞棲湖之基里亞克村落，即今之哈耳馬。間宫氏寄宿時所耳聞者，謂昔之滿洲行署在雞棲湖，其後以次移住各地。間宫氏在台倫曾留七日也。七月十七日，間宫氏去台倫，沿江下駛。江畔有土人，不類基里亞克。自包爾以下之夷人與庫頁之史美倫格相同，所謂包爾，即今之泊爾氏。又至帝爾邱陵之下，此爲亞琿河與黑龍江會流處，邱上有明朝奴兒干都司故蹟，又有永樂、宣德二碑。永樂年間明朝隆盛時建觀音堂於此，爲奴兒干都司防地，成爲黑龍江流域及庫頁等處中心。永樂碑文漢文、女真文、蒙古文並列。據碑文所載，永樂初明朝曾伐庫頁而知庫頁爲海島，故庫頁之爲島嶼，中國方面知之甚早。庫頁既爲明所征服，故庫頁之基里亞克及蝦夷均往朝貢。觀康熙、乾隆時代文書，則庫頁爲島無疑，惟日本及西洋人未知耳。間宫氏過此地時謂有石碑，其次記入者爲俄人循亞琿河而下至此建屋，而爲滿人所破壞。此處即前年巴耳丁珊自廟街逃來時所遁入之地也。間宫氏自黑龍江下行時從舟中望見石碑，但未往觀，而此碑要爲間宫氏所最初發見者。俄人於一八五四年探險，後始發見此碑，今藏海參崴博物館中。間宫氏此後即順黑龍江而下至河口出海，復歸庫頁。』據湯爾和先生譯本摘録。

道光元年，西曆一八二一年，日本文政四年。日本政府復賜松前藩置運上屋卡及礮台於庫孫克丹，設山丹交易所於西那努斯。

松前藩設漁場二十七所，計倭奴住户三百二十七户，二千五百七十餘人。

道光二十四年，西曆一八四四年，日本天保十五年。松前藩設置官吏，管理本島事宜。

自松前藩管領以來，所遣人員無定。至是年，設物頭正守。一人、騎目附警官。一人、騎徒士目附一人、徒士三

人、醫師一人、小頭一人、足輕十人、步兵。在住足輕土著步兵。十人、兵器有旗一面、五百目鐵礮一門、百目鐵礮二門、小銃二十一挺、手鎗二十支、天幕十五張。

道光三十年，西曆一八五〇年，日本（永嘉）〔嘉永〕〔一〕三年。俄羅斯移民至本島，宣布薩哈連島爲俄所有。

俄人於嘉慶十二年二次來本島調查，至嘉慶十五六年又來二次，探知本島利益，已有蠶食西伯利亞東部、併吞本島之野心，且爲造成領有本島之證據，不時移民，建築小屋或開掘煤鑛，漸由北方壓迫日人。至是，對基里亞克及鄂倫春人宣布爲俄領土。

咸豐元年，西曆一八五一年，日本嘉永四年。俄將巴拉諾夫調查太平洋沿岸，至庫頁島巡視一周而返。

咸豐二年，西曆一八五二年，日本嘉永（三）〔五〕〔二〕年。俄皇尼古拉斯派水師提督布其亞岑至日本，商定本島國境。

俄皇遣水師提督至日本，磋議確定國境，主張除亞庭灣附近外本島全部及千島悉爲俄領。日本派筒井肥後守及川路聖謨與之談判，亘三年之久，結局商定，千島以南歸日領，修爾遲布以北歸俄領。

咸豐三年西曆一八五三年，日本嘉永六年。四月二十三日，俄皇下令於俄美商會，付與占領庫頁島權利。

咸豐四年，西曆一八五四年，日本安政元年。命吉林將軍景淳查分中、俄國界。

先是，俄羅斯於我東海那穆都魯地方與英吉利搆兵，乘船帶兵駛入闊吞屯、博勒必屯、奇吉屯及費雅喀人等所居地廟兒地方，分界石碑悉被鑿毀滅跡。景淳奏稱，該夷佔據闊吞屯等處，雖與費雅喀人等有礙，究因往征他國，末〔三〕便責問，請飭下理藩院行知俄國，派使會勘交界。俄使木里斐岳幅取出伊國地圖指稱，原定界址自格爾畢齊河長起至興安嶺陽面各河長止，俱俄國地界，欲將黑龍江、松花江左岸以及海口分給該國守護。屢經磋商，俄使狡賴，未經辦結。

咸豐八年，西曆一八五八年，日本安政五年。奕山至黑龍江城與俄使木里斐岳幅議定界約，喪地數千里。

奕山原奏內稱，俄使木里斐岳幅至黑龍江城與臣會晤，隨帶通事以清語傳說，前因防範英夷，由黑龍江往來行駛，於左岸蓋房存居，今年續有數百人船，前來屯兵駐防英夷，於我兩國均有裨益。黑龍江一帶均係俄國地方，現在江左存居滿洲屯户，均應遷移江右，互免猜嫌。如有需費，俄國供給。至兩國界址，自河北奈嶺迤東至額爾古納河入黑龍江、烏蘇里江、松花江至海，凡沿河各岸一半可屬中國，一半可屬俄國，江內只准我兩國人行船，他國船不准往來。我兩人均係將軍之職，各奉主命會辦分界

〔一〕永嘉　應爲『嘉永』。
〔二〕三　應爲『五』。
〔三〕末　應爲『未』。

之事，即可定准，對換印文，兩國安静，各守各界等語。旋復多方恐嚇，奕山遂與畫押。

咸豐九年，西曆一八五九年，日本安政六年。俄使臣茂拉布約夫與日本遠藤但馬守及酒井左京亮再爭本島。

俄使率軍艦四艘至日本品川灣投錨，邀求庫頁全島悉歸俄領，迫日本幕府承認，態度强硬，幕府無以應。俄之士官、水兵旋有暗殺日本人之事發生。又值日本幕府多事之秋，不遑顧及，卒至未被俄人屈服，竟無結果而返。

咸豐十一年，西曆一八六一年，日本文久元年。景綸、成琦抵興凱湖，會同俄使勘界立石。

碑文約載：設立界牌，以清界綫。東界定爲由什勒、額爾古納兩河會處，即順黑龍江下流至烏蘇里河會處，其北邊地屬俄羅斯國，其南邊地至烏蘇里河口所有地方屬中國。自烏蘇里河口南至圖門江口，其東皆屬俄羅斯國，其西皆屬中國。上所言乃空曠之地，遇有中國人居住之處及中國人所占漁獵之地，俄國均不得占，仍准中國人照常漁獵。自立界牌之後，永無更改。

按：是時英兵入津，文宗北狩，正内地多事之秋。俄人乘此時機，多方恐嚇，而勘界大臣又多畏葸不前，昧於地勢，致將東北數千里大陸輕輕斷送，並一海口而不留，庫頁一島遂淪陷於無形之中矣。又費雅喀人等居住年久，斷難令其遷徙，屢於諭旨中見之。至立約時，亦曾思及本國人民之淪於異域否耶？

咸豐十一年，西曆一八六一年，日本文久元年。日本以勘定奉行兼外國奉行竹内下野守爲正使，外國奉行兼神奈川奉行松平石見守及目付京極能登守爲副使，至俄京，與俄之外交委員依古那且夫磋議本島兩國境界。

日本《歷史教育》第四卷第六號載：是年遣歐使節以解決樺太國境之懸案爲重，友納養德曾有詳細之記録，因譯之。原來樺太稱爲唐太，又曰北蝦夷，寬政以後始有邦人之足跡。以前樺太土人以小舟横渡宗谷海峽至北海道交易，迨松前藩時有漁人渡海至島，開設漁場，撫育土人，以愛奴人爲主。使之從事漁業。於是大泊富内地方漸沐王化。其迤北所居之窩若兹可人風俗與愛奴人異，不知教化，僅到大泊附近交易。内地人之往彼地者，皆在夏令，年不過二百十日。該地是否領土，尚屬漠然。俄人於文政年間，始稍有往來，至天保、（宏）〔弘〕〔一〕化、嘉永間，土人漸次南下，與邦人始有交涉焉。此次國境協定之第一步係嘉永六年七月布治金來長崎所提議，當時日本之主張，以五十度爲國境，究何意味，實難明晰。不過依世界地圖爲根據，可見當時之主張並不注重領土之意義。急於提出者，亦不過如此云云之空語耳。俄仍主張全島俄領，決不稍讓，結局亦須爲兩國雜居之地，彼於返國途

〔一〕宏　應爲『弘』。

中仍欲提案政府占領樺太。至安政元年，大泊之日本漁場業已荒蕪，日本僅有少數商人，並無防備，即有少數俄人攜武器來襲，不示理由，即欲占領。安政六年，俄國東部西伯利亞總督謨拉覺夫，因前年脅迫中國締結《瑷琿條約》，掠取黑龍江沿岸之地，乘其餘勢而來品川，以尊大態度交涉樺太國境問題，日本仍持五十度之說，彼則主張全島俄領，不稍退讓。其實邦人居住彼地爲數無多，彼國以此島爲重罪犯人之流地，漸次增移，殆有獨占全島之形勢。函館奉行村垣淡路守見此情形，甚以爲憂。文久元年三月，上書幕府，請以五十度爲國境協定。幕府即就派遣歐洲之使節加以使命，松平石見守受命後固持五十度之説以爲論據，購入各國之世界地圖從事研究，所幸香港、巴黎、倫敦、柏林等處發行之地圖均以五十度爲國境。又持至英、法、德、荷各國之天文台檢查所備之地球儀，亦屬同樣之五十度。石見守於是大喜，以爲依據，俄之地圖及天文台之地球儀當亦相同，七月十四日至俄都謁見俄皇，二十八日視察可拉伊天文台所備之地球儀，亦確以五十度爲國境，且在俄都亦購有同樣之地圖。石見守業已胸有成竹。先與俄國交涉，從兩港兩都之延期問題爲始，英、荷、德均已承認，次提出樺太國境問題。俄之亞細亞總督依古那且夫竟行拒絶，並謂兩國國民雜居有年，無再交涉之必要，但最好全島俄領，語氣强硬。石見質以世界萬國均承認五十度爲兩國國境，俄國何以不引爲根據，並以在各國所購之地圖示之。彼以外國地圖與俄之境域不合，不足爲據，然則以俄國之地圖爲準何如？彼又以坊間發行之地圖無何等之權威，若以地圖爲根據，明日政府即可示以正確之地圖。翌日，依古那且夫果攜地圖一紙欣然而來，將樺太全島之一部繪與我國同一之色彩，其色鮮甚，且未十分乾透，其愚弄我日本使節等於兒戲。石見守非常動怒，前恐失鄰國之和好，所以隱忍，今則忍無可忍矣，立即鄭重聲明曰：『貴國天文台稱爲世界第一，各國來此研究者頗不乏人，所備之儀器、圖書自當正確、信賴。』依古那且夫云，天文台之事實誠如閣下所云，但在今日實無何等必要。石見守曰：『果如所云，則請介紹吾等參觀天文台。閣下自稱足爲正確、信賴，則天文台之地球儀樺太國境究係如何，當可表現。實則吾等曾已視察，玆特再行子細檢查，若閣下稱天文台爲僞物，則急造之地圖果正確耶？俄國以如此大國對外國使節施以詐術，殊有未合。』依古那且夫默無一言。移時自謂：『當外交之衝甚久，未曾接見明敏周詳如閣下之外交官，容即奏明皇帝，以五十度爲國境之談判形勢，至此一變。翌日，即爲正式之交涉。俄國以五十度之地地幅甚廣，山嶽重疊，定爲國境困難殊甚。因協議兩國派出委員立國境之標識。究竟能行與否，尚未明瞭。若在四十八度狹地之川流定爲國境如何？即以此爲條約之結定。如此厚誼，實爲閣下明敏所致。俄國可謂非常之讓步矣。』石見守因此事頗

多糾葛，不如即以四十八度調印了事。但正使竹内意見如何現尚未知，若堅持五十度，一步不讓，又覺過於固執。石見守於是一人負其責任，漸至成功。因兩國委員前往勘查標立，議定條約，而俄國復拒絶以五十度爲國境之文字加入條約，本案又復頓挫。由此觀察，俄國實輕視日本科學上之智能，將來實地勘查之時，其情况如何，未可知也。

按：此次會議後，更約雙方再行委員依山河之形勢決定國界。旋因日本幕府多亂，未能實行。但以如此荒島日本外交人員用盡心力調查證據，與俄力爭，俄竟無如之何用獲最後効果。我國之奕山等與俄劃界亦在此時，將數千里大陸國土輕輕斷送，相形之下，國家之强弱判矣！痛哉，痛哉！

同治五年，西曆一八六六年，日本慶應二年。日本政府派小出大和守爲正使，石川駿河守爲副使至俄京，與俄國亞細亞事務局長蘇都勒不莫夫再商本島國界。俄委員主張一島不可兩分，要求以宗（峪）〔谷〕[一]海峽爲界，以庫頁屬俄。俄以得撫乞耳和伊布魯頓等島交換。日使不應。旋爲減少兩國之爭執，於三月十八日締結本島兩屬之草約五條，維持和平。

同治十年，西曆一八七一年，日本明治四年。日本置開拓使於庫頁島。

日本維新之初，岡本監輔等極言此島之利害關係，要求政府不可放棄。於是日政府置開拓使於本島，以管理之，並欲占領全島。派外大丞丸山作樂、開拓判官岡本監輔等爲委員至本島，與俄官談判，俄官不應。經多次之紛議，迄未能定。

同治十一年，西曆一八七二年，日本明治五年。日本外務卿副島種臣向駐日俄國公使彼友鄂夫提議，以二百萬元買收本島五十度以北之地域全部，旋即作罷。

按：此事頗有成功傾向，因副島氏出使來華，開拓使次長黑田清隆建議以本島土地磽薄，徒耗政費，利益殊少，買收實非得策，經廷議決定放棄。

同治十三年，西曆一八七四年，日本明治七年。日本政府命駐俄全權公使榎本武揚與俄國公爵亞歷山古札哥締結本島、千島交換條約八條，以南庫頁與千島十八島交換。

光緒元年西曆一八七五年，日本明治八年。九月，日本將本島移交俄國管理。

光緒三十年西曆一九〇四年，日本明治三十七年。二月，日俄國交斷絶。

光緒三十一年，西曆一九〇五年，日本明治三十八年。日本十三師團片岡中將率北遣艦隊佔領本島全部。

宣統元年西曆一九〇九年，日本明治四十（一）〔二〕[二]年。八

[一] 峪　應爲『谷』。
[二] 一　應爲『二』。

月，日俄兩國派員會同測定本島國界，並設立標石。

日俄兩國派員在本島五十度地方設置大標石四處：（一）俄和茲苫海岸之鳴海，（二）幌內川右岸，（三）寒苦沙村南方星野，（四）西勒阿灣南方網干。大標石之間置十七小標石，更於小標石之間置立標木。凡在界線寬度十米以內之森林禁止採伐。

宣統三年，西曆一九一一年，日本明治四十（三）〔四〕〔一〕年。日本政府頒布樺太廳官制。

日本政府設樺太廳長官於樺太島，掌管島內行政事務。其長官之職權：（一）承內閣總理大臣之指揮監督執行法律、命令，管理所屬行政事務；（二）得發布廳令；（三）於非常緊急之時，得移牒師團長請求出兵；（四）指揮監督所屬之官吏；（五）所轄官廳之處分，得以命令取消或停止。至樺太廳之組織與各府縣同，長官官房，設內務拓殖部、警察部，分掌事務。本廳之下更設醫院、郵便局、測候所、農事試驗所、鐵道事務所、臨時築港事務所。復於豐原、大泊、真岡、泊居、敷香、本斗、留多加、元泊、鵜城等處設九支廳，支廳長承長官之指揮監督，掌理部內行政事務。

本島之司法機關直隸於日本司法省，與日本內地無異，設地方裁判所於豐原，區裁判所於豐原、真岡。但關於本島土人之民刑訴訟事件，仍依從來之慣例。

中華民國十六年，日本政府決定開發樺太島大計畫。

日本政府開發樺太島，決定十年大計畫，分期進行，其設施之方策如下：（一）道路網之完成，以十年計總額七百萬圓，年需七十萬圓；（二）通信機關之完成，分八年辦理；（三）衛生設備之完成，擴充現有之豐原病院；（四）完整港灣之計畫，明年度先行調查，以便改修大泊、本斗、真岡等處之港灣；（五）設置林務署，對於主要產物之森林保護管理；（六）設置林業試驗所；（七）設置中央試驗所，試驗樺太農產物；（八）獎勵移民，樺太未墾地計有七千萬町步，約能容一百萬人。擬於次年先移住五百户，每户給補助費二千元，以爲購備農具及其他設施用費。上列各項計畫，次年度預算比較本年須增加一千二百萬元以上，其補助金亦需七百五十萬元。處此現在財源困難之時，能否實現，尚未敢定，然對於開拓地方之計畫進行不遺餘力，亦足驚人矣。

〔一〕三　應爲『四』。

卷之二

疆域篇

一、名稱及地勢

本島名稱，漢曰女國，唐曰莫曳，明曰苦夷，今曰庫頁，又作庫葉、庫野、庫業。凡窟説、屈説、苦兀、兀列皆庫頁一聲之轉，復有額里野，野合也之名，又稱黑龍嶼，又稱大長島。日本謂之樺太，一曰唐太，又曰柯太，俄羅斯名曰薩哈連。

按：薩哈連之稱，輿地學家多謂始於歐人，實則仍係滿洲語。滿洲人稱黑龍江爲薩哈連烏拉。薩哈連，黑也；烏拉，水也。康熙三十九年，法蘭西所派之傳教師在北京寄送東方亞細亞地圖於其國之地理學者德安維利氏，對於黑龍江有跨薩連阿尼陽哈達與庫頁島之記載，法之地理學者遂誤爲島名，故法國出版之地圖均作薩哈連島。又愛奴族自日本北海道遷至本島，日本因依愛奴之名稱曰樺太。

島之四周皆海，而幅員千里，爲混同江口大護沙。其間捕牲部落曰庫頁、曰費雅喀、曰鄂倫春，歲時貢貂皮於吉林。《大清一統志》謂爲寧古塔，所屬大洲在城東北三千餘里混同江口之東大海中，南北二千餘里，東西數百里，距西岸近處僅百里許，有山曰圖可蘇庫，其長竟洲，林木深翳。有小水數十，東西分流入海。又《大清會典圖説》載，三姓城所屬海以外大洲，當混同江口之東有大洲，亘千里，即三姓副都統所領地。《盛京通志》所載之混同江口大洲，《水道提綱》所載之海中大長島，皆此地也。

本島位於吉林東北，横於混同江口及北海道之間，夾於韃靼海及日本海中，其形爲細長之魚，北端突出鄂霍次克海，擁黑龍江口，形成黑龍江灣，南隔韃靼海峽，尾端分爲二，恰如魚尾之兩歧。《水道提綱》所謂地形夭矯如游魚也。魚尾兩端之間，爲亞庭灣西能登呂岬，與北海道之宗谷岬遥遥相對，僅十日里。又全島之形狀恰似鮭魚，鮭魚又爲島中特産，亦有稱爲鮭魚島者。

本島在地面上所占之經緯度，西自東經一百四十一度二十八分起，東至東經一百四十四度四十分止，南自北緯四十五度五十四分起，北至北緯五十四度二十分止，南北袤長一千六百餘里，東西寬三四百里或一二百里。西近混同江口小圓島，爲東二十六度半，至東北斜處爲東三十度四分。又日本《樺太地誌》載，全島縱約二百一十二日里，幅員最廣處北知牀與鵜城間四十六日里，最狹處久

春內與真縫間僅七日里，全面積共四千九百二十六日方里。南庫頁二千一百六十六方里，北庫頁二千七百六十方里，以北緯五十度爲界，分隸日俄兩國。又據一八九七年俄政府之調查全面積六萬六千七百六十二維耳斯特，共二萬九千五百五十六方里，俄領約一萬二千七百五十六方里，日領約一萬六千八百方里。

本島自久春內、真縫間七日里地狹處分爲南北不等之二陸部，全體由南北並行之山脈組成。此兩山脈之間下陷，南北縱行如溝，若製成庫頁模型置之几上，縱窺之恰如凹字或如英文M字，蓋以平原爲人類活動之根據地，且當交通便利之衝，自不難文化日進也。

二、區域

本島原有居民都屬打牲部落，無所謂市鎮鄉村也。在清初時，曾於海濱本島費雅喀、鄂倫春等部設立噶珊，其地點如下：

普隆靄　伊對　特肯　拉喀　薩依　皮倫岡　額里野

以上舊設噶珊，即今屯也。今之屯名相同者無幾，惟赫哲、費雅喀、鄂倫春等部居址間有符合，第創設裁改，無可稽考。《一統輿圖録·附志》數千里瀕江分設，東至海島，有警則聲氣相通，安常則漁獵得所。殆寓守望相助之意焉。又考《朔方備乘》謂噶珊或作噶尚，譯言即村落也。

自烏蘇里江順混同江東至海濱二千餘里，皆昔日貢貂庫頁、費雅喀、黑津、鄂倫春等部新設噶珊，屬富克錦衙門管轄。

東海濱東南各島所居費雅喀杜瓦狼人等部落亦呼休文禄，所居地如下：

濟拉敏　額里野河　圖克蘇圖山　達喜河

以上費雅喀人等所居。

郭多和河　博和畢河　音格繩河　塔塔瑪山　德必河　薩哈林產煤地　如烈河　楚克津河

以上庫頁人等所居。

阿當吉山　特肯河　敞多什河

以上嵩霍洛人等所居。

依堆河即《一統輿圖》雅丹氏部落。

日本領島南部

豐原　位鈴谷川上流南部之平野，南爲大泊，北爲榮濱，西爲真岡，鐵路貫通，極稱便利。樺太廳豐原、榮松二郡面積三百零八方里，人口二萬七千三百一十五人。豐原町之東郊旭個岡有官幣大社、樺太神社，合祀大國魂命、大己貴命、少彦名命之三神。平原開豁，街衢井然。豐原町北小沼地方設有農業試驗場。自豐原至真岡之中途，有當年日本占領本島西久保少佐陣亡之戰蹟。

大泊　位亞庭灣頭，接千歲灣，庫頁之門户也，俄稱

可薩哥夫。由此循鐵路可直至豐原、榮濱、真岡各處，爲本島惟一之開港場，水産物集散中心。支廳郵便局、官立中學校、公立高等女學校、王子製紙工場均設於此。此處稱爲元久春古場，俄人稱爲口魯沙口夫。日本明治三十七年八月，日俄戰於黄海，俄艦那爲古號敗走，自宗谷海峽欲入浦鹽斯德，即海參崴。被日本千歲、對馬二艦追逐於亞庭灣港外，俄艦自行炸毁，船員皆登陸逃走。至明治三十八年七月八日，日本樺太軍始占領此地。又大泊支廳管轄大泊、長濱、富內、留多加四郡，面積三百十四方里，人口三萬二千五百三十五人。

本斗　本斗町爲西海岸有數之市街，設有支廳及郵便局，爲樺太西岸鐵路之起點。本斗支廳所轄之本斗郡，面積一百零二方里之五七，人口一萬二千三百一十二。海馬島屬於本斗郡，爲捕獲鰊魚之漁場，近以此島爲養狐地。

真岡　瀕臨西岸，本島惟一之不凍港。當漁業中心，市況漸盛，鐵路貫通，南爲本斗，北爲野田，東達豐原，交通頗稱便利。真岡支廳郵便局、區裁判所、樺太工業真岡工場在焉。真岡支廳管轄真岡、野田二郡，面積一百六十一方里四四，人口三萬一千四百四十。本地原名煙魯毛口馬布。在俄領時代僅一五十户之小村，自歸日領後，以産鰊魚之中心地進步甚速。市街北之早遠泊地方設有農業試驗場之分場。野田町位於野田郡北部之海岸，爲西海岸現今鐵路之終點，東北有野田煤鑛。

泊居　泊居支廳設於久春内，管轄泊居、久春内、鵜城、名好四郡，面積四百四十七方里五四，人口一萬一千五百一十三。久春内爲西海岸重要之地。日本嘉永七年幕府委派鈴本重尚來本島探險，自東海岸之真縫至此。泊居町爲西海岸第一之市街，有郵便局、樺太工業會社所設之製紙原料工場。鵜城村亦西海岸著名之地，設有泊居支廳之出張所。

元泊　爲東海岸著名之地，設有支廳，管轄元泊郡，面積二百零二方里，人口二萬零八十九。有郵便局。

敷香　位幌内河口，當多米加沿岸中心，貴重皮毛由此輸出。有費雅喀、鄂倫春、蝦夷等土人部落，敷香支廳管轄敷香江二郡，面積八百零五方里，人口三千零十七。有郵便局。

真縫　爲東海岸與西海岸接連之要地。新道路直達久春内以上，日領樺太廳，置九支廳，管轄十七郡、五町、四十七村。今人口增加，地方開發，於大正十一年四月，樺太廳施行町村制，設豐原、大泊、真岡、泊居、本斗五町及十九村，此次行政整理廢鵜城、留多加二支廳爲七支廳，將鵜城、名好二郡歸泊居支廳管轄，留多加郡歸大泊支廳管轄。

俄領島北部

亞歷山得羅斯克　位於北緯五零度五三分，東經一

四二度八分，爲亞歷山得羅斯克州及俄領北庫頁島之首府，有軍務知事駐焉。屬東亞總督管轄，人口一萬四千餘。設有官署、學校、寺院、病院、博物館、圖書館、監獄等。北有岬爲鉢形，復有礁之障礙，埠頭通輕便鐵路，設有五十噸馬力之起重機，以便起卸貨物。海底電綫通於對岸大陸之泰加斯得港。

路易古夫　爲都逸莫夫州之首府，在亞歷山得羅斯克之東南七十八俄里。地勢平坦，位都逸密河之右岸。人口除兵員及流戍人不計外，約有二千。有州、廳、寺院、郵局、電報局、兵營、陸軍、病院、監獄等。市街齊整而殷盛，亞於亞歷山得羅斯克，附近地方宜於農業，將來墾殖事業頗有希望。惟寒氣嚴烈，不如日領大泊之温和也。

三、山嶺

齊都齊山，一作圖克蘇圖山，一作圖可蘇庫山，在島之西北，額里雅河出其東麓。其南麓爲費雅喀人所居。齊都齊，滅盡之意。

英吉申山，一作音格繩山，在圖克蘇圖山西南，距吉林四千三百五十里。博和畢水出其南麓。

塔他瑪山，一作塔塔瑪山，一作他他馬山，在英吉申山東，距吉林四千四百五十里。塔塔馬河出其東麓，其西麓即庫頁人等所居。

阿當吉山，一作阿當衣山，在島之中稍南，距吉林四千四百里。阿當吉河出其東麓，敵社什河出其北麓，特肯河出其西麓，伊對河出其西南麓。山南即鄂倫春人等所居。阿當吉即鄰地也。

按：以上據《吉林通志》及《朔方備乘》所載，過於簡略，復據《樺太地誌》譯録於次：

本島西部山脈，始於滿洲接近之婆哥比岬密附海岸，南行於亞港之間，分爲二派。一派東向爲松山嶺一帶邱陵，成『登依米』、幌内兩河之分水嶺，連於東部山脈。松山嶺爲南北縱貫道路所過之地，標高三百三十米突，西側稍高，山頂無樹，遥望東西山脈，南北二流均在眼中，故名爲國見山似較確切。又嶺之一方鈴蘭繁茂，初夏風景，清適宜人，不如改稱鈴蘭嶺以符名實。主脈至日領附近，峰高概在千尺内外，幌登山高四一五三尺，敷香山高四五三六尺，爲本島第一高山，此處東西島幅亦最廣，自是以南山勢稍衰。久春内、真縫間約有七里之地峽，越地峽更分爲二： 一沿鈴谷、留多加兩河之間延長，盡於亞庭灣，故真岡、豐原市内有熊笹、春日兩邱出現； 一派更沿海岸至南端能登呂岬，潛行海底與北海道之宗谷岬相連。據俄人方面之調查，謂能宗兩岬水底連接之線，自水面爲三十尺，而其兩側陡爲六十尺，故悉爲本山脈之潛行線。本山脈全體藏煤甚富，山脈發達之處最多，且西方傾斜面似較肥厚。

東部山脈之主力在登依米、幌内兩河之東方源流，或

即連絡西部山脈地方之東側。羅巴嶺山高三千五百餘尺，列比利斯可依山高三千九百餘尺，三人兄弟山高三千七百餘尺。山勢不如西部險峻，形成一體之高原。其東側森林叢密，遠望幽邃不啻深淵。南越日境，山勢頓挫，至北知床岬陷於多來加灣，再於棠濱附近顯露餘勢，及鈴谷嶽高三四五四尺，幌登山高三千三百尺，稍露雄姿，但不遠即爲亞庭灣及鄂克斯克海，兩面壓迫，又爲大小湖水所侵蝕，僅剩山骨，至中知床岬遂入海而没。

北方山嶺無幾，即爲登依米河下流切斷，越河後，孤峰斷續排列，以西方『安摩爾斯幾』『依里滿』爲基點，迤邐與草絨地帶相連。此部東側與鄂克斯克海之間，爲平均二日里之低原，斯依馬河、加依馬河水瀉在焉，成著名之油田分布地帶。本島北端修米德半島尚有南北方向之山脈，其標高耶斯布爾布山爲一千八百餘尺，三人兄弟山爲二千四百餘尺。山脈之西側，露有薄石炭層，前人以此爲西部山脈之一部，或稱爲北部中央山脈。此山脈在東西兩山脈之間，遂成草絨地帶。

四、河流

島南齊都齊山之水分東西流入海，其西流入海之水有八近混同江口兩岸。正居島地之中者曰博爾弼河，一曰白恬必河。博爾弼河源出英額申山南麓，西南流，受東南一水，又屈曲西南流入海，長三百里，其南爲杭愛河，一曰汪艾河。

杭愛河出塔他瑪山西麓，西南流入海，其東南爲題巴努河口，一曰低巴怒河。

題巴努河亦出塔他瑪山西麓，西南流入海，其東南爲温特呼河。

温特呼河亦出塔他瑪山西麓，西南流入海，又東南爲楚察馨河，一曰出可金河。

楚察馨河東出松林中，合西源西流入海，東南爲楚拉河，一曰出拉河。

楚拉河亦出松林中，西流受西北來一水，又西流入海，其南爲特肯河。

特肯河出阿當吉山西麓，西流經特肯噶珊北入海，其南爲益對河，一曰衣堆河。

益對河出阿當吉山西南麓，西南流，經益對噶珊北入海。

右皆西流入海之水，自益對河又東南爲蒲蘢噶珊，又東南曲折而南，爲島之南盡處。自博和弼河而北而東北皆鄂倫春人等所居，凡九百餘里無水也。

其由東入海之水有九，最南曰阿當吉河，一曰阿當衣河。

阿當吉河出阿當吉山東麓，兩源合東流入海，其西北三百里爲齊都齊河。齊都齊河亦出阿當吉山北麓，東流入海。西北二百里爲塔他瑪河，一曰他他馬河。

塔他瑪河出塔他瑪山東麓，東流入海。其西即庫頁人等所居，又西爲英吉申山，蓋兩山對峙也。東北爲果多和河，一曰郭多活河。

果多和河在博爾弼河隔山之東，兩源合東流入海，其東北二百里爲努里伊河，一曰奴列河。

努里伊河長三百里，合三源東流入海，其北爲達希河，一曰達喜河。

達希河長百里許，東流入海，其北爲薩依河。

薩依河出圖克蘇呼山東南麓，兩源合經薩依噶珊南，東流入海。又北稍西二百里爲弼勒圖河，一曰披倫兔河。

弼勒圖河出圖克蘇呼山東麓，合三源經弼勒圖噶珊南，東流入海。又北百餘里爲額爾雅河，一曰厄里耶河。

額爾雅河亦出圖克蘇呼山東北麓，合兩源東北流，經額爾雅噶珊之南入海。自此而北百里爲島北盡處，其南則費雅喀人等所居也。

右皆東流入海之水，自阿當吉河而南而東而西南至島盡處無水也。

按：以上據《吉林省志》及《朔方備乘》《水道提綱》所載，兹將《樺太地誌》河流譯録於後：

河流在俄領内有登依米河，集松山嶺以北東西兩山脈内之水，北流延長一百餘日里，至露依斯基灣，入鄂克斯克海。本河流域除亞力山大弗加河流域外，爲俄領惟一文化之地，人口約二千五百餘人。累可夫德爾賓斯可，爲上流主要村落。俄人多爾程斯基氏謂本河之水運若稍加修治，則小型船可通航七十餘里，大型汽船可溯航至下游二十五里。上中流地方爲東西兩山脈方面之夏冬寒風保護，可爲次於留多加溪谷之農業地。河中産鮭、鱒及其他雜魚甚多。日本大正十年，軍政部任命日本技手於『果依可夫』農事試驗場協助俄技手，並於登依米河上新設鮭鱒人工孵化場，開始試驗。

幌内川爲本島第一之大河，自松山嶺以南集東西兩山脈内日俄兩國之水南流約一百日里，至多米加灣入鄂克斯克海，可通舟楫三十里。沿岸之富，爲日領本島之冠。河之上流，俄境内有三五農村，人口約共五百餘人。

南北縱貫道路，自松山嶺以南，距河約二里乃至五里，與本河平行。沿路農村，俄領地除『鄂諾爾』外僅有其名，大多荒廢。日領内敷香支廳所管至『内路』止，每五里或七里有一驛站，自道路達河岸，到處有『幾里亞克』土人，三五人家，晨星寥落。本支流河岸附近及源流地方之森林以外，大多爲草絨地帶。

草絨爲地面叢生矮小植物之腐蝕層，厚三尺至五尺不等，至『勘察加』有厚至丈餘者，質疎鬆如海棉，雨水易於浸過，普通植物不易生長，步行其上如履絨氈。此物本無用處，後經多年之研究，以之沐浴，可有藥物作用，對於人體健康有顯明之效力，並可作糞尿消毒及製紙原料。

以上爲久春内、真縫線以北河川之大者，此外於人文

發達有重要關係之小河五，注於俄領亞港者，爲亞力山大斯加河，大小二流於河口附近合而爲一。大亞力山大斯加河其源遠出於南方之幌内川西源及日本海之間，由西部山脈兩脈分岐之溪間，北流經過大小若干村落，注於亞港，長約十日里。雖無舟筏之便，而受四方高山之遮護，不爲海風所侵，故適於農耕。合亞港之河口，人口最密，自成文化中心。

彼列鄂河於離日境約二里半之地入海，長不過四五里。河口水深三尺以上，其内側數町之間水深十尺以上，河口外沿海岸數十丈深二十尺以上。海陸連絡，較優於亞港。其上流富於森林，運輸便利，故俄商於此地設有製材所。

南入日領後有北名好川、惠須取川，長各十數里。據俄人方面之調查，謂名好川下流若干距離可航汽艇，沿惠須取川可闢道路以至内路。名好川下流爲日本幕府時代最北之殖民地，在日本大正十年，名好人口二百七十七人，惠須取人口六百七十五人。

北部與亞力山大斯加河大小相似者，尚有東西兩海岸之二三小川，除與油田有關係外，於地方人文並無重要之點。久春内、真縫線以南，其規模雖小，而形勢上可與登依米、幌内兩河並駕者，尚有内淵、鈴谷、留多加三河。由内淵河至鈴谷河口，南北二十五里，居南北陸地之低處，面積最廣，爲中央豐原之樺太廳治，實將來南樺太發達之中心。據日本大正十年之調查，該處人口連豐原町約一萬一千人，約占南樺太全人口十分之一。留多加河流域氣候較温，地質肥厚，爲南樺太農耕最宜之地。下流留加多村之人口約三千五百人。

登依米河即子母河，幌内川即波羅河，爲本島之二大河流。以聳立島之中央分水嶺爲界，波羅河自北而南縱流庫島，子母河則自南而向東北横斷北庫頁，均爲土人棲息地之中心，各種民族多集於河畔，亦氣候土宜使然也。

五、湖沼

亞庭灣之東北岸與鄂克斯克之間，有大小湖沼侵蝕，東部山脈之南，幾將中知床岬與島隔斷，其内之最大者爲富内湖，位於鄂克斯克海岸，距海處爲長平沙邱所隔，且相通之水道形勢不明，東西約八里，南北約四里。西南跨小邱與通亞庭灣之池邊讚湖爲鄰。池邊讚、和爰、遠淵三湖位於亞庭灣岸富内湖之南，有水道聯貫，最後之遠淵湖與海相連。池邊讚湖約五里，有砂質之長隄與亞庭灣分隔。

東岸中部有多來加湖，位多來加灣之北岸，在幌内川口東北約五里，爲本島近海第一之大湖，面積五方里，所産之鮒魚形如鯉而味美，又産海馬、海豹等物。至冬期湖面結冰，各種水禽群集於此。北緯五十一度彼林克坡灣以北近島之北端，至『列邊德倫』岬約百里。海岸幅員雖不一，大概多爲平地。注於此間之河口，悉成灣湖，時有

數湖連結，長至三十里者，其中之大者爲『彼力之西』『加依鄂』『努依鄂』『納比利』『倫文』『烏爾克特』等，其他小者尚有百餘，難以枚舉。湖水深者十尺乃至十八尺，湖口三尺至十尺可容小船出入停泊，惜湖口外俗稱迷渦之地，甚淺且時移動，人不能近。

本島北岸薩哈連克基灣岸有『貝加爾』『哥倫克』二灣。修西特半島北端『西比爾努依』灣岸有『列伯利斯基』『庫頁格達』二灣，其情形不詳。有謂將來北端之海灣可作鄂克斯克海之經濟根據地者，但莫明其真相。

由西能登呂岬至婆哥比岬鵜城郡之南有來知志湖，岸遠沙平，接於同名之川，其流域可作一大農收之村落。

六、海岸

由南端西能登呂岬至島之最狹部久春內及日領附近之名好至韃靼海峽之狹處，山頂與海岸相距甚近，斷崖臨海，高百尺至三百尺，實爲天險。真岡港、泊居港、久春內港、比列鄂港、亞港等雖均爲西岸主要港灣，但皆在百尺斷崖之下，難稱良港。婆哥比岬以北直達穆拉鄂岬，即黑龍江江灣之東岸，海中均爲十四尺以下之淺灘，陸上初爲低平沙濱，後繼草絨地帶，以聯東海岸之北部。蓋黑龍江灣尼哥拉斯克爲頂點，以樺太之北部分爲底邊，成一二等邊鈍角三角形，各邊與陸岸之間僅餘水道三條，水道雖全没於水，而最深不過十尺，南方僅四五尺，海草枝葉露出水面，與陸地無大懸殊，故間宮林藏之報告出後，世人均以本島爲低平沙隄接連滿洲，絶未有以爲係一島者。

東海岸之形勢較西海岸爲複雜，但地方人文則頗簡單，以北知床岬爲界，可分爲南北二部。岬以北至湖灣地帶之南境倫斯基灣都爲斷崖絶壁，其南部又以多來加灣之南岸榮濱爲界，南北各異。南方東部山脈之外側概爲險峻，西方南部氣候寒冷，交通不便，人煙亦稀。其北部南北六十里，東西三十里，由東北襲來之寒流侵入東岸，轉入海中，調節灣南之寒冷，但對海中寒風無防禦之力，至幌內川流域遂化爲草絨地帶。

敷香之西方五里由內路至榮濱間地勢一變，山勢大衰，海岸一帶尚有餘地。此海岸地帶屬於兩山脈間之低凹處，連接於內淵下流平野之地，榮濱附近爲南樺太良好之耕地，地質多沙，川小而交通亦頗便利。

俄領內海岸之出入甚少，除西北之拜喀爾灣及東岸之梅伊斯基灣、那比利斯基灣外，無著名者，故乏良港。僅西岸有亞歷山得羅斯克及德衛而已。近則蘇俄五年計劃注意交通事業，於遠東沿海各地興修港灣十四處，本島之亞歷山大港早經動工，總計築港費六千萬元，其計畫之偉大可見一（班）〔斑〕。

七、附近諸島

庫頁屬島甚少，日本領地有海豹島，一名羅組賓島、

海馬島，爲連利尻島之火山島，位於中知床岬之海中。俄領時代爲膃肭獸之繁殖，地因禁止捕獲，故分娩期中常有數萬成群。日俄戰時有偷獵者，漸見減少，至日領以後嚴重保護，又漸繁殖，其數當超過二萬之數。

庫頁附近諸島以海豹、海馬二島稍大，餘均小島。據《朔方備乘》所載，照録於次：

混同江口海中各島

東海島在吉林城東北四千四百十里。

沃新楚魯峰島在吉林城東北四千里。

圖勒庫島在吉林城東北四千里。

雅普格哩島在吉林城東北四千里。

海內天然八島在吉林城東北四千里。秋濤案：《輿圖》內或作天然巴島，巴字誤也。

秋濤案：以上諸島皆當在混同江入海處，在庫葉島之西，在吉林城東各四千餘里。島中居民皆以魚皮爲服，東省亦謂之魚皮韃子云。

《水道提綱》曰：七嘉可山，即大興安山，包黑龍江之北，綿亘數千里不斷。至此而東蟠爲郎噶達敖佛洛山及面噶達敖佛洛山，爲黑龍江入大海口之北岸。兩山之東，隔海數十里有長島，形如偃月，長百數十里，闊五十里，南北俱尖。島南又隔海數十里，有小圓島，曰角即哈達，圓徑二十餘里，西望面噶達七十餘里，西南望杜郎噶達百數十里，二島在東二十七度。長島極高五十三度六分至八分，圓島極高五十三度四分强。其南岸自啟不林敖佛洛及瓦巾朱魯哈達而南爲卓活林敖佛洛，前後有小河口五，隔海有小島十一。又東有天阿河口。五河一在瓦巾朱魯哈達之南，河口闊四十餘里，有小島。又南爲你滿山，其西南即你滿河口。又南有一河口，又南有察滿河口，又東南百里至索母甯噶山，有客勒母忒河口，口之北有兔而庫及牙不哥里二島，隔水相望。又北即海內八島也。自索母甯隔海北望，八島相去百餘里，自八島隔海北望杜郎噶達，相去二百餘里矣。南自極高五十二度三分，北則極高五十三度二分强矣。又東南百里，爲天阿河口，河出厄非金山之北支峰，厄非金山亦海岸大山，自南而北綿亘千餘里者也。自河口而東北數十里爲窆什鋪弩敖佛洛山。爲窆什鋪弩敖佛洛及青噶里敖佛洛二大山，亦三面懸海。與北岸面噶達四百里相望，爲外大海門，其東隔海二十里，亦有小圓島曰厄里必哈達，與北小圓島又相望也。南小圓島東二十六度一分，極高五十二度三分。自小圓島隔海東百數十里爲東大長島之白恬必河口。

庫葉以西海中各小島

珊延島在吉林城東南一千一百四十餘里。

小多璧島國語多璧，狐也。在吉林城東南一千二百五十里。

西斯赫島國語西斯赫，褥也。在吉林城東南一千二百六十里。

阿薩爾烏島在吉林城東(兩)〔南〕一千二百七十里。

大多璧島在吉林城東南一千二百七十里。

妞妞斐顔島國語妞妞，呼愛小兒之詞，斐顔，色也。在吉林城東南一千三百里。

扎克瑭吉島在吉林城東南一千三百里。

法薩爾吉島在吉林城東南一千三百里。

岳杭噶島國語岳杭噶，猶言有絲棉者。在吉林城東南一千三百十里。

鄂爾博綽島在吉林城東南一千三百二十里。

特依楚島在吉林城東南一千三百二十里。

翁郭勒綽島在吉林城東南一千三百三十里。

和爾多島在吉林城東南一千三百三十里。

蒐楞吉島在吉林城東南二千里。

勒富島在吉林城東南二千一百里。

雅哈島國語雅哈，無焰火也。在吉林城東北一千九百里。

摩琳烏珠島在吉林城東北二千一百里。

日鹿島在吉林城西北未詳里至。

八、古蹟

北庫頁土城之遺蹟在亞港旁之河畔，河之流域沖積層異常發達，平野開拓，爲北庫頁首府。其土城遺址所在之處，曾爲俄人之打弝場。城爲長方形，其二邊尚存，中間破潰。試爲連繫而觀之，爲長方形之土城，長約三百三十尺，寬約一百八十尺，土垣之高四尺或五尺，寬三十尺。鳥居博士因成富一言而發見並加以研究，與東部西伯利及滿洲所留者酷肖，爲渤海或遼金時之遺物。俄國於此設亞歷山得羅斯克府，決非偶然也。

南庫頁之西拉奴西白主。亦有一土城。間宮林藏氏記入《北蝦夷圖説》中，係以土築之，周垣與北庫頁同一構造。以庫頁有二土城，則當時大陸勢力及於南北庫（貢）〔頁〕從可知矣。

亞港更有一石器時代之遺蹟，在耶穌教堂所在之邱上，或在俄人墓地之邱陵上，爲石器時代物自不待言。今日流入亞港旁之河，爲當年海水灣入之故跡，而到處遺有故蹟之人，疑係極古時代之居於近邊者也。

北庫頁亞港河岸發見破損之土城與南庫頁白主之土城同，恐與女真、靺鞨不無關係，實爲同一時代大陸與本島連綴之有力材料。北海道之石狩川畔亦有此類遺蹟，小樽手宮之雕刻文字亦與此互有關係。即就歷史時代日本與大陸之比較研究，非綜合此等事實不可。就沿海州之土城言，菩西氏已有論文矣。

北庫頁及黑龍江各處均有石器時代之遺蹟，分其種類，有豎穴、有貝塚，亦有堡寨。其遺物則有石器、骨器、土器，如北庫頁東海岸卡衣阿弩及衣阿之珍杜拉中尚有豎穴、堡寨存在，石器、土器出於此處者亦非少數。此等遺蹟、遺物可爲當年之文獻紀録，不啻以其時代之民族文化告諸後人也。

近閲報，載庫頁島之諸格里基地方發現一新石器時代之石室，共有一百二十所，其中存有火石之箭簇、石斧及土製之花紋用具等物，爲數甚多。此項大規模之古代住室及遺物，引起吾人研求之興味，俾知古代生活之狀況，實考古學中一大供獻也。見北平甲戌九月二十三日實報。

民族篇

本島居民人口，冬夏二期增減無定，茲將民國十年該島人口列表於次。若將時來時往之一般勞動者及漁民等累加而統計之，其數目當不止此。至將來收容人口之限度如何，當視各種天藏物之開發及利用之程度而定。近數年來，日俄兩國之殖民及開拓方策大有蒸蒸日上之勢矣。

國別	面積方面	户數	人口	每一方里人數	總數內之土人	總數內之俄人
日領	二三三九	二一一三五	一〇三六三〇	四四點三	一七二四	八六
俄領	二六〇〇	一一九〇	八六一〇	三點三	二二六〇	五二〇〇
共計	四九三九	二二三二五	一一三二四〇	四七點六	三九八四	五二八六

本島之移住民無論其是否久住，要不外南人南進北人北向之原則。如朝鮮、台灣之日本移民以日本中部以南爲主，若北部人民自然開展於北方。本島移民以青森、宮城、福島、岩手、山形、秋田等縣爲主，新潟次之，福井、石川、富山又次之。日本民族之發展因南北區劃不相混淆，而人口之增加亦烈矣。

全島住民據一九〇〇年之調查約四萬五千人，至一九二〇年已增至一倍有餘。一爲土人，其種有五：曰費雅喀，曰鄂倫春，曰雅克德，曰通古斯，曰蝦夷。二爲俄之流、刑民。三爲俄之良民移住者。四爲外來者，有我國人及日本人、朝鮮人。自蘇俄建設以來，因遠東地曠人稀，按五年計劃擬於庫頁島、堪察加移入手藝人十萬人，漁夫千户以上，木工數千人，並購備大犁一萬四千具，以供開墾林業之用，計每移一人政府須費一千五百盧布至二千二百盧布，其積極進行亦可謂不遺餘力矣。

日本考古家鳥居龍藏氏曾經實地調查，茲將鳥居氏於大正十年十一月在學士院講演本島民族之梗概摘録於次：

一、基里亞克即費雅喀。(一)

基里亞克自黑龍江畔馬林司克附近沿江而下，延及韃靼海峽，分布於庫頁島，而庫頁島之最南端爲波羅河口附近。若據俄國地里人種學大家修倫格及馬克二氏之考查，謂一八五〇年前後彼等分布區域在馬林司克下波爾附近，起始遠溯至一八〇〇年之初亦然。日本之間宮林藏氏於其《東韃紀行》中亦載有自波爾而往下游爲史美倫格夷之部落，其人物居家工作與加拉扶脱島之史美倫格

(一) 底本原目録標題爲『費雅喀』，現目録據正文標題改。

夷無異，所謂史美倫格即基里亞克也。

基里亞克自黑龍江下游分布於庫頁北部，故學者分爲黑龍江基里亞克及庫頁基里亞克二派。據一九二二年巴脱加奴夫氏西伯利土人人口統計報告，彼等在黑龍江者二六七九人，男一四三七，女一二四二。在庫頁者一九七一人男一一一八，女八五三。係採用一八九七年俄國調查全西伯利土人人口之材料。又一九一四年俄國所發行之《亞洲俄國》第一册，在一八九七年人口四六四九，至一九一一年爲四一八二云。

庫頁之基里亞克在北部分爲借米川、東海岸、西海岸之三群。在南部分僅波羅河畔一群。今就北部言之，其住於借米川者自稱曰借米品，住東海岸者曰凱脱，住西海岸者曰夏姫品。凡此三群，據俄人所調查，借米川群九村、東海岸群三村、西海岸群四十八村，若三群之文化程度，則西海岸最有教化，借米川及東海岸尚保存其固有風俗，但在人種學上則後二群頗有注目之價值也。

北庫頁之基里亞克自某時代來自黑龍江下游，有許多事實足爲左證，故其本鄉爲黑龍江下游地方。其最初移入本島時，屬於古代，先於西海岸，復於東海岸卜居，遂南下達波羅河口。在日本庫頁廳管下之基里亞克可決其爲新來者，雖分爲黑龍江與庫頁二部，然同一民族，其體質、言語、風俗習慣並無相異之處，惟方言及一部之風俗略有不同而已。

基里亞克係俄之哥薩克人對彼族之稱謂，自稱曰尼格朋，意即曰人，而奥洛古稱之曰喀基，蝦夷稱之曰史美倫格。德川時代，諸人如間宫、松田、最上、近藤、松浦、岡本等皆適用之，蓋聞自蝦夷者先入爲主故也。當時日本人中尚有認尼格朋與史美倫格别爲一族者，中國人稱之曰費雅喀，爲康熙、乾隆時常用之名，其音與俄人之基里亞克相近。黑龍江畔帝爾丘陵有明代奴兒干都司所建之觀音堂。永樂十一年碑文中書曰吉列迷，又記庫頁海洋中島嶼事。更遠溯《唐通典》所記之鬼國，若如白鳥博士之解釋，則彼等亦得採用此名矣。

基里亞克爲歐人所知，實在與哥薩克兵接觸之時。一六四四年包爾雅各夫氏紹介於世，更以之報告於學界者，爲一七六〇年荷蘭之維珍氏。嗣有航海家拉彼爾氏、一七八七年。古神司太氏、孛羅頓氏一八〇五年。又簡單記述之。以學者之調查而言，不可不舉修倫格一八五四年。及馬克兩氏，重以彼等之文書及其他紹介者有『米登道爾夫』『巴比立台』『苗勒』『克拉孛羅』『沙標』『亞德金生』『拉芬史他音』諸氏。在俄政府末年以彼等之特别專門家而言，不可忘史倫堡及比爾司道司基二氏之名。或自地方爲實地調查者，或爲地理人種之調查者可以大書特記者，則不能不數馬克及修倫格二氏。兩氏皆爲牟拉維越夫總督時代在俄國大學院或地理學會之下使之調查黑龍江以迄庫頁北部者。修倫格自一八五四年開始，馬克氏自翌年開

始，此兩大調查以黑龍江下游及北庫頁民族之採訪言之，幾可謂空前絶後矣。當是時，基里亞克亦包含在内，馬克氏後有報告公諸世，附以精圖。此書一出，爲學者所注目。其紀事與圖畫爭相轉載，沙標氏譯爲法文，亞德金生、拉芬史他音及其他諸家苟言及地方民族無不以馬克氏爲根據，其重要可知。修倫格氏報告出版最晚，自一八八一年至一八九五年，共有三大册。若加精密之註釋，以現今黑龍江下游人種學論文而言，無出其右者。故修倫格氏之報告爲研究基里亞克極佳之資料，望研究者取供參考。同時有格魯培氏之基里亞克語彙，亦足注意也。

日本於基里亞克記述最詳悉者，首推間宮林藏氏。彼於文化五年一八〇八年。受幕府之命，孤身探訪北庫頁西海岸之基里亞克諸村，即於其地度冬。次年乘基里亞克船與彼等同溯黑龍江，達於今之蘇非司克上流，名曰台倫，北緯五一度四分一，東經一三八度三分一。自此沿江而下重歸庫頁。其所探求於基里亞克並通古斯各族，皆於《東韃紀行》述明。以庫頁之人種學著述言，留有《北蝦夷圖説》。其圖記基里亞克事頗爲精密。此二書爲一八〇〇年最初之載籍，早於馬克氏者四十餘年。曾至日本之西包爾脱氏深信《東韃紀行》之有益。一八二九年譯出，載於歐洲地理學會之報告。馬克、修倫格諸氏探訪之時亦携此書以備參考，則此書之價值可知。《北蝦夷圖説》亦曾譯爲歐文，松浦武四郎氏於安政三年一八五六年。至庫頁東海岸波羅河口，探訪基里亞克，記入《北蝦夷餘志》。岡本監輔氏在慶應年間，自波羅河口附近乘蝦夷船由東海岸出北端，更沿西海岸前行，幾於一周該島，其旅行之中訪基里亞克各村，如岡本氏之探訪，可與間宮氏媲美。其自東海岸出北岬，更繞西海岸之類，實由氏作始。其著述有《北蝦夷新志》。至明治年間，庫頁南部爲日本所領，旋有中目文學士、石田理學士往波羅河畔調查。中目氏調查之結果發表基里亞克文典。余亦同時溯行波羅河畔，至俄領之高爾台古夫。一九一九年，探訪西伯利東部，調查該族於黑龍江畔。本年一九二一年。再往黑龍江畔及北庫頁調查焉。

基里亞克人身量不高，體格强壯，胸部發達，肩甚開闊，下肢較短，手足亦小，髮黑而直，眉粗多髭，頭大，形爲中頭，顔形扁平，顴骨突出，眼細，其位置稍傾斜，鼻低口大。此等體質，其髭多量爲其特徵之一。但該族今已非絶對純粹者，間混有通古斯等種，此不能不承認者也。

據桀滿氏云，該族之平均身長，男子一米六二，女子一米五〇。修倫格氏測其身長爲一米五三，其頭部形狀，據鮑克達奴夫氏及修倫格氏採集之頭蓋骨觀之，爲亞長頭，即其係數爲七六點五。次則從塔賴奈克氏據十五個頭蓋骨顴之，其中七個爲中頭，二爲廣頭，六爲過廣頭，平均爲廣頭。修倫格氏區別其體質爲甲、乙、丙三種：甲種與通古斯及蒙古兩族類似，頭圓無髭，皮膚色黃，額低

顴突，眼傾斜，鼻短而闊； 乙種與蝦夷庫頁蝦夷。相似，面長多髭，皮色稍白，顴骨稍突起，眼之位置成水平，鼻較高； 丙種立於甲、乙之間，可視爲彼之真正體質。 以個人而論，觀甲、乙、丙三種之存在，亦可解作具有蝦夷或通古斯族之混合者。 但其婦女之體質備有蒙古人種之特徵，最堪注意也。 若使採用上述修倫格氏之結論，則基里亞克似由雜種混合而成。 但余細加審視，彼等固有其他民族之雜種，但亦非無固有之體質者，即多髭、中頭、面形等可爲明證，且此等事實，庫頁、黑龍江兩方之基里亞克皆有之，實多興趣。 況其言語既非通古斯亦與蝦夷無關，固有明顯之特徵也。

今之基里亞克純爲孤立，此孤立人種之位置，與日本蝦夷相似。 古來之基里亞克如何分類，如何位置，學者大有研究。 或以爲極北派民族，或以爲不可分類之民族。 近則修倫格氏對於烏拉爾阿爾泰系之民族特設古亞細亞之群，即含該族在内。 抑古亞細亞族之原起，非人種之關係，全由地理與歷史構成，其中含『加姆卡達』『古里亞克』『鳩克姬』『由加基爾』『阿留德』『埃司基牟』，并蝦夷亦所兼賅。 此等民族亦如基里亞克人種，位置不明，且大概爲孤立之别派。 若從古亞細亞族之定義，則彼等決非如今日住於西伯利極惡絶遠之地者，其所居處本爲西伯利佳勝之地，後爲烏拉爾阿爾泰族所侵入，與彼等接觸衝突遂失敗而退避於遠僻之海岸或島嶼中，不得已而卜居。 再與以上諸族之敗餘者偶然居住接近，故在人種上本不相同，僅以地理歷史之關係假爲連綴，所謂鑲工式，與彼烏拉爾阿爾泰族之土耳其、菲因、蒙古、通古斯各派有共同起源者不可同日而語。 近時俄國學者更稱修倫格之古亞細亞族爲古西伯利族，而稱烏拉爾阿爾泰族爲新西伯利族云。

要之，基里亞克在人種上爲孤立之位置，其人口不過四五〇〇，若此少數之人口更爲減少，或竟絶滅，將不復於人類中見之。 是以該族在庫頁及黑龍江方面者，於人類學上誠有大須注目之價值焉。

二、奥洛古即鄂倫春㈠

奥洛古，俄人稱之曰奥洛匈，專住於庫頁島，其棲息地可分爲甲、乙兩派。 甲在南庫頁波羅河畔及塔拉衣加湖畔； 乙在北庫頁東海岸方面。 在波羅方面者人口共六〇七人，户數八一，計十村： 『基梧里』『奴高爾』『姆衣加』『猶達基』『橋渡』『瓦拉巴』『塔浪古蕩』等是也。 姆衣加户數十九，橋渡十七，基梧里十四，此外不過二三户。 其在塔拉衣加湖畔者，住湖之周圍，其前有蝦夷族之塔拉衣加。 在波羅河畔者與基里亞克族住居接近，其分布狀態沿河數之，先爲奥洛古，次即基里亞克，點點散在，以漁獵

㈠ 底本原目録標題爲『鄂倫春』，現目録據正文標題改。

爲生活，交通往來皆用獨木舟，飼馴鹿爲家畜。宗教則行薩滿教。房屋爲圓木拚成簡單之天幕式。食物亦以魚類及狩獵所獲之獸類。男子多斷髮，女子仍辮髮，耳戴銀環，衣服皆存古風。

在北庫頁東海岸方面者，住於珍杜拉地帶，人口一二九人，村落共六處，即『瓦基』『阿富坦』『耶古鎮』『陶資』『達胲』『古羅馬』等。

東海岸之奥洛古，在十三年前有名那求德金者爲之統一，近時爲耶克脱族之維奴克爾酋所統轄，較在波羅方面者具有規律。房屋、衣服稍有整齊清潔之風，職是之故，研究人類學者欲知其土俗漸形不易矣。

據一九一二年巴德加奴夫之《西伯利土人人口統計報告》，奥洛古在哥薩克方面，男一五九人，女一四五人。提摩司克方面，男二三六人，女二〇九人。又氏所著一九〇五年出版之《通古斯地理學分布與其統計》，男三九五人，女三五四人，共計七四九人。其次，據馬克司馮凱氏之《庫頁島》一書，其人口爲八〇〇人，以與今日之人口比較，波羅方面六〇七人，東海岸方面一二九人，合計爲七三六人，則庫頁全島中該族之人口當可算作七五〇人以内也。

奥洛古人之體質，則身量較短，髮直而黑，少髭，頭形爲廣頭，塔賴奈克氏係數爲八四點五。面扁平而大眼，細長傾斜甚著，呈蒙古氏眼形。姚海松孛羅司基夫人於德國《人類學》雜誌上就奥洛古等身長之短小而爲之説曰：『通古斯族，其南北兩派，身體有長短，即南部之通古斯較長於北部者，北部通古斯較矮於南部，南部主要包括滿洲、黑龍江沿海等處，北部則包含「後貝加爾」「雅克德斯克」「也尼賽斯克」等。然奥洛古與南部通古斯之身材略高者相反，乃較爲短小，頗足注意』云。就彼之頭蓋而言，塔賴奈克氏曾爲之測定，著爲論文曰《庫頁蝦夷基里亞克奥洛古之頭蓋骨》。日本小金井博士亦測定其頭蓋，而發表於醫科大學紀要中。要之，其體質上，蓋顯然具有通古斯族之特徵也。

奥洛古之言語屬於通古斯語係，自言語上謂彼爲通古斯族者，實始於修倫格氏，而巴德加奴夫氏亦謂彼之單語與對岸之奥洛姫相似，且不僅單語，即體質、民情、土俗亦有一致之處。夫然則二者實爲一族，不過一在庫頁，一在與庫頁相望之對岸而已。

奥洛古之名出於蝦夷，至該族之固有名稱，波里亞古夫氏向之詢問，答曰：『烏路加』。巴德加奴夫據此事實證明與奥洛姫爲一族。余在波羅方面詢其名稱，自稱曰『維塔』。此次在東海岸方面叩之，知爲『烏路珍』，而庫頁之基里亞克呼彼族曰『奥興格西』，基倫呼爲『基柳』，黑龍江之基里亞克則呼曰『奥倫加達』。

據上觀之，奥洛古本住對岸，在古代某時逐其馴鹿，履堅冰而渡至庫頁。與其關係最深之奥洛姫，今尚在庫

頁對岸錫赫特山中，以鹿爲家畜，到處移居。蓋奥洛姬之分布時散在錫赫特山之海岸線，與黑龍江及烏蘇里江交界處，其周圍有基里亞克及通古斯族之『曼根』『高里特』『奈格達』等。要之，彼等從台卡司脱灣附近及於四四度一帶。曾聞維奴克羅夫氏云，奥洛姬近來之分布在伊姆貝拉德司基灣附近及其山中，與馴鹿同逐水草而居云。

今自後貝加爾州以東，在黑龍沿海薩哈連諸州通古斯族中，以馴鹿爲家畜而與之同移者，爲黑龍江上游什爾額河畔及興安嶺等處所住奥洛囟及奥洛姬與奥洛古二種。其通古斯諸派以犬爲家畜，多在河畔，以漁爲業，有永住性，於此一點，奥洛古在人類學上最足注意也。

奥洛古在古代，當住於今日奥洛姬所住之錫赫特山脈內，不知何時在冬期海峽結冰之際，與其最親之馴鹿同移家於庫頁。其所至之地爲中央庫頁，波羅河及塔拉衣加湖畔之奥洛古，或其所遺。彼等之一派更北進之東海岸，追逐水草而居，即基里亞克、通古斯、耶克脱等，所言亦復如是。當初至波羅方面時，基里亞克尚未移來，似首先與蝦夷接觸衝突。奥洛古及蝦夷亦復流傳此説，謂彼族曾在波羅河口之塔郎古坦地方交戰。修倫格氏謂基里亞克欲北進，蝦夷欲南進，其衝突之處厥惟庫頁。但蝦夷相傳曾與奥洛古衝突而不及基里亞克。據此以觀，或據奥洛古與基里亞克所言思之，最初移住於南部者爲奥洛古，基里亞克在後，始自北部移來者。果爾，則修倫格氏有名之假定不無錯誤。

更遠溯往昔之奥洛古，其地理分布當更及於南部，以此關係，彼等有時由北海道之宗谷侵石狩河畔，有時由出羽海岸侵入日本海方面至於能登佐渡。日本史上所謂米西哈賽，或曰亞西哈賽之肅慎，自其地理學上之關係，其民族及土俗風習不能不轉而憶及奥洛古，日本史所稱肅慎之侵渡島，又如佐渡記事之類者，蓋於此與以一種暗示也。

三、通古斯

北庫頁有通古斯住於其間，顯屬於北部通古斯族，其故鄉在雅克德斯克州附近，其至此地蓋爲晚近也。

通古斯之名非其自稱者，係雅克德斯克州附近土耳其、耶克脱所與之惡名，其意爲豚，蓋彼以豚爲家畜，其飼豚爲他族所無，因而名之。學者因該族某派有此稱，因作爲該族一般人種之稱謂。住於後貝加爾州者，自稱曰『哈姆尼岡』，移住於北庫頁者，今猶沿用此稱。現今與彼等接近居住之耶克脱，則稱彼曰『海憒基』云。

通古斯今日在北庫頁之人口約五十人，其住地專在東海岸方面，以巴爾哈塔村人口爲最多，次之爲借米川支流之奴衣西川畔及東海岸北端，更在西海岸保磯貝地方

之瓦基西川畔。其生活狀態與奧洛古同，以鹿爲家畜，旋移轉於珍杜拉地方從事狩獵，不操漁業，風俗亦與奧洛古相似，但較奧洛古稍爲進化，多能讀俄書。十三年前，耶克脱之維奴克爾氏爲其酋長，氏之前係通古斯之那求德金爲酋長云。

其在夏期伴馴鹿至那貝里司基灣，冬則去而之巴爾哈塔及奴衣西方面。其故鄉本自雅克德斯克州附近移住，分數次由對岸來此者，其來之最早者不出三代，其最新有僅一代者，則其遷來之時代實爲最近。

彼等自雅克德斯克州附近至沿海黑龍等州，在某時期先分爲二群，其一群集於黑龍江流域之亞琿河畔，別一群集於烏加克巴。以前爲烏滋司基郡烏滋河畔。彼等分爲數次組織小隊，俟此島之冬日結冰時，逐次移來者，其同族在十數年後集合於孛賴雅川及亞麻爾川中流而出於黑龍江畔，更有一百人之譜在伊姆貝拉脱羅司基灣之山中，與馴鹿同生活，更分布於東北方，僅沿海州已有四百人之譜，今尚履冰而往對岸焉。

四、耶克脱即雅克德，即赫哲。〔一〕

耶克脱在北庫頁僅有八人，純屬土耳其民族，其故鄉爲雅克德斯克州。較近時代由對岸來此。其北庫頁之住處去弩衣阿灣二十五俄里，在巴爾哈塔其人口雖僅八人，而勢力乃行諸基里亞克之間，奧洛克、通古斯更不待論。後二族現在之酋長，即該族之維奴克爾其人。耶克脱有西伯利猶太之稱，散布於伯利各地，最長商業智識，常在俄人及土人之間買賣物品。其在庫頁者飼養馴鹿及其他家畜，且營商業，生計最豐。彼等之分布勢力以雅克德斯克爲根據，而旁及於也尼賽斯克、後貝加爾、黑龍沿海、堪察加、薩哈連諸州，其人口約有十三萬，最爲難侮。若使東部西伯利無俄人，則代之成中心勢力者，土人中即此耶克脱也。

五、現在過去之民族

以上爲今日庫頁及黑龍江下游土人之自然狀態，此等事實皆爲庫頁與對岸大陸人類學上互有密切關係之暗示，以日本人類學者言，研究興味甚深遠也。

中古亞細亞族之基里亞克似先至北庫頁擇定住居，奧洛古續至中央部者，當是時日本之蝦夷亦自北海道來占其南部，忽爲彼等接觸衝突之處，此三族者，皆厠足於庫頁及大陸或北海道，互相連綴，至堪注目。即基里亞克及奧洛古與各對岸大陸發生關係，而蝦夷亦與北海道相關聯。夫如是，則庫頁島實三族北進南遷移動衝突相會之中心點。此等事實在人類學上不能不謂爲頗有研究之

〔一〕底本原目録標題爲『赫哲』，現目録據正文標題改。

價值也。

基里亞克無與之相似者，而蝦夷亦無可與比，誠爲孤立之最古民族。乃會合於庫頁之南北，不可不謂爲奇妙，而通古斯族之奧洛古在其相會之中心點加入，有如楔狀，更爲可怪。連綴日本本土與大陸，而欲自人類學上研究者，苟非注目於此橋梁道路之庫頁島，未見其可也。據湯爾和先生譯本摘録。

卷之三

氣象篇

本島爲南北縱長形，南北兩端之氣候在理想中當相差甚遠，但實際上除北部低地特寒外，南北之差不及東西之甚。究其原因約有數端：

一、鄂克斯克海之西北隅，基金斯加灣之冰至初夏解凍，沿東海岸流送，故該方面夏時特涼。

二、全島二山脈縱貫南北，冷氣爲山所阻，故西海岸不受影響。

三、對馬海流之一脈經裏日本及北海道西岸迂迴達西能登吕岬，一部消失於宗谷海峽，其他部分更沿西海岸北進，故西海岸不特不受東部冰流影響，且甚温暖。

四、冬期滿洲内部之風雖寒，但爲西部山脈所阻，夏季海洋之風甚涼，氣温均能維持。

就以上所述本島之氣象，因海流及山脈等之關係，實居特殊之地位。其平均氣温，四月至十月七個月間，均在冰點以上，十一月至三月五個月間，均在冰點以下。以一月最寒，内部及東北部降至冰點下三十度；以八月最温。統計全島中最寒之地，民國九年落合及敷香地方最低，氣温降至冰點下三十四度五分。至西海岸真岡地方最低十八度，較朝鮮京城略高，與大連相伯仲。

大正十二年日領島南地方天氣陰晴雨雪列表於下：

地方別	晴日	陰日	雨日	降雪量（米突）
大泊	三四	一三五	一七六	八六〇
真岡	二〇	一八〇	二〇一	八七三
敷香	四四	一三五	一三一	八七一

結冰與流冰亦本島氣象上一大特色。本島沿岸除真岡港外，全部皆須結冰，惟西海岸因受暖流之影響，結冰之度略小，而解冰之期亦早。水温冰點下一度八分海水即須結冰。亞庭灣沿岸十二月下旬即入結冰期，至一月結冰最甚，離岸二十里光明如鏡，不啻一蒼色之大玻璃版。車馬絡繹，頗呈奇觀。至三月下旬解冰之期，冰山冰塊乘流而下，幅員二三十里，高浮水面，沿海航行殊爲危險。西能登吕岬附近至四月中旬尚有流冰，東海岸五月中旬猶流冰不止，至海豹島附近六月尚浮冰如山。

動植物之生育不能脱氣象之支配。本島之氣候南北固異，東西亦絶不相同，故動植物之分布難依日、俄國境

區分。昔俄之旅行家以真縫、久春內間分島之南北二部，但於動植物之分布殊不準確。茲就兩界普通代表之動植物列記對照如左：

物別	勘察加界　北	日本界　南
動物	馴鹿、黑貂、獺、海馬	無蛇
魚類	鮭、鱒	鰊、秋刀魚
樹木	矮少植物	針、闊喬木
農作物及其他	無	麥類、大根、菜類、豆科、百合科、馬鈴薯

東西海岸之雨量雖有不同，然其量概少，惟東岸夏季多濃霧，其海中航行之船舶時至進退維谷，是因北上之對馬寒流與南下之寒流相會而成之結果。雨雪日數，在大泊每年平均雖有二百二十三日之多，而雨量每年平均達六百十二粍。風向，冬季北或西北，夏季多南或東南。温度較低，濕氣雖多，尚不至有害健康也。

農業篇

本島氣候雖寒，而肥沃可耕之地頗廣，中凹地帶及西海岸山脈一帶，受日本海海流之保護最宜種植。本島農業，在前俄領時未見發達，日本接領後著手調查。自明治三十九年開始移民，配給種子，貸與住居，設立農事試驗場及種畜場，積極獎勵種殖，故鈴谷、內淵、留加多〔一〕諸流域，亞庭灣內及西海岸南部沿海各地從事墾植農民接踵而至，并許其墾地，成熟後即將熟地分給，使之安居樂業，故農村日見發達。據樺太廳公布，日領境內可耕之地六萬八千餘町步。又調查俄領境內，僅登依米溪谷可耕之地約三萬一千町步，而日領境內既耕地約一萬四千町步，俄領境內既耕地約二千町步。即可耕地與既耕地之比，日領爲百分之十八，俄領僅百分之六點六。全島均足供移民之耕種，雖有人以本島之氣候與土地生產力之關係上農業難期發達，創爲悲觀之説，不知農業經濟原則上生產力富固足吸集農民，但農民過稠，生產之分配力益弱，其生產之結果轉不及劣等土地遠甚，本島之狀況正與此合。如本島之移民在未超過十五萬人以前，耕作面積廣闊，其生產力雖弱，較之日本內地受大地主之壓迫，其生活之艱難又豈可同日而語哉？《地理全志》曰：『庫頁島氣候嚴寒，霧露迷離，五穀不登，少有黍稷。』亦僅言其大概耳。

本島之農業移民制度以自耕爲主，小作農民避去大地主，促中等農民之健全發達，故日領樺太廳當局一面發行多數刊物，介紹島中情形，一面派員赴關係密切之地，

〔一〕留加多　疑應爲『留多加』。

設法勸誘并規定移民二條件：

一、携帶家族抱有永住决心，且其家族中須有二人以上適於農事勞動者，但單身而有堅决志願者不在此限。

二、移民須自備旅費及移住後一年間之糧食及開墾費。

對於移住人民，又特加保護及獎勵之。其規定如下：

移住前之保護：

一、凡移住民往樺太時，全國各地之車船票價及行李運費均減收三五成，島內則完全免費。

二、設移民事務所於青森、函館、小樽三地，保護移民並指導一切。於島內各要港登陸之際，派員招待，復於移民盛時設移民宿舍於大泊、豐原、真岡三地。

移住後之保護：

一、未開之地每户可領墾五町步至七町步，備牛馬一二頭。居住五年以内，領墾之地十分之七八成熟時，可領種其墾地全部，概不收費。

二、貸與牛馬等家畜，若五年以内納子畜一頭，則母畜即爲所有，并得與樺太廳所管之種畜自由配種。對於以畜牧爲主之農業者，貸與種畜以圖牛馬之改良及蕃殖。

三、自島外携帶家族來島及在島内購買優良之種畜，均給與補助費。計：馬三百元，牛二百元，豚十元以内，其他用費五十元以内。

四、購買洋犁耙及除草器時，酌給補助費。

五、購備農畜産製造器械，若其設施認爲於獎勵農事有關係時，得補助其經費。

六、工程及事業告竣時，給與補助費。

七、部落移民得免費自由使用預定共同牧場。

本島移民本此方鍼進行至大正九年六月止，已達四千四百十六户二萬二千六百八十五人。

俄領北庫頁歷年移民前往，自民國十五年於團體移民之外，並准自極東地方自由移住，與團體移民享有同等之權利，本島之移民事務向歸沿海州移民廳直接管轄，對於移民基金之額數，尚未確定。六月一日移民業專問調查隊自莫斯科出發，前往北庫頁，内有一部分係極東之移民業經驗家加入，委託庫夫秀庫博士指導一切。據調查隊調查之結果，北庫頁移民之基金及其額數今後必能確定。其移民之進步頗著，本年預定移民一千五百人，至移民之資金仍照前準備之數支付，此後仍按年移殖以圖發展。

本島主要産物除米與北海道略同外，舉凡寒帶産物大部皆有，麥類、馬鈴薯、蠶豆、豌豆、大麻、雲苔、牧草、菜蔬及亞麻、薄荷等均爲普通産物，較暖之地亦産稻粟、玉蜀黍、大小豆等。播種在四月下旬融雪後，收穫在八九月間。播種遲而耕作之期甚迫，但氣候夏暖冬寒，故植物之發育極速。

農作物收穫量及價格表：

種類	耕作地數	收穫量	總價額
大麥	七九點六八町	二〇二點九八石	三二五五點四三〇元
裸麥	一三一八點八四	四八八五五點四〇	八四七七三點七八〇
小麥	二三四點四四	七九〇點三八	一三二〇八點三六〇
燕麥	三六八〇點五七	二六五七七點四二	二〇五〇九九點四〇〇
黑麥	九點四五	一五點六〇	一一一點八四〇
大豆	七七點六六	一四九點一三	一七五四點〇九〇
豌豆	二七七點〇七	七四七點七四	一一四八一點〇八〇
菜豆	一六六點八〇	四二六點七二	七六八二點七八〇
蠶豆	二四點四五	八二點二六	一五八七點二九〇
小豆	五點二〇	五點六九	一〇四點七三〇
蕎麥	六〇一點五三	二四八五點九七	二五〇七六點八九〇
蓼苔	一二三點九五	三七五點二五	四八五九點八五〇
玉蜀黍	四二點八二	一五九點七七	一七八三點〇六〇
稻黍	二五一點四五	九三一點一七	一四六九八點八八〇
粟	五點三六	二〇點四七	二八六點五八〇
稗	二點五五	一〇點〇五	一四一點七五〇
馬鈴薯	一四五二點一四	一〇七〇點八八一貫	一六九九四〇點九八〇
牧草	一二二五點六〇	八六〇點九一六	一七〇八六一點〇〇〇
亞麻	—	—	—

種類	耕作地數	收穫量	總價額
大麻	五點〇五	三〇	三六點〇〇〇
薄荷	—	—	—
甘藍	一三九點六七	二五九點五七七	四〇五七〇點九七〇
葱頭	一二點七八	四點一五四	二九九二點二三〇
蘿蔔	七〇點九〇	一二八點二一四	二八〇〇二點七〇〇
胡蘿蔔	二五點一五	二七點六八〇	一一四七一點八〇〇
牛蒡	二〇點二七	二五點四一七	一五七五八點五四〇
其(地)〔他〕(一)蔬菜類	六一三點五四	九七三點五八八	二四五七五點七二一
總計	一〇四五五點九二		一〇六一二九六點八六〇
大正八年	九六一八點八二		二九七六六三一點三〇〇
大正七年	九一〇四點五三		一〇八五點〇〇〇
大正六年	七四五七點四八		九七四點六七五
大正五年	六六五四點一七		八三六點〇七三

畜牧篇

本島以畜牧爲最宜，且能飼養野畜，爲他處所無。原有居民率皆打牲爲業，並有使鹿部之稱。可以想見現在未墾之地正多，仍宜經營畜牧，以期因地制宜。俄領境內農耕不盛，而畜牧則較爲發達。日領境內稍遜，地方當局尚鋭意獎勵，以期進步，對於牧畜之貸付及家畜購入補助、種畜免費交配等項，亦復努力施行，務求實效。

日俄境內家畜之數表示如左：

(一) 地　疑應爲『他』。

地方別	農户	牛頭	馬匹	豕頭	家禽羽	附記
俄領	五一五 每一户之數	二五一一 五	一三一七 二點五	一四二四 四點七	五四五七 一〇點六	一九一三年之數
日領	四四五五 每一户之數	一九六五 〇點四	四三八六 〇九點八	一四四三 〇三點二	二五三二九 五點六	

此等牧畜之飼料多爲山野間自然生長之野草，若稍加設施，用械集草，則飼養力自必更大。如在島北人煙稀少之地闢一牧場，招致華、韓人民，使之開墾稻田，整理草場，逐漸增加畜類並設場製造畜産食品，則斯業之發達未可限量。

野畜之飼養，在草絨地帶。有一種馴鹿，可於栅中飼之，即狐亦可飼養，正在試驗中，惟視爲奢侈品，未臻實用。

牧養馴鹿於草絨地帶，自昔東谷斯、鄂倫春人種已經實行。鹿性馴良，雖在嚴寒亦能自掘冰雪覓食草絨，不須牧人照料，其肉味美而皮可作裳幕之用，乳似牛乳，味尤甘美，照加拿大飼鹿之經驗觀之，馴鹿一頭需草絨地十七町步，本島草絨地帶之面積，自多來加灣以北以目測之約二百五十萬町步，足飼馴鹿十五萬頭。鹿達二歲以上即可每年生殖，如成績優良，年可得新鹿十萬頭，最少亦可得五萬頭。民國八年，美國食鹿之價每頭約爲日金一百五十元，即假定每頭日金百元，則每年輸出總數爲五百萬元乃至一千萬元。現在島北土人所飼馴鹿僅三千二百七十頭，故此後本島之牧畜大有注意之價值。土人概以捕獵爲事，其主要者爲熊、狐、獺、黑貂、栗鼠、馴鹿、兔、麝香鹿，尤以黑貂最著名，其毛皮在歐美市場價值甚高，每年輸出約六七千張。

按：馴鹿Reindeer産於西伯利亞及歐洲北部之芬蘭、臘魄蘭，北美北部之新不倫瑞克、蘇必力爾湖等處。北美有所謂加利保Carribo，性温順易馴，牝牡皆有角，冬生毛甚長，帶灰白色，夏季變爲黑褐。野生者因時節而遷移，夏徙森林以避暑及蟲害，冬食雪下之草，隨之移轉。臘魄蘭人以有馴鹿多寡爲貧富，大約有千頭以上者稱富豪，占最有勢力之位置。數百頭以上者亦受尊敬，至數十頭以下則下等矣。馴鹿以生於寒帶地方之地衣爲惟一之食物，故冬季於積雪中以角與蹄掘而求之，甚適於運送，并可曳橇，行冰上力甚强，三百磅許之重荷，一時間能曳之走十里，然一般所用之橇不過百九十磅，背載不過百三十磅，其毛皮適於防寒，故頗貴重，此實鹿類中之最有

用者。

本島所出熊、狐、黑貂、栗鼠、野猪、鹿、海豹等獸頗多，土人多以狩獵爲專業。一九一二年俄領地方所獵者，熊十八、狐一百六十二、黑貂一千一百九十七、栗鼠五千八十二、海豹一百七十八、獺二十，價額約十萬盧布。

水産篇

島南漁業之沿革，初不可考。據開拓使事業所載，德川時代寶曆二年，松前藩於楠溪外設漁場二處。寬政七年漁場受負人伊達林右衛門及栖達小右衛門至榿淵承營漁業等語，似爲本島最初之漁業史。洎明治三年三月開拓使樺太支廳於東岸之榮濱、東白浦，西岸之鵜城、西白浦等處，開官設漁場四所，并對於民設漁場予以獎勵。明治七八年之交，更於多來加灣內設敷香、輪荒、榮濱、東富內等處漁場五所，亞庭灣內設榿淵、遠淵。小實、今之池邊讃。得高、今之留多加。得撫、今之雨龍濱。禮彌泊今之利屋泊。等處漁場五所，西海岸設白主、西富內、西白滑、今之西白浦。鵜城等漁場四所，合計十四所。逐年增加，至明治八年九月，千島、樺太交換之議成，漁業爲之一大頓挫。明治九年共有漁業十六所，漁業者十三名，漁夫船員五百三十餘人，至十五年更增至三十餘所，十六年以後因俄國地方政廳漁税苛刻，僅足維持。

明治三十八年隸日領後，日本陸軍以第十五號告示發佈樺太漁業臨時規則，前之經營鰊、鱒、鮭漁業者，仍得以原費繼續舊業，俄人所辦漁場并准其投標營業。

明治四十年新設漁場十五所，漁業法公布後，認鰊、鱒、鮭爲特准漁業，限期六年。四十一年八月，設漁業公會，以保護雜漁業者，依投標制度許可漁場三十九所，又爲保護士人〔一〕，代給漁場十所。四十四年二月，改正樺太漁業令，廢止投標制度，漁業費由樺太長官查定許可，漁場亦委長官任意處分。四月，更公布改正漁業法，除前項特准漁業外，更加區劃漁業、專用漁業，並施行漁業註册令及漁業公會法。

本島現行漁業制度，可分爲特准漁業、雜漁業二種。特准漁業又可分爲鰊、鮭等固定漁業，養殖海苔、貝類、魚鼈之區劃漁業及呈請漁業公會批准之專用漁業三種。特准漁業對於樺太長官之查定，有交納漁業税之義務，對於配繩、冰下網、欉網、釣穪等漁具及漁船均有限制。至雜漁業無須特准，僅領取執照即可開始漁業。

本島爲世界三大漁場之一，位於鄂克斯克海之西隅，四面環海，寒暖交錯，海産豐富，日本謂爲寶庫。水族之分布，隨潮流及水温而異，頗難詳加分析。據最近之調查，其

〔一〕士人　似應爲『土人』。

種類不下百餘。其出產最多者，厥爲鰊、鱒、鮭、鱈、鰈、昆布海帶等，尚有膃肭獸棲息於海豹島，政府特加保護，促其蕃殖。膃肭臍之形似犬，毛皮柔軟，肉味香美，富於滋養，爲世所珍。其毛皮施以染色，可爲僞臘虎，歐美紳士歡迎之。但其染色方法尚屬秘密。世界中惟倫敦能染，故世界之膃肭臍皆集於倫敦，年額達十二萬張。一張之值約三十五圓，大半產於北太平洋之寒流中。庫頁島及美屬普利比洛夫列島、白令海，北緯約五十七度，西經約百七十度。俄屬康曼佗耳斯基群島，堪察加半島之東岸約百里，北緯五十度，東經百六十七度。皆其著名產地。

特准漁場產額表

日本大正十年

支廳	漁場別	漁業料	漁獲物 鰊	漁獲物 鱒	漁獲物 鮭	漁船	漁夫
大泊	定置 一七六 專用 二〇	元 七〇二〇五	一二一九六九〇 九九六九二〇	三七三七三〇 一〇七二〇	三六二九五 三八六	一五九五	五〇〇六
豐原	定置 八〇 專用 五	三九三三五	六七四二四〇 四五一〇八〇	七七九五五 六一二〇	三六八七六 二四〇〇	二一二	一二二九
真岡	定置 一四四 專用 一四	一〇七一四二	二〇七四三八 一三〇二〇〇	三六〇四〇五 —	二八七一九 —	九三二	三四四九
泊居	定置 一四〇 專用 一一	二七三〇〇	一九六六二 三二七四四	五九八三五 三九二〇	一三 —	八八	四五四
敷香	定置 一一六 專用 三	六五四七〇	八七三一二 三〇〇〇〇	一七七六六四五 九九二〇	二〇〇三二四 一二〇	三〇一	一八一五
總計	定置 六六五 專用 五三	三〇九四五二	三一〇八三四一 一六四〇九四四	二六四五五七〇 五〇六八〇	三〇二二二七 二九〇六	三一二八	一一九七三
大正九年	三六四 三八	三一九二一九 三一九八二				四一二一	一四四三一

支廳	漁場別	漁業料	漁獲物			漁船	漁夫
			鰊	鱒	鮭		
大正八年	四〇九	二七五九〇五				四四四六	一五四三二
大正七年	四〇八	二八七五九七				二二〇四	一〇八八五
大正六年	四一二	五九八四四三				二四二五	一〇八二七
大正五年	四〇三	五七二五一六				三一七三	一三五一五

水産物製造表一　特許漁業

日本大正九年

種別	單位	大泊	豐原	真岡	泊居	敷香	計	價額
鰊粕	貫	七一三二三二	二六七〇二四	二一三〇一六八	四七五八二四	二九七六〇〇	三八八三八四八	二六一六七〇六元
鰊生玉	貫	—	—	八九二五〇	—	—	八九一五〇	六〇六〇〇
鹽鰊	貫	—	—	一四〇八	—	—	一四〇八	八八〇
身欠（練）（鰊）	貫	三五〇〇	二四	五八〇八〇	一一八四〇	—	七三四四四	四五〇二二
鰊鯑	貫	三〇四八	—	三一六五六	三七六八	二八八	三八七六〇	五二一二八
胴鰊	貫	八〇〇四	三二	一一七五五〇	二七九二〇	—	一五三五〇六	五九七八八
笹目	貫	一一七六	一四四	一七六八八	四一二八	—	二三一三六	七五〇九
白子	貫	九三六	四八	一三五八四	二六六四	—	四〇二三二	八九四〇
鰊油	函	六二四四	二〇〇一	二四〇七五	六五九九	二一四二	六〇一六一	一六九二八二
鹽鱒	貫	五二五四〇	五〇七四五	五九〇一〇	五六〇九五	五二二六二五	七四一〇一〇	四二五三三九
鱒筋子	貫	一〇九〇	二〇〇〇	一二一〇	九二〇	二三四六〇	二八六八〇	六八一七二
鱒粕	貫	一〇三九二	一六八	五八三二	五四二四	—	二一八一六	一一九四〇
鹽鮭	貫	二七三四五	一五七一九	二五二三九	—	二二四四六一	二九二七六四	三二二九二〇

種別	單位	大泊	豐原	真岡	泊居	敷香	計	價額
鮭筋子	貫	一三九〇	七五〇	一一三〇	—	一六九一〇	二〇一八〇	六一七五〇
鰈粕	貫	三三六	一二九六	一二〇	五五二	七二	二三七六	一一八九
助宗雪粕	貫	六九六	—	二五五一二	一九二	—	二六四〇〇	一四二二一
雜魚粕	貫	七八〇〇	一七〇四	五五九一二	一三三九二	二四二四	四一二三二	一八七二二
雜魚油	貫	七六	—	一二九	三二一	六	二四二	七一三
其他	函	—	—	—	—	—	—	一二七〇
總計		—	—	—	—	—	—	三九四七〇九一
大正八年								五〇九八七二〇
大正七年								三九九六一三七
大正六年								四九九〇六四一
大正五年								三二九七四四九
大正四年								二七七二八五三

水産物製造表二　雜魚業

種別	單位	大泊	豐原	真岡	泊居	敷香	計	價額
鰊粕	貫	一二一三三二〇	八二九〇三二	一一七六四八	四〇六八〇	五〇一六〇	二二五〇八四〇	一三〇三五三四元
鹽鰊	貫	—	—	五九五六	一一二	—	六〇六八	二八四八
身欠鰊	貫	一〇四七七六	三六八四	五七五五二	二七四四〇	—	一九三四五二	一七三七四五
鰊鯑	貫	五一九一二	三一九二	一六九六八	五四六四	—	七七五三六	一四七二五一
胴鰊	貫	一七七三〇	九五一四	一一六三一二	五〇三〇四	一四四	三五四〇〇四	一三八三八八
笹目	貫	二二五一二	一六〇八	一六九九二	七三四四	二四	四八四八〇	一六四一一

種別	單位	大泊	豊原	真岡	泊居	敷香	計	價額
白子	貫	一七八三二	六四八	一二〇七二	四八〇〇	—	二五三五二	一九二八八
鰊油	函	六六五六	四六九	九七一	五九	—	八一五五	一六二三六
鹽鱒	貫	一四三八二五	二五四三〇	九八九一〇	五九七五	四六六一五	三二〇七五五	一六八三八六
鱒筋子	貫	五〇〇〇	四七〇	一〇三〇	一一〇	三一〇三	九七四〇	一二〇四九
鱒粕	貫	九八四	一六八	—	七二	三三六七二	三四八九六	一七七七七
鹽鮭	貫	二四五三	四九一九	七三三	—	九七五九	一七四六四	一七六五九
鮭筋子	貫	三〇	二三〇	—	—	二五〇	五一〇	一〇〇五
棒鱈	貫	四五三七七	七九九七	六四六九三二	一二八八二	—	七一三一八八	九一三〇六六
開鱈	貫	五二四〇	八八〇	一二〇〇二〇	六〇	—	三六二〇〇	一一八二二三
鹽鱈	貫	五六五二	一〇二三四	五二一六四	—	—	六八〇四〇	一六九五八
鱈身粕	貫	五七六〇〇	七二	二〇七六〇	六九一二	—	八五三四四	四六八五四
鱈骨粕	貫	三〇四〇八	三八六四	四四四〇四八	七七五二	—	四八六〇七二	二〇五九四七
鱈油及肝油	函	九三八	六九	一二三六九	一〇四	—	一三四八〇	六二一三九
鱈油粕	貫	八八八	三一四六四	六八	—	—	三二六四〇	八八三四
鰈粕	貫	九六四八	三七四四〇	八五七〇四	三四六三二	七九九二	一七五四一六	八四九〇四
鰈油	函	—	—	八	—	—	八	一二
鮫粕	貫	九三八四	—	五六六四	三九八四	—	一九〇三二	九一二七
鮫油	函	一九八	—	六七	一八	—	二八三	六三七
魠粕	貫	—	—	—	四五三六	—	四五三六	二三七〇
助黨雪粕	貫	一一五二	—	二〇〇八八	—	—	二一二四〇	九二二四
蟹粕	貫	一二九六〇	七三四四	三五〇六四	一九二〇	—	五七二八八	一一八三〇

種別	單位	大泊	豐原	真岡	泊居	敷香	計	價額
氷下魚粕	貫	—	九三六	—	二四〇	六五七六	七七五二	三二九六
雜魚粕	貫	一一〇四四八	四二七二	一四三二八	五三八〇八	四九一二八	二三一九八四	一一三一〇六
雜魚油	函	一一九	—	—	一二	—	一三一	二五五
鮖煮干並素干	貫	一三二〇九	二三八	—	二六一八	一三六〇〇	一九六六五	三六四六五
雜魚煮干並素干	貫	二七二〇	—	—	七三一	六八	三五一九	二八四四
乾貝類	斤	五一六〇〇	—	—	八七〇〇	—	六〇三〇〇	三四五一〇
反昆布	（貴）〔貫〕	一五二一九〇	二六六五	一六三六六五	二五〇	—	三一八七七〇	三七〇二七九
長切昆布	貫	—	八〇〇	一一八四	—	—	一九八四	五一六
島田昆布	貫	—	一〇八二四八	二四	—	—	一〇八二七七	一六一七〇
花折昆布	貫	二一二五	一〇	一八〇	—	—	二三一五	三三二八
坨努昆布	貫	一〇五〇	—	四一〇	三〇〇	—	一七六〇	三三四
細目昆布	貫	—	—	二六〇〇	—	—	二六〇〇	九八二
昆布灰	貫	六八二五	—	—	—	—	六八二五	四七七
其他		—	—	—	—	—	—	二六八〇九八
總計		—	—	—	—	—	—	四三八五〇九八
大正九年		—	—	—	—	—	—	四八五五四六四
大正八年		—	—	—	—	—	—	六七二八〇八七
大正七年		—	—	—	—	—	—	
大正六年		—	—	—	—	—	—	四九六四四六八
大正五年		—	—	—	—	—	—	二七四三八九三

水產物罐頭製造表

日本大正十年

支廳	蟹罐頭			鱒罐頭			鮭罐頭			合計	
	工場	數量	價額	工場	數量	價額	工場	數量	價額	工場	價額
大泊	三	二九四七	九五二七三	二	一七六	二〇二四	—	—	—	五	九七二九七元
豐原	一	一二二八	三八〇一六	三	二〇五九	二四八五九	—	—	—	四	六三八七五
真岡	一一	一七八〇五	五七二二二三	六	二九二六	三三八五七	一	三	一三八	一八	六〇六二一八
泊居	五	七三五	二六〇九三	—	—	—	—	—	—	五	二六〇九三
敷香	—	—	—	—	—	—	—	—	—	—	—
總計	二〇	二七七一五	七三一六〇五	一一	五一六一	六〇七四〇	一	三	一三八	三二	七八二四八二

水產物之製造尚未發達，近經水產試驗場之試驗及水產公會之檢查，逐漸改良，已製爲罐頭者爲鰊、鱒、棒鱈及蟹等，鱈魚肝油，惟蟹之罐頭最爲發達。

水產業者之人數冬夏二季相差甚遠，夏季漁期中業主及漁夫均來自日本，至冬而歸。近年永住漁業者之户口逐漸增加，至日本大正十年，雜漁業者已至二萬餘人，附表如左：

雜漁業者户口表

支廳	期別	漁業者				製造業者				計			
		户數		人口		户數		人口		户數		人口	
		永住	入稼	永住	入稼	永住	入稼	永住	入稼	永住	入稼	永住	入稼
大泊	上半期	一一九五	三七	五三九七	一八二一	二五	五	七五	六六	一二二〇	四二	五四七二	一八八七
	下半期	一二七四	三	六〇六〇	一一四	二	—	三	—	一二七七	三	七〇六三	一一四
豐原	上半期	三五九	—	一四八五	五七五	二	—	八	五八	三六一	—	一四九三	四三三
	下半期	三五六	—	一五三一	—	—	—	—	—	三五六	—	一五〇一	—

支廳			真岡		泊居		敷香		總計	
期別			上半期	下半期	上半期	下半期	上半期	下半期	上半期	下半期
漁業者	户數	永住	一四三三	一三五七	三一一	三二二	一五二	一六三	三四五〇	三四七二
		入稼	八五	一〇	一九	六	一二	—	一五三	一九
	人口	永住	六七八〇	六八三七	五五六	四八五	六二一	六七三	一六〇三九	一六五八六
		入稼	一〇一八	四六	一七三	七七	二二七	五九	三六一六	二九六
製造業者	户數	永住	三五	四〇	四	七	—	—	六六	五〇
		入稼	一二	—	二	二	一	一	二〇	三
	人口	永住	一五三	一八三	一〇	一五	—	—	二四六	二〇一
		入稼	三八	—	四一	二七	一五	一五	二一八	四二
計	户數	永住	一四六八	一三六七	三一五	三二九	一五三	一九三	三五一六	三五二二
		入稼	九七	一〇	二一	八	一三	一	一七三	二二
	人口	永住	七一三三	七〇二〇	一五六六	一五〇〇	六二一	六七三	一六二八五	一六七八七
		入稼	一〇六五	四六	二一六	一〇四	二四二	七四	三八三四	三三八

以上所載漁業屬於南庫頁方面者。至北庫頁漁業，據譚之良氏所著之《日俄兩國國際間的北庫頁問題》見《東方雜誌》二十五卷二十二號。記述詳明，堪資參證，摘録如次：

庫頁之漁業雖較世界最大漁場之挪威及紐芳蘭稍有遜色，但亦可稱爲世界之大漁場，該地産量平均年多一年。一九〇六年之漁獲總價值不過值日金二百九十萬元，至一九〇七年即增加一倍，值五百七十五萬圓，一九一六年值八百八十三萬圓，一九二五年竟增至一千七百五十一萬圓，其産量之增加亦至速矣。

北庫頁之漁業以鯡(鰊)、鱈、蟹、鱒、鮭五種爲中心，兹將産地及漁獲之價值分述如下：

一、鯡之産地在庫頁西海岸，聚集在日、俄兩國境界地方，此種優等之鯡可與歐洲之鯡競爭，産量最多。一九〇六年之出産值二百三十五萬圓，至一九二六年值一千二百七十四萬圓，占庫頁漁獲總價值七成而强，亦可驚矣。

二、鱈之産地在鄂霍次克海及日本海之北部，一九〇七年價值不過二十二萬元，一九一六年增至九十七萬元。

三、蟹之産地與鱈相同，産鱈之地即是産蟹之地。蟹産之總價值一九一六年共二百七十七萬元，至一九二五年産額大減，不過值一百一十萬元。

四、鱒由日本海向北越過韃靼海峽入黑龍灣，聚於察母利亞一帶。一九〇七年總價值九十七萬元，至一九二

五年僅值四十四萬元，一九二六年又值二百四十萬元。

五、鮭產在鄂霍次克海，分兩群來庫頁，一群到黑龍江口，一群自察母利亞角入韃靼海峽之北水道，向庫頁之西海岸一帶進行。是以鮭之產地自察母利亞起，北至巴伊加爾灣，南至拿泥河最爲豐富。至產額價格，一九〇七年值七萬七千元，一九二六年值四十八萬元。

日本人在南庫頁之漁業歷史較久，在德川幕府時代已來從事捕魚。一八七五年千島與庫頁交換之條約成立，南庫頁歸俄。關於日人之漁業不但未受影響，一八八〇年俄國更許在北庫頁經營漁業之權利。至一八八五年，北庫頁之內斯基、忒爾別尼兩灣禁止日人捕魚。一八九〇年更鎖閉東西海岸。一八九四年除以上兩灣外，再許日人捕(漁)〔魚〕。一八九九年復限制日人之漁業範圍，一方減輕俄人漁業輸出稅，但實際上並無效果，因日人仍在禁止區域內私捕及漏稅之故。一九〇四年至一九〇五年日俄戰後，日人在北庫頁之漁場禁止以外國人（指日人）。爲漁夫，因之日本漁業家陷入不利地位。一九〇七年七月，俄國之漁業條約訂定，日人更受影響。於是北庫頁之漁業俄人占百分之八十，日人不過百分之二十。至一九二〇年日軍占據北庫頁，日人之漁業方有轉機。茲將一九〇六年起至日軍占領前一年止，北庫頁漁獲量數統計表附記於下：

年份	漁獲量	勞動者數		政府准漁區數	製魚區數	借區費
		俄人	外國人			
一九〇六	二一一三	—	—	—	—	—
一九〇七	三七一三	無紀録	—	一二	三	三三〇四二
一九〇八	八六九四	—	—	一六	六	三六〇四八
一九〇九	九一七五	—	—	一九	八	四六二一六
一九一〇	二五二四	二九五	三五五	一四	一〇	四七四一四
一九一一	六五六三	八八一	一一四	一五	一一	六八二二二
一九一二	八四九六	一一〇二	五〇一	一五	一一	七三九四〇
一九一三	六四〇八	一一八五	三五四	一三	一四	一一九〇七三
一九一四	五六六四	一三二五	二三一	一二	一五	一一六四六一

年份	漁獲量	勞動者數		政府准漁區數	製魚區數	借區費
		俄人	外國人			
一九一五	四二七八	一〇〇四	五七六	三	一六	一〇〇四七三
一九一六	一七七〇	三二六	三二九	三	一〇	一〇二四五九
一九一八	二八五二	一〇一二	三九三	一一	二	—
一九一九	三三〇五	—	—	一九	—	—

表內漁獲量單位噸，借區費盧布，一九一七年不詳。

一九二〇年至一九二五年止，北庫頁因日軍佔領，所有漁區皆歸日人手中，俄之漁業家不得插足。在此數年中，漁獲量異常發展，產量列表於下：單位：尾

年別	鮭	鱒	鯡	鱈	蟹	其他
一九二一	一五九七四〇	一三七六四四	八〇六七二〇〇	一二七六一三	—	—
一九二二	三七〇七一一	一四〇四〇二九	五六四〇〇〇〇	三二一三三	一四七六〇	一三〇〇〇〇〇
一九二三	一三〇七九六五	九五〇〇〇	五五八七六〇〇	六二五	二八〇三三	九〇四五〇〇〇
一九二四	一七九五五八〇	二五六一九五四	五六七八四〇〇	—	一七六〇一	五四二七〇〇〇
合計	三六三三九九六	四一九八六二七	二四九七三二〇〇	一一五〇三七一	六〇三九四	二七四七二〇〇〇

以上見譚氏《北庫頁問題》。

近自蘇俄五年計劃施行以來，對於遠東境內之魚產視爲極重要之實業，擬採用新法購製捕魚汽船及偵察魚群之飛機，以資利用，並因魚量增加，擬製造水面上漂浮艦廠，製造罐頭，復造防腐艦艇，並於本島設有海岸罐頭廠若干處。見《蘇俄積極建設論》。

卷之四

森林篇

本島森林乃原始之自然林，老樹參天，幼林密布，除海岸沙地及耕地、市街、村落、湖沼外，全島悉爲森林，計面積三百三十五萬町步，幾占全島總面積百分之九十。《地理全志》曰：『庫頁島南北峰巒聳翠，林木紛繁。』洵不誣也。自日本占領後，詳細調查至三年之久，始得其大概。其種類大別如左：

林種	面積（町步）
針葉樹林	二一〇四四六二
闊葉樹林	四八三七五〇
針闊混合林	三七一八九八
未立木地	一五〇四七二
草絨地	二四二一二〇
合計	三三五二七一二

按上表觀之，本島之森林約百分之七十二爲針葉林，十六爲闊葉林，十二爲混合林。針葉林中椴松最多，蝦夷松次之，落葉松最少。椴松除濕地外到處叢生，蝦夷松多生山坡間，落葉松則概生平地。其他闊葉樹約二十種。

樹種	科名	數量	用途	附記
落葉松	松科	少	薪炭建築	生於島之中部及南部北部
蝦夷松	松科	多	薪炭建築	
椴松	松科	極多	薪炭建築	
欄	一位科		小細工建築	
長葉柳	楊柳科	多	箱經木	
絹柳	楊柳科	多	箱經木	
白楊	楊柳科	少	笞經木軸木	俄名托泊利
山楊	楊柳科	極少	笞經木軸木	
山榿	樺科	甚多	薪炭	
白樺	樺科	多	薪炭	尚有黄樺一種
春榆	榆科	多	薪炭建築	
花楸榆	薔薇科	多	薪炭器柄	
山查	薔薇科	多	小器具薪炭	
槭	槭樹科	少	小器具薪炭	
刺楸	五加科	少	器具建築	
黄蘗	芸香科	少	器具藥用	

本島巨大森林之蓄積總量，據政廳之調查，林野全面積三百三十五萬町步。內除農牧市街地預定區域三

十萬町步，現在未定木地燒跡地約十六萬町步，草絨地帶二十五萬町步，保安林必要保存四十三萬町步外，採伐面積約二百二十一萬町步，總蓄積量共約十八億二千三百五十七萬二千二百三十三石，此五年前樺太政廳之統計也。

總蓄積既有如此之巨，嗣後如何維持、如何利用，樺太當局確定百年輪伐、天然更新二大方鍼，俾期完全保護，適當發揮。

更於木材利用方面觀之，從前僅供薪炭、建築之用，不過爲沿岸漁業者之需要。現在加工利用或設製紙工場以作製紙原料，或設製材工廠製成角材、抗木、道木等輸出中國及日本，則利用之途益廣，森林之效益偉矣。

據多聞社民國十六年之調查，日本自占領樺太島以來，對於該島之開發森林不遺餘力。該島森林蓄積量爲一百八十億立方尺，但自開發後二十年來之成績，現在實僅有針葉樹五十三億七千六百萬立方尺，闊葉樹一億九千九百萬立方尺，共計五十五億七千五百萬立方尺。其由官廳已立合同售出者，計各製紙工廠十二億二千五百五十萬立方尺，大倉鑛業公司每年一億八千零六十八萬立方尺，共計十四億一千六百二十一萬立方尺，所餘者不過半數而已。

民國十八年六月初，森林地帶突起火災，焚燒數日之久，人畜均受重大損害，迨至四日下午五時因大雨忽降，火勢始漸衰退，加以防火工作，始告平息。

譚之良氏所著之《日俄兩國國際間的北庫頁問題》載，北庫頁之森林亦東方有數之美林，在數年前日俄通商預備交涉會商之時，以保障占領北庫頁問題爲討論之中心，對於森林之評價，共值四千五百萬元之巨額，可以知爲天産中之價值。至島北森林之産地約分五區：

一、北端地方。自馬利亞角及也里薩咸塔角起，至北緯五十四度止，計面積十萬九千黑打，法國度名，每黑打等於一〇〇平方米。森林地占八萬一千二百黑打，森林中以蝦夷松占全數百分之六十，餘之四十爲落葉松。

二、土米河流域。該地面積共五十二萬五千黑打，森林面積占百分之七十五。森林種類以蝦夷松及椴占多數。

三、東南地方。在枯洛伊也爾角附近西北至北緯五十一度三十分止，南與日本國境相接，西至土米、幌內兩河流域止，以蝦夷松椴樹最多。

四、幌內河流域。全面積三十九萬三千黑打，森林占百分之七十弱，庫頁山脈東西兩斜面之處全屬蝦夷松及椴樹，間有落葉松，其質多劣。

五、西南地方。東即庫頁山脈，南界日境，北達古阿夫多河流域，全面積共三十八萬二千黑打，森林地占百分之八十。

除以上四區外，北緯五十一度三十分至五十四度之間，亦屬森林産地，該處東部地方，面積共八十七萬四千

黑打，森林地占百分之六十，以落葉松居多。西部地方面積共一百三十萬黑打，森林地占百分之四十五，亦以落葉松居多。

五大森林地方及面積採額列表如下：

區名	全面積	森林面積	年可採伐額
北端地方	一〇九〇〇〇	八一〇〇〇	二三〇〇〇
土米河流域	五二五〇〇〇	四〇一〇〇〇	八五〇〇〇
東南地方	六〇〇〇〇〇	五四〇〇〇〇	一〇二〇〇〇
幌内河流域	三九三〇〇〇	二九四〇〇〇	二八〇〇〇
西南地方	三八二〇〇〇	二七三〇〇〇	四二〇〇〇
合計	二〇〇九〇〇〇	一五八九〇〇〇	二八〇〇〇〇

表內面積單位黑打，採伐額立方米。

鑛產篇

本島四大富源之中，將來希望最大而現在利用最遲者厥爲鑛產。庫頁地質占古世層至中世層之大部分，藏煤與石油之豐可想而知。他如砂金、硫黄、鐵等均有分布。其內容如何未經精確調查，尚不明瞭。茲將煤與石油各鑛分誌於次。

一、煤鑛(一)

島南之煤鑛，據樺太政廳所編之《樺太要覽》所載，可分爲南、中、北三脈，其概況摘録如左：

南部炭田更得分爲：（一）吐鯤保川方面，（二）名好川方面，（三）兩龍川方面。第一方面之炭田，吐鯤保川之北有四尺至二十尺之四炭層，距海岸五六町至一里，殆向南走達能登吕半島之南端，運送至爲便利。所含炭量及炭質均屬良好。南名好川方面之炭田有良好之炭層露出，厚四尺至十五尺，約五層。第三方面之炭田區域亦狹，沿分水嶺之兩側，北至兩龍川水源地方，南至能登吕水源之南方，延長約在十里之間，炭層厚四尺至十五尺，約五層。下部含炭層炭質亦均良好。

次爲中央炭田，溯內淵川約十里，屬本島西部山地帶，居山脊之西側，傾斜向西北走。炭層有二十餘層，一於野田寒岳之北方越分水嶺至泊居方面，一向西南走至川上川方面，爲本島有數之炭田，其最厚層約達二十尺，炭質光澤呈漆黑色，揮發分多，硫黄質在百分之一以下，爲良質之炭塊。

北部炭田居樺太山脈之東側，幌內川之西方邱陵起伏下部，含炭層較厚，其區域連續至南敷香川附近，延長約二十餘里。炭田之埋藏量及炭質據樺太廳之調查如左：

(一) 底本原目録標題爲『石炭』，現目録據正文標題改。

炭田名稱		面積	水準上炭量	水準下炭量	水分	灰分	固形炭素	揮發分	硫黄	比重
南部	雨龍	八五五〇點〇〇〇坪	一三一八四點六四〇	二一九七四點四〇〇	九點七五〇	五點〇〇〇	四九點七〇〇	三五點五五〇	〇點三一六五	一點二九五〇
	南名好	一〇八二〇點〇〇〇	五三三四點三三六	一三三三五點八四〇	七點八五〇	五點四〇〇	四九點六一〇	三七點一四〇	〇點三三一四	一點二五三五
	吐鯤保	六六〇〇點〇〇〇	六二三五點二五二	二五九七一點八九〇	一四點九〇〇	三點六二〇	四八點三一〇	三三點一七〇	〇點二六七二	一點三三一八
中央	川上	一三五〇點〇〇〇	八四〇〇點〇〇〇	一二〇〇〇點〇〇〇	七點八二〇	六點七〇〇	四九點〇〇〇	三六點四八〇	〇點七三〇〇	一點二一〇〇
	內淵	一五五五二點〇〇〇	七九二四〇點〇〇〇	一五八四八〇點〇〇〇	七點七三〇	四點九〇〇	四九點七一〇	三七點六六〇	〇點二八八七	一點二六三一
	泊居	六九九六點八〇〇	二五二〇〇點〇〇〇	三六〇〇〇點〇〇〇	五點一二〇	三六點九〇〔一〕	四八點九一〇	四二點二八〇	〇點二九〇〇	一點二六七〇
北部敷香		一五九六六七點二〇〇	二五三三一點二〇〇	六三三二八點〇〇〇	二點二八〇	五點四〇〇	五二點二二五	三一點〇九五	〇點三二七一	一點三一四八
計			一六二九二五點四九二	三三一〇九〇點一三〇						

據右之統計觀之，各煤田之埋藏總量約五億噸，設每年採煤五十萬噸，其命數之長誠可首屈一指，且其煤質佳良，比較日本九州、北海道所産殆無遜色。中央之煤尤佳，適於製造瓦斯及車船之用。南部品質稍劣，但亦足供取暖及工業之用。

綜計採掘之總量，自明治四十年至大正十年此十三年中，在川上、泊居、安別、西柵、丹東、白浦、登帆、野田、大榮各煤鑛採掘量共計六十九萬八千餘噸，與總量相較不過太倉之一粟耳。

又譚之良氏《北庫頁問題》載，北庫頁之石炭埋藏量在一九二〇年日本軍占領時代，所採掘炭坑之埋藏量共計一億一千八百二十萬噸。調查已竣，尚未實行採掘地方之埋藏量共計二億三千七百五十萬噸，兩者合共三億五千五百七十萬噸。此爲確實調查之數，其未經調查之處尚不明也。

北庫頁産石炭之處與石油相同，皆埋藏於海岸各處，但石油主要産地在東海岸，石炭在西海岸。北庫頁石炭産地可分四區如下：

第一區　爲北庫頁炭田最重要部分，亞歷山大洛夫斯克之地低帶及西部海岸山脈之炭鑛均一併在內。自日俄分界之北緯五十度起至北緯五十一度二十分止，沿海岸山脈隨處均有炭鑛，如宛其灣、賀音其角附近、愛克尼

〔一〕此處疑誤，應爲『三點六九〇』。

河流域、奈奈灣附近及石炭主要産地封鎖炭田附近，皆爲炭鑛所在地。亞歷山大洛夫斯克至賀音其角間一部分之炭鑛，一九二〇年日本占領北庫頁時，由三菱合資會社承辦開採，每日出炭一百噸至二百噸，供給日本海陸軍派遣軍及居民之用。一九二五年日俄交涉結果，内有一部分炭鑛歸日人之手，轉由北樺太鑛業會社採掘。至本區之主要炭層有十六層者，有七層者，每層之厚度則五尺至六尺七寸、二尺至五尺、二尺至十六尺不等。

第二區　是土米河及幌内川流域一帶之炭鑛，幌内川流域西部山脈東方之炭層厚度一尺五寸至三尺五寸，炭質佳良。

第三區　是東海岸古其川上流及歪爾河、隆基斯河、拿比里河一帶之炭鑛，炭質不良，亦未開採。古其川炭層有五層，每層厚度自二尺至五尺。

第四區　是西彌多半島之産炭地，在半島塞卑耳内灣馬支波里之東南邱陵地方，炭層有二層，每層厚度六尺六寸，炭質不佳。

北庫頁之石炭在一九〇八年以前不准民間開採，至一九〇九年始有多數人民呈請採掘。一九二〇年經日軍占領後，産額逐漸增加。茲將一九二一年至一九二五年各鑛坑産額列比較表如下：

鑛地	一九二一年	一九二二年	一九二三年	一九二四年	一九二五年	合計
羅加多伊	七八三二	一一三八五	三〇〇九二	二二九四九	四四八三	七六七四一
木加支	—	一〇三八	三二三八	九六	—	四三七二
波羅公加	—	六七二三	七二九四	八四七七	—	二二四九四
比得洛夫斯基	—	二〇五〇	五五五九	一七〇九	—	四三一八
尼格采古支	—	—	—	九五一	—	九五一
愛克尼	—	二九五九	八七九二	一〇七五四	三四〇五	二五九五五
多也	二七一五四	二二九六四	五五四〇七	五二一四二	一三〇七一	一七〇七三八
合計	三四九八六	四七一一九	一〇五三八二	九七〇七八	二一〇〇四	三〇五五六九

表内一九二五年不作業者較多，多也及羅加多伊又因禁止輸出，産額減少，至表内列數以噸爲單位。

本島拓殖之主眼全繫於藏煤之開發，藏量豐富，煤質亦良。設使運輸不便，運費及勞資過昂，則開採必受阻

礙，銷路自難暢旺，故欲謀煤業之發展，必先完成水陸運輸之設備，供給低廉之勞力。然非有合資之拓殖公司出而經營不足以期底於成也。見譚氏《北庫頁問題》。

蘇俄積極建設，謀煤鑛之擴充，至五年計劃完成時，將堪察加半島克耳發及那得耳煤鑛、庫頁島之木哥陳煤鑛均予開發，可達三十餘所，預計遠東煤產量可增至五倍。見《蘇俄積極建設論》。

二、石油鑛(一)

本島富源中尚有石油一種，現今船艦燃料多改用重油，惟世界之產額不豐，故本島之石油益爲世人所注意。

本島東岸湄多川附近所產之石油開發者尚少，鑛之所在地爲拜喀爾灣附近，係一八七〇年土人發見。又蘇德富斯基及那比利斯基灣之南端湄多及波耳達新等地，係一八九八年鑛山牧師克雷氏之調查發見。

一九〇九年至一九一二年數年間，俄國政府派出多數之學術探險隊到東海岸一帶，從事於石油層之調查，不過是探索之性質。旋因資金不足，俄政府尚無開發之決心。

一九一八年，日本政府對於北庫頁之石油鑛開始注意。是年，久原鑛業會社即從俄人手上取得一部分之採掘地。一九二〇年，日本軍占領北庫頁時，對於油田之調查、採油之研究都操於日本人之手。自一九二一年至一九二四年九月一日止，日人竭力經營所掘油井，逐年增多。一九二五年，因待日俄交涉結果之故，停止鑿井工作，至交涉解決後，又繼續發掘。

北庫頁之石油，以東海岸地方爲主要區。該處距海岸一里半至七八里之地，隨在皆有石油礦露出。近鮭魚頭之倭法海岸延長約六十里，有多數之土瀝青湖，爲世界最大之石油露面地之一。自倭法而南，耶法比、帕可買克、特蘭尼、奴多、內亞、加丹克里、康其等處皆爲石油產地，尤以倭法、奴多等地最有希望。

試述如下：

倭法產油地　倭法是北庫頁極北之產油地。一八八〇年由俄人發見，一八八九年開始試掘，因出油少而終止。一九一九年日本官民竭力調查，由北辰會社發見豐富油層。一九二二年北辰會社在該地共掘三井，深五十一間，每日出油二十石。旋又用口式鑿井機械開掘，深度達八十三間，得日出油三百石之自噴井。此後掘井更多，油亦增加。一九二五年日俄之權利交涉結果，日本在該處全部主要油田中獲得半數採掘權。一九二七年，北樺太石油會社成立，受日本政府之監督指揮。現時開掘十五井，每日產油已達一千五百石矣。

(一) 底本原目録標題爲『石油』，現目録據正文標題改。

奴多産油地　在奴多河上游，距海岸三里之處，有東西二産油地。東方之油地由支那石油會社試掘，未得良好結果。北辰會社試掘亦歸失敗。西方産油地之面積較大於東方，北辰會社曾用口式機試掘至深度三百間之處，日出油二十石。

内亞産油地　内亞産油地在一九〇一年時試掘二井，油量流出無多。一九二〇年十一月，北辰會社掘綱式機械井，深度一百六十九間，每日産油十石左右。

加丹克里産油地　在加丹克里湖之西，石油露面地較廣。一九二一年北辰會社試掘二井，因失敗中止。一九二四年再掘口式機械井，亦因出油無多，難於繼續。

以上所記各産油區，惟倭法之成績可觀，餘均在試掘之中，無顯著之成效。但石油露面地既如此廣濶，將來之發展可知。且日本爲現代三大海軍國之一，欲求國家之安全與海外貿易之發展，是非有充實之海軍力不可。但若無石油，雖有强大之海軍，而軍備缺乏無濟於事。所以日本之覓石油供給地，急於然眉。但國内既無出産，向外尋覓不知踏破幾許木屐，始於北庫頁得有富有之石油，安能不重要視之？見譚氏《北庫頁問題》。

陳孔步所著之《亞洲之石油資源》，謂庫頁島之油礦區在該島東岸一帶，長達二百里，濶約六里至十二里，石油發見於第三紀之砂巖中，瀝青出産亦異常豐富，僅就阿亞灣Oha之湖畔而計，所儲純瀝青面積有四十萬方尺，厚二尺至六尺。該區産油之量年約十八萬噸。見《新亞細亞》五卷三期。

近年俄領遠東太平洋洲之經濟，發展異常猛進，據陳壁森之論著，石油業尤以岡札德加及北樺太兩地有重要之發展。依前年十一月豫算，則一九三一年採油量將爲前年度之二倍半，本年更有使用硼素孔以增産至五十萬噸之計劃。

庫頁東岸之沃哈港至貝加爾海灣之石油流注管現已動工修築，將來此地石油可由廟街、伯利等處分銷於我國東省各地。五年計劃完成時，石油産量可增至五十萬噸。見《蘇俄建設論》。

島中所産之石油，本篇已述其概要。頃閲季雲先生所著《北庫頁島之經濟資源論》，調查詳明，爰亟摘録如次，以補篇中之不足。

中東路非法買賣協定成功後，日俄關係漸趨和緩，日本朝野交相稱慶，咸謂日俄間一切懸案將因此而漸獲解決。吾人若究所謂懸案之重心何在，當可於日外相廣田三月二十五日議會中之演説知之，是即北庫頁島之收買問題也。

考北庫頁島之重要資源，首爲煤油，森林與煤次之。日本前曾取得一部油田之試掘權及煤之開採權，惟條約期限均於本年屆滿。即一九三五年。適德國重整軍備，歐局緊張，日本當局以爲係解決該問題之良好機會，因之收買

北庫頁之論甚囂塵上，軍部主張尤力。至蘇俄方面，至今尚未有若何表示也。

北庫頁島之煤油地帶位於日俄境界，自烏恩格里起至北端之哦哈止，連續於東海岸綫一帶，油層存在可於露出地面之廣大油田推定之。據最近採掘結果，南部可爲煤油鑛區者希望漸薄，由中部之加坦谷里至北部之哦哈止最爲有望。

北庫頁油田現爲日本北庫頁島煤油公司與蘇俄國營企業共同採掘，目前試掘成功，且成爲企業化之煤油鑛區。計爲北哦哈（即沃哈，一即倭法。）恩哈比（即耶法比。）比利資西、呶特哦（即奴多。）加坦谷里（即加丹克里。）以及其他八區。惟現在產油甚豐者，仍以哦哈油田爲最，年產油量約爲二十萬噸，與日本全土（新瀉、秋田、北海道、台灣等。）所產油量二十五萬噸相較，相差不過五萬噸，產量之豐於此可見。

蘇俄國營企業所經營之油田，亦以哦哈油田爲主，年產約二十四、五萬噸。由此簡單數字觀之，可知哦哈油田及北庫頁之全部油田確藏有極富之煤油。今將日本北庫頁島煤油公司之煤油各年產量列之於次：

年度	產量
一九二六年（即昭和元年第一年度）	三四〇〇〇噸
一九二七年	七七〇〇〇噸
一九二八年	一二二〇〇〇噸
一九二九年	一八四〇〇〇噸
一九三〇年	一九二〇〇〇噸
一九三一年	一八七〇〇〇噸
一九三二年	一八七〇〇〇噸
一九三三年	一九三〇〇〇噸

由地質學方面觀之，亦可證明北庫頁島油田極爲優美。據專門家報告，北庫頁島油田所含油層，係古代火山噴發之噴出物所堆積，其油層大都爲厚層之砂巖所組成，此種厚層砂巖乃最適宜煤油貯藏牀。蓋缺乏砂巖層之油田，其油井壽命最不規則，然北庫頁島油田壽命之長，當可由地質構造上推之。再油田之地質搆造由其藏油層之大小觀之，亦遠較日本各地爲廣。哦哈、比利資西、呶特哦、吧特新各油田可推定之含油鑛牀背斜軸延長，南北達數里，此蓋因地殼長時期變動結果。故得保持其最大之地質構造，而此最大之地質構造固亦良好油田之必要條件也。

又北庫頁島油田之含油層甚淺，此爲優秀油田之又一條件。誠以油層淺則掘油費廉。哦哈油田之地層自第三層至第十三層，有八層爲含油層，而各層之深度如次：

第三層　地下約三〇米突處即爲油層

第四層　一〇〇米突　第五層　二〇〇米突

第六層　二三〇米突　第七層　二七〇米突

第八層　三〇〇米突　第十層　四五〇米突

第十三層　六〇〇米突

目前採取之油係第四層，以後可照第三、第五、第六、第七等層順次開發。第三、第七兩層係主要含油層。日本内地各油田大部分均爲一千米突至一千五百米突深度之深井，甚或深至二千米突。臺灣有希望之油田，現在已掘過二千米突，除噴發瓦斯外，尚未到達油層。以此互相比較，北庫頁油田之油井正如井中汲水，其利殊多，蓋非日本國内油田所能望其項背也。目前，日本北庫頁島煤油公司所最感困難者，厥爲勞動條件。蓋日本與蘇俄締結採掘契約時，應允雇傭工人，俄人與日人之比爲三比一，而工銀又較日本内地煤油工人約高三倍，一般社會保險費及工人住宅設備費之支出，較日本國内所差甚大。例如，數千日俄工人住宅均須用水泥鋼骨建築，設備方面，蒸氣、暖房、電燈等件無不備具。按支出既多，獲利自少，此日人所以欲進行收買以免受俄人之牽制也。

日本收買北庫頁島尚待考慮者，即煤油之埋藏量，但求確知其數，事實上頗感困難。就大體言之，埋藏量之二成絶對可以採掘。今即以哦哈油田推論，採掘開始以來十年，於兹産油已達三百萬噸。以此産量推之，從可知北庫頁島埋藏煤油總量之豐富矣。

北庫頁島煤油在世界有望油田中，殆仍爲跡近未開之惟一油田。英、美煤油資本家對此油田曾加注意。歐戰後，英、美煤油調查隊曾經西伯利亞而至北庫頁島，從事考察。又一九二一年一月，美國辛克萊煤油公司曾與蘇俄政府締結油田租借契約，雖後來未曾實現，而爲英、美之注意可知。其契約如次：

一、契約有效期間，由簽字日起至一九五九年一月止，若美國於該契約簽訂後五年内不承認蘇俄政府時，則該契約即作無效。

二、辛克萊煤油公司對於蘇俄政府應履行如下之借欵，即締結契約時借十萬美金。一九二四年一月再借三十萬美金，至一九二八年一月連前借四十萬，共借一百五十萬美金。

三、一九二八年一月，辛克萊公司得於北庫頁島選定二十八萬一千方丈之鑛區。

四、右鑛區選定以後，每一方丈年繳一角九分之租金。

五、每年内煤油採取量若在五百萬加侖以内，則以總産油量之百分之六點三五交蘇俄政府，作爲權利税。若採取量在五百萬乃至一千萬加侖，則繳納權利税百分之一二點六。在一千萬加侖以上，則繳納權利税百分之一三點七。

上項契約因美國五年以内未承認蘇俄政府，又以地域關係，美國煤油公司在經營方面亦感不便，加以日本從中作梗，以致終未實現。故今後日本若進而作收買北庫

頁島之運動，則其目光第一集注之點，當爲此垂涎萬丈之煤油資源。見民國二十四年四月三十日《北平晨報》。

實業篇

本島海陸中均藏有極大富源，惟開發利用之方未講，故一般經濟亦甚幼稚。從來本島之商業，僅供給官廳之使用及土木建築而已。蓋日本佔領之時一切均須創建，以致商工雲集。迨至各種事業漸有端倪，復因經濟之緊迫，失敗者均離島而他去，所餘優秀分子力圖商業之鞏固。在日本明治四十三四年間，豐原、大泊、真岡等處商業漸能發達，至大正十年末，各公司總支店資本共爲日金一千零五十餘萬元。茲將營業概況列表於左：

營業種類		公司數	資本金	公積金	附記
農業	牧畜業	二四	三四九一五〇	六三四七	
	製材業	一七	一五二九一〇〇	一〇二〇〇	
	小計	四一	一八七八二五〇	一六五四七	
水産業	漁業	八	八八六四三		
鑛業	煤鑛業	三	五一二〇〇〇		
	其他鑛業	一	一八四〇〇〇		
	小計	四	六九六〇〇〇		

營業種類		公司數	資本金	公積金	附記
工業	土木建築業	三	七〇〇〇〇	—	
	鐵器業	三	一五〇〇〇〇	一七〇	
	罐頭製造業	四	六五〇〇〇	—	
	酒醬油釀造業	九	七三八〇〇〇	八〇三〇	
	其他工業	六	三二九〇〇〇	—	
	小計	二五	一三五二〇〇〇	八二〇〇	
商業	金融業	四	二六〇〇〇	二〇〇	
	倉庫業	七	一七二九八五	六七七四〇	
	游戲場業	三	二二〇五〇	一五二六	
	旅舘飲食店業	三	四七〇〇〇	—	
	物品買賣業	二七	八九五三五〇	三四六六〇	
	其他商業	九	一〇六一五〇	二一五二	
	小計	五三	一二六九五三五	一〇六二七八	
運輸業	水上運輸業	二九	五〇三五八九五	一六三〇九二	
	陸上運輸業	五	一六四六二五	二〇二七八	
	小計	三四	五二〇〇五二〇	一八三三七〇	
總計		一六五	一〇四八四九四八	三一四三九五	

現在本島以鰊魚爲主要物産，故該魚之凶豐於本島經濟界有最大之影響。本島經濟程度幼稚，不受一般經濟變動之影響，而常爲島內事變所左右。總之，本島經濟界因交通及金融機關設備不完，以致物價、利息、勞資均

高漲不已，阻礙拓殖事業之進行。故欲謀本島之發展，非開發交通、完備金融機關不爲功。

本島貿易輸出及輸入總數如下：

年別	輸出數	輸入數	共計
	元	元	元
大正十年	八七九八二八	四四七二五	九二四五五三
大正九年	六一二五八七	八一八八四	九六四四七一
大正八年	一四五九八九	一四四五二四	二九〇五一三
大正七年	六八二七六	一五一七六五	二二〇〇四一

交通篇

土木工程之發達、交通機關之完備與社會之進步關係至鉅，若在新殖民地之開發，尤爲切要。徵諸古今殖民史，莫不皆然。本島在俄領時代，一流配之荒島而已，無設備之可言。至日領後，鋭意建設，現方脱離原始狀況，顯有文化氣象焉。

一、道路

本島之道路、驛站及鐵路，以俄領時代比較，已有顯著之進步，然與日本國内及其他文化殖民地相較，仍不可同日而語也。茲將道路、排水溝之現狀表示於左：

甲、市街道路

市街名	幅員		延長
	最高	最低	
	尺	尺	里、町、步
大泊市街	六〇	一二	三、一八、四八
豐原市街	七八	三六	六、一三、五一
真岡市街	五四	三〇	二、一三、〇三
本斗市街	四八	三六	一、〇一、五五
泊居市街	四八	三六	九、〇〇
久春内市街	六〇	九	二、三四
北名好市街	四八	三六	九、一〇
敷香市街	七二	六〇	一一、〇、四〇

乙、幹線道路

道路名	起點	終點	幅員		延長
			最高	最狹	
			尺		里、町、間
大泊街道	豐原	大泊	二四	—	二、〇九、三八
真岡街道	豐原	真岡	七二	一五	一七、二一、〇一
榮濱街道	豐原	榮濱	一五	—	二、二〇、〇八
留加多街道	真岡街道中分歧	留加多川口	一尺	—	三、二六、二一
富内街道	大泊	富内	一二	—	九、二八、〇五

道路名	起點	終點	幅員 最高	幅員 最狹	延長
長濱街道	大泊	中知床岬	一五	一二	六、三五、二三
泊居街道	真岡	久春內	四八	九	二二、二二、四四
本斗街道	真岡	西能登呂岬	一五	—	五、三一、五七
元泊街道	榮濱	元泊	三〇	一八	三一、二三、〇九
敷香街道	元泊	敷香	三〇	一八	三二、一九、二八
真縫街道	真縫	久春內	五四	一八	八、〇九、三三
內路國境間街道	內路	國境	一八	—	二七、〇六、一三

本島俄領地道路修築本不發達，除亞歷山得羅斯克與路易古夫之縱貫線外，無足觀者。自五年計畫以後，政府投以鉅資開設汽車路線，輔助運輸，另闢航空線，多處往來飛行。在遠東方面，有伯利庫頁島線、伯利勘察加線，伯利與極北各地線。海、陸、空三方之建設均有猛速之進步，已盡交通之能事矣。

二、鐵路

本島之鐵路，日本明治三十九年十一月，經陸軍鐵道大隊始行敷設，以輸送軍需品爲目的。楠溪町至豐原之軍用輕便鐵道，軌間二尺六寸。明治四十年四月，軍政廢止，移交樺太廳管理，漸次延長。除輸送軍需品外，並許旅客乘坐。至四十一年八月，開始營業，大泊、豐原間每日開定期列車二次。次年四月，更於大泊、榮町間延長一里餘之海岸線。繼因運輸繁盛，於明治四十二年末，改軌間三尺六寸，至四十三年十一月工竣。嗣後節節延長。四十四年十二月，豐原、榮濱間告成。大正三年四月，小沼、奥川上間告成。十一年十一月，奥川上、川上炭山間告成。九年十月，本斗、真岡間告成。十年十一月，真岡、野田間告成。合計一百三十里三分。至是，本島交通氣象爲之一新。今將各線里程及列車運轉次數列左：

		里
本線	大泊榮濱間	五八點五
川上線	小沼川上炭山間	一三點四
西海岸線	本斗野田間	五八點四
合計		一三〇點三

本線及川上線		西海岸線	
大泊榮濱間	六次	本斗野田間	四次
大泊豐原間	二次	本斗真岡間	二次
豐原川上炭山間	四次	真岡野田間	二次

最近之運輸概況，因經濟狀況不良，貨物減少，而乘車旅客收入轉有逐漸增加之趨勢。運輸成績表示如左：

種別	金額	數量	前年度比較 金額	前年度比較 數量	增	減
客車收入	三一三四五一二六〇元	—	二四〇三六七六九〇	—	七三〇八三五七〇	—
貨車收入	五〇二八六七三六〇	—	四七一九一一九四〇	—	三〇九五五四二〇	—
雜收入	三〇四二七八〇	—	二三〇〇九七〇	—	七四一八一〇	—
計	八一九三六一四〇〇	—	七四一五八〇六〇〇	—	一〇四七八〇八〇〇	—
營業日數	—	三六五日	—	—	—	—
列車運轉次數	—	七一六〇次	—	六九四五次	二一五次	—
列車行走里程	—	二一五三〇七八里	—	一八〇二八〇九里	三五〇二六九	—
乘車人員	—	六八〇七六六人	—	四九九七五一人	一八一〇一五人	—
貨物噸數	—	三一九一三四	—	三三四四三九噸	—	一五三〇五
車輛數 客車	—	二三	—	二三	三	—
車輛數 貨車		四一〇		二六八	一四二	
車輛使用數 客車	—	二一六五二	—	一七九四三	三七〇九	—
車輛使用數 貨車		九四五〇〇		五九一三七	三五三六三	
一列車平均里程	—	三〇七里	—	二五九里	四八里	—
一日平均收入	二二四四八二〇元	—	一九五七七五〇元	—	二八七〇七〇元	—

以上既設線之概況，現在建築中者，豐原、真岡間五十五里。餘之豐真線，預定大正十三年開通。豐原爲本島之首府，與西海岸真岡商港聯絡，數時間即可於東西海岸往返，實負本島交通政策上重要之使命。

近自真岡港建築工事完竣，加以豐真線全通，將見兩地貨物之集散，旅客之輻輳，面目一新，可期而待。沿線幾萬町步大森林採伐運出便利，拓殖之進展甚大。真岡口工事中手井、寶台間隧道本年二月開通。尚豐、原口工事，瀧譯隧道最難，工程亦可於三月中開通。

野田、久春内間鐵路延長四十七里，以五年完工，上年經國會協贊，本路完成後與西海岸中部之野田、泊居、久春内等處連絡，其於木材之輸送，海産物之集散，效果甚大。

大泊、榮濱間五十八里五分之區間候車室、停車場改修，全部軌條換六十磅工事著手，大正十四年三月告竣。

工程概略如左：

軌條

本線自零里至三十六里間	六十磅
自三十六里至五十七里五分間	五十磅
川上線七里七分間	四十五磅
西海岸線零里至四十五里三分間	四十五磅
自四十五里三分至五十八里四分間	六十磅

建築定規

高	一四尺〇寸
上部寬	一二尺六寸
下部寬	一〇尺〇寸

最高勾配

本　線	百分之一
川上線	百分之一
西海岸線	八十分之一
曲線最少半經	八鎖
軌　間	三尺六寸

東海岸榮濱至敷香間著手計畫私設鐵路，由奧平伯爵發起，集資一千萬元創立樺太鐵道興業會社，不久即將開工。本路通車後，不特客貨運輸便利，即國防上亦受益不淺，故樺太廳長官已允每年補助日金五十萬元，促其早成。

本島俄領地本無鐵路之設置，近來蘇俄五年計畫擬於遠東境內建設一千三百六十二公里之鐵路，其主要幹線有三，内有由巴池克羅夫沿謝林甲河而上，經切爾畢以至廟街，再穿韃靼海峽以至庫頁島，更由島之亞歷山大港展至沃哈港，此路如能開通，本島即與大陸連接矣。已在進行中，殊令人望而生畏也。此節見《蘇俄建設論》。

三、航路

海上交通與本島之開拓，亦有最大之關係。大泊、真岡二港每年出入船舶漸次增加，鐵道省爲縮短航線計，特闢稚內至大泊之航路，水陸交通並臻完備，對於本島之發展益將蒸蒸日上矣。命令航路之現況表列如左：

線名	船名	噸數	航路	寄港地	次數	期間	受命者
西	大禮	一二四〇	自小樽至泊居	大泊　真岡　野田　本斗	三四	自四月至次年三月	北日本汽船會社
西	天佑	七三二	自小樽至安別	海馬島　本斗　真岡　蘭泊　野田　泊居　久春內　名寄　牛毛　荫菱　留久志	一四	自四月至十月	同
西	信濃川	六四〇	自小樽至安別	鵜城　惠須取　北名好　同	一四	自四月至十月	同
西	小野住之江	六八五　四六三	自小樽至真岡	本斗　海馬島	一五	自四月至十月	北海郵船會社
西	日露外四	發動機船	自真岡至安別	野田　追手　泊居　名寄　久春內　荫菱　牛毛　鵜城　惠須取　北名好	三六	自四月至次年三月	佐籐米吉
西	寅	一八七	自本斗至西能登呂	氣主　內幌　白牛　海馬島　南名好　武意泊　宗仁　菱苦　白主　宇仁	二四	自四月至十月	本斗海陸運輸會社
東	隅田川	七四九	自小樽至散江	大泊　富內　野寒　榮濱　東白浦　登帆　元泊　內路　敷香	一〇	自五月至十月	北日本汽船會社
東	筑後川	六四九	自小樽至散江	同	一〇	自五月至十月	同
東	御浦	二二九	自大泊至元泊	池邊讚　皆別　愛郎　富內　南遠古丹　野寒　宗運　榮濱　東白浦　真縫　登帆	一五	自五月至十月	亞庭汽船株式會社

線名	船名	噸數	航路	寄港地	次數	期間	受命者
東	當別	發動機船	自散江 至榮濱	多來加 敷香 內路 泊串 東知取 元泊 登泊 東白浦	一八	自五月 至十月	敷香興業株式會社
東		同	自富內 至敷香	犬主 野寒 南遠古丹 榮濱 真縫 東白浦 登帆 馬群潭 東知取泊串	二四	自五月 至十月	細入益太郎
伏木	吉辰 汕頭	九二七 一〇〇三	自小樽 至久春內	大泊 本斗 真岡 野田 泊居 (久春內八次)	一五	自四月 至十月	北日本汽船株式會社
新潟	英正	九八七	自新潟 至大泊	函館 小樽	八	自六月 至十月	北海郵船株式會社
横濱	銀山 濟川	一七〇七 二〇七二	自小樽 至真岡	横濱 函館 大泊	一四	自四月 至十月	日本郵船株式會社
大阪	豐崎 喜代	二二〇三 一四二四	同	大阪 神户 門司 函館 大泊	一四	自四月 至十月	北日本汽船株式會社
北樺太	海和	九五一	自函館 至尼港	小樽 大泊 真岡 亞港 (尼港)	一〇	自四月 至十月	同
稚內	大典	六五四	自稚內 至大泊		二八	自四月 至十一月	北海郵船株式會社
灣內	西久 石狩	九二 七〇	自西能登呂 至札塔	灣內西兩沿岸各地	一四〇	自四月 至十月	亞庭汽船株式會社
(冬季)灣內	木華	七八	大泊港		—	自十二月 至次年三月	森田昌司
(冬季)西	弘前	一三四八	自小樽 至大泊	真岡	一一	自十二月 至次年三月	日本郵船株式會社
(冬季)西	千歲	二七〇〇	自小樽 至真岡	大泊	一一	自十二月 至次年三月	同

本島俄領地方沿海船舶極少，冬季堅冰封海，以使用犬、馬、馴鹿爲惟一之交通機關。亞歷（大）〔山〕得羅斯克與尼哥拉夫斯克之間亦用犬橇爲往來之具。近來五年計畫，以交通事業爲最要。海參崴原有造船所，規模狹隘，加以擴充，擬造大形汽船多艘。波羅的海及遠東航路造三千噸之汽船二十四隻，另有專通庫頁島之汽船多隻，其海運計畫之偉大已可知矣。見《蘇俄建設論》。

四、郵電

通信之盛衰如何，足爲一國文化之表象。本島通信機關亦隨開拓而進步。最初，日本樺太討伐軍附屬野戰郵便局爲樺太郵務之起原，明治三十八年九月，於島内主要地設郵便局四所。至四十年四月，撤廢軍政通信事務，移交樺太廳郵便局管理。設總局於大泊南溪町，支局十所。四十二年五月，改革官制，從前之本支局廢止，仿照日本内地改爲三等郵便局，惟冬期郵便遞送未能確定。基於本島自然之現象，實通信上一大缺點。近來海陸運送之設備進步，對於郵便遞送逐漸改良，設郵便局四十二處，郵便事務之增加蒸蒸日上矣。

電信事務經數次之改革，現分普通局、特定郵便局管理，收發數累年增加，實爲長足之進步。電報與户口之比較列表如左：

年次	發信			來信		
	發數	每一户平均數	每一人平均數	來數	每一户平均數	每一人平均數
大正十年度	五四〇九九四	二六	五	五一〇四六〇	二四	五
大正九年度	四二九九二六	二二	五	四二三七七七	二二	五
大正八年度	四九六七五八	二七	六	四七八〇九四	一六	六
大正七年度	四六八三〇〇	二八	六	四四二八一〇	二七	六
大正六年度	四四三二五九	二八	六	四一二七八一	二六	六
大正五年度	三二八七一〇	二八	五	三〇六四一〇	二一	五

海陸電信數亦與年而俱進，表列於左：

年次	陸上線			海底線（遞信省所管）		
	回線數	線路	線條	能登呂泊間	女麗泊間	真岡坂下間
		里、町、間、尺		里		里
大正十年度	一五	三三四、四、一〇、四	五八六、二一二〇、一	一號線 四四 二號線 五五	—	一三二
大正九年度	一八	三三四、四、一〇、四	六一六、一二二〇、五	一號線 四四 二號線 五五	—	一三二
大正八年度	一六	三三四、四、一〇、四	五五〇、三一一八、一	一號線 四四 二號線 五五	—	一三二
大正七年度	一六	三一八、二、七一四四	五四五、一八二三、三	一號線 四四 二號線 五五	—	一三二
大正六年度	一四	三一三、二、八五三三	五〇一、〇七三〇、三	一號線 四四 二號線 五五	—	一三二
大正五年度	一四	三一三、二、八五三三	五〇一、〇七三〇、三	一號線 四四 二號線	—	一三二

本島氣候嚴寒，每至冬期對外郵電時有障礙。一九一六年二月二十日，俄於亞歷山得羅斯克州設立無線電信局，收發電報，實爲交通上一大進步。

財政篇

本島日領地之財政，在佔領之初由臨時軍事費特別會計支出。明治四十三年撤銷軍政，實施樺太廳官制，設置樺太廳之特別會計。本島收入不足，則由國庫補助。自明治四十年至大正六年此十一年中，共計補助日金四百四十一萬九千五百六十六元。嗣後，努力開發產業，培養財源，國庫補助金逐漸減少，旋以本島財政獨立之計劃，大正七年辭國庫之補助。八年以後，更仰國庫補助，俾可維持。大正十一年度預算總額爲一千八百三十二萬

九千三百三十三元，收入財源以官業官有財產、諸免許費及租稅、印花稅等爲主，但國庫補助仍須一百一十萬元。附歲入明細表於左：

科目		大正十一年度（預算）	大正十年度（決算）	大正九年度（決算）	大正八年度（決算）	大正七年度（決算）	大正六年度（決算）	大正五年度（決算）
經常部	租稅	一四五三四二七元	一一〇二九〇四元	一〇四一三六一元	六二五一四七元	四〇〇三四四元	二九〇〇九七元	一二八二六〇元
	官業及官產收入	四四一三四四〇	四五五三〇〇九	二六五六四二九	一九九七一五七	一七九一四七〇	一五二二七七七	一一八六六六六
	諸免許費	二七五一六三	三〇九五六五	二五二五八六	二七六九八三	二九二二七二	四〇八一七二	五六二〇〇五
	印花稅	一七五六五四	一六四八二三	七二一九一	八九八六二	七八五五〇	九八七一一	八四九九五
	菸草專賣收入	三九四三四八	三九九四六三	二六八七六七	一九七九七八	一四四一一三	—	—
	雜收入	八八四五六	一五九二五九	七九五〇五	三七八三九	三九二一五	三六七七五	一六八一一
	計	六八〇〇五三三	六七〇七〇二三	四四七〇八三九	三二二四九六六	二七四五九六四	二三五六五三二	一九七八七八四
臨時部	官有物	一四八九〇九四	三四八一九六	七四六一八八	三三八七五二	一八八四〇〇	二五五九五五	七八七二八
	雜收入	四七〇三	一八八八	四七〇二	六四九一	二四二七	六八二八	一一〇〇
	公（債）（積）金	八五五四五〇〇	四一七三二九一	三三八一二〇九	一一七三五〇〇	一〇九二〇〇〇	—	—
	補充費	一一〇〇〇〇〇	一四三三〇〇〇	七七〇〇〇〇	三〇〇〇〇〇	—	三二三五二五	二九三五七五
	前年度	三八〇五〇三	三一〇九八〇七	二〇二四〇五	二七〇二一一〇	一六六三九七〇	八二九五六三	三二九二五五
	計	一一五二八八〇〇	九〇六六一八二	六九二四四五二	四五三九三〇三	二九四六七九七	一四一五九二一	七〇二六二二
歲入總計		一八三二九三三三	一五七七三二〇五	一一三九五二九一	七七六四二六九	五六九二七六一	三七七二四五三	二六八一四五三

本島北部地方自歸俄羅斯後，初則放置囚人，繼則遷移殖民，對於一切設施進行遲滯。在一九一六年之際，全年收入僅二千盧布，支出漸至二十五萬盧布，悉由政府補助。若與日本所領之島南較，誠有天壤之殊矣。

本島自日俄分領後，日本積極經營，一日千里；俄則視爲無足重輕，進步較遲，何哉？蓋日本土地狹隘，每

得一地，即努力殖民，故成績顯著； 俄則侵略我黑龍江外土地數千里，以西伯利亞鐵路長驅東下，大陸沃野，渺無涯際，以全力開拓慘澹經營尚虞不足，復何顧庫頁半島？彼邦學者論黑龍江省將來大局云： 一八九四年五月，俄財政部以顧問博士也保榮爲總辦，遣往東方稽查宜設海關地點。復命後，政府乃選定委員審查討論，僉謂沿海北部人煙稀薄，道路險惡，若設海關固可增加國庫收入，但一方又有所失，如薩加連島即未宜設置也，蓋此地本移徙囚徒爲殖民計。該地情形及行政財務不啻別有天地。現在中俄人民往來不絶，或樵采，或牧放，交換有無，若一旦立關以禁止之，奈其遷徙何？或至境上無人亦未可知。故在鐵路未完成以前，未可更改税關之制。惟於一二既成之埠港備立制度，以警戒監察其境上，是爲握要耳。見《時務報》二十三册。此彼國四十年前之論著，今則出産豐富，收入激增，早惹世人之注意。是知當年俄之東方計畫，殆有具體發展之道存乎其間，固未可僅就一隅而論也。

習俗篇

本島所居庫頁費雅喀、黑津即赫哲，一作黑斤。鄂倫春等部族，大多由内地移來，故該部風俗習慣與内地所居各族無異。又查黑津人本部在今富錦縣，富錦滿語作富替新，即黑津二字之轉音，本爲純粹之滿族。

《明一統志》：苦兀在奴兒干海東，人身多毛，戴熊皮，衣花布。其鄰有吉里迷，男少女多。始生先定以狗，十歲即娶，食惟腥鮮。

費雅喀、赫哲各部落役犬，以供負載，所謂使犬部也。

《皇清職貢圖》載：庫野男薙頂心以前之髮而蓄其後，長至肩即截去。草笠、布衣綴紅布卍字於肩，背間亦有衣魚皮者。性好鬬，出必懷利刃。婦女幼時以鍼刺唇，用烟煤塗之，土語謂之庫野話。

海驢形似驢，常於秋月登島，産乳，皮製雨具雨不能潤。今罕見。海驢多出東海，狀如驢，舶估有得其皮者，毛長二寸許，晴則毵毵下垂，陰則氄采整整也。或以製卧裀，善人卧之竟夕安寢，不善者枕藉魂乃數驚矣。夷託其靈，不敢蓄也。

黑斤、費雅哈二部皆不薙髮，梳髻環耳，男婦皆不褌，以魚皮爲衣，柔軟可染。富者以雕翎蓋屋，貂皮及玄狐皮爲帳，狐鼠皮爲褥。虎爾哈人則服飾略同滿洲矣。

三部人皆無官長約束，質直有信義，商賈賒物約償黑貂，千里不爽期約。勇敢，能一人殺虎。

費雅喀之生活專事漁業，因此之故，乃住於捕魚利便之河畔或海岸，其食物皆魚類，獸肉僅偶用之。該族既爲漁人，是以往來交通皆用獨木舟，無徒步者。其家畜爲犬，與犬不能相離。飼養常在屋外，冬日則使曳橇。此爲

北庫頁與黑龍江共同者。在南庫頁波羅河畔者，則反是。有以鹿爲家畜之風，惟由奧洛古傳來，在今四五十年前尚無其事，其家畜惟犬而已。故該族之財産，實由獨木舟及犬組成，所謂富者亦不過此二者多有而已。

費雅喀之房屋式樣，冬夏不同。夏日房屋名曰托兒夫塔，爲圓木組成之校倉式建築，其旁更設離地較高之倉庫，名之曰泥托兒夫塔，用以住人，泥則藏日用器物及乾魚等，有時人亦寢於此。冬日房屋與夏絶異，掘土而穴居，所謂豎穴，名之曰妥拉夫。夏期大抵居海岸河畔村落之托兒夫塔，冬期則至山中村落住於妥拉夫中。其房屋既如此不同，故霍威司氏謂費雅喀本由北方移來云。

費雅喀在黑龍江沿海薩哈連諸州各族中，較不變其土俗而稍成古風者，例如男子斷髮，殆極罕見，大抵爲固有之總髮後垂髮辮，與彼奧洛古及高里特等通古斯族各派斷髮而爲俄化者大異。但黑龍江及庫頁兩方之土俗精密比較，則黑龍江較之庫頁與俄人之接觸更多，故大有俄化之傾向，去古已遠。然在庫頁者除西海岸外，更有借米川及東海岸一帶精神文化上或物質文化上保存古風者尚多，尚有研究之價值也。

鄂倫春之生活狀況，據波羅方面者，移轉頻繁，於珍杜拉地帶率其馴鹿到處爲家，其移轉以鹿食之草苔爲準，此地草盡即移於有草之地，欲再返原處，其草苔之成育必須四年云。

鄂倫春之生活本位與馴鹿同轉移，故房屋頗爲簡單，其房屋則聚集木桿結其上端而開張其下段，成圓錐形，覆魚皮或樺皮於其上，内設圓爐，寢處於此。

鄂倫春與馴鹿有不可離之關係，二者宛如友人，移動時即乘鹿上，而日用器具亦分載於鹿背，鹿之皮角用作種種器物。使彼族而無馴鹿，將無以爲生矣。

鄂倫春多爲俄教之信徒，本來之薩滿教似有消滅之感，其在波羅方面者自隸日本以後，薩滿教似有復興之狀，巫人叩大鼓而祈禱，且有製作木偶之風，並具有美的性格，於木加以雕刻，衣帽等亦知縫紉而加以花紋。

費雅喀族有熊祭之儀式，異常珍重。築一高倉，凡熊祭時所用物品悉置其中。鳥居君前往調查，倉内並列熊之頭骨八十個，即每年供祭祀之熊頭，祭時所用弓矢及槍、烹調熊肉之厨刀及食器、木器、裝飾之物收藏甚多，且其器具雕鏤精細，與日用者不同，其熊祭之盛可以知矣。

費雅喀人多乘天暖之時捕取鮭、鱒之類，由其婦女剖開魚腹，棄其臟腑，向日晒乾，儲作冬春食用，亦寒國人民之生活也。

〔民國〕東北物資調節委員會研究組 編

農田水利

馮明祥 整理

整理說明

《農田水利》係《東北經濟小叢書》第十八號分書，由東北物質調節委員會研究組編輯，於民國三十六年（一九四七年）出版。

該書共六章十八節，近十萬字。書中詳實完整地記述了僞滿時期我國東北地區農田水利事業的狀況，追述了『九・一八』事變前東北農田水利的起源、水利管理、水利設施、水田耕種區及面積；記録了僞滿時期農田水利事業的變遷、緊急造成農地措施及取得的成績，設立水利組合及水利公會組織機構；論述了農田水利調查研究的方法和成果等。

書中提出的對於開發利用地下水資源的認識，碱性地帶水利工程建設及灌溉除碱法改良土壤的成效，農場試驗水利的各項研究成果，由氣象、土質及栽培方法等條件研究灌溉用水的標準，節水灌溉、排水與水温、地温等因素的關係，以及關於渠首工程、水理學、土管道斷面及水流速的研究，以及農田水利獎勵政策等，均可借鑒。

該書還對遼河水系水利事業進行了論述，總結了僞滿四個時期農田水利事業的不同特點，並附僞滿時期有關農田水利事項年表。

本編纂單元點校者爲馮明祥，審稿者爲鄒寶山、蔣超、姜智。不當之處請批評指正。

整理者

目録

㈠ 事業　正文中標題爲『政策』，據改。

第一章 『九・一八』事變前農田水利概觀

第一節 東北農田水利之起源

東北農田之耕種，向來與關内不同，蓋關内之耕種旱田，自古即多用灌溉方法，而東北則只賴天然之雨水潤田，故欲考察東北水利，只能由開始耕種水田時起；惟東北耕種水田之歷史頗短，因而有關水田之確實資料，每感缺如；關於調查、記述，不無困難之處。

東北之有農田水利，約爲光緒六年。彼時耕種水田者，幾盡爲韓人，其用水之來源及灌溉方法，悉賴山間溪水，自然流入田中，規模之小，可想而知。當時水田之分布狀況，似亦僅限於中、韓接壤之延吉、通化、安東等地。

嗣因韓人移住東北者逐漸增加，我國農民始間有隨之耕種水田者。至水田發展之經路，計有：（一）自中、韓國境而至延吉；（二）自中、韓國境先至臨江、通化、輯安、桓仁，再越長白山脈而至渾河上游之新賓、汪清門一帶，又由此而西至撫順，由撫順而至柳河、海龍；（三）自鴨緑江下游之大東溝、三道浪頭，沿草河口以北，西轉而至松樹、復縣屬。熊岳城。由此可知其發展經路，率以東部山間爲始，逐漸西來。其後又擴至遼寧、興安及北部一帶。而日俄戰後，日人亦在舊關東州内有試種水田之舉，其面積雖小，但於遼東半島地域，已開日人在東北耕種水田之端緒。

其後，我國農民在松樹地方，自行耕種水田，所産大米，甚爲著名，呼之謂『松樹大米』，其品質之佳，直至今日不變。

第二節 『九・一八』事變前農田水利之管理

清宣統三年，首於新民府設水利局，該局除管理農田水利外，兼辦一般水利事務，是爲最初唯一之水利統制管理機關。

至民國二年，於奉天設置水利局，爲便於水利事業之統制、管理及徵收水利税計，乃制定管理用水規則及徵收水利税章程，除管理水利外，並經營灌溉設施等事業。復爲執行業務之便利，在東陵、小北門、後塔灣、劉家窩鋪、大房身、後邊台、沙崗子、沙嶺堡等地，各設水利派出所；於新民縣西公太堡，設新遼河水利局，實行監視水道及分配灌溉用水等事。

民國十四年，奉天水利局歸併於奉天實業廳内，爲該廳之下級機關，其所制定之管理用水規則，并非以積極統制爲目的，乃因當時之灌溉技術尚屬幼稚，灌溉水田，時生弊害，對於旱田及其他方面，影響殊大。並因彼時水田之收穫量，較旱田爲少，民族間又屢起摩擦，以致民國十四年至二十年之間，水田並無發展。

奉天水利局所經營之灌溉設施，其較大者，在東陵附近之渾河本流，有以土囊及枕木堆壘修築之堰堤，並有跨瀋陽、新民、遼中三縣地域廣約五千公頃之水田灌溉設施。民國五年開工。該設施在民國十三年時，曾補修一次，因其最初工程，僅以碎石鋪墊，建設既爲簡陋，水道亦欠完備，故每年用水極感不足。該地區於光復時，屬奉天水利公會管轄地域。

奉天水利局制定之管理用水規則摘要民國二年：

第一條　稻户須於春季到局報告用水場所，俟登記後開始使用。

第二條　用水應以自然流入爲原則，不許有設壩堵水，妨害公益情事。

第三條　如土地較高而河水不能自然流入時，須到本局呈報，經實地勘查後，始得放水。

第四條　放水期限，準照地方習慣，每年由舊曆三月起實行之。

第五條　稻户於放水以前，關於田地溝渠之整理，應互相妥爲洽商，以便順利放水。

第六條　新墾水田或已經播種之水田，欲新築引水溝渠者，須於放水期三個月以前，到局呈報。並請求詳細之實地測量及勘查。

第七條　違反本規則第二條規定時，除使其拆除壩堤外，並予以相當處罰。

以下省略。

徵收水利税章程摘要民國二年：

第一條　凡使用本局管轄區域内之河川而爲營利事業者，應依本章程之規定繳納水利税。

第二條　水利以省廳及本局爲徵收機關。

第三條　水利税之種類如左：

一、灌田水利税已實行。

二、灌園水利税未實行。

三、運簰水利税未實行。

四、運貨水利税未實行。

五、捕魚水利税未實行。

六、行船水利税未實行。

第四條　各縣稻田，每畝納税現洋六角，瀋陽爲七角。但邊僻之縣，因稻田之土地不良，交通不便，收穫不豐或價格低廉者，應由省廳酌減之。

第五條　每年由十一月一日起，至十二月末日止，爲水利税繳納期間，過期一個月時，對於拖欠税款每圓加罰

一角；過二個月時每圓加罰二角；過三個月時每圓加罰三角。

第六條　如遇旱災、洪水及其他天災，而經地主申請時，應立即派員前往，經詳細勘查後，得減免水利稅。

以下省略。

第三節　日人之農田水利事業

在東北日人經營之農田水利事業，以日俄戰後，光緒三十一年。小松美吉在普蘭店西方開闢小規模水田爲嚆矢，其次宣統元年。又有大江維慶在撫順老虎台開闢水田五〇公頃，此爲日人民營者。民國四年，日本關東都督福島氏，倡導開闢金州東北十二公里海岸之大魏家屯荒地，遷來耕種水田之日人十九户，此爲日本國家機關以移民爲目的而經營者；其最初開發之水田地帶，名之爲愛川村。同時，舊滿鐵亦對在金州及滿鐵附屬地內之耕種水田者，關於耕種技術，力行指導；並由民國八年至十一年，在熊岳城農事試驗分場，舉行用水量及其他有關試驗，發表試驗結果，對於技術之改進，貢獻甚大。

爾時民國十年至二十年。日人經營水田，其灌溉方法，與國人、韓人不同之點，乃以機械汲水，汲取之水，則多爲地下水，茲將日人當時之主要水田農場，列之如左：

經營者	位置	灌溉面積公頃	水源	主要設備	設置年度
西園慶助	金州南門外屯	八點五	井	遠心唧筒㈠，動力五點五馬力	民國十三年
古賀初一	撫順新開河	四五點〇	渾河	遠心唧筒十九吋，動力八〇馬力	民國十四年
愛川村	金州	三七點〇	井	遠心唧筒，動力一〇、五、二〇馬力者各一	民國十五年
野田農場	三十里堡	一五點〇	井	遠心唧筒四點五吋者二，動力五馬力者二；五吋者一，動力七點五馬力者一	民國十五年
宅島農場	三十里堡	一六點〇	井	遠心唧筒六吋者一，動力十馬力者一	民國十七年
鎌野農場	金州老虎山	一〇點〇	井	遠心唧筒一，動力十馬力者一	民國十八年

㈠遠心唧筒　即離心泵。

先是有日人佐藤信元者，曾以機械耕種水田法，在美國獲得成功。民國十九年，出滿鐵與其訂立契約，在金州貔子窩、城子疃、長山屯，選定土地二三八公頃，委託試辦以機械灌溉之大規模水田。不意農場建設未久，即逢碧流河之氾濫，其計劃遂成畫餅。該試驗農場於民國二十三年時，曾繼續在鳳城實行。

以上爲『九・一八』前，日人經營農田水利之大要。其特異之點，即爲採用機械灌溉，以保充分之用水，自此日本較精之耕種技術，乃漸行普及各地，同時亦證明東北爲耕種水田有望之地，而使農業水利之重要性，日見加强。

第四節　韓人農民之水利設施

韓人在東北，多係租用國人荒地或窪地，闢成水田，施行耕種； 其水源率皆利用河川，多設壩儲水，再由水閘導入水道，以利灌溉。其所設之壩，僅爲以粗石壘積之舊式工程，而其水閘(Head－gate)之構造技術，以當時情形論，則較爲優良者，尚不爲少，揆其堤壩簡陋與水閘堅固之原因，約爲以下數端： 蓋東北河川之平水位及漲水位之差頗大，適於修壩之地形及地質又屬寥寥，如欲修築於平水位時，既能儲水，而於漲水時亦不致冲毁之理想堤壩，實非當時韓農之技術及資力所能辦到，故祇有任其自然缺陷，勉强塞流引水而已。此種堤壩，雖然簡陋，但其决口之處，短期間内即可簡易修復。至於水閘所以構造堅固者，亦不外爲備堤壩破壞時，不致冲毁既成之水道及水田耳。此外則因當時行政當局多禁止築壩導水，即或許可，對於永久性之施工，亦必加禁止，是以不能修築堅固而又理想的堰堤。加以因灌溉用水之氾濫，每易引起水田農户與旱田農户之利害衝突，凡此種種已非幼稚施工技術所可解决者； 益以日人從中操縱，致中韓民族感情衝突，互相仇視，是以欲築永久性之堤壩，殊不可能。

當時韓農雖因水利設施不足，經營不免棘手，而苦幹精神始終不懈，且逐漸擴張水田面積。但收益之大部，均爲土地租金、高利借款及生活費用等所消去，每致欠債累累，永難脱離租佃貧農之域。

日人鑑於韓農之轉移不定，對於移民政策大有妨礙，乃於民國十年，由舊滿鐵在瀋陽設立東亞勸業株式會社。民國十八年，着手收買延吉一帶國人土地，以謀確立韓農地主之基礎； 幸我當局洞燭姦謀，該計劃以致中輟。迨民國二十年，朝鮮總督府又與滿鐵協力，樹立所謂『延吉自作農自地自耕。五年計劃』，使東亞勸業株式會社實行，正進行中，適值『九・一八』事變，遂復停頓。

『延吉自作農五年計劃』之概要如左：

一、資金一五〇萬圓，以五年爲期，每年由總督府支出一〇萬圓，由滿鐵支出二〇萬圓。

二、收買未耕地、已耕地共一萬五千公頃，逐漸分讓於韓農。

三、計劃遷入韓農約三千户。

四、分與韓農土地之價款及貸與之資金，以長期分年償還之方法收回之。

第五節　水田耕種區域及其面積

東北水田自清光緒六年前後開始耕種以來，至『九・一八』事變時，已達一〇萬頃之多。兹舉其主要地帶如左：

壹、舊關東州　其土地屬於大連農事株式會社（爲舊關東州農事輔助及技術指導機關；民國十八年，由滿鐵設立。）者居多；其水源爲河水及井水；　用井水者，幾均用機械汲水；耕種者大部份爲日人。

貳、松樹、熊岳城一帶　水源皆爲附近之小河，賴自然流入，施行灌溉；　耕種者皆爲國人。

參、營口一帶　以遼河爲水源，雖時有水災危險，但該地土質肥沃，頗適於耕種水田；　耕種者多爲韓農。

肆、瀋陽一帶　以遼寧水利局管理之地區，及東亞勸業株式會社經營之地區爲主。其水源皆賴河川，分别採用自然注水及機械汲水之各種方式；　耕種者爲國人及韓人。

伍、撫順、新賓一帶　以日本人經營之農場，及遼寧水利局管理之水田爲主，水源爲渾河；　耕種者均係韓人。

陸、安東及安瀋路線一帶　安東地區之利用河水，大致與營口地方相同；　但安瀋路一帶，則皆利用附近小河，採取自然流入方法；　耕種技術，則較其他地區稍優；　耕種者皆爲韓人。

柒、開原、柳河　以利用攔水壩引取河水者居多；因修築堰堤而發生水利問題之紛爭，亦以此地區爲最多；　耕種者亦爲韓人。

捌、公主嶺一帶　以大榆樹河及東遼河本流及支流爲水源，耕種者爲國人及韓人。

玖、吉林一帶　多於山間窪地開墾水田，利用自然流入之溪水，以行灌溉。因灌溉用水之水温較低，故延長或迂曲水路或設立儲水池等加以調劑，耕種者爲韓人。

拾、延吉一帶　以布爾哈通河、海蘭河流域之平原一帶爲中心；　該地耕種水田之歷史悠久，並與韓國毗連，故民間設立水利組合者極多，爲耕種水田之理想地帶；耕種者爲韓人。

拾壹、北部地方　以牡丹江市迤西之海林附近爲最多，其水源亦係利用河水之自然流入；　耕種年限雖淺，但如能選擇早生品種，實爲將來頗有希望之地帶；　耕種者爲韓人。

分布南北之各水田，迄『九・一八』事變時，約達一〇萬公頃之多，若據舊滿鐵調查局統計資料所載，民國十九年之耕種面積，約佔其全部水田之百分之八一。

民國十九年水田面積：根據滿洲產業統計。

遼寧省　四六九九〇公頃
吉林省　四七九四〇公頃
黑龍江省　三二一〇公頃
計　九八一四〇公頃

金縣　五九八公頃
滿鐵附屬地　二四七公頃
計　八四五公頃
合計　九八九八五公頃

第一表　民國29年度東北九省土地之利用狀況(公頃)

省名	既耕地				可耕未耕地			不可耕地					共計
	旱田	水田	果樹園	計	廢耕地	荒野	計	森林	濕地	鹼地	其他	計	
遼寧	2 477 269	38 960	8 571	2 524 800	206 786	170 712	377 498	922 684	170 086	181 961	2 947 275	4 222 006	7 124 304
安東	704 563	57 213	644	762 420	61 959	366 136	428 095	1 404 945	236 885	31 417	3 349 380	5 022 627	6 213 142
遼北	2 328 272	30 280	649	2 359 201	449 880	1 862 804	2 312 684	977 472	668 991	443 716	3 788 877	5 879 056	10 550 941
吉林	3 255 068	86 267	452	3 341 787	285 868	1 096 797	1 382 665	4 406 030	629 289	169 540	2 366 714	7 541 573	12 266 025
松江	2 656 363	51 672	272	2 708 307	510 136	1 252 235	1 762 371	2 687 146	574 100	549 127	1 811 913	5 622 286	10 092 964
合江	772 573	31 139	4	803 716	589 780	2 978 887	3 568 667	4 807 652	2 320 611	3 255	1 921 780	9 053 298	13 425 681
嫩江	1 935 854	8 256	—	1 944 110	272 340	2 361 087	2 633 427	16 614	891 981	494 489	729 819	2 132 903	6 710 440
黑龍江	1 959 252	11 992	2	1 971 246	221 489	1 999 600	2 221 089	7 847 238	3 524 158	481 405	2 952 043	14 804 844	18 997 179
興安	175 878	372	—	176 250	102 835	1 564 380	1 667 215	8 443 289	5 582 181	—	14 039 333	28 064 803	29 908 268
計	16 265 092	316 151	10 594	16 591 837	2 701 073	13 652 638	16 353 711	31 513 070	14 598 282	2 354 910	33 877 134	82 343 396	115 288 944

註：1. 本表係根據民國三十五年一月五日東北科學技術協會所編纂之『東北農産統計』而作成者。
2. 本表之省份係根據民國三十六年六月五日以前之區劃，以下同。

第二章　僞滿時代農田水利政策之變遷及其事業之實施

第一節　安全農村之設置

『九・一八』事變後，各地陷於混亂，散住僻地之韓農，不堪騷擾，遂將開闢之水田放棄，陸續逃至鐵路沿線，以求苟安。雖尚擬於翌年歸還原地，從事春耕，但以治安關係，多不克如願，以致生活陷於窮迫。

舊朝鮮總督府，爲謀此等韓人得永居東北，以確定其移民基礎，乃與滿鐵商討，決定將以前樹立之『延吉自作農五年計劃』，移在鐵路沿線實行。並於南北二部地方，選定適宜之耕地强制收買，將此等韓民，遷移各地，除修築灌溉、排水及各種必要之設施外，並有各種福利設施，使成爲集團的耕種，此項實施工作，係由『東亞勸業株式會社』擔任。民國二十一年，於鐵嶺縣成立此類集團耕種，名之曰『鐵嶺農村』。

此時各地依然不靖，民國二十一年又遭洪水，低窪地之水田，悉被淹没，其經營基礎，完全崩潰。是年末，此等難民收容於各都市救護所者，幾達三萬人之多，其中待救者約有萬人。故日人認爲藉收容難民，建設所謂『安全農村』，實爲良好機會。是以民國二十二年，又有『營口農村』現在之榮興農村。及『河東農村』出現。

繼在民國二十三年，以安置因事變及水災被害之韓農及無定業游浪於哈爾濱市之韓人爲目的，又有『綏化農村』之設。至民國二十四年，除擴大營口、綏化、鐵嶺之既設農村外，並設有『三源浦柳河。農村』。

此爲『九・一八』事變後，對遭受戰災及水災之韓農，使其安心耕種，而設『安全農村』之概況。迨民國二十五年，將負責建設此等農村之『東亞勸業株式會社』，併入『滿鮮拓殖株式會社』，自此該事業所謂救濟、指導等等之假面具，已完全揭破，一變而爲公開移民政策之事業矣。

民國二十年十一月『九・一八』事變後二月。時，日人曾以三二〇〇〇圓之工費，將奉天水利局管理之東陵攔水壩，交由東亞勸業株式會社改修；以後對於附近水田灌溉，頗有貢獻。改修内容爲補强堤壩，修築護岸工程及水閘，並調節裝置等。

安全農村一覽表

農村名	地址	總面積 公頃	水田面積 公頃	設置費 圓
營口第一村	遼寧省盤山縣	二九五六	二四七七	九〇三五〇〇
營口第二村	遼寧省盤山縣	三〇〇〇	二四〇〇	九四六〇〇〇
河東村	松江省珠河縣	二三五五	一六二四	八四四六〇〇

農村名	地址	總面積 公頃	水田面積 公頃	設置費 圓
鐵嶺第一村	遼寧省鐵嶺縣	七三七	六五一	二一四八〇〇
鐵嶺第二村	遼寧省鐵嶺縣	一七〇	一六〇	七四〇〇〇
綏化第一村	黑龍江省綏化縣	一一五四	七〇二	三三一〇〇〇
綏化第二村	黑龍江省綏化縣	四五〇	三八四	一四三四〇〇
三源浦村	安東省柳河縣	四七〇	四〇〇	一〇三五〇〇
計		一一二九二	八七九八	三五六〇八〇〇

其次就各『安全農村』水利設施内容，分述如左：

壹、營口農村　位於遼河口北側，其土壤含有鹽分，平均爲百分之二〇㈠，不僅在播種前須灌溉數次，以除鹽分，即播種之後爲抑止鹽分之上昇，亦須屢行换水，其用水量實數倍於一般水田，故將造成水田之計劃置重於用水方面。其水源爲遼河，以機械汲引之。

一、第一期工程民國二十二年竣工。

四二吋遠心唧筒　二台
二〇〇馬力電動機　二台
防潮堤使用土量　九四〇〇〇立方公尺
導水路使用土量　六〇〇〇立方公尺
用水幹線使用土量　三七八〇〇〇立方公尺
用水支線使用土量　一四五〇〇〇立方公尺
排水幹線使用土量　四四〇〇〇立方公尺
排水支線使用土量　七八〇〇〇立方公尺

二、第二期工程民國二十五年竣工。

四二吋遠心唧筒增設。　二台
二二五馬力電動機增設。　二台

貳、河東農村　已耕之八〇〇公頃水田，繼續使用舊有之設施，對新闢八〇〇公頃之水田，以螞蟻河爲水源，設有攔水壩、水閘、排水口（Spillway）、引水幹渠、土量爲九八三〇〇〇立方公尺。排水幹渠、土量爲六九〇〇〇立方公尺。小水路及各種工作物等。

參、鐵嶺農村　本地水田之用水，其滲透量極大，益以導水路排水路之設備不良，施工簡陋，土地問題錯綜複雜，因此用水分配，頗欠圓滿，每年不能按預期者收穫，是以當收買該地區，樹立農村建設計劃後，即將舊有各種設施，加以補修與改廢，並隨擴充面積，施行新建工程。於補修以大范河爲水源之舊有攔水壩，新設水閘之同時，復將既設之導水路加以改良，並新闢水渠，以求用水之合理分配。且向遼河支流開掘排水渠三條，土量爲二八二〇〇立方公尺。以利排水。

肆、綏化農村　水源爲諾敏河，其水量極豐，是可灌

㈠平均爲百分之二〇　經查，在《鹽鹼地綜合改良技術對營口沿海產業基地土壤鹽度及三種緑化苗木生理特性的影響》文中提出二〇〇五年營口沿海土壤含鹽量最高可達3%～6.8%。

漑水田二五〇〇公頃。於該地域內，選擇適宜土地，共闢水田一〇〇〇〇公頃。

水閘	一處
防水堤使用土量	五〇〇〇立方公尺
引水幹渠延長一二公里使用土量	一三八〇〇〇立方公尺
引水支渠一〇條使用土量	一五三〇〇〇立方公尺
排水幹渠使用土量	二一〇〇〇立方公尺
排水支渠使用土量	五〇〇〇立方公尺
道路使用土量	五九〇〇〇立方公尺

伍、三源浦農村　三源浦農村因係强制收買國人之水田，故其工程只限於舊有設施之改良及補修，而不須特別設施。

第二節　農田用水之統制及水田造成

關於僞滿之農田水利法令，當以民國二十四年，僞康德二年。僞實業部第一一三號訓令爲始。其初，東北之南部及東北部之一部份，所有耕種水田事業，已完全陷於停止狀態。嗣以地方逐漸安靖，耕種水田者，乃又向北發展；僞滿政府遂於此時制定農田水利法，由是民間農田水利事業，始爲僞滿政府之許可事業。爲求水利事業之得健全發展，關於計劃、指導及調查等項，悉由僞滿政府擔任。當時耕種水田者，多爲韓人，對於僞滿政府用意之所在，未能明瞭；並因地方官廳處理該項事務人員，缺乏水利專門知識，故遵照法令之規定，請發水利事業許可者，殊爲寥寥，因而不但農田水利之法令未得實行，即爲日人大量移民而計劃保留之水田，亦有被韓人耕種者，故未能盡如所願。

當民國二十六年，僞滿政府實行農業增產第一次五年計劃時，其中關於大米增產一項，純以滿足東北日人食米之需要，補充日本國內大米之不足，及準備戰時食糧爲目的。爲達到此項目的，極欲將東北之廣大水田盡與日本開拓民耕種。惟考慮當時水源情況，利用自然流水，僅能灌漑水田五〇萬公頃，故將當時所有之少數水田儘先供給日本移民耕種。

僞滿政府農業增產第一次五年計劃綱要中，關於大米增產計劃之概要如次：

（一）方針　大米及各種軍需農產資源，必須研究一切方法，極力圖謀增產。

（二）增產方法　大米之年產目標爲五一八〇〇〇公噸，其增產目標爲二〇三〇〇〇公噸。而以日本移民爲增產水稻之主要對象，以韓人移民從事水稻之自然增產，以東北農民從事陸稻之自然增產。

（三）措置　獎勵日本移民之增產，分配優良種子，擬

定大米管理制度，及在東北採辦日本軍用大米，並努力實施。

查當時計劃，係將關於大米增產，完全仰賴於日本之移民，詎知此等移民並不努力，多强使開拓地附近之國人代爲耕種，致其經營水田成績與原來計劃相差懸殊；但水田之面積，則異常廣大。如以民國二十八年與二十二年相比，南部增至三倍，北部則增至八點四倍之多。

當時東北因日本人日漸增加，麵粉缺乏，以致大米有供不應求之勢；僞滿政府對於大米之自給自足，不得不研討應急辦法。實則東北有廣大可能造成水田之土地，只要指導得法，則增產自屬易事，是以大米問題之能否圓滿解決，端視當局之施策如何而定。光復前，東北大米已不似以往之缺乏；對日本交通困難，不易運出，固爲原因之一，而產量增多，自亦不容否認。

年度別水田耕作面積及水稻收穫量如左表所列：

年度別	耕種面積　公頃	水稻收穫量　公噸	備　註
民國一三年	五七三三〇	一〇三一九〇	
民國一四年	九三八七〇	二一一八一〇	
民國一五年	一一一七三〇	一九八七一〇	
民國一六年	一三七七九三	一六二八二〇	
民國一七年	七七二八二	一六四九三〇	

年度別	耕種面積　公頃	水稻收穫量　公噸	備　註
民國一八年	七七二〇一	一三六七五〇	
民國一九年	八〇三二五	一五四四一〇	
民國二〇年	八三三九九	一五八六四〇	
民國二一年	八〇四八七	一〇九七九〇	
民國二二年	七四六九五	一六六〇一〇	
民國二三年	九八三一三	二〇〇〇六八	
民國二四年	一二七二六五	二九六一二二	
民國二五年	一八三七四五	四四二二一五	
民國二六年	二一五七二〇	五二六六〇八	
民國二七年	二五二九一〇	五九九六六三	
民國二八年	二九二五七七	七四三五一八	
民國二九年	三三一一〇五	六〇四九四八	
民國三〇年	三六三六四九	七二三七五〇	
民國三一年	三一七九六九	五三二二六六	
民國三二年	三二八六五一	六二八一六九	
民國三三年			
民國三四年	三四三二六三	七五五五三七	東北九省收穫量，爲截至七月一日之預想調查

壹、米穀法之公布　民國二十七年偽康德五年。十一月七日，偽政府公布『米穀大米管理法』，並自翌年六月一日開始實行。據偽產業部當局稱：由於東北水田之經營以前向無統制，亦無國家之指導、援助，故多受自然的災害及人爲的災害；加以毗連水田之旱田，因受水田滲水之影響，耕種者間彼此常有衝突，此種衝突尤以經營水田者與經營旱田者爲不同之民族時較甚。爲考慮第三者之利害及保障經營水田之安全，而設此種管理制度。

此管理制度，既以大米之自給自足爲目標，又擬以統制而期確保生產，故根據一定計劃，邁向目標，實爲必然之勢。爲達成此項目的，其管理法中曾有左列規定：

（一）欲造成水田者，應繕具造成田地及與此有關之必要事項，呈請行政官署許可。

（二）未經許可造成水田之土地，禁止種植水稻。但在沼澤濕地，經產業部大臣之規定許可者，則無須請求許可。

（三）水田之停耕及廢耕，應行呈報。

按此種制度純係偽滿政府爲强力統制大米而設，當實行時，雖聲言：『採取慎重態度，以防淳樸農民之遭受重壓，與配售商人感受痛苦；極力避免强徵，而加以道義的指導』等語，然事實上殊不盡然。是以一般人對此種統制法令，多認爲係禁止國人及韓人耕種水稻或限制造成水田而設，大爲不滿。

在民國三十三年偽康德十一年。八月十四日公布之『農產物管理法』中，已將統制生產部份予以删除，該法乃自然消滅。嗣聞其删除部份，擬加入於預定公布之『農業水利統制法』中，在未公布之前，則以偽交通部及偽產業部共管之『河川法』及『土木取締規則』，統制造成水田事務。不料『米穀管理法』廢止後甫歷一年，即值光復，故此單行法終未公布。在未公布期内，對於耕種水田者，採取無形放任態度，蓋偽滿政府鑑於當時社會情勢之變化，對於本法已認爲無緊急公布之必要。其原因不外：

（一）在戰局緊急中，較水利統制尤爲切要者，實爲獲得物資，故傾注全力，奬勵生產，以應急需。

（二）因『米穀管理法』中，規定造成水田之呈請許可手續，非有專門知識者不辦，故民間企業者及一般農民，不勝煩瑣，遂無形流入不請許可而暗自耕種狀態。

（三）因戰局之演進，徵用大米之比率愈多，故人民對於水稻，多有放棄不種者，致在偽政府高唱增產聲中，而水田面積反呈縮減狀態。

（四）由水源及河川之水量觀之，利用自然流水灌溉水田之面積，已近於最大限度。

（五）偽政府對於水田之指導與奬勵，側重於大規模開墾農地及開拓團、水利公會或大量需要者之造成水田等。

因以上情形，故一般農民以個人立場造成水田極爲不易，此亦可謂光復前之特殊現象。而當時如渾河、清河、飲馬河、海浪河、朝陽河及倭肯河流域之水田面積，已達最大限度，故常因用水不足，致其實際收穫面積與播種面積相差甚遠。此種現象，已有逐漸波及全東北之傾向，故此時實有勵行水利統制之必要。

貳、河川法之公布　民國二十七年僞康德五年。十二月二十日，以僞敕令第二九二號公布『河川法』，自二十八年四月一日起實施。凡僞交通部認爲對於公共利害關係至重之河川，均指定其名稱及區域而適用下列規定：

（一）凡指定之河川均爲國有。

（二）非管理河川之官署，因在河川設施工程，而致影響河川之保全時，或採取河川中產物時，或欲佔用、使用河床、流水及水面時，或擬在河川附近設施工程，變更地形，栽植樹木及斫伐樹木時，均須得管理官署之許可。

（三）非管理河川之官署，得到許可而實行前項工程時，其經費之一部，得由僞國庫補助之。如爲管理官署施工時，其經費之一部，得使享受利益者擔負之。

僞滿政府對於河川如此嚴格限制之原因，蓋以東北河川有如下之特性也：

（一）六、七、八三個月降水量，約佔全年降水量之百分之六〇至百分之七〇，故平日乾涸之河川，此時亦常劇烈漲水，或爲定例性之氾濫。

（二）中流以下之流域，均爲平地，流經該地之河身，曲折甚大，不但水流緩慢，且滯水期間較長，故半截河、濕地、湖沼及鹼性地甚多。

（三）因河川及沿岸之地質不堅，河身每年移動，致河水中帶有多量沙泥。

（四）水源地方缺少樹木。

東北地方之水災及旱災，恒以四五年爲一個週期；僞河川法之意旨，即爲保護主要河川及防止水災而設。故該法公布後，凡經營農田水利事業者，均須依米穀管理法呈請造成水田之許可；歸僞興農部管理。與依河川法，呈請在指定之河川設置工事及使用河水之許可，至指定以外之河川，則依照民國二十三年僞康德元年。以後，實行之『土木工程取締規則』，呈請許可，以上二者均爲僞交通部管理。因須經興農、交通二僞部許可關係，以致經營水田者不勝其煩，管理官署亦大感不便；其後經興農、交通二僞部之協商結果，於民國二十八年僞康德六年。六月會銜發表『調整治水及水利事務措施』，令飭所屬遵照，其內容大致如下：

（一）關於農田水利事業、水力發電事業、漁業、運木、運簰及有關礦業等河川使用費，暫行免徵。

（二）關於適用河川法之河川名稱、區域之指定，及僞

國營或民營河川工程、河川之維持並河川之使用，在理水(二)計劃上認爲有相當影響者，或對僞國營河川工程之農地受益人決定其擔負費用等，在實行或許可以前，應由僞交通部大臣向僞興農部大臣會商之。

(三)對於僞國營或民營使用河川之農田水利事業、水力發電事業、運木、運簰、設置網場、養魚及使用河川之礦業等，在實行國營或許可民營以前，均應由僞興農部大臣會商僞交通部大臣。

此措施之用意，僅爲避免兩部事務之背馳，而期收得綜合的效果而已。若以事業經營者之立場觀之，除免徵河川使用費似屬優遇外，其他則仍未爲滿足。

民國三十二年僞康德十年。十二月，僞交通部又公布『河川堰堤規則』，以致農田水利事業之各種手續益趨複雜。

參、開拓團之造成水田　僞滿農業開發第一次五年計劃，係將大米增產之原動力完全注重於開拓團，尤以日本人開拓團爲主。當時雖因社會情勢發生變化，對日本移民大有阻礙，造成水田及增產大米計劃，亦未能如願以償，但開拓團仍能大量供應農產物，至於移民之開拓地區已有可能收容數團之水田完成，故除需款甚鉅之工程或需長期建設之工程，以及需高度技術或單位面積需要鉅額費用此項水田嗣由僞滿國營農地造成事業機關施行。者外，其餘大致均已成功。

日本政府對日人及韓人開拓團之造成水田者，均根據『營農標準案』，各發給若干之補助費，但爲數無多，尚不足已成水田之管理費用，故對造成水田之不足資金，則另由輔導開拓團之各有關機關滿拓、鮮拓、滿鐵。負責撥借。至於撥借之方式，係由各該機關直接施工，以其所需工費代替現款；凡撥借之設施資金、經營資金等，均視爲開拓團之貸款，使之負責償還。其日本移民，來者日衆，各項貸款，亦日見加多，益以貸款收回之成績欠佳，乃於研究僞國營農地造成事業費用擔負方法之同時，深感對於開拓團負擔土地設施資金之區分，有再加檢討之必要，遂由日本、僞滿兩政府會商，自民國三十年僞康德八年。起，將開拓團造成水田之基礎設施，改由僞滿洲拓殖公社作爲該社之本身事業辦理，其竣工後之水田，則分別讓與各開拓團管理。

關於基礎設施費，究應使開拓團分擔若干，即決定分讓價格。此問題曾由日本與僞滿政府繼續研究，雖已獲有結論，然尚未發表，即告光復。據聞，所擬開拓團擔負款額，約爲基礎設施費之百分之二〇左右。至水田造成之附帶設施費，如築畦，墊地等費，亦以貸款形式歸開拓團擔負。

(二)理水　即治水。在民國二十八年六月，由僞滿政府興農部、交通部聯合發表《調整治水及水利事務措施》中提出『在治水計畫上……』。

至對開拓團造成水田之有利條件，則爲凡已在造成水田地區內之開拓民，無故不得驅逐，須使其繼續耕種是也。日人原擬於開拓團未遷入之前，由輔導機關將土地設施準備妥善，不使開拓團稍感不便，始爲理想；然常因遷移地區決定之遲緩，資金、資材調配之失宜，技術人員之不足，以及其他不得已情形等，使該理想，不克實現，是以日本之移民多於水田尚未完全成功時，即着手耕種。當時由於要求增產大米甚急，此種辦法，亦自爲僞滿當局所歡迎。尤以自民國三十三年冬季以來，戰局頓告緊迫，此時除直接能以增强戰力者外，其不十分重要産業均在中輟之例，然對開拓團之造成水田，則未嘗使其稍懈。

開拓團造成水田包括旱田。**成績之一**僞滿洲拓殖公社施行之部份。

年度 民國	實際造成面積公頃 水田	旱田	計	地區數	事業經費圓	附註
二五、二六	二八〇	—	二八〇	二	一〇三四六〇	
二七	五二三	—	五二三	一八	二七八〇三〇	
二八	二〇九〇	—	二〇九〇	四〇	一六九七八六二	
二九	五八九八	—	五八九八	一〇四	四五七三〇一二	
三〇	七六六一	—	七六六一	不詳	一一五二九九八四	
三一	一四〇五一	九八〇八	二三八五九	不詳	二〇三四六一三	
三二	一六四一三	一四五〇五	三〇九一八	一二一	一九七八三七〇〇	
合計	四六九一六	二四三一三	七一二二九	—	五八三一〇六六一	

註：本表不包括僞『滿拓』施行之僞滿國營造成農地事業。

開拓團造成水田成績之二滿鮮拓殖會社施行之部份。

年度 民國	所在地 省	所在地 縣	地區名	水田造成面積 公頃	事業費 圓	水源
二二	松江	珠河	河東	二〇〇〇	二九五〇〇〇	『東亞勸業會社』所設安全農村
二二	遼寧	盤山	榮興	五〇〇〇	八六〇〇〇〇	同
二三	黑龍江	綏化	綏化	一二〇〇	二〇四〇〇〇	同
二七	吉林	懷德	懷德	二五〇〇	四八四〇〇〇	自然流入
二七	遼寧	錦縣	闞家	八〇〇	二〇八〇〇〇	同
二七	遼寧	鐵嶺	長溝沿	八〇〇	一九八〇〇〇	汲水機
二七	松江	葦河	葦河	七〇〇	八一〇〇〇	自然流入
二八	吉林	懷德	楊大城子	三五〇	三六〇〇〇	同
二八			江頭	二五〇	六〇〇〇〇	同
二九			懷德及其他	八六〇〇	二〇〇〇〇〇	同
三〇	安東	柳河	孤山子	七〇〇	四七〇〇〇〇	儲水池
合計				二二九〇〇	三〇九六〇〇〇	

肆、『遼河治水計劃』規定灌溉用水之分配　民國二十四年，僞康德二年。經僞國道局第二技術處、僞民政部土木司、僞交通部等，屢次賡續進行基礎調查，迨民國二十六年，始決定治水計劃方針。民國二十七年，復於僞交通部內，設置遼河治水調查處，樹立遼河水系之治水計劃，民國三十一年，對全水系之計劃宣告完成。

該計劃內關於遼河之治水計劃，經僞產業部建設司、開拓總局及其他各方面之協力，亦得同時完成，其大要如左：

（一）因遼河水系於夏季多雨之期水量甚大，而平時水量甚小，根據此種情形，按照擬定計劃，新築儲水池十處，以確保水量而資調節。

（二）上述十處儲水池，可能確保之水量，一年平均估計爲六二億立方公尺。

（三）隨治水計劃之進展，其可能利用之土地，以氾濫地域内之未耕地爲主，以已耕地爲從，擬在該水系流域内，造成水田二八五〇〇〇公頃，其每年所需之平均用水量，決定爲四一億立方公尺。

根據遼河治水計劃擬定灌溉用水分配計劃如左：

河川名	水源儲水池	造成水田計劃		用水量	
		所在地	面積 公頃	每秒 立方公尺	年總量 萬立方公尺
老哈河	石門子	西遼河沿岸	二〇〇〇〇	三〇點〇	二九五二〇
老哈河	石門子	新開河沿岸	一五〇〇〇	二二點一	二一七五〇
東遼河	滴打嘴子	東遼河沿岸	五〇〇〇〇	七四點五	七二七三〇
清河	東石人溝	遼河沿岸	二五〇〇〇	三七點二	三六三七〇
柴河	太平寨	遼河沿岸	一一五〇〇	一七點二	一六七九〇
范河	張家樓子	遼河沿岸	一〇〇〇〇	一四點九	一四五五〇
柳河	鬧得海	柳河沿岸	三〇〇〇	四點五	四六六〇
渾河	大（火）〔夥〕房、古樓	渾河沿岸	三四一二〇	五〇點八	五二六七〇
渾河	大（火）〔夥〕房、古樓	蒲河沿岸	三六三八〇	五四點二	五六一九〇
太子河	身窩	太子河沿岸	二六〇〇〇	三五點〇	三六二九〇
太子河	湯河沿	太子河沿岸	一九〇〇〇	二五點〇	二五九二〇
下流部	使用渾河河水	下流部	三五〇〇〇	四五點〇	四六六六〇
合計			二八五〇〇〇	四一〇點四	四一四一〇〇

註：（一）計算一年間之灌溉期間，自五月上旬至八月下旬約計一一三日間。
（二）所謂河川之下流部份，係指渾河、太子河合流點以下河流而言。

伍、理水統制要綱　當民國二十四年，僞實業部公布關於農業水利事業之訓令及依米穀管理法制定造成水田許可，並光復前未得公布之農業水利統制法，以至於隨同遼河治水計劃擬定之農業用水分配，水利公會之設置等，若以農業用水之立場觀之，凡此種種，均係僞滿政府對水之利用及分配之統制辦法。

僞滿政府因繼續實施第一、第二兩次産業開發五年計劃關係，東北産業確有非常進展；但在光復之前數年，常因强行有關時局之各種緊急增産政策，以致農業用水漸感不足；直至民國三十二年二月，始經僞參議府會議制定理水統制要綱，其内容如左：

（一）以交通部爲中心，藉有關官署之協力，實施調查地上水及地下水，以徹底了解可能利用之水量。

（二）屬於各官署所管，現在及將來民生或産業上有關之需水量，由交通部統籌辦理，以謀分配用水之適當。

（三）勵行取水設施及取水量之管理。

（四）分配用水之最後決定，由僞總務廳辦理。

（五）爲强化水利及調查，在僞交通部新設理水司。

以前農業用水，係隸屬於僞興農部農地改良科及開拓總局；工業及水力發電用水，則隸屬於僞經濟部；河川及航運則隸屬於僞交通部管轄，各部分雖常互相保持聯繫，但實施結果，仍欠完善，於是乃於僞總務廳内之企劃委員會下設理水委員會，以僞交通部次長爲委員長，以僞交

通、經濟、興農三部及開拓總局等有關理水各處科長爲委員。凡全盤産業用水之利用及分配事宜，均須經過該會議決，然後再由理水之各分擔官署分別實行，而僞交通部内之理水司，即專爲處理會議所決定各項事務而設者。

理水統制調查之項目如左：

（一）降水量、水位、水流量並水質。

（二）流域内之地形、地質、水源地之狀況。

（三）水害並治水之狀況。

（四）儲水池之規模。

（五）關於上水道、農業、發電、工業、船運、漁業、箄運等利用河水之現況。

（六）地下水及湖沼、池水等之利用現況。

（七）水之將來需要量。

（八）其他必要事項。

民國三四年度東北九省縣旗別水田耕種面積及水稻豫想收獲量根據東北農業統計。

省	縣	耕種面積 公頃	預想收穫量 公噸
遼寧	瀋陽	六三五〇	一四五六〇
	撫順	四二〇〇	一二三四〇
	本溪	一八七四	三八七五
	遼陽	一三八四	三〇三一
	遼中	三六一	七二四
	海城	四一四二	九九四四
	蓋平	七三二	一五四三
	復	二六〇〇	五五二五
	盤山	一七一三七	三〇八四七
	錦	九一二	一四二〇
	錦西	二〇	三五
	興城	八〇	一二四
遼寧	綏中	二〇	二九
	義	五	七
	黑山	一五	二六
	新民	一八五六	二四五五
	彰武	五〇〇	八二〇
	法庫	二〇〇	三二三
	康平	四六〇	五〇三
	鐵嶺	四七三一	一一四八五
	清原	五二〇〇	一一二六八
	新賓	五五八〇	一一五〇六
	小計	五八九五八	一二二三八八

省	縣	耕種面積 公頃	預想收穫量 公噸
安東	安東	一〇四一二	二二三七八
	莊河	六二五〇	一一二九四
	岫巖	二九三〇	五四二六
	鳳城	三二五〇	六一七八
	桓仁	四二四三	八四九一
	寬甸	一〇五〇	一七二七
	通化	四三三五	八二四九
	輝南	四一一七	九〇五七
	輯安	二三三二	五一三〇
	臨江	一二六〇	二二〇〇
	撫松	八一	一一九
	濛江	一三六	二三三
	長白	二八九	五四九
	小計	四九一八五	一〇〇六四八
遼北	梨樹	七一〇	一五〇一
	西安	一七〇〇	四二五〇
	東豐	二一〇〇	五四五〇
	海龍	七二三一	一八〇七八
	西豐	三五〇〇	九四五〇
	開原	五三五〇	一三二四一

省	縣	耕種面積 公頃	預想收穫量 公噸
遼北	昌圖	一三五〇	三二四〇
	双遼	一三八	二三一
	通遼	三〇	四四
	東科前旗	二五〇	三一三
	東科後旗	一〇三	一〇二
	東科中旗	六八六	九二六
	西科中旗	二二	二三
	西科前旗	一五〇三	二三六四
	扎賚特旗	八五四	一〇三八
	小計	二五五二七	六〇二六一
吉林	長春	六六六	一四八六
	九台	一一三八	二六一七
	永吉	一六二一九	四二三九五
	蛟河	七三三六	一八二六七
	敦化	五三二七	一一六七七
	延吉	八〇一四	一七二三〇
	汪清	二七四五	五六二二
	琿春	三二九五	六三二〇
	和龍	六二二七	一四二八五
	安圖	八〇〇	一二八〇

省	縣	耕種面積 公頃	預想收穫量 公噸
吉林	樺甸	三九〇五	九二〇〇
	磐石	九四二一	二四五九八
	伊通	三〇〇七	八〇一四
	懷德	二三二七	四四九八
	扶餘	一七二四	四二四二
	農安	一〇七	二一七
	德惠	二八二	六八七
	榆樹	一六九八	四二〇四
	舒蘭	六八九四	一七二六九
	前郭旗	三四六七	七〇一七
	小計	八四六一二	二〇一一二五
松江	賓	三〇一六	七三六三
	呼蘭	三八八	八八五
	阿城	五六三六	一三〇四七
	五常	一〇三二九	二七二七九
	双城	一五一五	四〇三四
	蘭西	九	一八
	青崗	五三二	一四九〇
	東興	一三九七	三四一六
	巴彥	七三三	一七六七
松江	木蘭	九七八	二五二三
	延壽	九三〇二	二三二五五
	珠河	四三六〇	一〇八四八
	葦河	一四一三	三三九〇
	寧安	一四九二五	二七〇一八
	穆稜	三三八九	六七七八
	東寧	一八六	三六三
	綏陽	九〇	一六二
	小計	五八一九三	一三三六三六
合江	樺川	四一〇四	九三〇四
	富錦	一三五九	二八四四
	寶清	二〇〇八	三七一五
	勃利	二八九一	六三六〇
	密山	八二八五	一六四五四
	鷄寧	七四三八	一六三六四
	林口	八四六	一五二三
	方正	三三三〇	七一五三
	通河	四一五八	九二七二
	依蘭	六三三二	一二五九四
	湯原	四三九六	一〇二七三

省	縣	耕種面積（公頃）	預想收穫量（公噸）
合江	鶴立	四七二四	九五四二
	蘿北	一五〇	二八〇
	撫遠	一一三	二〇一
	饒河	六〇〇	一一四〇
	虎林	二五六	五〇七
	小計	五〇九〇	一〇七五六
嫩江	龍江	三八九三	六三八八
	景星	二八五	四四三
	甘南	七九四	一二七〇
	富裕	一五〇	二六〇
	訥河	五〇二	八五三
	泰來	六五三	四〇七
	洮安	五二九	六二二
	洮南	七三	一一五
	突泉	六〇	二五
	小計	七〇三九	一〇三八三
黑龍江	通北	四四〇	一一六六
	綏稜	六六〇	一四二三
	綏化	二五八三	五八三三
黑龍江	慶城鐵驪	二四九二	五八二一
	海倫	八八〇	二〇二三
	明水	一五九	三四六
	拜泉	三八	九〇
	依安	二八四	五七四
	克山	一〇六	二三一
	克東	七	一五
	德都	二九六	六三五
	瑷琿	一六一	二三〇
	孫吳	二〇	二〇
	遜河奇克	一五四	二六二
	烏雲	二二	二二
	佛山	五六	九七
	小計	八三〇八	一八七七八
興安	莫力達瓦	二二	三六
	阿榮	一六	二五
	布特哈	四一三	七三一
	小計	四五一	七九二
合計		三四二六三	七五五三七

註：（一）根據東北科學技術學會編纂之『東北農業統計』。
（二）本表爲截至民國三十四年七月一日，由調查機關聯合會所舉辦之農產物豫想收穫量調查結果。

東北各水系既成水田分布狀況 根據東北水利概要。

水系	河川名	支流名	既成水田面積 公頃
遼河			六七一七九
	本流		二六九三八
	海城河		四四
	太子河		三五四〇
	渾河		一八五六六
	范河		二二三八
	柴河		一三二〇
	清河		七五八二
	亮子河		七九九
	招蘇太河		二一六一
	東遼河		二二一二
	馬連河		一三七
	拉馬河		五二二
	馬朝河		六〇
	柳河		三九六
	饒陽河		四三六
	東沙河		二〇六
	湯河		一三

水系	河川名	支流名	既成水田面積 公頃
松花江			一八三九五二
	本流		七二〇六
	阿凌達河		三八七
	花爾布河		一〇一一
	格節河		二〇〇
	入浪河		八四五
	小古洞河		二一五
	大古洞河		二七〇
	西北河		四一〇
	大羅勒密河		四一〇
	大通河		三六一
	岔林河		一三一四
	大河		一九五
	濃濃河		九七〇
	白木河		九〇二
	木蘭大河		三六三二
	沙陵河		一三八六
	蜚克圖河		八三四

水系	河川名	支流名	既成水田面積 公頃
松花江	獨立沼澤		一四
	都魯河		七七
	梧桐河		八七〇
		本流	三五〇
		鶴立河	五二〇
	湯旺河		三八〇
		本流	三六〇
		西南叉河	一〇
	湯旺河	朱拉必拉河	一〇
	倭肯河		一五九一五
		本流	五七一一
		蘇木河	四五八〇
		八虎力河	二三〇九
		七虎力河	二〇二〇
		吉興河	四七七
		老樹河	三八五
		大碾子河	一六一
		大五站河	九七
		大茄子河	一七五
	牡丹江		二二一四六

水系	河川名	支流名	既成水田面積 公頃
松花江		本流	六一一四
		勃力河	一〇九九
		烏斯渾河	一四七〇
		五道河子河	三六〇
		四道河子河	一七〇
		三道河子河	一二〇
		二道河子河	一〇五
		五河林河	六四八
		勃勒裸河	二八〇
		海浪河	四三九三
		石河	一五九
		密占河	二六四〇
		蛤蟆河	一一八四
		馬蓮河	一三四二
		魚園河	二六
		加吉河	九〇
		爾站河	七四
		搭拉河	三〇
		都陵河	二九七
		朱爾多河	四五〇

水系	河川名	支流名	既成水田面積（公頃）
松花江	松花江	榆樹河	七八
		黑石河	一八〇
		黃泥河	二八二
		沙河	二五四
		威虎河	二〇〇
		小龍爪溝	一〇一
	螞蟻河		一一〇一〇
		本流	三七八四
		大黃泥河	三五七
		石頭河	一一〇二
		東亮珠河	二七二一
		太平河	七〇
		東柳樹河	一七三
		烏吉密河	四四〇
		黃泥河	四一二
		大亮子河	一二五七
		西柳樹河	六三二
		葦沙河	六二
	呼蘭河		九一一〇
		本流	四八六

水系	河川名	支流名	既成水田面積（公頃）
松花江		泥河	四五
		克音河	二六二
		諾敏河	二六六二
		格不克河	二五
		墨爾根河	三三二
		歐根河	一八四〇
	呼蘭河	拉林河	四一七
		安拜河	七八〇
		依吉密河	三七
		小呼蘭河	九八
		通肯河	一六一五
		海倫河	五二
		扎克河	四一九
		七道溝	四〇
	阿什河		三七三〇
	拉林河		一七五九〇
		本流	七四八一
		大泥河	一七〇八
		冲河	七七二
		溪浪河	七六二九

水系	河川名	支流名	既成水田面積（公頃）
松花江	第二松花江		七〇七三六
		本流	一一九一六
		鰲龍河	一七八〇
		拉法河	四六七八
		漂河	四四
		木箕河	四二八
		色洛河	二三三
		金沙河	二三四四
		頭道江	七七
		那爾轟河	二六
		珠子河	五九
		漏河	一〇五
	第二松花江	湯河	二三
		輝發河	四八四一
		呼蘭河	一四二五
		朱箕河	一五七〇
		蛟河	一八六三
		蛤蟆河	一〇一二
		三通河	八四三八
		響水河	二九

水系	河川名	支流名	既成水田面積（公頃）
松花江		涼水河	一〇四
		柳江	五九七七
		沙河	八三五
		伊通河	六〇〇七
		二道江	二四三
		古洞河	三八八
		大沙河	一七〇
		富爾河	三五
		四道白河	六〇
		飲馬河	六一四一
		烏海河	三四九
		岔路河	四五二一
		双陽河	一四七二
		伊通河	三二二九
		新開河	三一四
	洮兒河		一六九三
		本流	一四三五
		歸流河	二五五
	綽爾河		一七四八
		本流	一〇五八

水系	河川名	支流名	既成水田面積（公頃）
松花江		呼爾達河	六九〇
	雅魯河		四九五七
		本流	四二五〇
		烏拉痕河	三〇
		齊沁河	五五六
		麒麟河	九七
		滲沁河	二四
	呼裕爾河		一三一〇
		本流	一二八五
		鷄走河	二五
	音河		一〇一
	阿倫河		七八二
	諾敏河		一一六
		本流	一六
		西諾敏河	一〇〇
	訥謨爾河		七七七
		本流	二一九
		老萊河	三〇〇
		南陽河	五七
		五大蓮池河	二〇一

水系	河川名	支流名	既成水田面積（公頃）
松花江	嫩江源流		三四五
鴨緑江			一九六〇〇
	本流		四八七二
	渾江		九四三一
鴨緑江	靉河		五二九七
大洋河			六〇一六
碧流河			一五四
蛤蟆河			五七
大沙河			五〇
無名川			六八二
莊河			九二九
英那河			五一五
東沙河			三二〇二
龍白河			二〇〇
大凌河			九四七
小凌河			四〇〇
無名河			三七
興城河			五五
六股河			一五
圖們江			一九四四二

水系	河川名	支流名	既成水田面積 公頃
圖們江	本流		一一四二
	琿春河		三四〇八
	英安河		三〇
	蜜江		四五
	嘎呀河		一四八一七
烏蘇里江			一七〇一四
烏蘇里江	本流		三七五
	撓力河		一九七七
	穆稜河		一四五五四
	小穆稜河		三九
	興凱湖		六九
合計			三二〇四四六

註：(一)本表係根據僞交通部中國系職员所編纂之『東北水利述要』。
(二)本表之調查年度雖屬不明，但既成水田之分布狀況，可窺見一斑。

第三節　農地造成

農地造成及復耕廢耕地，爲僞滿時代始終不變之政策。蓋東北之可耕未耕地，近二千萬公頃，全人口百分之八〇均爲農民，且日人以東北爲東亞食糧之基地，故積極推進農業增産，以日本人之立場言之，乃爲當然之趨勢。

當民國二十二年三月一日，僞滿政府最初發表之『滿洲經濟建設綱要』中，關於農業部門之内容，有如下列：

(一)實行治水、灌溉事業等基礎的調查。

(二)設置開拓機關，在十五年内以日、韓農業移民，開發約五〇〇萬公頃之未耕地。

民國二十六年，爲僞滿實施農業增産第一次五年計劃之初年，是時以舊關東軍參謀長爲委員長，網羅日本、僞滿之有關人士及斯界之權威者，在長春舉開日本、僞滿農業政策審議委員會，議決農地有關政策後，促由僞政府實行，其内容如左：

(一)凡未開墾之土地，森林、牧野在内。均歸僞國所有，以謀土地得以合理利用及開發。

(二)爲統制土地起見，對於開墾土地及其他造成農地者，採取許可制度。

(三)關於農地造成、改良、灌溉及排水等事業，除僞國、省、縣、旗或特殊公司實行者外，一律使農事組合實行之，並授與必要之權限。

(四)爲使農業水利關係合理起見，制定法規，以明確利用人之權利、義務。

（五）農業水利事業，實行許可制度。

以上既經該大會決定，於是關於農地造成及農業水利之大綱，乃告確立。

壹、未利用地開發要綱之公布　僞滿政府當實行産業開發第一次五年計劃中之農業部門時，雖聲言：『爲確保基本面積，在北部以應開拓政策，開墾未耕地，及復耕廢耕地爲主；　至於南部則在增産新作物之方針下，以周密計劃，而期作物之有所變换。』惟起初對北部之未耕地，實際上並未積極開墾。

至『七・七』事變勃發後，物資之供需狀況，漸趨緊迫，乃於民國二十七年，將五年計劃之一部，加以修正，期與現狀符合，因而增産計劃，亦以從速增加耕地面積爲重點，更爲於二十年内，移民一百萬户，積極開墾北部之未耕地，以期確保移民用地及安插由開拓用地内移出之國人。國人所有之熟地，凡能作爲水田者，多被僞政府奪作日本開拓民用地，對此等無地可耕之國人，則遷於北部，使之開墾土地。

按東北之總面積，爲一一〇〇〇萬公頃，其中可耕地之面積，約爲三三〇〇萬公頃，若根據二十九年之調查全東北耕地面積約爲一六六〇萬公頃時，則至少尚有未耕地一六〇〇萬公頃，該項未耕地中，雖稍有濕地，但如微施農業土木工程及治水技術，即可開爲農地者，可能有五〇〇萬公頃左右。

此等土地，不在開墾已久及移民告一段落之遼河流域，而在嫩江及松花江兩岸之沃野。當公布該項綱要時，僞總務長官曾以官場慣例，發表如下談話：『此廣大之未耕地，亟待開拓，而開拓之進展，不但對於東北農業之發展，有所貢獻，即於改善民生上，亦有甚大效果。當開發時，須實施農、畜、林産之綜合的有機的經營。』

按此談話之重點，有以下數項：

一、開發未耕地，係爲農民全體設想。

二、爲謀未耕地之綜合有機的開發，其土地須統歸僞政府收買；　爲求收買價格之合理，應講求適宜措置。實則其價格恒不及實價十分之一二。

三、根據本綱要所開發之未耕地，應以未開發地域之僞吉林、濱江、龍江、牡丹江、三江、黑龍江、興安東省等各省之賣出地『九・一八』事變前，由國家賣與人民之荒地。爲目標。

四、集團開拓，以不收買一般已墾之私有土地爲原則。實則多爲强制收買。

五、僞『滿洲拓殖公社』及『滿鮮拓殖會社』，今後不得直接取得開拓民用地。實則該兩移民機構擁有土地數目，已相當龐大。

六、所謂未利用地者，係指現在未經耕種之土地而言，濕地雖包括在内，但放牧用地及未利用之濕地除外。

關於開墾農地與改良事業之基礎調查與實施，係由僞開拓總局拓地處掌管。此外並設有僞『滿洲土地開發

株式會社』，以專司承攬僞國營開墾農地事業。

僞滿境內可耕地不可耕地之統計

年度	可耕地面積　公頃			不可耕地面積　公頃	合計
	既耕地	未耕地	計		
民國二〇年	一三九六八四二〇	一六二〇〇八四〇	三〇一六九二六〇	七三三七八六五〇	一〇三五四七九一〇
民國二一年	一三六五〇四六〇	一七〇五三二〇〇	三〇七〇三六六〇	七三三一〇二五〇	一〇四〇一三九一〇
民國二二年	一五八八三四一〇	一七七八〇八四〇	三三六六四二五〇	八五八六九五六〇	一一九五三三八一〇
民國二三年	一三九四〇四五〇	一七七五七四二〇	三一六九七八七〇	六〇八〇一七二〇	九二四九九五九〇
民國二四年	一四三八五八七九	一六二七八八四六	三〇六六四七二五	七二八一一八七一	一〇三四七六五九六
民國二五年	一四九六〇二五〇	一七七七五四一〇	三二七三五六六〇	五四九一一七一〇	八七六四七三七〇
民國二六年	一七一七〇七六六	不詳	不詳	不詳	一三八〇二六七九二
民國二七年	一七七二三〇一七	二二三四五六八九	四〇〇六八七〇六	一〇八〇九二八〇〇	一四八一六一五〇六
民國二八年	一七三三一六六一	一五五一六三九五	三二八四八〇五六	七四二五二七八一	一〇七一〇〇八三七
民國二九年	一六五九一八三七	一六三五三七一一	三二九四五五四八	八二三四二三九六	二五二八八九四四

註：（一）本表可耕地面積欄內之既耕地，係指旱田、水田及果樹之面積而言；未耕地，係指廢耕地、原野、濕地及鹼地中之可能利用者而言；不可耕地，係指森林、濕地、鹼地及其他之面積而言。

（二）民國二十年至二十四年度，係依據舊東三省之區域。

（三）民國二十五年度，不包括興安四省。

（四）民國二十八年度，不包括興安南、西兩省（但通遼及開魯兩縣包括在內）及熱河省。

（五）民國二十九年度，不包括興安南、西兩省（但通遼及開魯兩縣包括在內）。

民國二十七年各省可耕未利用地面積統計偽産業部建設司調查。

偽省名	可耕未利用地面積 公頃 濕地	草地、鹼地	計	上列面積中，比較容易開發者 公頃
吉林	五八四九五〇	一三六七六六〇	一九五二六一〇	三二六五六〇
龍江	二二七五三三〇	四二五四九〇〇	六五三〇二三〇	六三〇八七〇
黑河	九八六五〇〇	九六五四九〇	一九五一九九〇	一四九五〇〇
三江	四二九〇〇四〇	五九七三一〇	四八八七三五〇	四〇二七一一〇
牡丹江	一一九三二五〇	二〇六一〇〇	一三九九三五〇	一〇二九七八〇
濱江	一三一四〇四〇	一五一一四五〇	二八二五四九〇	九一三〇七〇
間島	一八五九〇	三〇七五〇	四九三四〇	三八五〇
通化	四三二二〇	四九一〇	四八一三〇	一九〇六〇
安東	一二四六〇	三〇八二〇	四三二八〇	一〇〇六〇
奉天	二四六三五〇	六一二七六〇	八五九一一〇	一五一六七〇
錦州	一五一九九〇	一四七七二〇	二九九七一〇	一一〇三八〇
熱河	二三三五〇	三七〇六四〇	三九三九九〇	二五〇
計	一一一四〇〇七〇	一〇一〇〇五一〇	二一二四〇五八〇	七三七二二六〇

註：本表係參考偽實業部臨時産業調查局及偽國務院國道局所調查之結果及偽産業部建設司所實施之利用土地調查而作成者。

全東北各年度耕種面積統計

年度	耕種面積　公頃	年度	耕種面積　公頃
民國一八年	一三一二七四〇七	民國二七年	一七七二三〇一七
民國一九年	一三〇六二九一〇	民國二八年	一七三三一六六一
民國二〇年	一三九六八四二〇	民國二九年	一六五九一八三七
民國二一年	一三六五〇四六〇	民國三〇年	一九三六九一一六
民國二二年	一五八八三四一〇	民國三一年	一九三九四五一一
民國二三年	一三九四〇四五〇	民國三二年	一九四四四四五六
民國二四年	一四三八五八七九	民國三三年	一九八四二三四一
民國二五年	一四九六〇二五〇	民國三四年	一七二九九六八〇
民國二六年	一七一七〇七六六		

註：（一）民國十八年至二十九年之調查範圍，與第四十七頁之表相同。
（二）民國三十至三十三年，爲僞滿全地域。
（三）民國三十四年，爲東北九省之區域。

貳、僞滿國營農地之造成　關於開墾大規模未利用地，以擴張耕地面積，保留開拓民遷入用地，及安置自開拓區内逐出之國人等，自公布未利用地開發要綱後，遂由僞開拓總局之拓地處施行綜合有關之調查及計劃，自民國二十九年起，暫按下列方針開始實施：

一、造成面積爲七五〇萬公頃。水田面積約佔百分之一〇。

二、自民國二十九年起，以二十年間爲工事期間。

三、總工事費爲一六五〇〇〇萬圓。

四、自民國二十八年起，以十二年間爲樹立工事計劃期間，一切事業，由僞開拓總局拓地處掌管。

五、此項工事規模既大，所需資金亦多，更需高度技術及長久歲月。

六、事業之範圍，以造成基礎設施爲限。

七、事業之實施，以新設之僞『滿洲土地開發株式會社』承辦爲原則。

民國二十八年，僞開拓總局拓地處即開始設計調查此項事業，因調查之進展，就實際情形將原定造成之面

積、工事期間及事業費等，加以變更。工事費爲三七億圓，期間由民國二十九年起，以十二年間造成六一四萬公頃。自民國三十年後，對面積狹小而工事較易者，委託地方政府辦理；在開拓團已遷入之地區或僞『滿洲拓殖公社』所有土地，則由僞『滿洲拓殖公社』實施； 至於實施工事，則由僞開拓總局設計完竣之地區起，依次開始。 其實施經過極爲順利。復於民國三十二年末，將此項計劃改爲緊急開墾農地事業，此一階段開墾之實際成績，水田爲三五 〇〇〇公頃，其中僞土地開發株式會社開墾者爲一九 〇〇〇公頃。旱田爲六五 〇〇〇公頃，其中僞土地開發會社開墾者爲一 〇〇〇公頃。共計開墾約一〇萬公頃之農地。

僞國營造成農地之實際成績(一)計劃之總面積

區別	民國三一年末工事已完竣者或在進行中者之面積 公頃	民國三三年以後預定動工之面積 公頃	共計 公頃
水田	七六 一四四	一二五二 五五九	一三二八 七〇三
旱田	一一一 六五二	四六九五 六七八	四八〇七 三三〇
計	一八七 七九六	五九四八 二三七	六一三六 〇三三
農地以外	二一三 三二二	八八〇六 三一〇	九〇一九 六三二
共計	四〇一 一一八	一四七五四 五四七	一五一五五 六六五

僞國營造成農地之實際成績(二)事業經費之總數

年度	事業經費 圓	備註
民國二九年	八三六〇〇七二	實際成績
民國三〇年	八四二〇九三二	實際成績
民國三一年	一九五三九三〇〇	實際成績
民國三二年	四七五九一八四七	預算額（本年度之實際成績與本預算略同）
民國三三年	六五〇〇〇〇〇〇	預算額（本年度之實際成績與本預算略同）
共計	一四八九一二一五二	

註：本表總額，僅指擬定實施計劃地區中之業已造成或已動工者所需經費，並非本事業之全體預算額。

僞國營造成農地之實際成績(三)造成面積詳細内容

地區名	所在地 省	所在地 縣	事業費 千圓	計劃造成之面積 公頃 水田	旱田	計	民國三二年末實際成績 公頃 水田	旱田	計
鶴立	合江	鶴立	九四〇七	五七二三	一八九四七	二四六七〇	六〇〇	二〇〇〇	二六〇〇
蓮江口	合江	湯原	八〇四九	五〇〇〇	二〇〇〇〇	二五〇〇〇	—	—	—
太平鎮	合江	樺川	四〇八三	二五〇〇	六五〇〇	九〇〇〇	—	二〇〇〇	二〇〇〇
黑台	合江	密山	九五八五	六三三五	一五八五〇	二二一八五	六〇〇	一三〇〇	一九〇〇
新開河	吉林	長春	一〇一七〇	一二九二七	一九八五	一四九一二	一三〇〇	一三〇〇	二六〇〇
飲馬河	吉林	九台	二七七〇	三八〇	四五〇	八三〇			
盤山	遼寧	盤山	二五三〇〇	二〇〇〇〇	二四〇二	三一四〇三	九〇〇〇	六〇〇	九六〇〇
康平	遼寧	康平	八五九一	二二〇〇	一二七九五	一四九九五	四〇〇	一三〇〇	一七〇〇
岔路口	吉林	德惠	三三三五		二〇〇〇	二〇〇〇			
昌圖	遼北	昌圖	一一〇〇	一五〇〇	二七二〇	四二二〇	二〇〇〇	二二〇〇	四二〇〇
呼裕爾河	黑龍江	克山克東	五一二九〇		一六〇〇〇	一六〇〇〇			
綏化	黑龍江	綏化	一一五七九	二〇〇〇	一四三〇	三四三〇			
大仙塔拉	嫩江	洮安	三二七二		一三〇〇〇	一三〇〇〇			
甘南	嫩江	甘南	二五八六九	八〇〇〇	六九八四三	七七八四三			
計			一七四四〇〇	六六五六五	一九二九二二	二五九四八七	一三九〇〇	一〇七〇〇	二四六〇〇
四道河	松江		一一〇	八四	二六〇	三四四	八四	二六〇	三四四
東寧	松江	東寧	三〇〇	三〇〇	一六	三一六	三〇〇	一六	三一六
青堆子	安東	莊河	一九二六	一〇〇〇	三〇〇	一三〇〇			
莊河	安東	莊河	四七一	二四五	—	二四五	二四五	—	二四五

地區名	所在地 省	所在地 縣	事業費 千圓	計劃造成之面積 公頃 水田	計劃造成之面積 公頃 旱田	計劃造成之面積 公頃 計	民國三一年末實際成績 公頃 水田	民國三一年末實際成績 公頃 旱田	民國三一年末實際成績 公頃 計
城子河	吉林	舒蘭		二五〇	—	二五〇	二五〇	—	二五〇
公主嶺	吉林	懷德		五〇〇	—	五〇〇	五〇〇	—	五〇〇
秋梨溝	吉林	敦化		二五〇	—	二五〇	—	—	—
琿春	吉林	琿春		三〇〇	—	三〇〇	—	—	—
德鳳	黑龍江	德都	一〇〇〇	一〇〇〇	—	一〇〇〇	一〇〇〇	—	一〇〇〇
雙遼	遼北	遼源		—	二〇〇〇	二〇〇〇	—	二〇〇〇	二〇〇〇
成吉思汗	嫩江	龍江		八二〇	一五四四	二三六四	—	—	
三家子	嫩江			九七六	—	九七六	—	—	—
計				五七二五	四一二〇	九八四五	二三七九	二二七六	四六五五
共計				七二二九〇	一九七〇四二	二六九三三二	一六二七九	一二九七六	二九二五五

註：（一）本表爲截至民國三十一年止，其三十二年竣工者，未行列入。

（二）本表所列地區名，由鶴立至大仙他拉之十三地區，係由僞土地開發株式會社；甘南、四道河、城子河及德鳳各地區，係由僞滿洲拓殖公社；秋梨溝，係由舊滿鐵所施行者，其他各地區，則委託該地區所屬之僞省、縣公署施行。

參、僞濱江省防水開發事業局　僞濱江省境内，松花江横貫東西，除其支流呼蘭河、拉林河、螞蟻河、一名螞蜒河阿什河外，尚有十餘河川。此等河川，自有史以來，未經一度人工修築，均爲原始狀態，沿岸一帶，可耕而未耕之地極多，其已耕之土地每因河水氾濫，害及農耕，其被害程度每年平均可達一一〇〇萬圓，僞幣如加算民國二十一年及二十三年所遭兩次之大水災，其損失數字更爲龐大。

於是，僞濱江省公署與僞滿中央政府採取緊密聯繫，遵照僞滿國營開墾農地事業之意旨，積極實施防水及開發工作；並爲保留開拓用地及增加農産起見，於民國二十九年，設省營僞『濱江省防水開發事業局』。自是年起，以十年計劃，開始興工。

其事業計劃内容如下：

一、防水與排水事業　在呼蘭、拉林、螞蟻、阿什各河上流，修築作爲灌溉水源與調節洪水之兩用儲水池；並於其沿岸新設防水堤一一三六公里；整理曲折較大

河道約一一〇公里；以期防止已耕地二〇萬公頃及可耕未耕地一五〇萬公頃之水災。

二、土地改良事業　對已消弭水災之未耕地，施行改良土地工事，結果造成水田八四〇〇〇公頃，牧場二九〇〇〇公頃。

三、地區數　在該省各主要河川之沿岸各地，其交通便利、土地肥沃而荒蕪未種者，共有六十餘地區。

四、事業總費　事業總費爲一六〇〇〇萬圓，其中屬於發行省債者爲一二五〇〇萬圓，僞政府貼補者爲二一三七萬圓，其餘則使享受利益人擔負之。

根據此項計劃，自民國三十年開始興工，結果頗有相當成績。至民國三十二年，將此項事業，編入僞滿國營開墾農地事業範圍内，仍繼承以前之計劃，繼續施工，直至光復。兹將此項事業前後之成績，列表如左：

防水開發事業實際成績(一)總括面積

防水、排水事業

地目	計劃面積　公頃	民國三一年末完成面積　公頃
耕地	二〇三五一七	一一一四六
未耕地	一四九一五六	一三八三三
計	三五二六七三	二四九七九

造成耕地事業

地目	計劃面積　公頃	民國三一年末完成面積　公頃
水田	八四三〇〇	七〇〇
旱田	二三五九六	三八七〇
牧野	二九一四五	一六〇〇
計	一三七〇一四	六一七〇

防水開發事業實際成績(二)各年度事業局經費

單位：圓

科目	民國二九年	民國三〇年	民國三一年
局費	六九五〇五	四七八七八九	六〇七三一四
事業費	五四七三四七	一六八七八七七	六三一三九〇一
公債經費	二三四四七八	一二三八九九四	一二五三八五一
營繕費	一九一七六	二三三四七八	一五二八九三
工作費	一五七六五三	五二四七八	四六七五七
貸款	八三五〇〇〇〇	一六五〇〇〇〇	
計	九三七八一六二	五三四一六一八	八三七四七一八

防水開發事業實際成績(三)完成事業之詳細内容

地區名	防水、排水事業 公頃			防水堤 公里	造成耕地事業 公頃			
	耕地	未耕地	計		水田	旱田	牧野	計
哈爾濱一號	五七九	六九八	一二七七	六點三	—	五七〇	—	五七〇
哈爾濱二號	—	一四〇〇	一四〇〇	四點五	—	—	—	—
阿城一號	二〇〇〇	七〇六六	九〇六六	七點四	—	—	—	—
阿城四號	—	四〇〇	四〇〇	四點八	—	—	—	—
五常六號	—	二五一二	二五一二	七點七	—	—	—	—
葦河二號	—	一二五〇	一二五〇	一〇點〇	—	—	—	—
木蘭一號	—	—	—		七〇〇	三〇〇	四〇〇	一四〇〇
木蘭二號	三〇〇	一〇〇	四〇〇	七點〇	—	—	—	—
郭後旗一號	八二六七	四〇七	八六七四	四五點〇	—	—	—	—
蘭西五號	—	—	—	—	—	三〇〇〇	一二〇〇	四二〇〇
計	二一四六	一三八三三	二四九七九	九二點七	七〇〇	三八七〇	一六〇〇	六一七〇

肆、我國農民對於農地之復耕及開懇　與僞滿國營農地造成事業相携並進者，尚有在北部各省，由我國農民及韓農對農地之復耕及開墾事業。因日本移民用地，雖宣稱在可能範圍内，以選未利用地爲主，藉免與我農民摩擦；但實際我國農民之土地在移民區以内者，皆强制實行收買，交於日本之移民耕種；因此我農民之耕地，凡劃歸日人之移民區者，均被奪取。又爲放逐我農民並利用其勞力起見，將日人開拓用地以外之未利用地許可我農民開發耕種，是以對於僞濱江、三江、牡丹江各省，制定開懇農地計劃，自民國二十八年起實行；此種事業，雖名爲開發事業，事實上不過使我農民放棄自己田園，迫赴邊疆，爲日人作第二次移民準備之開墾而已。

此項開墾農地計劃，大致如左：

一、開墾農地計劃，以開拓用地以外之可耕未耕地及廢耕地爲對象；其造成面積，預定濱江省一四七 四〇〇公頃，牡丹江省一〇〇 八〇〇公頃，三江省一二〇 〇〇〇

公頃，共三六八 二〇〇公頃。

二、由僞省公署指導，由僞縣農事合作社、協和會及其他有關機關會同實施。

三、收容之農家，均爲各省之本省農民；　收容計劃，濱江省於二十年間收容二〇 〇〇〇户，牡丹江省於三年間收容一四 〇〇〇户，三江省於二年間收容一五 〇〇〇户，共計四九 〇〇〇户。

四、此等農民，雖暫時使其爲縣有土地之佃户，但將来擬逐漸改爲自作農、濱江省。永久佃作農三江省。或暫時佃作農。牡丹江省。

五、對遷入之農户，貸與牲畜、農具、種子、飼料等，並由縣政府貼補警備設施及交通設施各種經費，藉助其經營發展。

嗣於僞開拓總局招墾處，新設第三指導科，專司辦理我農民移住及民族間糾紛問題。當民國三十一年，僞滿政府爲完成第二次農業開發五年計劃起見，更嚴令擴大農地面積，可知奬勵農民復耕農地，即所以造成僞滿之國營農地耳。

是年十一月，以僞勅令公布『内國開拓民助成事業法』。據稱其目的爲『輔助東北國人開拓民，創設自作農及以自作農爲主體之優良農村，以期農民生活之安定與向上，而資促進土地之開發』。其内容大致如左：

（一）希望遷移之農家，經僞興農部大臣許可後，即可遷至指定僞滿國有未利用地内，構成部落，從事開拓。

（二）遷入者所使用僞滿政府分配之宅地、農耕地及共同利用地等，每年須向僞政府繳納租金，繼續交納至二十年後，該農家始可取得該土地所有權。

（三）政府對遷入者，除貼補遷移費、建築費及公共設施費外，並貸與經營農業資金。

在公布本法時，僞滿政府曾將開拓事業及僞濱江省、三江省造成農地事業，設立特别會計，以期便於處理。

上述以東北農民爲對象之開拓方策，雖冠以『造成農地』之美名，其實際則不外爲驅逐日本開拓民佔用地内之我農民，及利用被逐農民開墾荒地，以謀擴張耕地面積，與所謂『造成農地』之宗旨，殊有不同，充其量亦不過爲解決隨移民計劃及其增産計劃所發生民族糾紛而已。

至於純爲擴張耕地以及利用東北農民達成農業增産之辦法，當民國三十一年一月，有僞治安部與僞興農部會銜制定之『治安較佳地域復興農地要綱』。此乃爲使以前因建設集團部落因治安關係，將散居之農家，强使化零爲整，其原有住宅，以火焚却。所生之廢耕地，其散在治安較佳地域者，得以積極復耕，增産食粮。其具體方法如左：

一、爲復耕農地，許可農民出入集團部落以外地區，使其建築房屋或於耕種期間内，臨時使用搭蓋之窩舖。

二、因復耕農地而發生之土地耕種權、經營農業資金、種子及農具等問題，統由僞政府輔導或斡旋之。

三、復興廢耕地，定爲左列各省：

僞吉林省、龍江省、濱江省、通化省、安東省、四平省、奉天省、錦州省、興安西省、興安南省。

民國三十二年五月，又有『促進農地利用』僞勅令之公布。

此則以維持或增進農産物之生産，廣行促進利用農地僞國有地、公有地、蒙地、及開拓用地除外爲宗旨。其具體方法，有左列各項：

一、僞政府對於開墾或改良農地及復耕農地者，支給補助費。

二、僞市、街、村長，對於廢耕地所有權者或以前曾耕種該廢耕地者，勸其仍耕該地；如無正當理由，而不聽勸告時，得由僞政府將其廢耕地没收管理。

三、僞市、街、村長，爲調查佃租及利用農地各項問題得居間斡旋。

四、僞市、縣、旗長爲實行防水與排水事業，興築水利設施及改良土地事業等，遇必要時，得令土地或物品所有者，將其土地或物品，讓與開墾或改良農地者。

五、僞省長及特別市长，對於耕種僞興農部大臣指定以外之農作物，得限制或禁止之。

統觀上列各項，可知比較以往辦法，益帶强制之濃厚彩色；蓋因戰局日緊，日人對增産農産物之要求愈急，不得不採取此種强硬政策。

此外尚有興農合作社，領導當地農民集團造成農地之運動；此因從前改良或擴張農地辦法，率由農民自行實施，結果成績均極不佳。迨民國三十三年乃由僞興農合作社倡導，作有組織之造成農地，此項運動，一時曾澎湃於東北各地。僞政府鑑於工作之重要，除設法支付少數之補助費外，並通融資金及斡旋一切，結果遂開墾旱田八四 六〇〇公頃，造成水田五 六〇〇〇公頃。直至翌年光復，工作始告停止。

伍、僞滿基本國策大綱與農田水利政策　當民國三十一年十二月太平洋戰爭一週年時，僞政府對過去十年政績，追溯檢討，以既成建設爲基礎，加以應付新情勢之需要，擬定發展僞國力之基本方策，結果公布所謂『基本國策大綱』。在該大綱第四章之經濟綱要中，關於農業水利、造成農地及理水等基本方策，有以下各要項：

一、開拓未耕地，按計劃程序，使日本移民及東北農民實施之。

二、促進治水與利水事業，以資積極開墾農地。

三、對於理水事業，以防水及有效利用河水爲目的，在綜合計劃下，積極推進，尤應以遼河水系爲實施重點。

此外，爲與僞基本國策相呼應，除積極增加農産外，並講求臨時緊急對策，民國三十二年，又公布『戰時緊急農産物增産方策要綱』，以簡易迅速開墾或改良農地爲重點，其大要如左：

一、對縣、旗特定團體及有力之個人，所開墾或經營之農地，予以獎勵。

二、於各水利單位，設立水利組合，以資促進改良與造成農地。

三、應加强復耕治安較佳區域内之廢耕地。

四、獎勵設立自給農場，以充實特殊公司及團體等之食糧或原料。

五、爲採有效之臨時措施以防止廢耕計，復相繼公布『水利組合設立要綱』『自給農場設置要綱』及『促進利用農地要綱』等。

民國三十三年初，更因時局緊迫，日人認爲除綜合推進有關興農各種方策外，並須酌核各地情形，擬定特殊增産計劃，爰以『戰時緊急農産物方策要綱』爲基礎，增加新方案，乃又制定『農政方策要綱』，兹將該要綱中所載農地方策之要項列左：

一、縣、旗、特殊團體、公司及個人，所開墾之農地及經營之農場，應特加獎勵。

二、開墾農地，以改良及造成水田爲重點，尤其對於能以迅速收得實效者，優先予以考慮。

三、增加水利組合，予以法人資格，並整備其中央機構。

四、對農業勞力，講求有效對策。

五、徹底調查廢耕地，凡在治安較佳區域内者，應即促使復耕。

六、獎勵增設自給農場。

七、力求特用作物灌溉設施之增設與普及，以資改良農地。

八、爲獎勵開墾農地及防止廢耕，應加强實施『促進利用農地』及『調停租種』各種法令或方案。

九、對造成水田、防水、排水工事、復耕廢耕地及開墾未耕地者，除貼補一部份工程費外，並優先分配事業上必要之資金、資材、勞力及生活必需物資。

各種要綱雖多，但已得具體化者，則爲僞『康德十一年度農地之造成與改良事業要綱』。

此要綱中所載之各項，爲以前各種有關方策要綱中已屢經加强實施者。而在本要綱上，仍不憚重復加以列載者，不外爲表示此等一貫方策，必須以綜合有機的方式運用，始可得其效果； 且更表示關於造成農地一事，爲僞當局自建僞國以來，即賡續努力者。

僞康德十一年度農地之造成與改良事業要綱内容如左：

一、爲謀農地之積極開墾與改良計，應取左列措置：

（一）按地方之實情，使縣、旗、特殊團體、公司或有力之個人，積極開拓或改良未利用地、濕地及乾洩地，以期開墾或經營水田及旱田。

（二）當實施事業計劃時，應以水田之造成及改良爲

重點。對簡易而迅速收效者，應優先考慮之。

（三）應增設或整備水利組合，同時制定水利組合法賦予法人資格，以謀運用事業之靈活。

（四）創立中央水利組合，以謀組合互相間之緊密聯絡及運用事務之圓滿靈活。

（五）爲完全利用開墾或改良之農地，應與有關機關保持緊密聯絡，並應講求使都市人口歸農辦法，調整農村勞力及活用遊閑勞力等之有效措施。

（六）應從速復耕廢耕地，以增加農地面積。更爲杜絶廢耕之發生，由特別市長、市長、街長及村長等，對管内之廢耕地徹底調查，並擬具緊急復興計劃。

（七）實施本綱要時，應與有關機關保持緊密聯絡，根據『促進利用農地辦法』，積極勸令耕種。管理調整佃租，並按照現地情形，減免田賦租税及減輕『出荷』分配率。

二、爲完成事業計劃，應講求左列辦法：

（一）爲提高增産熱意，由僞國庫及地方行政團體，實行下列輔助辦法：

第一　造成水田面積在五〇公頃以上或改良面積在一〇〇公頃以上時，由僞國庫支付總工事經費三成以内之補助費；　但有特別情事時，得不按此規定辦理。

第二　以開墾與改良農地爲目的而建設之防水或排水設施，其相當鉅大者，應由僞國庫支付總工事經費三成以内之補助費；　但遇有特殊情形時，得不按此規定辦理。

第三　因設立集團部落及災害等所發生之廢耕地；或不附帶改良工事之已墾未耕地，如具有一定條件時，每公頃應由僞國庫支付十五圓之補助費。

第四　右列事業其不應由僞國庫支給補助費者，須由地方行政官署，考慮現地情形，講求適當之補助辦法。

（二）爲求實行事業之圓滿，應按左列辦法實行勞資緊急措施：

第一　所需之資金、資材、食糧及勞力等，於可能範圍内優先利用當時所有者。

第二　對造成水田及改良事業或防水、排水事業等，遇有特別必要時，應由僞中央政府斡旋長期貸欵，同時並對於木材、鋼鐵及水泥等實行特別配售。

第三　對勞力不足地帶農忙期之徵用勞力，應加限制；　並奬勵學生、協和青少年團及勤勞奉公隊予以協助；　同時更利用農村遊閑勞力，及疏散都市中非生産之人口，使之歸農，以充實農業勞力。

第四　對於經營農業用之食糧、紗布、農具、種子及生活必需物資等，應特別予以優先配售。

陸、自給農場之設立　實現所謂戰時緊急農産物增産之具體方策，端在提高農業技術；　然當時東北之農業技術，尚屬幼稚，故僞滿政府遂以農地之開墾與改良，而求擴張耕地面積爲增産要諦。於是按照各地情形，對於

地方行政官署、特定團體、公司或有力之個人，獎勵開墾與改良農地，因而新經營之水田及旱田，其成績頗有可觀。

當時東北之食糧，亟待增加，惟以農村勞力，多被徵用於礦工業方面，影響農村勞力甚鉅，並因强制分擔農産物『出荷』數量，以致農民多忌避栽種統制作物，形成減産傾向。長此以往，不但日人爲戰爭所需之食糧難得供給，即一般民需，亦有未足，尤以從事重要生産之各單位，因需要較多，更感不足。此不僅對把握勞工，發生困難，即對增産效率，亦阻礙彌多。僞滿政府爲使需要大量農産物者能充分獲得需要數量，以便發揮事業機能，而謀補助日本戰力計，經研討結果，惟有開發未利用地，獎勵經營農場，以期達成食糧或原料之自給，而資確立事業基礎，以及有助於農業之增産。當民國三十二年一月，乃發表『自給農場設立要綱』，其内容如左：

一、經僞興農部大臣、省長，或市、縣、旗長之認可而設立自給農場者，其生産物可供給自家之需用。

二、農場用地，以開墾荒地、廢耕地或經改良之土地充之。僞政府對需要此項土地者，除予以種種便宜外，並將僞國有地、公有地，或僞滿洲拓殖公社有地等，採取賣出或貸與辦法。

三、僞政府對於設立農場者，發給補助費，並減免賦税及出産糧石税。

是年十月，又以相同之宗旨，許可設立副業之自給牧場。因鑑於以往對於從事重要産業之職員、工人之食糧，農、畜産物及工業原料之配售等，雖早已加入僞中央或地方物動計劃之内，但其配售之物資，常受軍需之影響，頗欠圓滿，因之重要産業之推進，亦受阻礙。爲打破此項困難，乃使需要大量農、畜産物者，樹立經營自給農場計劃，如此既可直接減輕僞政府擔負，又可間接促進未利用地之農、畜增産。實行結果，頗洽輿情；於是，如舊滿鐵、昭和製鋼所、僞大同酒精、日滿製粉、滿拓、農地開發等各公司，繼續在各地開設農場。僞政府所計劃之增加生産數量，一時似乎頗有希望。

其後各公司團體等，乃具體進行設立農場；不意至開發未利用地時，多因主持事業者對水利開發事業及經營農業缺乏經驗，因而發生種種困難，結果僅對農場用地中之已耕地及比較容易闢爲耕地者予以耕種，其未墾之土地，則仍舊放置；故各自給農場，所收穫之數量，僅較配售量稍多，對於全體增産上並無何補助。

按統制農産物，原爲打開東北供需之僵局而實施者，其理論方面，固盡善盡美，惟以實行者未能切實奉行，致其政策於光復前即有崩潰之現像。兹將舊滿鐵經營之自給農場概要，列表如左：

舊滿鐵自給農場概要

農場名	農場面積 公頃	水田面積 公頃 既成	水田面積 公頃 新造成	旱田面積 公頃 既成	旱田面積 公頃 新造成	果樹面積 公頃 既成	果樹面積 公頃 新造成
熊岳城農場	九七	一三	—	三四	五	二七	—
遼陽農場	一四	—	—	一一	—	—	—
蘇家屯農場	一〇〇	九	—	八一	—	—	—
瀋陽農場	五四	—	—	三六	—	—	—
長春農場	五三	—	—	三六	二	—	—
興城農場	一一一	—	—	七二	—	一二	—
泡子農場	二七一	—	—	一三三	六九	—	—
小孤家農場	四三一	二三	二二	一五四	三〇	—	—
吉林農場	一三〇〇	一四〇	五一六〇	六二〇〇	—	—	—
海林農場	二二六	七〇	一〇	八三	—	—	—
奇峰農場	一二八三	七九	二〇〇	七一	二五〇	—	—
吉山農場	一八〇〇	—	一〇〇	五四	六四六	—	—
雙城堡農場	二〇三	—	—	一八五	—	—	—
哈爾濱農場	四六	—	—	三〇	—	一〇	—
王楊農場	二〇六八	—	—	四四八	一一七八	—	—
玻璃山農場	六三〇	—	—	一八七	二四三	—	—
鎮西農場	五〇	三四	—	一一	—	—	—
牙克石農場	五〇〇〇	—	—	九〇一	一〇九九	—	—
計	二五四三七	三六八	五四九二	八七二七	三五二二	四九	—

第四節　對於農田水（力）〔利〕及開墾農地事業之補助

偽滿爲加强農業增産，乃開發可耕未耕地，以增加耕地面積，且整備水利設施，以期耕種水田。但施行之初，因種種障礙，未能盡行如願，故具體結果，並無可觀。迨實行農業增産計劃之後半期，對推行農田水利及開墾農地，不遺餘力，此項事業之發展，遂有蒸蒸日上之勢。

蓋偽滿以農業增産五年計劃與開拓政策同時推行。農業增産，雖可按其計劃，於最短期内收得最大效果，但開拓政策，則必須長期計劃，堅決進行，始可有濟。偽滿政府以當時擔負日本之食糧基地任務，對農業增産，急不暇擇，乃將農業增産五年計劃與移民政策同時進行，忽略伸縮，致造成一種特殊現象：凡爲日本開拓民準備之可耕未耕地及用水來源等，因日本開拓民之姍姍來遲，而悉成放棄狀態；反之抱有開發熱誠之我國農民，却盡被偽滿政府所禁阻，望洋興嘆，不得耕耘。

偽滿政府雖知上述情形有礙增産，但仍採取消極方法，只對農田水利或開墾農地等事業加以指導與輔助，以圖補救。其主要辦法，即按照當民國二十四年時，偽實業部令第一一三號及米穀管理法，對農田水利及開墾農地者，採取許可制度。如此，事實上凡與開拓政策有關之土地及水源等，等於仍不開放，以俟日人開拓民之來。其對東北農民所許可者，均係日人開拓民用地以外之剩餘土地，耕種及附帶條件均極惡劣。由此可知，當時日人對於開拓民之期待如何殷切，而對於東北農民爲如何苛薄。

太平洋戰爭發生後，東北食糧之需要，漸趨嚴重，若不將此消極的矛盾的政策加以轉變，則東北之增産一事無由完成。此時，偽滿政府乃不得不採取速效增産主義，暫行拋棄專俟開拓民增産之方針，除對於造成水田、農地之防水與排水、復興廢耕地、開墾農地等事業，制定支給補助辦法外，並在偽興農部内新設農地改良科，以及便民間設立水利組合等，力謀改良與增産。兹將對各事業之補助辦法，略述如左：

壹、對造成水田事業之補助　對造成水田事業之補助辦法，以民國二十九年補助改善已成水田之水利設施費爲始，每公頃之補助費由五〇圓至二〇〇圓，偽幣。計民國二十九、三十兩年度之補助總額爲四〇〇萬圓。民國三十一年，乃公布『造成水田助成綱要』，凡偽滿洲土地開發公社及滿洲拓殖公社以外造成之水田，其面積在二〇〇公頃但該年度其面積在五〇公頃以上時亦補助之。者，對其造成經費，支給三成以内之補助費，支出總額爲二〇〇萬圓。

民國三十三年度，改變方針，以簡易且收速效之造成

水田，或改良水田事業爲對象； 並對以水利組合爲主體而作此等事業者，優先配給資材、勞力並斡旋貸予資金； 同時更提高補助費之支給率。 該年度支出總額計達一五〇〇萬圓。 對造成水田者改爲在五〇公頃以上者、對改善設施改爲在一〇〇公頃以上者補助之。 參照民國三十三年度農地造成與改良事業綱要。

工程別	補助率
儲水池工事	百分之七〇
引水設施工事	百分之五〇
渠首工事	百分之五〇
用水幹線工事	百分之四〇
防水堤工事	百分之四〇
需要多量資材之工事	百分之四〇
一般工事	百分之三〇

試觀上表，可見對造成水田及改良工事之補助率，頗爲提高。 按東北水田，多以自然流水爲水源，其利用狀況，已近最大限度，且於降雨稀少時，耕種面積，則有顯著之減少。 此種現象南部及東部尤甚。 加以光復後，㈡治安不良，影響更大，故今後應急謀確保既成水田之水源，對於地下水源亦應同時考慮。 防止廢耕，獎勵人民歸農，蓋當前復耕既成水田，較新闢水田，尤爲重要。

貳、耕地之防水與排水事業　東北之耕地，雖不乏廣闊之平原與建有防水、排水設施者，然除極少地域外，則不可多見。 故每當大雨連綿時，河水每易沖毀耕地，或於耕地內長期滯水，以致減少收穫頗鉅； 甚有因浸水及滯水，使耕地變爲濕地，終不得不放棄耕種。 僞政府有鑑於此，當民國三十一年時，曾制定『農地之防水與排水工事助成綱要』，對於以簡易之防水與排水工事，修築防水堤，開鑿排水路等。 造成耕地之地方團體，省、市、縣、旗。 發給百分之四〇以內之補助費總額爲八〇萬圓。 以期鼓勵，而便推進。

當民國三十三年時，復制定僞『康德十一年度農地之開墾及改良事業綱要』，將補助對象擴大至一般農民； 同時，將補助率改爲工事總經費之百分之三〇以內。 該年度共支出補助金額達一三〇萬圓之多。 由民國三十一年至光復時止，其工事完竣之耕地面積，約達四三萬公頃。

查此等土地之防水與排水工事，非但實施簡易，且不需要多量資材，至於收效則頗大。 其他類此之工事，在東北各地，亦有不少。 是以欲謀農業之增產，對於此項工事之推行，殊有不容稍緩之勢。

當民國三十一年時，僞滿政府曾制定『治安較佳區域之農地復興綱要』，其復興之方針，前已述及。 迨至民國三十二年，對復興廢耕地及簡易開墾土地者，每公頃發放

㈡ 此處刪去四字。

十五圓之補助費。民國三十二、三十三兩年間，補助費之發放總額爲六〇〇萬圓，復興之面積，爲四〇萬公頃。此項事業，對於確保農村勞力，使遊民歸農，或對國内開拓計劃等，均有莫大貢獻。今後仍應積極講求對策，以期迅速實行。

此外當民國三十三年時，更有『緊急開墾農地事業補助綱要』之制定，此爲助長地方團體及僞滿洲農地開發會社之加速開拓農地而設。其補助率定爲工事總經費之百分之三〇以内；但僞『國營造成農地事業』則不支給此項補助費。

第五節　旱田之灌溉

欲收農業增産之效，必須擴大耕地面積，與增加收穫量；欲謀增加旱田作物收穫量，則又必有賴於農業水利技術。兹將其方法列左：

（一）防止河川等氾濫，實施防水工作，以確保農地及農作物之安全。

（二）實施窪濕地之排水，以謀改良土地。

（三）建築旱田灌溉之設備，或加改良，以謀收穫量之增加。

上述各項耕地之防水與排水事業，係由一般農民及僞濱江省防水開發事業局、水利公會、僞『滿洲拓殖公社』等實施者，但其結果，則不如『開墾農地』之可觀。

熱河省及遼寧省南部、西部一帶之農業方法，已漸漸近於集約、多角的經營；但因降水量之分布不匀及受季節風蒸發等關係，向來僅對於一部特用作物及園藝作物等，施以舊式灌溉方法。而灌溉之作物，尤以果樹、蔬菜等爲主。在東北大陸氣候之下，如能對旱田普遍實施灌溉，則增産實大有望，此雖爲該地之人所共知，但終未能普及。考其理由，不外以下數端：

（一）該地受農業氣象影響，旱田作物之種類不多，至因灌溉即可穫利之作物，更爲鮮少。

（二）農民之經營農業方法，極爲舊式而粗拙，且對旱田灌溉，無澈底之瞭解。

（三）農民多缺乏資金，對社會情勢又抱不安。故對支出灌溉設施經費一事，多有戒心。

（四）大部份農地，開墾日淺，雖其經營流於粗放，而收穫尚有相當可觀。

（五）當地官民，皆以擴大耕地面積爲增加收穫量之第一要義，而不知研究單位收穫量增加之妙諦。

（六）灌溉水源之河川，不但難以確保水量，且漲水時期屢爲災害，故農民對於灌溉一事，每有見而生畏之情形。

（七）對於地下水資源，除一部份知識份子外，均未能注意及此。

（八）當地土壤粒子微細，而農耕期之蒸發量又大，若

以少量之水實施間斷灌溉，則表土易於硬結，且發生龜裂。對於作物生育上，影響至鉅。

僞滿政府爲達成農業增產計劃起見，除獎勵擴大耕種面積外，並重視增加單位收穫量。對此雖有種種方法，而利水(一)設施一項，實爲其中具體方策之一。民國三十年時，爲於遼寧省西部及熱河省方面灌溉特用作物而鑿井，曾支出補助費三〇〇萬圓，以資獎勵。當民國三十三年一月，僞滿政府公布之『農政方策大綱』中，有『對特用作物地帶之灌溉設施，力求普及，以資改良農地』之規定。民國三十四年，對於纖維作物之增產，尤其爲增加棉花單位收穫量。乃公布『旱田灌溉實施綱要』，並對將來咸抱莫大期待；惟尚未見有任何成績，因光復而告中輟。其實施綱要如左：

(一)利用鑿井，以地下水灌溉棉花。

(二)由左列各地，選擇有扇形地下水而適於種棉之耕地二〇萬公頃實施之。

遼寧省：蓋平、海城、遼陽、遼中、錦、義、錦西、興城、莊河、岫巖各縣。

熱河省之一部。

(三)利用人力或畜力汲水，每眼井之灌溉能力，預定爲一公頃至二公頃。

(四)每鑿井一眼，由僞政府貼補經費一 三〇〇圓至一八〇〇圓。

(五)民國三十四年春季之鑿井目標，暫定爲八〇〇〇眼。以該地之農業氣象條件而言，如能對農作物加以灌溉，遇必要時，再實施臨時灌溉，則增收自屬有望；而沿中長鐵路之遼河流域，其地下水源之豐富，業經證實；即使地上水全爲水田用盡，僅專用地下水，亦足以謀增收；如此則南部之農業發展，殊不可限量，良以棉花、煙草、蔬菜及果樹等，爲適於灌溉之作物也。

(一) 利水　即爲『水利』。餘同。

第三章　農田水利之調查及研究

第一節　農田水利之調查

『九·一八』事變後，東北未利用地之面積，估計有二千萬公頃以上。僞政府認爲開發此項土地，乃發展農業之要素，故悉心研究，以謀建設經濟基礎。當民國二十五年時，曾樹立遷來日本移民一百萬户之計劃，乃假民族協和之名，宣稱爲企圖確保原住農民、日本開拓民及朝鮮農民所需之農地，須積極調查東北所有之未利用地，實施開發或改良。嗣更爲符合産業開發五年計劃及振興北邊工作，對於改良土地之調查及研究，乃益有必要。

由於上述情形，關於農業水利之基礎調查、研究，亦同感需要。茲先將僞滿政府及其有關機關，當時所實施之調查事項列左：

壹、土地之利用及農業水利之調查　此項調查，係民國二十四年至二十六年間，由僞滿實業部臨時産業調查局土地利用調查班所辦理者。實施範圍，除興安各省外，凡東北各地之未耕地而有開發利用價值者，或既耕地而有改良必要者，均加以調查。關於其分布、所在地、面積及利用改善之意見等，均須詳細報告，以便樹立農地之開發與改良，以合理利用水利等方策。

民國二十六年七月，因僞滿政府行政機構改組，將該局裁撤；歷時二年有半之該項調查，亦隨之中輟；但在該期間内，對東北河川十水系之現地調查，則著有相當成效；其已調查之八個地區，約有可耕地七〇萬公頃；關於局部利用與開發計劃，並已略具規模。各地區中，有直接爲日人集團開拓民所用者，有各僞縣公署經營之開發工事所佔用者，此外更有屬於改組行政機構前之僞國道局者。該局因修築治水工事及水力發電之儲水池等而生之可能利用地，爲數尤夥，此等地區，共調查十三處，面積約有一八五萬公頃。

僞臨時産業調查局土地利用調查班調查十水系成績表

水系名	調查地區内縣名	調查地區數	調查面積　公頃
倭肯河	依蘭、勃利	三	一一三五〇
撓力河	寶清、饒河、富錦、同江	一六	一八八七〇〇

水系名	調查地區內縣名	調查地區數	調查面積 公頃
穆稜河	密山、虎林	二五	八二八〇七
呼蘭河	鐵驪、慶城、綏稜、海倫、綏化、望奎、蘭西、青崗、涌北、拜泉、明水	二八	二一〇七二〇
大洋河	鳳城、安東	一	五四八〇
渾河	瀋陽、新民、遼中	一	二五四八〇
牡丹江	勃利	二	二二五
東遼河	雙山、遼源	一	一七六〇〇
大凌河	錦、盤山、北鎮	一	一〇三八六七
小凌河	錦	一	一三九二〇
計		七九	六六〇一四九

僞國道局調查成績表

水系名	調查地區數	調查面積 公頃	附註
嫩江	四	一三三八〇〇〇	因改修嫩江河川而生之可能利用地
遼河	三	二一六〇〇〇	因構築太子河儲水池及改修遼河而生之可能利用地
大凌河	一	三〇〇〇〇	因改修河川而生之可能利用地
大洋河	一	五〇〇〇〇	因構築大河儲水池及改修遼河而生之可能利用地
渾河	一	一五〇〇〇	因改修渾河而生之可能利用地
第二松花江	一	七二〇〇〇	因改修豐滿堤（坊）〔防〕而生之可能利用地
牡丹江	一	七〇〇〇〇	因改修鏡泊湖堤而生之可能利用地
穆稜河	一	六〇〇〇〇	因改修穆稜河堤而生之可能利用地
計	一三	一八五一〇〇〇	

貳、開拓濕地之調查　此項調查，係民國二十六年至二十七年間，僞滿政府以新設之産業部建設司爲主體，由舊滿鐵、僞滿拓及舊東拓協助之下所實施者。其目的爲促進開發農地及完成開拓政策，將東北濕地中，預想易於開發者，逐步實行基礎調查，以資開墾。此項調查，以不需鉅欵之治水工事，而可能開發利用之濕地爲主。下列六地區中，已完成基礎調查者，爲十九萬公頃。茲分別列左：

一、安東省安東縣馬家堡子地區　三五〇〇〇公頃
二、吉林省農安縣新開河地區　三五〇〇〇公頃
三、合江省密山縣密山地區　一六五〇〇公頃
四、合江省鶴立縣鶴立地區　三六〇〇〇公頃
五、合江省湯原縣蓮江口地區　二四四〇〇公頃
六、嫩江省洮安縣龍山地區　七八四〇〇公頃
計　一九三八〇〇公頃

此項調查内，包括頗爲詳盡之改良土地工事實施計劃；以後凡各該地區之開發，大部皆根據此項調查而實施。

此外，關於洮安縣龍山地區洮兒河之流水量及流出量等，亦由舊滿鐵同時實行調查與研究。不過研究一層，因時間短促，未得充分結論，但對水利計劃上，則獲有數種珍貴資料，可供參考。茲摘録其結果如左：

一、民國二十七年，洮兒河之年流出量 一年流出之水量。可估洮南降水量百分之六〇。是年之降水，不但量多，且其速度甚急，故上述之百分率，決不較往年爲低。

二、流域内降雨後之降水現象，其現於河川流量之時間，與根據流域狀況所算出之理論的時間，頗相類似。然以水量觀察，其每次之降雨量，雖爲增加水量之直接原因，但雨期最初之降水，其效果似極微弱。而在五六月時，略見顯著，九十月時，雖降雨量少，但增加水量則仍大。揆厥原因，蓋以雨期之初，土壤乾燥，降水多被土地吸收，致地表之流水極少，七八月時，土地内之儲水漸近飽和，九十月時，其飽和程度，已達極點，故流於地表部分仍極旺盛，水量之顯著增加，實爲當然。

三、普通河川於本年降水量過多時，則釀成水災；然洮兒河則由於上年度儲存水量之多寡，影響本年度流域内水量之大小，故本年之洪水成災與否，常由上年儲存水量如何而定。

參、遼河治水事業與改良土地之調查　民國二十六年十二月，舉開遼河治水計劃審議會，當時關於遼河全般之治水、水利及改良土地等計劃，已確定根本方針。是年於僞交通部成立遼河治水調查處實施綜合的開發調查。其改良土地之調查一項，由僞産業部建設司負責辦理。民國二十七年，除東遼河及西遼河外，下列未耕地地區概況，業已調查完竣。至民國三十一年，由僞開拓總局拓地處實施改良工作，其結果對於樹立理水事業計劃上裨益

甚多。參照第二章第二節。

地區名	調查面積　公頃	調查區域
太子河地區	四〇一〇〇	遼寧省遼陽、海城、蓋平各縣
蒲河地區	一一〇〇	遼寧省遼中縣
盤山地區	五四〇〇〇	遼寧省盤山、台安各縣
饒陽河地區	五四六〇	遼寧省北鎮、黑山各縣
柳河地區	三三五〇〇	遼寧省彰武、新民各縣
共計	一三四一六〇	

肆、鹼性地帶之調查　此項地域，佔東北區未耕地四分之一，其面積約有五〇〇萬公頃。爲謀開發産業及移民計劃之圓滿，乃實施調查該地帶，以謀樹立必要之方策。是以在民國二十七年十、十一兩個月間，開始調查；其地域爲僞滿奉天省、錦州省、濱江省、龍江省及興安南省；由僞産業部主辦，並有僞大陸科學院及有關各機關參加，實施人文、地文及所有部門之調查。至於改良土地部門，則由僞産業部建設司，及僞滿洲拓殖公社方面派員調查；並聘請東北、朝鮮及日本專家，關於改良鹼性土地，詳加研究，頗有收穫。

根據研究結果，乃設立『鹼性地帶利用開發委員會』，專從事擬具利用開發該地帶之方策。民國二十八年六月，又設立『科學審議會第四部鹼性部會』，解散前述之委員會，將其所有起草方策及業務等，交由鹼性部會接辦。

鹼性地帶之農業水利事項，據專家顧問班及各調查班所報告之概要如左：

一、顧問班現地報告概要

（一）以東北一年之降水量五〇〇公厘之等雨量線爲界限，則鹼性地帶居於西方。

（二）分布於僞濱江省及龍江省波狀高地一帶之含鹼性土壤，因所含鹼性成分較少，故已經墾爲耕地者極多。在龍江省西方各河川流域之所含鹼性地帶，不但所含鹼性較少，而雨量亦多，惟以人口稀少，故有許多地域未經利用。遼河下游及海岸低窪地帶，因滯水及含有鹼性之故，尚未利用。但該地帶，降雨既多，而海岸低窪地帶，又爲可溶性之鹼性，如能對於滯水加以防止，並實施灌溉及排水設施，可能利用爲農地者亦正不少。

（三）在鹼性地帶生育之野草中，有一種牧草，對鹼類之抵抗性頗强；如能種植及研究其利用方法，則鹼性地帶之可用爲牧畜或種植牧草地帶者，當亦甚多。

（四）可變鹼性地爲耕地之方法極多，如利用灌溉及排水使土地改良；或利用施肥方法均可。

（五）利用鹼性地方法，至廣且繁，非必專待農業。應由綜合觀點，採取合理利用方法。例如栽葦，以供紙漿原料；採取蘇打、鹽、芒硝以及作爲牧畜地帶等，均爲有價值之利用方法。

二、各調查班之報告

（一）第一班僞奉天、錦州兩省。　該地帶之鹼性地，因土壤之成因、氣候、地勢及地形等情形，而鹼性之種類亦異，大致可分爲兩大系統：一爲僞錦州省北部及奉天省北部一帶之炭酸及重炭酸鹽性之鹼性地；其二爲僞奉天、錦州兩省南部之海水性鹼地，苟能構築儲水池或天然池及利用河水或開掘排水路等，則大部分土地，均可改爲耕地。他如栽植耐鹼性植物及施肥等，亦爲有效方法。

（二）第二班僞濱江省。　調查地域，爲青崗、蘭西、肇東、肇州及郭後旗等地。該地域之土壤，性質良好，不加改良及設施等，即可直接闢爲耕地者極多；但其中需要灌溉、排水、使用有機肥料及有待改良之處，亦非鮮少。再該地之畜産，向即興盛，當改良土地時，對於此項問題，應一併考慮。

（三）第三班僞龍江省。　調查結果，對面積較大荒地修築利水設施，即甚利用之地區，有哈拉甸子、龍濱平原、江橋及鎮東等四地區。其面積約有旱田一一二萬公頃，水田二五萬公頃之譜。關於灌溉除鹼方法，亟應避免以鉅欵修築儲水池，宜多利用流水。如全地區不能同時灌水時，可分爲數區，其中一區闢爲水田，既收水田之利，又可實行除鹼，俟鹼質除去後，再改作旱田。

（四）第四班僞興安南省及其毗連地域。　該地區係興安嶺山地，洮兒河、歸流河環流此間。年降水量平均爲三百至五百公厘左右，爲乾燥地帶。該地之土壤種類如左：

第一　冲積土　由河川之流域而生成者。

第二　栗色土壤　自阿路洮安至阿爾山鐵路。大石寨附近迤東之地，爲高燥地帶，其土係運積土，栗色土即由此土遞變而成。

第三　森林櫻色土壤　大石寨以西地勢稍高之山岳地帶，其山麓之運積土，於夏季氣温較低時，發生變化而成此土。

第四　濕潤性之土壤　地勢傾斜緩和之歸流河下游地方，因受劇烈地下水之影響，而成此土壤。

第五　鹼性土壤　在扎賚特南方鹼泡子附近或西科前旗葛根廟附近，有冲積土之山丘，其周圍爲排水不良之窪地，由此窪地之黄土凝結，而成此土壤。

上述各土壤中，僅有極小部份，其土質不須改良即可適合農耕。現在已成耕地者，爲冲積土；至栗色土壤及森林櫻色土壤，概爲牧畜地所用；濕潤性土壤現尚未利用，但其表土深厚富於腐植質，極爲肥沃，如實施治水工事(一)，即可造成水田。

此外，洮安縣境内之鹼性土壤，廣布於該縣之東南一

(一) 工事　即『工程』。

帶，總面積計有二二〇〇〇〇公頃。其土壤特質可分爲三種：

第一　分布於海拔一五一公尺以下而排水不良之低窪濕地者，佔全面積百分之六〇，爲含鹼質稀薄地帶；如施排水工事，即可用爲耕地者，亦屬不少。

第二　海拔在一五三公尺左右地帶者，在雨期排水不良時，雖較爲濕潤，但在乾燥期，則地表乾旱，到處形成鹼斑(alkali Spot)。呈此現象之土壤，最爲惡劣，其主要之鹼分爲炭酸鹽，並有少量之鹽化物。

第三　海拔在一五四公尺以上而排水較良之地帶，即分布於鹼性地帶周圍之高地或丘陵地，多含炭酸鹽，而含鹽化物者則極少。其鹼類可溶性較小，對於農作物並無妨礙，其强半土地，已利用爲耕地。

伍、改良土地之基礎調查　當擬定開拓政策之初，關於日本移民用一〇〇〇萬公頃之耕地，多以北部之可耕未耕地或廢耕地爲對象。嗣以地方治安漸趨良好，都市還鄉歸農者遞增，並因南部及華北方面之移來者，亦逐年增加，以致計劃爲移民所取得之未耕及廢耕等地，多被開墾，其面積日漸減少，僅歷數年，其未耕者，只餘二五〇萬公頃矣。僞政府責成僞開拓總局拓地處，務必設法取得七五〇萬公頃，以資彌補，該局乃擬以改良土地，補足此數。

於是將以前有關此項資料，悉加檢討，決定以下列一五〇〇萬公頃之濕地、鹼地等爲對象，自民國二十八年度起，以十年爲期，預定每年調查一五〇萬公頃，其調查事項如左：

預定調查地區及面積

僞省名	地區名	預定調查面積　公頃
三江省	松花江下游右岸地區	二五〇〇〇〇
三江省	松花江下游左岸地區	五〇〇〇〇〇
三江省	湯源縣梧桐河流域	六五〇〇〇
三江省	倭肯河流域	一五〇〇〇〇
三江省	撓力河流域	三五〇〇〇〇
黑河省	黑河省東部地區	五五〇〇〇〇
黑河省	黑河省中部地區	四〇〇〇〇〇
黑河省	黑河省北部地區	二〇〇〇〇〇
龍江省	嫩江上流地域	三五〇〇〇〇
龍江省	訥謨爾河流域	一〇〇〇〇〇
龍江省	呼裕爾河流域	三五〇〇〇〇
龍江省	雙陽河流域	八〇〇〇〇
龍江省	龍江、甘南地區	四五〇〇〇〇
龍江省	綽爾河流域	八〇〇〇〇
龍江省	雅魯河流域	七〇〇〇〇
龍江省	泰來、鎮東地區	四〇〇〇〇〇
龍江省、吉林省	長嶺、乾安、洮南區域	二一〇〇〇〇〇
龍江省、濱江省	安達第一地區	二〇〇〇〇〇〇

僞省名	地區名	預定調查面積　公頃
龍江省、濱江省	安達第二地區	一一〇〇〇〇〇
濱江省	呼蘭河流域	二五〇〇〇〇
濱江省	拉林河流域	一〇〇〇〇〇
濱江省	阿什河流域	五〇〇〇〇
濱江省	螞蟻河流域	一五〇〇〇〇
牡丹江省	穆稜河流域	八〇〇〇〇
牡丹江省	七虎林河流域	一〇〇〇〇〇
牡丹江省	牡丹江流域	一五〇〇〇〇
吉林省	飲馬河流域	三五〇〇〇
吉林省	伊通河流域	二四〇〇〇
吉林省	第二松花江下游地域	一五〇〇〇〇
奉天省	遼河流域	七一〇〇〇〇
其他		六八六〇〇〇
計		一五〇〇〇〇〇

註：一、省名按僞滿當時之行政區劃。

二、遼河流域之七一萬公頃，係隨遼河治水事業所調查改良土地之面積，該調查分爲兩期，前期至民國二十七年者，係僞産業部建設司所調查；後期自民國二十八年至三十年者，係僞開拓總局拓地處所調查。

該項調查至民國三十一年末之成績，有如下表。其最初計劃每年實施一五〇萬公頃之基礎調查一事，除民國二十九年外，均未達成。蓋技術人員，既感不足，而新設立僞開拓總局拓地處，復未能使各水利事業機關，爲合理的整理與合併；且少數之技術人員，亦未能安置適宜，致不能充分發揮工作效率。

調查之實際成績

年度	調查完竣地區數	調查完竣之面積　公頃
民國二八年	八	六一二四三一
民國二九年	一二	一七二六四六二
民國三〇年	一五	一四〇〇六四〇
民國三一年	二一	一〇五三三九〇
計	五六	四七九二九二三

陸、農業水利之調查　此項調查，係於民國二十九年，由僞開拓總局拓地處利水科所實施者。據其發表稱：東北之河川，因氣象尤其因年雨量及其一年間分布狀況等情形，致河水之利用價值極微；由農耕方面觀之，例如業經開發之南部一帶，其利水狀況，已達極點，不但水之分配日趨不當，且有用水不足之虞，以此減少生産，亦在意中。故流入未利用地帶之河川，應事前以綜合見地，擬定利用計劃，以免顧此失彼之弊。

柒、開發中部鹼性地之基礎調查　爲促進開發中部之濱江省及龍江省地帶起見，乃根據鹼性地帶調查結果，制定此項基礎調查及研究綱要。自民國三十二年度，即着手進行，至翌年已獲結果。迨民國三十四年度，方欲正

式樹立開發計劃，因時局驟變而告中輟。其基礎調查及研究之綱要如左：

一、方針

東北中部鹼地，約佔全東北鹼性地六五〇萬公頃中之四二〇萬公頃，其分布率皆近於中部地區。爲增產食糧及確保第三期以後開拓民之用地起見，亟有從速開發之必要。至有關之各種改良工事、生產技術、經營及生活等部門，需要改良者極夥。僞開拓總局、開拓研究所及其他各有關機關，應結成一體，從速完成必須之調查及研究，以符合僞滿國土計劃之綜合開發，並達成增產食糧及完成開拓事業之目的。

二、要領

（一）樹立地域別之開發計劃　開發中部之鹼地，應根據僞國土計劃，以樹立各地域別之基礎開發計劃，而期開發利用之合理。

（二）實施調查土性　爲澈底明瞭鹼牲土壤之真象，草擬分地域開發計劃，以求造成農地㈠，而便利用，應實施調查土性及鹼地植物等。

（三）造成農地之調查及研究　調查、研究實行因地制宜之灌溉、排水、工事，及用灌溉、排水以實施除鹼等辦法，以造成適於農耕之土地。

（四）利用造成農地之調查研究　將造成之農地，合理利用，並使耕種者易於經營，生活安定，應實行調查、研究下列事項：

第一　生產技術事項　關於耐鹼性作物及其品種之選定、育成與耕種法之改善，地力之維持，增進家畜之繁殖，牧野之改良，耕地防風林之造成等。

第二　經營及生活事項　關於適於該地帶之糧穀、莖稈等之經營方式，及計劃集團開墾之農民生活以至於飲用水等。

三、措置

（一）民國三十二年度之工作，以調查鹼地之真象爲重點，且應以之樹立地域別之開發計劃，及造成農地之調查、研究等爲原則。

（二）爲應付時局之要求，加速開發起見，應對容易造成農地之地帶，及不需要特別改良工事，僅以合理的生產技術及經營組織等，即可開發之地帶，優先實行調查、研究。

捌、開發北邊大濕地之基礎調查　東北濕地之面積爲一一〇〇萬公頃，佔未利用地面積之强半，而北邊濕地則佔全濕地二分之一。查該濕地之成因及性狀等，極爲複雜，多需要根本調查及研究。爲推進增產食糧、開發產業及開拓政策，於民國三十一年，決定開發北邊濕地之

㈠ 造成農地　即通過地域開發計劃改良鹼性土壤，形成農田。

基礎調查及研究綱要，擬自民國三十二年度，開始基礎調查，亦受時局驟變影響，至民國三十四年三月，全告中輟。其基礎調查、研究綱要如左：

一、方針

關於開發濕地，各國均積極努力，我東北之濕地面積，佔未利用地之强半，如僞三江、東安兩省境内大濕地之面積，約達五〇〇萬公頃之多，其成因及性狀等，亦極爲複雜，與一般濕地之開發情形，殊有不同，故加以根本調查、研究，實有必要。決由僞開拓總局、開拓研究所及其他各有關機關，從速進行調查、研究，並樹立綜合開發計劃，與僞滿國土計劃相呼應，以期開發産業及開拓政策之順利。

二、要領

（一）造成農地之調查研究　將濕地造成農地，應以排水工事，爲改良之基礎，故對於濕地之排水、灌溉及實行此等工事方法之調查、研究，應積極進行，以資樹立開發本地區之根本計劃。

（二）利用造成農地之調查研究　爲合理利用造成農地，並使農民之經營農業及生活改善，應行調查研究左列事項：

第一　關於生産技術事項

第二　關於經營事項

第三　關於生活事項

三、措置

（一）民國三十二年度之工作，以明瞭該地帶之真象爲重點，並實行造成農地之基礎調查與研究。

（二）爲應付時局之要求，對該地帶中容易造成農地之地域，須以便於急速改良，實行調查及研究。

（三）當調查研究時，應邀僞交通部、大陸科學院、農事試驗場及日本各大學等，參加協助。

第二節　農田水利之研究

壹、對經營大規模水田之研究

舊滿鐵前在舊關東州城子疃，試驗耕種大規模水田，以洪水爲災，乃告中輟，雖未成功，却明瞭經營東北水田，以此方法爲最佳。至民國二十三年，又在鳳城及草河沿岸一帶，選定用地二五〇公頃，以抽水機灌溉法，修建工事，其農事辦公處及住宅等，亦均先後完成，遂將此項水田，委託曾以機械耕法在美國收得成功之佐藤信元經營。

此項辦法，當時曾遭一部人士反對，謂對日本國内生産之大米，有莫大影響，加以地方不靖，致推行計劃，頗有不利；但自開始試驗之三年後，民國二十六年。不但各種試驗均已就緒，且已達經濟的經營階段。爾後因實施日本人移民政策，厲行中小規模經營農業方式，故其試驗前

途，亦趨黯澹㈡，該農場遂脱離舊滿鐵，而成佐藤個人之私有。民國二十六年以後，其經營情形，闃無所聞。迨民國三十三年，因高唱緊急增産，其經營方法，始復爲僞滿政府所注目。

該農場設立之初，已有三十五馬力狄賽爾發電機(Diesel engine)及遠心唧筒(Centrifugal－pump)各兩台，並有用水幹、支線設備。該地區因位於草河沿岸之高地，其地下層爲砂礫質，故排水設施，幾無必要；惟以事業預算艱窘，其開墾面積，尚不足供大規模機械之耕種，故只能使用曳引機(Tractor)翻地、整地、播種及收穫，殊不經濟。

茲將農場試驗水利成績較著者，列舉於左：

一、乾田播種，成績良好，於發芽後，開始灌溉。

二、使用曳引機實行整地時，面積愈廣者，成績愈佳。

三、曳引機，在灌溉期間，只可作爲臨時抽水動力之用。

四、以機械抽水灌溉時，因水温較低，不免寒凉，須特別注意。

貳、對改良土地之研究

此項研究，係由僞開拓研究所委託日本京都帝國大學農學部教授可知氏所完成者。其研究結果，係以『改良東北土地之緊急研究事項』爲題，發表論文，公之於世。論述中之主點，乃爲東北河川，因氣象及地勢等，所發生之特異性。其内容爲：（一）關於降水流出量及流出率，於研究上應加注意之點；（二）灌溉用水之温度及其有關之構造；（三）關於用水路、排水路之護堤及維持管理；（四）濕潤平原之水分蒸發。此論文對東北農業水利之基礎的研究上，確有貢獻。

參、僞開拓研究所之各種研究

一、利用鹼地之準備研究　此項研究，係自民國三十年起，繼續在僞開拓研究所哈爾濱分所完成者。其研究目標，以開墾或利用鹼地之準備研究及實地勘查爲主。結果，對利用之方策，已得結論。其研究内容，係由基礎的土壤學及作物學雙方進行，並以肇東及泰來義勇隊開拓團用地爲試驗地，利用排水溝實行除鹼而試種各種作物，結果以糧穀作物及牧草之成績爲最佳。查東北之鹼地，約有百分之三〇爲不易開發之重鹼性土地，如採上述方法，亦可開爲良田。

此次研究，關於利用灌溉除鹼之法，可謂最大成功。其次指明種植適宜作物，及使用燐酸肥料等，以謀中和土性，或造防風林以減輕蒸發量等，均爲開發鹼性地有效

㈡黯澹　亦作『黯淡』。

方法。

二、開發或利用北邊大濕地及中部鹼性地之研究　以僞三江省、東安省之北邊大濕地及安達縣、乾安縣一帶之中部鹼性地爲對象。研究關於墾爲農地之方法，墾成農地後之利用方法及農民生活各項。民國三十三年，復選定研究地區，實行現地綜合的試驗研究。至在大濕地興建土木時期，據三江省農地造成試驗報告：以於結冰期中作業，最爲適當。

三、灌溉用水之標準　由氣象、土質及栽培方法上，研究灌溉用水之標準，直至光復前，尚以哈爾濱分所爲中心，繼續研究撙節用水方法。

四、灌溉、排水與水温、地温之研究　爲謀於寒冷地帶種稻之安全起見，關於水温、地温之上昇，水源及水路之水温，灌溉方法，或利用明渠（Openchannel）、暗渠（Drain）之排水方法與土壤水温、地温之關係等，均繼續研究。

五、關於渠首工程及土築水路之研究　渠首工程（Headworks）水理學之研究、土築水路（Earthchannel）之適當水流速度或斷面之研究，土堰堤（Earthdam）用土之力學的研究等。

六、維持鹼性地帶地力之研究　爲謀維持及增進鹼性地之地利起見，除施行肥料及品種試驗外，應對鹼性地帶各處之土質，加以調查。

第四章　緊急造成農地事業

第一節　計劃之由來及概要

壹、民國二十八年，僞滿政府以僞滿土地開發株式會社爲主體，由東北二〇〇〇萬公頃之可耕未耕地中，選其易於開發者七五〇萬公頃，作爲僞滿國營農地。在實施開墾期中，適值太平洋戰爭勃發，自此不但橫遭社會情勢之影響，且感受資金、資材及技術人員之不足，在此種艱窘局面下，一直繼續至民國三十二年。日本國內食糧，既於中日戰爭開始時，民國二十六年。因朝鮮大旱，供不應求，其後又因太平洋戰爭，民國三十年。食糧消費量頓形增加，此外更由於日本船舶不足，由南方輸入大米亦感困難，致食糧之恐慌，倍加嚴重。日本爲補救糧荒，乃使僞滿政府樹立緊急增産食糧方策。民國三十二年。

此中爲有關人士所注意者，即開發北邊廣大之可耕未耕地，及僞國營農地事業是也。此事經日本及僞滿政府數行商洽，乃公布『緊急造成農地計劃要綱』，以期早日耕墾農地。其實施要項如左：

一、對業已着手之僞國營造成農地事業中，其預定在民國三十五年以後施工者，應再加以檢討，提前實行。其提前實行之面積爲一七九〇〇〇公頃，新計劃之面積爲七〇〇〇〇公頃，共計二四九〇〇〇公頃。

二、實施工事之期間，爲民國三十三、四兩年度。

三、按照此項計劃所開墾之農地，預定農産物生産量，如左表所列，其中除生産者自行消費之外，全部供給日本。

各年度生産預定計劃

年度	耕種面積 公頃			生産量 公頃		
	水田	旱田	計	稻子	雜穀	計
民國三四年	三三一七九	四三二六〇	七六四三九	四六四五〇	五一九二五	九八三七五
民國三五年	一〇四五〇六	一〇二四〇七	二〇六九一三	一五六二五七	一三五八五九	二九二一一六
民國三六年	一二八九七六	一一九八〇一	二四八七七七	二三一八二四	一八三一三三	四一四九五七
民國三七年	一二八九七六	一一九八〇一	二四八七七七	二八一九六一	二〇〇一八二	四八二一四三
民國三八年	一二八九七六	一一九八〇一	二四八七七七	二九六六五五	二〇三六六二	五〇〇三一七

四、工事所需之勞力，以國民勤勞奉公隊爲主體，以自由勞工補充其不足。

五、造成農地事業之資金總額，爲四三一六〇餘萬圓，其中提前造成之地區，其工事經費及新工事經費，由日本及僞滿兩政府各半擔負。

年度别事業經費計劃　單位：圓

年度	僞滿擔負額	日本擔負額	共計
民國三三年	一五二三五〇八七〇	九二五〇〇〇〇〇	二四四八五〇八七〇
民國三四年	一一四二〇二八一七	六九〇〇〇〇〇〇	一八三二〇二八一七
民國三五年	二五九〇一七九	一〇〇〇〇〇〇	三五九〇一七九
計	二六九一四三八六六	一六二五〇〇〇〇〇	四三一六四三八六六

六、實施此項計劃上所需之資材、資金及技術等，統由日本援助。

七、對於開墾之農地，應即時遷入日本開拓民、東北農民及居住東北之朝鮮農民，不可使寸土荒廢，以求增產食糧。

八、將僞『滿洲土地開發株式會社』機構，改組擴充，改爲『滿洲農地開發公社』，以爲造成事業之實施主體。

此中令人注目者，即向來之僞國營造成農地，只以開墾開拓用地爲重點，而此計劃之造成農地，則以緊急增產爲要務，蓋戰局日趨緊迫，而日人移民東北，不克如期進行，故不得不採取如此措施，固非爲便利東北農民也。

緊急農地之造成事業地區一覽表

地區名	所在地		計劃造成面積　公頃			施工機關	水源河川名	主要工事
	省	縣	水田	旱田	計			
鶴立	合江	鶴立	一一〇〇	六〇〇〇	七一〇〇	農發	阿凌達河	堵水壩、防水堤
蓮江口	合江	湯原	九〇〇	七〇五八	七九五八	農發	格節河	堵水壩、防水堤
太平鎮	合江	樺川	三六〇〇	五〇〇	四一〇〇	農發	松花江	抽水機、防水堤

地區名	所在地 省	所在地 縣	計劃造成面積 公頃 水田	計劃造成面積 公頃 旱田	計劃造成面積 公頃 計	施工機關	水源河川名	主要工事
黑台	合江	密山	一七七一	一〇〇〇	二七七一	農發	穆稜河	堵水壩、防水堤
新開河	吉林	長春	—	五九九八	五九九八	農發	—	排水路
飲馬河	吉林	九台	三八三	四五〇	八三三	農發	飲馬河	堵水壩、防水堤
岔路口	吉林	德惠	—	二〇〇〇	二〇〇〇	農發	—	排水路、防水堤
第二松花江	吉林	前郭旗	五〇〇〇〇	—	五〇〇〇〇	農發	第二松花江	抽水機、防水堤
康平	遼寧	康平	一四五〇	五二三二	六六八二	農發	遼河馬蓮河	抽水機、儲水池
盤山	遼寧	盤山	五二六〇	—	五二六〇	農發	遼河雙台子河	抽水機、防潮堤
呼裕爾河	黑龍江	克東克山	—	七〇〇〇	七〇〇〇	農發	—	排水路、防水堤
綏化	黑龍江	綏化	二〇〇〇	一四三〇	三四三〇	農發	呼蘭河	堵水閘、防水堤
大仙他拉	嫩江	洮安	—	一三〇〇〇	一三〇〇〇	農發	—	排水路
牙力達河	嫩江	泰來	二五〇〇	一七八二	四二八二	農發	牙力達河	堵水壩、防水堤
甘南	嫩江	甘南	一一八九〇	一八一七一	三〇〇六一	農發滿拓	西諾敏河	堵水壩、儲水池
東遼河	遼北	梨樹	二〇〇〇〇	—	二〇〇〇〇	省營農發	東遼河	堵水壩、儲水池
哈爾濱一號	松江	哈爾濱	九四〇	九二〇	一八六〇	事業局	松花江	抽水機
阿城一號	松江	阿城	三〇〇〇	七六〇〇	一〇六〇〇	事業局	松花江	抽水機
五常二號	松江	五常	二〇〇〇	一五〇〇	三五〇〇	事業局	拉林河	堵水壩
青崗二—三號	松江	青崗	六五〇	一〇〇〇	一六五〇	事業局	呼蘭河	
哈爾濱三號	松江	哈爾濱	三四八二	七三六〇	一〇八四二	事業局		
五常六號	松江	五常	三三五〇	二〇〇〇	五三五〇	事業局	拉林河	堵水壩
小凌河	遼寧	錦	一〇〇〇	—	一〇〇〇	省縣營	小凌河	堵水壩
杜家台	遼寧	盤山	—	四四六〇	四四六〇	省縣營	—	防水堤、排水路
城山	遼寧	復	三二〇	九三	四一三	省縣營	復州河	抽水機
海城	遼寧	海城	—	一四八五六	一四八五六	省縣營	—	防水堤、排水路
萬陽	遼寧	蓋平	五〇〇	二〇〇	七〇〇	省縣營	蓋平河	抽水機

地區名	所在地 省	所在地 縣	計劃造成面積 公頃 水田	旱田	計	施工機關	水源河川名	主要工事
新城子	遼寧	瀋陽	—	五〇〇	五〇〇	省縣營	—	防水堤、排水路
前甸	遼寧	撫順	四〇〇	—	四〇〇	省縣營	章黨河	儲水池
新立屯	合江	密山	五〇〇	七三〇〇	七八〇〇	省縣營	穆稜河	堵水壩、排水路
富錦	合江	富錦	一二〇〇	一七五九	二九五九	省縣營	七里星河	堵水壩、防水堤
下城子	松江	穆稜	九〇〇	三三二	一二三二	省縣營	穆稜河	堵水壩、防水堤
拉古	松江	寧安	四〇〇	—	四〇〇	省縣營	大海浪河	堵水壩
三家子	松江	寧安	六〇〇	—	六〇〇	省縣營	大海浪河	堵水壩
綏稜	黑龍江	綏稜	八〇〇	—	八〇〇	省縣營	呼蘭河	堵水壩
朝日	吉林	琿春	一〇〇〇	—	一〇〇〇	省縣營	琿春河	堵水壩、防水堤
農安	吉林	農安	二一〇	—	二一〇	省縣營	伊通河	堵水壩
海龍	遼北	海龍	三〇〇〇	—	三〇〇〇	省縣營	柳河	堵水壩、儲水池
虻牛哨	遼北	昌圖	二七〇	—	二七〇	省縣營	招蘇太河	堵水壩
冠河	遼北	西豐	三〇〇〇	—	三〇〇〇	省縣營	冠河	堵水壩、儲水池
兩家子	遼北	昌圖	六〇〇	三〇〇	九〇〇	省縣營	招蘇太河	堵水壩
計	—	—	一二八九七六	一一九八〇一	二四八七七七	—	—	—

註一：施工機關之正式名稱如左：
『農發』＝僞滿洲農地開發公社
『滿拓』＝僞滿洲拓殖公社
『事業局』＝僞濱江省防水開發事業局

註二：主要工事欄之工事名譯爲英文如左：
堵水壩＝Diversion Weir
防水堤＝Levee for Flood - protection
抽水機＝Pump Station
排水路＝Drainage - channel
儲水池＝Storage Reservoir
防潮堤＝Breakwater
堵水壩＝Head - gate

第二節　計劃緊急造成農地之主要地區

壹、合江省鶴立地區　此地區位於阿凌達河、鶴立河、半截河及松花江之間。因此等河川氾濫而變成之濕地，約有五三〇〇〇公頃。除於該地區修築防水設施外，並實行排水，復以鶴立河及阿凌達河爲水源，造成水田一一〇〇公頃及旱田六〇〇〇公頃。

一、防水堤　三處，總長一〇六公里。

二、排水路　八道，總長七七公里。

三、堵水壩　鶴立河及阿凌達河各一處。

四、用水路　幹線及支線，共計八道，總長約六七公里。

五、道路　新設幹線道路，總長約六九公里。

貳、合江省運江口地區　該地區因松花江及半截河氾濫所變成之濕地，有四二〇〇〇公頃。除修築水堤外，並修築排水設施，以改造濕地，並利用格節河及花雨布河爲水源，計劃造成水田九〇〇公頃及旱田七〇六〇公頃。

一、防水堤　五處，總長約五六公里。

二、排水路　二道，總長約一五公里。

三、堵水壩　格節河及花爾布河各一處。

四、用水路　幹路總長約一五公里。

五、道路　幹線道路二條，總長約二八公里。

參、合江省太平鎮地區　因受松花江氾濫所成之濕地，計有二一〇〇〇公頃，在此除修築防水堤外，並建造排水設施，復以松花江爲水源，利用抽水機，計劃造成水田三六〇〇公頃及旱田五〇〇公頃。

一、防水堤　二處，總長約一七公里。

二、排水路　幹線四道，總長約四〇公里。

三、抽水機　一一〇〇公厘之遠心唧筒四台。

四、發動機　三三〇馬力者四台。

五、用水路　幹線兩道，總長約一三公里。

六、道路　幹線道路，總長約四五公里。

肆、吉林省新開河地區　業已放棄之鹼性濕地，約有三六〇〇〇公頃。在此修築排水設施，將惡水排洩於伊通河內，並建築翁河新開河支流。儲水池，以此爲水源，計劃造成水田二〇〇〇公頃及旱田七〇〇〇公頃。按此項工事，始於民國二十九年，終於三十二年，儲水池雖略有完成，但儲水量始終未能達到預定目標，遂將緊急造成水田之計劃停止，只擬造成旱田六〇〇〇公頃。

一、排水路　五道，總長約五一公里。

二、用水路　幹線三道，總長約六一公里。

三、儲水池　土堤，高七點八公尺，長六公里。

伍、康平地區　該地區在康平街之周圍，不但排水不良，且爲鹼性濕地，其面積共有五二〇〇〇公頃。除將

排水路通於遼河及改良土地外，並重築儲水池一個，調節池二個，使用抽水機吸引遼河水，以期造成水田一　四五〇公頃及旱田五　二三〇公頃。

一、防水堤　二處，總長約六公里。
二、排水路　幹路四道，總長約五六公里。
三、抽水機　六〇〇公厘之軸流唧筒二台。
四、發動機　一〇〇馬力之重油發動機二台。
五、儲水池　土堰堤，高三點八公尺，長四公里。
六、第一調節池　土堰堤，高二公尺，長三公里。
七、第二調節池　土堰堤，高不詳，長三公里。
八、承水路　三道，總長約一七公里。
九、用水路　幹線三道，總量約二四公里。
十、道路　幹線五條，總長約五〇公里。

陸、吉林省飲馬河地區　位於吉長鐵路以南，爲飲馬河氾濫之地域，面積約有三　三〇〇公頃，除修築防水堤外，並於上游約一六公里處之石頭口門，修築堵水壩，以此爲水源，計劃造成水田三八〇公頃，旱田四五〇公頃。

一、防水堤　長一七公里。
二、排水路　幹線三道，總長一二公里。
三、堵水壩　砌石堰堤，高三公尺，長六〇公尺。
四、用水路　幹線總長一六公里。
五、道路　總長約一四公里。

柒、嫩江省呼裕爾河一帶　面積約有一一七　〇〇〇公頃，新設防水堤，以防止呼裕爾河之氾濫，並施以排水設備，再於呼裕爾河修築儲水池，計劃造成水田二三　〇〇〇公頃及旱田一　〇〇〇公頃。爲求緊急計劃之實現，其第一期之工事，先以造成旱田七　〇〇〇公頃爲目標。

一、防水堤　二四處，總長約二五九公里。
二、排水路　幹線二四道，總長約二六一公里。
　　支線二〇〇道，總長約三〇七公里。
三、儲水池　土堰堤，高一二公尺，長六公里。
四、用水路　幹線一七道，總長約一七七公里。
五、道路　幹線三五條，總長約二九七公里。
　　支線六六條，總長約二二九公里。

捌、合江省黑台地區　分布於虎林（綫）〔縣〕[一]及穆稜河之間，面積約有一〇一　〇〇〇公頃，除修築防水堤以防氾濫外，並於穆稜河新築堵水壩，以期利用此水，造成水田一七七〇公頃及旱田一　〇〇〇公頃。

一、防水堤　兩處，總長約七公里。
二、排水路　幹線兩道，總長約一五公里。
　　支線三四道，總长約三二公里。
三、堵水壩　高〇點七公尺，長一〇〇公尺。
四、用水路　幹線兩道，總長約二九公里。

[一] 虎林綫應爲『虎林縣』。

支線三〇道，總長約五〇公里。

五、道路　幹線一四條，總長四八公里。

支線五九條，總長二二公里。

玖、遼寧省盤山地區　分布於遼河右岸及雙台子河左岸一帶，面積約四二〇〇〇公頃。乾燥期鹽分集結既大，而降雨期排水又不甚暢通，加以漲潮時則浸入海水，故需修築防潮堤及排水設施，以排防惡水，並以遼河及雙台子河爲水源，利用抽水機，以期造成水田二〇〇〇〇公頃。此外並考慮水少時之用水不足，於該地區内修築儲水池，以儲存用水。至改修遼河水系之河川工事竣工後，即可拆除。該工事曾由民國三十年起工，造成水田五二六〇公頃之基礎設施。

一、防潮堤　兩處，總長約一八公里。

二、排水路　八道，總長約五九公里。

三、抽水機　田莊台有一三〇〇公厘之遠心唧筒七台。二道橋子有一三〇〇公厘之遠心唧筒七台。

四、原動機　電動機，三五〇馬力者八台，二七〇馬力者七台。

五、儲水池　土堰堤，堤長一三公里。平均水深爲四公尺。有六〇〇公厘之抽水機共七台。有六〇馬力之電動機共七台。

六、用水路　幹線兩道，總長約六六公里。

七、道路　東西以一公里之間隔，南北以三公里之間隔修築之。

八、防風林　於地區周邊，水路及道路兩側，或於地區内，以一公里至二公里之間隔，六〇公尺之寬度，造成防風林。

拾、吉林省岔路口地區　分布於德惠縣境内之第二松花江左岸一帶，對防水堤，實施修補及新設，以防水災，並修築排水設施，以期造成旱田二〇〇〇公頃及藉以改良耕地，並以松花江爲水源，用機械抽水，造成水田三〇〇〇公頃。

一、防水堤　三處，總長約四八公里。

二、排水路　一〇道，總長約三一公里。

三、道路　幹線兩條，總長約一四公里。

支線一二條，總長約四一公里。

拾壹、黑龍江省綏化地區　位於呼蘭河左岸，約爲二三〇〇〇公頃之氾濫地帶。除修築防水堤及新築排水設施，以防水災外，更引呼蘭河水，以期造成水田二〇〇〇公頃及旱田一四三〇公頃。

一、防水堤　兩處，總長約三九公里。

二、排水路　幹線七道，總長約三五公里。

三、導水路　一道，長約一六公里。

四、用水路　幹線八道，總長約二六公里。

五、道路　幹線三條，總長約六四公里。

支線一四條，總長約四七公里。

拾貳、嫩江省大仙他拉地區　爲洮兒河左岸洮安縣境内約二六〇〇〇公頃之濕地。在該地設置排水路，瀉其惡水於洮兒河，以期造成旱田一三〇〇〇公頃。

一、排水路　四道，總長約五〇公里。

二、道路　沿排水路修築之。

拾參、嫩江省牙力達河地區　該地區在泰來縣境内綽爾河右岸，爲一三〇〇〇公頃之濕地。除修築防水堤及排水設施外，並以牙力達河爲水源，計劃造成水田二五〇〇公頃及旱田一八〇〇公頃。

一、防水堤　兩處，總長約一八公里。

二、排水路　六道，總長約三二公里。

三、堵水壩　高一點五公尺，長一五〇公尺。

四、用水路　幹線三道，總長約一二公里。

拾肆、嫩江省甘南地區　在甘南縣城北諾敏河右岸及環繞嫩江右岸之一帶地域，面積約九三〇〇〇公頃。爲防禦興安嶺山麓流來之洪水，應於董蒿溝修儲水池、承水路及排水設施，並以諾敏河爲水源，計劃第一期工事完成時，造成水田一一八九〇公頃及旱田一八一七〇公頃。第二期工事完成時，尚可造成水田二五〇〇〇公頃。

一、儲水池　竣工。爲僞農地開發公社所修築。

二、排水路　幹線三道，總長約七五公里。

三、堵水壩　混凝土造，溢流式，高四公尺，長一〇〇公尺。

四、用水路　幹線四道，總長約一〇四公尺。

五、道路　幹線三條，總長約七二公尺。

拾伍、吉林省第二松花江地區　在郭爾羅斯前旗境内之第二松花江右岸及嫩江右岸一帶，面積約一八萬公頃，除修築防水堤以防嫩江之氾濫及整備排水設施外，並以第二松花江爲水源，利用機械抽水，預定造成水田五〇〇〇〇公頃。

一、防水堤　三處，總長約七五公里。

二、排水路　幹線九道，總長約一二一公里。
　支線八〇道，總長約二九八公里。

三、第一抽水機　灌溉面積爲一六五〇〇公頃。一三〇〇公厘之遠心唧筒一五台。三五〇馬力之電力發動機一五台。

四、第二抽水機　灌溉面積爲一五四〇〇公頃。一三〇〇公厘之遠心唧筒一四台。三五〇馬力之電力發動機一四台。

五、第三抽水機　灌溉面積爲一七六〇〇公頃。一三〇〇公厘之遠心唧筒一六台。三五〇馬力之電力發動機一六台。

此外，利用地區内排出之水灌溉

水田五〇〇〇公頃。

六、用水路　幹線四道，總長約八七公里。

支線九六道，總長約五一二公里。

七、道路　幹線一三道，總長約二三七公里。

支線一二道，總長約七〇公里。

八、防風林

拾陸、遼北省東遼河地區　第一期計劃在懷德縣境内造成水田一一五〇〇公頃，梨樹縣境内三三〇〇〇公頃，共計四四五〇〇公頃。如擬在梨樹縣境内先造成二〇〇〇〇公頃時，須於滴打嘴子修築儲水池，作爲灌溉及調節洪水之用，且於東遼河下游公主嶺西方二十公里之處，設置堵水壩，以便將水導入地區之内。

一、排水路　幹線六道，總長約一一四公里。

二、儲水池　土堰堤，高二五點二公尺，長五八〇公尺。

三、堵水壩　混凝土，高三公尺，長一二〇公尺。

四、用水路　幹線七道，總長約一三六公里。

五、道路　幹線總長約四六八公里。

緊急造成農地之預算與決算

地區名	事業經費預算　圓				民國33年度事業經費決算額　圓
	民國33年度	民國34年度	民國35年度	合計	
鶴立	8 770 302	3 204 199	92 107	12 066 608	6 142 661
蓮江口	7 139 149	3 010 727	77 874	10 257 750	6 528 790
太平鎮	10 163 049	6 070 099	91 214	16 324 359	9 263 431
新開河	1 929 303	1 572 049	58 689	3 560 041	1 618 103
康平	7 842 487	3 477 228	89 698	11 409 413	6 524 482
飲馬河	2 666 361	103 991	—	2 770 352	2 747 633
呼裕爾河	6 100 370	246 877	—	6 347 247	5 066 182
黑台	5 626 709	4 517 597	69 150	10 208 448	3 421 867
盤山	12 983 711	14 829 338	303 202	28 116 251	13 557 979
岔路口	2 597 807	738 006	—	3 334 813	2 304 927

地區名	事業經費預算　圓				民國33年度事業經費決算額　圓
	民國33年度	民國34年度	民國35年度	合計	
綏化	9 693 987	1 861 010	23 525	11 578 522	5 436 485
大仙他拉	1 085 333	2 137 662	49 484	3 272 479	946 315
牙力達河	1 800 606	3 078 655	71 287	4 950 547	1 313 533
第二松花江	55 509 721	43 346 617	593 843	99 150 184	57 875 519
東遼河	37 450 521	26 033 939	319 116	63 803 576	34 518 020
甘南	35 628 588	17 434 536	278 132	53 341 256	23 223 260
省縣經營地區	23 398 389	24 021 459	765 114	48 184 962	23 398 389
防水開發局	14 464 486	27 491 829	707 744	42 667 059	14 464 486
計	244 850 870	183 202 817	3 590 179	431 643 866	218 352 068

緊急造成農地之計劃面積與實際成績

地區名	民國33年度造成計劃　公頃			民國34年度造成計劃　公頃			造成計劃合計　公頃			民國33年度造成實績　公頃		
	水田	旱田	計	水田	旱田	計	水田	旱田	計	水田	旱田	計
鶴立	550	3 000	3 550	550	3 000	3 550	1 100	6 000	7 100	550	3 840	4 390
蓮江口	680	4 000	4 680	220	3 058	3 278	900	7 058	7 958	690	4 000	4 690
太平鎮	1 800	500	2 300	1 800	—	1 800	3 600	500	4 100	1 800	500	2 300
新開河	—	2 800	2 800	—	3 198	3 198	—	5 998	5 998	—	2 800	2 800
康平	400	4 725	5 125	1 050	507	1 557	1 450	5 232	6 682	400	4 725	5 125
飲馬河	383	450	833	—	—	—	383	450	833	383	450	833
呼裕爾河	—	7 000	7 000	—	—	—	—	7 000	7 000	—	3 030	3 030
黑台	700	1 000	1 700	1 071	—	1 071	1 771	1 000	2 771	—	—	—

地區名	民國33年度造成計劃 公頃			民國34年度造成計劃 公頃			造成計劃合計 公頃			民國33年度造成實績 公頃		
	水田	旱田	計	水田	旱田	計	水田	旱田	計	水田	旱田	計
盤山	1 425	—	1 425	3 835	—	3 835	5 260	—	5 260	640	—	640
岔路口	—	2 000	2 000	—	—	—	—	2 000	2 000	—	900	900
綏化	1 000	715	1 715	1 000	715	1 715	2 000	1 430	3 430	1 000	—	1 000
大仙他拉	—	4 100	4 100	—	8 900	8 900	—	13 000	13 000	—	2 000	2 000
牙力達河	480	480	960	2 020	1 303	3 323	2 500	1 782	4 282	480	480	960
第二松花江	20 000	—	20 000	30 000	—	30 000	50 000		50 000	18 031	1 144	19 175
東遼河	—	—	—	20 000	—	20 000	20 000	—	20 000	—	—	—
甘南	7 000	4 650	11 650	4 890	13 521	18 411	11 890	18 171	30 061	5 500	1 000	6 500
省縣經營地區	7 600	14 900	22 500	7 100	14 900	22 000	14 700	29 800	44 500	7 100	14 000	21 100
防水開發局	5 380	11 480	16 860	8 042	8 900	16 912	13 422	20 380	33 802	3 630	15 180	18 810
計	47 398	61 800	109 198	81 578	58 001	139 579	128 976	119 801	248 777	40 204	54 049	94 253

緊急造成農地工事計劃量與實際成績

地區名	總工事量		迄至民國32年度之完成量		民國33年度預定量		民國33年度成績	
	土工 立方公尺	工作物 處	土工 立方公尺	工作物 處	土工 立方公尺	工作物 處	土工 立方公尺	工作物 處
鶴立	11 807 439	386	6 501 896	59	2 548 351	68	1 861 111	19
蓮江口	7 641 799	317	4 696 591	72	2 018 353	128	1 904 121	49
太平鎮	5 811 904	1 803	1 727 186	9	1 903 758	869	1 604 701	437
新開河	9 575 008	489	8 518 980	257	831 028	227	796 652	193
康平	6 360 126	646	3 354 665	182	1 663 756	253	1 671 112	—

地區名	總工事量		迄至民國32年度之完成量		民國33年度預定量		民國33年度成績	
	土工 立方公尺	工作物 處	土工 立方公尺	工作物 處	土工 立方公尺	工作物 處	土工 立方公尺	工作物 處
飲馬河	1 170 150	421	427 444	—	742 706	421	749 199	422
呼裕爾河	3 831 335	1 388	1 516 280	163	2 315 055	1 225	2 110 829	115
黑台	2 319 324	862	—	—	1 191 972	253	588 243	6
盤山	20 240 605	泥水場 3 其他 931	10 017 887	2 599	4 992 201	— 161	4 420 629	— 109
岔路口	1 449 404	232	231 115	—	978 065	52	955 196	32
綏化	3 871 337	269	559 728	—	2 251 451	—	2 434 123	—
大仙他拉	3 141 253	54	865 762	4	763 120	41	550 385	37
牙力達河	2 085 461	56	—	—	615 667	22	597 665	—
第二松花江	32 353 902	5 120	—	—	17 361 005	2 184	15 253 221	1 037
東遼河平原部份	16 220 225	5 021	—	—	11 204 307	堵水壩 1	9 793 810	0.5
東遼河儲水池		1		—	—	65 %		42 %
甘南	17 267 533	2 590	4 911 677	63	6 858 845	1 863	4 018 275	144
省縣經營地區	14 400 148	632	—	—	6 988 932	304	6 988 932	304
防水開發局	13 072 116	601	—	—	4 050 000	203	4 050 000	203
計	172 620 069	21 822	43 329 211	1 410	69 278 572	8 275	60 348 198	3 107

第三節　農地開發公社

偽『滿洲土地開發株式會社』，係成立於民國二十八年六月，其目的爲開發偽滿政府、開拓團及公共團體所有之未利用地，及其有關事業。資本金偽幣二〇〇〇萬圓，純由偽政府出資。設立以來，雖受環境壓迫，但造成農地工作，則頗著成效。該社係對於上述事業，並非絕對獨家包辦，

如濱江省防水開發事業局，滿拓公社，或省、縣等，直接與主管該事業之僞開拓總局洽商，而從事施工者，亦屬不少。

當民國三十二年時，僞滿政府已有緊急造成農地之議，民國三十三年二月，乃公布僞『滿洲農地開發公社法』，設立僞『滿洲農地開發公社』，該社爲特殊法人，係以『促進開拓農地及造成或改良農地，以增加農產』爲目的，資本金五〇〇〇萬圓，悉由僞政府出資，民國三十三年三月，正式開辦，將僞滿洲土地開發株式會社取消，其一切權利義務，完全交由農地開發公社接辦。

僞農地開發公社之業務特徵有四：（一）依照僞政府之根本方針代僞政府辦理事業；（二）對造成之農地，至開拓民遷入爲止，負擔管理經營責任；（三）僞政府指派監理官常駐該社，以期達到事業之完成；（四）以水利組合中央會之地位，對各組合辦理資金、資材及技術等事業。但自成立水利公會後，即停止辦理。此外，更對該社以外之擬緊急造成農地者，採取由該社委託之形式，實施造成農地工事。

第四節　實施經過及實際成績

當民國三十二年十月時，僞政府曾將緊急造成農地計劃案，送請日本政府備案，其後鑑於事業之重要，乃動員僞政府職員及土地開發會社職員，開始調查第二松花江及東遼河兩地區，起草設計，並對提前實施地區、委託省縣經營地區、防水開發事業局施工地區等進行各種準備。

僞滿政府爲推進造成農地事業及緊急增產起見，設立中央推進本部。同時實行此事業之僞開拓總局，則成立增產實踐本部，以期會同指導監督，促進土地開發會社之發展。該社同時則對左列各項，加以努力：

一、簡化本社機構及强化現地機構。

二、在社內成立增產課，管理造成農地。

三、在第二松花江及東遼河地區，設立開發本部。

四、合併鶴立、蓮江口、太平鎮三地區工事事務所，設立三江開發本部。

五、將已設立之工事事務所，改稱開發事務所，於必要時，在所內設立增產課，並得經營農業。

民國三十二年秋季，曾由僞開拓總局，向該社派遣應援技術官，民國三十三年二月，又大批增加，且令拓地處全部技術人員，常駐該社，與該社職員，打成一片，推行事業。是年解凍時，乃一齊開始動工，且根據協定，由日本『農地開發營團』及其他各方面，派來技術專家六十餘人。而工事資材及補助費等，亦按規定實行發給，於是在日本及僞滿一致之莫大期待中，對該事業開始進行。

此項空前造成大農地事業，既因受戰局影響，又因資材、資金、勞工及輸送等不能順利供應，致障碍重重，又加

技術人材不足，更爲影響事業進行之重要因素； 故是年造成之農地，除僅足來春耕種之面積外，其餘土地均成放棄狀態。

第二年民國三十四年度。 上期，仍賡續上年度進行工事，並對於上年度造成之農地，力籌準備耕種，然世界情勢，愈演愈烈，該事業所受之挫折，亦與日俱增，若資材、輸送及勞力等，莫不發生意外重大問題，例如由日本採購之抽水機，因運送船在神户碼頭及仁川途中沉没，致三五〇馬力電動機六台，一三〇〇公厘遠心唧筒二台，以及各種零件等，均葬海底。第二松花江地區，至五月下旬，僅安有抽水機七台，預定爲十八台。 合江省太平鎮地區，因輸送抽水機之遲延，不得不中輟耕作，更因從事作業之勞工，多被日本徵用，致該事業之進行，相繼發生極大障礙。此萬目注視之緊急造成農地大事業，除一、二地區外，其餘均告中輟。

同時，由僞『滿洲拓殖公社』施行之開拓團造成水田工事，及水利公會之實施工事，亦幾乎完全中止。總之，凡與軍方無關之土木工事，均形成停頓狀態。

此農地緊急造成事業，自開始至停止，歷時僅一年有半，雖處於種種不利環境之下，亦有以下成績可舉，此無非由於戰局緊迫，萬事催逼，不得不兼程並進所致也。

緊急造成農地事業民國三三年度。**之年度計劃與實際成績比較表**

種目	計劃	實際成績	比率(%) 對年度計劃	比率(%) 對全體計劃
造成面積	一〇九一九八公頃	九四二五三公頃	八六	三八
水田	四七三九八公頃	四〇二〇四公頃	八五	三一
旱田	六一八〇〇公頃	五四〇四九公頃	八七	四五
事業費	二四四八五〇八七〇圓	二一八三五二〇六八圓	八九	五一
土工量	六九二七八五七二立方公尺	六〇三四八一九八立方公尺	八七	三七
工作物	八二七五處	三一〇七處	三八	一五

第五章　水利組合及水利公會

第一節　水利組合之設立

東北自『九・一八』事變後，耕種水田之數字，頗呈突飛猛進之勢。至民國三十一年時，已突破三〇萬公頃，約超過事變當時耕種面積之四倍。此蓋由於耕種水稻，獲得較豐及僞滿政府積極提倡之故。其中除日本及朝鮮開拓民耕種部份，係按照僞滿政府計劃所造成者外，其餘多爲國人及朝鮮農民個人所經營；此項水田每因用水不足，或水利糾紛，發生民族摩擦，以致影響大米之增產至鉅。民國二十四年，僞實業部雖公布米穀管理法並發出訓令，加以限制，但未收顯著效果，故當時對此項施策，有加强效率之要求，僞滿政府乃研究具體辦法，當民國三十二年一月時，以僞興農部訓令第三三號，公布『水利組合設立綱要』，以期增產大米計劃之得以實現。

按水利組合之設立目的爲：鑑於修築水利設施，以改良或造成農地，爲農業增產上最有效方法，而現有水利事業之指導及實行機構，頗不完備，影響增產甚大，爰設組合，以期在共同經營之下，謀既有水利設施之改良，及新修水利設施，俾水利事業得以發展，農業生產急速增進。

水利組合設立綱要之内容如左：

一、組合應以利用開拓用地以外區域之水系爲原則。

二、以享受該水利設施利益者爲組合員。

三、組合爲連帶責任之公益社團，經營下列事業：(一)農業水利設施之構築、改良及管理，(二)整理有關水利設施之耕地，(三)經營利用水利設施新造成之耕地，(四)經營與以上各項有關之事業。

四、組合之經費及事業費，以水利費收入、事業收入、僞政府補助費及借款等充之。

五、舊有之水利團體，應實行改組合併於該組合之内。組合係先由必要地區，逐漸設立。至民國三十三年末，全東北已設有組合二十四處。

第二節　水利公會之設立

水利組合之設立，始於民國三十二年，迨民國三十三年十二月，僞滿政府公布『水利公會法』，水利組合遂改稱水利公會，取得法人資格，並於長春設立水利公會中央會，爲最高統轄機關。水利公會及其中央會之性格如左：

一、水利公會及以公會爲會員之水利公會中央會，均爲法人。

二、僞政府對公會及中央會發給補助費。

三、水利公會爲農地之造成、改良及經營起見，以辦理必要之利水或治水事業爲目的。其内容爲：（一）修築灌溉、排水及防水之設備或維持管理，（二）湖沼、海面之築地及乾拓，（三）分配農業用水，（四）整理農地，（五）辦理僞興農部大臣特命辦理之事業，（六）與以上各項之有關事業。

四、水利公會於同一事業地區内，具有事業之獨自經營性。

五、水利公會之會員，以一般農地之所有人及國有或公有農地之使用人爲原則。

六、公會之設施費及維持費，按會員享受利益之多寡擔負。

七、中央會以育成公會，並使其事業得以圓滿進行爲目的，其經營之事業如下：（一）指導會員，並對於會員供給或斡旋資金、資材，講求與以各種便利；（二）爲謀會員之育成發展，實行必要之研究與調整；（三）公會職員之養成訓練；（四）僞興農部大臣特命辦理之事項。

水利公會，由民國三十四年起，開始正式工作，值東北光復而瓦解。然以左列各項觀之，可知水利公會之機構，爲實行農業水利之中心機關。東北今後欲獎勵水利事業，似亦不無可供參考之處。蓋利用此種公會，有以下利益：

一、利用水利設施，可使農業增產收效極大。

二、水利公會係以每一水系爲一區域，可使區域内之農民，組成有主動性之共同事業團體。

三、各公會既定之事業計劃，多以改善舊有水田之設施爲主，而此項辦法，較新造成水田之效果爲速。

各水利公會事業計劃一覽表

水利公會名	所在地		計劃水田面積　公頃			工事預算額　千圓	水源河川名	主要工事
	省名	縣名	既成水田	造成計劃	計			
奉天	遼寧	瀋陽新民	八七〇〇	二八〇〇	一一五〇〇	一三〇〇〇	遼河　渾河	堵水壩抽水機　六〇〇公厘一〇台
撫順	遼寧	撫順	二〇〇	一三〇〇	一五〇〇	三五〇〇	渾河　章黨河	儲水池・堵水壩
海城	遼寧	海城	五〇〇〇	—	五〇〇〇	一二〇〇〇	遼河	抽水機　三〇〇公厘一〇台

水利公會名	所在地 省名	所在地 縣名	計劃水田面積 公頃 既成水田	計劃水田面積 公頃 造成計劃	計劃水田面積 公頃 計	工事預算額 千圓	水源河川名	主要工事
新賓	遼寧	新賓	八〇〇	—	八〇〇	一〇〇〇	渾河	堵水壩
安東市	安東	安東市	三〇〇〇	—	三〇〇〇	三〇〇〇	趙子溝	抽水機三〇〇—四五〇公厘八台
安東	安東	安東	一四〇〇	一一〇〇	二五〇〇	一七二〇	合隆河	儲水池
鳳城	安東	鳳城	一七〇〇	八〇〇	二五〇〇	二五〇〇	靉河牛吐子河	儲水池
岫巖	安東	岫巖	—	一五〇〇	一五〇〇	二八〇〇	鴨河・小洋河土城子河	暗溝儲水池
莊河	安東	莊河	—	一五〇〇	一五〇〇	一五〇〇	小洋河	儲水池
柳河	安東	柳河	六〇〇	六〇〇	一二〇〇	一五〇〇	柳河	儲水池、堵水壩
開原	遼北	開原	四七〇〇	一三〇〇	六〇〇〇	四〇〇〇	清河、柴河、冠河	堵水壩、井
海龍	遼北	海龍	三〇〇〇	三〇〇〇	六〇〇〇	六〇〇〇	山城鎮河	儲水池
永吉	吉林	永吉	一八〇〇	—	一八〇〇	三五〇〇	第二松花江	儲水池
磐石	吉林	磐石	六〇〇	一二〇〇	一八〇〇	四五〇〇	筒子溝其他	儲水池
敦化	吉林	敦化	—	二五〇〇	二五〇〇	八〇〇	牡丹江	堵水壩
延吉	吉林	延吉	三〇〇〇	—	三〇〇〇	二〇〇〇	地下水朝陽川	堵水壩、井
和龍	吉林	和龍	三〇〇〇	—	三〇〇〇	一二〇〇	海蘭河	堵水壩、井
汪清	吉林	汪清	一七五〇	二五〇	二〇〇〇	二〇〇〇	嘎呀河	堵水壩儲水池抽水機
延壽	松江	延壽	五〇〇〇	—	五〇〇〇	三五〇〇	螞蟻河	堵水壩
寧安	松江	寧安	一八〇〇〇	—	一八〇〇〇	一五〇〇	牡丹江	堵水壩
方正	合江	方正	一五〇〇	一五〇〇	三〇〇〇	五八〇〇	螞蟻河	堵水壩
通河	合江	通河	三五〇〇	—	三五〇〇	八〇〇〇	岔林河	抽水機

水利公會名	所在地		計劃水田面積　公頃			工事預算額 千圓	水源河川名	主要工事
	省名	縣名	既成水田	造成計劃	計			
倭肯	合江	依蘭勃利	一一〇〇	一四〇〇	二五〇〇	五六〇〇	倭肯河	儲水池
綏化	黑龍江	綏化	—	一三〇〇	一三〇〇	九〇〇	呼蘭河	堵水壩
共計			六八三五〇	二二〇五〇	九〇四〇〇	九一八二〇		

註：本表係以僞興農部農地科長事務交接書作爲作成之資料。

水利公會水利工事實際成績截至民國三四年。

水利公會名	計劃工事之水田面積　公頃		工事完竣之水田面積　公頃		附註
	改善設施	新造成	改善設施	新造成	
安東市	三〇〇〇	—	二〇〇〇	—	
安東	—	一一〇〇	—	八〇	儲水池及導水路一部未完成
岫巖	—	二五〇	—	二〇〇	幹線水路一部未完成
奉天	七二〇〇	—	七二〇〇	—	
撫順	二〇〇	—	二〇〇	—	
開原	二〇〇〇	—	二〇〇〇	—	第一期工事
海龍	五〇〇	—	五〇〇	—	第一期工事
柳河	六〇〇	—	六〇〇	—	
敦化	—	二五〇〇	—	一〇〇〇	堵水壩完成，儲水池一部未完成
磐石		五〇	—	五〇	第一期工事
延吉	二七〇〇	三〇〇	一〇〇〇	三〇〇	
汪清	一七五〇	—	五〇〇	—	

水利公會名	計劃工事之水田面積　公頃		工事完竣之水田面積　公頃		附註
	改善設施	新造成	改善設施	新造成	
和龍	二七五〇	二五〇	一〇〇〇	二五〇	
寧安	一八〇〇〇	—	三〇〇〇	—	
方正	一五〇〇	一五〇〇	四〇〇	八〇〇	
通河	三五〇〇	—	一〇〇〇	—	
延壽	五〇〇〇	—	一八〇〇	—	
計	四八七〇〇	五九五〇	二一二〇〇	二六八〇	

註：工事竣工之水田面積，係至民國三十四年春播種期前所完成者。

第六章　結論

以上各章將僞滿時代農田水利事業之狀況，已大致述畢。其中除『九・一八』事變後，爲救濟韓國農民而設之『安全農村』其目的不在實施農田水利。未列入此項事業外，其餘可按農田水利事業之變遷，分爲四期：第一期爲『九・一八』事變後，至米穀管理法公布時之自由放任期；第二期爲公布本法後之補助事業期；第三期爲大規模開發期；第四期爲光復前二年，以增産食糧爲重點之緊急造成農地期。其每期之特點如左：

壹、第一期民國二十一年至二十七年。『九・一八』事變後，對於韓國農民之救濟事業，純爲罹災者之安居或歸農，故於推行之水利政策上，無何意義。當時日人爲保護其國内之稻田耕作計，對於東北耕種稻田，頗有主張抑制者；並爲確保日本移民用地，不希望水利事業，無限制的急遽發展。至於當時之農田水利事業，除舊滿鐵或東亞勸業株式會社所輔導之特定農場外，其餘均由國人及舊有或新遷入之韓農等，以幼稚技術及小資本開發者；故『九・一八』事變後，水田之耕種面積，雖一度減少百分之二〇以上，但甫經一年，又恢復至原種之面積。迨二年以後，更較原種面積增加百分之二五，此後乃大有逐年擴張之勢。其發展之原因，固不止於一端，而日、韓移民，逐年累增，及日人之需要大米，日趨緊急，實爲其主要原因。民國二十五年以後，因設立僞滿洲拓殖株式會社及舊滿鐵鐵路自警村等，關於日人開拓用地水利事業之進行，漸趨積極，惟此時大規模農田水利事業，則尚未發達，僅對舊有水利設施，加以改良，以期免去水患及擴充耕地面積而已。此外，爲開可耕未耕地所進行之調查，亦爲本期值得特書之一事。

貳、第二期民國二十七年至二十九年。本期之事業，以建設日本、韓國開拓民，或韓國農民居住地區之水利設施爲主，尤以由興辦水利，增産大米，以加强日人永住東北之觀念，更爲本期工作之主要目的。及民國二十八年春，僞滿政府公布『未利用地開發綱要』：自此東北農田水利事業，已見萌芽，而其各種業務，亦隨之逐漸活潑。

參、第三期民國二十九年至三十二年。自民國二十九年，僞國營造成農地事業，爲日本開拓民準備用地時起，至採取增産食糧之緊急對策時止，爲第三期。本期之農田水利事業尤其造成農地事業。與開拓事業，表裏如一，例如以確保日本開拓民用地爲目的，實施之僞滿國營造成農地，僞滿洲拓殖公社及舊滿鐵，對於業已移入之開拓團用地，仍繼續上期，實施小規模造成水田，改善水利設施，及改良土地等事業，其成績頗有可觀。此外，地方官廳如濱

江省實施之防水、開發事業； 東安省實施之改良新立屯土地事業等，亦爲其中之犖犖大者。 故綜觀僞滿時代，造成農地之實際成績，當以本期爲最著。

民國三十二年四月，僞興農部所設農地改良科，擔任輔導一般農地之造成與改良事宜。 並於其先民國二十九年。曾辦理各種農田水利事業之貼補制度，故農田水利事業頗有進展。

肆、第四期民國三十三年以後。 本期重點，除實施緊急造成農地事業，設立水利公會及設置自給農場等，以謀增産外，並對於一般農民，獎勵簡易造成農地與改良農地，以資加强增産，解決食糧問題。 終以戰局日趨嚴重，日本已至最後關頭，致此項計劃之推行無大收穫。

總之，僞滿時代關於東北之農地造成及興辦水利等事業，確有成績可觀； 惟自太平洋戰爭發生後，關於資材及勞力之不足，農地荒廢者日漸增多； 而光復後，又以種種關係，不但荒廢者未能興復，而且較前更多，故今後爲補救食糧之不足，調劑農村生産之均衡，以及改善民生等，則獎勵東北農田水利事業，實爲重要問題。 至於應取之辦法，則如左列：

一、緊急處理對策

（一）對於用水資源之分布及其利用現況、現有水田之分布狀況、未開發農地分布狀況、耕種水田農家之現況等，應詳加調查，以爲今後施策之基礎。

（二）因時局影響，致放棄水田者，不在少數。 應利用現在機會，將超過飽和狀態各河川流域之水田面積，徹底調查； 按水田面積與水源、水量之多寡，加以整理分配，以免將來用水不足。

（三）研究防止農民離鄉及獎勵歸農等對策，以維持既成水田之耕作面積及確保農村之勞力。

二、永久對策

（一）以已往利用河川自然流水之農田水利事業，其利用之水量，已近飽和，故今後對於水源之涵蓄，河川漲水時之儲存以及地下水源之利用等問題，須徹底講求增强之道，以期將來之發展。

（二）對一切産業部門，應從速樹立用水資源之合理的利用及分配計劃，於分配農業用水之範圍內，宜先實施舊有水田之經營，以後再循序進行未完成之水利工事及計劃新修工事。

（三）應完成主要河川之治水事業，並應由新的觀點，對於東北所有土地之利用、開發，作全盤檢討。

（四）應使執掌水利全般事務之行政機構單純化，或使有關之法令簡易化。

（五）凡造成農地、水田之防水與排水，及旱田之灌溉等規模巨大之事業，應由國家經營； 至水利公會，則應由民間組成共同事業之機構，如此兩者可以相輔並進，收效可以速而且大。

（六）對於民間水利事業，除强化其技術指導外，並須普及對於使用水利設施之知識。

（七）應留意將來耕種水田者之補充問題，並研究以機械耕種方法，以期經營大規模之水田。

（八）以目前之情勢觀之，欲正式進行水田事業，不但略嫌爲時尚早，且有諸多困難，故宜利用現在機會，養成大批水利技術人材，以期將來水田之振興。

以上不過舉其大要，至一切詳細辦法，只有賴於管理農田水利事業之東北當局，參照既往，企劃將來，更望東北農民，順從政府意旨，努力開發；此不但爲東北食糧自給自足計，且亦對戰後中國全體經濟上，有莫大補助也。

僞滿時期有關農田水利事項年表

年	月	事項
民國二一		僞東亞勸業公司設立鐵嶺安全農村。
民國二二	三	制定僞滿洲國經濟建設要綱。
		爲河川之調查及勘測，於僞國務院國道局，設立第二技術處，設立營口及河東安全農村。
民國二三	六	公布土木工事取締規則。
	九	於僞實業部，設立臨時産業調查局及墾務科，開始調查東北各河川。僞國道局。
		設立安全農村。
		舊南滿洲鐵道株式會社，於鳳城開設機械水田農場。
民國二四		公布僞實業部訓令第一一三號『關於取締農業水利事業由』。
		僞臨時産業調查局開始『利用土地及農業水利之調查』。
	三	設立僞大陸科學院。
		決定調查東北河川之重點，爲遼河水系。
		開始主要都市防水工事。
		設立三源浦安全農村，擴張營口、鐵嶺及河東農村。
民國二五	八	定『日本人大量移民計劃』爲僞滿國策。
	九	合併僞東亞勸業株式會社，設立僞滿鮮拓殖株式會社。
	一〇	設立僞滿洲拓殖株式會社。
	一二	於僞總務廳設立僞水力電氣建設局。

年	月	事項
民國二六	二	決定遼河水系治水根本方針，於交通部設立遼河治水調查處。
		以二年爲期，由建設司開始調查濕地之開拓。
	五	擧開日滿農業政策審議委員會。
	七	僞土木局移於僞交通部管轄，並於該部設立航路司。
	七	僞實業部改爲僞產業部，新成立建設司，並由僞民政部接收拓政司，由僞總務廳接收水力電氣建設局。撤廢僞臨時產業調查局墾務科。
		將僞滿洲拓殖株式會社，加以擴充，改爲僞滿洲拓殖公社。
	九	產業開發第一次五年計劃開始實施。
		開始第二松花江、鏡泊湖水利發電工程。
	一〇	合併僞國道局，於僞民政部設立僞土木局。
民國二七	七	於僞總務廳設立企劃委員會。
	八	於企劃委員會內，設立物資委員會。
	九	於企劃委員會內，設立勞務委員會。
		於企劃委員會內，設立理水委員會。
	一一	公布米穀管理法。二十八年六月實施。
	一二	公布河川法。二十八年四月實施。
		開始柳河、饒陽河、東沙河、遼河下流部分之治水工事。建設司隨同遼河治水計劃，關於土地之改良開始調查。
		實行鹼性地帶調查。於僞總務廳設立鹼性地帶之利用開發委員會。
民國二八	一	公布未利用地開發要綱。於僞產業部新設開拓總局。裁撤拓政司及建設司。
		開始實施北邊振興計劃。
		於企劃委員會內設立開發委員會。
	三	於企劃委員會内設立開拓委員會。
	六	於僞國務院科學審議委員會第四部內，設立鹼性部會，裁撤鹼性地帶利用開發委員會。
	六	設立僞滿洲土地開發株式會社。
		濱江、三江、牡丹江各省經營之造成農地事業，開始實施。
		僞國營造成農地事業開始設計調查。土地改良之基本調查。

年	月	事　項
民國二九	六	於開拓總局内設立開拓研究所。
	七	偽産業部改稱偽興農部，將農務司分爲農産司及農政司，設立偽濱江省防水開發事業局。
		開始實施偽國營造成農地事業。
		偽開拓總局開始農業水〔力〕〔利〕之調查。
		支出造成水田之補助費二〇〇萬圓。
民國三〇	六	偽交通部之航路司改稱水路司，設立理水調查處。
		制定偽國營造成農地事業委託省縣要綱。
		將偽満鮮拓殖株式會社，併入偽満洲拓殖公社。
		規定開拓團造成水田事業。基礎設施。爲偽滿拓本身事業。
		支出造成水田之補助費二〇〇萬圓。
		對於東北之南部旱田灌溉，支出補助費三〇〇萬圓。
民國三一	一	完成遼河水系治水實施計劃，以後將調查河川之主力轉向松花江。
	二	公布『復興治安較佳區域之農地要綱』。
	三	公布『東北開拓民助成事業法』。
		公布『基本國策大綱』。
		制定『造成水田助成要綱』，支出補助費二〇〇萬圓。
		制定『農地之防水與排水工事助成要綱』，支出補助費八〇萬圓。
民國三二	一	公布『戰時緊急農産物增産方策要綱』。
	一	制定『水利組合之設立要綱』及『自給農場之設立要綱』。
	三	決定『緊急造成農地之計劃要綱』。
	三	公布『河川堰堤規則』。
		開始東北之中部鹼性地帶及開發北邊大濕地帶之基礎調查。爲復興荒蕪地及獎勵開墾，每公頃支給補助費一五圓。
	四	於偽興農部農産司設立農地改良科。
	五	公布『關於利用農地之促進辦法』。

年	月	事項
民國三三	一	公布『農政方策要綱』。
	二	決定『利水統制要綱』。
	三	於僞交通部設立理水司，於該司設立利水統制聯絡會議開始緊急造成農地事業。
	三	設立僞滿洲農地開發公社。
	八	廢止米穀管理法，制定緊急造成農地事業之助成規則。
	一二	農地科改稱農地改良科，歸農政司管轄。
	一二	公布『水利公會法』。
		決定『農地造成之改良事業實施辦法』。
		制定『農地造成之改良事業助成要綱』，支出水田之造成改良事業一五〇〇萬圓及農地之防水與排水事業二三〇萬圓等之補助費。
		由興農合作社提倡簡易造成農地運動。
民國三四	二	設立水利公會中央會。
	七	因改組僞開拓總局機構，裁撤拓地處。 關於農業水利事項，改由農地科担任。
		制定東北南部旱田灌溉之實施要綱。

中國水利史典　編輯出版人員

總　編　輯　湯鑫華

總責任編輯　陳東明

副總責任編輯　穆勵生　馬愛梅

松遼卷一

責任編輯　宋建娜　朱　莉

審稿編輯　李中鋒　穆勵生　馬愛梅　宋建娜　王　藝
楊春霞　張小思　朱　莉　趙　耀　王　勤
張南冰　劉宗濤　韩　蕾

封面設計　王　鵬　蘆　博

版式設計　孫立新　黃雲燕

責任排版　吴建軍　郭會東　孫　静　丁英玲　聶彦環

責任校對　張　莉　梁曉静　黄　梅

責任印制　劉一檠　帥　丹　孫長福　王　凌